AF238416

ACCESO GRATIS a la Lectura en la Nube

Para visualizar el libro electrónico en la nube de lectura envíe junto a su nombre y apellidos una fotografía del código de barras situado en la contraportada del libro y otra del ticket de compra a la dirección:

ebooktirant@tirant.com

En un máximo de 72 horas laborables le enviaremos el código de acceso con sus instrucciones.

LA GESTIÓN DE LA VIVIENDA SOCIAL EN CLAVE EUROPEA

LA GESTIÓN DE LA VIVIENDA SOCIAL EN CLAVE EUROPEA

NÚRIA LAMBEA LLOP

Autora

tirant lo blanch

Valencia, 2022

COLECCIÓN DERECHO DE LA VIVIENDA
Director
SERGIO NASARRE AZNAR

© Núria Lambea Llop

© TIRANT LO BLANCH
EDITA: TIRANT LO BLANCH
C/Artes Gráficas, 14 - 46010 - Valencia
TELFS.: 96/361 00 48 - 50
FAX: 96/369 41 51
Email:tlb@tirant.com
www.tirant.com
Librería virtual: www.tirant.es
DEPÓSITO LEGAL: V-129-2022
ISBN: 978-84-1397-618-1
IMPRIME Y MAQUETA: Tink Factoría de Color

Si tiene alguna queja o sugerencia, envíenos un mail a: *atencioncliente@tirant.com*. En caso de no ser atendida su sugerencia, por favor, lea en *www.tirant.net/index.php/empresa/politicas-de-empresa* nuestro procedimiento de quejas.

Responsabilidad Social Corporativa: http://www.tirant.net/Docs/RSCTirant.pdf

Índice

Capítulo III
EL SISTEMA DE GESTIÓN DE VIVIENDA SOCIAL EN ESPAÑA

Capítulo IV
BUENAS PRÁCTICAS COMPARADAS EN LA GESTIÓN DE LA VIVIENDA SOCIAL. UN NUEVO MARCO DE LA GESTIÓN DE VIVIENDA SOCIAL EN ESPAÑA

Índice figuras

Índice tablas

Abreviaturas

ALMO(s)	*Arm's-Length Management Organisation(s)* (organismo autónomo local de gestión)
AVC	Agencia de la vivienda de Cataluña
AVS	Asociación española de gestores públicos de vivienda y suelo
BBSH	*Besluit Beheer Sociale Huursector* (Decreto de gestión de la vivienda social)
BOE	Boletín oficial del Estado
BTIV	*Besluit Toegelaten Instellingen Volkshuisvesting* (Decreto de las instituciones admitidas de vivienda)
BZK	*Ministerie van Binnenlandse Zaken en Koninkrijksrelaties* (Ministerio del Interior y de Relaciones del Reino)
CA/CCAA	Comunidad Autónoma/Comunidades Autónomas
CC	Código civil
CCC	Código civil de Cataluña
CE	Constitución Española
CEVASA	Compañía española de viviendas en alquiler SA
CFV	Centraal Fonds Volkshuisvesting (Fondo central de vivienda)
CIC	*Community interest company* (sociedad de interés comunitario)
CIO	*Charitable incorporated organisations* (organizaciones constituidas como de beneficiencia)
Comité DESC	Comité de Derechos Económicos, Sociales y Culturales
DA	Disposición Adicional
DF	Disposición Final
DOGC	*Diari oficial de la Generalitat de Catalunya* (Diario oficial de la Generalidad de Cataluña)
DOUE/DOCEE	Diario oficial de la Unión Europea/ Diario oficial de las Comunidades Europeas
EA	Estatuto de Autonomía
EEMM	Estados Miembros
EPGVS	Entidad proveedora y gestora de vivienda social
FD	Fundamento de derecho
FIBS	Fundación Família i Benestar Social
FJ	Fundamento jurídico
HA(s)	*Housing association(s)*
HCA	Homes and Communities Agency (Agencia de viviendas y comunidades)

INE	Instituto Nacional de Estadística
IRSC	Indicador de renta de suficiencia de Cataluña
IS	Impuesto sobre sociedades
ITP y AJD	Impuesto sobre transmisiones patrimoniales y actos jurídicos documentados
IVA	Impuesto sobre el valor añadido
IVBN	Vereniging van Institutionele Beleggers in Vastgoed Nederland (Asociación de Inversores Institucionales de los Países Bajos)
IVIMA	Instituto de la vivienda de Madrid
LAU	Ley de arrendamientos urbanos
LCSP	Ley de Contratos del Sector Público
LDVC	Ley del derecho a la vivienda de Cataluña
LEC	Ley de Enjuiciamiento Civil
LIS	Ley del impuesto sobre sociedades
LO	Ley orgánica
LOFAGE	Ley de Organización y Funcionamiento de la Administración General del Estado
LRBRL	Ley reguladora de las Bases del Régimen Local
LRJSP	Ley de Régimen Jurídico del Sector Público
LRSAL	Ley de racionalización y sostenibilidad de la Administración Local
LSVT	*Large-Scale Voluntary Transfer* (transferencia voluntaria a gran escala)
LVPV	Ley de vivienda del País Vasco
OCDE	Organización para la Cooperación y el Desarrollo Económicos
OLV CCT	Oficina local de vivienda del Consell Comarcal del Tarragonès
PDVC	Plan para el derecho a la vivienda de Cataluña
PIDESC	Pacto Internacional de Derechos Económicos, Sociales y Culturales
RP(s)	*Registered providers* (proveedores registrados)
RSH	Regulator of Social Housing (Órgano regulador de la vivienda social)
RTB	*Right to buy* (derecho de compra)
SA	Sociedad anónima
SIEG	Servicio de interés económico general
SL(U)	Sociedad limitada (unipersonal)
SMHAUSA	Servicio municipal de la vivienda y actuaciones urbanas SA de Tarragona
SOCIMI	Sociedad anónima cotizada de inversión en el mercado inmobiliario
(S/A)TC	(Sentencia/Auto del) Tribunal Constitucional español

(S)TEDH	(Sentencia del) Tribunal Europeo de Derechos Humanos
TFUE	Tratado de Funcionamiento de la Unión Europea
(S)TJCE	(Sentencia del) Tribunal de Justicia de las Comunidades Europeas
(S)TJUE	(Sentencia del) Tribunal de Justicia de la Unión Europea
TIV(s)	*Toegelaten instellingen volkshuisvesting* (instituciones admitidas de vivienda pública)
TRLITPYAJD	Texto refundido de la Ley del impuesto sobre transmisiones patrimoniales y actos jurídicos documentados
TRLSC	Texto refundido de la Ley de sociedades de capital
TRLSRU	Texto refundido de la Ley de Suelo y Rehabilitación Urbana
(S/A)TS	(Sentencia/Auto del) Tribunal Supremo español
(S)TSJ	(Sentencia del) Tribunal Superior de Justicia
UE	Unión Europea
VPO	Vivienda de protección oficial
VTW	Vereniging van Toezichthouders in Woningcorporaties (Asociación de Supervisores de las *woningcorporaties*)
VVMM de Bilbao	Organismo autónomo local Viviendas Municipales de Bilbao
WCO(s)	*Woningcorporatie(s)*
WSW	Waarborgfonds Sociale Woningbouw (Fondo de garantía para la vivienda social)
Zaragoza Vivienda	Sociedad municipal Zaragoza Vivienda

Agradecimientos

Este trabajo es fruto tanto del Proyecto "Gestión de la vivienda social en Cataluña" como del posterior desarrollo de la tesis doctoral de la autora. Así, agradezco, respectivamente, la concesión del Proyecto a la Escuela de Administración Pública de Cataluña y a AGAUR la concesión de la beca FI-DGR 2016. Por otra parte, debo agradecer al Programa de Doctorado de la Universidad Rovira i Virgili y al Departamento de Derecho Privado, Procesal y Financiero de la misma Universidad por su acogida, y, especialmente, a la Cátedra UNESCO de Vivienda y a todas sus investigadoras e investigadores, por el apoyo y los conocimientos transmitidos; también al personal bibliotecario. Mención especial merecen mis compañeras de despacho, Rosa Maria y Gemma, y también mi director de tesis, el Prof. Dr. Sergio Nasarre, por la oportunidad brindada y por hacerme de guía y mentor a lo largo de estos años.

Este trabajo no hubiera sido posible sin las estancias de investigación que permitieron el estudio de los modelos comparados. Agradezco al Programa de Movilidad Erasmus+ las concesiones de dos becas para poder realizar estancias de investigación. Al OTB *Research Institute for Housing, Urban and Mobility Studies* de la Universidad Tecnológica de Delft (2014), al *Housing and Communities Research Group* de la Universidad de Birmingham (2017) y al *Centre for Housing Law, Rights and Policy* de la Universidad Nacional de Irlanda Galway (2018) por su acogida, así como a sus respectivos directores, el Prof. Dr. Peter Boelhouwer, Prof. Dr. David Mullins y Dr. Padraic Kenna. Asimismo, debo agradecer el tiempo, ayuda y conocimientos compartidos por las investigadoras e investigadores de estos grupos de investigación, así como la ayuda prestada del personal administrativo. Mención especial a Accord Housing Association y a sus trabajadores y trabajadoras, por acogerme y abrirme las puertas en la gestión diaria de esta *housing association*, y al Prof. Mullins, quién hizo posible esta colaboración.

Gracias a las personas representantes de las entidades que muy amablemente respondieron al cuestionario y estuvieron dispuestos a colaborar en este trabajo. También a todos los profesionales y expertos del sector, tanto nacionales como internacionales, que decidieron compartir su tiempo y conocimientos conmigo a lo largo de estos años. Gracias también a los miembros del tribunal de mi tesis doctoral, la Prof. Dra. Esther Muñiz, catedrática de Derecho civil de la Universidad de Valladolid, la Prof. Dra. Marja Elsinga, catedrática de instituciones y gobernanza de la vivienda de la Universidad Tecnológica de Delft y el Prof. Dr. Julio Tejedor, catedrático de Derecho administrativo en la Universidad de Zaragoza, y a los evaluadores externos, por sus valiosas aportaciones. Y finalmente, a mis amigas, por todo su apoyo, y a mi familia y mi pareja, por toda su ayuda, paciencia, comprensión y apoyo constantes, indispensables para poder llegar hoy aquí.

Prólogo

Cada vez existe más consenso en que es necesario aumentar el parque de vivienda social en nuestro país. Los efectos sobre la vivienda de la crisis financiera mundial de 2007 y, posteriormente, la del coronavirus del año 2020, han evidenciado la necesidad de que exista una oferta de vivienda más o menos permanente condicionada, de algún modo, por los poderes públicos, de manera que pueda conseguirse acceder a ella a un precio reducido de mercado por un determinado grupo de población, usualmente el menos favorecido.

No obstante, sobre esta cuestión, como en prácticamente todas las cosas importantes de la vida, que usualmente tienen que ver con los derechos humanos, no conviene ser naíf, pues los retos al respecto son numerosos. En primer lugar, en 2021, nadie sabe a ciencia cierta cuánta vivienda social existe en España, dónde está localizada ni por quién y cómo está gestionada, quién la está ocupando, desde cuándo y si persiste el motivo por el cual le fue adjudicada, qué características tiene y en qué estado (físico, legal, posesorio) se encuentra, etc. Es lamentable que desde 2012 hasta 2020 no existieran unos números, más o menos completos, y cuando llegan, siguen sin serlo. De manera que no deja de ser sorprendente que unos y otros sigan demandando más (aunque por motivos distintos) o nos sigan comparando con base a la información suministrada por Eurostat (que al menos para España, claro, debe ser necesariamente incorrecta) con ciertos países nórdicos señalando la poca que tenemos (se entiende que siempre se refieren a vivienda social de alquiler), cuando no se sabe cuánta hay realmente.

En segundo lugar, no pueden desatenderse los trabajos internacionales que, por un lado, advierten que solo existe nueva disponibilidad sustancial de vivienda social en épocas de bonanza económica, que no conocemos en España desde el período 1995-2007, ni las decisiones de la Comisión Europea ni del Tribunal de Justicia europeo entorno a lo que implica tener un mercado de vivienda social demasiado amplio que distorsione la competencia, como sucedió en los Países Bajos. Como en tantas cosas, en el término medio está la virtud (Aristóteles), pero cuán difícil es de hallar, especialmente en tiempos de *twitter*.

En tercer lugar, que no pueden denostarse —como se hace a menudo al recurrir a discursos maniqueos— los millones de personas que durante décadas se han beneficiado de una vivienda social en propiedad, es decir, que no tienen ya ningún casero (ni privado ni público) al que le deban rentas

o que les condicione el uso de sus viviendas, sin perjuicio de que la normativa amparara en ciertos momentos abusos y privatización de beneficios.
Porque de lo contrario, cuando resulta que un alcalde (u otro político)
controla una buena parte de la vivienda de alquiler que se ofrece en una
determinada localidad (o país), se producen importantes déficits democráticos (por lo menos, tal y como la entendemos desde finales del s. XVIII en
Europa), como se viene viendo en Viena desde hace aproximadamente un
siglo. A menudo me da la sensación de que tanto unos como otros quieren
concentrar (controlar) el máximo número posible de viviendas, juego en
el que el favorecer el acceso a la vivienda parece la excusa para otros fines,
descartando apriorísticamente cualquier aproximación a que los que menos tienen puedan acceder sosteniblemente a una vivienda pero siendo
autónomos a la vez (lo que solo se consigue con la propiedad: si tú no eres
el propietario de algo, otro lo es por ti y decide por ti).

En cuarto lugar, y a pesar del evidente fracaso de la mayoría de las medidas tomadas en políticas públicas de vivienda desde el inicio de la crisis
de 2007 (afirmación que nos hemos ocupado de justificar ampliamente
en *Los años de la crisis de la vivienda*, 2020) que nos han llevado a 2021 a un
laberinto en el acceso para los excluidos (reflexione el lector si estamos
realmente mejor en esta materia en 2021 que en 2005 o que en 2009, es decir, tras 15 años de crisis), lo cierto es que nuestra capacidad de gestión de
cada vez, al menos pretendidos, mayores parques de vivienda social debe
ser revisitada conforme a estándares internacionales acostumbrados históricamente a gestionar mucha más vivienda. Y, para ello, debemos atender a
su naturaleza jurídico-privada, formas de regulación y control públicos de
la gestión, su estructura interna y externa, formas de tenencia compatibles,
financiación, etc.

Y todo esto nos lleva, en fin, a reflexionar sobre si la vivienda social (y,
dentro de esta, la de titularidad pública, se entiende) debe ser la única
manera de que sea asequible poder acceder a una vivienda allí donde las
personas quieren o, más a menudo, tienen que residir; o sea, en grandes
ciudades, dada la general deficiente política de cohesión territorial que
arrastramos, con ciudades superpobladas que engullen a profesionales y
talento de otros municipios y, en contraste, con la España vaciada. Y de esta
reflexión surgen propuestas más intervencionistas (especialmente desde
2015 en legislaciones autonómicas en forma de sanciones, recargos tributarios y expropiaciones, todas ellas con un coste y eficacia desconocidos
hasta el momento, pero a pesar de ello ya validadas, en su mayor parte por
el Tribunal constitucional en 2018; o controles de renta duros, mostrados
ineficaces por toda la literatura científica —no la del pensamiento mági-

co— allí donde se han implementado durante años) o menos (a través de las tenencias intermedias catalanas, por ejemplo, desde 2015) para que el mercado de la vivienda no apoyado directamente con dinero público, es decir, el puramente privado, pueda (o deba, según la intensidad de la amenaza exorbitante de la Administración) contribuir a dicha asequibilidad sin sobrecargar nuestro ya maltrecho y mal gestionado Estado Social.

Pues todo esto que les he descrito está en el origen de la redacción de esta obra de la Dra. Núria Lambea Llop, hace ya algunos años. Con ella, la Dra. Lambea muestra un profundo conocimiento de la materia y de los modelos comparados, habiéndolos estudiado *in situ*, recurriendo a normativa nacional de Inglaterra y de los Países Bajos y también europea, así como a obras de referencia internacionales, llevando a cabo entrevistas a profesionales en España y en dichos países para poder conocer y desvelar aquí no solo el marco legal y reglamentario que ampara a las entidades proveedoras y gestoras de vivienda social sino también los intríngulis de una buena gestión de amplios parques de vivienda social, así como de los riesgos que supone traspasar determinadas líneas rojas. La Dra. Lambea, pese a su juventud, ha desarrollado ya una prolífica carrera académica en el seno de la Cátedra UNESCO de vivienda de la Universidad Rovira i Virgili, de la que se han desprendido nuevos proyectos y publicaciones, así como la concesión recientemente del premio extraordinario de doctorado. Verán que la caracteriza su minuciosidad y precisión al escribir, en los datos y en las fuentes, algo muy de agradecer en un área, la de la vivienda, de la que todo el mundo parece saber, como el fútbol.

De todo ello se beneficiará el lector, pues este libro, debidamente actualizado, parte de su tesis doctoral internacional que fue juzgada en 2020 por un tribunal presidido por la catedrática de Derecho civil, la Dra. Esther Muñiz Espada (U. Valladolid) y compuesto por el catedrático de Derecho administrativo, Dr. Julio Tejedor Bielsa (U. Zaragoza) y por la catedrática de Instituciones de la vivienda y Gobernanza, la Dra. Marja Elsinga (TU. Delft), que mereció la máxima calificación y que tuve el honor de dirigir.

En definitiva, creo que el libro les ayudará a entender desde una óptica internacional e interdisciplinar qué es vivienda social, cómo funciona su provisión y gestión en Inglaterra y en los Países Bajos (ambos países con una larga tradición en esta materia) y, en concreto, la figura de las *housing associations*, el control público de su actuación, sus innovaciones en las formas de tenencia para diversificar, para acompañar, su financiación y fiscalidad, su gobernanza y servicios; para después, pasar a analizar la situación en España para ver en qué podemos mejorar, llegando a proponer al final una regulación *ad hoc* para estas entidades en nuestro país teniendo en cuenta lo estudiado en dichos modelos comparados. Un trabajo útil y riguroso, de años, que seguro el lector sabrá apreciar.

Sergio Nasarre Aznar
Catedrático de Derecho civil
Universidad Rovira i Virgili

Introducción

El objetivo principal de esta obra es diseñar y proponer un modelo de provisión y gestión de vivienda social para España que permita estructurar y mejorar la eficiencia de un sector atomizado y desestructurado, siguiendo modelos europeos que han demostrado tener la suficiente capacidad de gestionar grandes parques de vivienda social de alquiler[1].

El aumento del parque de vivienda social en España es una necesidad apremiante, que además se refleja en los cambios de legislación (estatal y autonómica) continuos y destinados a resolver tanto el acceso como la pérdida de la vivienda de la población. Para que este aumento pueda producirse y mantenerse en el tiempo se deben poner esfuerzos en discutir, plantear y desarrollar políticas de gestión de vivienda social, principalmente a través de fórmulas que permitan mantener la vivienda en el sector de la vivienda social. Estas políticas eran inexistentes hasta hace bien poco debido a la tendencia histórica de promoción de vivienda protegida para su posterior venta[2]. El modelo de provisión y gestión debe, además, tener en cuenta las exigencias de estabilidad presupuestaria y de sostenibilidad financiera impuestas a España por la Unión Europea (UE en adelante)[3].

Precisamente, al cierre de la edición de este libro (octubre 2021), existen dos iniciativas legales en materia de vivienda que ejemplifican, una vez más, el constante cambio existente en este ámbito. Por un lado, encontramos la propuesta de ley estatal de vivienda del Ministerio de Transportes, Movilidad y Agenda Urbana, de la cual aun no se conocen muchos detalles,

---

[1] Los parques de vivienda social de alquiler gestionados solamente por administraciones locales/regionales suelen asociarse a parques de poco tamaño, mientras que países donde predominan modelos de gestión privados sin ánimo de lucro (o lucro limitado) cuentan con grandes parques de alquiler social. Conclusiones extraídas del indicador sobre parque de vivienda social en alquiler (indicador PH 4.2 *Social rental dwellings stock*, actualizado en 2021) de la base de datos sobre vivienda asequible de la Organización para la Cooperación y el Desarrollo Económicos (OCDE), disponible en http://www.oecd.org/housing/data/affordable-housing-database/ (último acceso 05-03-2021).

[2] Se presenta todo este contexto en el apartado "1. El acceso a una vivienda digna, adecuada y asequible en España" del Capítulo III de este trabajo.

[3] Reforma del artículo 135 de la Constitución Española, de 27 de septiembre de 2011 (BOE 27-09-2011, núm. 233) y LO 2/2012, de 27 de abril, de estabilidad presupuestaria y sostenibilidad financiera (BOE 30-04-2012, núm. 103).

pero parece que establecerá medidas para controlar los precios del alquiler en áreas consideradas como tensionadas (y distinguiendo entre grandes y pequeños tenedores), regulará un recargo del impuesto sobre bienes inmuebles a las viviendas vacías, aumentará el porcentaje de reservas de suelo para vivienda protegida y procurará ayudas al alquiler para los jóvenes. A pesar de la poca información que de momento ha trascendido[4], se vislumbra la intención de aumentar el parque de vivienda social de alquiler (independientemente de la nomenclatura que se acabe utilizando); sin embargo, por el momento no se ha hablado de la regulación de la gestión de este parque (ni de proveedores y gestores de vivienda social).

Por otro lado, y paralelamente a la propuesta anterior, el 8 de octubre de 2021 se publicó la admisión a trámite de la Proposición de Ley de garantía del derecho a la vivienda digna y adecuada[5], de la que sí disponemos del texto, y en la que se establecen medidas para evitar los desahucios de las personas en riesgo de exclusión residencial, medidas contra el sobreendeudamiento, modificaciones importantes a los arrendamientos urbanos de vivienda, medidas para proteger y aumentar el parque de vivienda pública y movilizar las viviendas vacías y medidas para garantizar el derecho subjetivo de toda persona a una vivienda digna, adecuada y asequible. Sin entrar en mayor detalle, resaltamos dos aspectos que incorpora la proposición y que son importantes en relación con el contenido de este libro: 1. el uso de una pléyade de términos (vivienda asequible, vivienda protegida, vivienda social, vivienda de precio limitado, alquiler social, vivienda asequible incentivada, etc.) que poco ayudan a la armonización y estructuración del sector de vivienda social que abogamos en este libro; y 2. la falta de referencia a la gestión del parque que se quiere aumentar, así como la ausencia de una regulación básica de los proveedores y gestores de vivienda social (se regula una colaboración entre organismos públicos y entidades privadas sin ánimo de lucro y cooperativas, mientras que se excluye expresamente a las sociedades mercantiles; además el texto hace referencia en dos puntos a promotores sociales de vivienda, pero no entra ni a definirlos ni a regularlos en ningún momento).

---

[4]   Nasarre Aznar, S. "La tormenta perfecta que precede a la Ley de vivienda", *HayDerecho*, en prensa.

[5]   BO de las Cortes Generales 08-10-2021, núm. 192-1. proposición presentada por los Grupos Parlamentarios Confederal de Unidas Podemos-En Comú Podem-Galicia en Común, Republicano, Plural, Euskal Herria Bildu y Mixto.

Volviendo al objetivo principal de este libro, su consecución se llevará a cabo mediante unos objetivos específicos, que se desglosan a continuación atendiendo a la estructura de este trabajo:

1. El primer capítulo tiene como misión delimitar el concepto del objeto de trabajo de los modelos de entidades estudiados y del modelo propuesto en el Capítulo IV, es decir, el concepto de "vivienda social". Para ello, se hace referencia a la función que desempeña la vivienda social en cada Estado Miembro de la UE, a los conceptos utilizados por diferentes instituciones, organizaciones y federaciones internacionales y a los conceptos adoptados por los dos modelos comparados estudiados, así como el existente (o los existentes) en el ordenamiento jurídico español. También se toma en consideración la influencia de la UE en la delimitación de este concepto, a través de la determinación de los servicios de interés económico general. Este capítulo reivindica, asimismo, el importante papel que desempeña la vivienda en la vida personal y en la vida social de los individuos y las familias, y enumera los instrumentos internacionales, europeos y españoles existentes para garantizar el acceso a una vivienda digna y adecuada (art. 47 de la Constitución Española[6], CE en adelante).

2. En el segundo capítulo se lleva a cabo un estudio exhaustivo de las entidades proveedoras y gestoras de vivienda social en Inglaterra y en los Países Bajos, ambos con altos porcentajes de parque de vivienda social (17% y 29,1% respectivamente, siendo este segundo el más alto de la UE)[7], centrándonos en el modelo de gestión privada sin ánimo de lucro: las *woningcorporaties* gestionan casi la totalidad del parque de vivienda social en los Países Bajos, mientras que las *housing associations* son el proveedor principal, por delante de las administraciones locales, de vivienda social en Inglaterra. Se estudian y analizan, principalmente, no tanto su origen sino más bien su crecimiento y consolidación como proveedores principales de vivienda social, su concepto y forma jurídica, su marco legal, los mecanismos de acreditación y de control públicos, sus fuentes de financiación, las actividades y los servicios que proporcionan, las formas de tenencia que ofrecen a sus usuarios, el rol que adoptan estos en la entidad y los sistemas de adjudicación y pérdida de vivienda social. El objetivo

---

[6]	BOE 29-12-1978, núm. 311.
[7]	Housing Europe. *The State of Housing in Europe 2021*. Housing Europe, 2021, pp. 80 y 107.

final del estudio de estos modelos comparados es poder comprender
y resaltar aquellos aspectos que hacen que estos modelos de gestión
sean exitosos a nivel de gobernanza, de desempeño de su función
principal, la de provisión y gestión de vivienda social y de viabilidad
económica.

3. Una vez estudiados los modelos comparados, el tercer capítulo es-
   tudia y analiza los modelos de gestión de vivienda social en España
   siguiendo, en la medida de lo posible (teniendo presente que estamos ante un sistema heterogéneo y, en general, poco desarrollado),
   la estructura del anterior. Este capítulo persigue un doble objetivo:
   en primer lugar, comprender y destacar aquellos aspectos y prácticas
   consideradas exitosas de estos modelos y, en segundo lugar, identificar las deficiencias e insuficiencias legales en este campo de la
   gestión de la vivienda social.

4. Finalmente, el objetivo del cuarto capítulo es poner en común todas
   las buenas prácticas detectadas en los modelos estudiados en el segundo y tercer capítulos para posteriormente utilizarlas como base
   para el planteamiento de un modelo de provisión y gestión de vivienda social funcional para España. Así, este capítulo culmina con
   la propuesta de cómo debería ser, a nuestro juicio, este modelo,
   incorporando requisitos de homologación y registro, regulando la
   creación de un órgano público supervisor, estableciendo los preceptos principales que debería contemplar su normativa reguladora y
   discutiendo su alcance estatal o autonómico. Asimismo, y fruto de las
   insuficiencias legales detectadas en el capítulo anterior, se plantea
   la regulación de un régimen especial de arrendamiento de vivienda
   social, a disposición solamente de aquellas entidades que se homolo-
   guen y registren con nuestro modelo planteado.

Para alcanzar dichos objetivos hemos remitido a una pluralidad de metodología. El método dogmático se ha utilizado a lo largo del Capítulo
III para estudiar el Derecho sustantivo en relación con la materia de la
vivienda y la vivienda social en España, así como las relaciones jurídicas
que aparecen a la hora tanto de captar como de acceder a una vivienda
social y la forma jurídica de las entidades que provén y gestionan este tipo
de vivienda. En este punto se identifican y estudian la legislación y normativa existentes, se detectan las deficiencias e insuficiencias legales para,
finalmente, y con la ayuda del estudio comparado, plantear una propuesta
de regulación de las entidades proveedoras y gestoras en España, así como
la propuesta de un régimen especial de arrendamiento de vivienda social.

También se hace una reflexión, en el Capítulo I, de los instrumentos legales existentes, a nivel internacional y europeo, de defensa del derecho a la vivienda, así como la legislación, jurisprudencia y doctrina que han influido en la determinación del concepto de vivienda social a nivel de la UE. Finalmente, en este mismo primer capítulo se analizan las definiciones legales de vivienda social o similares existentes tanto en España (y en las diferentes Comunidades Autónomas, CCAA en adelante) como en Inglaterra y en los Países Bajos.

Para enriquecer el método dogmático, hemos empleado el método sociológico, de manera transversal en todos los capítulos de este libro. Por un lado, hemos reflexionado sobre lo que implica el derecho a tener acceso a una vivienda digna y adecuada y el papel que esta vivienda juega en la vida de cada persona en particular y en su relación con la sociedad en general. Por otro lado, analizamos las políticas y prácticas de gestión de las entidades que gestionan vivienda tanto en los modelos comparados como en España (en este caso a través de cuestionarios enviados a las entidades) y, en particular, mostramos interés por aquellas que tengan presente el perfil y las necesidades de cada unidad familiar que accede a una vivienda social, así como también aquellas que consigan contribuir a la consecución de mixtura social en las promociones y en los barrios o zonas y fomenten la convivencia y buen ambiente vecinal. Todas ellas se tienen en cuenta para la propuesta de modelo de provisión y gestión de vivienda social del Capítulo IV. En este punto, además de llevar a cabo un análisis legal, de doctrina y de estudios científicos pertinentes, hemos concertado reuniones con académicos expertos en la materia, así como con representantes y con trabajadores de las propias entidades gestoras e, incluso, hemos asistido a reuniones y estado presentes en el trabajo y gestiones del día a día de una *housing association* inglesa.

Finalmente, en el Capítulo II hacemos uso del método comparado para estudiar los sistemas jurídicos inglés y neerlandés, concretamente, para el estudio de la legislación y normativa relacionada con el campo de la vivienda, las formas de tenencia de la vivienda social y los tipos de proveedores, centrándonos, como hemos mencionado, en las *housing associations* inglesas y en las *woningcorporaties* neerlandesas, así como en sus respectivos modelos de registro o de admisión para poder homologarse como proveedores de vivienda social ("proveedores registrados" en Inglaterra e "instituciones admitidas" en los Países Bajos) y la consiguiente normativa aplicable. En este caso, también ha sido importante para este trabajo el estudio y análisis de fuentes históricas o de antecedentes legislativos a partir de los que han surgido y evolucionado estas entidades gestoras y sus modelos de regulación y control en los modelos comparados, por lo que hemos hecho uso del método histórico en el derecho comparado.

De la exposición de los objetivos específicos y de la metodología utilizada puede verse el vasto alcance de este libro, necesario para su objetivo principal, el de plantear un marco legal funcional para todas las entidades que provean y gestionen vivienda social en España, inexistente hasta el momento. Por ello, el objetivo no es profundizar en cada aspecto tratado en este trabajo, sino solamente en aquellos que sean clave para plantear el mencionado marco legal.

También debe resaltarse el carácter interdisciplinar del libro, a lo que lleva la inevitable perspectiva holística que requiere el estudio de la vivienda[8]. Así, además de la vertiente legal, para nuestro fin ha sido necesario acercarnos a las disciplinas de la ciencia política y de la sociología. Y en cuanto al Derecho, a nuestro entender, el Derecho público debe hacer uso de instituciones del Derecho privado para plantear un modelo que mejore la eficiencia en la gestión de la vivienda social en España[9].

Por último, creemos oportuno resaltar las limitaciones que nos hemos encontrado a la hora de llevar a cabo el estudio de los sistemas jurídicos inglés y neerlandés. Por un lado, la complicada tarea de traducir e interpretar conceptos legales del Derecho extranjero que pueden distar de lo que entendemos por ese mismo concepto en nuestro ordenamiento jurídico (las mismas *housing associations* o *woningcorporaties*, o la *shared ownership* inglesa), o que directamente no dispongamos de tal figura en nuestro ordenamiento (ej. el *leasehold* inglés). Por otro lado, la dificultad de encontrar tanto legislación como artículos jurídicos de la regulación y los últimos cambios legislativos de las *woningcorporaties*. Este obstáculo se ha ido superando gracias a labores de traducción, de contacto con investigadores del país, así como con una estancia de investigación en la Universidad Tecnológica de Delft (TU Delft) de dicho país.

---

[8]   KEMENY defiende la interdisciplinariedad en el campo de la investigación de la vivienda para que sea más enriquecedora y no se reduzca a las teorías, conceptos y discusiones de una disciplina determinada. KEMENY, J. *Housing and Social Theory*. Abingdon: Routledge, 1992. p. 17.

[9]   En temáticas como: las formas jurídicas de las entidades y su organización interna, los tipos de tenencias de la vivienda, el régimen especial de arrendamientos de vivienda social, la protección del parque de vivienda social ante posibles casos de quiebra o liquidación de la entidad o el control de ciertas actuaciones que puedan implicar la despatrimonialización de la entidad.

Capítulo I

¿Qué es una vivienda social?

1. INEXISTENCIA DE UN CONCEPTO UNITARIO A NIVEL EUROPEO

Para poder definir, estudiar y comparar sistemas de gestión de vivienda social, es imprescindible poder concretar primero qué se entiende por "vivienda social"[8].

El primer obstáculo a la hora de hacer un estudio comparado en esta materia es que no existe una definición unitaria a nivel europeo de vivienda social[9], hecho que agrava la ya difícil tarea de obtención de datos e información que sean realmente comparables a nivel europeo e internacional sobre el sector[10] (desde si hay mucha o poca vivienda social a si son comparables los modelos de gestión).

El enfoque o concepción que cada Estado adopta respecto a este tipo de vivienda es diverso y las definiciones se construyen a partir de diferentes variables, las cuales, a su vez, pueden ser diferentes entre los países: las formas de tenencia, los proveedores, los grupos destinatarios y los acuerdos de financiación, especialmente[11]. Esta frecuente falta de coincidencia a la hora de escoger unas variables concretas para delimitar el concepto de vivienda social hace que extraer un término único sea complejo[12]. A este marco complejo no ayuda el hecho de que la mayoría de países no dispone de una definición oficial de vivienda social; es más, algunos utilizan tér-

---

[8]   En los primeros apartados hablamos de vivienda social en general, sin distinguir tipos de tenencia. Más abajo en este mismo capítulo, discutiremos la cuestión de vivienda social de alquiler y de propiedad.

[9]   WHITEHEAD, C. y SCANLON, K. *Social housing in Europe*. Londres: LSE London, 2007. pp. 5 y 8. Véase también HOUARD, N. (ed.) *Social housing across Europe*. París: La documentation Française, 2011. p. 13.

[10]   DOLING, J. *Comparative housing policy. Government and housing in advanced industrialized countries*. Londres: MacMillan, 1997. p. 173.

[11]   PITTINI, A. y LAINO, E. *Housing Europe Review 2012. The nuts and bolts of European social housing systems*. Bruselas: Cecodhas Housing Europe's Observatory, 2011. p. 22.

[12]   OXLEY, M y SMITH, J. *Housing Policy and Rented Housing in Europe*. Londres: E&FN SPON, 1996. p. 83.

minos diferentes, como "vivienda de alquiler reducido" (*habitations à loyer modéré*) en Francia, "vivienda común o vivienda sin ánimo de lucro" (*almene boliger*) en Dinamarca, "promoción de vivienda" (*Wohnraumförderung*) en Alemania, "vivienda de utilidad pública" (*allmännyttiga bostäder*) en Suecia y "vivienda protegida" o "vivienda de protección pública u oficial" en España[13]. La escasez de conceptos comunes en el ámbito de la vivienda se extiende al propio término de "vivienda", "hogar" o "sinhogarismo"[14],

---

[13]   Véase la tabla realizada por la Comisión Económica de las Naciones Unidas para Europa en ROSENFELD, O. *Social Housing in the UNECE Region. Models, Trends and Challenges*. Ginebra: Naciones Unidas, 2015. pp. 7 y 8.

[14]   Este concepto proviene del término inglés *homelessness*, y hace referencia al fenómeno de carecer de hogar. A nivel español, el término no está aceptado aún por la Real Academia Española, aunque sí existen diversos estudios a nivel de organizaciones internacionales (ej. THORPE, E. *El papel de la vivienda en la exclusión residencial. Vivienda y Sinhogarismo. Tema anual 2008*. Bruselas: Feantsa, 2008), a nivel de instituciones públicas (ej. ÁREA DE DERECHOS SOCIALES. AYUNTAMIENTO DE BARCELONA (dir.) *Plan de lucha contra el sinhogarismo de Barcelona 2016-2020*. Barcelona: Ayuntamiento de Barcelona, 2017) y a nivel académico (ej. MORENO MÁRQUEZ, G. "Exclusión social severa y sinhogarismo ¿qué opinan las personas usuarias sobre los recursos?", *Portularia: Revista de Trabajo Social*, vol. Extra 12, 2012, pp. 245-253 o NAVARRO LASHAYAS, M.A. "El fin del sinhogarismo en Euskadi ¿mito o realidad?", *Zerbitzuan: Gizarte zerbitzuetarako aldizkaria*, núm. 54, 2013, pp. 111-125) que ya hacen uso de él. Además, existe una propuesta de inclusión de este término desarrollado por la Cátedra UNESCO de Vivienda de la Universidad Rovira i Virgili (31-01-2018), la cual también propone una nueva acepción de "hogar" que vaya más allá de casa o domicilio, debiendo añadir un componente social, psicológico, emocional y cultural (la autora Fox habla del "factor X" en Fox, L. *Conceptualising Home. Theories, Laws and Policies*. Oxford-Portland: Hart Publishing, 2007, pp. 138 y ss.), puesto que sin ese cambio es difícil entender el concepto complejo del "sinhogarismo". Pueden verse todos los tipos de "sinhogarismo" aceptados doctrinalmente en la Tabla ETHOS (Tipología Europea de Sinhogar y Exclusión Residencial) elaborada por FEANTSA, la Federación Europea de organizaciones nacionales que trabajan con personas sin hogar. Por ello, en este trabajo se utilizará este término, siempre señalado entre comillas. Aunque las personas sin hogar son uno de los colectivos beneficiarios de vivienda social (aunque a veces quedan excluidos de este sector, según reivindica la OECD. "Social housing: A key part of past and future housing policy", *Employment, Labour and Social Affairs Policy Briefs*, OECD, Paris, 2020. p. 7), este libro no se centra en su estudio en particular, puesto que su objeto es más genérico, al estudiar y plantear un nuevo modelo de provisión y de gestión, sin concretarse en ninguno de los colectivos beneficiarios del sector. Sin embargo, puede verse un estudio muy completo sobre el acceso a la vivienda social de las personas sin hogar en FERNÀNDEZ EVANGELISTA, G. *El acceso a la vivienda social de*

como declara el Informe europeo de 2016 sobre los desahucios y el "sinho-garismo", encargado por la Comisión Europea[15].

Las instituciones europeas han puesto de relieve en más de una ocasión la existencia de esta laguna legal y la importancia de establecer un concepto de vivienda social común teniendo en cuenta la divergencia tanto conceptual como de gestión que existe en los diferentes Estados Miembros de la UE (EEMM de la UE, en adelante)[16]. Esta necesidad se ha ido poniendo en evidencia a medida que se han elaborado normativas de la UE en temas como el impuesto sobre el valor añadido o las ayudas públicas, entre otros[17].

Más allá de la necesidad de adoptar un concepto unitario para una finalidad comparativa a nivel europeo y/o internacional, precisar qué se entiende y qué engloba el concepto de vivienda social es importante para diversos aspectos dentro del propio Estado y, en el caso de España, incluso dentro de cada Comunidad Autónoma (CA en adelante). Así:

1. En primer lugar, es básico para poder hacer un cálculo de la dimensión y el alcance de este sector de vivienda social y, a partir de aquí, poder elaborar políticas de vivienda centradas en aumentar este sector o en reducirlo (dependiendo de la necesidad detectada), poder analizar en qué tipo de tenencia se puede acceder y poder determinar también, así, quién puede acceder a este sector y cuáles serán las ayudas tanto directas como indirectas a las que podrán optar tanto los agentes que lleven a cabo la promoción y gestión de este tipo de viviendas (en este caso es importante la cuestión de la distorsión de la competencia, tratado más adelante en este mismo capítulo) como directamente los demandantes de este tipo de vivienda, a través, por ejemplo, de ayudas al alquiler.

---

las personas sin hogar. Tesis doctoral por la Universidad Autónoma de Barcelona, 2015.

[15] KENNA, P. et al. (eds.) *Pilot Project —Promoting protection of the right to housing— Homelessness prevention in the context of evictions.* Comisión Europea, 2016. pp. 23 y ss.

[16] PARLAMENTO EUROPEO. *Resolución de 11 de junio de 2013 sobre la vivienda social en la Unión Europea,* 2012/2293(INI). pp. 12-13 y PARLAMENTO EUROPEO. *Report on access to decent and affordable housing for all,* 2019/2187(INI). pp. 22-23.

[17] BOCCADORO, N. "The impact of EU rules on the definition of social housing", en SCANLON, K. y WHITEHEAD, C. *Social Housing in Europe II.* Londres: LSE London, 2008, pp. 261-269. p. 263.

2. Ligado con la necesidad anterior, es importante determinar adecuadamente el objeto de un sector para posteriormente desarrollar un marco legal que permita el fomento de agentes e instituciones específicos (proveedores y gestores, órganos de control, consultores especializados, órganos representantes, etc.) y su evolución, profesionalización y especialización.

3. Este marco legal anterior debería contemplar, también, las fórmulas de acceso a esa vivienda social, como pueden ser las relaciones contractuales de alquiler de vivienda social. Actualmente existen ciertas especificidades de la regulación de vivienda social[18] establecidas tanto en la normativa estatal como en la autonómica[19]. Principalmente, se trata de aspectos que regulan los procesos de adjudicación y el perfil y requisitos que deben cumplir las personas adjudicatarias, las limitaciones de uso a residencia habitual y permanente y también las limitaciones y el control a la hora de transmitir estas viviendas (ej. derecho de opción y derecho de retracto de la Administración pública en Cataluña)[20], los requisitos sobre la calidad de la vivienda, el establecimiento del precio o de la renta y sus actualizaciones, entre otros. Además, algunos tipos de vivienda social pueden acarrear algunas especificidades añadidas[21]. Aún así, excluyendo los puntos mencionados, existen aspectos de la relación contractual que se rigen por las normas generales (la Ley de arrendamientos urbanos[22], el Código civil[23], la Ley de propiedad horizontal[24], la normativa administrativa de las CCAA, etc.). Estas normas no están concebidas para dar un marco

---

[18]   En el apartado "7.1. La vivienda social en España" de este mismo capítulo se analiza qué se entiende por vivienda social en España, siendo su representante mayoritario la vivienda protegida o de protección oficial.

[19]   Puede encontrarse un desarrollo más detenido acerca de la normativa aplicable a las viviendas sociales en el Capítulo III del libro.

[20]   Arts. 86 y ss. Ley 18/2007, de 28 de diciembre, del derecho a la vivienda de Cataluña (LDVC en adelante). BOE 27-02-2008, núm. 50.

[21]   Presentes, en gran medida, en los diferentes Planes de vivienda, donde se regulan las actuaciones protegidas.

[22]   Ley 29/1994, de 24 de noviembre, de arrendamientos urbanos (LAU en adelante). BOE 25-11-1994, núm. 282.

[23]   Real Decreto, de 24 de julio, por el que se publica el Código Civil (CC en adelante). BOE 25-07-1889, núm. 206.

[24]   Ley 49/1960, de 21 de julio, de propiedad horizontal. BOE 23-07-1960, núm. 176.

especial ni para resolver la compleja regulación de la administración y la gestión de viviendas sociales[25].

En consecuencia, este capítulo tiene un doble objetivo. Por un lado, evidenciar la importancia de la vivienda social como mecanismo básico para garantizar el derecho a la vivienda, contemplado tanto a nivel internacional, como europeo y nacional. Y, por otro lado, establecer cuál será el objeto de gestión de los modelos que estudiaremos en este trabajo y sus elementos esenciales, poniendo de relieve la dificultad de comparar sistemas de vivienda social cuando este concepto varía de un ordenamiento jurídico a otro.

2. FUNCIONES DE LA VIVIENDA SOCIAL EN LOS ESTADOS MIEMBROS DE LA UE

Una manera de diferenciar la vivienda social de la del mercado privado es a través de su función, su objetivo o misión. Así pues, el objetivo de la vivienda social no es generar el máximo beneficio posible (como sucede en el mercado privado) sino crear alojamiento, a menudo para grupos de población específicos, y ofrecerlo a un precio moderado[26]. Al margen de estos dos últimos aspectos, que serán discutidos a lo largo de este capítulo, la idea que extraemos es que la vivienda social no persigue un objetivo económico, sino que busca la consecución de un objetivo social: el de satisfacer la necesidad de vivienda de la población.

GHEKIÈRE[27] distingue tres tipos de vivienda social atendiendo a su función o misión: universalista, generalista y residual (la segunda y tercera suelen unirse bajo el paraguas de modelos acotados o *targeted*).

---

[25] SANZ CINTORA, A. (coord.) *Diagnóstico 2012. La gestión de la vivienda pública de alquiler.* Asociación Española de Promotores Públicos de Vivienda y Suelo (AVS), 2013. p. 13. Por ejemplo, por lo que respecta a los arrendamientos sociales, si bien existen límites en el establecimiento de las rentas, en cuanto a su régimen, estos se rigen por la LAU y, si bien la DA 1ª de dicha Ley refleja una voluntad de tratar el tema, no existe ninguna concreción al respecto.

[26] BOELHOUWER, P., VAN DER HEIJDEN, H. y VAN DE VEN, B. "Management of social rented housing in Western Europe", *Housing Studies,* vol. 12, núm. 4, 1997, pp. 509-529. p. 511.

[27] Explicación más detallada en GHEKIÈRE, L. "Le développement du logement social dans l'Union européenne", *Recherches et Prévisions,* núm. 94, 2008. pp. 21-34.

En el modelo universalista, la vivienda social no va dirigida a un grupo concreto de población, sino que se presenta como vivienda que complementa el parque habitacional ya existente. Su misión es posibilitar que toda la población pueda tener acceso a una vivienda digna y asequible. Por lo tanto, el acceso a la vivienda social en este modelo se encuentra al alcance de gran parte de la población, aunque puedan existir prioridades a la hora de adjudicar viviendas a ciertos grupos más vulnerables. De la mano de este objetivo está el de crear un sistema que asegure una cohesión y mixtura sociales, y que evite fenómenos como la creación de guetos (*ghettoisation*) y la estigmatización[28]. Los países que adoptan este modelo se caracterizan por tener altas tasas tanto de alquiler privado como de alquiler social. La vivienda social complementa al mercado privado y, por lo tanto, no existe una división de sectores, sino que la vivienda social se encuentra integrada en el mercado privado de vivienda de alquiler, el cual, además, se rige por un sistema de alquiler regulado.

Este modelo universalista se identificaría con el sistema de alquiler unitario o integrado de KEMENY[29], en el cual los proveedores de vivienda social compiten con los proveedores con ánimo de lucro en un mismo mercado de alquiler. La incorporación de los primeros en el mercado privado (promovido y respaldado por una regulación protectora y ayudas públicas que permitan a estas entidades desarrollarse en dicho mercado) pretende aportar un equilibrio entre intereses económicos e intereses sociales, contribuyendo a la reducción y moderación de los precios del alquiler, así como a la conservación de una vivienda de calidad y la oferta de mayor seguridad en la tenencia[30]. Esto permite ofrecer una mayor neutralidad por lo que a tenencias de vivienda se refiere, entendida como un equilibrio en las tenencias y en el esfuerzo económico necesario para acceder a cualquiera de ellas[31]. Se trata pues, de un mercado accesible a la población en general, no limitándolo a grupos de población vulnerable.

---

[28] BRAGA, M. y PALVARINI, P. *Social housing in the EU*. Parlamento Europeo, Dirección General de Políticas Internas, 2013 (IP/A/EMPL/NT/2012-07). p. 12.

[29] Véase KEMENY, J. *From public housing to the social market. Rental policy strategies in comparative perspective*. Londres: Routledge, 1995.

[30] KEMENY, J. "Corporatism and housing regimes", *Housing, Theory and Society*, vol. 23, núm. 1, 2006, pp. 1-18. pp. 2 y 5.

[31] KEMENY, J. *From public housing to the social market. Rental policy strategies in comparative perspective*, cit. p. 59. Puede verse un estudio más profundo sobre la neutralidad de las tenencias en HAFFNER, M. E. A. "Tenure neutrality, a financial-economic interpretation", *Housing, Theory and Society*, vol. 20, núm. 2, 2003, pp. 72-85.

Contrapuesto al sistema unitario, se encuentra el sistema dualista, donde existe una segregación o una brecha entre el sector de vivienda social y el sector de vivienda de mercado. En este caso, no existe competencia directa entre estos dos sectores, y mientras que el sector de vivienda de mercado se deja al arbitrio de las reglas del mercado, el sector de vivienda social se controla por el Estado y su acceso pasa por una evaluación previa de los recursos socioeconómicos de cada persona, pues se prevé como un mecanismo de protección para la población más vulnerable. A diferencia del sistema unitario, los sistemas de alquiler dualista suelen caracterizarse por tener una alta preferencia por las políticas de vivienda que fomentan la propiedad como forma de acceso a la vivienda[32]. Este segundo modelo se acerca más a los modelos acotados (generalista y residual) de GHEKIÈRE.

El modelo residual, en concreto, se fundamenta en dar respuesta únicamente a la exclusión del mercado de vivienda libre, y es por eso por lo que la vivienda social se destina solo a los grupos más desfavorecidos y a aquellos excluidos del mercado de vivienda privada. Los países que adoptan este modelo suelen caracterizarse por tener un mercado donde predominan los propietarios y con un sector de alquiler bajo y no regulado.

En cambio, el modelo generalista, aunque igualmente se dirige a un grupo de población concreta, no se reduce únicamente a los grupos más desfavorecidos y excluidos del mercado, sino a aquellos que, en general, presentan dificultades de acceso a la vivienda en el mercado privado; los destinatarios se amplían, aunque sigue habiendo requisitos de ingresos máximos. Por lo tanto, la diferencia con el modelo residual es que mientras este último pretende responder a la "exclusión" del mercado de vivienda libre, el modelo generalista responde a las dificultades de "acceso" a la vivienda. En este modelo también predomina la propiedad como forma de acceso a la vivienda, aunque el sector de alquiler es mayor que en el modelo residual. Además, en el modelo residual, el porcentaje de vivienda social dentro del parque total de vivienda de alquiler es menor que en el generalista.

La Tabla 1 clasifica los sistemas de vivienda social de los EEMM de la UE en 2012 poniendo en relación los criterios de adjudicación, basados en los modelos de GHEKIÈRE, con la dimensión del parque social de vivienda de cada país. Es interesante ver cómo el modelo universal trae

---

[32] LENNARTZ, C. *Competition between social and private rental housing.* Amsterdam: OTB Research Institute for the Built Environment, 2013. p. 6.

consigo un parque de vivienda social amplio, mientras que la gran mayoría de países con modelo residual tienen un parque social pequeño o muy pequeño.

Tabla 1. Modelos de vivienda social en relación con la dimensión
del parque social de alquiler (2012)

			TAMAÑO			
			Grande (>19%)	Medio (11-19%)	Pequeño (5-10%)	Muy pequeño (0-5%)
CRITERIO DE ADJUDICACIÓN	Universal		Países Bajos, Dinamarca, Suecia			
	Acotado (*targeted*)	Generalista	Austria	República Checa, Francia, Finlandia, Polonia	Bélgica, Alemania, Italia	Eslovenia, Luxemburgo, Grecia
		Residual	Reino Unido	Francia	Bélgica, Estonia, Alemania, Irlanda, Malta	Bulgaria, Chipre, Hungría, Letonia, Lituania, España[33], Portugal

Fuente: Braga, M. y Palvarini, P. *Social housing in the EU*, cit. p. 13. Traducción propia.

---

[33]   Existen estudios que clasifican España dentro del modelo generalista (ej. Pareja Eastaway, M. y Sánchez Martínez, M. T. "More social housing? A critical analysis of social housing provision in Spain", *Critical Housing Analysis*, vol. 4, núm. 1, 2017, pp. 124-131. p. 126) con lo que estamos de acuerdo, puesto que existe vivienda social en España destinada a unidades familiares con ingresos no tan bajos. En la clasificación llevada a cabo por Ghekière en 2008 se situaba a España (y a Portugal) no solo en el modelo residual sino también en el generalista, distinguiendo entre vivienda de alquiler y de acceso a la propiedad respectivamente (Ghekière, L. "Le développement du logement social dans l'Union européenne", cit. p. 24). A modo de ejemplo, podían acceder a vivienda de protección oficial de precio concertado en Cataluña hasta finales de 2019 personas con ingresos familiares de hasta unos 3.700 euros/mes (art. 43 Decreto 75/2014, de 27 de mayo, del Plan para el derecho a la vivienda, PDVC en adelante. DOGC 29-05-2014, núm. 6633; antes de su derogación por el Decreto ley 17/2019, de 23 de diciembre, de medidas urgentes para mejorar el acceso a la vivienda. BOE 21-02-2020, núm. 45) y a la vivienda con protección pública de precio limitado de Madrid personas con ingresos familiares que llegan a los 4.000 euros/mes aproximadamente (art. 3 Anexo del Decreto 74/2009, de 30 de julio, por el que se aprueba el Reglamento

Otra clasificación similar es la propuesta por STEPHENS[34], quién divide las funciones que puede adoptar la vivienda social en tres: 1) servicio de emergencia (*ambulance service*), 2) red de seguridad (*safety net*) y 3) mayor accesibilidad (*wider affordability function*). Aunque varía la terminología con relación a la clasificación de GHEKIÈRE, la idea esencial de esta división es muy parecida a la de este último. Los países que consideran la vivienda social como servicio de emergencia se caracterizan por tener un sistema de acceso restringido solamente a los grupos más vulnerables. Al ser un servicio de "emergencia", una vez estas condiciones de emergencia desaparecen, también desaparece el derecho a permanecer en esa vivienda. Una segunda misión es la de servir como "red de seguridad", ya que la vivienda social junto con las posibles ayudas al alquiler evitan que las familias se encuentren con unos ingresos por debajo de los mínimos aconsejados una vez pagado el alquiler. En este caso no existe límite de ingresos para poder tener derecho a acceder a una vivienda social, pero las adjudicaciones se basan en criterios de necesidad de vivienda, por lo que suelen venir acompañadas de solicitantes con ingresos bajos. Finalmente, hay países en los que la vivienda social no se destina únicamente a los grupos más vulnerables, sino que buena parte de la población tiene derecho a acceder a este sector (si existen requisitos de ingresos máximos, estos son lo suficientemente altos para incluir a gran parte de la población). Una de las virtudes de este sistema, como ya menciona GHEKIÈRE para su función universal, es que consigue una mayor mixtura social. Pero uno de los aspectos criticados por STEPHENS es que, a menudo, a los grupos más vulnerables y con menos ingresos se les adjudican viviendas de menor calidad y situadas en localizaciones menos deseadas, fenómeno que él conoce como *intra-tenure polarisation* (polarización dentro de la misma tenencia)[35].

---

de Viviendas con Protección Pública de la Comunidad de Madrid. BOCM 10-08-2009, núm. 188).

[34] STEPHENS, M. "The role of the social rented sector", en FITZPATRICK, S. y STEPHENS, M. (eds.) *The future of social housing*. Londres: Shelter, 2008, pp. 27-38. pp. 29 a 35.

[35] STEPHENS, M. "The role of the social rented sector", cit. p. 35.

3. LA VIVIENDA SOCIAL COMO INSTRUMENTO PARA CUMPLIR CON EL DERECHO A LA VIVIENDA

3.1. La vivienda como pilar fundamental y distintivo del Estado del bienestar

La vivienda se considera como uno de los cuatro pilares del Estado del bienestar, junto con la salud, la educación y la seguridad social, y se considera un aspecto clave en el desarrollo de la vida diaria, estando estrechamente ligada con la consecución de valores como la seguridad, la salud y el bienestar[36]. Así, la vivienda constituye una de las bases del desarrollo de la persona y un elemento muy importante para la cohesión social[37]. A nivel particular, la vivienda es el lugar donde cada uno desenvuelve sus necesidades vitales y, a nivel social, es donde la persona desarrolla su proyecto de vida. Se trata de un derecho existencial básico para poder acceder al disfrute de los derechos de libertad[38]; es una primera necesidad de todo ser humano en sociedad y la violación o inexistencia de este derecho supone la imposibilidad de una vida digna[39].

La vivienda, no obstante, es un fenómeno complejo[40] que se debate entre esa posición mencionada de un bien de primera necesidad y un bien de inversión, un activo (ej. art. 2 Ley del mercado hipotecario[41]). A veces, pues, se percibe como un bien de consumo duradero visto como una inversión a largo plazo que, además, requiere mayoritariamente de una intervención del mercado financiero, mercado de por sí muy imperfecto[42]. Además, la

---

[36]   Kemeny, J. "Comparative housing and welfare: theorising the relationship", *Journal of housing and the built environment*, núm. 16, 2001, pp. 53-70. p. 53.

[37]   Rodríguez Beltran, M. *Estrategia Zaragoza 2020. Ciudad, ciudadanía y cohesión social. Una ciudad de las personas.* Zaragoza: Ebrópolis, 2011. p. 63.

[38]   García Macho, R. "Los derechos fundamentales sociales y el derecho a una vivienda como derechos funcionales de libertad", *Revista catalana de dret públic*, núm. 38, 2009, pp. 67-96. p. 88.

[39]   Así lo recoge Riba Renom, N. *El Dret a l'habitatge.* Barcelona: Generalitat de Catalunya. Departament d'Interior, Relacions Institucionals i Participació. Oficina de promoció de la Pau i dels Drets Humans, 2010. p. 10.

[40]   Nasarre Aznar, S. "Malas prácticas bancarias en la actividad hipotecaria", *Revista Crítica de Derecho Inmobiliario*, núm. 727, 2011, pp. 2665-2737. p. 2668.

[41]   Ley 2/1981, de 25 de marzo, de regulación del mercado hipotecario. BOE 15-04-1981, núm. 90.

[42]   Whitehead, C. "Social Housing Models: Past and Future", *Critical Housing Analysis*, vol. 4, núm. 1, 2017, pp. 11-20. p. 13.

vivienda también difiere del resto de pilares del Estado del bienestar al proveerse raramente de forma universal por los poderes públicos[43].

De las particularidades que se han ido destacando de la vivienda, puede entreverse su alto grado de arraigo en la estructura de la sociedad y, es por eso que su manera de organizarla tiene gran repercusión en la sociedad en general y en el Estado del bienestar en particular, hecho que la hace un área atractiva como herramienta de estrategia política[44]. Un ejemplo claro es el de su coste, puesto que la vivienda es habitualmente el bien de más valor del presupuesto doméstico, llegando a representar, a veces, más de la mitad de los ingresos familiares[45]. Así, el coste de la vivienda puede limitar la capacidad de la persona o familia de acceder a otras necesidades y servicios cotidianos[46]. Otro ejemplo es el de la urbanización del espacio: dependiendo del tipo de construcción escogido (viviendas unifamiliares, bloques de pisos, etc.), la densidad de población, los servicios necesarios y los medios de transporte variarán en cada zona[47].

3.2. Instrumentos supranacionales

El derecho a la vivienda se encuentra integrado en algunos instrumentos internacionales sobre derechos humanos[48]. Así, la Declaración Universal de los Derechos Humanos de 1948, en su artículo 25.1, establece que la vivienda es un elemento esencial (junto con la alimentación, el vestido, la asistencia médica y los servicios sociales) para garantizar el derecho a un nivel de vida adecuado. Un enfoque que posteriormente recoge el artículo 11 del Pacto Internacional de Derechos Económicos, Sociales y Culturales

---

[43] KEMENY, J. "Comparative housing and welfare: theorising the relationship", cit. p. 54.

[44] KEMENY, J. *From public housing to the social market. Rental policy strategies in comparative perspective*, cit. p. 174.

[45] KEMENY, J. "Comparative housing and welfare: theorising the relationship", cit. p. 62.

[46] WHITEHEAD, C. "Social Housing Models: Past and Future", cit. p. 13.

[47] Véase, por ejemplo, KEMENY, J. "Comparative housing and welfare: theorising the relationship", cit. p. 57, cuando habla de la vivienda como "el comodín en una baraja que de lo contrario sería predecible: haz un cambio importante en relación con la vivienda y las consecuencias de ese cambio repercutirán probablemente en todo el sistema de bienestar". Traducción propia.

[48] Véase un estudio exhaustivo de los instrumentos internacionales y de la UE en materia del derecho a la vivienda y los derechos humanos en KENNA, P. *Housing Rights and Human Rights*. Bruselas: Feantsa, 2005.

(PIDESC en adelante), instrumento también de las Naciones Unidas que se adoptó en 1966 junto con el Pacto Internacional de Derechos Civiles y Políticos[49] (pactos que dividen los derechos humanos en derechos socioeconómicos y derechos civiles y políticos).

El Comité de las Naciones Unidas de Derechos Económicos, Sociales y Culturales (Comité DESC en adelante), órgano encargado de supervisar el cumplimiento del PIDESC, aprobó en 1991 la Observación general núm. 4, donde, por un lado, subrayó que el derecho a una vivienda adecuada no debe interpretarse en un sentido restrictivo sino que debe considerarse como el derecho a vivir en seguridad, paz y dignidad y, por otro lado, estableció los elementos que deben concurrir para poder hablar de vivienda adecuada. Estos son: 1) la seguridad de la tenencia, garantizando protección jurídica contra el desalojo forzoso, el hostigamiento y otras amenazas[50]; 2) la disponibilidad de servicios, materiales e infraestructuras mínimas (agua potable, calefacción y alumbrado, instalaciones sanitarias, energía para la cocción, etc.); 3) la asequibilidad de los costes de la vivienda, para que no impidan o dificulten el acceso y disfrute de otros derechos humanos; 4) la habitabilidad (seguridad física, espacio suficiente, protección contra la humedad, el calor, el frío, la lluvia, etc.); 5) la accesibilidad, sobre todo para grupos desfavorecidos y marginados; 6) la ubicación, es decir, permitir el acceso a servicios de salud, instalaciones sociales, escuelas, oportunidades de empleo y medios de transporte públicos, entre otros y; 7) la adecuación cultural al entorno (tener en cuenta y respetar la expresión de la identidad cultural).

En este punto, los Estados parte de estos instrumentos internacionales tienen la obligación de reconocer, promover, proteger y garantizar el derecho de la población a un nivel de vida adecuado, siguiendo el principio de no discriminación, en el cual queda incluido el derecho a la vivienda[51]. En el caso de que el Estado en cuestión alegue no poder cumplir con sus obligaciones mínimas por falta de recursos, al menos tiene que poder demostrar que ha puesto a disposición todos los recursos disponibles[52]. Cabe

---

[49]   Ambos ratificados por España por Instrumento de 13 de abril de 1977 (BOE 30-04-1977, núm. 103, pp. 9343 y 9337 respectivamente).
[50]   Los desalojos forzosos se tratan en la Observación general núm. 7. Además, este punto se ve reforzado por el art. 17 del Pacto Internacional de Derechos Civiles y Políticos, del cual se desprende el derecho a no ser desalojado forzosamente sin una protección adecuada.
[51]   KENNA, P. *Housing Law, Rights and Policy.* Dublín: Clarus Press, 2011. p. 517.
[52]   KENNA, P. *Housing Rights and Human Rights,* cit. p. 13.

destacar, en relación con el cumplimiento del PIDESC, que en 2008 se adoptó el Protocolo Facultativo del PIDESC (en vigor en España desde 5 de mayo de 2013)[53], el cual da derecho, tanto a nivel individual como en colectivo, a formular una denuncia ante el Comité DESC alegando la violación de algún derecho por parte del Estado.

No obstante, no se trata del derecho a exigir al Estado que construya viviendas para toda la población; sino que lo que se le exige a cada Estado es que ponga las medidas necesarias para prevenir la falta de un techo, prohibir los desalojos forzosos y la discriminación, garantizar la seguridad en la tenencia, centrarse en los grupos más vulnerables y excluidos socialmente y garantizar que todas las personas dispongan de una vivienda adecuada a sus necesidades. Tampoco debe equipararse el derecho a una vivienda adecuada con el derecho a la propiedad, pues la seguridad en la tenencia puede adoptarse de diversas formas a parte de la propiedad: alquiler, cooperativas, etc[54].

Otros instrumentos internacionales que reconocen el derecho a una vivienda adecuada en beneficio de determinados grupos o colectivos son: la Convención sobre el Estatuto de los Refugiados de 1951 (art. 21); el Convenio núm. 117 de la Organización Internacional del Trabajo sobre política social de 1962 (art. 5.2); la Convención Internacional sobre la eliminación de todas las formas de discriminación racial de 1965 (art. 5.e.iii); la Convención sobre la eliminación de todas las formas de discriminación contra la mujer de 1979 (arts. 14.2 y 15.2); la Convención sobre los derechos del niño de 1989 (arts. 16.1 y 27.3); el Convenio núm. 169 de la Organización Internacional del Trabajo sobre pueblos indígenas y tribales de 1989 (arts. 14, 16 y 17); la Convención internacional sobre la protección de los derechos de todos los trabajadores migratorios y de sus familiares de 1990 (art. 43.1.d); y la Convención sobre los derechos de las personas con discapacidad de 2006 (arts. 9 y 28).

---

[53]   Instrumento de Ratificación del Protocolo Facultativo del Pacto Internacional de Derechos Económicos, Sociales y Culturales, hecho en Nueva York el 10 de diciembre de 2008. BOE 25-02-2013, núm. 48.

[54]   OFICINA DEL ALTO COMISIONADO PARA LOS DERECHOS HUMANOS DE LAS NACIONES UNIDAS. "El derecho a una vivienda adecuada", *Folleto informativo núm. 21/rev. 1*. Ginebra: ONU Habitat, 2010. pp. 6-8.

En el ámbito europeo, deben destacarse dos instrumentos impulsados por el Consejo de Europa: la Carta Social Europea de 1961[55], de la cual existe una versión revisada de 1996, y el Convenio Europeo de Derechos Humanos de 1950[56]. En referencia a la Carta Social Europea de 1961, está regulado en su artículo 16 el derecho de la familia a una protección social, jurídica y económica y, para cumplir con este derecho, se establece, entre otras cosas, el compromiso de los Estados parte a la promoción de viviendas adaptadas a las necesidades de las familias. A diferencia de esta Carta de 1961, la Carta Social Europea revisada de 1996 sí que regula el derecho a la vivienda expresamente, en su artículo 31; España se encuentra actualmente en vías de ratificación de esta Carta revisada. Además, el problema principal de estos instrumentos internacionales es que, a pesar de existir un procedimiento de supervisión basado en informes periódicos de los Estados sobre el cumplimiento de las disposiciones de la Carta (analizados por el Comité de Derechos Sociales), carecen de acción judicial en este ámbito internacional, que sin duda ayudaría a mejorar la protección del derecho a la vivienda[57].

En cambio, el Convenio Europeo de Derechos Humanos sí que goza de un mecanismo de protección más fuerte, gracias al control judicial que lleva a cabo el Tribunal Europeo de Derechos Humanos (TEDH en

---

[55] Ratificado por España por instrumento de 29 de abril de 1980 (BOE 26-06-1980, núm. 153).

[56] Ratificado por España por instrumento de 4 de octubre de 1979 (BOE 10-10-1979, núm. 243).

[57] SIMÓN MORENO, H. "El cumplimiento del derecho a la vivienda en España. Especial referencia a la asequibilidad, estabilidad y accesibilidad en el acceso a la vivienda", *Revista Práctica de Derecho*, núm. 169, 2015, pp. 105-156. p. 111. Este mismo autor menciona las vías por las cuales se intenta ofrecer protección del derecho a la vivienda, algunas de ellas ya mencionadas: a) la creación de la Relatora especial sobre una vivienda adecuada por Resolución 2000/9 de las Naciones Unidas, encargada de informar sobre la situación, las novedades a nivel legal, de políticas y de prácticas así como de las dificultades y obstáculos del ejercicio de este derecho en los planos nacional e internacional; b) la existencia de Comités, como el de Derechos Humanos, que publican observaciones finales respecto al cumplimiento del derecho a la vivienda por parte de un determinado Estado parte; c) la adopción del Protocolo Facultativo del PIDESC en 2008, que regula un mecanismo de denuncia individual para los individuos o grupos que consideren que se les ha vulnerado alguno de los derechos enunciados en el Pacto por parte de un Estado parte en él y d) la existencia del Comité Europeo de Derechos Sociales, que a pesar de no tener potestad para dictar sentencias vinculantes, puede resolver reclamaciones colectivas.

adelante)[58]. Aunque el Convenio no prevé de manera expresa un derecho a la vivienda[59], el TEDH ha establecido en varias ocasiones una interconexión[60] entre este derecho y el derecho al respeto de la vida privada y familiar y al domicilio (art. 8 del Convenio)[61] y, también, en alguna ocasión, al derecho a no ser sometido a tratos inhumanos o degradantes (art. 3 del Convenio)[62], al derecho a un proceso equitativo (art. 6 del Convenio)[63] y al respeto a los propios bienes y a la propiedad (art. 1 del Protocolo I adicional al Convenio)[64].

El artículo 8 del Convenio establece que "toda persona tiene derecho al respeto de su vida privada y familiar, de su domicilio y de su correspondencia" y que "no podrá haber injerencia de la autoridad pública en el ejercicio de este derecho sino en tanto en cuanto esta injerencia esté prevista por la ley y constituya una medida que, en una sociedad demo-

---

[58] PONCE SOLÉ, J. "El derecho a la vivienda. Nuevos desarrollos normativos y doctrinales y su reflejo en la ley catalana 18/2007, de 28 de diciembre, del derecho a la vivienda", en PONCE SOLÉ, J. y SIBINA TOMÀS, D. (coords.) *El derecho de la vivienda en el siglo XXI: sus relaciones con la ordenación del territorio y el urbanismo.* Madrid-Barcelona-Buenos Aires: Marcial Pons, 2008, pp. 65-175. p. 68.

[59] El mismo TEDH reconoce que el Convenio Europeo de Derechos Humanos no otorga un derecho subjetivo a los ciudadanos a exigir la provisión de una vivienda a las autoridades públicas, ya que este reconocimiento, con la provisión de fondos necesaria, es una decisión política que no compete a los órganos judiciales. Véase la STEDH de 18 de enero de 2001 (TEDH 2001\46, caso Chapman contra Reino Unido).

[60] KENNA, P. *Housing Law, Rights and Policy,* cit. pp. 561 y 562; PISARELLO, G. "El derecho a la vivienda como derecho social: implicaciones constitucionales", *Revista catalana de dret públic,* núm. 38, 2009, pp. 43-65. p. 46 y CUBERO MARCOS, J. I. "El reconocimiento de derechos sociales a través de la conexión con derechos fundamentales: hacia una progresiva superación de la doctrina clásica", *Revista catalana de dret públic,* núm. 54, 2017, pp. 118-140. pp. 125-127.

[61] STEDH de 9 de diciembre de 1994 (TEDH 1994\3, caso López contra España).

[62] STEDH de 12 de julio de 2005 (JUR 2005\179423, caso Moldovan y otros contra Rumanía).

[63] La STEDH de 27 de mayo de 2004 (JUR 2004\158847, caso Connors contra Reino Unido) consideró que el desahucio tuvo lugar sin contemplar las garantías procesales requeridas, pues no se estableció una justificación adecuada y suficiente atendiendo al tipo de injerencia en los derechos de la persona desalojada; y esas garantías son de crucial importancia para poder valorar la proporcionalidad de la interferencia. Véase el razonamiento en este y otros casos en KENNA, P. *Housing Rights and Human Rights,* cit.

[64] STEDH de 24 de junio de 2003 (JUR 2003\125160, caso Stretch contra Reino Unido).

crática, sea necesaria para la seguridad nacional, la seguridad pública, el bienestar económico del país, la defensa del orden y la prevención de las infracciones penales, la protección de la salud o de la moral, o la protección de los derechos y las libertades de los demás". Pero el TEDH también considera que las autoridades deben justificar la injerencia en la vida privada de los ocupantes sin que sea suficiente para cumplir con este requisito que la injerencia esté justificada por ley[65]. Además, el TEDH se ha inclinado a ir más allá del hecho de abstenerse de toda injerencia arbitraria, para pedir también el compromiso de las autoridades públicas a adoptar un rol activo, es decir, que se puedan desprender obligaciones positivas para garantizar el respeto efectivo de la vida privada[66]. A pesar de que no puede ignorarse que no todos los Estados disponen de los medios para ello y que, por lo tanto, deben ponderarse la viabilidad económica y presupuestaria con el ejercicio de los derechos mencionados[67], esta exigencia de una obligación positiva puede dificultar y plantear problemas para las Administraciones públicas que presenten esa falta de recursos suficientes[68].

---

[65] Simón Moreno, H. "La jurisprudencia del Tribunal Europeo de Derechos Humanos sobre la vivienda en relación al Derecho español", *Teoría y Derecho: revista de pensamiento jurídico*, núm. 16, 2014, pp. 162-187. pp. 170 y 171.

[66] Ponce Solé, J. "El derecho a la vivienda. Nuevos desarrollos normativos y doctrinales y su reflejo en la ley catalana 18/2007, de 28 de diciembre, del derecho a la vivienda", cit. p. 69.

[67] Cubero Marcos, J. I. "El reconocimiento de derechos sociales a través de la conexión con derechos fundamentales: hacia una progresiva superación de la doctrina clásica", cit. pp. 126 y 127.

[68] Como la ponderación requiere de un análisis caso por caso, encontramos casos en los que el TEDH ha exigido a la Administración pública garantizar un alojamiento efectivo y/o adecuado, como en la STEDH de 9 de octubre de 2007 (JUR 2007\298821, caso Stanková contra Eslovaquia) o el caso de Ceesay Ceesay y Otros contra España (demanda núm. 62688/13 TEDH) con la medida preventiva de 15 de octubre de 2013 (que no se levantó hasta que se produjo el realojamiento efectivo). En cambio, en otras situaciones, ha sido suficiente con ofrecer los recursos disponibles de asistencia, ayudas e incluso procurar una vivienda de urgencia temporalmente mientras se encuentra una solución definitiva, como en la STEDH de 28 de enero de 2014 (TEDH 2014\6, caso A.M.B. y otros contra España). España es un país con un bajo parque de vivienda social de alquiler, como se verá en el Capítulo III.

3.3. La vivienda social como servicio de interés económico general

3.3.1. Políticas de la UE en materia de vivienda

Para hacer efectivo el derecho a la vivienda, afirma el Parlamento Europeo, es necesaria una oferta suficiente de viviendas adecuadas, dignas, higiénicas y a precio asequible. Por lo tanto, debe aumentarse el número y la calidad del parque de viviendas sociales asequibles en aquellas zonas donde sea pertinente, con el fin de obtener una cuota mínima de viviendas sociales que permitan cumplir con este derecho a la vivienda[69].

Así mismo, disponer de un parque de vivienda social se presenta como medida estructural de prevención del "sinhogarismo", existente y efectiva en países como Irlanda, Suecia y Austria, y recomendada en países como Grecia, España, Lituania y el Reino Unido[70]. El Parlamento Europeo considera que la vivienda social constituye un derecho fundamental "que puede considerarse como una condición previa para ejercer y obtener el acceso a los demás derechos fundamentales y a una vida digna"[71] y, por lo tanto, reivindica la obligación que tienen los EEMM de la UE de garantizar el acceso a una vivienda digna y adecuada. Así, el artículo 34 de la Carta de los Derechos Fundamentales de la UE[72] reconoce el derecho a una ayuda social y a una ayuda de vivienda, con el fin de combatir la exclusión social y la pobreza. Y, en 2017, además, se aprobó el Pilar Europeo de derechos sociales[73] con objeto de reforzar los derechos relacionados con la protección y la inclusión social, las condiciones de trabajo justas y la igualdad de oportunidades y de acceso al mercado laboral y buscar, así, el compromiso y la responsabilidad compartidos de la UE, los EEMM de la UE y los interlocutores sociales. Entre los principios y derechos establecidos en este Pilar Europeo se encuentra la vivienda y la asistencia para las personas sin ho-

---

[69] Parlamento Europeo. *Resolución de 11 de junio de 2013 sobre la vivienda social en la Unión Europea*, cit. Puntos 38, 45 y 58.

[70] Kenna, P. et al. (eds.) *Pilot Project —Promoting protection of the right to housing— Homelessness prevention in the context of evictions*, cit. p. 124 y Anexos.

[71] Punto A de la Resolución de 11 de junio de 2013.

[72] DOUE 07-06-2016, núm. C 202. El Tratado de Lisboa, en su art. 6, otorga a la Carta de los Derechos Fundamentales de la UE el mismo valor jurídico que los Tratados constitutivos de la UE. Tratado de Lisboa, por el que se modifican el Tratado de la Unión Europea y el Tratado Constitutivo de la Comunidad Europea, DOUE 17-12-2007, núm. C 306.

[73] Comisión Europea. *Recomendación (UE) 2017/761 de la Comisión, de 26 de abril de 2017, sobre el pilar europeo de derechos sociales*. DOUE 29-04-2017, núm. L 113. p. 56.

gar[74], y va más allá del artículo 34 de la Carta de Derechos Fundamentales de la UE, ya que, por un lado, se hace referencia al "suministro de apoyo a la vivienda en especie, es decir, mediante viviendas sociales" y, por otro lado, el ámbito personal de la disposición incluye a todas las personas que lo necesiten, no reduciéndolo solo a la falta de recursos económicos suficientes (la necesidad puede comprender casos de discapacidad o ruptura familiar, entre otros)[75].

La vivienda, no obstante, no es propiamente una competencia de la UE[76], y son sus EEMM los que deben encargarse de enmarcar, definir, implementar y hacer cumplir este derecho a la vivienda a través de sus constituciones, su marco legislativo y el resto de la normativa[77]. Sin embargo, ya se ha mencionado la complejidad de este derecho, que vinculado estrechamente con el concepto de dignidad humana[78], sirve de instrumento para desarrollar otros derechos fundamentales, como el de la libertad, la intimidad o el libre desarrollo de la personalidad, además de ser un activo (presente en el mercado hipotecario) y producto de inversión[79]. Es por ello que existen diversas materias, competencia de la UE (algunas de manera exclusiva, otras compartidas con sus EEMM)[80] que afectan de manera transversal y, por lo tanto, influyen en las políticas nacionales de vivienda. Una de las materias que ha influido en gran medida, como se verá a continuación, se relaciona con las normas sobre competencia necesarias para el funcionamiento del mercado interior. Además, fruto de su carácter instrumental para el desarrollo de otros derechos, la vivienda ha dejado de ser

---

[74]   En el número 19: "a) Deberá proporcionarse a las personas necesitadas acceso a viviendas sociales o ayudas a la vivienda de buena calidad. b) Las personas vulnerables tienen derecho a una asistencia y una protección adecuadas frente a un desalojo forzoso. c) Deberán facilitarse a las personas sin hogar un alojamiento y los servicios adecuados con el fin de promover su inclusión social."

[75]   COMISIÓN EUROPEA. *Documento de trabajo de los servicios de la Comisión que acompaña al documento Comunicación de la Comisión al Parlamento Europeo, al Consejo, al Comité Económico y Social Europeo y al Comité Europeo de las Regiones. Establecimiento de un pilar europeo de derechos sociales*. Bruselas, 26-04-2017, SWD(2017)201 final. p. 75.

[76]   KENNA, P. *Housing Law, Rights and Policy*, cit. p. 1013.

[77]   KENNA, P. et al. (eds.) *Pilot Project —Promoting protection of the right to housing— Homelessness prevention in the context of evictions*, cit. p. 26.

[78]   KENNA, P. *Housing Law, Rights and Policy*, cit. p. 510.

[79]   NASARRE AZNAR, S. "Malas prácticas bancarias en la actividad hipotecaria", cit. p. 2668.

[80]   Véanse los arts. 3 y 4 de la Versión consolidada del Tratado de Funcionamiento de la Unión Europea. DOUE 26-10-2012, núm. C 326, TFUE en adelante.

un derecho a garantizar por sí solo y pasa a entenderse como parte activa y fundamental de otras materias, relacionadas, por ejemplo, con políticas de inclusión y cohesión social y de cohesión económica y territorial[81]. Así pues, a lo largo de los años esta institución ha ido estableciendo políticas en otros campos que han ido influyendo en el sector de la vivienda social, hecho que ha evidenciado la necesidad de establecer una concepción común de vivienda social en la UE.

El primer caso evidente de la necesidad de disponer de un concepto común de vivienda social surgió con el establecimiento de tipos reducidos del impuesto sobre el valor añadido (IVA en adelante) sobre este tipo de viviendas[82]. En este caso, la Comisión Europea optó por un "concepto flexible", al hablar de "viviendas proporcionadas en el marco de una política social"[83], el cual daba amplio margen a los EEMM de la UE para determinar a qué viviendas se les aplicaría tipos de IVA reducidos, en concreto, para su suministro, construcción, renovación y transformación.

El otro gran campo de influencia es el del mercado interior[84]. La UE tiene competencia exclusiva sobre "el establecimiento de las normas sobre competencia necesarias para el funcionamiento del mercado interior"[85]. En el marco de esta competencia, el artículo 107 del TFUE prohíbe a los EEMM de la UE otorgar ayudas que falseen o amenacen falsear la competencia, favoreciendo a determinadas empresas o producciones. Esta norma también se aplica a las empresas que se encargan de la gestión de servi-

---

[81]   RODRÍGUEZ ALONSO, R. "La política de vivienda en España en el contexto europeo. Deudas y retos", *Boletín CF+S*, núm. 47/48, 2011, pp. 125-172. p. 134. Véase, también, el apartado "3.5. El derecho a la vivienda en el contexto del derecho a la ciudad" *infra* en este capítulo.

[82]   Directiva 92/77/CEE del Consejo, de 19 de octubre de 1992, por la que se complementa el sistema común del impuesto sobre el valor añadido y se modifica la Directiva 77/388/CEE (aproximación de los tipos del IVA). DOCEE 31-10-1992, núm. L 316. Anexo H, punto 9.

[83]   Anexo H, punto 9 de la Directiva 92/77/CEE.

[84]   El art. 2 del Tratado de la UE (Versión consolidad del Tratado de la Unión Europea. DOUE 30-03-2010, núm. 83/13) establece que "La Unión establecerá un mercado interior. Obrará en pro del desarrollo sostenible de Europa basado en un crecimiento económico equilibrado y en la estabilidad de los precios, en una economía social de mercado altamente competitiva, tendente al pleno empleo y al progreso social, y en un nivel elevado de protección y mejora de la calidad del medio ambiente".

[85]   Art. 3.1.b TFUE. Asimismo, el art. 4 del mismo Tratado regula el mercado interior como competencia compartida entre la UE y sus EEMM.

cios de interés económico general (SIEG en adelante), en la medida que esta regulación no impida el cumplimiento del objetivo de esos servicios (art. 106.2 TFUE)[86]. Se engloban dentro del término de SIEG todos aquellos servicios básicos que cumplen misiones de interés general (por ello, se sujetan a obligaciones específicas de servicio público) que se prestan a cambio de una remuneración (ej. servicios postales, transporte o vivienda social)[87]. Esto implica, en un principio, que toda ayuda otorgada por el Estado a los proveedores de vivienda social debe ser comunicada a la Comisión Europea, a fin de que esta valore si tal ayuda falsea o no la compe-

---

[86]   El art. 14 TFUE regula la necesidad de la UE de velar para que los SIEG actúen con arreglo a principios y condiciones (ej. económicas y financieras) que les permitan cumplir con su misión de promocionar la cohesión social y territorial, teniendo presente también que son los EEMM de la UE los encargados de prestar, encargar y financiar dichos servicios.

[87]   "Los SIEG son actividades económicas que producen resultados en aras del bien público general y que el mercado no realizaría (o lo haría en condiciones distintas por lo que respecta a la calidad, seguridad, asequibilidad, igualdad de trato y acceso universal) sin una intervención pública. La obligación de servicio público se impone al prestador mediante una atribución y sobre la base de un criterio de interés general que garantice que el servicio se presta en condiciones que le permiten desempeñar su misión". COMISIÓN EUROPEA. *Comunicación de la Comisión al Parlamento Europeo, al Consejo, al Comité Económico y Social Europeo y al Comité de las Regiones. Un marco de calidad para los servicios de interés general en Europa*. Bruselas, 20-12-2011, COM(2011) 900 final. p. 4. Estos servicios entran dentro de la definición de "servicio de interés general" (SIG), que son aquellos que las autoridades públicas de los EEMM de la UE clasifican como tales y que se sujetan a obligaciones específicas de servicio público. Aparte de las actividades económicas mencionadas, este segundo término también engloba a los servicios no económicos, es decir, aquellos en los que no hay remuneración por su prestación, siendo su particularidad que no están cubiertos por la normativa de la UE sobre mercado interior y competencia. Véase el Protocolo núm. 26, sobre los servicios de interés general. DOUE 17-12-2007, núm. C 306. Otro término utilizado en la regulación de la UE es el de "servicio social de interés general", el cual incluye "los regímenes de seguridad social que cubren los riesgos principales de vida y una gama de otros servicios esenciales prestados directamente a las personas que desempeñan un cometido preventivo y de cohesión e inclusión social". Estos servicios sociales, entre el que se engloba la vivienda social, abarcan tanto actividades económicas como no económicas. Así, todos los conceptos anteriores se utilizan en sustitución del concepto de "servicio público", el cual consideran las instituciones europeas que es demasiado ambiguo, ya que "puede referirse a la oferta de un servicio al público en general y/o en interés del público, o puede utilizarse para la actividad de entidades de titularidad pública". Misma Comunicación de la Comisión citada en este pie de página *supra*. p. 4.

tencia[88]. Pero a esta regla general se le aplican excepciones, entre las cuales podemos encontrar la vivienda social en la interpretación que se desarrolla a continuación.

La primera excepción regulada surge de una sentencia del entonces Tribunal de Justicia de las Comunidades Europeas (actual Tribunal de Justicia de la UE, TJUE en adelante) de 2003 conocida como el caso Altmark[89]. En ella se establecieron cuatro criterios que, de cumplirlos todos, se libera al Estado de la obligación de comunicar las ayudas públicas a la UE, dado que se entiende que esas compensaciones otorgadas por servicio público no se consideran ayudas estatales a tenor de lo que establece el artículo 107 TFUE. Estos cuatro criterios son: 1) la empresa beneficiaria de la ayuda debe encargarse de la ejecución de obligaciones de servicio público, que deben estar claramente definidas; 2) los parámetros para calcular la compensación por servicio público[90] deben establecerse previamente, de una forma objetiva y transparente; 3) la compensación no puede exceder lo que es necesario para cubrir los gastos ocasionados (total o parcialmente) por la ejecución de la obligación de servicio público y 4) el nivel de la compensación necesaria debe calcularse sobre la base de un análisis de los costes que una "empresa media", bien gestionada y adecuadamente equipada para hacer frente a las exigencias del servicio público habría soportado para ejecutar dichas obligaciones[91].

---

[88] Art. 108 TFUE y Reglamento (UE) núm. 2015/1589 del Consejo, de 13 de julio de 2015, por el que se establecen normas detalladas para la aplicación del artículo 108 del Tratado de Funcionamiento de la Unión Europea (versión codificada). DOUE 24-9-2015, núm. L 248.

[89] STJCE de 24 de julio de 2003, asunto C-280/00 (TJCE 2003\218, caso Altmark Trans GmbH y Regierungspräsidium Magdeburg contra Nahverkehrsgesellschaft Altmark GmbH, y Oberbundesanwalt beim Bundesverwaltungsgericht), donde se planteaba si las subvenciones concedidas para compensar el déficit de un servicio público de transporte de viajeros de ámbito local estaban sujetas a la prohibición de ayudas del art. 92.1 TCE (actual art. 107 TFUE).

[90] Esta compensación constituye "la contrapartida de las prestaciones realizadas por las empresas beneficiarias para el cumplimiento de obligaciones de servicio público, de forma que estas empresas no gozan, en realidad, de una ventaja financiera y que, por tanto, dicha intervención no tiene por efecto situar a estas empresas en una posición competitiva más favorable respecto a las empresas competidoras". Apartado 87 de la STJCE de 24 de julio de 2003.

[91] Puntos 89 a 93 de dicha sentencia. Véase también la STJCE de 27 de noviembre de 2003, en los asuntos acumulados C-34/2001 a C-38/2001 (TJCE 2003\396, caso Enirisorce SpA contra Ministero delle Finanze), donde se discute la consideración

En un principio, pues, siempre que no se cumplieran estos estrictos cuatro requisitos acumulativos, las compensaciones por servicios públicos constituirían ayuda estatal[92] y, por lo tanto, estarían sujetas a las disposiciones relativas al derecho de competencia (arts. 93, 106, 107 y 108 TFUE). El riesgo estaba en tener que devolver dicha compensación si tras una reclamación no se conseguía demostrar esos requisitos. Por ello, y por presión por parte del sector de vivienda social[93], entre otros, la Comisión Europea adoptó posteriormente una Decisión en 2005[94] en la que pasó a regular aquellas compensaciones que, aún siendo ayudas (por lo tanto, que no cumplen los criterios del caso Altmark para no ser consideradas como ayuda estatal), quedaban exentas del requisito de notificación del artículo 108 TFUE al considerarse compatibles con el mercado común. Así, esta Decisión estableció la exención de la obligación de notificar las ayudas cuando estas se destinaran a "empresas encargadas de viviendas de protección oficial[95] que tienen encomendadas tareas de SIEG", concretando posteriormente que estas viviendas debían destinarse a "ciudadanos desfavorecidos o grupos menos favorecidos socialmente que, por problemas de solvencia, no puedan encontrar vivienda en condiciones de mercado"[96]. Dicha Decisión se sustituyó por otra de 2012[97] y, a pesar de incorporar terminología

---

de ayuda de Estado la atribución de una parte considerable de la tasa portuaria de carga y descarga de mercancías a una empresa pública.

[92] Véase, por ejemplo, la STJUE de 8 de marzo de 2017, asunto C-660/15 P (JUR 2017\104501, caso Viasat Broadcasting UK Ltd contra Comisión Europea), que considera la intervención discutida como ayuda de Estado al no cumplir con el segundo y cuarto requisito exigidos en la sentencia Altmark.

[93] Boccadoro, N. "The impact of EU rules on the definition of social housing", cit. p. 264.

[94] Comisión de las Comunidades Europeas. *Decisión 2005/842/CE de la Comisión, de 28 de noviembre de 2005, relativa a la aplicación de las disposiciones del artículo 86, apartado 2, del Tratado CE a las ayudas estatales en forma de compensación por servicio público concedidas a algunas empresas encargadas de la gestión de servicios de interés económico general.* DOUE 29-11-2005, núm. L 312.

[95] Este concepto de "vivienda de protección oficial" que aparece en la versión española del texto sería imprecisa, puesto que tanto la versión inglesa y también la francesa hablan de vivienda social: *social housing* y *logement social* respectivamente y, por lo tanto, engloba un término más amplio, como se desarrolla *infra* en este capítulo.

[96] Punto 16 y art. 2.1.b de la Decisión 2005/842/CE.

[97] Comisión Europea. *Decisión 2012/21/UE de la Comisión, de 20 de diciembre de 2011, relativa a la aplicación de las disposiciones del artículo 106, apartado 2, del Tratado de Funcionamiento de la Unión Europea a las ayudas estatales en forma de compensación*

como la clasificación de esa vivienda social como de servicio social[98], la esencia de destinar la vivienda a un grupo acotado de beneficiarios se mantiene[99].

Las medidas anteriores que regulan excepciones respecto a la concesión de ayudas públicas para ciertos SIEG forman parte de lo que se conoce como "paquete Monti-Kroes"[100], el cual se actualizó en diciembre de 2011 con lo que se conoce como "paquete Almunia", donde se abrieron las áreas de excepción a una gama más amplia de servicios sociales (aunque la vivienda social sigue igual) y también se fijaron umbrales de compensación que si no se superan no requieren de notificación a la UE[101]. En el caso de

---

por servicio público concedidas a algunas empresas encargadas de la gestión de servicios de interés económico general. DOUE 11-01-2012, núm. L 7.

[98] Con anterioridad a esta Decisión, la COMISIÓN DE LAS COMUNIDADES EUROPEAS. *Comunicación de la Comisión. Aplicación del programa comunitario de Lisboa. Servicios sociales de interés general en la Unión Europea.* Bruselas, 24-04-2006, COM(2006) 177 final. p. 4 considera la vivienda social como servicio social de interés general, que aunque no constituye una categoría jurídica diferenciada dentro de los servicios de interés general, sí que resalta el lugar específico que ocupa este servicio como uno de los "pilares de la sociedad y la economía europeas". En esta Comunicación también se hace referencia a vivienda social para "ciudadanos desfavorecidos o grupos menos favorecidos socialmente", aunque en este caso no se menciona el requisito de solvencia económica (Nos referimos a las versiones inglesa y francesa, puesto que en la versión española se hace referencia a "personas con escasos ingresos"). El carácter especial de estos servicios sociales también se contempla en su exclusión del ámbito de aplicación de la Directiva relativa a los servicios en el mercado interior (Directiva 2006/123/CE del Parlamento Europeo y del Consejo, de 12 de diciembre de 2006. DOUE 27-12-2006, núm. L 376), cuando en su art. 2.2.j establece como actividades excluidas "los servicios sociales relativos a la vivienda social, la atención a los niños y el apoyo a familias y personas temporal o permanentemente necesitadas proporcionados por el Estado, por prestadores encargados por el Estado o por asociaciones de beneficencia reconocidas como tales por el Estado". Sin embargo, no queda tan claro en muchos EEMM de la UE el requisito que exige la Directiva sobre el reconocimiento de los proveedores como tales por parte del Estado. BOCCADORO, N. "The impact of EU rules on the definition of social housing", cit. p. 266.

[99] Punto 11 y art. 2.1.c de la Decisión 2012/21/UE.

[100] BRAGA, M. y PALVARINI, P. *Social housing in the EU*, cit. pp. 38 y 39.

[101] Véase el Reglamento (UE) núm. 360/2012 de la Comisión, de 25 de abril de 2012, relativo a la aplicación de los artículos 107 y 108 del Tratado de Funcionamiento de la Unión Europea a las ayudas de *minimis* concedidas a empresas que prestan servicios de interés económico general. DOUE 26-04-2012, núm. L 114; la Decisión 2012/21/UE de la Comisión ya mencionada (punto 11) y también otras

la vivienda, Mosca resalta[102] que la necesidad de estas excepciones recae en el hecho de que los proveedores de vivienda social, con el fin de llevar a cabo un servicio público, tienen restricciones a la hora de establecer los precios de la vivienda social, así como a las personas beneficiarias de dichas viviendas. Esto los lleva a incurrir en mayores gastos (ej. menores beneficios y mayor gasto de gestión de la morosidad), los cuales pueden y deben compensarse, hasta cierto punto, a través de diferentes tipos de actuaciones públicas, como subvenciones, exenciones fiscales o acceso a suelo público a un precio reducido[103].

Sin embargo, en este campo del mercado interior y de la competencia, la Comisión Europea toma, a diferencia del concepto acordado para establecer el tipo de IVA reducido, un concepto acotado y reducido de vivienda social en cuanto a los grupos beneficiarios, pues se centra en ofrecer este servicio a grupos desfavorecidos socialmente que "por problemas de solvencia, no puedan encontrar vivienda en condiciones de mercado". El propio Parlamento Europeo se ha manifestado en contra de establecer una interpretación tan restrictiva de vivienda social en este ámbito de la competencia[104] y muestra preocupación por el riesgo de pérdida de las políticas destinadas a crear mixtura social[105], las cuales tienen el objetivo de evitar fenómenos como la estigmatización y la segregación social[106]. El mismo Parlamento considera que el concepto de vivienda social debería tener en cuenta las distintas tradiciones de los EEMM de la UE y que entre los posibles beneficiarios deberían incluirse a familias de clase media, ya

---

medidas en http://ec.europa.eu/competition/state_aid/legislation/sgei.html (último acceso 17-08-2018).

[102] Mosca, S. "State aid. Rules more flexible but definition challenged", *Europolitics*, Suplemento al núm. 4328, 2011, pp. 16-17.

[103] Así se recalca también en la Comisión de las Comunidades Europeas. *Comunicación de la Comisión. Aplicación del programa comunitario de Lisboa. Servicios sociales de interés general en la Unión Europea*, cit. p. 8, donde se expone que "esta compensación financiera se destina a equilibrar las cargas por la realización de la misión y que no hubiera tenido una empresa que se rija sólo por los criterios del mercado".

[104] Parlamento Europeo. *Resolución de 11 de junio de 2013 sobre la vivienda social en la Unión Europea*, cit. Punto 12 y Parlamento Europeo. *Report on access to decent and affordable housing for all*, cit. punto 52.

[105] También se destaca esta falta de consideración de la preservación de la diversidad social en Ghekière, L. "La Comunidad Europea y la vivienda social", *Boletín Informativo núm. 94*. Valencia: Asociación Española de Promotores Públicos de Vivienda y Suelo, 2009. p. 21.

[106] Braga, M. y Palvarini, P. *Social housing in the EU*, cit. p. 42.

que también estas podrían sufrir privaciones materiales debido a la crisis económica[107]. Asimismo, se han manifestado en contra de tan restrictivo concepto que puede llevar a segregación social tanto la Federación Europea de Vivienda social, pública y cooperativa Housing Europe[108] (CECODHAS anteriormente)[109] así como 27 grandes ciudades europeas[110]. Ambas iniciativas defienden la importancia de dejar margen discrecional a los poderes públicos de cada Estado (a nivel estatal pero también regional) para que puedan adaptar las políticas de vivienda social a las necesidades de cada municipio o área, pues la situación del mercado de la vivienda, el nivel socioeconómico, etc. puede ser distinto en cada zona. Por ese motivo, creen que no debería ligarse el concepto de vivienda social a un grupo destinatario determinado por la Comisión Europea, sino que debería abrirse a aquellas familias o a grupos específicos que, debido a restricciones económicas o necesidades especiales, no tienen acceso a una vivienda digna y asequible en el mercado privado, tanto en áreas urbanas como rurales.

En un principio, son los EEMM de la UE los encargados de definir y delimitar los servicios considerados como SIEG y, en particular, también los servicios sociales de interés general[111], puesto que la UE se rige por

---

[107] Puntos 14 y 61 de la Resolución de 2013.

[108] Véase la Carta *"Better EU rules for better services of general interest in housing"* que el Presidente de Housing Europe, Marc Calon, escribió a la Comisaria Europea de Competencia, Margrethe Vestager, 07-03-2016.

[109] Federación que representa a 45 federaciones nacionales y regionales en 24 países, las cuales reúnen aproximadamente 43.000 proveedores de vivienda públicos/sociales y cooperativas, que gestionan un total de 26 millones de viviendas, un 11% del parque de vivienda en la UE aproximadamente. Datos extraídos de su página web oficial: http://www.housingeurope.eu/page-67/we-are-our-members (último acceso 20-03-2021).

[110] Lo han hecho mediante la firma, por parte de los alcaldes de 27 de las mayores ciudades europeas, de una Resolución para la vivienda social en Europa. LARGE EUROPEAN CITIES. *Draft. Resolution for social housing in Europe*, mayo 2013, disponible en https://www.eesc.europa.eu/resources/docs/resolution-for-social-housing-in-europe.pdf (último acceso 02-10-2019).

[111] Así lo delimita el Protocolo 26 del TFUE, cuando establece que "el papel esencial y la amplia capacidad de discreción de las autoridades nacionales, regionales y locales para prestar, encargar y organizar los servicios de interés económico general lo más cercanos posible a las necesidades de los usuarios". También lo establecen las propias Decisiones de 2005 y 2012, en sus puntos 16 y 11 respectivamente y la COMISIÓN DE LAS COMUNIDADES EUROPEAS. *Comunicación de la Comisión. Aplicación del programa comunitario de Lisboa. Servicios sociales de interés general en la Unión Europea*, cit. p. 3.

el principio de subsidiariedad[112], teniendo presente que la vivienda no es competencia exclusiva suya. Sin embargo, las medidas tomadas por la propia Comisión Europea han variado, *de facto,* los poderes de la UE en esta materia[113]. Así, esta institución ha tomado decisiones respecto a la interpretación que han hecho algunos EEMM de la UE de la normativa de exenciones de los SIEG en materia del derecho de competencia y el mercado interior, considerando que sus delimitaciones de SIEG no cumplían con los objetivos y principios de la UE en dicho campo[114]. Así, la Comisión Europea se aparta del modelo universalista de Ghekière[115], conclusión que ya se ha visto ejemplificada en algunos países que tenían este modelo universal y donde las presiones de la Comisión han obligado a adaptar sus conceptos y políticas de vivienda social[116].

Como apunte final a este apartado, debe resaltarse la ambigüedad o, hasta cierto punto, contradicción en las interpretaciones o posiciones adoptadas por la Comisión Europea. Mientras tomó un concepto más flexible y general en el campo del IVA, el concepto adoptado en el marco del derecho a la competencia en el mercado interior es claramente restrictivo focalizando la vivienda social en su función más generalista o residual (excluyendo, por lo tanto, el modelo universalista) y excluyendo también a la población que por razones diferentes a las económicas no puede acceder al mercado privado (por motivos de discapacidad, discriminación racial, etc.)[117]. En cambio, con la aprobación reciente del Pilar Europeo de derechos sociales (instrumento que incluye las actuaciones a apoyar y

---

[112] "En virtud del principio de subsidiariedad, en los ámbitos que no sean de su competencia exclusiva, la Unión intervendrá sólo en caso de que, y en la medida en que, los objetivos de la acción pretendida no puedan ser alcanzados de manera suficiente por los Estados miembros, ni a nivel central ni a nivel regional y local, sino que puedan alcanzarse mejor, debido a la dimensión o a los efectos de la acción pretendida, a escala de la Unión". Art. 5.3 Tratado de la UE.

[113] Braga, M. y Palvarini, P. *Social housing in the EU,* cit. p. 42.

[114] Ghekière, L. "La Comunidad Europea y la vivienda social", cit. p. 18. Sin embargo, cabe mencionar la STJUE de 15 de marzo de 2017 (C-414/15 P), en la que se defiende que las medidas propuestas por la Comisión Europea en el caso neerlandés eran simples propuestas y que, por consiguiente, fue la aceptación de estas medidas por parte del Gobierno neerlandés lo que convirtió esas propuestas en vinculantes. Punto 67.

[115] Roumet, C. *EU policies and housing in 2010. New perspectives.* Bruselas: Cecodhas Housing Europe, 2010 (edición especial). p. 9.

[116] Véanse los casos más destacados en el apartado siguiente.

[117] Boccadoro, N. "The impact of EU rules on the definition of social housing", cit. p. 266.

respaldar con fondos de la UE) vuelve a mostrar una interpretación amplia de vivienda social, relacionando su acceso con la población necesitada, sin mencionar recursos económicos[118].

3.3.2. La competencia desleal en el ámbito de la vivienda social: los casos de los Países Bajos y Suecia

Suecia y los Países Bajos eran dos de los países de la UE con un modelo universal de vivienda social a los que la Comisión Europea señaló por no estar cumpliendo esa vinculación directa entre el servicio de vivienda social y su destino a las familias más desfavorecidas[119]. En ambos casos este organismo les impuso que redujeran el ámbito de población que podía acceder a sus viviendas sociales si querían conservar las exenciones planteadas en materia de ayudas públicas compatibles con el mercado interior de la UE.

En ambos casos, las quejas se llevaron ante la Comisión Europea por representantes de proveedores de vivienda del sector privado: la European Property Federation (Federación Europea de la Propiedad) en el caso de Suecia (de la que es miembro la Federación Sueca de la Propiedad, Fastighetsägarna) en 2002 y 2005, y la Vereniging van Institutionele Beleggers in Vastgoed Nederland (Asociación de Inversores Institucionales de los Países Bajos, IVBN en adelante) en el caso de este otro país, en abril de 2007[120]. El motivo principal, a grandes rasgos, se fundamentaba en el hecho de que los proveedores de vivienda social actuaban al mismo nivel que los proveedores privados debido a la no restricción de población que podía acceder a la vivienda social, con la diferencia de que los primeros recibían ayudas públicas (ya sea directa o indirectamente), hecho que distorsionaba la competencia en el mercado de la vivienda de alquiler.

---

[118] COMISIÓN EUROPEA. *Documento de trabajo de los servicios de la Comisión que acompaña al documento Comunicación de la Comisión al Parlamento Europeo, al Consejo, al Comité Económico y Social Europeo y al Comité Europeo de las Regiones. Establecimiento de un pilar europeo de derechos sociales,* cit. pp. 75 y 76.

[119] GHEKIÈRE, L. "How social housing has shifted its purpose, weathered the crisis and accomodated European Community comptetition law", en HOUARD, N. (ed) *Social housing across Europe.* París: La documentation Française, 2009. pp. 135-151. p. 139.

[120] BRAGA, M. y PALVARINI, P. *Social housing in the EU,* cit. p. 40.

En el caso de los Países Bajos concretamente, donde la tendencia era la de ofrecer vivienda social casi sin restricciones[121], argumentando que de ese modo se conseguía mayor mixtura social[122], la IVBN sostenía que las *woningcorporaties* (las proveedoras de vivienda social en este país)[123] practicaban competencia desleal ya que: 1) la falta de delimitación del alcance de la población que podía acceder a la vivienda social provocaba que pudieran competir con el mercado de vivienda de alquiler privado por los consumidores con más ingresos y 2) también tenían la posibilidad de construir y vender vivienda en propiedad, por lo que también competían en el mercado privado de vivienda en propiedad; todo esto teniendo acceso a ayudas públicas, sobre todo a la hora de comprar suelo público a precio reducido y para acceder a préstamos bancarios con intereses muy bajos (al estar respaldadas por la Administración pública)[124].

Así pues, para que las ayudas estatales a la vivienda social no conllevaran competencia desleal, la Comisión Europea pidió al Gobierno neerlandés que acotase la población con derecho a acceder a este servicio, a fin de que pudiera considerarse SIEG con derecho a recibir ayuda pública sin considerarse competencia desleal. Y debía hacerlo en la línea del concepto establecido en la Decisión 2005/842/CE de la Comisión de 28 de noviembre de 2005, o sea, limitándolo a "grupos de población desfavorecidos o menos favorecidos socialmente que, por problemas de solvencia, no puedan encontrar vivienda en condiciones de mercado"[125]. También ordenó que se estableciera una separación clara a nivel administrativo y económico de las actividades sociales y de las comerciales de las *woningcorporaties*. Algunas de

---

[121] Véase PITTINI, A. y LAINO, E. *Housing Europe Review 2012. The nuts and bolts of European social housing systems,* cit. p. 64 y también ORGANIZACIÓN PARA LA COOPERACIÓN Y EL DESARROLLO ECONÓMICOS. *Economic Policy Reforms: Going for Growth.* OECD Publishing, 2011. p. 198.

[122] AEDES. *Dutch social housing in a nutshell.* Bruselas: Aedes, 2013. p. 7.

[123] En el Capítulo II se tratan las *woningcorporaties* en profundidad.

[124] COMISIÓN EUROPEA. *Decisión núm. E 2/2005 y N 642/2009, The Netherlands, Existing and special project aid to housing corporations.* Bruselas. 15-12-2009. C(2009)9963 final, Decisión de la Comisión Europea de 2009 en adelante. Para más información sobre las causas y las consecuencias de esta Decisión, véase PRIEMUS, H. y GRUIS, V. "Social housing and illegal State aid: the agreement between European Commission and Dutch Government", *International Journal of Housing Policy,* vol. 11, núm. 1, 2011. pp. 89-104.

[125] Véase el apartado anterior.

estas últimas pretendieron anular parte de la decisión de la Comisión, pero el recurso se desestimó por la STJUE de 15 de noviembre de 2018[126].

De esta manera, a raíz de las exigencias de la Comisión Europea, el Gobierno neerlandés decidió acotar el acceso a la vivienda social a personas o familias con unos ingresos familiares máximos de 33.000 euros/año (40.024 euros/año en 2021, puesto que se actualiza anualmente), al mismo tiempo que introdujo un alquiler máximo de 647,53 euros/mes (752,33 euros/mes en 2021)[127]. La Figura 1 muestra como casi el 30% de personas arrendatarias de vivienda social en 2012 se encontrarían, posteriormente a este acuerdo entre el Gobierno neerlandés y la Comisión Europea, fuera del grupo de población con posibilidad de acceder a una vivienda social, por situarse, sus ingresos familiares, por encima del máximo pactado.

Figura 1. Ingresos familiares de las personas arrendatarias de vivienda social en los Países Bajos (en relación a la Decisión de la Comisión Europea de 2009)

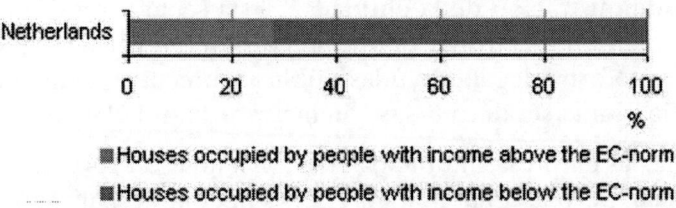

Fuente: Van Daalen, G., Regeer, W. y Janssen-Jansen, S. "Over a quarter of tenants in housing association stock earn more than 33 thousand euro". CBS Statistics Netherlands Web Magazine, 2012. Disponible en: https://www.cbs.nl/en-gb/news/2012/27/over-a-quarter-of-tenants-in-housing-association-stock-earn-more-than-33-thousand-euro (último acceso 03-10-2019).

---

[126] STJUE de 15 de noviembre de 2018, asuntos acumulados T-202/10 RENV II y T-203/10 RENV II (ECLI:EU:T:2018:795, caso Stichting Woonlinie and Others contra Comisión Europea).

[127] Se acordó que el 90% de la vivienda de las *woningcorporaties* se destinaría (con posibilidad de reducirlo al 80% en situaciones excepcionales) a este grupo, restando el 10% para población con ingresos superiores, aunque otorgando preferencia a grupos vulnerables como familias numerosas o personas con discapacidad. Punto 41 de la Decisión de la Comisión Europea de 2009. Datos para el 2021 extraídos de la página oficial del Gobierno neerlandés: https://www.rijksoverheid.nl/onderwerpen/huurwoning-zoeken/vraag-en-antwoord/wanneer-kom-ik-in-aanmerking-voor-een-sociale-huurwoning y https://www.rijksoverheid.nl/onderwerpen/huurwoning-zoeken/vraag-en-antwoord/wat-is-het-verschil-tussen-een-sociale-huurwoning-en-een-huurwoning-in-de-vrije-sector respectivamente (último acceso 20-03-2021).

Además, las recomendaciones de la Comisión Europea se incorporaron en la modificación de la Ley de Vivienda de los Países Bajos en 2015 (*Woningwet* 2015 en adelante)[128], siendo un punto clave la separación de actividades que se clasifican como SIEG y las que no se consideran como tales. En consecuencia, esta Ley obligó a las *woningcorporaties* a separar estos dos grupos de actividades, ya fuera a través de una separación legal (creación de dos entidades diferenciadas) o de una separación económica o contable, que incluyera separar claramente, dentro de la misma entidad, la contabilidad y registro de los ingresos, gastos, activos y pasivos de los dos bloques de actividades (cuentas económicas distintas para actividades consideradas SIEG y las que no lo son)[129]. La Ley estableció una excepción para aquellas entidades de menor tamaño (facturación anual inferior a 30 millones de euros) que no tuvieran un gran volumen de actividades no consideradas SIEG (si estas actividades no superan el 5% de ingresos y el 10% de inversiones anuales), siendo necesario únicamente una separación en la administración de la entidad[130]. Esta separación es importante porque solamente las actividades que se consideren SIEG pueden optar, a partir de la reforma legal, a ayudas públicas directas e indirectas. Esta y otras modificaciones serán tratadas con más profundidad en el Capítulo II.

En Suecia, las empresas municipales de vivienda son las proveedoras de vivienda social, pero al igual que en el caso neerlandés, al regirse por un sistema universal en el que el ámbito de actuación de estas entidades no se restringe a colectivos determinados, las empresas municipales competían directamente con los proveedores privados, con la ventaja que las primeras tenían la posibilidad de recibir ayudas, aunque fueran indirectas, en forma de ventajas fiscales, préstamos a tipos de interés bajos, etc. El "*bruksvärdesregeln*" (principio de valor de utilidad) exige que en Suecia las viviendas con las mismas características tengan aproximadamente el mismo precio de alquiler[131]; así, el sistema de fijación de precios, consistente en una negociación entre las empresas municipales y la Unión de Arrendatarios, obli-

---

[128] *Wet tot wijziging van de Herzieningswet toegelaten instellingen volkshuisvesting* (Ley por la que se modifica la Ley de revisión de las instituciones admitidas de vivienda pública), de 20 de marzo de 2015. *Staatsblad* 2015, núm. 146. Esta ley modifica la *Wet tot herziening van de Woningwet* (Ley revisada de vivienda), de 29 de agosto de 1991. *Staatsblad* 1991, núm. 439. La Ley de 1991 modificada por la ley de 2015 se referirá como *Woningwet* 2015 en adelante.

[129] Arts. 48a a 50c *Woningwet* 2015.

[130] Véase Ministry of Economics and Affairs. *National Reform Programme 2015*. Países Bajos, 2015.

[131] Braga, M. y Palvarini, P. *Social housing in the EU*, cit. p. 40.

gaba a todos los propietarios (también los privados), a seguir esos precios influenciados, en gran medida, por las empresas municipales.

A raíz de la queja formulada por la European Property Federation, en 2005 se le asignó a una Comisión del Gobierno investigar el posible conflicto que podía existir entre el sistema de las empresas municipales de vivienda existente en Suecia (y también su rol en la determinación de los precios de los alquileres) con la normativa europea de competencia y ayudas públicas. A raíz de esa investigación, la Comisión publicó un informe en 2008[132], en el que se distinguen dos conclusiones principales. La primera conclusión fue que el sistema de fijación de alquileres que se venía aplicando hasta entonces (por el cual las empresas municipales de vivienda negociaban con la Unión de Arrendatarios y la renta que determinaban servía como referencia para los precios de alquiler de todo el mercado de alquiler) colisionaba con la normativa europea y, en consecuencia, debía permitirse a los propietarios privados desempeñar el mismo rol que las empresas municipales en la negociación por la fijación de los precios de alquiler, dejando de tener los alquileres establecidos por las sociedades municipales una función determinante. Así, sin perder la esencia del principio de valor de utilidad, se decidió abrir la negociación para fijar el precio del alquiler también al sector del alquiler privado y, además, se acompañó de las posibles revisiones por parte de los Tribunales de Alquiler, órganos administrativos constituidos por un abogado con experiencia judicial, un representante de los arrendatarios y un representante de los propietarios, encargados de examinar disputas que puedan aparecer en relación a los términos del contrato de alquiler o de su renovación[133].

El segundo resultado del informe otorgaba la posibilidad de tomar dos vías distintas para evitar que las ayudas recibidas por las empresas municipales colisionaran con el Derecho de la UE: o bien las empresas municipales acotaban su ámbito de actuación a colectivos con pocos ingresos y con

---

[132] El informe se titula "UE, las empresas municipales de vivienda y la fijación de los alquileres" y, aunque solo se encuentra en sueco, dispone de un resumen extenso (pp. 35-44) en inglés. STATENS OFFENTLIGA UTREDNINGAR. *EU, allmännyttan och hyrorna*. Estocolmo: Fritzes Offentliga Publikationer, 2008, disponible en http://www.regeringen.se/rattsdokument/statens-offentliga-utredningar/2008/04/sou-200838/ (último acceso 02-10-2019).

[133] BÅÅTH, O. *National Report for Sweden*, en el Proyecto TENLAW: Tenancy Law and Housing Policy in Multi-Level Europe, 2014, disponible en https://www.uni-bremen.de/jura/tenlaw-tenancy-law-and-housing-policy-in-multi-level-europe/ (último acceso 02-10-2019). pp. 58, 114 y 115.

dificultades de obtener vivienda en el mercado privado, o bien se equiparaban al resto de propietarios privados[134]. Así, los cambios legislativos posteriores optaron por la segunda opción, estableciendo la necesidad de las empresas municipales de actuar siguiendo criterios más empresariales y de mercado. En este punto, aparecieron controversias en torno a la combinación de los términos "criterios empresariales" y "función pública"[135]. Uno de los riesgos que puede acarrear esta decisión (junto con el cambio del sistema de fijación de rentas) es la subida de precios de los alquileres, sobre todo en las áreas de más demanda residencial, afectando directamente a la asequibilidad del acceso a la vivienda, especialmente de las personas y familias con menos ingresos[136].

Tras el informe de la Comisión del Gobierno y los consiguientes cambios legislativos mencionados, la European Property Federation retiró en 2011 la queja que había formulado, por lo que en este caso la Comisión Europea no llegó a publicar una Decisión posicionándose al respecto[137]. La solución que adoptó el Gobierno sueco es precisamente la contraria a la adoptada por el Gobierno neerlandés, desvinculando la vivienda social

---

[134] Elsinga, M. y Lind, H. "The effect of EU-legislation on rental systems in Sweden and the Netherlands", *Housing Studies,* vol. 28, núm. 7, 2013, pp. 960-970. pp. 962 y 963.

[135] Elsinga, M. y Lind, H. "The effect of EU-legislation on rental systems in Sweden and the Netherlands", cit. p. 963.

[136] Czischke, D. "Social Housing and European Community Competition Law", en Scanlon, K., Whitehead, C. y Fernández Arrigoitia, M. *Social housing in Europe.* Chichester: John Wiley and Sons, 2014. pp. 333-346. p. 340. Gruis y Elsinga argumentaban en 2014 que los efectos de la nueva medida no habían tenido mayor impacto en los precios del alquiler, gracias al procedimiento de fijación de los alquileres, en el que intervienen representantes de arrendatarios. Gruis, V. y Elsinga, M. "Tensions between social housing and EU market regulations", *European State Aid Law Quarterly,* vol. 13, núm. 3, 2014, pp. 463-469. p. 466. Sin embargo, Lind expresa su preocupación por la imposibilidad de acceso al mercado de alquiler para familias con ingresos bajos (especialmente de personas desempleadas o con trabajos precarios y de personas nuevas en la ciudad, principalmente inmigrantes), debido a las largas listas de espera y al aumento del precio del alquiler, sobre todo, en las viviendas de nueva construcción, que presentan un aumento de hasta el doble del precio de las viviendas antiguas. Lind, H. "The Swedish housing market from a low-income perspective", *Critical Housing Analysis,* vol. 4, núm. 1, 2017, pp. 150-160. pp. 155 y 156.

[137] Elsinga, M. y Lind, H. "The effect of EU-legislation on rental systems in Sweden and the Netherlands", cit. p. 963.

al concepto de SIEG para poder así seguir ofreciendo un acceso universal a este tipo de vivienda.

Casos posteriores fueron los de Bélgica y Francia[138]. En el primero, el Tribunal Constitucional belga planteó una cuestión prejudicial al TJUE en abril de 2011, a raíz de una demanda interpuesta por un conjunto de promotores privados contra las políticas de vivienda flamencas que les imponían o bien adjudicar a vivienda social el 20% de cada proyecto que llevaban a cabo (cediendo el suelo o vendiendo las viviendas a organizaciones de vivienda social a precios fijados) o bien pagar una tasa al municipio. Los promotores argumentaron que ese porcentaje de suelo o de viviendas cedido al parque social no tenía como destinatarios a los grupos más desfavorecidos (como requiere la Comisión Europea). En este caso, el Tribunal dejó la interpretación de si se trataba de SIEG en manos del Tribunal Constitucional nacional y, posteriormente, el Gobierno flamenco modificó su legislación para acotar los beneficiarios de viviendas sociales a personas con necesidad de una vivienda, entre otros requisitos[139]. En el segundo, la Union Nationale des Propriétaires Immobiliers, organización que reúne los promotores privados de Francia, interpuso una reclamación ante la Comisión Europea en julio de 2012 en relación con las ayudas que el Gobierno francés otorgaba a las organizaciones proveedoras de vivienda social. En su reclamación, esta organización argumentó que las ayudas no se ajustaban a las reglas de competencia y ayudas públicas de la UE, ya que parte del parque de vivienda social no requería límite máximo de ingresos para su adjudicación y, por lo tanto, no se destinaba exclusivamente a "población desaventajada" como requiere la Comisión Europea. Posteriormente, el Gobierno francés se posicionó a través de una carta que contestaba a preguntas de la Comisión, en la que definió que los criterios

---

[138] Pueden encontrarse estos casos resumidos en GRUIS, V. y ELSINGA, M. "Tensions between social housing and EU market regulations", cit. pp. 466 y ss., MOSCA, S. "Court to rule on definition of social housing", *Europolitics*, Suplemento al núm. 4328, 2011, pp. 20-21 y CZISCHKE, D. "Social Housing and European Community Competition Law", cit. pp. 343 y ss.

[139] STJUE de 8 de mayo de 2013, asuntos acumulados C-197/11 y C-203/11 (TJCE 2013\210, Caso Eric Libert y Otros contra Gouvernement flamand), puntos 95-102. La STJUE de 20 de septiembre de 2018, asunto C-343/17 (JUR 2018\255335, caso Agentschap voor Grond— en Woonbeleid voor Vlaams-Brabant (Vlabinvest APB) y Otros contra la Comisión Europea) reitera la posición de que debe ser el Estado Miembro de la UE el que determine una definición acotada de vivienda social, definición que se expone, en el caso de la legislación flamenca, en los puntos 8 y 9 de la sentencia.

y el alcance de la vivienda social como SIEG estaban claramente determinados por la legislación francesa, y que existían tanto criterios de ingresos máximos como de grupos prioritarios[140].

3.4. El derecho a la vivienda en España y la vivienda social

El derecho a una vivienda digna y adecuada se regula en el artículo 47[141] de la CE. Concretamente, se localiza en el Capítulo III del Título Primero, lo que implica que se encuentra entre los principios rectores de la política social y económica, de manera que no tiene carácter de derecho fundamental, sino que se trata de un principio programático[142]. Así, su función es informar "la legislación positiva, la práctica judicial y la actuación de los poderes públicos" (art. 53.3 CE). Por lo tanto, se trata de un derecho que no puede alegarse directamente, ni ante los tribunales ordinarios[143] ni ante el Tribunal Constitucional (TC en adelante)[144]. Solamente puede ser alegado ante la Jurisdicción ordinaria en el contexto de la existencia de leyes que lo desarrollen[145]. Así, su eficacia queda supeditada a la existencia de su desarrollo legislativo[146], de ahí que esa legislación de desarrollo sea

---

[140]   Véase *Aide d'État SA. 34751 (2012/CP), Note des autorités françaises en réponse à la demande d'information de la Commission suite à une plainte de l'UNPI sur les logements sociaux en France. Ref. Courrier de la Commission n° COMP/ F3/VD/MC/JP/ack * 2012/072381 du 5 juillet 2012* (Ayuda estatal SA. 34751 (2012/ CP)— Nota de las autoridades francesas en respuesta a la solicitud de información de la Comisión a raíz de una queja de UNPI sobre viviendas sociales en Francia. Ref. Carta de la Comisión núm. COMP/ F3/ VD/ MC/ JP/ ack * 2012/072381 de 5 de julio de 2012).

[141]   Este determina que "Todos los españoles tienen derecho a disfrutar de una vivienda digna y adecuada. Los poderes públicos promoverán las condiciones necesarias y establecerán las normas pertinentes para hacer efectivo este derecho, regulando la utilización del suelo de acuerdo con el interés general para impedir la especulación.
La comunidad participará en las plusvalías que genere la acción urbanística de los entes públicos."

[142]   NASARRE AZNAR, S. "Malas prácticas bancarias en la actividad hipotecaria", cit. p. 2669.

[143]   STS de 31 de enero de 1984 (RJ 1984\495) y STS de 19 de abril de 2000 (RJ 2000\2963).

[144]   ATC de 20 de julio de 1983 (RTC 1983\359 AUTO) y ATS de 4 de julio de 2006 (JUR 2006\190875).

[145]   STS de 19 de abril de 2000.

[146]   JARIA I MANZANO, J. "El derecho a una vivienda digna en el contexto del Estado Social", en NASARRE AZNAR, S. (dir.) *El acceso a la vivienda en un contexto de crisis.* Madrid: Edisofer, 2011, pp. 53-87. pp. 68 y 69.

un instrumento esencial para materializar el derecho a la vivienda en España[147]. JARIA I MANZANO[148] destaca el fuerte componente prestacional de este derecho a una vivienda digna y adecuada, "que lo hace dependiente de la distribución del gasto público, y de las políticas públicas destinadas a incidir en el mercado inmobiliario"; la eficacia de este derecho depende de la existencia de una oferta disponible de vivienda de calidad, así como de la disposición de mecanismos que permitan un acceso efectivo a esa oferta. Así, a parte de su reconocimiento y desarrollo legislativo, en la efectividad de este derecho juegan un papel importante las políticas públicas de vivienda[149].

Las CCAA tienen competencia exclusiva sobre la materia de vivienda. En el contexto de esta competencia, algunas de ellas otorgan al derecho a la vivienda una categoría superior a la de principio rector, incluyéndolo dentro de su catálogo de derechos. Así lo hacen, por ejemplo, el artículo 26 del Estatuto de Autonomía de Cataluña[150] o el artículo 16 del Estatuto de Autonomía de la Comunidad Valenciana[151]. Sin embargo, el TC ya se ha pronunciado al respecto, argumentando que estos derechos estatutarios no pueden considerarse derechos subjetivos sino mandatos a los poderes públicos, puesto que los Estatutos de Autonomía no pueden establecer, por sí mismos, derechos subjetivos en sentido estricto[152]. Finalmente, aunque los artículos 47 y 53.3 CE ofrecen cierto margen de maniobra al legis-

---

[147] MUÑOZ CASTILLO, J. *Constitución y vivienda.* Madrid: Centro de Estudios Políticos y Constitucionales, 2003. p. 20.

[148] JARIA I MANZANO, J. "El derecho a una vivienda digna en el contexto del Estado Social", cit. p. 73.

[149] JARIA I MANZANO, J. "El derecho a una vivienda digna en el contexto del Estado Social", cit. pp. 69 y 70.

[150] Ley Orgánica 6/2006, de 19 de julio, de reforma del Estatuto de Autonomía de Cataluña. BOE 20-07-2006, núm. 172.

[151] Ley Orgánica 5/1982, de 1 de julio, de Estatuto de Autonomía de la Comunidad Valenciana, BOE 10-07-1982, núm. 164, teniendo en cuenta la Ley Orgánica 1/2006, de 10 de abril, de reforma de la Ley Orgánica 5/1982, de 1 de julio, del Estatuto de Autonomía de la Comunidad Valenciana, BOE 11-04-2006, núm. 86.

[152] STC de 28 de julio de 2010 (RTC 2010\31). Por su lado, la Ley 3/2015, de 18 de junio, de vivienda del País Vasco (BOE 13-07-2015, núm. 166), LVPV en adelante, regula, de manera expresa, un derecho subjetivo de acceso a la ocupación legal de una vivienda digna y adecuada (Capítulo II de la Ley). Sin embargo, el art. 6.1 que precisamente regula el derecho de poder "exigir ante los órganos administrativos y ante los juzgados y tribunales de la jurisdicción competente la observancia de la presente ley, así como de las normas, disposiciones, planes y programas que se dicten en su desarrollo y ejecución" fue declarado inconstitucional parcialmente, en

lador[153] a la hora de diseñar políticas públicas y de aprobar normativa que permita hacer efectivo el derecho del artículo 47 CE, no es menos cierto que ya se ha pronunciado el TC estableciendo límites cuando se considera que esa normativa regional puede contravenir competencias exclusivas del Estado como son la regulación de las condiciones básicas que garanticen la igualdad de todos los españoles en el ejercicio de los derechos constitucionales (art. 149.1.1 CE), la legislación civil (art. 149.1.8 CE) y las bases y coordinación de la planificación general de la actividad económica (art. 149.1.13 CE)[154].

La cifra comúnmente aceptada para la vivienda social en alquiler respecto del parque total de vivienda de España es la del 2%[155], una de las más bajas de la UE[156], cifra que dificulta cumplir con el mandato constitucional de garantizar el acceso universal a una vivienda digna y adecuada[157].

---

su redacción de "y ante los juzgados y tribunales de la jurisdicción competente". STC de 19 de septiembre de 2018 (RTC 2018\97).

[153] Jaria i Manzano, J. "El derecho a una vivienda digna en el contexto del Estado Social", cit. p. 75.

[154] Véase, por ejemplo, la STC de 14 de mayo de 2015 (RTC 2015\93), donde en su FJ 17 establece que "el Estado define con esta doble medida la extensión de la intervención pública de protección de personas en situación de vulnerabilidad que considera compatible con el adecuado funcionamiento del mercado hipotecario y, a la vez, para evitar que el equilibrio que juzga oportuno se quiebre, impide que las Comunidades Autónomas en ejercicio de sus competencias propias adopten disposiciones que, con este mismo propósito de tutela, afecten de un modo más intenso a dicho mercado. En conclusión, las medidas estatales reseñadas, en tanto que determinan de un modo homogéneo para todo el Estado los sacrificios que se imponen a los acreedores hipotecarios para aliviar la situación de sus deudores, concurren de un modo principal a regular el mercado hipotecario en su conjunto y, al tratarse este de un subsector decisivo dentro del sector financiero, inciden directa y significativamente sobre la actividad económica general". Véase, asimismo, el apartado "2.3. Competencia en materia de vivienda" del Capítulo III.

[155] Véase el apartado "1. El acceso a una vivienda digna, adecuada y asequible en España" del Capítulo III.

[156] Pittini, A. y Laino, E., Housing Europe Review 2012. The nuts and bolts of European social housing systems, cit. p. 24.

[157] Esto teniendo en cuenta que la familia en España juega un rol de protección social muy importante. Castañé García, J. "La vivienda, un largo camino por recorrer", Documentación Social, núm. 138, 2005, pp. 101-118. p. 104. En la misma línea, Nasarre Aznar, Garcia y Xerri afirman que "uno de los factores por los cuales la situación actual no es más grave en la tercera edad en España es precisamente porque la mayoría de nuestros mayores tiene una vivienda en propiedad ya pagada. Ello les ha posibilitado, cuando ha sido necesario, ayudar económicamente

La falta de esta oferta suficiente de viviendas adecuadas, dignas y a precio asequible, el número de desahucios con la crisis de 2007[158] (está por ver qué sucederá con las personas que se acogen actualmente a suspensiones de desahucio como medida para hacer frente a la COVID-19)[159] y la falta de reacción del legislador hasta 2011 ha llevado incluso a la aparición de decisiones judiciales al margen o en contra de la propia legislación. Así, existen jueces y tribunales que, en el ámbito del derecho hipotecario, han reaccionado al margen o en contra de la legislación existente en España para proteger a los consumidores vulnerables (considerados como la parte "débil") ante las instituciones financieras. NASARRE AZNAR habla de "*Robinhoodian courts decisions*"[160], las cuales se basaban en un primer período en criterios de justicia o de principios generales del Derecho (2010-2013), y en normativa europea y de derechos fundamentales en una segunda etapa (a partir de 2013). Así, estos jueces y tribunales empezaron a lacerar el artículo 33.1 CE referente al derecho de propiedad privada, en favor a la aplicación del artículo 33.2, referente a la función social de la vivienda y del artículo 47 (el derecho a una vivienda digna y adecuada).

Además, algunas Administraciones públicas han tomado la decisión de legalizar situaciones irregulares, de personas que "okupan" viviendas sin título habilitante para residir[161], regularizando así, situaciones que podrían llegar a ser delitos (la usurpación es un delito tipificado en el artículo 245

---

y/o acoger a sus hijos afectados por los desahucios", en NASARRE AZNAR, S., GARCIA, M.O. y XERRI, K. "¿Puede ser el alquiler una alternativa real al dominio como forma de acceso a la vivienda? Una comparativa legal Portugal-España-Malta", *Teoría y Derecho*, núm. 189, 2014, pp. 188-215. p. 191.

[158]   Véanse cifras en el apartado "1.1. Situación actual" del Capítulo III.

[159]   Por el momento hasta el 31 de octubre de 2021. Real Decreto-ley 16/2021, de 3 de agosto, por el que se adoptan medidas de protección social para hacer frente a situaciones de vulnerabilidad social y económica. BOE 04-08-2021, núm. 185.

[160]   Véase su artículo NASARRE AZNAR, S. ""Robinhoodian" courts' decisions on mortgage law in Spain", *International Journal of Law in the Built Environment*, vol. 7, núm. 2, 2015, pp. 127-147.

[161]   Existen ejemplos en Madrid, Valencia y Barcelona: ABC MADRID. *Los requisitos que pide Carmena a los okupas para legalizar sus viviendas*, 14-09-2016, disponible en http://www.abc.es/espana/madrid/abci-requisitos-pide-carmena-okupas-para-legalizar-viviendas-201609140024_noticia.html; VALENCIAPLAZA. *La Generalitat quiere regularizar a los 'okupas' de las viviendas públicas*, 04-04-2017, disponible en http://valenciaplaza.com/la-generalitat-quiere-regularizar-a-los-okupas-de-las-viviendas-publicas y EL MUNDO. *Ada Colau mantiene su plan para legalizar las ocupaciones en Barcelona*, 27-02-2016, disponible en http://www.elmundo.es/cataluna/2016/02/27/56d099c122601db6078b4617.html (último acceso 02-10-2019).

del Código Penal[162] con penas de prisión que pueden llegar a los dos años) y provocando, además, situaciones de injusticia con otros necesitados de vivienda, puesto que son personas que reciben una vivienda social pasando por delante de unidades familiares que llevan esperando el mismo tipo de vivienda pero siguiendo la "vía legal", además de la peligrosidad de que pueda acarrear un "efecto llamada"[163]. Precisamente, en el actual contexto de excepcionalidad y de estado de alarma a raíz de la COVID-19, el legislador ha regulado, a nivel estatal, la posibilidad de suspender los procedimientos de desahucio y de lanzamiento (en un principio, hasta la finalización del estado de alarma, pero prorrogado hasta 31 de octubre de 2021 por el momento) incluso para personas en situación de precario o de ocupaciones sin título habilitante, siempre que sean personas económicamente vulnerables sin alternativa habitacional y previa valoración ponderada y proporcional, por parte del juez, del caso concreto y de las circunstancias[164]. Finalmente, otra de las consecuencias de no poder satis-

---

[162] Ley Orgánica 10/1995, de 23 de noviembre, del Código Penal. BOE 24-11-1995, núm. 281.

[163] La usurpación es el delito que más ha aumentado en los últimos años, suponiendo un aumento del 92% entre el 2013 y el 2014, pues se pasó de 12.569 incoaciones en 2013 a 24.164 en 2014. Fiscalía General del Estado. *Memoria 2015*. Madrid, 2015. p. 710. Además, existen varios manuales de fácil acceso por vía de internet que explican, al detalle, cómo "okupar" una vivienda: existe el Manual de la Plataforma de Afectados por la Hipoteca, en el marco de su campaña "Obra Social la PAH" (disponible en http://afectadosporlahipoteca.com/2013/07/09/obra-social-pah-manual-desobdiencia-civil-viviendas-entidades-financieras/, último acceso 02-10-2019), el del movimiento ARRAN, basado en parte y con la colaboración de la PAH (disponible en http://lluitanttenimfutur.arran.cat/wp-content/uploads/sites/7/2014/03/llibret-okupacio.pdf, último acceso 09-02-2018) y también el manual de la Oficina de Okupación de Madrid (disponible en http://www.okupatutambien.net/?page_id=1360, último acceso 09-02-2018).

[164] Regulado en el art. 1bis Real Decreto-ley 11/2020, de 31 de marzo, por el que se adoptan medidas urgentes complementarias en el ámbito social y económico para hacer frente al COVID-19 (BOE 01-04-2020, núm. 9), introducido por el Real Decreto-ley 37/2020, de 22 de diciembre, de medidas urgentes para hacer frente a las situaciones de vulnerabilidad social y económica en el ámbito de la vivienda y en materia de transportes (BOE 23-12-2020, núm. 334) y modificado por el Real Decreto-ley 1/2021, de 19 de enero, de protección de los consumidores y usuarios frente a situaciones de vulnerabilidad social y económica (BOE 20-01-2021, núm. 17), ampliándolo incluso en las causas penales en las que el lanzamiento afecte a personas que carezcan de título para habitar una vivienda. Cataluña, regulaba, desde diciembre de 2019, la obligación de los grandes tenedores de vivienda de ofrecer un alquiler social a las personas que ocuparan sus viviendas vacías sin títu-

facer el derecho a una vivienda por la falta de parque de vivienda social son las altas tasas de morosidad entre las entidades gestoras de carácter público y su reticencia a llevar a cabo procedimientos de desahucio[165]. Este hecho, además de ser económicamente insostenible[166], puede implicar, irónicamente, un incumplimiento del principio de igualdad, pues se habilita a permanecer en una vivienda social a arrendatarios que no pagan ni la cuantía de renta subsidiada o que no están cumpliendo con el resto de los requisitos exigidos (ej. mostrando un mal uso de la vivienda o incurriendo en actos vandálicos), mientras que potenciales inquilinos que sí podrían cumplir con estas normas siguen en la lista de espera[167].

El Relator especial sobre la vivienda adecuada de las Naciones Unidas resaltó en un informe especial sobre España en 2008 la insuficiente oferta de vivienda social o asequible en este país, cuyos precios, además, tendían

---

lo habilitante y que llevaran más de seis meses allí (DA Primera de la Ley 24/2015, de 29 de julio, de medidas urgentes para afrontar la emergencia en el ámbito de la vivienda y la pobreza energética. BOE 09-09-2015, núm. 216, añadida por el Decreto-ley 17/2019, de 23 de diciembre, de medidas urgentes para mejorar el acceso a la vivienda. Sin embargo, esta DA Primera se ha declarado inconstitucional y ha sido anulada por la STC de 28 de enero de 2021 (JUR 2021\41441).

[165] El 38,5% de entidades públicas gestoras españolas esperan entre 8 y 12 meses para iniciar un proceso de desahucio. Datos de Sanz Cintora, A. (coord.) *Diagnóstico 2012. La gestión de la vivienda pública de alquiler,* cit. pp. 108 y 109.

[166] Un informe para la Comisión Europea de 2016 sobre desahucios desvela que países con altas tasas de vivienda social (los Países Bajos con un 30% y Dinamarca con un 21%) tienen procedimientos de desahucio por arrendamiento privado y social relativamente cortos (39 días en Dinamarca y entre 1 y 3 meses en los Países Bajos). Además, los Países Bajos llevó a cabo, solamente en 2013, 23.100 desahucios de vivienda social en alquiler (en España, ese mismo año, hubo 38.141 procedimientos judiciales de desahucio de arrendamientos iniciados, pero que englobaba tanto vivienda social, privada y también garajes y locales; teniendo en cuenta, además, que estamos en un país de 46,5 millones de habitantes —los Países Bajos tiene 17 millones— y que tenemos un 15% de vivienda en alquiler), mientras que en Dinamarca se iniciaron ese mismo año 17.479 procedimientos de desahucio de arrendamiento privado y social (país de 5,6 millones de habitantes, con un 37% de arrendatarios). Aunque son datos de difícil comparación, sí que nos dan indicios de que países con altas tasas de vivienda social desahucian más y más rápido. Kenna, P. et al. (eds.) *Pilot Project – Promoting protection of the right to housing – Homelessness prevention in the context of evictions,* cit. pp. 59, 61 y 70; y Pittini, A. (dir.) *The State of Housing in the EU 2019.* Bruselas: Housing Europe, 2019, pp. 61 y 79 para los porcentajes de vivienda social de alquiler.

[167] Sanz Cintora, A. (coord.) *Diagnóstico 2012. La gestión de la vivienda pública de alquiler,* cit. p. 111.

a ser demasiado altos para los segmentos más bajos de la población[168]. Recientemente, el Comité DESC de las Naciones Unidas ha vuelto a recalcar su preocupación por el insuficiente parque de vivienda social español[169]. Así, para poder hacer efectivo el derecho a una vivienda digna y adecuada, tanto el Gobierno central como las CCAA han adoptado políticas para aumentar el parque de vivienda social de alquiler. Sin embargo, cabe resaltar que muchas de las medidas coyunturales tomadas para una rápida reacción a esta problemática han sido (y son) medidas de presión o incentivos negativos para los actores privados del sector y, principalmente, para las entidades de crédito (restructuración de deudas, moratorias de desahucios, alquileres sociales forzosos, expropiaciones forzosas, etc.)[170].

3.5. El derecho a la vivienda en el contexto del derecho a la ciudad

El concepto del "derecho a la ciudad" fue acuñado por el sociólogo y filósofo Henri Lefebvre en 1968 con su obra *Le droit a la Ville* (El derecho a la ciudad)[171]. En ella, Lefebvre distingue entre una dimensión más abstracta y una dimensión más real de este derecho. En su concepto más abstracto, el derecho a la ciudad se entiende como el derecho a pertenecer y a coproducir los espacios urbanos, se trata de ver la ciudad como una obra (*oeuvre*). En su dimensión más real, en cambio, el derecho a la ciudad se centra en la consecución de un conjunto de derechos sociales, políticos y económicos, de derechos como el de la educación, el trabajo, la salud, el ocio y el habitacional, que conjuntamente (y no de manera aislada) per-

---

[168] Naciones Unidas. *Informe del Relator Especial sobre una vivienda adecuada como elemento integrante del derecho a un nivel de vida adecuado, Sr. Miloon Kothari. Misión a España*, 7 de febrero de 2008 (A/HRC/7/16/Add.2). Por lo tanto, véase como ya se destacaba esta problemática en España antes de materializarse las consecuencias de la crisis económica de 2007.

[169] Por ello, establece como una de sus recomendaciones que España "adopte todas las medidas necesarias, incluso mediante la asignación de recursos suficientes, para hacer frente al déficit de vivienda social, especialmente para las personas y grupos más desfavorecidos y marginados, como las personas y hogares de bajos ingresos, los jóvenes, las mujeres y las personas con discapacidad" Comité de Derechos Económicos, Sociales y Culturales de las Naciones Unidas. *Observaciones finales sobre el sexto informe periódico de España*, abril 2018 (E/C.12/ESP/CO/6), p. 7.

[170] Véanse todas esas medidas en el apartado "1.2. Aumentando por todas las vías el parque de vivienda social en alquiler" del Capítulo III.

[171] Lefebvre, H. *Le droit à la Ville*. París: Anthropos, 1968.

miten el desarrollo tanto de la sociedad como del espacio urbano. Se trata de concebir la ciudad como valor de uso (un lugar que habitar) y no como valor de cambio (como conjunto de bienes inmuebles)[172].

GUILLÉN LANZAROTE[173] subraya que al reivindicar un derecho a la ciudad lo que se pretende reclamar es un espacio colectivo donde se garanticen y protejan los derechos humanos. Y en este punto resalta la importancia del papel protector que deben desarrollar las Administraciones locales y la necesidad de actuar como ciudad "glocal". Este término, híbrido de las palabras "global" y "local" (y acuñado por vez primera por ULRIK BECK, en su obra "La sociedad del riesgo" de 1998), es un neologismo que se utiliza para etiquetar a aquellas actuaciones o políticas públicas (en este caso de las Administraciones locales) que, teniendo presente las existentes problemáticas globales (por lo tanto, mirada a nivel internacional), se focalizan e implementan en su territorio en concreto, es decir, "piensa globalmente y actúa localmente"[174].

En este derecho a la ciudad complejo, la vivienda tiene un papel fundamental, puesto que es un elemento clave para poder lograr un sentimiento de pertenencia a la ciudad. ROLNIK (Relatora Especial de las Naciones Unidas sobre una vivienda adecuada como elemento integrante del derecho a un nivel de vida adecuado y del derecho de no discriminación en este contexto, entre 2008-2014)[175] declaró que privar a alguien del acceso a una vivienda adecuada es privar a esa persona de la posibilidad de formar parte, participar y disfrutar de la vida en la ciudad[176]. Y es que si seguimos

---

[172] AALBERS, M. B. y GIBB, K. "Housing and the right to the city: introduction to the special issue", *International Journal of Housing Policy*, vol. 14, núm. 3, 2014, pp. 207-213. p. 209 y ARTHURSON, K., LEVIN, I. y ZIERSCH, A. "Social mix, '[A] very, very good idea in a vacuum but you have to do it properly!' Exploring social mix in a right to the city framework", *International Journal of Housing Policy*, vol. 15, núm. 4, 2015, pp. 418-435. p. 419.

[173] GUILLÉN LANZAROTE, A. "El dret a la ciutat, un dret humà emergent", en INSTITUT DE DRETS HUMANS DE CATALUNYA (dir. y coord.) *Sèrie Drets Humans Emergents 7: El dret a la ciutat.* Barcelona: Institut dels Drets Humans de Catalunya, 2011, pp. 16-27. p. 20.

[174] Frase utilizada en el I Foro Social Mundial (2001 en Porto Alegre, Brasil).

[175] http://www.ohchr.org/EN/Issues/Housing/Pages/HousingIndex.aspx (último acceso 27-10-2019).

[176] ROLNIK, P. "Place, inhabitance and citizenship: the right to housing and the right to the city in the contemporary urban world", *International Journal of Housing Policy*, vol. 14, núm. 3, 2014, pp. 293-300. pp. 294 y 295.

la definición de vivienda digna que nos propone el Comité DESC[177], vemos cómo este derecho humano no se restringe al acceso a una vivienda solamente (con cuatro paredes y un techo) sino que se amplía a aspectos como la seguridad en la tenencia, el acceso a instalaciones y servicios básicos (o sea, electricidad, agua potable, atención médica, educación, comida, transporte, eliminación de residuos, espacios verdes, ocio, etc.), a la habitabilidad de la vivienda, su asequibilidad, etc. Así, despojar a alguien de estos derechos significa excluir a la persona de ese tejido social, cultural y político que conforma la ciudad[178]. No se trata de promover una forma de tenencia por encima de la otra (por ejemplo, de fomentar la propiedad en detrimento del alquiler), sino de disponer de tenencias seguras, adecuadas, asequibles y accesibles para los miembros de diferentes grupos de ingresos de la sociedad, que permitan por igual el derecho de los habitantes a ser oídos y a participar de las decisiones que conciernen a su entorno urbano[179].

Este derecho a la ciudad puede verse vulnerado en situaciones en las que a una parte de la población se le impide o dificulta el acceso a los espacios urbanos de sus localidades. Entre estas situaciones se encuentran los procesos de privatización de ciertos espacios para crear comunidades cerradas (*gated communities*), para desarrollar instalaciones y servicios restringidos a ciertas clases sociales o la gentrificación de ciertas zonas que conduce al desplazamiento de los residentes con menor capacidad económica y su segregación en ciertas áreas de la ciudad[180]. Además, la vivienda como activo y como bien de lujo puede suponer un incremento del valor de mercado de este sector en ciertas zonas.

---

[177]   Véase *supra* el apartado "3.2. Instrumentos supranacionales" en este mismo capítulo.

[178]   Rolnik, P. "Place, inhabitance and citizenship: the right to housing and the right to the city in the contemporary urban world", cit. p. 298.

[179]   Así lo promulga la Nueva Agenda Urbana mundial, adoptada en el Congreso de las Naciones Unidas Hábitat III celebrado en Quito, en octubre de 2016, en sus puntos 32 y 33, disponible en http://habitat3.org/the-new-urban-agenda/ (último acceso 02-10-2019). Se vuelve a mencionar este instrumento *infra* en este mismo apartado.

[180]   Arthurson, K., Levin, I. y Ziersch, A. "Social mix, '[A] very, very good idea in a vacuum but you have to do it properly!' Exploring social mix in a right to the city framework", cit. p. 421.

En este punto, mecanismos como la promoción de proyectos mixtos (mixtura en los tipos de tenencia de la vivienda)[181], así como la existencia de vivienda social suficiente son necesarios para garantizar el derecho a la ciudad de población con menos ingresos y grupos más vulnerables[182].

El derecho a la ciudad como derecho humano[183] emergente se encuentra aún en su fase más primitiva, y la dificultad de su reconocimiento radica en su complejidad y falta de concreción[184]. A parte de ello, es un concepto que sí se ha venido luchando e intentando alcanzar desde un punto de vista político y legal, desde mediados de los años setenta, en algunos países latinoamericanos[185]. Como casos destacables, puede mencionarse el reconocimiento del derecho a la ciudad o de los derechos humanos en el contexto urbano en el Estatuto de la ciudad de Brasil (2001)[186], en la Cons-

---

[181] ARTHURSON, K., LEVIN, I. y ZIERSCH, A. "Social mix, '[A] very, very good idea in a vacuum but you have to do it properly!' Exploring social mix in a right to the city framework", cit. p. 421.

[182] Así, según URIBE, "Sin derecho a la vivienda, no hay derecho a habitar. Y no tener derecho a habitar, significa no tener derecho a participar activa y libremente de la experiencia urbana, de la construcción social" y "sin derecho a la vivienda social, como una de las respuestas activadoras del derecho a la vivienda en régimen de respeto a la dignidad y voluntad de las personas, es imposible consumar el derecho a la vivienda y, por tanto, el derecho a habitar y el derecho a la ciudad". URIBE VILARRODONA, J. "Dret a habitar, dret a habitatge (social)", *Barcelona Societat. En profunditat*, 2016, pp. 78-97. pp. 87 y 92-93 respectivamente. Traducción propia.

[183] HARVEY, D. "The right to the city", *New Left Review*, núm. 53, 2008, pp. 23-40. p. 23.

[184] GUILLÉN LANZAROTE, A. "El dret a la ciutat, un dret humà emergent", cit. p. 21.

[185] FERNANDES, E. "Rights to the city", en SMITH, S.J. (ed.) *International Encyclopedia of Housing and Home*, vol. 6. Amsterdam-Oxford-Waltham: Elsevier, 2012. pp. 187-192. p. 187.

[186] Ley federal brasileña núm. 10.257, de 10 de julio de 2001. Se trata de una ley de política urbana que persigue una mayor inclusión social y territorial en las ciudades y, para hacerlo, se basa en directrices generales entre las que se pueden encontrar la de "garantizar el derecho a contar con ciudades sustentables, entendido como el derecho a la tierra urbana, a la vivienda, al saneamiento ambiental, a la infraestructura urbana, al transporte y a los servicios públicos, al trabajo y al esparcimiento, para las generaciones presentes y futuras" o la de "planificación del desarrollo de las ciudades, de la distribución espacial de la población y de las actividades económicas del Municipio y del territorio bajo su área de influencia, de modo a evitar y corregir las distorsiones del crecimiento urbano y sus efectos negativos sobre el medio ambiente", entre otras (art. 2). "La reunión de leyes previamente existentes, de forma fragmentada, con instrumentos y conceptos nuevos bajo la denominación de Estatuto de la Ciudad, facilita el reconocimiento de la cuestión urbana" y permite dar unidad nacional al tratamiento de las ciudades.

titución de Ecuador (2008)[187] y en la Carta de la ciudad de México por el derecho a la ciudad (2010)[188]. También Montreal, ciudad que en 2005 aprobó su Carta de derechos y responsabilidades[189], en la que se presenta la ciudad como territorio y como espacio en el que habitar y en el que velar por valores como la dignidad humana, la tolerancia, la paz, la inclusión y la igualdad entre todos los ciudadanos[190].

A nivel internacional, existen instrumentos que lo contemplan y defienden. Así, la Carta Europea de Salvaguarda de los Derechos Humanos en la Ciudad, aprobada en la ciudad francesa de Saint-Denis en el año 2000[191] y ratificada por más de 500 ciudades[192], regula en su artículo 1 el derecho a la ciudad como el derecho a "un espacio colectivo que pertenece a todos sus habitantes que tienen derecho a encontrar las condiciones para su realización política, social y ecológica, asumiendo deberes de solidaridad". El derecho a una vivienda digna, segura y salubre se regula específicamente

---

Maricato, E. "El Estatuto de la ciudad periférica", en Santos Carvalho, C. y Rossbach, A. (organizadores) *El Estatuto de la Ciudad: un comentario*. São Paulo: Ministerio de las Ciudades-Alianza de las Ciudades, 2010. pp. 5-22.

[187] Decreto legislativo 0. Registro Oficial núm. 449, de 20 de octubre de 2008. En sus arts. 375 y 376 regula la necesidad del Estado de garantizar el derecho al hábitat y a la vivienda digna.

[188] Esta Carta, que pretende construir una ciudad incluyente, democrática, sostenible, productiva, educadora y habitable (segura, saludable, convivencial y culturalmente diversa), tiene una definición de ciudad (en su art. 1.1) casi idéntica a la que se regula en la Carta Mundial sobre el Derecho a la Ciudad (véase *infra* en este mismo apartado). Carta disponible en http://www.hlrn.org/img/documents/CARTA_CIUDAD_2011-muestra.pdf (último acceso 02-10-2019).

[189] Lorena Zárate, M. "El dret a la ciutat: lluites urbanes per l'art del bon viure", en Institut de Drets Humans de Catalunya (dir. y coord.) *Sèrie Drets Humans Emergents 7: El dret a la ciutat*, cit, pp. 54-70. p. 59 y Fernandes, E. "Rights to the city", cit. p. 187.

[190] Art. 1 de la Carta de derechos y responsabilidades de Montreal, disponible en http://ville.montreal.qc.ca/portal/page?_pageid=3036,3377687&_dad=portal&_schema=PORTAL (último acceso 02-10-2019).

[191] Esta Carta sobre derechos humanos en el ámbito urbano (por lo tanto, no estrictamente del derecho a la ciudad) es el resultado de un trabajo preparatorio iniciado en Barcelona en 1998, en el marco de la Conferencia "Ciudades por los Derechos Humanos", en el que participaron alcaldes y representantes políticos de diferentes ciudades europeas. Puede consultarse en https://www.uclg-cisdp.org/es/el-derecho-la-ciudad/carta-europea (último acceso 02-10-2019).

[192] Listado disponible en https://www.uclg-cisdp.org/sites/default/files/ciudades_signatarias_Carta_Europea_2014%20-%20para%20combinar.pdf (último acceso 02-10-2019).

en su artículo 16, que además vela por la necesidad de una oferta adecuada de vivienda y de equipamientos para todos sus ciudadanos sin discriminación por razón de ingresos o sexo. Tales equipamientos deben asegurar la dignidad y seguridad de colectivos vulnerables en el espacio público (el artículo 4 también vela por la protección de los colectivos y ciudadanos más vulnerables).

Otro instrumento que prevé el derecho a la ciudad es la Carta Mundial sobre el Derecho a la Ciudad, texto político fruto del trabajo de movimientos populares, organizaciones gubernamentales, foros y redes nacionales e internacionales de la sociedad civil y asociaciones profesionales[193]. Esta Carta Mundial propone una definición extensa del derecho a la ciudad (art. 1.2). Lo define como "el usufructo equitativo de las ciudades dentro de los principios de sustentabilidad, democracia, equidad y justicia social. Es un derecho colectivo de los habitantes de las ciudades, en especial de los grupos vulnerables y desfavorecidos, que les confiere legitimidad de acción y de organización, basado en sus usos y costumbres, con el objetivo de alcanzar el pleno ejercicio del derecho a la libre autodeterminación y un nivel de vida adecuado. El Derecho a la Ciudad es interdependiente de todos los derechos humanos internacionalmente reconocidos, concebidos integralmente, e incluye, por tanto, todos los derechos civiles, políticos, económicos, sociales, culturales y ambientales que ya están reglamentados en los tratados internacionales de derechos humanos". Además, defiende este derecho sin discriminaciones de género, de edad, de ingresos, de nacionalidad y/o religión, de salud, etc.

Más recientemente, la Nueva Agenda Urbana[194] que prevé un marco universal para las políticas de desarrollo urbano sostenible y vivienda para los próximos 20 años (adoptada en el Congreso de las Naciones Unidas Hábitat III celebrado en Quito, en octubre de 2016), menciona el derecho a la ciudad cuando al hablar de su ideal común, establece que: "Compartimos el ideal de una ciudad para todos, en cuanto a la igualdad en el uso y el disfrute de las ciudades y los asentamientos humanos, buscando promover la integración y garantizar que todos los habitantes, tanto de las generaciones presentes como futuras, sin discriminación de ningún tipo,

---

[193] La Carta se empezó a articular en el I Foro Social Mundial (2001 en Porto Alegre, Brasil), y se acabó forjando entre el Foro Social de las Américas (julio 2004 en Quito, Ecuador) y el Foro Mundial Urbano (octubre 2004 en Barcelona).

[194] Puede consultarse en http://habitat3.org/the-new-urban-agenda/ (último acceso 02-10-2019).

puedan crear ciudades y asentamientos humanos justos, seguros, sanos, accesibles, asequibles, resilientes y sostenibles, y habitar en ellos, a fin de promover la prosperidad y la calidad de vida para todos. Tomamos nota de los esfuerzos de algunos gobiernos nacionales y locales para consagrar este ideal, conocido como "el derecho a la ciudad", en sus leyes, declaraciones políticas y cartas"[195]. Recordemos también que mejorar la seguridad y la sostenibilidad de las ciudades y garantizar el acceso a viviendas seguras y asequibles es uno de los 17 Objetivos de Desarrollo Sostenible (ODS) de las Naciones Unidas (Objetivo 11: ciudades y comunidades sostenibles)[196].

4. RASGOS PRINCIPALES DE LA VIVIENDA SOCIAL

Ya se ha evidenciado la inexistencia de un concepto unitario a nivel europeo de vivienda social, fruto de la gran variedad de conceptos que cada Estado adopta en función de sus políticas de vivienda y de sus ayudas públicas[197]. Sin embargo, existen diversos elementos que caracterizan la vivienda social, que son los que precisamente hacen perfilar el concepto y la función que adoptará la vivienda social en cada Estado dependiendo de la orientación y acotamiento de cada uno de ellos. Estos elementos son, principalmente, el régimen de tenencia, los beneficiarios, los proveedores y las fuentes de financiación[198]:

　　a) La tenencia: la vivienda social en Europa se ofrece generalmente en
　　　　régimen de alquiler, pero no siempre, pues existen modelos de vi-

---

[195]　Tanto en la primera como en la segunda Conferencia de las Naciones Unidas sobre asentamientos humanos (Vancouver 1976 y Estambul 1996 —Hábitat II— respectivamente), se comenzó a perfilar la necesidad de un desarrollo sostenible de los asentamientos humanos que además permitiese contribuir al desarrollo de las personas que habitan en ellos, creando, también, un mejor entorno para la salud y el bienestar humanos. Pisarello, G. *Vivienda para todos: un derecho en (de) construcción.* Barcelona: Icaria, 2003. p. 85.

[196]　Pueden consultarse todos los ODS en https://www.undp.org/content/undp/es/home/sustainable-development-goals.html (último acceso 30-01-2021).

[197]　Whitehead, C. y Scanlon, K. *Social housing in Europe,* cit. pp. 5 y 8. Véase también Houard, N. (ed) *Social Housing across Europe,* cit. p. 13.

[198]　Braga, M. y Palvarini, P. *Social housing in the EU,* cit. p. 10. Criterios muy similares han sido identificados por Granath Hansson y Lundgren en su estudio de 2019, donde realizan un vaciado de artículos académicos sobre vivienda social entre 2010 y 2017 y examinan en detalle 9 de los más relevantes. Granath Hansson, A. y Lundgren, B. "Defining Social Housing: A Discussion on the Suitable Criteria", *Housing, Theory and Society,* vol. 36, núm. 2, 2019, pp. 149-166. p. 156.

vienda social en propiedad y en tenencias intermedias, como la *shared ownership*[199].

b) Los beneficiarios son aquellas personas que pueden acceder a este tipo de vivienda. Precisamente este elemento es el que define la función que desarrolla la vivienda social en cada Estado. Si la vivienda social se abre a prácticamente toda la población, estamos ante un modelo universalista, que influye en la marcha del mercado de la vivienda y busca la asequibilidad de la vivienda al mismo tiempo que se favorece la mixtura social[200]. Por otro lado, existen los modelos que orientan el acceso a la vivienda social a grupos de población determinados; los grados de restricción de ese acceso permite distinguir entre el modelo generalista y el modelo residual[201]. Algunos Estados imponen umbrales económicos a la hora de elegir la población que puede optar a una vivienda social; otros países ponen el énfasis en priorizar el acceso a aquellos grupos de población especialmente vulnerables[202].

c) El tercer elemento es el de los proveedores. La vivienda social puede ofrecerse por una diversidad de agentes. En algunos países, como en España, Hungría o Suecia, la vivienda social se ofrece mayoritariamente por la Administración pública, ya sea a nivel estatal, regional o local y ya sea directamente o a través de entidades y empresas públicas. En cambio, hay países en los que el parque de vivienda social se reparte entre agentes públicos y agentes privados. Estos agentes privados pueden ser entidades sin ánimo de lucro, con ánimo de lucro limitado, cooperativas e incluso entidades con ánimo de lucro. En algunos países, como en Dinamarca o los Países Bajos, las entidades privadas sin ánimo de lucro son las propietarias principales del parque de vivienda social de ese país[203].

---

[199] Véase el apartado "6. Vivienda social en alquiler y en propiedad" de este capítulo, donde se discute esta cuestión más en detalle.

[200] PITTINI, A. y LAINO, E. *Housing Europe Review 2012. The nuts and bolts of European social housing systems,* cit. p. 22.

[201] Véase el apartado "2. Funciones de la vivienda social en los Estados Miembros de la UE" de este capítulo al hablar de las funciones de la vivienda social en los EEMM.

[202] Véase algunos de estos criterios en países europeos seleccionados en OECD. "Social housing: a key part of past and future housing policy", cit. p. 9.

[203] Véase un resumen de los tipos de proveedores de vivienda social en los países de la UE en la Tabla 1.4.3 *Modalities of social housing provision,* en POLACEK, R. (dir.) *Study*

d) Finalmente, el cuarto elemento es el de las fuentes a las que se recurre para financiar este parque de vivienda social. Los modelos de financiación también varían mucho en función del país y de sus políticas de vivienda, y van ligados al elemento anterior, es decir, al tipo de proveedor. En algunos, este sector se financia casi en su totalidad por ingresos públicos; en cambio, en otros, existe más independencia respecto del presupuesto público y las fuentes de financiación más importantes son privadas, como los préstamos bancarios, por ejemplo (a veces obtenidos con mejores condiciones por existir un respaldo del Estado). Además, las ayudas públicas pueden ir destinadas a la construcción y a la oferta del parque social, permitiendo reducir los costes de construcción y de acondicionamiento y poder ofrecer así la vivienda a precios más reducidos (ej. descuentos en adquisición de suelo público, subvenciones a la construcción y/o rehabilitación, préstamos públicos, tipos de interés subvencionados, etc.). También pueden destinarse ayudas a los adjudicatarios de esas viviendas sociales, por ejemplo, para que el pago del alquiler sea asequible y no supere el 30% de los ingresos familiares.

Otras características que también son significativas a la hora de definir el sector de vivienda social son[204]:

a) La estrecha relación con las políticas de vivienda a nivel local, ya sea a través de su aplicación directa por parte de la Administración local, o con la coordinación y colaboración de otros proveedores privados. Así, el sector de la vivienda social y sus proveedores guardan una estrecha relación con la Administración y sus políticas públicas, ya no solamente para establecer los beneficiarios y el sistema de adjudicación, sino también porque los proveedores de vivienda social deben implicarse en conseguir mixtura y cohesión social y evitar la creación de guetos y de segregación social[205]. Además, sobre este sector de vivienda social suele existir un control por parte de la Administración pública, con relación a la regulación de los proveedores de esa vivienda, sus funciones y las actividades o actuaciones a desarrollar.

on social services of general interest. Final report. Dirección General de empleo, asuntos sociales e inclusión de la Comisión Europea, 2011. pp. 125-129. Véase, también, OECD. "Social housing: a key part of past and future housing policy", cit. p. 10.

[204] Pittini, A. y Laino, E., Housing Europe Review 2012. The nuts and bolts of European social housing systems, cit. pp. 22 y 23.

[205] Comisión de Empleo y Asuntos Sociales. Parlamento Europeo. Informe sobre la vivienda social en la Unión Europea, 2012/2293(INI), 30 de abril de 2013. p. 21.

Aunque en algunos países como en los Países Bajos este control había ido en descenso[206], la reciente reforma legislativa en este país prevé aumentarlo de nuevo, medida espoleada por los casos de fraudes, mala gestión y salarios desproporcionados de directores de algunas *woningcorporaties*[207].

b) La seguridad en la tenencia: en este sector es importante ofrecer una seguridad en la tenencia, al contrario de casos de arrendamientos a corto plazo que pueden existir en algunos mercados de alquiler privado[208]. Esta seguridad permite al adjudicatario de esa vivienda social poder intentar mejorar su situación personal, económica y/o social. La provisión de vivienda social no debe restringirse simplemente a ofrecer un alojamiento, sino que debe crear un ambiente que permita ayudar a los beneficiarios de viviendas sociales a mejorar sus oportunidades, ya sean a nivel económico/laboral, social y/o personal. Es por eso por lo que la provisión de vivienda social debe ir acompañada de medidas para facilitar el acceso al trabajo, o acompañamiento u otros servicios sociales (gente mayor, discapacitados, etc.), formación laboral, etc[209]. En este punto, son importantes también los aspectos mencionados sobre la cohesión social y la participación de las familias beneficiarias.

c) El objetivo o la función que persiguen los proveedores de vivienda social de ofrecer viviendas que sean adecuadas para los beneficiarios sociales y que ofrezcan unos estándares de calidad.

---

[206] BOELHOUWER, P. *Maturation of the Dutch social housing model and perspectives for the future.* Delft: OTB Research Institute for the Built Environment, 2014. p. 3.

[207] ELSINGA, M. y WASSENBERG, F. "Social Housing in the Netherlands", en SCANLON, K., WHITEHEAD, C. y FERNÁNDEZ ARRIGOITIA, M. *Social housing in Europe,* cit. pp. 25-40. p. 36 y BOELHOUWER, P. *Maturation of the Dutch social housing model and perspectives for the future,* cit. p. 6. Veremos estos casos *infra,* en el Capítulo II.

[208] NACIONES UNIDAS. COMISIÓN ECONÓMICA PARA EUROPA. *Workshop on Social Housing organized at the invitation of Ministry for Regional Development of the Czech Republic in cooperation with European Liaison Committee for Social Housing (CECODHAS),* Praga, 2003. p. 3 y PITTINI, A. y LAINO, E. *Housing Europe Review 2012. The nuts and bolts of European social housing systems,* cit. pp. 22 y 23.

[209] NACIONES UNIDAS. COMISIÓN ECONÓMICA PARA EUROPA. *Workshop on Social Housing organized at the invitation of Ministry for Regional Development of the Czech Republic in cooperation with European Liaison Committee for Social Housing (CECODHAS),* cit. p. 142.

d) La particular relación existente entre el proveedor de la vivienda y su beneficiario, puesto que puede fomentase la participación o implicación de los adjudicatarios de la vivienda social tanto en la gestión del servicio en sí como del funcionamiento y gestión de la entidad proveedora: varios países contemplan (ya sea por obligación legal o porque las políticas de las entidades gestoras de vivienda social así lo establecen)[210] esta participación de los beneficiarios en la toma de decisiones sobre la gestión de los servicios ofertados por la entidad y/o sobre el funcionamiento de la misma entidad proveedora de la vivienda social. A veces, incluso, pueden llegar a tener representación dentro de los órganos de gobierno de la misma.

A continuación, mencionamos algunos ejemplos de instituciones públicas o privadas que han intentado dar una definición de vivienda social teniendo en cuenta algunos de estos elementos acabados de exponer como caracterizadores de ese tipo de vivienda.

Housing Europe, la Federación Europea de vivienda social, pública y cooperativa, que dispone de un Observatorio Europeo de Vivienda Social, propuso a la Comisión Europea un concepto de vivienda social en 1998, que la definía como "aquella vivienda en la que el acceso se controla por medio de unas normas de adjudicación que favorecen a las familias con dificultades para encontrar alojamiento en el mercado"[211]. Esta concepción, no obstante, se consideró demasiado general, dando pie a innumerables interpretaciones por parte de los diferentes países.

Otro ejemplo es la definición adoptada por la Comisión Económica de las Naciones Unidas para Europa (UNECE), que considera que vivienda social es "una palabra clave que permite a los gobiernos y a otros agentes del sector intercambiar conocimientos sobre la parte de su sistema de vivienda que tiene por objeto satisfacer la necesidad de vivienda, contando con apoyo del Estado y que se distribuye a través de un proceso administrativo distinto atendiendo a los contextos locales"[212].

La Organización para la Cooperación y el Desarrollo Económicos (OCDE en adelante) acotó por su lado, para uno de sus proyectos de in-

---

[210]   FORSTER, W. (dir.) *Guidelines on Social Housing. Principles and Examples.* Nueva York y Ginebra: Naciones Unidas, 2006. p. 12.

[211]   Traducción propia. ROSENFELD, O. *Social Housing in the UNECE Region. Models, Trends and Challenges,* cit. p. 12.

[212]   Traducción propia. ROSENFELD, O. *Social Housing in the UNECE Region. Models, Trends and Challenges,* cit. p. 14.

vestigación que comparaba la vivienda asequible y social en diversos países de la OCDE, el concepto de vivienda social a aquella "vivienda de alquiler ofertada a un precio por debajo del precio de mercado y que se adjudica siguiendo una normativa específica que no sigue mecanismos de mercado"[213].

Finalmente, el Observatorio Europeo de Sinhogarismo de FEANTSA (Federación Europea de organizaciones nacionales que trabajan con personas sin hogar) fijó, para un estudio comparativo en 2011, el concepto de vivienda social mediante siete características[214], considerándola aquella que: 1) pretende tratar y corregir los fallos producidos por el mercado de la vivienda; 2) se dirige a grupos de población que no pueden acceder al mercado privado; 3) tiene unos criterios claros de adjudicación; 4) ofrece vivienda con unos estándares de calidad adecuados y controlados; 5) dispone de ayudas públicas; 6) se ofrece sin ánimo de lucro y; 7) se encuentra bajo supervisión y control de la Administración pública.

La Tabla 2 resume y desglosa las definiciones adoptadas por las instituciones y organizaciones internacionales mencionadas, así como la Comisión Europea para el asunto de las ayudas públicas que hemos comentado *supra*[215].

Tabla 2. Definiciones de vivienda social por algunos organismos internacionales

		Comisión Europea	Housing Europe	UNECE	OCDE	Feantsa
Beneficiarios	Ingresos/nivel económico	X				
	Dificultad de acceso en el mercado privado (en general)	X	X			X

---

[213] SALVI DEL PERO, A. et al. "Policies to promote access to good-quality affordable housing in OECD countries", *OECD Social, Employment and Migration Working Papers*, núm. 176, OECD Publishing, París, 2016. p. 36. Traducción propia. Más recientemente, en OECD. "Social housing: A key part of past and future housing policy", cit.

[214] PLEACE, N., TELLER, N. y QUILGARS, D. *Social Housing Allocation and Homelessness. EOH Comparative Studies on Homelessness.* Bruselas: FEANTSA, 2011. p. 16.

[215] Véase el apartado "3.3.1. Políticas de la UE en materia de vivienda" de este mismo capítulo.

	Comisión Europea	Housing Europe	UNECE	OCDE	Feantsa
Criterios de adjudicación administrativos (necesidad vivienda)		X	X	X	X
Precio por debajo del de mercado				X	
Tenencia en alquiler				X	
Apoyo del Estado			X		X
Objetivo de satisfacer la necesidad de vivienda			X		X
Otros					Vivienda con estándar de calidad — Sin ánimo de lucro — Control público

Fuente: Elaboración propia.

A pesar de la variedad terminológica y de los matices que cada país e incluso cada institución pueda darle a la vivienda social, un aspecto es común a todos ellos: el motivo de su desarrollo es siempre la necesidad de reaccionar ante la incapacidad del mercado privado de dar respuesta por sí mismo a la necesidad de vivienda de toda la población. Así pues, su rol es el de satisfacer esa necesidad a la población que no puede acceder a una vivienda en condiciones dignas en el mercado privado[216]. No se trata únicamente de ofrecer el acceso a una vivienda a personas y familias con dificultades económicas, sino a todos aquellos colectivos vulnerables, es decir, aquellos que se encuentren en una posición débil para negociar en el mercado de vivienda[217]: personas con discapacidad física y/o mental, minorías étnicas, inmigrantes, solicitantes de asilo, etc.

Es por eso que, a pesar de la diversidad de conceptos que se han ido enumerando y la variedad dentro de los elementos mencionados (régimen de tenencia, propiedad del parque, beneficiarios y financiación), existen

---

[216] Véase OXLEY, M. *Financing Affordable Social Housing in Europe*. Nairobi: UN-Habitat, 2009. p. 2 y NACIONES UNIDAS. COMISIÓN ECONÓMICA PARA EUROPA. *Workshop on Social Housing organized at the invitation of Ministry for Regional Development of the Czech Republic in cooperation with European Liaison Committee for Social Housing (CE-CODHAS)*, cit. p. 1.

[217] PRIEMUS, H. "Social Housing Institutions in Europe", en SMITH, S.J. (ed.) *International Encyclopedia of Housing and Home*, cit. pp. 410-415. p. 410.

dos elementos que pueden considerarse como los rasgos definitorios clave de la vivienda social[218]:

a) Ofrecerse a un precio por debajo del precio de mercado (asequible) y

b) no seguir las reglas del mercado para ser adjudicadas, mas adjudicarse siguiendo un procedimiento administrativo. Esta segunda premisa es la que esencialmente distingue el mercado de vivienda privado del de la vivienda social[219], pues pueden existir viviendas privadas a precio reducido por diferentes motivos, pero no por eso dejan de ser viviendas del mercado privado. Por lo tanto, lo que realmente distingue a una vivienda social (puede verse como es un requisito predominante en la Tabla 2) es el modo en que esta se adjudica: su sistema de adjudicación no es libre y no se ajusta simplemente a la oferta y demanda del mercado, sino que sigue criterios establecidos por los poderes públicos (intervención pública), los cuales dictan las pautas atendiendo a criterios de necesidad de vivienda de la población. Es decir, la vivienda social no se adjudica al demandante más solvente o al oferente de un precio más elevado; el objetivo principal no es asegurar un mayor beneficio económico, sino ofrecer un servicio público (o social, en terminología de la UE)[220]. Este segundo elemento excluiría del concepto que aquí se expone todas aquellas viviendas del mercado privado que aunque puedan recibir algún tipo de subvención u otras ayudas públicas, siguen las reglas de oferta y demanda del mercado para ser adjudicadas; estas podrían considerarse "viviendas asequibles", pero no necesariamente tienen que ser sociales, como bien se expone a continuación.

---

[218] Pittini, A. y Laino, E. *Housing Europe Review 2012. The nuts and bolts of European social housing systems,* cit. p. 22 y Rosenfeld, O. *Social Housing in the UNECE Region. Models, Trends and Challenges,* cit. p. 6.

[219] Resaltando este requisito como esencial de la vivienda social encontramos a Haffner, M. et al. "Bridging the gap between social and market rented housing in six European countries?", *Housing and Urban Policy Studies,* núm. 33, 2009. pp. 4 y 5; Boelhouwer, P. *Maturation of the Dutch social housing model and perspectives for the future,* cit. p. 2 y Oxley, M. et al. "Competition and Social Rented Housing", *Housing, Theory and Society,* vol. 27, núm. 4, 2010. pp. 332-350. p. 339.

[220] Lennartz, C. *Competition between social and private rental housing,* cit. p. 6.

5. VIVIENDA SOCIAL, VIVIENDA PÚBLICA Y VIVIENDA ASEQUIBLE

"Vivienda asequible" (*affordable housing*), "vivienda social" (*social housing*) y "vivienda pública" (*public housing*) son términos utilizados a menudo de manera conjunta o incluso indistinta, para referirse, no obstante, a realidades diferentes[221]. Para evitar una mayor confusión, es importante delimitar cada uno de estos conceptos.

En un principio, tanto el concepto de vivienda social como el de vivienda pública deberían englobarse dentro del de vivienda asequible, es decir, viviendas adecuadas a cada persona o familia y con un precio que no imponga una carga irracional o inadmisible para sus ingresos. Una definición de "asequibilidad" empleada en numerosos estudios científicos[222] es la que ofrecen Maclennan y Williams: "la asequibilidad se refiere a asegurar cierta calidad y/u otros estándares en la vivienda a un precio o alquiler que no imponga, a ojos de un tercero (generalmente el Gobierno), una carga irrazonable sobre los ingresos de la unidad familiar"[223]. Según esta definición, la asequibilidad de la vivienda gira en torno a dos ejes: a) el precio de venta o alquiler, el cual no puede suponer una carga excesiva para la unidad familiar (teniendo en cuenta sus ingresos) y b) la vivienda debe adecuarse al tipo concreto de unidad familiar. Estos dos puntos se desglosan a continuación:

a) El primer eje es el que determina que para que una vivienda sea asequible, esta no puede suponer una carga desproporcionada (*unreasonable burden*) para la unidad familiar, en relación con sus ingresos. Existen básicamente dos fórmulas para calcular la asequibilidad. La más utilizada es la que relaciona la renta con los ingresos (*rent-to-income ratio*), es decir, la parte de ingresos familiares que se destina a pagar los gastos de vivienda[224].

---

[221] Véase, por ejemplo, Salvi del Pero, A. et al. "Policies to promote access to good-quality affordable housing in OECD countries", cit. o Polacek, R. (dir.) *Study on social services of general interest. Final report,* cit., donde se utilizan los términos de vivienda asequible y vivienda social. y Braga, M. y Palvarini, P. *Social housing in the EU,* cit. pp. 8-11. para los términos vivienda social y vivienda pública.

[222] Véase, por ejemplo, en Haffner, M. y Boumeester, H. "Is renting unaffordable in the Netherlands?", *International Journal of Housing Policy,* vol. 14, núm. 2, pp. 117-140, 2014. p. 120 y Chaplin, R. y Freeman, A. "Towards an accurate description of affordability", *Urban Studies,* vol. 36, núm. 11, 1999, pp. 1949-1957. p. 1950.

[223] Maclennan, D. y Williams, R. *Affordable housing in Britain and America.* York: Joseph Rowntree Foundation, 1990. p. 9. Traducción propia.

[224] Chaplin, R. y Freeman, A. "Towards an accurate description of affordability", cit., p. 1949 y Thalmann, P. "'House poor' or simply 'poor'?", *Journal of Housing Econo-*

Para determinar si los gastos derivados de una vivienda son asequibles o no para una persona o familia es necesario establecer un estándar de asequibilidad. A nivel de datos estadísticos de la UE (Eurostat), ese estándar se fija en el 40%[225]; es decir, se considera que una vivienda no es asequible cuando el coste total de la vivienda (neto de ayudas a la vivienda) representa más del 40% de los ingresos familiares disponibles (netos de ayudas a la vivienda)[226]. Aun así, el porcentaje de referencia frecuentemente utilizado en estudios científicos y estadísticos es el del 30%[227].

Esta primera fórmula, no obstante, carece de algunos aspectos. No tiene en cuenta, por ejemplo, los gastos que no son estrictamente de vivienda, es decir, debe tenerse presente la estructura familiar y sus necesidades específicas, el entorno en el que se encuentra y la buena o mala red de comunicaciones, así como los servicios a los que esta puede o necesita acceder. Tampoco entra a valorar el estándar de vivienda (explicado a continuación). Además, esta fórmula tampoco permite identificar y separar aquellas situaciones de falta de asequibilidad puntual, por ejemplo, por encontrarse la persona en una fase de cambio de trabajo. Asimismo, a veces, el 30% de los ingresos de una unidad familiar con unos ingresos muy bajos puede ser menos asequible que por ejemplo el 40% de los ingresos de una unidad familiar con ingresos mayores, puesto que su 60% restante puede ser mucho mayor que el 70% restante de la primera[228].

Precisamente, esta última carencia es la que intenta resolver la segunda fórmula mencionada para calcular la asequibilidad: la de "ingreso residual" (*residual income*), consistente en restar los gastos de vivienda de los ingresos familiares disponibles. Se trata de calcular el presupuesto que queda des-

---

mics, núm. 12, 2003, pp. 291-317. p. 291; también HAFFNER, M. y BOUMEESTER, H. "Is renting unaffordable in the Netherlands?", cit., p. 121.

[225] La terminología europea es la de "tasa de sobrecoste de la vivienda" (*housing cost overburden rate*). Véase KENNA, P. *Housing Law, Rights and Policy*, cit. p. 1009.

[226] Definición extraída del glosario del Eurostat, disponible en https://ec.europa.eu/eurostat/statistics-explained/index.php?title=Glossary:Housing_cost_overburden_rate (último acceso 27-09-2018).

[227] Véase, entre otros, HEYLEN, K. y HAFFNER, M. "A ratio or budget benchmark for comparing affordability across countries?", *Journal of Housing and the Built Environment*, vol. 28, núm. 3, 2013, pp. 547-565. p. 550; HAFFNER, M. y BOUMEESTER, H. "Is renting unaffordable in the Netherlands?", cit. p. 121; PARIS, C. "International perspectives on planning and affordable housing", *Housing Studies*, vol. 22, núm. 1, 2007, pp. 1-9. p. 2 y ABELSON, P. "Affordable housing: concepts and policies", *Economic Papers,* vol. 28, núm. 1, 2009, pp. 27-38. p. 28.

[228] PARIS, C. "International perspectives on planning and affordable housing", cit. p. 2.

pués de pagar la vivienda para consumir otros productos y servicios[229]. De esta segunda fórmula pueden desprenderse dos mensajes: a) si los ingresos disponibles restantes tras extraer los gastos de vivienda son insuficientes para el consumo de otros productos o servicios necesarios, puede significar que la vivienda es inasequible y b) puede detectarse una situación de riesgo de pobreza debido a la imposibilidad de acceder, con los ingresos restantes al consumo considerado necesario por la sociedad[230].

b) Si únicamente se ponen en relación los gastos de la vivienda con los ingresos familiares, se deja de contemplar aspectos tan importantes como la calidad de la vivienda. Es por eso por lo que, acertadamente, la definición de Maclennan y Williams mencionada anteriormente incorpora un segundo eje en la definición de asequibilidad: garantizar un cierto estándar de vivienda (*standard of housing*). Es necesario determinar cuándo una unidad familiar está gastando demasiado en vivienda, por ejemplo, por alojarse en una vivienda demasiado grande (*overconsumption*) o cuándo esta tiene un gasto menor en relación con la vivienda pero porque vive en condiciones de sobreocupación (*underconsumption*), por ejemplo. Por lo tanto, es necesario establecer estándares de vivienda que permitan determinar el nivel de calidad de vivienda razonable para cada tipo de unidad familiar; así como también es importante que exista un abanico suficiente de viviendas estándar para poder adaptarse a las necesidades de todo tipo de familias[231]. En consecuencia, solo cuando una persona o familia no pueda (potencialmente) acceder a una vivienda con un nivel (estándar) acorde a su tipo de unidad familiar sin sobrepasar el umbral considerado como asequible se considerará la existencia de un problema de falta de asequibilidad[232].

---

[229] La idea es que los gastos de vivienda son gastos de diferente naturaleza, pues es más difícil reducirlos (imposible a corto plazo) que otros gastos, como el de comida o ropa. Heylen, K. y Haffner, M. "A ratio or budget benchmark for comparing affordability across countries?", cit. p. 550.

[230] Haffner, M. y Boumeester, H. "Is renting unaffordable in the Netherlands?", cit. p. 122.

[231] Según Thalmann, existen tres tipos de vivienda estándar: a) viviendas de una o dos habitaciones para unidades familiares de una persona; b) viviendas de tres habitaciones para unidades familiares con uno o dos hijos; y c) viviendas de cuatro habitaciones para unidades familiares con tres o cuatro hijos. Thalmann, P. "'House poor' or simply 'poor'?", cit. p. 310.

[232] Whitehead, C. "From need to affordability: an analysis of UK housing objectives", *Urban Studies*, vol. 28, núm. 6, 1991, pp. 871-887. p. 875.

En definitiva, y sin entrar más en detalle sobre los mecanismos para calcular esa asequibilidad[233], el hecho de que una vivienda sea asequible depende no solo de un factor, sino de diversos, como se muestra en la Figura 2. Estos son principalmente cuatro[234]: 1) el precio de la vivienda; 2) el tipo de unidad familiar (monoparental, familia numerosa, pareja mayor, con discapacitados al cargo, etc.) y los gastos especiales que esta pueda tener; 3) los ingresos familiares netos y 4) la posibilidad de acceder a ayudas públicas. Además, cabe mencionar que la noción de asequibilidad de la vivienda en el siglo XXI ha adoptado un cariz más complejo y multidimensional que en los siglos pasados[235], puesto que se añaden fenómenos como la "financiarización" (*financialization*), la gentrificación (*gentrification*) y la urbanización (*urbanization*), los cuales están remodelando muchas de las grandes ciudades en los países desarrollados. Así, la ubicación de la vivienda es importante para determinar el acceso a ciertos recursos (empleo, transporte, instalaciones, servicios), los cuales desempeñan un rol importante a la hora de calcular gastos y también obtener ingresos y generar riqueza para acceder y conservar la vivienda. Asimismo, la asequibilidad también debe interpretarse teniendo presente el principio de sostenibilidad (en su vertiente económica, social, cultural y medioambiental) y también de inclusividad[236].

---

[233] Puesto que no es el objetivo principal de este estudio. Para mayor profundidad en el tema, véase, entre otros, HAFFNER, M.E.A y HULSE, K. (2021) "A fresh look at contemporary perspectives on urban housing affordability", *International Journal of Urban Sciences*, vol. 25, núm. S1, 2021, pp. 59-79; CZISCHKE, D., y VAN BORTEL, G. "An exploration of concepts and polices on 'affordable housing' in England, Italy, Poland and the Netherlands", *Journal of Housing and the Built Environment*, 2018, https://doi.org/10.1007/s10901-018-9598-1 y HAFFNER, M. y HEYLEN, K. "User costs and housing expenses. Towards a more comprehensive approach to affordability", *Housing Studies*, vol. 26, núm. 4, 2011, pp. 593-614.

[234] HARRIOTT, S. y MATTHEWS, L. *Social Housing: an Introduction*. Harlow: Longman, 1998. p. 244, siguiendo los comentarios de la Chartered Institute of Housing.

[235] Así lo defienden Haffner y Hulse en HAFFNER, M.E.A y HULSE, K. (2021) "A fresh look at contemporary perspectives on urban housing affordability", cit. pp. 72 y 73.

[236] Así, existen más de treinta criterios establecidos a nivel científico que influyen en la consecución de la asequibilidad de la vivienda. Véase STEPHEN EZENNIA, I., y HOSKARA, S.O. "Methodological weaknesses in the measurement approaches and concept of housing affordability used in housing research: a qualitative study", *PLoS ONE*, vol. 4, núm.8, 2019; HAFFNER, M.E.A., y HULSE, K. "A fresh look at contemporary perspectives on urban housing affordability", cit. y NASARRE AZNAR, S. (coord.) *Concrete actions for social and affordable housing in the EU*, Feps, Bruselas, 2021. Véase también NACIONES UNIDAS. COMISIÓN ECONÓMICA PARA EUROPA y

Figura 2. Aspectos que influyen en la asequibilidad de una vivienda

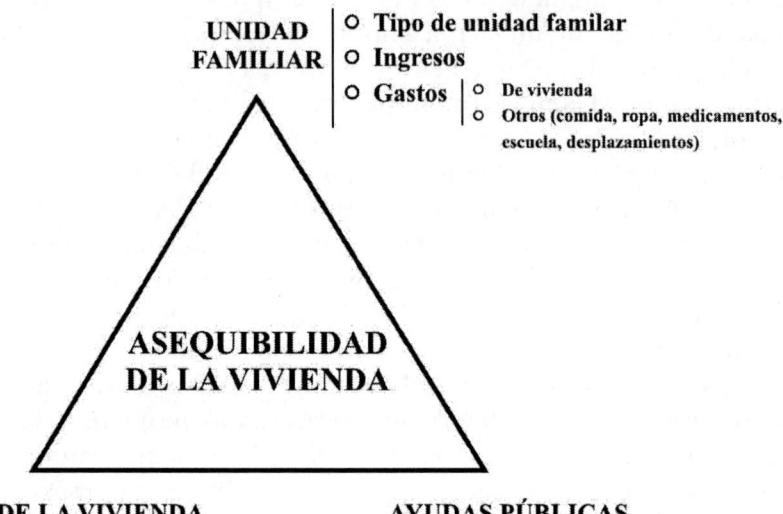

Fuente: Elaboración propia.

Existen diversos mecanismos que permiten a los países disponer de un mayor o menor parque de vivienda asequible[237]. Algunos implican una inversión de dinero público, aunque otros se basan en medidas estructurales que vertebran el mercado de tal manera que no es necesaria esa contribución económica directa de la Administración, como la estabilización de la renta o las tenencias intermedias.

Así, pueden existir políticas de vivienda centradas en ofrecer ayudas públicas (subvenciones, subsidios, ventajas fiscales, etc.) [238] tanto para acceder

---

Housing Europe. *#Housing 2030. Effective policies for affordable housing in the UNE-CE region*. Ginebra: Naciones Unidas, 2021.

[237] Puede verse, por ejemplo, un conjunto de políticas enfocadas a conseguir el acceso a una vivienda social y asequible en Salvi del pero, A. et al. "Policies to promote access to good-quality affordable housing in OECD countries", cit. pp. 25 y ss., extraídas de los resultados del Cuestionario sobre vivienda social y asequible de la OCDE.

[238] A pesar de que, como menciona Pareja Eastaway, "las formas de ayuda directa a los hogares o individuos corren el peligro de trasladarse a unos mayores precios o alquileres de la vivienda; cualquier forma de estímulo a la demanda corre con este riesgo". Pareja Eastaway, M. "El régimen de tenencia en España", en Leal Maldonado, J. (coord.) *La política de vivienda en España*. Madrid: Editorial Pablo Iglesias, 2010. pp. 101-128.

a una vivienda, como para conservarla o recuperarla, y también para la construcción de vivienda asequible y/o social (donde además puede ofrecerse suelo público a precio reducido o préstamos con intereses bajos). Precisamente, uno de los mecanismos efectivos para incrementar la asequibilidad es aumentar el parque de vivienda pública y/o social[239].

A su vez, los subsidios, desgravaciones fiscales y otras ayudas públicas para el acceso a la vivienda en ciertas tenencias juegan un papel importante a la hora de lograr una mayor neutralidad de tenencias[240]. Pero para ga-

---

[239] ABELSON, P. "Affordable housing: concepts and policies", cit. p. 34 y KENNA, P. et al. (eds.) *Pilot Project – Promoting protection of the right to housing – Homelessness prevention in the context of evictions*, cit. pp. 122 y 124. En este último estudio, la mayoría de EEMM recomendaron el incremento del parque de vivienda social como medida efectiva contra los desahucios.

[240] A grandes rasgos, entendemos la neutralidad de tenencias como esa situación en la que el consumidor no determina su elección atendiendo al coste económico (puesto que este sería el mismo en todas las tenencias) sino según lo que mejor le convenga atendiendo a su situación o sus circunstancias (HAFFNER, M. E. A. "Tenure neutrality, a financial-economic interpretation", cit. p. 84). Sin embargo, cabe mencionar que diversos autores van más allá e intentan desglosar o debatir el significado de un concepto un tanto abstracto y controvertido. Pueden verse los estudios de KEMENY, J. *The myth of home-ownership: private versus public choices in housing tenure.* Londres: Routledge&Kegan Paul, 1981; LUNDQVIST, L. J. *Housing policy and equality. A comparative study of tenure conversions and their effects.* Londres: Croom Helm, 1986; HAFFNER, M. E. A. "Tenure neutrality, a financial-economic interpretation", cit. y THALMANN, P. "Tenure-neutral and equitable housing taxation", *Urban Studies*, vol. 44, núm. 2, 2007, pp. 275-296. KEMENY y LUNDQVIST se acogen a una definición que, a parte de destacar la necesidad de equilibrar el esfuerzo económico de las familias para acceder y mantener cada tenencia, también señala la necesidad de poder igualar o hacer comparable el estatus social y legal de cada tenencia, es decir, los gobiernos deben incluir medidas legales que permitan ver a las diferentes tenencias igual de atractivas en cuanto a seguridad e libertad de disposición (pp. 146 y 16 respectivamente). HAFFNER defiende que solamente puede medirse dicha neutralidad a través del concepto del coste económico (de la familia) de la vivienda, pero esa interpretación podría implicar la subvención de familias con ingresos medios-altos (pp. 83 y 84). La misma autora concluye que el término teórico difiere del término práctico, pues se pasa de buscar el equilibrio de costes de la familia en la tenencia a buscar el equilibrio en el gasto público (p. 84). Reflexiones que escapan al alcance de este capítulo pero que merecen una breve mención en este punto son la preferencia que pueda tener cada Gobierno por fomentar más una tenencia u otra o la preferencia a nivel particular por una tenencia en concreto. A modo de ejemplo, BRIGHT y HOPKINS destacan, después del estudio de diversos autores, que "hay claramente "algo" de la tenencia en propiedad que hace

rantizar esa neutralidad también es necesario encajar el Derecho privado (con esas medidas más estructurales) en las políticas de vivienda, es decir, debe buscarse una regulación para esas tenencias que aporte seguridad y también equilibrio entre los intereses de las partes[241].

A parte de esa seguridad y equilibrio, otro mecanismo que vertebra, en este caso, el mercado de alquiler haciéndolo asequible es el de estabilización de la renta[242]. Este es el caso de Alemania, por ejemplo, que con el sistema de *Mietspiegel* establece límites a la hora de actualizar la renta[243]; o de los Países Bajos, que dispone de un sistema de puntos donde el establecimiento de la renta depende de las características de la vivienda[244]. La neutralidad de tenencias puede tener un impacto directo en el acceso

---

que mucha gente en el Reino Unido la perciba como la forma de tenencia más deseada, como por ejemplo el hecho que mejora la propia identidad y aporta mayor satisfacción" (Bright, S. y Hopkins, N. "Home, Meaning and Identity: Learning from the English Model of Shared Ownership", *Housing, Theory and Society*, vol. 28, núm. 4, 2011, pp. 377-397. p. 382, traducción propia); en España, por su lado, un 68% de población tiene como preferencia la vivienda en propiedad, mientras que casi cinco de cada diez inquilinos preferirían una vivienda en propiedad (Fotocasa. *Los españoles y su relación con la vivienda*, 2015. p. 9). De los diferentes tipos de tenencias de la vivienda se irá hablando a lo largo de este trabajo, y se hará una mayor reflexión en el Capítulo IV.

[241] La legislación privada necesita respetar un "equilibrio socioeconómico" entre las posiciones del arrendador y el arrendatario, ofreciendo rentabilidad y garantía de los derechos de propiedad para el primero, y asequibilidad, estabilidad y flexibilidad de la tenencia para el segundo. Véase Schmid, C. "Towards a European role in tenancy law and housing policy?", *TENLAW: Tenancy Law and Housing Policy in Multi-level Europe,* disponible en https://www.uni-bremen.de/jura/tenlaw-tenancy-law-and-housing-policy-in-multi-level-europe/ (último acceso 02-10-2019). p. 14.

[242] Kenna, P. et al. (eds.) *Pilot Project –Promoting protection of the right to housing– Homelessness prevention in the context of evictions,* cit. pp. 140 y 141. Véase al respecto, el estudio comparado de Xerri, K. y Molina Roig, E. "La estabilización de la renta como mecanismo para incentivar el acceso a la vivienda a través del arrendamiento urbano desde una perspectiva comparada", *CEFLegal: revista práctica del derecho. Comentarios y casos prácticos,* núm. 179, 2015, pp. 41-86.

[243] Cornelius, J. y Rzeznik, J. *National Report for Germany,* en el Proyecto TENLAW: Tenancy Law and Housing Policy in Multi-Level Europe, cit. pp. 151 y ss.

[244] Véase Haffner, M., van der Veen, M. y Bounjouh, H. *National Report for the Netherlands,* en el Proyecto TENLAW: Tenancy Law and Housing Policy in Multi-Level Europe, cit. pp. 67 y ss. Véase este sistema en el apartado "3.4. Formas de tenencia de vivienda social" del Capítulo II.

y la asequibilidad de la vivienda[245] puesto que, como ya se ha mencionado anteriormente[246], cada unidad familiar tiene mayor posibilidad de elección y podrá escoger la tenencia que mejor se ajuste a sus necesidades, sin que ello suponga tener que renunciar a una tenencia segura, adecuada, asequible y accesible.

Finalmente, también existen mecanismos mucho más intrusivos en las relaciones privadas, sobre todo centrados en movilizar vivienda vacía del mercado privado para ponerla a disposición como vivienda asequible y/o social o a evitar los desahucios de las familias más vulnerables. Aquí encontramos sanciones, expropiaciones, arrendamientos forzosos, impuestos u otros gravámenes fiscales, entre otros[247].

Tal y como se muestra en la Figura 3, dentro del grupo de vivienda asequible que recibe ayudas públicas económicas se distinguen dos subgrupos: 1) aquellas viviendas que se adjudican siguiendo criterios de mercado (ej. vivienda de alquiler privada con ayudas para el pago del alquiler) y 2) aquellas viviendas en las que la adjudicación no se deja al arbitrio del mercado privado sino que se lleva a cabo siguiendo criterios de necesidad de vivienda (existen unas pautas de adjudicación que se basan en grupos vulnerables o menos favorecidos que no pueden acceder de manera libre al mercado privado). En este segundo subgrupo es donde se encuentran la vivienda social pública y la vivienda social privada, siguiendo la definición adoptada en el apartado anterior, distinguiéndose básicamente en la titularidad de la vivienda (si es pública o privada).

---

[245] KENNA, P. et al. (eds.) *Pilot Project – Promoting protection of the right to housing – Homelessness prevention in the context of evictions*, cit. p. 120.

[246] Véase el apartado "3.5. El derecho a la vivienda en el contexto del derecho a la ciudad" de este mismo Capítulo.

[247] Véase que gran parte de estas medidas se regulan en varias de las CCAA españolas, descritas en el apartado "1.2. Aumentando por todas las vías el parque de vivienda social en alquiler" del Capítulo III de este libro. Véase también NASARRE AZNAR, S. *Los años de la crisis de la vivienda. De las hipotecas subprime a la vivienda colaborativa.* Valencia: Tirant lo Blanch, 2020, pp. 463 y ss., donde el autor hace un análisis de las medidas coercitivas introducidas por las leyes autonómicas de vivienda y su consideración constitucional y NASARRE AZNAR, S. y MOLINA ROIG, E. "La política de vivienda y el Derecho civil", en MUÑIZ ESPADA, E. et al. (dirs.) *Reformando las tenencias de la vivienda. Un hogar para tod@s.* Valencia: Tirant lo Blanch, 2018, pp. 185-242. p. 200, donde los autores hacen una clasificación, a nivel de Cataluña, de estas medidas, ordenadas de menos a más intrusivas en el mercado.

Figura 3. Relación entre la vivienda asequible, social y pública

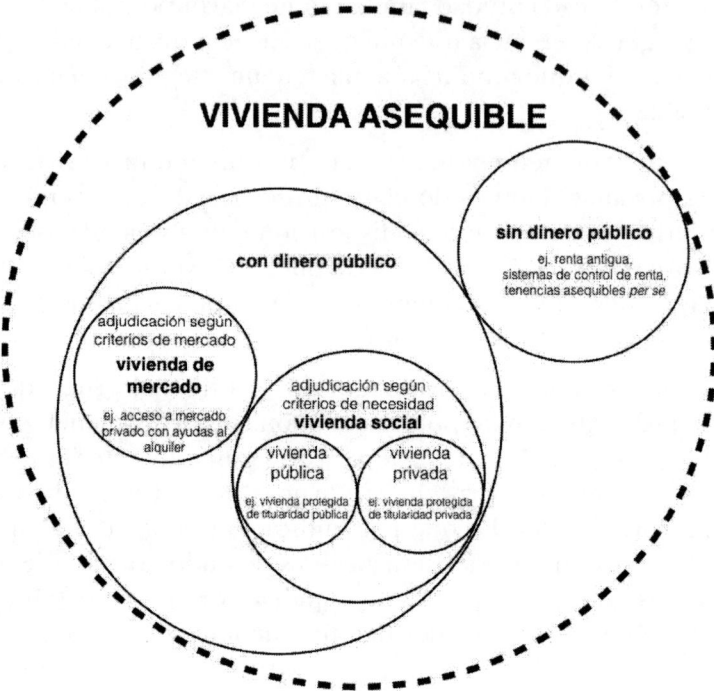

Fuente: Elaboración propia.

En conclusión, "vivienda asequible" es un concepto "paraguas" que engloba toda aquella vivienda que no supone un coste exagerado y desproporcionado para una unidad familiar (entre el 30 y el 40% de sus ingresos como máximo) y que además se adecúa a la estructura y necesidades familiares (estándar de vivienda). La vivienda social es vivienda asequible que además se adjudica siguiendo criterios de necesidad de vivienda. Además, se trata de vivienda que ya sea de manera directa o indirecta, recibe ayudas públicas, y que puede ser vivienda pública o no dependiendo de si su promotor y/o su titular es la Administración pública, entidad o empresa pública o si, por el contrario, es una entidad o empresa privada o un particular.

6. VIVIENDA SOCIAL EN ALQUILER Y EN PROPIEDAD

En los conceptos de vivienda social adoptados por la mayoría de las instituciones y organizaciones europeas e internacionales expuestas anteriormente no se hace especial énfasis al régimen de tenencia de este tipo de vivienda. Además, la tenencia por la que se accede a la vivienda tampoco se considera rasgo definitorio de la vivienda social; en cambio, sí lo son el precio y el proceso de adjudicación.

Aún así, no es menos cierto que, a menudo, el término "vivienda social" se asocia al de "vivienda social de alquiler"[248]. De hecho, a nivel europeo, la vivienda social se ofrece principalmente en alquiler[249], menos en Grecia, Chipre y España, donde la vivienda social se ofrece o se ha ofrecido mayoritaria o únicamente en propiedad asequible[250]. A parte del alquiler y de la propiedad asequibles, existen otras fórmulas de acceso a una vivienda social, como la *shared ownership*[251] (propiedad compartida, fuertemente implantada en el Reino Unido, e introducida en 2015 en Cataluña[252]), el derecho de superficie[253] o el derecho o cesión de uso[254].

---

[248] DOLING, J. *Comparative housing policy. Government and housing in advanced industrialized countries*, cit. pp. 171 y 172. Véase también FORSTER, W. (dir.) *Guidelines on Social Housing. Principles and Examples*, cit. p. 10 o KROMHOUT, S. y VAN HAM, M. "Social Housing: Allocation", en SMITH, S.J. (ed.) *International Encyclopedia of Housing and Home*, cit. pp. 384-388. p. 384.

[249] PITTINI, A. y LAINO, E. *Housing Europe Review 2012. The nuts and bolts of European social housing systems*, cit. p. 22.

[250] ROSENFELD, O. *Social Housing in the UNECE Region. Models, Trends and Challenges*, cit. p. 15.

[251] Esta figura consiste en adquirir la propiedad de una vivienda por cuotas, las cuales pueden ir aumentando a medida que se tiene capacidad económica para hacerlo. En cuanto al porcentaje de vivienda del que no se es propietario, se paga una compensación económica, como un alquiler, al propietario (en el caso inglés normalmente la *housing association*, entidad proveedora de vivienda social) para poder tener el derecho de uso y disfrute exclusivo de la vivienda. Una mayor explicación de esta figura se encuentra en el apartado "3.4.3. Las tenencias intermedias" del Capítulo II. Además, puede obtenerse un mayor estudio de esta figura en BALL, J. "Fragmentando la propiedad para la asequibilidad: la shared ownership o "nuevas" tenencias en Inglaterra y Francia", en NASARRE AZNAR, S. (dir.) *El acceso a la vivienda en un contexto de crisis*, cit. pp. 173-225.

[252] Ley 19/2015, de 29 de julio, de incorporación de la propiedad temporal y de la propiedad compartida al libro quinto del Código civil de Cataluña. BOE 08-09-2015, núm. 215. Además, tanto la propiedad compartida como la temporal ya fueron introducidas en el PDVC, pero su uso para las medidas reguladas en el Plan quedó supeditado a la aprobación de la primera Ley (Ley 19/2015). Puede consultarse un estudio en profundidad de esta Ley y las nuevas figuras en NASARRE AZNAR, S. (dir.) *La propiedad compartida y la propiedad temporal (Ley 19/2015). Aspectos legales y económicos*. Valencia: Tirant lo Blanch, 2017.

[253] Esta es una vía de acceso que el Ayuntamiento de Barcelona ha cogido con gran impulso. Empezó a apostar por esta figura en el 2007 y, en diciembre de 2015, el Patro-

Debido a la fuerte asociación entre vivienda social y vivienda social en alquiler, muchos de los estudios que comparan a nivel europeo diversos datos en el campo de la vivienda social[255] (por ejemplo, el tamaño del parque de vivienda social) suelen representar únicamente los datos referentes a la vivienda social en alquiler (unas veces se especifica que son datos de vivienda de alquiler, pero otras veces únicamente se hace mención a "vivienda social") que, además, es un parque más fácil de cuantificar, en comparación con el parque social de propiedad, pues una vez vendido a los particulares beneficiarios es más difícil de identificar en términos de parque de vivienda[256].

---

nato Municipal de Vivienda de Barcelona (actual Instituto Municipal de la Vivienda y Rehabilitación) tenía 923 viviendas en derecho de superficie. Barnada, J. y Santos, I. (coords.) *Qüestions d'Habitatge. Repensar el Patronat Municipal de l'Habitatge. Número 19.* Barcelona: Ayuntamiento de Barcelona, 2016. pp. 19, 32 y 78 y Ayuntamiento de Barcelona. *Pla pel dret a l'habitatge de Barcelona 2016-2025,* disponible en http://habitatge.barcelona/ca/estrategia/pla-dret-habitatge (último acceso 03-10-2019), p. 255. También han apostado por ella Madrid y el País Vasco, entre otras CCAA. Véase una explicación de esta figura en el apartado "3.5.2.2. Formas de tenencia de las viviendas sociales" del Capítulo III de este libro, que a grandes rasgos consiste en dividir la propiedad de la vivienda de la del suelo; el adjudicatario (superficiario) se atribuye la facultad o bien de realizar construcciones o bien de obtener la propiedad temporal de la vivienda ya construida, pero no adquiere la titularidad del suelo, que queda en manos del concedente. Transcurrido un periodo de tiempo pactado, que no puede exceder de 99 o de 75 años (dependiendo de la CA), la propiedad de la vivienda vuelve a manos del propietario del suelo.

[254] Véase, por ejemplo, el art. 54.1.c del PDVC que lo regula como fórmula de acceso para los socios de una cooperativa de cesión de uso, o la DA 3ª de la LVPV, para los asociados de asociaciones privadas sin ánimo de lucro.

[255] A modo de ejemplo, podemos citar: Scanlon, K. y Whitehead, C. "Social Housing in Europe", en Whitehead, C. y Scanlon, K. *Social Housing in Europe,* cit. pp. 8-33. pp. 8 y 9; Scanlon, K., Whitehead, C. y Fernández Arrigoitia, M. "Introducción", en Scanlon, K., Whitehead, C. y Fernández Arrigoitia, M. *Social housing in Europe,* cit. pp. 1-20. p. 4 y 5; Braga, M. y Palvarini, P. *Social housing in the EU,* cit. p. 9; Dol, K. y Haffner, M. *Housing Statistics in the European Union.* La Haya: OTB Research Institute for the Built Environment, 2010. p. 111; Pittini, A. y Laino, E. *Housing Europe Review 2012. The nuts and bolts of European social housing systems,* cit. p. 23 y Forster, W. (dir.) *Guidelines on Social Housing. Principles and Examples,* cit. p. 15.

[256] Ghekière, L. "La Comunidad Europea y la vivienda social", cit. p. 62. En el caso español, por ejemplo, la Defensora del Pueblo destacó la dificultad de cuantificar de manera precisa las viviendas con algún tipo de protección en España. Becerril, S. *Estudio sobre viviendas protegidas vacías.* Madrid: Defensor del Pueblo, 2013, pp. 29 y 30. A eso hay que añadir que las viviendas protegidas en España se descalifican al cabo de un período de tiempo determinado, como se verá en el apartado "7.1. La vivienda social en España" de este mismo Capítulo.

Esta podría ser una de las causas del 2% de vivienda social que se atribuye a España y que hemos mencionado *supra,* puesto que muchos estudios que citan ese porcentaje hacen referencia únicamente a la vivienda social en alquiler[257], a pesar de que solo recogiendo las calificaciones provisionales de vivienda protegida en España entre 2005-2017, el 78,54% fueron en propiedad mientras que solo el 19,14% se calificaron para alquilar[258].

En la Tabla 3 pueden verse los tipos de regímenes en los que puede ofrecerse la vivienda social en los distintos EEMM de la UE, a grandes rasgos, dividiéndolo en tres grandes grupos y sin especificar si los inquilinos pueden posteriormente tener un derecho de compra sobre la vivienda social[259].

Tabla 3. Regímenes de tenencia de la vivienda social en los Estados Miembros de la UE

ALQUILER SOLAMENTE	Alemania, Bélgica (Bruselas), Bulgaria, República Checa, Dinamarca, Estonia (alto grado de privatización de vivienda pública), Finlandia, Hungría (alto grado de privatización de vivienda pública), Letonia, Lituania, Polonia, Rumanía, Eslovenia, Suecia, Eslovaquia, Reino Unido (Irlanda del Norte)
ALQUILER + PROPIEDAD + OTRAS (ej. shared ownership)	Austria, Bélgica (Flandes y Valonia), Croacia, Francia, Italia, Irlanda, Luxemburgo, Malta, Países Bajos, Portugal, España, Reino Unido
PROPIEDAD SOLO	Chipre, Grecia

Fuente: Elaboración propia con datos extraídos de Pittini, A. y Laino, E. *Housing Europe Review 2012. The nuts and bolts of European social housing systems,* cit. y de los informes nacionales del Proyecto TENLAW: Tenancy Law and Housing Policy in Multi-Level Europe, cit.

Para el presente estudio se tendrá en cuenta tanto el parque de vivienda social que se ofrece en alquiler como el que pueda ofrecerse en propiedad y también a través de otras fórmulas de tenencia, a pesar de poner especial énfasis en aquellas que impliquen una posterior gestión por parte de la entidad proveedora, al ser este el objeto de este libro. Precisamente, uno

---

[257] Véase esta discusión en el apartado "1.1. Situación actual" del Capítulo III de este libro.

[258] Siendo el 2,32% restante vivienda autopromovida. Datos del Ministerio de Fomento, que no tienen en cuenta las viviendas en alquiler con opción a compra, disponible en http://www.fomento.gob.es/BE2/?nivel=2&orden=31000000 (último acceso 14-05-2018). Véase el apartado "2.1. Predominio de la tenencia en propiedad" del Capítulo III de este libro.

[259] Por lo tanto, esta tabla no contempla la privatización de vivienda pública de alquiler por la venta al inquilino público, como es el caso ocurrido en muchos países de Europa del Este o el caso del Reino Unido.

de los puntos a tratar es la posibilidad de combinar en la oferta de vivienda social diversos tipos de tenencia, a fin de conseguir más mixtura social, y también como fuente de financiación de la entidad proveedora.

7. EL CONCEPTO DE VIVIENDA SOCIAL EN LOS MODELOS DE GESTIÓN DE ESTUDIO

7.1. La vivienda social en España

A nivel español, el término de vivienda social suele asociarse al de "vivienda de protección oficial" (VPO en adelante) y, más recientemente, al de "vivienda protegida"[260]. La definición general de VPO viene establecida en el Real Decreto-Ley 31/1978, de 31 de octubre, sobre política de viviendas de protección oficial (art. 1.2)[261] y se concreta en aquella vivienda: 1) con una superficie útil máxima de 90m2; 2) que debe destinarse a vivienda habitual y permanente; 3) que debe cumplir unas condiciones de calidad y precio establecidas en las normas de desarrollo y 4) que debe ser calificada como tal mediante un procedimiento de calificación por el órgano territorial competente. Estos requisitos legales básicos se desarrollan en los diferentes Planes plurianuales de vivienda, existentes tanto a nivel estatal como autonómico. Precisamente la temporalidad de estos planes, sumada a la competencia en materia de vivienda que tienen las CCAA[262], comportan la falta de existencia de denominaciones homogéneas para referirse a esta vivienda cualificada como "protegida"[263]. Los propios Planes estatales ya contemplan la posibilidad de coexistencia entre sus propias denominaciones y la adaptación con las existentes a nivel autonómico, como así lo hace el

---

[260]   Véase Pittini, A. y Laino, E. *Housing Europe Review 2012. The nuts and bolts of European social housing systems,* cit. p. 75 y también Houard, N. (ed.) *Social housing across Europe,* cit. p. 74.

[261]   BOE 08-11-1978, núm. 267. También en el art. 1 del Real Decreto 3148/1978, de 10 de noviembre, por el que se desarrolla el Real Decreto-Ley 31/1978, de 31 de octubre, sobre política de viviendas de protección oficial. BOE 16-01-1979, núm. 14.

[262]   Las CCAA tienen competencia exclusiva en materia de vivienda (art. 148.1.3º CE).

[263]   "El confuso panorama normativo en el que se entretejen normas que proceden de distintas fuentes —estatal y autonómicas— y tienen distinto rango, se deja sentir en la terminología". Mas Badia, M. D. *Problemas de valoración y precio en las viviendas de protección oficial. Compraventa, arrendamiento, ejecución judicial, liquidación de sociedad de gananciales, partición de herencia y división de cosa común.* Valencia: Tirant lo Blanch, 2014. p. 31. Véase al respecto, el apartado "2.3. Competencia en materia de vivienda" del Capítulo III.

Plan Estatal de Vivienda 2013-2016[264] (que fue prorrogado hasta 2017)[265], o el Plan Estatal de Vivienda y Rehabilitación 2009-2012[266]. Y si nos fijamos en los diferentes Planes de vivienda autonómicos, puede comprobarse que existen diferentes tipologías de vivienda protegida calificada por cada CA, que varían en algunos de los requisitos, como en los de ingresos máximos para los demandantes o en las formas de acceso a estas viviendas; así como en su terminología, como puede verse en la Tabla 4. Por lo tanto, no es posible establecer una definición única y concreta de vivienda protegida en España, pues existe gran variedad de viviendas calificadas como tales[267].

---

[264] La DA 3ª del Real Decreto 233/2013, de 5 de abril, por el que se regula el Plan Estatal de fomento del alquiler de viviendas, la rehabilitación edificatoria, y la regeneración y renovación urbanas, 2013-2016, Plan Estatal de Vivienda 2013-2016 en adelante (BOE 10-04-2013, núm. 86) establece que "A partir de la fecha de entrada en vigor de este real decreto, y sin perjuicio de las situaciones jurídicas creadas al amparo de anteriores normativas aplicables, se entenderá por vivienda protegida, a los efectos de lo establecido en la normativa estatal, toda aquella que cuente con la calificación correspondiente de las Comunidades Autónomas y Ciudades de Ceuta y Melilla, por cumplir los requisitos de uso, destino, calidad, precio máximo establecido (tanto para venta como para alquiler) y, en su caso, superficie y diseño, así como cualesquiera otros establecidos en la normativa correspondiente". No lo hace en cambio, el Real Decreto 106/2018, de 9 de marzo, por el que se regula el Plan Estatal de Vivienda 2018-2021 (BOE 10-03-2018, núm. 61), puesto que regula un "Programa de fomento del parque de vivienda en alquiler", sin designar, en consecuencia, ninguna terminología específica, simplemente ligándolo a la suscripción de un acuerdo entre Ministerio, CCAA y Ayuntamientos, hecho que añade aún más confusión a la ya variopinta clasificación de vivienda social en España (arts. 24 y ss.). Lo mismo sucede con el Proyecto de Real Decreto por el que se regula el Plan Estatal para el acceso a la vivienda 2022-2025, que en sus distintos programas no contempla la figura de la vivienda protegida.

[265] Real Decreto 637/2016, de 9 de diciembre, por el que se prorroga el Plan Estatal de fomento del alquiler de viviendas, la rehabilitación edificatoria, y la regeneración y renovación urbanas 2013-2016 regulado por el Real Decreto 233/2013, de 5 de abril. BOE 10-12-2016, núm. 298.

[266] Real Decreto 2066/2008, de 12 de diciembre, por el que se regula el Plan Estatal de Vivienda y Rehabilitación 2009-2012 (Plan Estatal de Vivienda 2009-2012 en adelante). BOE 24-12-2008, núm. 309. Véase como se hace referencia a la normativa propia de las CCAA, por ejemplo, en sus arts. 22 y ss. Véase una discusión más extensa sobre esta diversidad en la terminología y entre los niveles estatal y autonómico en el Cap. III de este libro.

[267] Es de este parecer Tejedor Bielsa, cuando expresa que "no es tarea sencilla, por tanto, llegar a sistematizar coherentemente los diferentes tipos de viviendas protegidas existentes en España". Tejedor Bielsa, J. "Régimen jurídico general

A pesar de ello, existen puntos en común en todos los tipos de viviendas protegidas españolas, en consonancia con la definición de VPO del Real Decreto-ley 31/1978: son viviendas que deben cumplir unas normas de calidad y diseño, deben ser calificadas como viviendas protegidas a través de un procedimiento administrativo; deben destinarse a vivienda habitual y permanente; existen unos límites tanto en el precio de venta o alquiler de la vivienda durante el período de calificación[268], como también en los ingresos de los adquirentes o inquilinos; y existen ayudas públicas para su construcción y/o acceso en alquiler y/o propiedad. Todas esas característi-cas deben conservarse mientras dure ese período de calificación (después del cual la vivienda social desaparece como tal, para incorporarse al mer-cado privado), que también puede variar tanto entre CCAA, como a nivel estatal, como a nivel de la misma CA en relación con dos planes diferen-tes[269]. Así, las formas por las que puede accederse a esta vivienda también varían, y aunque el abanico es amplio, la tendencia ha sido pasar de una promoción de la propiedad a una apuesta por el alquiler[270].

---

de la vivienda protegida", en López Ramón, F. (coord.) *Construyendo el derecho a la vivienda.* Madrid: Marcial Pons, 2010, pp. 309-347. p. 322.

[268] Los años mínimos de calificación varían sobre todo en función de si el suelo sobre el que se encuentra la promoción es de reserva urbanística para vivienda protegi-da o no lo es, y de si se obtienen ayudas directas para su promoción o no.

[269] Véase, por ejemplo, esa misma diferencia dentro de los consecutivos Planes estata-les: 30 años en el Plan 2005-2008 (art. 5 Real Decreto 801/2005, de 1 de julio, por el que se aprueba el Plan Estatal 2005-2008, para favorecer el acceso de los ciudadanos a la vivienda. BOE 13-07-2005, núm. 166) y en el Plan 2009-2012 (art. 6); 50 años en el Plan 2013-2016 (art. 15); y el Plan actual 2018-2021 regula un plazo mínimo de 25 años (art. 25), aunque no habla propiamente de calificación, puesto que no incluye el programa de fomento al parque de vivienda en alquiler dentro de vivienda prote-gida. Lo mismo sucede con el Proyecto de Real Decreto por el que se regula el Plan Estatal para el acceso a la vivienda 2022-2025, donde en el Programa de incremento del parque público de viviendas establece un plazo mínimo de alquiler o cesión en uso de 50 años (art. 45). Merece una mención especial el País Vasco, el cual ha adoptado calificaciones permanentes por regla general, permitiendo que esas viviendas se queden para afianzar un parque suficiente de vivienda social (art. 29 LVPV). También se quedarán en calificación de vivienda protegida todas aquellas viviendas construidas en suelo que así lo exija en su normativa urbanística. También han adoptado calificaciones permanentes las CCAA de las Islas Baleares, y Murcia, Cataluña y Andalucía en algunos supuestos, como puede verse en la Tabla 4.

[270] Sobre todo, en relación a aquellas CCAA que dependen en mayor medida de las líneas de financiación del Estado, puesto que tanto el Plan Estatal de Vivienda 2013-2016 (arts. 14 y 15) como el Plan Estatal de Vivienda 2018-2021 (arts. 24, 25, 65 y 66) se centran en la promoción de vivienda en alquiler (y también en régi-

Tabla 4. Las viviendas protegidas en el ámbito de las CCAA, febrero 2021[271]

CCAA	Terminología	Duración del régimen (R.G.)[272]	Legislación principal[273]
Andalucía	Vivienda protegida: 1. de régimen especial 2. de régimen general 3. de precio limitado	1. 15 años 2. 10 años 3. 7 años *los promovidos sobre suelos de equipamiento, mantendrán la calificación de vivienda protegida mientras se mantenga la clasificación urbanística	– Art. 6 Ley 1/2010, de 8 de marzo, Reguladora del Derecho a la Vivienda en Andalucía. BOE 30-03-2010, núm. 77 – Arts. 2 y ss. Ley 13/2005, de 11 de noviembre, de medidas para la vivienda protegida y el suelo BOE 16-12-2005, núm. 300 – Arts. 14 y 17 Decreto 91/2020, de 30 de junio, por el que se regula el Plan Vive en Andalucía, de vivienda, rehabilitación y regeneración urbana de Andalucía 2020-2030. BOJA 03-07-2020, núm. 127 – Anexo I Decreto 149/2006, de 25 de julio, por el que se aprueba el Reglamento de Viviendas Protegidas de la Comunidad Autónoma de Andalucía y se desarrollan determinadas Disposiciones de la Ley 13/2005, de 11 de noviembre, de medidas en materia de Vivienda Protegida y el Suelo. BOJA 08-08-2016, núm. 153.

men de cesión de uso en el de 2018), a pesar de que el nuevo Plan regula también el acceso a la propiedad de jóvenes en municipios de pequeño tamaño (arts. 55 y ss.). Véase esta discusión en los apartados "2.1. Predominio de la tenencia en propiedad" y "2.2. Vivienda: política económica vs. política social" del Capítulo III.

[271] Es una aproximación global, puesto que para la elaboración de la tabla nos basamos en la legislación de vivienda de las CCAA, y no en los Planes que desarrollan esa legislación (se hace referencia a los planes solamente cuando son necesarios para determinar la duración del régimen de protección). El motivo es el hecho de que no todas las CCAA disponen de planes actualizados y, además, algunas de ellas solamente elaboran los planes para alinearse con las ayudas estatales. En consecuencia, deberá tenerse en cuenta a la hora de interpretarse esta tabla que puede que algunas CCAA no implementen en sus Planes todas las tipologías de vivienda protegida que regulan sus legislaciones, o todas sus formas de acceso (como se ha dicho, algunas CCAA solamente desarrollan aquellas líneas en las que puedan obtener financiación estatal).

CCAA	Terminología	Duración del régimen (R.G.)	Legislación principal
Aragón	Viviendas protegidas: 1. de promoción pública 2. de promoción privada (pueden ser concertadas)	1 y 2. 30 años A petición de propietario: – 20 años: promoción privada concertada o por convenio (si se prevé en este) – 10 años: promociones privadas promovidas sobre terrenos de titularidad privada – 15 años: restantes promociones privadas	Arts. 7 y ss. Ley 24/2003, de 26 de diciembre, de medidas urgentes de política de vivienda protegida. BOE 16-01-2004, núm. 14
Asturias	Vivienda protegida concertada	– 30 años: propiedad – 10 años: arrendamiento	Arts. 2 y ss. Ley 2/2004, de 29 de octubre, de medidas urgentes en materia de suelo y vivienda. BOE 09-12-2004, núm. 296
Canarias	Vivienda protegida, de promoción pública y de promoción privada, y de régimen especial, y régimen general	– Período de amortización del préstamo que permitió el acceso del titular a la vivienda (30 años máx.) – Promoción pública: mientras no se proceda a su enajenación. Una vez vendida, período de amortización del préstamo que se hubiera podido conceder al beneficiario para acceder a la propiedad de la vivienda (mínimo 10 años)	– Arts. 32 y ss. Ley 2/2003, de 30 de enero, de Vivienda de Canarias. BOE 06-03-2003, núm. 56 – Arts. 1 y ss. Decreto-ley 24/2020, de 23 de diciembre, de medidas extraordinarias y urgentes en los ámbitos de vivienda, transportes y puertos de titularidad de la Comunidad Autónoma de Canarias BOIC 28-12-2020, núm. 267.

CCAA	Terminología	Duración del régimen (R.G.)	Legislación principal
Cantabria	1. Vivienda protegida (de promoción pública y de promoción privada) 2. Vivienda de protección pública en régimen autonómico	1. – 30 años (R.G.) – 20 años: suelo adquirido de Administración + no subvenciones públicas – 10 años: suelo no adquirido de Administración + no subvenciones públicas – 15 años: viviendas protegidas de precio concertado 2. 15 años	1. Arts. 2 y ss. Ley 5/2014, de 26 de diciembre, de Vivienda Protegida de Cantabria. BOE 27-01-2015, núm. 23 – Art. 8 Decreto 12/2006, de 9 de febrero, por el que se establecen medidas para favorecer el acceso de los ciudadanos a la vivienda en Cantabria. BOCT 15-02-2006, núm. 32 2. Decreto 31/2004, de 1 de abril, por el que se establece el Régimen de Viviendas de Protección Pública en régimen autonómico de la Comunidad Autónoma de Cantabria y su Régimen de Subvenciones. BOCT 13-04-2004, núm. 7
Castilla y León	Viviendas de protección pública (de promoción pública o de promoción privada): – de protección pública general – joven – de precio limitado para familias – de protección pública en el medio rural	15 años (posible 10 años para promociones privadas si suelo no cedido o enajenado por Administración y reintegro de ayudas recibidas)	Arts. 43 y ss. Ley 9/2010, de 30 de agosto, del derecho a la vivienda de la Comunidad de Castilla y León. BOE 28-09-2010, núm. 235
Castilla-La Mancha	Viviendas con protección pública (de promoción pública y de promoción privada)	– 10 años R.G. o establecido reglamentariamente * se mantiene mientras subsista financiación cualificada – 30 años: viviendas de protección oficial – 10 o 15 años: viviendas de precio tasado (dependiendo de suelo)	– Arts. 2 y ss. Ley 2/2002, de 7 de febrero, por la que se establecen y regulan las diversas modalidades de viviendas de protección pública en Castilla-La Mancha. BOE 02-04-2002, núm. 79 – Art. 15 Decreto 3/2004, de 20 de enero, de Régimen Jurídico de las viviendas con protección pública. DOCM 23-01-2004, núm. 10

CCAA	Terminología	Duración del régimen (R.G.)	Legislación principal
Cataluña	Vivienda con protección oficial: genérica o específica	– Vigente mientras: 1) el planeamiento urbanístico las reserve al uso de vivienda de protección pública o 2) estén integradas en un patrimonio público de suelo y de vivienda – Otros casos. Vigencia de duración determinada: 1) 30 años: suelo de reserva urbanística con destino a vivienda protegida + ayudas directas; 2) 10 años: suelo sin reserva ni ayudas directas o 3) 20 años: resto de supuestos	– Arts. 77 y ss. LDVC – Arts. 43 y ss. PDVC
Comunidad de Madrid	Vivienda con protección pública (de precio básico y de precio limitado)	– 15 años: venta, arrendamiento o uso propio – 10 años: arrendamiento con opción a compra	– Art. 2 Ley 6/1997, de 8 de enero, de Protección Pública a la Vivienda de la Comunidad de Madrid. BOE 29-08-1997, núm. 207 – Arts. 2 y ss. del Anexo Decreto 74/2009, de 30 de julio, del Consejo de Gobierno, por el que se aprueba el Reglamento de Viviendas con Protección Pública de la Comunidad de Madrid. BOCM 10-08-2009, núm. 188
Comunidad Valenciana	Vivienda de protección pública (distingue promoción pública de viviendas: directa, instrumental, asimilada)	30 años (R.G.)	– Arts. 40 y ss. Ley 8/2004, de 20 de octubre, de la Vivienda de la Comunidad Valenciana. BOE 22-11-2004, núm. 281 – Art. 6 Decreto 90/2009, de 26 de junio, del Consell, por el que se aprueba el Reglamento de Viviendas de Protección Pública. DOCV 01-07-2009, núm. 6047

CCAA	Terminología	Duración del régimen (R.G.)	Legislación principal
Extremadura	1. Vivienda de protección pública (Ley 3/2001) y vivienda protegida (Ley 11/2019) 2. Vivienda protegida ampliable y vivienda protegida autopromovida ampliable	1. Establecido reglamentariamente 2. 10 años	1. Art. 23 Ley 3/2001, de 26 de abril, de la Calidad, Promoción y Acceso a la Vivienda de Extremadura. BOE 26-06-2001, núm. 152 2. Decreto 26/2018, de 6 de marzo, por el que se crea y regula la vivienda protegida ampliable y la vivienda protegida autopromovida ampliable DOE 12-03-2018, núm. 50 3. Arts. 26 y ss. Ley 11/2019, de 11 de abril, de promoción y acceso a la vivienda de Extremadura. BOE 15-05-2019, núm. 116.
Galicia	Vivienda protegida: 1. de promoción pública 2. de protección autonómica	– 30 años: en suelo desarrollado por promotor público * (1) puede durar más si titulares tienen cantidades pendientes de pago – Resto: 25, 20 y 15 años (dependiendo de zona territorial ubicada)	Arts. 45 y ss. Ley 8/2012, de 29 de junio, de vivienda de Galicia. BOE 08-09-2012, núm. 217
Islas Baleares	Vivienda protegida (de promoción pública y de promoción privada)	Permanente	Arts. 62 y ss. Ley 5/2018, de 19 de junio, de la vivienda de las Illes Balears BOE 13-07-2018, núm. 169
La Rioja	Vivienda protegida (Ley 2/2007) o vivienda de protección oficial (Decreto 33/2013): de promoción pública y de promoción privada	20 años	1. Arts. 44 y ss. Ley 2/2007, de 1 de marzo, de Vivienda de la Comunidad Autónoma de La Rioja. BOE 29-03-2007, núm. 76 2. Decreto 33/2013, de 11 de octubre, por el que se regula la vivienda de protección oficial en la Comunidad Autónoma de La Rioja. BOR 18-10-2013, núm. 131

CCAA	Terminología	Duración del régimen (R.G.)	Legislación principal
Navarra	Vivienda protegida: 1. vivienda de protección oficial 2. vivienda de precio tasado	– 30 años: régimen de propiedad y arrendamiento con opción a compra – 15 años: VPO de arrendamiento – Indefinido (o hasta finalización derecho de superficie, si es de mínimo 50 años): VPO en cesión de uso	Arts. 7 y ss. Ley Foral 10/2010, de 10 de mayo, del derecho a la vivienda en Navarra. BOE 31-05-2010, núm. 132
País Vasco	Vivienda de protección pública (de titularidad pública o privada): 1. vivienda de protección social 2. vivienda tasada de régimen autonómico o municipal	Permanente	Arts. 20 y ss. Ley 3/2015, de 18 de junio, de vivienda. BOE 13-07-2015, núm. 166
Región de Murcia	Vivienda protegida: 1. de promoción pública o social 2. de promoción privada * de régimen especial	1. Permanente 2. Reglamentariamente: 10 años * Permanente en suelo destinado a vivienda de protección pública (siempre que subsista ese régimen de protección del suelo)	– Arts. 22 y ss. Ley 6/2015, de 24 de marzo, de la Vivienda de la Región de Murcia. BOE 30-04-2015, núm. 103 – Art. 11 Decreto 5/2015, de 30 de enero, por el que se regula el Plan Regional de Rehabilitación y Vivienda 2014-2016. BORM 03-02-2015, núm. 27.

Fuente: Elaboración propia.

---

272 Aunque algunas CCAA permiten la descalificación voluntaria antes de acabar este período, bajo el cumplimiento de ciertos requisitos y con la posibilidad de que se tengan que devolver parte o la totalidad de las ayudas recibidas. Además, las viviendas calificadas con financiación estatal seguirán la duración del régimen establecido a nivel estatal.

273 Solamente la legislación actual y la principal, sin entrar en Decretos a menos que haga falta por remisión de la Ley principal a los primeros.

Cabe puntualizar que con el último Plan Estatal de Vivienda 2018-2021 desaparece la terminología de "vivienda protegida"[274]. Sin embargo, para esclarecer dudas sobre las reservas obligatorias de suelo para viviendas con un régimen de protección pública, el mismo Plan ya prevé que "los programas de fomento del parque de viviendas en alquiler y de fomento de viviendas para personas mayores y personas con discapacidad pueden contribuir, además, a activar y a completar las reservas mínimas obligatorias de suelo que el texto refundido de la Ley de Suelo y Rehabilitación Urbana aprobado por Real Decreto Legislativo 7/2015, de 30 de octubre, y la legislación urbanística autonómica demandan para la construcción de viviendas sujetas a algún régimen de protección pública"[275].

A pesar de existir esta asimilación de vivienda social con "vivienda protegida" o VPO, estas no son las únicas viviendas que cumplirían con los dos rasgos que hemos admitido como característicos del concepto de vivienda social (precio por debajo del de mercado y criterios administrativos para la adjudicación), al igual que podría llegar a considerarse que no toda vivienda protegida es vivienda social: algunas sobrepasan los precios del mercado privado, después de sumar gastos de comunidad y otras tasas o fruto de la caída de los precios de las viviendas privadas después de la crisis económica[276]. A modo de ejemplo (aunque no es el único), podemos

---

[274] Tampoco contempla esta nomenclatura el Proyecto de Real Decreto por el que se regula el Plan Estatal para el acceso a la vivienda 2022-2025 en sus distintos Programas para adquirir, promover y rehabilitar viviendas para destinarlas principalmente a alquiler o cesión en uso. Por ejemplo, el Programa de incremento del parque público de viviendas (arts. 44 a 53), el Programa de fomento del parque privado de vivienda en alquiler asequible (arts. 54 a 62) o el Programa de fomento de alojamientos temporales, de modelos cohousing, de viviendas intergeneracionales y modalidades similares (arts. 63 a 71).

[275] Exposición de Motivos del Plan Estatal de Vivienda 2018-2021. Véase este instrumento urbanístico en el apartado "3.5.2.3. Fuentes de financiación" del Capítulo III de este libro.

[276] SIBINA TOMÁS, D. "Polítiques públiques i accés a l'habitatge. Construint polítiques públiques d'habitatge en temps de crisi", en TORNOS MAS, J. y BARRAL VIÑALS, I. *Vivienda y crisis: ensayando soluciones.* Barcelona: Registradors de Catalunya y Universitat de Barcelona, 2014. pp. 21-43. p. 33. También, BECERRIL, S. *Estudio sobre viviendas protegidas vacías,* cit. p. 27 y SALA I ROCA, C. "La insostenibilidad del Plan vivienda 2009 en la promoción de vivienda de alquiler", *Housing. Newsletter de la Cátedra de Vivienda de la Universidad Rovira i Virgili,* núm. 2, 2014, pp. 9-11. p. 11. Por su lado, el portal Idealista destacó que en 2015 eran cinco las CCAA que registraban precios de vivienda protegida más altos que la vivienda libre: Cantabria, Navarra, Murcia, Castilla y León y Extremadura. IDEALISTA. *Las cuatro*

citar Cataluña, que en sus diferentes instrumentos legislativos y normativos contempla diversos programas que permiten ofrecer viviendas a precios asequibles y por debajo del precio del mercado privado y donde su adjudicación se realiza a través de criterios establecidos por la Administración pública, y no mediante las reglas de libre mercado. Cabe mencionar que esta CA, contempla una definición de "viviendas destinadas a políticas sociales" en la LDVC[277]. En ella y en otros instrumentos legales nos basamos para evidenciar todos los tipos de vivienda social que siguiendo la definición establecida en este capítulo coexisten en Cataluña y que sistematizamos en la Tabla 5.

---

comunidades autónomas en las que la VPO es más cara hoy que en pleno boom inmobiliario, 28-01-2016, disponible en https://www.idealista.com/news/inmobiliario/vivienda/2016/01/28/740757-las-cuatro-comunidades-autonomas-en-las-que-la-vpo-es-mas-cara-hoy-que-en-pleno-boom (último acceso 03-10-2019). El informe de Ministerio de Fomento. *Observatorio de vivienda y suelo. Boletín número 29, primer trimestre 2019*. Ministerio de Fomento, 2019 revelaba como el precio de la vivienda protegida superaba el de la vivienda libre usada en once provincias. p. 15.

[277] El art. 74 LDVC establece que "A efectos de lo establecido por el artículo 73, se consideran viviendas destinadas a políticas sociales todas las acogidas a cualquiera de las modalidades de protección establecidas por la presente ley o por los planes y programas de vivienda, los cuales pueden incluir, además de las viviendas de protección oficial de compra o alquiler o de otras formas de cesión de uso, las viviendas de titularidad pública, las viviendas dotacionales públicas, los alojamientos de acogida de inmigrantes, las viviendas cedidas a la Administración pública, las viviendas de inserción, las viviendas de copropiedad, las viviendas privadas de alquiler administradas por redes de mediación social, las viviendas privadas de alquiler de prórroga forzosa, las viviendas cedidas en régimen de masovería urbana, las viviendas de empresas destinadas a sus trabajadores y las demás viviendas promovidas por operadores públicos, de precio intermedio entre la vivienda de protección oficial y la vivienda del mercado libre pero que no se rigen por las reglas del mercado libre".

Tabla 5. Concepto de vivienda social en los diferentes programas de Cataluña

Vivienda asequible/social en Cataluña	Precio por debajo del de mercado	Criterios públicos para adjudicación de la vivienda
Alquileres privados a precio asequible (ej. prórroga forzosa art. 57 TRLAU 1964)	Sí	No
Familias con ayudas al pago del alquiler o cuotas hipotecarias	No siempre	No
Programa aval-alquiler	Sí	No
Vivienda con protección oficial	No siempre (gastos comunidad + otras tasas)	Sí
Programas de mediación y convenios de cesión	Sí	Sí
Viviendas de inserción	Sí	Sí
Mesas de valoración de situaciones de emergencias económicas y sociales	Sí	Sí
Alojamientos colectivos protegidos	Sí	Sí
Alojamientos dotacionales	Sí	Sí
Viviendas procedentes de: expropiaciones forzosas temporales de uso o usufructo por falta de rehabilitación o por estar vacías	Sí	Sí
Alquiler social forzoso o voluntario (principalmente de entidades bancarias)	Sí	Sí pero a misma familia

Fuente: Elaboración propia.

Así, después de ver como se descartan aquellas viviendas (las tres primeras enumeradas en la Tabla 5) que aunque pueden cumplir con el requisito de precio por debajo del de mercado (por el propio mercado o gracias a ayudas públicas)[278], no cumplen con el requisito de la adjudicación, la Tabla 5 enumera al menos ocho tipos de programas vigentes que ofrecen vivienda social en esta CA. El primero (el cuarto tipo de vivienda enumerado en la Tabla 5) sería la ya mencionada VPO (véase la Tabla 4), que hasta la modificación por el Decreto ley 17/2019, de 23 de diciembre, tenía tres regímenes dependiendo del límite de ingresos que se exigía a los

---

[278] Entre estas podemos destacar el Programa de aval-alquiler (*avalloguer*), que permite mantener las rentas a precios asequibles (ya que la renta no puede superar una cuantía máxima establecida por los poderes públicos), pero las viviendas son privadas y se adjudican libremente, sin seguir pautas ni criterios establecidos por los poderes públicos. A cambio, el propietario tiene derecho a un régimen de coberturas, que le cubre 3 mensualidades de renta impagada en caso de instar un proceso judicial para resolver el contrato de arrendamiento precisamente por impago de dicho alquiler. Arts. 66 y ss. PDVC.

beneficiarios[279]; actualmente se diferencia entre calificación genérica y específica, dependiendo de la forma de acceso a la vivienda por las personas usuarias (régimen de propiedad, de arrendamiento u otro régimen de cesión del uso sin transmisión de la propiedad, o exclusivamente en régimen de arrendamiento). Pero más allá de esta, el PDVC regula dos Programas[280] que permiten la captación de viviendas del mercado privado para ofrecerlas a vivienda social. Así, en el Programa de mediación para el alquiler social, la Administración pública hace de intermediaria entre el propietario de la vivienda y el inquilino, ofreciendo garantías al propietario para que ofrezca la vivienda a un precio razonable, mientras que el inquilino se escoge siguiendo criterios de necesidad (solicitantes de vivienda inscritos en el Registro de solicitantes de vivienda con protección oficial de Cataluña) y no de mercado. El Programa de cesión sigue las mismas directrices, con la diferencia que, en este caso, la vivienda se cede a la Administración para que esta actúe de arrendadora y no de intermediaria; además, también se ceden viviendas, principalmente a través de convenios con las entidades financieras[281]. El mismo PDVC también regula programas para colectivos con riesgo de exclusión social, como la Red de viviendas de inserción[282], integrada por entidades sin ánimo de lucro que gestionan viviendas para personas con problemas de inserción y que requieren de una atención y seguimiento especiales, y las Mesas de valoración de situaciones de emergencias económicas y sociales, gestionada por administraciones o entidades públicas y destinada a los casos de vulnerabilidad extrema y de emergencia social[283]. Por su lado, los alojamientos colectivos protegidos son, como su

---

[279] Así, estaban las VPO de régimen general (ingresos familiares que no superaran 5 veces el IRSC o en 5,5 veces en áreas no consideradas de fuerte demanda residencial), de régimen especial (ingresos familiares inferiores a 2,5 IRSC) y de precio concertado (ingresos familiares que no superaran en 6,5 veces el IRSC). Art. 43 PDVC. IRSC es el acrónimo de "indicador de renta de suficiencia" y se utiliza para valorar la situación de necesidad para, posteriormente, decidir si se tiene derecho o acceso a las diferentes prestaciones públicas. Este indicador se fija periódicamente con la Ley de presupuestos de la Generalitat de Cataluña. La última referencia es la de la DA 17ª de la Ley 4/2020, de 29 de abril, de presupuestos de la Generalidad de Cataluña para el 2020 (DOGC 30-04-2020, núm. 8124), donde se fija en 569,12 euros mensuales y 7.967,73 euros anuales.
[280] Arts. 15 y ss. PDVC.
[281] Véase en más detalle el apartado "1.2. Aumentando por todas las vías el parque de vivienda social en alquiler" del Capítulo III.
[282] Arts. 22 y ss. PDVC.
[283] Arts. 73 y ss. PDVC. Existen algunos programas específicos, como por ejemplo el "Programa 60/40" (http://agenciahabitatge.gencat.cat/wps/wcm/connect/

propio nombre indica, construcciones de uso residencial colectivo o de uso de alojamiento comunitario temporal, solamente para personas con necesidades especiales y de carácter transitorio y necesidades de servicios o tutela[284]. Estos pueden ser de iniciativa pública o privada. También para satisfacer requerimientos temporales, en este caso de colectivos con dificultades de emancipación, de requerimientos de acogimiento o asistencia sanitaria o social, de trabajo o estudio, o de afectación por una actuación urbanística, son los alojamientos dotacionales[285].

En los últimos años, y con el fin de hacer frente a una situación de emergencia habitacional, se han adoptado políticas de vivienda más intrusivas para aquellas viviendas vacías en manos de personas jurídicas (principalmente entidades bancarias) y para la protección de las personas con riesgo de exclusión residencial, regulando expropiaciones forzosas del uso temporal de viviendas o la obligación de ofrecer un alquiler social[286], concepto que la legislación relaciona, en este caso, con alquileres de 5 o 7 años (dependiendo de si el arrendador es persona física o jurídica, tal y como

---

ahcca/web/serveis/mesures-urgents-en-lambit-de-lhabitatge/programa-6040, último acceso 20-2-2021) y el "Programa Reallotgem.cat" (http://agenciahabitatge.gencat.cat/wps/wcm/connect/ahcca/web/serveis/ens+locals+veinals+i+ajuntaments/programa-reallotgemcat, último acceso 20-2-2021), que persiguen captar viviendas de propiedad privada para alojar a personas en situación de emergencia económica y social y que son casos favorables de las Mesas de Emergencia.

[284] Arts. 58 y 59 PDVC.

[285] Arts. 3.j y 18 LDVC.

[286] Véase, por ejemplo, los arts. 15, 16 y 17 de la Ley catalana 4/2016, de 23 de diciembre, de medidas de protección del derecho a la vivienda de las personas en riesgo de exclusión residencial (BOE 18-01-2017, núm. 15). Los tres artículos se suspendieron por la admisión a trámite, por providencia de 17 de octubre de 2017, del recurso de inconstitucionalidad núm. 4752-2017; posteriormente se levantó la suspensión de los arts. 15 y 17 (menos su primer apartado) por el ATC de 20 de marzo de 2018 (RTC 2018\26 AUTO) y, finalmente, la STC de 17 de enero de 2019 (RTC 2019\8) aceptó el desistimiento del Abogado del Estado respecto de los arts. 15 y 16 pero declaró inconstitucional el art. 17 (en sus apartados 3, 4 y 5), que regulaba la expropiación de uso en casos de transmisión de viviendas derivadas de acuerdos de compensación o dación en pago de préstamos o créditos hipotecarios sobre la vivienda cuando la persona o unidad familiar estaba en riesgo de exclusión residencial. Pueden verse estas y más medidas en el apartado "1.2. Aumentando por todas las vías el parque de vivienda social en alquiler" del Capítulo III.

regula la legislación de arrendamientos urbanos)[287] y que no superen el 18% de los ingresos familiares (en algunos casos se habla del 10 o 12%)[288].

7.2. La vivienda social en Inglaterra y en los Países Bajos

La definición de "vivienda social" en Inglaterra viene legalmente establecida en la *Housing and Regeneration Act* (Ley de vivienda y regeneración) de 2008[289], e incluye tanto la vivienda en alquiler como en propiedad, siempre que sea vivienda adjudicada siguiendo criterios establecidos con el fin de dar alojamiento a la población necesitada de vivienda a causa de su dificultad o imposibilidad de acceso al mercado libre.

Para la vivienda en alquiler[290], además, se exige que sea ofrecida a precio inferior al de mercado, mientras que en el caso de la propiedad solamente permite su acceso mediante fórmulas intermedias que permiten un acceso asequible a esa tenencia. No es posible incluir dentro del concepto de vivienda social en Inglaterra vivienda ocupada a través del régimen de propiedad absoluta, ya que necesariamente debe incorporar alguno de los regímenes de tenencia intermedia siguientes[291]: "*shared ow-*

---

[287] Art. 9 LAU.

[288] Art. 5.7 Ley 24/2015, de 29 de julio, de medidas urgentes para afrontar la emergencia en el ámbito de la vivienda y la pobreza energética. A pesar de que la mayor parte de apartados del art. 5 y otros arts. de esta Ley se suspendieron por providencia del TC de 24 de mayo de 2016 que admitió a trámite el recurso de inconstitucionalidad núm. 2501-2016 (suspensión mantenida por ATC de 20 de septiembre de 2016, RTC 2016\160 AUTO), no lo estuvo el apartado 7. Finalmente, la STC de 31 de enero de 2019 (RTC 2019\13) aceptó el desistimiento parcial del Abogado del Estado respecto de algunos preceptos, pero declaró la inconstitucionalidad de otros.

[289] *Housing and Regeneration Act* (Ley de vivienda y regeneración), de 22 de julio de 2008. c. 17. Arts. 68 a 71. Aplicable en Inglaterra y Gales.

[290] Las últimas políticas de vivienda distinguen entre alquiler social y alquiler asequible, fomentando sobre todo la segunda. Véase el apartado "3.4. Formas de tenencia de vivienda social" del Capítulo II. Así, mientras el alquiler social se define por pautas marcadas a nivel público (suele estar en un 50/60% respecto del precio de mercado, aunque puede ser mayor o menor dependiendo de la zona), el alquiler asequible permite subir el precio a un límite del 80% del precio de mercado. Homes and Communities Agency. *Affordable Homes Programme 2015-2018. Prospectus.* Londres: Homes and Communities Agency, 2014. p. 36 y ss.

[291] Véase Communities and local government. *National Planning Policy Framework.* Londres: Department for Communities and Local Government, 2012. p. 50.

nership arrangements"[292], "*equity percentage arrangements*"[293] o "*shared ownership trusts*"[294].

En cuanto a los Países Bajos, no existe una definición legal de lo que debe entenderse por vivienda social, aunque con la *Woningwet* 2015 (y basándose en la Decisión 2012/21/UE de la Comisión Europea) se incorpora una definición de lo que debe entenderse por SIEG en el campo de la vivienda social, y esta se relaciona con vivienda para personas con dificultades, por razones económicas u otros motivos, para encontrar una vivienda adecuada[295]. Así, si tradicionalmente la vivienda social en este país se ofrecía casi sin restricciones a la totalidad de la población, desde la Decisión de la Comisión Europea mencionada y su posterior reforma legislativa se ha restringido a vivienda que se ofrezca a población que no supere cierto umbral máximo de ingresos y que, además, el precio de la renta se sitúe por debajo del llamado "límite de desregulación"[296].

---

[292] La figura de la *shared ownership* (vivienda compartida) ya se ha mencionado en el apartado "6. Vivienda social en alquiler y en propiedad" *supra* en este Capítulo y, además, se explicará con detalle en el apartado "3.4.3. Las tenencias intermedias" del Capítulo II.

[293] A diferencia de la *shared ownership*, con esta institución el comprador adquiere la totalidad de la propiedad de la vivienda, por lo que no existe un segundo propietario que retenga un porcentaje de propiedad y al que se le deba abonar una parte en concepto de alquiler. Principalmente, consiste en abonar el precio de un porcentaje de la vivienda (suele ser un 70 u 80%) y sujetar el 30 o 20% restante a una hipoteca subsidiada, porcentaje por el que pueden pactarse plazos de pago (el precio se fija en función del valor de la vivienda en el momento de cada pago). Para un estudio en mayor profundidad de esta figura y de la *shared ownership* en comparativa, pueden verse WHITEHEAD, C. *Shared ownership and Shared equity: reducing the risks of home-ownership?* York: Joseph Rowntree Foundation, 2010 y WHITEHEAD, C. y MONK. S. "Affordable home ownership after the crisis: England as a demonstration project", *International Journal of Housing Markets and Analysis*, vol. 4, núm. 4, 2011, pp. 326-340.

[294] Para esta figura, véase el art. 70(6) *Housing and Regeneration Act* 2008 en relación con el *Schedule* 9 de la *Finance Act* (Ley de finanzas), de 10 de julio de 2003 (c. 14) y de los arts. 60 y ss. de la *Housing Act* (Ley de vivienda), de 15 de noviembre de 1988. c. 50.

[295] Arts. 1 y 47 *Woningwet* 2015, en relación con el punto 11 de la Decisión 2012/21/UE de la Comisión Europea.

[296] Véase el apartado "3.3.2. La competencia desleal en el ámbito de la vivienda: los casos de los Países Bajos y Suecia" de este Capítulo, así como el apartado "3.8.3. Sistema de adjudicación en los Países Bajos" del Capítulo II. En los Países Bajos existe un sistema de renta por puntos. Esto significa que todo arrendamiento que no esté liberalizado (se considera que un arrendamiento queda fuera del sistema

Por lo que respecta a qué entidades se encargan de la provisión de vivienda social, en los Países Bajos son casi en su totalidad entidades privadas sin ánimo de lucro, las *woningcorporaties*. En cambio, en Inglaterra se reparte entre las entidades privadas sin ánimo de lucro (las *housing associations* en Inglaterra son propietarias de un 58% del parque de vivienda social[297]) y las administraciones locales directamente o a través de las ALMOs (*Arm's-Length Management Organisations*), organismos autónomos locales de gestión, creados por dichas autoridades locales. La cuestión de los proveedores de vivienda social (tipos y parque que poseen), así como otros aspectos como los sistemas de adjudicación, las fuentes de financiación, etc. se tratan exhaustivamente en el Capítulo II.

8. ¿QUÉ SE ENTIENDE POR "GESTIÓN DE VIVIENDA SOCIAL"?

Por último, el concepto de "gestión de vivienda social" merece cierta reflexión y delimitación, puesto que el objeto principal de este libro es precisamente el estudiar, comparar y formular modelos de gestión de vivienda social. Así, este concepto incluye todas aquellas actividades destinadas a "producir y adjudicar servicios de vivienda respecto del parque de vivienda social ya existente"[298]. Este conjunto de actividades se puede agrupar en cuatro ámbitos de gestión[299]:

1. la *gestión técnica*, que incluye todas las acciones encaminadas al mantenimiento de las viviendas, a su renovación y rehabilitación y, en el caso que sea necesario, a su demolición;

2. la *gestión social*, que engloba aquellas actuaciones en las que existe un contacto directo con los usuarios (solicitantes de vivienda social y

---

por puntos cuando supera el umbral, que actualmente se encuentra sobre los 700 euros/mes aproximadamente), la renta máxima que puede establecerse se determina en función de la calidad de la vivienda. Existe un Tribunal nacional (*Huurcommissie*) especializado en resolver disputas entre propietario y arrendatario sobre el nivel de la renta y los gastos de servicios y mantenimiento. Véase una explicación más extensa de este sistema en el apartado "3.4. Formas de tenencia de vivienda social" del Capítulo II.

[297] PITTINI, A. (dir.) *The State of Housing in the EU 2019*, cit. p. 89.

[298] PRIEMUS, H., DIELEMAN, F. y CLAPHAM, D. "Current developments in social housing management", *Netherlands Journal of Housing and the Built Environment*, vol. 14, núm. 3, 1999, pp. 211-223. p. 211. Traducción propia.

[299] GRUIS, V. y NIEBOER, N. *Asset management in the social rented sector. Policy and practice in Europe and Australia*. Dordrecht: Kluwer Academic Publishers, 2004. p. 5.

arrendatarios o usuarios), es decir, la oferta de la vivienda (publicación de la oferta, control de los requisitos de acceso, recolección de las solicitudes, etc.), la adjudicación de las mismas, el cumplimiento de los contratos de arrendamientos o la comunicación y participación de los arrendatarios, entre otras;

3. la *gestión financiera*, es decir, las fuentes de financiación y la política de alquiler, y

4. la *gestión de las propiedades*, que incluye los negocios jurídicos realizados para obtener o deshacerse de parque de inmuebles (compra o venta de viviendas, alquiler, derecho de superficie, cesión de uso, etc.).

Otra clasificación es la que plantean HARRIOTT y MATTHEWS, tomando como referencia las actividades establecidas por el Gobierno inglés en 1992 como esenciales para la gestión de vivienda. Estos autores agrupan las actividades de gestión en cuatro tareas: a) alquiler de bienes inmuebles (listas de espera y selección del beneficiario, traslados e intercambios, gestión de propiedades vacías); b) cobro de alquileres y control de impagos (cobro de los alquileres y recuperación de los impagos, asesoramientos en ayudas, el bienestar del inquilino); c) reparaciones y mantenimiento del parque (gestión inmobiliaria y de las reparaciones) y d) gestión de los arrendamientos (disputas vecinales, gestión del contrato de arrendamiento, participación y consulta de los arrendatarios)[300].

Indistintamente de la clasificación que se siga para determinar los parámetros que se engloban dentro del concepto de "gestión" de vivienda social, puede extraerse una idea principal: el hecho de que la gestión de vivienda social propiamente dicha no incluye la promoción de vivienda nueva (viviendas de nueva construcción). Eso no excluye, sin embargo, la posibilidad de que una entidad que gestiona parque de vivienda social pueda ser, al mismo tiempo, promotora de parte o de la totalidad de ese parque, como precisamente hacen muchas de las entidades privadas sin ánimo de lucro que estudiaremos en los modelos comparados del siguiente capítulo.

Finalmente, cabe señalar que si bien los responsables de la gestión de vivienda social son entidades gestoras públicas (oficinas locales, empresas públicas, etc.) o privadas (sociedades de capital, fundaciones, asociaciones, etc.), existen otros actores que entran en juego en este ámbito[301]. Las en-

---

[300]　HARRIOTT, S. y MATTHEWS, L. *Social housing: an introduction*, cit. pp. 152 y 153.

[301]　PRIEMUS, H. "Managing social housing", en CLAPHAM, D.F., CLARK, W.A.V. y GIBB, K. *The SAGE Handbook of Housing Studies*. Londres-California-Nueva Delhi-Singa-

tidades gestoras se interrelacionan no solo con los solicitantes de vivienda y los arrendatarios o beneficiarios de dichas viviendas sino también con sus organizaciones o asociaciones representantes, con la Administración pública en todos sus niveles (local, autonómico y estatal)[302], con el sector financiero y de capital, y con otras entidades sociales con las que tengan un convenio para llevar a cabo alguna función dentro de la gestión, entre otras. Es decir, para conseguir una gestión integral, efectiva y eficiente del parque de vivienda social es necesaria una coordinación entre los diferentes agentes del sector.

9. CONCLUSIONES

El derecho a la vivienda es un derecho básico existencial para hacer efectivos otros derechos fundamentales, como la libertad, la dignidad y el libre desarrollo de la personalidad. Además, disponer de una vivienda nos permite formar parte y participar en la sociedad. Es por ello que tanto instrumentos internacionales, de la UE y nacionales, en mayor o menor grado, defienden y procuran su cumplimiento. Cabe resaltar que cada vez más encontramos decisiones nacionales que se ven influenciadas por instrumentos y decisiones a nivel internacional o europeo más proteccionistas. Pero a pesar de las discrepancias a diferentes niveles, existe un amplio consenso en que uno de los instrumentos básicos para hacer efectivo este derecho a una vivienda digna y adecuada es disponer de un suficiente parque de vivienda social.

Una de las problemáticas de tratar la vivienda social a nivel comparado es la falta de un concepto unitario, puesto que, además, la vivienda no es competencia de la UE sino de sus EEMM. Por lo tanto, estos definen sus políticas de vivienda y el tipo de vivienda social adoptado en relación con la tenencia elegida (destaca la de alquiler), a los proveedores y gestores de este parque, a sus fuentes de financiación (ligado con el anterior) y a sus beneficiarios.

Precisamente este último elemento es el que determina la función y el papel que desempeña la vivienda social en cada país, y en este sí que se está

---

pur: SAGE Publications Ltd, 2012, pp. 461-483. p. 462.

[302] No como entidad gestora en este caso, sino para controlar el cumplimiento de la normativa relacionada con este sector, el establecimiento de los planes de vivienda, las subvenciones, los colectivos vulnerables, etc.

notando la presión de la Comisión Europea para reorientar, sobre todo, a las políticas de los EEMM de la UE con modelos más universalistas y que apuestan por la mixtura social. La Comisión Europea hace valer la competencia de la UE en materia del derecho a la competencia en el mercado interior para establecer una relación entre SIEG y servicio social de vivienda para los colectivos más vulnerables. En consecuencia, y a pesar de cierta ambigüedad en sus decisiones, así como en la postura contraria adoptada por otras instituciones internacionales y dentro de la propia UE (como el Parlamento Europeo), los EEMM deben tener presente la interpretación tomada por la Comisión si quieren conservar la capacidad de dotar de ayudas públicas el sector de promoción y gestión de la vivienda social.

Son dos los elementos esenciales que permiten distinguir a la vivienda social: su precio por debajo del precio de mercado y su procedimiento de adjudicación (siguiendo criterios de necesidad adoptados por normativa pública). Precisamente, una vez analizado el concepto de vivienda social utilizado en los tres sistemas que se tratarán en este libro (español, inglés y neerlandés) y, salvando la terminología escogida y los requisitos más específicos, puede verse como los tres regulan el precio de las viviendas para que quede por debajo de los precios de mercado y los tres siguen criterios de adjudicación que se basan en ingresos máximos o en necesidades especiales de vivienda (el neerlandés empujado por decisión de la Comisión Europea). Atendiendo a ello, en este trabajo no separaremos por terminologías, por beneficiarios ni por tenencias, sino que mantendremos como objeto de estudio a todo lo que entre en estos dos requisitos básicos mencionados (precio y adjudicación). Sin embargo, cabe decir que por el objetivo de este libro, sí que distinguiremos, sobre todo en los modelos comparados, por tipo de proveedor, puesto que nos interesa especialmente el estudio de modelos de gestión privada sin ánimo de lucro.

Capítulo II

Modelos comparados. Los Países Bajos e Inglaterra

1. INTRODUCCIÓN

1.1. Interés de su estudio

La elección de los Países Bajos y del Reino Unido (en concreto nos centraremos en Inglaterra, como se menciona *infra* en este apartado) como modelos de estudio para este trabajo se fundamenta en dos argumentos principales. El primero radica en el considerable tamaño del sector de vivienda social que poseen ambos países (un 29,1% y un 17% respectivamente), siendo el de los Países Bajos el más alto de Europa[303]. Y el segundo es que la gestión de este gran sector está liderada en ambos casos por entidades privadas sin ánimo de lucro[304] (*housing associations* en el caso británico, *woningcorporaties* en el caso neerlandés)[305], cuyo rol va más allá de la simple

---

[303]   HOUSING EUROPE. *The State of Housing in Europe 2021*, cit. pp. 80 y 107 respectivamente. Véanse, asimismo, las Figuras 4 y 5, *infra* en este mismo capítulo. Aunque se trata de un sector extenso, el porcentaje llegó a ser del 40% en los Países Bajos y del 30% en Inglaterra en la década de los ochenta. El descenso experimentado a partir de entonces (como puede verse en las Figuras mencionadas) es consecuencia de una serie de políticas que se desarrollarán en el siguiente apartado de este trabajo. Actualmente, las políticas de los Países Bajos siguen presionando para seguir reduciendo el sector de vivienda social. HOEKSTRA, J. "Reregulation and residualization in Dutch social housing: a critical evaluation of new policies", *Critical Housing Analysis*, vol. 4, núm. 1, 2017, pp. 31-39. p. 34. Por su lado, el tamaño del parque de vivienda social de Inglaterra se ha estabilizado desde 2005. WHITEHEAD, C. "Social housing in England", en SCANLON, K., WHITEHEAD, C. y FERNÁNDEZ ARRIGOITIA, M. (eds.) *Social Housing in Europe*, cit., pp. 105-120. p. 107.

[304]   Se ha mencionado en la introducción del trabajo que la OCDE ha concluido que países donde predominan modelos de gestión privados sin ánimo de lucro cuentan con grandes parques de alquiler social.

[305]   A nivel terminológico, nos referiremos al concepto general de *housing associations* para englobar tanto las entidades inglesas como las neerlandesas (puesto que estas segundas también se denominan por esta nomenclatura a nivel internacional), añadiendo la palabra "inglesas" cuando hagamos referencia únicamente a las de esta nación y pueda dar lugar a confusión.

gestión de la vivienda, pues invierten en actividades sociales y en la comunidad[306].

Ambos casos han sido ejemplos de la tendencia, desde los años setenta y ochenta, en Europa Occidental, de orientar los modelos de vivienda social hacia una visión más de mercado. Así, la provisión y gestión públicas han ido cediendo protagonismo (y con este, también el riesgo)[307] a proveedores y gestores privados sin ánimo de lucro, poniendo énfasis en la autosuficiencia económica de estos. El aumento de los alquileres sociales se ha visto compensado con una mayor inversión en ayudas para el pago del alquiler[308]. Walker habla del "*new public manangement*", consistente en la introducción de mecanismos de mercado y prácticas de gestión del sector privado en la provisión de servicios públicos[309]. Así, lo interesante de este modelo de gestión es la capacidad de gestionar un gran parque de vivienda social de manera eficiente y viable económicamente, fruto de la combinación entre gestión de carácter privado (sin ánimo de lucro) y de una influencia o control públicos.

Una vez destacadas las líneas en común entre el Reino Unido y los Países Bajos, cabe mencionar que existen algunas diferencias entre los dos modelos comparados estudiados, que se irán desarrollando a lo largo del capítulo. En términos generales, las *woningcorporaties* (WCOs en adelante) disponían, hasta 2015, de una mayor independencia económica y de un menor control público (ya se verá que esta visión ha cambiado con la última reforma legislativa) y, además, disponen del monopolio de la gestión de vivienda social en el país. No ocurre así en el Reino Unido, donde a pesar de ser las *housing associations* (HAs en adelante) el mayor proveedor y gestor de vivienda social, existe más diversidad en el sector, contando con las administraciones locales o las *Arm's-Length Management Organisations*

---

[306] Van Bortel, G., Mullins, D. y Gruis, V. "Change for the Better? —making sense of housing association mergers in the Netherlands and England", *Journal of Housing and the Built Environment*, vol. 25, núm. 3, 2010, pp. 353-374. p. 357. Véase el apartado "3.7. Más allá del acceso a una vivienda. El concepto de *Housing Plus*" de este capítulo.

[307] Walker, R. M. y Van Der Zon, F. M. J. "Measuring the performance of social housing organisations in England and The Netherlands: A policy review and research agenda", *Journal of Housing and the Built Environment*, vol. 15, núm. 2, 2000, pp. 183-194. p. 184.

[308] Whitehead, C. "Social Housing Models: Past and Future", cit. p. 17 y Poggio, T. "Social housing in Europe: legacies, new trends and the crisis", *Critical Housing Analysis*, vol. 4, núm. 1, 2017, pp. 1-10. p. 3.

[309] Walker, R. M. "The changing management of social housing: the impact of externalisation and managerialisation", *Housing Studies*, vol. 15, núm. 2, 2010, pp. 281-299. p. 282.

(ALMOs en adelante), empresas públicas creadas por las administraciones locales[310]. En este segundo país, este trabajo se centra en el estudio de Inglaterra, región que concentra el 86% de HAs de todo el país[311].

TRILLA I BELLART[312] aporta dos razones de peso para apostar por estas entidades privadas sin ánimo de lucro como principales proveedores de vivienda social. La primera es que así se evita "el difícil encaje financiero de la promoción pública directamente en los presupuestos municipales" y, la segunda, se refiere a la mejor gestión que estas han demostrado desempeñar en las viviendas, con más innovaciones y con una mayor capacidad de implicación de los inquilinos en el mantenimiento y cuidado de estas. Otras ventajas mencionadas a favor de las HAs y en detrimento de la gestión por organismos o entes públicos es la flexibilidad que tienen las primeras a la hora de reinvertir los beneficios obtenidos en actividades sociales (después de hacer frente al pago de acreedores), teniendo en cuenta que son entidades sin ánimo de lucro, así como las menores trabas burocráticas que suelen encontrarse. Además, y sobre todo en referencia a las entidades más grandes, no están sujetas a una localidad concreta, y pueden construir e invertir en aquellas localidades donde haya más oportunidades, más demanda y/o más incentivos[313].

1.2. Datos relevantes del sector

Los Países Bajos, con un 29,1%, es el país europeo con más vivienda social de alquiler[314], a pesar de haberse reducido en los últimos años, como refleja

---

[310]   Véase el apartado siguiente.

[311]   Existen unas 1.775 HAs en Inglaterra. Escocia tiene unas 194, Gales unas 65 e Irlanda del Norte unas 23. La predominancia de Inglaterra tanto en número de HAs como en parque de vivienda social y de inversión es lo que hace que nos centremos en este territorio del Reino Unido de manera específica. De esta manera, también evitamos mezclar tanto datos estadísticos como legislaciones o normativa, que pueden ser distintas entre los diferentes territorios. Datos extraídos de HEYWOOD, A. *Investing in affordable housing. An analysis of the affordable housing sector*. The Housing Finance Corporation, 2016. p. 8.

[312]   TRILLA I BELLART, C. *La política de vivienda en una perspectiva europea comparada*. Barcelona: Fundación La Caixa, 2001. p. 75.

[313]   PURKIS, A. *Housing Associations in England and the future of voluntary organisations*. Londres: The Baring Foundation, 2010. p. 21

[314]   Teniendo presente, como hemos visto (apartado "3.2.2. La competencia desleal en el ámbito de la vivienda social: los casos de los Países Bajos y Suecia" del Capítulo I) que hasta hace pocos años se ofrecía este tipo de vivienda casi sin restricciones por lo que a ingresos de la población se refiere.

la Figura 4. Casi la totalidad de esta vivienda está en manos de las WCOs[315].
Actualmente hay unas 320 WCOs, que son propietarias de unos 2,3 millones
de viviendas[316]. El número de estas entidades era el doble a finales de los años
noventa (767 el año 1997), como muestra la Figura 10. La causa principal de
esta reducción han sido las continuas fusiones entre entidades, que se justifican en la mejora de la eficiencia y en razones de economía de escala[317]. Las
dimensiones de estas entidades varían mucho entre ellas, llegando a poseer,
las de mayor tamaño, de 60.000 a 80.000 viviendas[318]. Además de estos proveedores, aún existen una docena de sociedades municipales, con un parque de
vivienda muy reducido y en poblaciones pequeñas.

Figura 4. Parque de vivienda en los Países Bajos según forma de tenencia 1985-2015

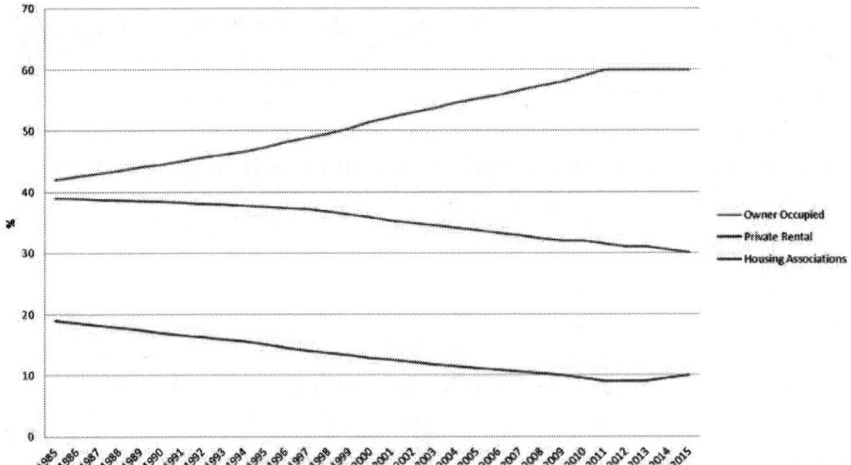

Fuente: Gráfico de Van der Veer, J. "History of Social Housing Amsterdam", Presentación Keynote
en el Workshop *The role and the future of social housing in Europe,* Amsterdam, 16-17 de junio de
2017. Información extraída del Ministerie van Binnenlandse Zaken en Koninkrijksrelaties, 2016.
Leyenda (de arriba a abajo): propiedad, alquiler privado y WCOs.

---

[315] Véase su concepto y forma jurídica en el apartado "3.1. Concepto y forma jurídica" *infra* en este mismo capítulo.

[316] Ministerie van Binnenlandse Zaken en Koninkrijksrelaties. *Cijfers over Wonen en Bouwen 2019.* La Haya: Ministerie van Binnenlandse Zaken en Koninkrijksrelaties, 2019. pp. 94 y ss.

[317] Priemus, H. "Dutch Housing Associations: Current Developments and Debates",
Housing Studies, vol. 18, núm. 3, 2003, pp. 327-351. p. 333.

[318] Elsinga, M. y Wassenberg, F. "Social Housing in the Netherlands", cit. p. 29.

Por su lado, el porcentaje de vivienda social de alquiler en Inglaterra es del 17%. La Figura 5 muestra como este parque ha ido decreciendo a lo largo de los años, debido a las políticas públicas que se mencionarán en este capítulo. Las HAs son las proveedoras y gestoras principales, con un 58% del total de este parque social, mientras que las administraciones locales poseen el 42% restante[319]. Existen unas 1.775 HAs en Inglaterra, las cuales poseen alrededor de 2,5 millones de viviendas[320].

Figura 5. Parque de vivienda en Inglaterra según forma de tenencia 1980-2019/20

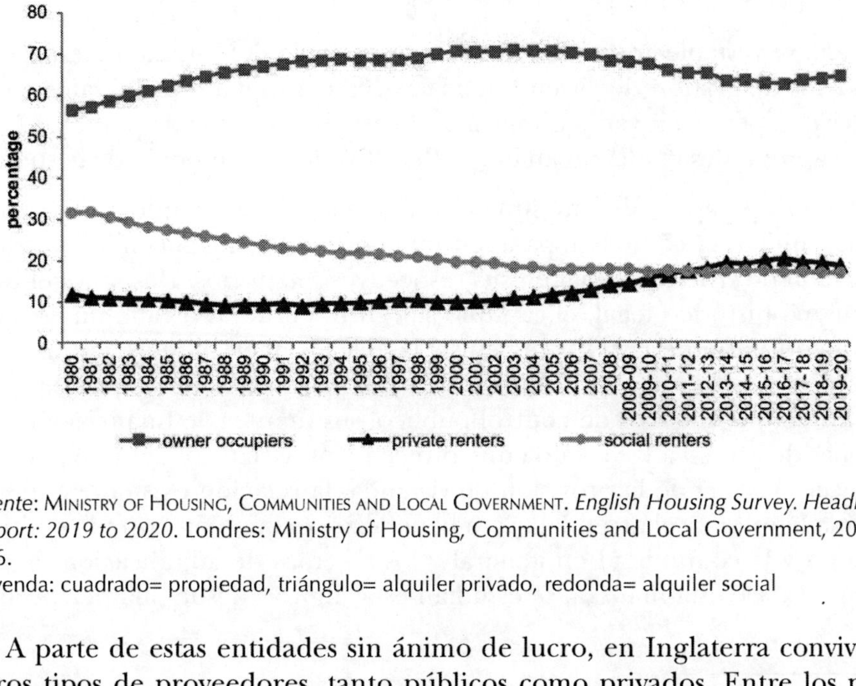

Fuente: MINISTRY OF HOUSING, COMMUNITIES AND LOCAL GOVERNMENT. *English Housing Survey. Headline Report: 2019 to 2020*. Londres: Ministry of Housing, Communities and Local Government, 2020. p. 6.
Leyenda: cuadrado= propiedad, triángulo= alquiler privado, redonda= alquiler social

A parte de estas entidades sin ánimo de lucro, en Inglaterra conviven otros tipos de proveedores, tanto públicos como privados. Entre los públicos están las mismas administraciones locales y las ALMOs, que son organismos autónomos locales de gestión, creados por las propias administraciones locales a fin de conseguir inversión y una buena administración y gestión de su parque social. La particularidad de esta figura es que la propiedad de las viviendas permanece en manos de las administraciones locales. Existen 30 ALMOs operando en 33 ámbitos municipales actualmente, las cuales gestionan un total de 413.000 viviendas públicas aproxi-

---

[319] PITTINI, A. (dir.) *The State of Housing in the EU 2019*, cit. p. 89.
[320] HEYWOOD, A. *Investing in affordable housing. An analysis of the affordable housing sector*, cit. p. 8.

madamente[321]. Por lo que respecta a nivel privado de gestión, destacan las *Tenant Management Organisations* (organizaciones de gestión de arrendatarios), formadas por grupos de arrendatarios de vivienda sociales destinadas a asumir la gestión y el mantenimiento de estas viviendas (*right to manage*) a través de un contrato legal de gestión (*management agreement*) con el propietario mediante el cual se especifica qué servicios gestionará la organización en nombre del primero[322].

1.3. La gestión privada sin ánimo de lucro

Una vez establecido el interés y la importancia del estudio de estos dos modelos de gestión de vivienda social, y habiendo dado unos datos esenciales que permiten ver la dimensión de este sector en cada país o región, este capítulo desarrolla un análisis exhaustivo de este modelo de gestión.

Un primer apartado muestra el camino y la evolución que han seguido estas entidades y cómo han pasado a tener este rol principal en la provisión y gestión de vivienda social en sus respectivos territorios. Después del breve marco histórico legal, el capítulo se centra en llevar a cabo un estudio pormenorizado de las HAs inglesas y las WCOs neerlandesas, entrando a discutir varios aspectos: su forma jurídica, la normativa por la que se rigen, si existen mecanismos de control público, sus fuentes de financiación, las formas de acceso a la vivienda que ofrecen y otras actividades que pueden ofrecer más allá de la provisión de vivienda, la relación existente entre la entidad gestora y el arrendatario o beneficiario y también entre la entidad gestora y la comunidad en general y los sistemas de adjudicación de sus viviendas. De esta manera, se estudian estas figuras desde una perspectiva

---

[321] Datos extraídos de la página web oficial de la National Federation of ALMOs: http://www.almos.org.uk/almos_docs.php?typeid=11 (último acceso 05-03-2021). Una de las grandes diferencias con las HAs es que las ALMOs no son propietarias de las viviendas que gestionan, cuestión que las limita a la hora de poder operar como una empresa social (*social enterprise*). MULLINS, D. *Housing associations. Working Paper 16.* Birmingham: Third Sector Research Centre, 2010. p. 16. Esta figura se volverá a mencionar más adelante puesto que tienen un rol activo en la implicación de los arrendatarios en las decisiones de la entidad gestora, al tener un tercio de su órgano de gobierno compuesto por arrendatarios.

[322] GUILLÉN NAVARRO, N. A. *La vivienda social en Inglaterra.* Barcelona: Atelier Libros Jurídicos, 2010. p. 111. Véase más información sobre estas organizaciones en la página oficial de la National Federation of Tenant Management Organisations, que reúne unas 130 aproximadamente: http://www.nftmo.com/ (último acceso 05-03-2021).

holística, que nos permite extraer aquellas características o elementos que las hacen singulares e interesantes como modelo de gestión de vivienda social y de las que podríamos aprender, especialmente en el caso de que nuestro parque de vivienda social se vaya incrementando[323].

El objetivo es ver de dónde viene este modelo de gestión, cómo funciona en cada territorio estudiado y cuáles son las claves de su éxito en términos de gestión de vivienda social; así como también entrar a discutir hacia dónde se dirigen y cuáles son sus retos de futuro. No se trata únicamente de extraer las buenas prácticas, sino también de detectar las problemáticas que han ido surgiendo, con el fin de aprender de los errores ya cometidos y, en ocasiones, ya superados.

Estamos ante un capítulo que mezcla legislación y demás normativa con políticas públicas y con prácticas del sector. Esta combinación es la que permitirá, por un lado, ver cuál es el marco legal de estas entidades y, por otro, ver cómo se utilizan los instrumentos establecidos legalmente en el ejercicio práctico, y cuáles de esas prácticas son las utilizadas para maximizar los beneficios sociales, pero también económicos de su gestión.

2. LA PRIVATIZACIÓN DE LA GESTIÓN DE LA VIVIENDA SOCIAL

2.1. Fase de privatización

En la importancia y la posición dominante que ocupan actualmente las HAs en el sector de la vivienda social juega un papel fundamental la fase de privatización[324] de este sector que tuvo lugar tanto en Inglaterra como en

---

[323] Esa necesidad, que ya se ha introducido en este trabajo, puede verse reflejada en el apartado "1. El acceso a una vivienda digna, adecuada y asequible en España" del Capítulo III, que además refleja precisamente la intención de las políticas de vivienda actuales españolas hacia esa voluntad.

[324] El término de "privatización" en este ámbito apareció en los años ochenta para designar la venta de capital e inmuebles públicos al sector privado y, también, en términos más generales, a todo procedimiento que implicara una pérdida de influencia de la Administración pública sobre servicios y objetivos sociales a fin de que estos objetivos se alcanzaran desde la vertiente privada. ELSINGA, M., STEPHENS, M. y KNORR-SIEDOW, T. "The privatisation of social housing: three different pathways", en SCANLON, K., WHITEHEAD, C. y FERNÁNDEZ ARRIGOITIA, M. (eds.) *Social Housing in Europe*, cit, pp. 389-413. p. 389. MALPASS y VICTORY prefieren hablar de "proceso de migración de la vivienda social hacia el sector privado".

los Países Bajos, en la década de los ochenta y noventa del siglo XX[325]. Sin embargo, como se verá, no se trata de una privatización entendida como modelo desregulado y donde la posición del Estado pierde poder a favor del mercado libre, sino de un proceso plenamente mediado en el marco de un desarrollo y control legal y normativo[326].

Las sociedades municipales de vivienda empezaron a reducir su actividad en materia de vivienda y a incentivar a las HAs para que adoptaran ese rol de proveedor y gestor de vivienda social mediante diferentes tipos de financiación pública y facilidades de acceso a préstamos a tipos de interés reducidos. Esa inyección de dinero público fue crucial para construir y consolidar una base patrimonial y una capacidad de gestión que les permitió (y les sigue permitiendo) ser entidades de gestión de vivienda social competitivas[327]. Al mismo tiempo, muchas sociedades municipales transfirieron su parque de vivienda a estas entidades o se crearon HAs nuevas. En términos generales, se podría decir que las razones que llevaron a esta transferencia o transformación fueron principalmente económicas, de control y también de gestión: la intención de reducir el gasto público, la posibilidad de acceder a fuentes privadas de financiación y dotarse de una gestión más eficiente (basada en criterios de mercado) y profesionalizada (las organizaciones municipales desenvuelven otras funciones a parte de ofrecer vivienda social)[328]. Así pues, se comenzó a construir un nuevo modelo, basado en un mayor papel del mercado privado, en detrimento del rol de la Administración, poniendo especial énfasis en la responsabilidad y

MALPASS, P. y VICTORY, C. "The Modernisation of Social Housing in England", *International Journal of Housing Policy*, vol. 10, núm. 1, 2010, pp. 3-18. p. 10.
[325] En los años posteriores a la Segunda Guerra Mundial, la Administración pública adoptó un fuerte rol en construir y subvencionar vivienda social. En cambio, el rol de las HAs empezó a incrementarse cuando se superó esa primera fase de escasez de vivienda en tiempos de postguerra. WHITEHEAD, C. "Social Housing in England", cit. p. 105.
[326] GOULDING, R. "Governing risk and uncertainty: Financialisation and the regulatory framework of housing associations", en CARR, H., EDGEWORTH, B. y HUNTER, C. (eds.) *Law and the precarious home. Socio legal perspectives on the home in insecure times*. Oxford: Hart Publishing, 2018, pp. 159-179. p. 163
[327] MULLINS, D. *Housing associations. Working Paper 16*, cit. p. 12.
[328] WALKER, R. M. y VAN DER ZON, F. M. J. "Measuring the performance of social housing organisations in England and The Netherlands: A policy review and research agenda", cit. p. 185. También BRAMLEY, G., MUNRO, M. y PAWSON, H. *Key Issues in Housing. Policies and Markets in 21st-Century Britain*. Hampshire: Palgrave Macmillan, 2004. p. 117 y HEYWOOD, A. *Investing in affordable housing. An analysis of the affordable housing sector*, cit. p. 16.

elección individuales y ofreciendo mayor diversidad en cuanto a las organizaciones encargadas de prestar estos servicios[329].

2.2. Inglaterra

La privatización de la vivienda pública en alquiler se ha llevado a cabo principalmente a través de dos sistemas en Inglaterra: el primero, la venta de vivienda de las administraciones públicas a sus inquilinos sociales a través del *right to buy* (derecho de compra, RTB en adelante); y, el segundo, la transferencia de todo o parte del parque de vivienda de las administraciones locales a las HAs, a través del sistema denominado *Large-Scale Voluntary Transfer* (transferencia voluntaria a gran escala, LSVT en adelante). Mientras que el RTB ha sido, con diferencia, la forma más importante de privatización en Inglaterra, es el LSVT el que ha supuesto (junto con demás ayudas públicas) el incremento en número y poder de las HAs en el sector de la vivienda social.

El RTB se introdujo por la *Housing Act* (Ley de vivienda) de 1980[330] y, contribuyó en gran medida al incremento de la cuota de propiedad en los años ochenta y noventa, acumulando un total de 1,9 millones de viviendas vendidas desde 1980 solo en Inglaterra[331], concentrándose sobre todo en la primera década[332]. El RTB permitió a los arrendatarios de viviendas propiedad de las administraciones locales[333] comprarlas, con un descuento que oscilaba entre un 33% y un 50% del precio de mercado (dependiendo de la antigüedad del arrendatario) y, con otras ventajas, como la del derecho a solicitar el 100% de la hipoteca a la administración local, o el de diferir la compra hasta dos años desde la fecha en que se quisiera ejercer el RTB si la hipoteca no llegaba al 100% del valor de la vivienda. Inicialmente solo los inquilinos que llevasen un mínimo de 3 años de alquiler podían ejercer ese RTB y, además, se les permitía vender la vivienda en el mercado después de 5 años de ejercer este derecho de compra. Los requisitos de ejercicio del derecho, los descuentos, el precio de compra, etc. se han ido modificando

---

[329]   MALPASS, P. y VICTORY, C. "The Modernisation of Social Housing in England", cit. p. 8.

[330]   *Housing Act* (Ley de vivienda), de 8 de agosto de 1980. c. 51.

[331]   HEYWOOD, A. *Investing in affordable housing. An analysis of the affordable housing sector*, cit. p. 16.

[332]   WHITEHEAD, C. "Social Housing in England", cit. p. 56.

[333]   También para los arrendatarios de viviendas que fueron transferidas de las administraciones locales a una *housing association*.

a lo largo de los años, siendo el punto álgido de máximos descuentos el año 1998[334]. La *Housing Act* (Ley de vivienda) de 2004[335] extendió a cinco los años mínimos requeridos de tener la condición de arrendatario y, además, se le otorgó a la administración local el derecho de recomprar el inmueble si el antiguo arrendatario ejerciente del RTB la vendía antes de transcurrir diez años (características que siguen vigentes en la actualidad). Actualmente, el descuento puede oscilar entre un 35 y un 70% (dependiendo de los años como arrendatario público, del tipo de vivienda —los pisos tienen mayor descuento— y del valor de la vivienda), pero si se vende la vivienda antes de cinco años, deben devolverse parte de los descuentos aplicados[336].

Estas medidas tan favorables conllevaron una venta masiva de vivienda pública: pasaron de venderse 80.575 viviendas el año 1980, a venderse 201.025 en 1982[337]. En cambio, esos dos mismos años se completaron solo 71.223 y 29.703 viviendas públicas respectivamente. Es decir, la vivienda social vendida no se remplazaba, lo que provocó una disminución considerable de este parque. Ante el descontento y crítica de la población por este fenómeno[338], el Gobierno intentó equilibrar el receso de vivienda en alquiler. Así, por medio de la *Housing Act* 1988 se quiso fortalecer otras vías de oferta, mayoritariamente la de las viviendas de las HAs. Este fortalecimiento se llevó a cabo, básicamente[339], a través del sistema de transferencia mencionado, el LSVT.

---

[334] Murie, A. "Social housing privatisation in England", en Scanlon, K. y Whitehead, C. (eds). *Social Housing in Europe II. A review of policies and outcomes,* cit., pp. 241-260. p. 241.

[335] *Housing Act* (Ley de vivienda), de 18 de noviembre de 2004. c. 34.

[336] Existe un descuento máximo, que se actualiza anualmente con el índice de precio al consumo. Este máximo a 2021 es de 84.200 libras esterlinas en Inglaterra (elevándose hasta las 112.300 libras para Londres). Datos extraídos de *Right to buy: buying your council home,* datos online en la página del Gobierno del Reino Unido: https://www.gov.uk/right-to-buy-buying-your-council-home/overview (último acceso 06-03-2021).

[337] Guillén Navarro, N. A. *La vivienda social en Inglaterra,* cit. p. 80.

[338] Véase, por ejemplo, BBC News, "*Viewpoints: How did Margaret Thatcher change Britain?*", 10-04-2013, disponible en http://www.bbc.co.uk/news/uk-politics-22076774 (último acceso 04-10-2019), donde se expone que "El problema fue que el Gobierno de Thatcher no se preocupó por aquellos que salieron perdiendo con esta (política) y no se esforzó en reponer el parque de viviendas vendido". Traducción propia.

[339] Tanto en esta Ley como en las anteriores y posteriores, existen otras medidas adoptadas, pero no se tratan en este caso porque se alejan de nuestro objeto de

Entre el 2006 y 2010 las ventas de vivienda pública a través del RTB disminuyeron considerablemente, siendo la causa mayoritaria la crisis económica de 2007. Pero a partir de 2011-2012, y con la ayuda de una mejora en las condiciones y descuentos[340], estas ventas volvieron a crecer. En el período 2019-20, las administraciones locales vendieron un total de 10.694 viviendas[341], lejos, cabe decir, de las cifras de los años ochenta del siglo pasado. Sin embargo, actualmente la vivienda social construida supera las ventas en RTB (ej. 28.261 viviendas finalizadas con financiación pública en el mismo período 2019-20)[342], pero debe tenerse presente que lo que ha aumentado sobre todo es la oferta de alquileres "asequibles" u otras fórmulas asequibles distintas de lo que sería el alquiler propiamente "social" en Inglaterra (este representa el 5% aproximadamente de las 28.261 viviendas mencionadas)[343].

Así, aunque el objetivo principal del RTB es el fomento de la propiedad como forma de tenencia, no es menos cierto que al desprenderse la Administración de estas viviendas públicas se evita su deterioro, desaparece el gasto público destinado a su mantenimiento y gestión y se obtienen ingresos de las ventas[344]. Por el contrario, se contribuye a la residualización de la vivienda pública y, además, esas ventas no solucionan problemáticas que

---

estudio. Una de ellas, por ejemplo, en esta *Housing Act* 1988, es el fomento de alternativas de arrendamiento: las *assured tenancies* (seguridad y derechos para el arrendatario, entre otras, donde el arrendador necesita un pronunciamiento judicial para poder recuperar la propiedad) y las *assured shorthold tenancies* (de 6 meses a un año).

[340] DEPARTMENT FOR COMMUNITIES AND LOCAL GOVERNMENT. *Right to Buy Sales in England: January to March 2017. Housing Statistical Release.* Londres: Department for Communities and Local Government, 2017. p. 2.

[341] MINISTRY OF HOUSING, COMMUNITIES AND LOCAL GOVERNMENT. *Social Housing Sales: April 2019 to March 2020, England.* Londres: Ministry of Housing, Communities and Local Government, 2021. p. 3.

[342] HOMES ENGLAND. *Housing Statistics. 1 April 2019-31 March 2020.* Londres: Homes England, 2020. p. 10.

[343] Véase esa distinción entre alquiler social y alquiler asequible o demás fórmulas en el apartado "3.4.2. En Inglaterra" y "2.4.3. Las tenencias intermedias" de este mismo Capítulo.

[344] Véase GUILLÉN NAVARRO, N. A. *La vivienda social en Inglaterra,* cit. p. 82. La misma opinión en TRILLA I BELLART, C. *La política de vivienda en una perspectiva europea comparada,* cit. p. 79 y FORSTER, W. (dir.) *Guidelines on social housing. Principles and Examples,* cit. p. 6.

ya pudiera acarrear la zona o barrio en concreto, pues para ello hacen falta políticas de regeneración o de dinamización de barrios, de gestión, etc[345].

En cuanto a la posibilidad de aplicar el RTB a viviendas de las HAs, la voluntad política de imponerlo apareció en 2015, pero finalmente, y con la negociación entre el Gobierno y la National Housing Federation[346], se acordó que este RTB sería voluntario para las entidades. Así, la nueva *Housing and Planning Act* (Ley de vivienda y urbanismo) de 2016[347] regula una compensación para las HAs que apliquen este RTB voluntario (compensación inexistente en el RTB de vivienda pública): se prevé que las administraciones locales paguen la diferencia entre el precio de mercado y el precio de venta con descuento, y ese dinero debe salir de la venta de propiedades públicas con alto valor que vayan quedando vacías[348]. Cabe decir que la *Housing Act* (Ley de vivienda) de 1996[349] introdujo el *right to acquire* (derecho de adquisición) para arrendatarios de las HAs, mecanismo parecido al RTB, pero con algunas diferencias, que lo hacen menos exitoso que

---

[345] Murie, A. "Housing and neighbourhoods: what happened after the sale of state housing to sitting tenants in England", en Scanlon, K., Whitehead, C. y Fernández Arrigoitia, M. (eds.) *Social housing in Europe*, cit. pp. 415-431. pp. 429 y 430.

[346] Federación que agrupa y representa las HAs en Inglaterra. Cuenta con casi 800 miembros, los cuales proveen vivienda para unos 6 millones de personas. Véase datos en su página oficial https://www.housing.org.uk/about-us/about-our-members/ (último acceso 06-03-2021).

[347] Arts. 64 y ss. *Housing and Planning Act* (Ley de vivienda y urbanismo), de 12 de mayo de 2016. c. 22.

[348] Scanlon, K. "Social housing in England: Affordable vs 'affordable'", *Critical Housing Analysis*, vol. 4, núm. 1, 2017, pp. 21-30. p. 25. Sin embargo, ninguno de los dos instrumentos se aplica por el momento. Por un lado, el gobierno ya ha dejado clara su posición de revocar la obligación de abonar, las administraciones locales, una tasa al gobierno inglés (arts. 69 y ss. *Housing and Planning Act* 2016) con previsión de recuperación con la venta de propiedades públicas municipales de gran valor (tasa que debía servir para ofrecer descuentos en el RTB voluntario de las HAs). Ministry of Housing, Communities and Local Government. *A new deal for social housing*. Londres: Ministry of Housing, Communities and Local Government, 2018. pp. 59 y 60. Por otro lado, el RTB voluntario (arts. 64 y ss. *Housing and Planning Act* 2016) se encuentra en una fase de prueba piloto. Véanse la p. 65 del documento anterior e Inside Housing. Just £10m allocated in Voluntary Right to Buy pilot, 12-07-2019, disponible en https://www.insidehousing.co.uk/news/news/just-10m-allocated-in-voluntary-right-to-buy-pilot-62248 (último acceso 08-11-2019).

[349] *Housing Act* (Ley de vivienda), de 24 de julio de 1996. c. 52.

el otro programa y con muy poca demanda a la práctica[350]: los descuentos ofrecidos son bastante inferiores (con un máximo de 16.000 libras esterlinas) y no se tienen en cuenta los años que se lleva siendo arrendatario. Además, las HAs tienen la posibilidad de ofrecer una vivienda alternativa, es decir, diferente a la que el arrendatario vive[351].

Por su parte, el Programa de LSVT ha sido la mayor fuente de crecimiento para el sector de las HAs inglesas de los últimos 28 años[352]. Este programa, propulsado por la *Housing Act* 1988, se creó con el objetivo de transferir todo o parte del parque de las administraciones locales a las HAs. Sus factores impulsores fueron, mayoritariamente: eludir controles del gobierno, beneficiarse de las subvenciones públicas, evitar el RTB hasta entonces existente solo en el sector de vivienda pública (ofreciendo una alternativa mejor) y facilitar el aprovisionamiento y la construcción de viviendas, circunstancia que no podían hacer las administraciones locales ante las reformas financieras introducidas por el Gobierno británico[353]. También se ofrecía la posibilidad de mejorar y mantener las viviendas sociales sin necesidad de recurrir al presupuesto público.

Para poder ejercer esta vía de transferencia, se exigía el consentimiento de los inquilinos (por un acuerdo de la mayoría de los inquilinos afectados). Así, para hacer atractivo el traspaso a la HA y obtener este consentimiento, se les ofrecía garantías acerca de límites máximos en los precios de alquiler futuros, así como seguridad de tenencia, el derecho a comprar la vivienda a precio reducido (a veces) y, además, la ejecución de obras de mantenimiento y mejoras en las viviendas (entre las que se encuentra el cumplimiento de las *decent homes standards*, reglas de calidad exigidas reglamentariamente). Este proceso debía ser viable para la administración local, es decir, el valor de la transferencia del parque[354] de-

---

[350] HEYWOOD, A. *Investing in affordable housing. An analysis of the affordable housing sector.* cit. p. 12.

[351] WILSON, W. y BARTON, C. *Introducing a voluntary Right to Buy for housing association tenants in England. Briefing paper,* núm. 07224. Londres: House of Commons Library, 2018. pp. 28 y 32.

[352] Aproximadamente 1,3 millones de viviendas (hasta 2012) han pasado a manos de las HAs, lo que representa un tercio del parque de vivienda de las administraciones locales. HEYWOOD, A. *Investing in affordable housing. An analysis of the affordable housing sector.* cit. p. 16.

[353] GUILLÉN NAVARRO, N. A. *La vivienda social en Inglaterra,* cit. p. 118.

[354] Para la valoración del parque se tiene en cuenta la inversión necesaria para poder cumplir con las reglas de calidad exigidas (*decent homes standards*) y las rentas futuras esperadas. WHITEHEAD, C. "Social Housing in England", cit. p. 111.

bía igualar o superar la deuda que la administración aún tenía aparejada al parque vendido[355].

La mayoría de entidades receptoras de parque fueron de nueva creación[356], circunstancia que también permitió introducir nuevos sistemas de gestión y nuevas estructuras organizativas[357]. Y aunque creadas como entidades legal y económicamente independientes de la administración local, verdaderamente se trataba, en muchos casos, de los departamentos de vivienda de las mismas administraciones locales pero con distinta forma jurídica[358].

---

[355]   A mediados de los noventa se introdujo un programa de subvenciones públicas para permitir la transmisión de aquel parque con valor de transferencia "negativo", es decir, cuando el valor de transferencia no era suficiente para pagar las deudas pendientes. Elsinga, M., Stephens, M. y Knorr-Siedow, T. "The privatisation of social housing: three different pathways" cit. p. 394.

[356]   *Ibid.* Véase el origen de las organizaciones de vivienda (el concepto de *housing association* no se empieza a utilizar de manera generalizada hasta los años treinta del siglo XX, las organizaciones de vivienda anteriores diferían del concepto actual de HA tanto en su estructura, regulación, forma de financiación y relación con sus arrendatarios y administraciones locales), su posterior declive a favor de la promoción de vivienda pública por parte de las administraciones locales, la creación de la National Federation of Housing Societies y las primeras organizaciones en formar parte de ella, así como el cambio en la forma jurídica de las organizaciones inscritas y el cambio en su relación con el sector público, que pasó de ser más lejano e independiente en sus inicios, para depender en mayor medida de una financiación pública y regulación por parte del sector público posteriormente, en Malpass, P. "The Discontinuous History of Housing Associations in England", *Housing Studies*, vol. 15, núm. 2, 2000, pp. 195-212. Este mismo autor resalta un dato curioso, el hecho de que, en 1997, la mitad de las 100 HAs más importantes eran de creación nueva y provenientes de las LSVT, por lo que podría decirse que, "las organizaciones contemporáneas de vivienda social son en gran medida la creación de los últimos 35 años, y que se siguen estableciendo nuevas asociaciones significativas". p. 209. Traducción propia.

[357]   Malpass, P. *Housing and the welfare state. The development of housing policy in Britain.* Nueva York: Palgrave Macmillan, 2005. p. 196. Reflejando esta idea, el autor expresa, en esta misma página, que "las organizaciones creadas con la transferencia de parque han adoptado un enfoque de gobernanza y de rendición de cuentas que es mucho más abierto y democrático, reservando plazas en el órgano de gobierno para arrendatarios y concejales". Traducción propia.

[358]   Elsinga, M., Stephens, M. y Knorr-Siedow, T. "The privatisation of social housing: three different pathways" cit. p. 393.

La Figura 6 muestra como, a raíz de la LSVT, las HAs han ido ganando poder en el sector de vivienda social[359] mientras que, al mismo tiempo, y fruto del fomento de la tenencia en propiedad (impulsada principalmente por el RTB), el parque de vivienda social se ha ido reduciendo: pasó de un 29% en 1981 a un 18% en 2011. Este porcentaje se ha estabilizado desde 2005. Esta política de transferencia, junto con otros incentivos públicos, refleja la intención del Gobierno británico de apostar por las HAs como proveedor principal de vivienda social, reservando a las administraciones locales un papel más estratégico y de dirección: cambiar la provisión y gestión directa de vivienda por un rol de observador y facilitador, identificando las necesidades de vivienda existente y proporcionando instrumentos para que los otros agentes puedan cubrir esas necesidades, maximizando también el uso de financiación privada[360].

Figura 6. Parque y tenencia del parque de vivienda social en alquiler en Inglaterra

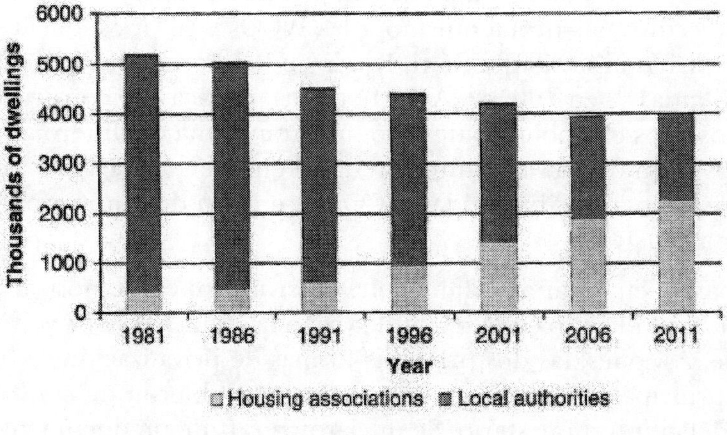

Fuente: WHITEHEAD, C. "Social Housing in England", cit. p. 106.

---

[359] Esta transferencia de parque se ha reducido en gran medida en los últimos años, aunque siguen habiendo algunos casos (ej. 31.800 viviendas transferidas en 2015). HEYWOOD, A. *Investing in affordable housing. An analysis of the affordable housing sector*, cit. pp. 16 y 17.

[360] STEPHENS, M. y WHITEHEAD, C. "Rental housing policy in England: post crisis adjustment or long term trend?", *Journal of Housing and the Built Environment*, vol. 29, núm. 2, 2014, pp. 201-220. p. 208 y MALPASS, P. y VICTORY, C. "The Modernisation of Social Housing in England", cit. p. 11.

2.3. Países Bajos

La privatización en los Países Bajos se remonta, al igual que en el caso inglés, a los años ochenta del siglo XX, y tuvo lugar básicamente a través de tres mecanismos: la transformación de las sociedades municipales de vivienda en WCOs o la venta de su parque a estas entidades privadas; la independencia financiera de las WCOs respecto del Gobierno neerlandés; y la venta de vivienda social a particulares[361].

Ante los serios problemas de escasez de vivienda una vez finalizada la Segunda Guerra Mundial, las sociedades municipales de vivienda fueron las máximas proveedoras durante las siguientes décadas. Además, el Gobierno también se centró en proporcionar subvenciones objetivas ("al ladrillo") para hacer frente a la carencia de alojamientos. Estas medidas conllevaron un rápido aumento de vivienda social en poco tiempo (mucho más que en el resto del continente). El sector pasó del 12% en 1945 al 41% en 1975 y al 44% a finales de los años ochenta[362]. A partir de entonces se cedió más protagonismo a las WCOs y su prevalencia en el sector de la vivienda social quedó reflejada en la reforma de la *Woningwet* (Ley de vivienda)[363] en 1965[364]. A parte de las políticas de construcción, durante esos años el Gobierno destinó una gran suma de dinero a políticas de renovación del parque anterior a la Segunda Guerra Mundial; ese apoyo económico lo recibieron las WCOs, con el fin de renovar o demoler y volver a construir.

Sin embargo, en los años ochenta el Gobierno empezó a mostrar preocupación porque el gasto en el sector de vivienda social se estaba volviendo insostenible. Así pues, las dos primeras formas de privatización se fundamentaron principalmente en esta intención del Gobierno de controlar y reducir el déficit presupuestario. Se iniciaron a raíz de un documento publicado por el Ministro de vivienda (E. Heerma) titulado *Nota Volkshuisves-*

---

[361] ELSINGA, M., STEPHENS, M. y KNORR-SIEDOW, T. "The privatisation of social housing: three different pathways", cit. pp. 396 y 397.

[362] BOELHOUWER, P. *Maturation of the Dutch social housing model and perspectives for the future.* Delft: OTB Research Institute for the Built Environment, 2014. p. 7.

[363] *Woningwet* (Ley de vivienda), de 22 de junio de 1901. *Staatsblad* 1901, núm. 158.

[364] Con la *Woningwet* (Ley de vivienda), de 12 de julio de 1962. *Staatsblad* 1962, núm. 287. Véase OUWEHAND, A. y VAN DAALEN, G. *Dutch housing associations. A model for social housing.* Delft: DUP Satellite, 2002. p. 12.

ting in de jaren negentig (Memorando de vivienda en los años noventa)[365], donde se exponían las líneas básicas que iba a seguir la política de vivienda en los años noventa: desregulación, descentralización y autosuficiencia[366]. Así, se pretendió dar mayor importancia y poder a las fuerzas del mercado, trasladando la responsabilidad y el riesgo financiero a las WCOs y destinando las ayudas públicas solamente a la población con pocos ingresos[367].

La primera forma de privatización consistió, en muchos casos, en la transformación de las sociedades municipales de vivienda en WCOs y, en otros, en la transferencia de su parque a WCOs ya existentes. El objetivo era hacer desaparecer a las sociedades municipales en 1996[368]. Los motivos de esta decisión política radicaban, además de en el coste económico de estas, en la poca flexibilidad y las trabas normativas que tenía una organización de vivienda municipal en el mercado de vivienda y, también, en la dificultad de combinar el papel de control y supervisión con el de proveedor y gestor de vivienda social[369]. Aunque esta política se ha cumplido en gran medida, como bien muestra la Figura 7, aún existen actualmente una docena de sociedades municipales aproximadamente (en ciudades pequeñas y con un parque muy reducido)[370].

[365] HEERMA, E. *Volkshuisvesting in de jaren negentig. Tweede Kamer 1988–1989 núm. 20691-3.* La Haya: Staatsuitgeverij, 1989.

[366] BOELHOUWER, P. y PRIEMUS, H. "Demise of the Dutch social housing tradition: impact of Budget cuts and political changes", *Journal of Housing and the Built Environment,* vol. 29, núm. 2, 2014, pp. 221-235. p. 224.

[367] HAFFNER, M. et al. "Bridging the gap between social and market rented housing in six European countries?", cit. p. 215.

[368] ELSINGA, M., STEPHENS, M. y KNORR-SIEDOW, T. "The privatisation of social housing: three different pathways", cit. p. 397.

[369] PRIEMUS, H. "Dutch Housing Associations: Current Developments and Debates", cit. p. 331.

[370] ELSINGA, M. y WASSENBERG, F. "Social Housing in the Netherlands", cit. p. 29.

Figura 7. Proveedores de vivienda social en los Países Bajos:
sociedades municipales y *woningcorporaties*

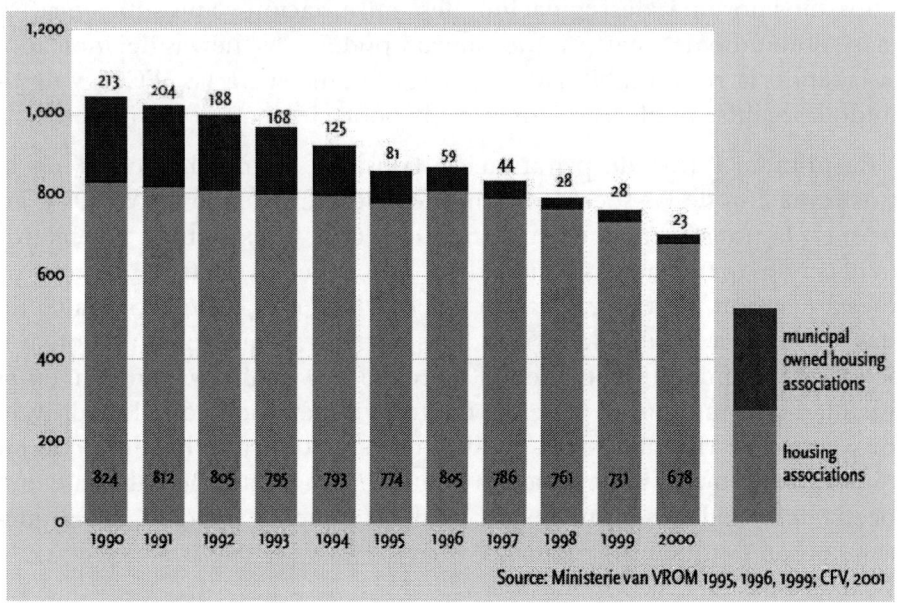

Fuente: Ouwehand, A. y Van Daalen, G. *Dutch housing associations. A model for social housing,* cit. p. 15.

Esta independencia organizativa vino acompañada de una independencia económica. La operación llevada a cabo que materializa mayoritariamente esta independencia se conoce como *Brutering*[371], y consistió en la compensación, en una misma operación, de todas las subvenciones que el Gobierno había acordado pagar a las WCOs (15,9 mil millones de euros) con todos los préstamos que el Gobierno había concedido a estas entidades y que aún estaban pendientes de devolución (18,6 mil millones de euros)[372]. Esta operación supuso la desaparición de las subvenciones "al ladrillo", es decir, de las ayudas públicas directas a las WCOs; quedando únicamente las ayudas indirectas, como las ayudas personales a los inqui-

---

[371] Materializado en la *Wet balansverkorting geldelijke steun volkshuisvesting* (Ley relativa a la reducción del saldo de la ayuda financiera para viviendas públicas), de 31 de mayo de 1995. *Staatsblad* 1995, núm. 313.

[372] Cifras extraídas de Boelhouwer, P. y Priemus, H. "Demise of the Dutch social housing tradition: impact of Budget cuts and political changes", cit. p. 224.

linos[373]. Esta independencia económica también trajo más independencia a la hora de determinar y fijar las políticas de estas entidades, que se volverían más flexibles y orientadas al mercado.

Finalmente, e incluido dentro de esta mayor libertad en la gestión de sus activos, a las WCOs se les reconoció la facultad de poder vender parte de su parque de vivienda social de alquiler[374], mecanismo que les permitió actuar como "fondo rotativo", es decir, destinando los ingresos obtenidos de estas ventas a compensar las pérdidas de las actividades sociales[375] y, manteniendo, de esta manera, una viabilidad económica. La venta de vivienda social era y sigue siendo un elemento clave en el mecanismo de "fondo rotativo"[376], aunque actualmente, y debido a la crisis de 2007, se han tenido que buscar nuevas fórmulas para hacer el acceso a la vivienda en propiedad más asequible, introduciéndose así las tenencias intermedias[377].

Esta posibilidad de vender parte de su parque de vivienda social, juntamente con el *Brutering* y el incremento del precio de los alquileres por parte de las WCOs supusieron los puntos clave para la continuidad y viabilidad económica de estas entidades una vez desaparecidas las ayudas públicas[378].

2.4. Resultado de la privatización

La privatización de vivienda social en Inglaterra redujo el número de viviendas públicas de 6,3 millones a 2,7 millones entre 1981 y 2006[379]. Ac-

---

[373] Además, las WCOs también disfrutan de un sistema de garantía que se mencionará *infra* en el apartado "3.5.2. Fuentes públicas y fiscalidad de las entidades", y que no deja de ser una ayuda pública indirecta.

[374] HAFFNER, M. et al. "Bridging the gap between social and market rented housing in six European countries?", cit. p. 216.

[375] VAN DER VEER, J. y SCHUILING, D. "Economic crisis and regime change in Dutch social housing: The case of Amsterdam", Comunicación presentada en la *Conferencia RC43 At home with the housing market*. Amsterdam, 2013. p. 3.

[376] Véase cómo afecta el cambio normativo de 2015 a la posición de las WCOs como "fondos rotativos" en el apartado "3.5.3. Necesidad de separar actividades" de este mismo capítulo.

[377] ELSINGA, M. y WASSENBERG, F. "Social Housing in the Netherlands", cit. p. 38. Las más importantes entre estas son la *Koopgarant* y la *Te Woon*, explicadas en el apartado "3.4.3. Las tenencias intermedias" de este capítulo.

[378] ELSINGA, M. y WASSENBERG, F. "Social Housing in the Netherlands", cit. p. 38.

[379] ELSINGA, M., STEPHENS, M. y KNORR-SIEDOW, T. "The privatisation of social housing: three different pathways", cit. p. 394.

tualmente, las HAs inglesas, unas 1.775[380], se han convertido en el proveedor principal de vivienda social, gestionando el 10% del parque total de
vivienda, frente a un 7% de las administraciones locales, como muestra la
Figura 8.

Figura 8. Formas de tenencia en Inglaterra, 2020

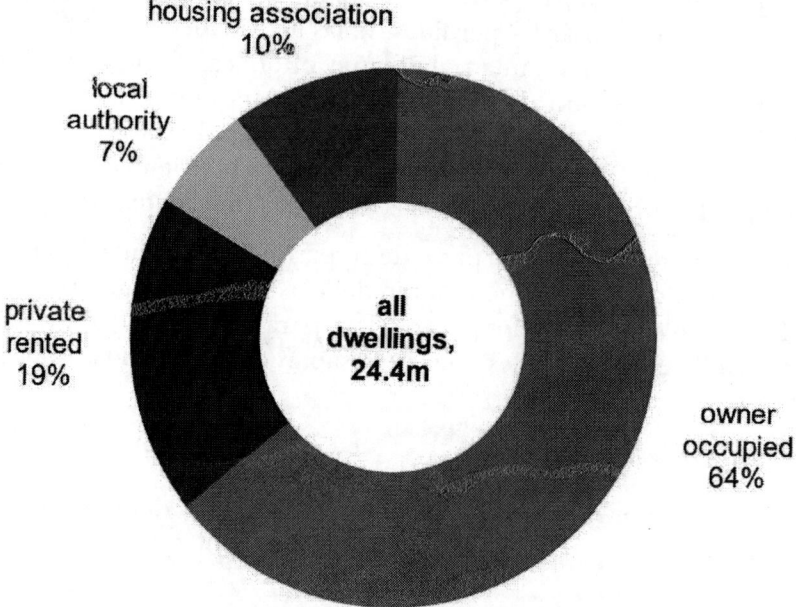

Fuente: Ministry of Housing, Communities and Local Government. *English Housing Survey. Headline
Report: 2019 to 2020*, cit. p. 28.
Leyenda: propiedad (64%), alquiler privado (19%), administración local (7%) y HA (10%)

Pero los 2,5 millones de viviendas que gestionan no están repartidas
equitativamente entre las HAs existentes, sino que existe gran variedad en
cuanto a su tamaño. Aunque la mayor parte de *private registered providers*
(proveedores privados registrados)[381], el 82%, son entidades pequeñas
(propietarias de menos de mil viviendas), estas solamente gestionan un 4%

---

[380] Heywood, A. *Investing in affordable housing. An analysis of the affordable housing sector*, cit. p. 8.

[381] Más adelante se explica este concepto, el cual engloba todas las entidades privadas (con y sin ánimo de lucro) que gestionan vivienda social. Así, aunque puede
haber diversidad en los tipos de entidades, la mayoría son HAs. Véase el apartado
"3.3.2. Proveedores registrados (RP) en Inglaterra" en este mismo capítulo.

del parque total. En cambio, las entidades de mayor tamaño (propietarias de más de mil unidades), representan únicamente un 18% de esos *private registered providers* pero poseen el 96% del parque[382]. La Figura 9 relaciona el número de entidades (en porcentaje del total de proveedores privados registrados) con su *stock* de vivienda.

Figura 9. Porcentaje de vivienda de los *private registered providers* ingleses con relación a su tamaño, 2020

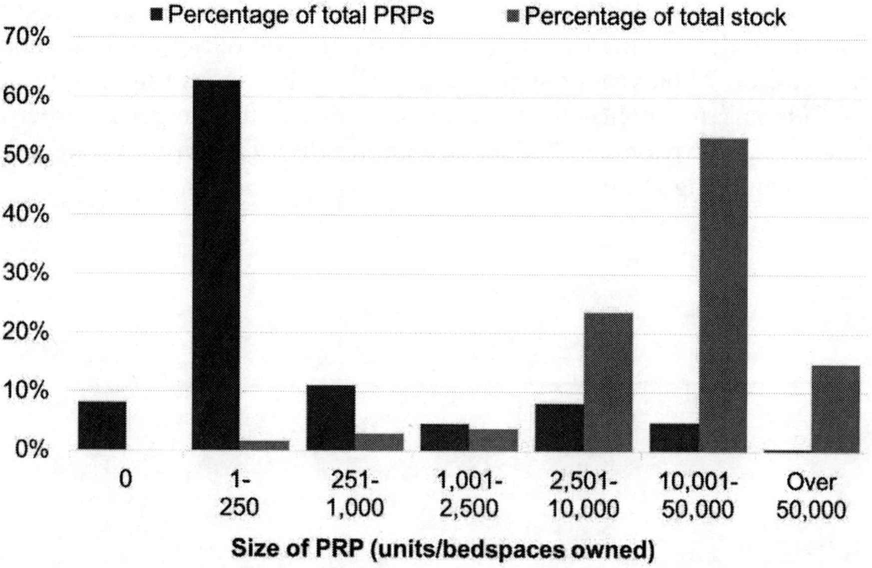

Fuente: REGULATOR OF SOCIAL HOUSING. *Private registered provider social housing stock in England- sector characteristics and stock movement. 2019-2020,* cit. p. 3.

Por lo que respecta a los Países Bajos, en 1990 había 213 sociedades municipales de vivienda; en 2000 ese número se vio reducido a 24[383], y actualmente restan una docena, con un parque muy reducido y en poblaciones pequeñas[384]. En consecuencia, la gran mayoría de vivienda social existente

---

[382] REGULATOR OF SOCIAL HOUSING. *Private registered provider social housing stock in England-sector characteristics and stock movement. 2019-2020.* Londres: Regulator of Social Housing, 2021. p. 2.

[383] PRIEMUS, H. "Dutch Housing Associations: Current Developments and Debates", cit. p. 332

[384] ELSINGA, M. y WASSENBERG, F. "Social Housing in the Netherlands" cit. p. 29.

en este país pertenece a las WCOs[385], las cuales son propietarias de unos 2,3 millones de viviendas[386]. En 2011, el número de WCOs ascendía a 389[387] y en el período 2011/12, del total de viviendas nuevas construidas, el 60% se inició por estas entidades privadas sin ánimo de lucro[388]. Su número se ha visto reducido debido a las fusiones entre entidades que se han ido produciendo desde los años noventa (en 1990 había más de 1.000)[389]. Entre 1998 y 2003, la media anual de fusiones era de unas 30, mientras que de 2004 al 2010 estas se movieron entre las 10 y las 20 por año[390]. La reducción del número de WCOs (unas 320 actualmente) también ha implicado un aumento del parque de vivienda de cada una de ellas, siendo la media actual casi de 7.500 viviendas por entidad[391] (aunque las dimensiones de las WCOs varían mucho entre ellas, y las más grandes llegan a poseer de 60.000 a 80.000 viviendas)[392]. Este fenómeno de las fusiones se puede ver reflejado en la Figura 10.

---

[385]   HAFFNER, M., VAN DER VEEN, M. y BOUNJOUH, H. *National Report for the Netherlands*, cit. p. 1.; BOELHOUWER, P. y PRIEMUS, H. "Demise of the Dutch social housing tradition: impact of Budget cuts and political changes", cit. p. 222 y VAN DER VEER, J. y SCHUILING, D. "Economic crisis and regime change in Dutch social housing: The case of Amsterdam", cit. p. 1, entre otros.

[386]   MINISTERIE VAN BINNENLANDSE ZAKEN EN KONINKRIJKSRELATIES. *Cijfers over Wonen en Bouwen 2019*, cit. p. 94.

[387]   Ibid. p. 96.

[388]   BOELHOUWER, P. y PRIEMUS, H. "Demise of the Dutch social housing tradition: impact of Budget cuts and political changes", cit. p. 227.

[389]   ELSINGA, M. y WASSENBERG, F. "Social Housing in the Netherlands", cit. p. 29. y PRIEMUS, H. "Dutch Housing Associations: Current Developments and Debates", cit. p. 333.

[390]   Véase la Figura 2 de VAN DEN BERGE, M., BUITELAAR, E. y WETERINGS, A. *Schaalvergroting in de corporatiesector. Kosten besparen door te fuseren?*. La Haya: Planbureau voor de Leefomgeving, 2013. p. 7.

[391]   MINISTERIE VAN BINNENLANDSE ZAKEN EN KONINKRIJKSRELATIES. *Cijfers over Wonen en Bouwen 2019*, cit. p. 96.

[392]   ELSINGA, M. y WASSENBERG, F. "Social Housing in the Netherlands" cit. p. 29.

Figura 10. Evolución del número y tamaño de las *woningcorporaties* en los Países Bajos. Período 1997-2017

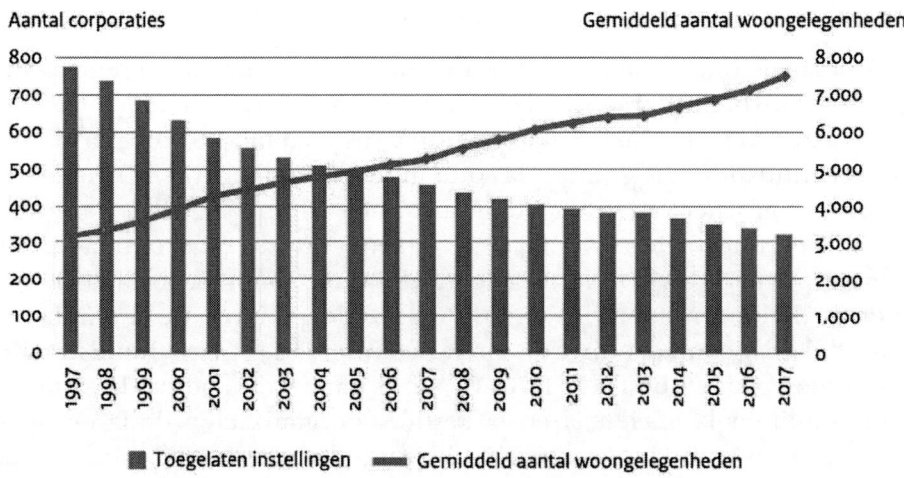

Aantal corporaties

Gemiddeld aantal woongelegenheden

■ Toegelaten instellingen ▬▬ Gemiddeld aantal woongelegenheden

Fuente: MINISTERIE VAN BINNENLANDSE ZAKEN EN KONINKRIJKSRELATIES. *Cijfers over Wonen en Bouwen 2019*, cit. p. 96.
Leyenda: barras (número de WCOs), línea (promedio de viviendas).

En un sector cada vez más competitivo y con mayor presión financiera (las ayudas públicas se van reduciendo, empujando a las HAs a jugar un mayor rol en el campo de la financiación privada), estas entidades tienen que buscar fórmulas para reducir costes, pero sin dejar de ofrecer servicios de calidad, mas el contrario, incrementar esa calidad[393]. Es por este motivo que algunas de las entidades más pequeñas buscan el respaldo de estructuras más grandes de gestión, que les permitan conseguir una mejor posición en el sector y poder así competir por atraer financiación pública, ser capaces de absorber mejor los riesgos financieros que les puedan surgir, conseguir una mayor profesionalización y personal de alta calidad, incrementar la capacidad para desarrollar más proyectos y actividades y mejorar la prestación de servicios, así como también tener la envergadura suficiente como para llevar a cabo mejoras e influir en la zona donde tienen el parque[394] (véase también la Tabla 6). Además, en Inglaterra estas

[393] WALKER, R. M. "The changing management of social housing: the impact of externalisation and managerialisation", cit. p. 289.
[394] VAN BORTEL, G., MULLINS, D. y GRUIS, V. "Change for the Better? "making sense of housing association mergers in the Netherlands and England", cit. p. 360 y LUPTON, M. y KENT-SMITH, J. *Does size matter-or does culture drive value for money? Summary*. Coventry: Chartered Institute of Housing, 2012. p. 6.

fusiones han venido impuestas, en muchos casos, por el organismo público regulador de estas entidades[395], utilizando este instrumento como último recurso ante casos de entidades en quiebra[396].

A pesar de que existen estudios que destacan no haber evidencias suficientes que demuestren que las HAs más grandes se beneficien de una mayor eficacia y eficiencia en su gestión y sus resultados[397], es cierto que son las entidades más grandes las que muestran una mayor actividad en cuanto a construcción, venta y demolición de viviendas[398]. Pero, aunque se han destacado ciertas ventajas, el crecimiento de estas entidades en tamaño puede acarrear ciertos inconvenientes, como la pérdida de influencia de los arrendatarios en los órganos de gobierno de la entidad o la pérdida del contacto directo con las comunidades y las administraciones locales, como muestra la Tabla 6. Así, es importante buscar la fórmula para equilibrar la eficiencia en la gestión y organización de la entidad con la responsabilidad local y la implicación de los arrendatarios ("*think globally but act locally*")[399].

---

[395]   Véase la función y evolución de este órgano en el apartado "3.2.2. Legislación inglesa", *infra* en este mismo Capítulo.

[396]   Van Bortel, G., Mullins, D. y Gruis, V. "Change for the Better? "making sense of housing association mergers in the Netherlands and England", cit. p. 360.

[397]   No se puede demostrar certeramente que el tamaño de la entidad vaya ligado a una mejor calidad de los servicios y unos costes menores. Algunos factores que pueden hacer variar estos números son: la diferencia entre los salarios regionales, la cantidad destinada a reparar parque de vivienda y los niveles de pobreza y de privación de las zonas donde las entidades tienen su parque. Lupton, M. y Kent-Smith, J. *Does size matter – or does culture drive value for money? Summary*, cit. p. 5.

[398]   Van Bortel, G., Mullins, D. y Gruis, V., "Change for the Better? "making sense of housing association mergers in the Netherlands and England", cit. p. 365.

[399]   Van Bortel, G., Mullins, D. y Gruis, V., "Change for the Better? "making sense of housing association mergers in the Netherlands and England", cit. p. 357.

Tabla 6. Efectos positivos y negativos de las fusiones en los Países Bajos

Objetivos y resultados positivos	(Potenciales) efectos negativos
1. Adquirir un rol más fuerte en el sector de vivienda de cada localidad.	1. Pérdida parcial o total de la relación con las administraciones locales, los mercados de vivienda y las comunidades o barrios (en especial cuando las fusiones suponen la dispersión de parque por diferentes municipios).
2. Aumento de la profesionalidad.	
3. Capacidad de llevar a cabo más funciones (restructuración, nuevo desarrollo de vivienda).	
4. Capacidad de soportar mayores riesgos.	2. Monopolio (convertirse en una entidad demasiado fuerte en relación con otras entidades y agentes locales).
5. Mayor coordinación local o regional gracias a una concentración de parque en la zona.	
6. Expansión en las actividades de la entidad.	3. Disminución de accesibilidad para los agentes locales (sobre todo si el órgano de gobierno está centralizado).
7. Aumento en eficiencia.	
8. Combinación de las tareas y los recursos disponibles (entre las entidades más "pobres" y las más "ricas").	4. Disminución de los niveles de prestación de servicios debido a una reducción del acceso para clientes individuales.
	5. Disminución de la eficiencia debido a un aumento en los gastos y la burocracia interna.

Fuente: Elaboración propia con información de Van Bortel, G., Mullins, D. y Gruis, V., "Change for the Better?" making sense of housing association mergers in the Netherlands and England", cit. pp. 361 y 364, extraída del estudio de 15 WCOs en Cebeon. *Effecten fusies corporaties op maatschappelijke prestaties*. Amsterdam: Cebeon, 2006.

Una de las figuras adoptadas en el caso inglés para lograr este crecimiento, al mismo tiempo que se intenta mantener el carácter local de algunas HAs han sido las estructuras de grupo, consistentes en la existencia de una organización-matriz que tiene el control sobre una o diversas organizaciones subsidiarias (las cuales conservan su independencia organizativa y legal). Ese control se refleja, mayoritariamente, en la capacidad de la organización-matriz de nombrar y cesar a los miembros del órgano de dirección de la entidad subsidiaria o porque posee más del 50% del capital social de esta[400]. Esas estructuras más complejas, no obstante, se han ido reduciendo al tiempo que han aumentado las fusiones, creando una sola entidad legal, debido a la necesidad de estas de aumentar los niveles de eficiencia en el ámbito del desarrollo de sus funciones y de la gestión económica de la entidad[401]. Esa necesidad de simplificar estructuras se ha reforzado más aún después del caso del Cosmopolitan Housing Group, uno de estos grandes grupos complejos, el cual estuvo al borde de la quiebra en 2012, pero que finalmente logró salvarse gracias al control del órgano regulador de las HAs y a su fusión

---

[400] Art. 60 *Housing Act* 1996.
[401] Mullins, D. *Housing associations. Working Paper 16*, cit. p. 20.

final con la entidad Sanctuary[402]. Este caso marcó un punto de inicio en el que el órgano regulador mencionado empezó a presionar a estos grupos de entidades complejos para que simplificasen sus estructuras organizativas, a fin de ser más transparentes y fáciles de controlar[403].

2.5. Observaciones finales

Del apartado anterior sobre la privatización de la gestión de la vivienda social pueden extraerse algunas primeras conclusiones interesantes para el desarrollo y objetivo de este trabajo.

La primera es que, a pesar de que el origen de las HAs y las WCOs se remonta al siglo XIX[404], no es hasta los años ochenta del siglo pasado cuando empiezan a coger un rol predominante dentro del sector de la vivienda social de ambos sistemas estudiados (el inglés y el neerlandés). La Administración pública ha sido la causante y la facilitadora de tal crecimiento, mediante políticas de vivienda que han implicado, además de ayudas públicas directas e indirectas, la transferencia del parque público a HAs y WCOs ya creadas (por lo tanto, aprovechando un sector ya existente), pero en la mayor parte de los casos, a HAs inglesas de nueva creación y a sociedades municipales de vivienda transformadas en WCOs. Lo interesante de esta política de creación de entidades es que, por un lado, las administraciones locales se encargan de estar representadas de alguna manera en ellas, y por otro lado, permite idear nuevas estructuras de gobernanza y gestión que pueden pensarse ser más eficientes. Por lo tanto, este primer punto refleja la necesaria voluntad de los poderes públicos de apostar por este modelo de gestión, que debe acompañarse de un apoyo de presupuesto y/o patrimonio público importantes.

---

[402] Véase un informe extendido de este caso en UNDERWOOD, F., KANE, S. y APPLEBY, M. *Cosmopolitan Housing Group. Lessons learned.* Londres: Altair, 2014. Véase también un resumen de este caso en INSIDE HOUSING. *Cosmopolitan: the true story,* 22-11-2013, disponible en https://www.insidehousing.co.uk/insight/insight/cosmopolitan-the-true-story-37943 (último acceso 05-10-2019).

[403] Este es el caso, por ejemplo, de Accord Group, entidad formada por diversas entidades subsidiarias de diversa índole como Ashram, bchs, Caldmore Area, Heantun Housing Association, Fry Housing Trust, Redditch Co-operative Homes y Direct Health Group y que en 2017 empezó todo un proceso de simplificación de estructuras para crear una única organización. Véase su página oficial en https://accordgroup.org.uk/about/about-us (último acceso 06-03-2021), así como la evolución en el registro de todas sus entidades subsidiarias en ACCORD. *Financial Statements 2017,* p. 4-5 y ACCORD. *Financial Statements 2020,* p. 2.

[404] Véase el apartado "3.2.1. Importancia de su regulación" en este mismo capítulo.

La segunda, radica en los argumentos utilizados para llevar a cabo esa privatización. Así, ambas Administraciones públicas argumentaron la apuesta por esta vía en los altos costes económicos que la gestión y el mantenimiento del parque público suponían, en la poca flexibilidad y las muchas trabas burocráticas que la normativa pública presentaba, y en la necesidad de adoptar un papel más orientado al control y supervisión del sector, el cual se presentaba de difícil desarrollo cuando debía combinarse con el rol de proveedor y gestor.

Y, finalmente, el tercer punto a destacar es cómo esa privatización del sector ha llevado a una reordenación del mismo, muchas veces a través de fusiones, debido al alto nivel de competitividad para acceder a unas ayudas públicas cada vez más escasas, a la necesidad de dotarse de conocimientos en un sector cada vez más profesionalizado y de tener oportunidades de acceso al mercado financiero y de capitales. Las fusiones implican crecimiento y, con él, la pérdida del contacto directo con los arrendatarios y la comunidad. Las estructuras de grupo inglesas intentan salvar esa esencia de localidad, aunque la Administración pública ya se ha pronunciado sobre su voluntad de simplificación de estas, debido a la dificultad de su fiscalización pública.

3. LAS *HOUSING ASSOCIATIONS*

3.1. Concepto y forma jurídica

El concepto de HA o WCO (asociación o corporación de vivienda respectivamente) debe entenderse de un modo amplio, y no simplemente como "asociaciones de vivienda", pues muchas de ellas no adoptan tal forma legal (reguladas en nuestro Derecho y a nivel estatal en la LO 1/2002, de 22 de marzo, reguladora del derecho de asociación)[405]. Tanto Inglaterra como los Países Bajos utilizan esta acepción como "término paraguas"[406] para designar todas aquellas entidades privadas sin ánimo de lucro destinadas a la procuración de vivienda social, a la ayuda de la población en necesidad de vivienda y a la oferta de otros servicios comunitarios y de apoyo social.

---

[405]   BOE 26-03-2002, núm. 73.
[406]   POLACEK, R. (dir.) *Study on social services of general interest. Final report*, cit. p. 205.

La definición legal de HA en el caso inglés se halla en el artículo 1 de la *Housing Associations Act* (Ley de las *housing associations*) de 1985[407], donde se define como "una asociación, órgano fiduciario (*body of trustees*) o empresa que: a) se establece con la finalidad de, o que uno de sus objetivos es, proveer, construir, mejorar o gestionar, o facilitar o fomentar la construcción o mejora de la vivienda, y que b) opera sin un ánimo de lucro o cuyos estatutos prohíben la emisión de capital con un interés o dividendo que exceda cierta cantidad prescrita por Hacienda (…)"[408].

Así pues, estas entidades pueden adoptar, y adoptan, formas jurídicas muy diversas en Inglaterra. Sin embargo, la predominante es la que hasta hace poco se conocía como *industrial and provident societies* (asociación industrial y mutua). Recientemente, no obstante, la *Co-operative and Community Benefit Societies Act* (Ley de cooperativas y de asociaciones de beneficio comunitario) de 2014[409] ha reformulado la institución anterior en dos formas jurídicas distintas: *co-operative society* (la sociedad cooperativa) y la *community benefit society* (asociación de beneficio comunitario). La primera actúa en beneficio de sus miembros, mientras que la segunda persigue el beneficio de la comunidad en general (no de los miembros de la sociedad en particular). Ambas figuras se registran ante la Financial Conduct Authority[410]. Las HAs también pueden, por ejemplo, adoptar la forma de *company limited by guarantee* (sociedad de responsabilidad limitada), las cuales se registran ante la Companies House[411] y están sujetas a la legislación de sociedades. Esta última figura se encuentra en muchas de las HAs que se crearon para recibir la transferencia del parque de vivienda de administraciones locales[412]. Aunque estas entidades están registradas y reguladas

---

[407]   *Housing Associations Act* (Ley de las *housing associations*), de 30 de octubre de 1985. c. 69.

[408]   Traducción propia.

[409]   *Co-operative and Community Benefit Societies Act* (Ley de cooperativas y asociaciones de beneficio comunitario), de 14 de mayo de 2014. c. 14.

[410]   Organismo regulador de los servicios financieros que opera de forma independiente del Gobierno y se financia a través de las tasas pagadas por los miembros de este sector. Consultar su página web oficial en https://www.fca.org.uk (último acceso 03-08-2017).

[411]   Organismo gubernamental que se encarga del Registro de sociedades. Véase sobre esta institución en https://www.gov.uk/government/organisations/companies-house/about (último acceso 13-03-2021).

[412]   Jarvis, J. "Chapter 61. Choosing the vehicle", en Doolittle, I. (ed.) *Housing and regeneration. A guide to policy, law and practice*. Londres: LexisNexis UK, 2003, pp. 373-375. p. 375.

por diferentes organismos, estos no se encargan de regular su actividad. Tal y como se desarrollará más adelante, el organismo regulador de todas las HAs es único[413], y se trata de la *Regulation Committee* (Comisión de Regulación) de la Homes and Communities Agency (Agencia de Viviendas y Comunidades) que, desde enero de 2018, se denomina el Regulator of Social Housing (Regulador de Vivienda Social, RSH en adelante)[414].

Además de la forma jurídica que tenga la HA, esta puede adoptar, según la figura escogida y los objetivos perseguidos, un *charitable status* (estatus de beneficencia). Así, se considera *charity* (organización benéfica) toda aquella institución que se establece exclusivamente con fines de beneficencia, los cuales se enumeran en el artículo 3 de la *Charities Act* (Ley de organizaciones de beneficencia)[415] y deben ser siempre para el beneficio público (arts. 2 y 4)[416]. Algunos de ellos son: la prevención o el tratamiento de la pobreza, así como de los más necesitados debido a su juventud, edad, enfermedad, discapacidad, dificultades económicas u otras desventajas; el progreso de derechos humanos, así como también el avance de la ciudadanía o del desarrollo de la comunidad. La lista del artículo 3, sin embargo, no es *numerus clausus,* puesto que el mismo artículo deja la puerta abierta a cualquier otro fin análogo a los enumerados.

Lo interesante de obtener un *charitable status,* más allá de ese beneficio producido a la sociedad, es la posibilidad de la entidad de beneficiarse de ventajas fiscales importantes (exenciones en el impuesto sobre sociedades o sobre la renta, reducción en impuestos sobre inmuebles, etc.)[417]. Sin embargo, la normativa que se les exige es estricta y deja poco margen de libre

---

[413]   HEYWOOD, A. *Investing in affordable housing. An analysis of the affordable housing sector,* cit. p. 20.

[414]   Véanse las funciones de este organismo en el apartado "3.2.2. Legislación inglesa", *infra* en este mismo capítulo.

[415]   *Charities Act* (Ley de organizaciones de beneficencia), de 14 de diciembre de 2011. c. 25.

[416]   Este criterio de "beneficio público" puede presentarse más controvertido, puesto que el art. 4 no lo define de manera concreta. Así, existe una guía de la *Charity Commission* (disponible en https://www.gov.uk/government/publications/public-benefit-the-public-benefit-requirement-pb1, último acceso 13-03-2021) que lo aclara y que básicamente se resume en dos puntos clave: 1. que sea beneficioso en el sentido que este se pueda probar y que cualquier perjuicio o daño que pueda conllevar no pese más que el beneficio que conlleva y 2. que el beneficio anterior sea para el público en general o para un sector considerable de este.

[417]   Para el tema de la fiscalidad, nos remitimos al apartado "3.5.2. Fuentes públicas y fiscalidad de las entidades" de este mismo capítulo.

actuación[418]. Además de la limitación en sus objetivos (los que deben estar íntegramente entre los considerados "fines de beneficencia"), también hay controles estrictos a la hora de disponer (ej. transmitir, gravar, etc.) de suelo (y, por consiguiente, los inmuebles en él), dificultando así las vías de obtener financiación.

Así, entre las HAs que pueden registrarse como *charities* tenemos las *charitable companies limited by guarantee* o las *charitable incorporated organisations* (organizaciones constituidas como de beneficencia, CIO en adelante), aunque esta segunda no sea muy utilizada de momento, quizás por su creación relativamente reciente[419]. A diferencia de la primera figura, la CIO solamente se registra ante la Charity Commission y no ante la Companies House (puesto que en esta última solo se registran las sociedades, como la de responsabilidad limitada). También existen figuras sin personalidad jurídica propia separada de sus miembros, como las *charitable trusts* y las *unincorporated associations* y suelen responder a HAs de pequeña embergadura[420]. Por otro lado, las *co-operative societies* y las *community benefit societies* ya mencionadas pueden obtener el estatus de *exempt charities* (organizaciones de beneficencia exentas). Eso les permite atenerse a los beneficios fiscales, por ejemplo, pero sin estar inscritas y reguladas por la Charity Commission, puesto que ya tienen su propio órgano regulador. Así, a estas *exempt charities* no se les aplica la totalidad de la *Charities Act,* hecho que les permite tener más margen de actuación que una *charity* normal, por ejemplo, respecto a la disposición de suelo y los respectivos bienes inmuebles[421].

---

[418] La Charity Commission es el órgano, departamento gubernamental no-ministerial, encargado de la monitorización de la normativa y, para ello, cuenta con amplios poderes, incluyendo poderes coercitivos como el de congelar los activos de la *charity,* nombrar a un administrador provisional, destituir a los administradores y/o nombrar a nuevos u obligarlos a desarrollar ciertas actuaciones. Arts. 13 y ss. *Charities Act* 2011.

[419] Introducida por el art. 34 y Schedule 7 de la *Charities Act* (Ley de organizaciones de beneficencia), de 8 de noviembre de 2006. c. 50.

[420] Véase un breve resumen de estas instituciones en PIPER, A., REED, P. y JAMES, E. "Charitable organisations in the UK (England and Wales): overview", *Practical Law. Thomson Reuters,* 2018, disponible en https://uk.practicallaw.thomsonreuters.com/8-633-4989?transitionType=Default&contextData=%28sc.Default%29 (último acceso 05-10-2019).

[421] Precisamente en este punto, se produjo un cambio legislativo en 2016 que hizo plantear a muchas *exempt charities* dejar de regirse por completo por la *Charities Act.* En concreto, la *Housing and Planning Act* 2016 introdujo una reducción de los poderes de control del RSH (véase el apartado "3.3. Control público. El Registro de proveedores de vivienda social" en este mismo capítulo), y entre ellas,

De las 1626 entidades proveedoras de vivienda social registradas[422] en Inglaterra a febrero de 2021, solamente un pequeño porcentaje no se rige o no se puede beneficiar de ningún modo por la regulación y estructura de *charity*[423]. Entre estas entidades encontramos HAs que adoptan fórmulas como la ya mencionada *company limited by guarantee* o la relativamente reciente *community interest company* (sociedad de interés comunitario, CIC en adelante). La CIC se introdujo en 2004[424] para "proporcionar un marco jurídico específico y una identidad de 'marca' para las *social enterprises* (empresas sociales)[425] que adoptan la forma de sociedad de responsabilidad limitada"[426]. Así, son un tipo especial de *limited company* (*by guarantee* o *by shares*) para el beneficio de la comunidad, y para asegurar esta última función, se le añaden dos características particulares: 1. Presentar una decla-

---

la de controlar y dar el consentimiento para ejercer el derecho de disposición (ej. transmitir) sobre cualquier vivienda social (Schedule 4 de la mencionada Ley que deroga los arts. 172 a 175 y modifica el 176 de la *Housing and Regeneration Act* 2008). Las entidades temían que esta reducción del control por su propio órgano regulador se viera reemplazado por el control de la *Charity Commission*. Por su parte, las autoridades públicas argumentaron la existencia de otros mecanismos para evitar que esto suceda. Véase esta discusión en THIRD SECTOR. *Housing associations consider deregistering with the Charity Commission*, 31-05-2016, disponible en https://www.thirdsector.co.uk/housing-associations-consider-deregistering-charity-commission/governance/article/1396876 (último acceso 05-10-2019). Desprenderse de parque de vivienda social se presenta como una fuente de ingresos para la HAs, como se verá en el apartado "3.5.1.2. Ingresos por actividades propias: el mecanismo de las *cross-subsidization*" de este capítulo, y más aún a raíz de las reducciones de ayudas públicas, que las llevan a depender de fuentes de financiación privada en una mayor medida.

[422] Véase el concepto de proveedor registrado y qué entidades pueden acceder al Registro en el apartado "3.3. Control público. El Registro de proveedores de vivienda social" en este capítulo.

[423] La lista de proveedores registrados a febrero de 2021 se encuentra disponible en https://www.gov.uk/government/publications/current-registered-providers-of-social-housing (último acceso 13-03-2021).

[424] Arts. 26 y ss. *Companies (Audit, Investigations and Community Enterprise) Act* [Ley de Sociedades (auditoría, inspecciones y empresas comunitarias)], de 28 de octubre de 2004. c. 27.

[425] Véase este concepto en el apartado "4.1.2.1 Requisito subjetivo: la forma jurídica de la entidad" del Capítulo IV.

[426] Traducción propia. DEPARTMENT FOR BUSINESS, ENERGY AND INDUSTRIAL STRATEGY. *Office of the Regulator of Community Interest Companies: Leaflets. Frequently asked questions*, 2017, disponible en https://assets.publishing.service.gov.uk/government/uploads/system/uploads/attachment_data/file/641412/13-786-community-interest-companies-frequently-asked-questions.pdf (último acceso 06-10-2019). p. 8.

ración de interés comunitario en el momento de su formación ante su órgano regulador (CIC Regulator), el cual servirá de guía para los informes anuales que la sociedad debe presentar ante esta y 2. *asset lock* (bloqueo de activo), es decir, imponer limitaciones a la hora de transferir las viviendas de la sociedad[427].

A pesar del alto porcentaje de entidades proveedoras de vivienda social registradas regidas por la *Charities Act* de un modo u otro, eso no significa que estas no puedan disponer de entidades subsidiarias (creando estructuras de grupo) que no sean *charities*, mediante las cuales pueden ejercer esa actividad más orientada al mercado privado.

En los Países Bajos, en cambio, las WCOs solamente pueden adoptar la figura de asociación o fundación para poder ser reconocidas como *toegelaten instellingen* (instituciones admitidas) por el Gobierno para actuar y beneficiarse de las ayudas públicas en el sector de la vivienda social[428]. En el pasado, se permitían más formas legales, como las cooperativas o las sociedades de responsabilidad limitada, pero estas fueron prohibiéndose bajo el argumento de tratarse de formas que permiten la distribución de beneficios[429]. Entre las dos formas actualmente permitidas, también se han producido cambios. En la década de los setenta y los ochenta del siglo pasado, la forma predominante era la de asociación; sin embargo, a raíz de las mencionadas fusiones y del consiguiente aumento en dimensión y acti-

---

[427] El objetivo de la CIC es dotar a estas empresas sociales de más libertad de actuación que si tuvieran que recurrir a un *charitable status,* para que puedan adoptar una orientación más comercial, pero ofreciendo esa garantía existente en las *charities,* donde el objetivo es beneficiar a la comunidad. Sin embargo, existen opiniones que ponen en duda la capacidad de esta nueva figura para aportar soluciones a las figuras legales existentes para las HAs. Véase Coffey, R., Smyth, J. y Hogg, M. *Using the Community Interest Company model in the housing sector. A marriage in the making?* York: Joseph Rowntree Foundation, 2007. Las CIC no pueden, por regla general, distribuir beneficios entre sus miembros, a pesar de que se regula la posibilidad de permitirlo por reglamento. Art. 6 *Companies Act* (Ley de sociedades), de 8 de noviembre de 2006 (c. 46) en relación con el art. 30 *Companies (Audit, Investigations and Community Enterprise) Act* 2004. Así, actualmente se contempla la posibilidad de repartir hasta el 35% de los ingresos entre los accionistas de una CIC *by shares* (por acciones). Art. 22 *The Community Interest Company Regulations* (Reglamento de las *Community Interest Companies*), de 30 de junio de 2005 (SI 2005/1788).

[428] Arts. 19 y 22 de la *Woningwet* 2015.

[429] Ouwehand, A. y Van Daalen, G. *Dutch housing associations. A model for social housing,* cit. p. 35.

vidad de estas entidades, muchas WCOs cambiaron su forma jurídica y se transformaron en fundaciones. Así, la mayor consecuencia de este cambio recae en la pérdida de influencia y participación activa de los miembros y de los inquilinos en la gestión de la entidad, que se contrarresta con un aumento de poder y libertad de decisión de los órganos de gobierno[430].

A modo de extracción de los puntos importantes de este apartado, el aspecto sustancial que caracteriza a estas entidades es su objetivo social principal y el hecho de actuar sin ánimo de lucro. La legislación inglesa lo prevé a la hora de definir una HA (art. 1 *Housing Associations Act* 1985), mientras que, en el caso neerlandés, el requisito de ausencia de ánimo de lucro también se exige para que una WCO sea reconocida por el Gobierno como "institución admitida"[431]. A partir de aquí, la elección de la forma jurídica de la entidad dependerá de los objetivos que esta persiga y, sobre todo, del modelo de gobernanza y tamaño o área de actuación que quiera conseguir, las vías de financiación de las que quiera disponer, así como las posibles ventajas fiscales. Cabe destacar la importancia que las HAs dan a tener cierto margen de libertad de actuación.

3.2. Marco legal de la gestión de vivienda social[432]

3.2.1. Importancia de su regulación

El origen de las HAs inglesas y neerlandesas se remonta al siglo XIX, cuando se crearon como organizaciones sin ánimo de lucro o sociedades orientadas a promover vivienda para grupos muy específicos como la clase obrera o las mujeres[433]. Aun así, no fue hasta la *Woningwet* 1901, en los Paí-

---

[430] ELSINGA, M., STEPHENS, M. y KNORR-SIEDOW, T. "The privatisation of social housing: three different pathways", cit. p. 396. y AALBERS, M. B, VAN LOON, J. y FERNANDEZ, R. "The financialization of a social housing provider", *International journal of urban and regional research*, vol. 41, núm. 4, 2017, pp. 572-587. p. 575.

[431] Arts. 19 y ss. *Woningwet* 2015. Véase el apartado "3.3.3. Instituciones admitidas en los Países Bajos" de este mismo capítulo.

[432] En este apartado no se contemplan las medidas tomadas a raíz del coronavirus. Así, puede consultarse un resumen de estas y también de la evolución de la necesidad de vivienda social en HOUSING EUROPE. *The State of Housing in Europe 2021*, cit. pp. 80 y ss. y pp. 107 y ss. y también en OECD. *Housing Amid Covid-19: Policy Responses and Challenges,* 2020.

[433] OUWEHAND, A. y VAN DAALEN, G. *Dutch housing associations. A model for social housing*, cit. p. 8. y WHITEHEAD, C. "Social Housing in England", cit. p. 105.

ses Bajos, y en Inglaterra hasta la *Housing Act* 1974[434] (y posteriormente con la aparición de la *Housing associations Act* 1985), cuando se les dio reconocimiento y un marco legal, el cual también implicó la aparición de ayudas públicas para estas entidades reguladas para la construcción de vivienda social. Su reconocimiento legal conllevó un aumento en el número de HAs. En los Países Bajos, por ejemplo, se pasó de 300 en 1914 a 1.350 en 1922[435].

Así, como se verá en este apartado, la regulación de las HAs es esencial para su incorporación en el sector de la vivienda social y, además, permite no solamente su control público, sino también la posibilidad de recibir ayudas públicas, tanto directas como indirectas, lo que puede ser una lección si el modelo debiere adoptarse en España.

3.2.2. Legislación inglesa

En Inglaterra, las HAs se empezaron a prever legalmente en 1974, momento en que la *Housing Act* 1974 estableció, por un lado, un registro de *housing associations* controlado por la Housing Corporation[436] y, por otro lado, introdujo financiación pública para estas entidades para la construcción de vivienda social. Este órgano fue crucial para el desarrollo del papel de las HAs en el sector de la vivienda social, con el registro de las entidades, su posibilidad de optar a financiación pública y el establecimiento de normas de funcionamiento[437]. Además, en 1985 se publicó la *Housing Associations Act* 1985, que se encargaba de regular de forma específica el régimen

---

[434]   *Housing Act* (Ley de vivienda), de 31 de julio de 1974. c. 44.
[435]   OUWEHAND, A. y VAN DAALEN, G. *Dutch housing associations. A model for social housing*, cit. p. 10.
[436]   Organismo público no ministerial que aunque se creó mediante la *Housing Act* (Ley de vivienda), de 16 de julio de 1964 (c. 56), principalmente para ayudar tanto a las sociedades de vivienda privadas como a las administraciones locales en sus funciones de provisión de vivienda y para controlar que estas administraciones locales cumplieran con su deber de mantener o mejorar la calidad de sus viviendas, sus funciones aumentaron en la presente Ley del 1974, así como con la *Housing Associations Act* 1985, pues se convirtió en el organismo responsable de: mantener un registro público de las HAs, promocionar, financiar (a través de subvenciones, préstamos, etc.) y supervisar las actuaciones de estas (solo las HAs registradas podían beneficiarse de tales ayudas económicas), así como proporcionar consejos legales, arquitectónicos o de otras materias técnicas a las HAs o a personas interesadas en crear una. Arts. 75 y ss. de la *Housing Associations Act* 1985.
[437]   GOULDING, R. "Governing risk and uncertainty: Financialisation and the regulatory framework of housing associations", cit. p. 159.

de estas entidades y las diversas actuaciones que podían llevar a cabo, así como las diferentes fuentes de financiación pública a las que podían acceder. En ella se estableció un nuevo Registro de HAs, con una regulación más extensa que en la ley anterior[438]. Este registro, al igual que ya venía ocurriendo, se dejó al control de la Housing Corporation, atribuyéndole mayores funciones[439]. Solamente podían inscribirse las *charities* e *industrial and provident societies*[440] sin ánimo de lucro y cuyo objetivo fuera arrendar vivienda, hostales o bien ofrecer vivienda para sus miembros (cooperativas) y que sus objetivos secundarios estuvieran relacionados con la adquisición de suelo, construcción, provisión de servicios e instalaciones destinados a los arrendatarios, construcción de vivienda para ofrecer en *shared ownership* o dar asesoramiento o proveer servicios para otras HAs. Las HAs inscritas pasaron a denominarse *registered housing associations* (*housing associations* registradas)[441], y estas podían ser beneficiarias de ayudas y subvenciones públicas, así como también podían obtener suelo público a un precio bajo.

Posteriormente a esta norma, se han ido promulgando otras normas que, derogando, modificando o añadiendo regulación, han llevado a confeccionar un marco legal y organizativo claro y seguro, a lo que a gestión de vivienda social se refiere. Así pues, la *Housing Act* 1988 impuso la obligación a la Housing Corporation de elaborar una guía[442] para la gestión de la vivienda por parte de las *registered housing associations*, que incorporara, entre otras cosas, directrices sobre la demanda, la adjudicación, las condiciones de los arrendamientos, los principios que debían regir para determinar el alquiler y las normas de mantenimiento y reparación[443]. Además, esta Ley fue precisamente la que facilitó la expansión de la LSVT[444] y la que facilitó a las HAs combinar el sistema de ayudas públicas con un sistema de financiación privada, permitiéndoles buscar fuentes de capital privado asegurándolo con el valor de sus activos (su parque de vivienda). Asimismo,

---

[438] Arts. 3 y ss. *Housing Associations Act* 1985.
[439] Arts. 74 y ss. *Housing Associations Act* 1985.
[440] Véase el apartado "3.1. Concepto y forma jurídica" de este mismo capítulo.
[441] Art. 4 *Housing Associations Act* 1985.
[442] Art. 49 *Housing Act* 1988, que añade el art. 36A a la *Housing Associations Act* 1985.
[443] Esta guía actualmente la elabora el RSH, y la más reciente es la *Regulatory framework for social housing in England from April 2015* (aunque contiene actualizaciones posteriores), disponible en https://www.gov.uk/government/collections/regulatory-framework-requirements (último acceso 03-03-2021). Véase su contenido en el apartado "3.3.2. Proveedores registrados en Inglaterra" de este capítulo.
[444] Véase el apartado "2. La privatización de la gestión de la vivienda social", *supra* en este mismo capítulo.

se les empezó a permitir la exposición a cierto riesgo financiero, el cual debían asumir ellas mismas[445].

Posteriormente, la *Housing Act* 1996 introdujo una nueva clasificación de arrendadores de vivienda social: los *registered social landlords* (propietarios sociales registrados, RSLs en adelante). De esta manera, se ampliaban los tipos de arrendadores que podían registrarse y se englobaba en un mismo término a las HAs que podían inscribirse hasta la fecha y a las entidades privadas sin ánimo de lucro creadas por las administraciones locales para facilitar la transferencia de su parque público[446] (que eran mayoritariamente sociedades de responsabilidad limitada)[447]. Esta Ley también estableció la obligación de las administraciones locales de mantener un registro de personas solicitantes de vivienda (siendo la misma administración la encargada de determinar los criterios para poder ser registrado) y de publicar sus planes de adjudicación de vivienda social, donde básicamente se debían determinar las prioridades de acceso y el proceso de adjudicación. Además, también incorporó una serie de grupos especiales que debían ser respetados como prioritarios[448].

Actualmente, la ley que rige en mayor medida el sistema de gestión de vivienda social es la *Housing and Regeneration Act* 2008, teniendo en cuenta las modificaciones incorporadas por la *Localism Act* (Ley de localidad) de 2011[449] y por la *Housing and Planning Act* 2016. La Ley de 2008 disolvió la Housing Corporation[450], que se sustituyó por dos organismos públicos no ministeriales de nueva creación: la Homes and Communities Agency (Agencia de viviendas y comunidades, HCA en adelante)[451] y la Office for Tenants and Social Landlords (Oficina para arrendatarios y propietarios sociales), también conocida como Tenant Services Authority (Autoridad de servicios de los arrendatarios, TSA en adelante)[452]. El primer organismo asumió las funciones de financiación a los proveedores de vivienda social,

---

[445]   Mullins, D. *Housing associations. Working Paper 16,* cit. p. 10.

[446]   Guillén Navarro, N. A. *La vivienda social en Inglaterra,* cit. pp. 130 y ss.

[447]   Así se permitió la inscripción a las sociedades registradas bajo la *Companies Act* (Ley de sociedades), de 11 de marzo de 1985 (c. 6) que se dedicaran a la provisión de vivienda en alquiler y siempre que no tuvieran ánimo de lucro.

[448]   Véase la enumeración de estos grupos en el apartado "3.8.2. Sistema de adjudicación en Inglaterra" *infra* en este mismo capítulo.

[449]   *Localism Act* (Ley de localidad), de 15 de noviembre de 2011. c. 20.

[450]   Art. 64 *Housing and Regeneration Act* 2008.

[451]   Arts. 1 y ss. *Housing and Regeneration Act* 2008.

[452]   Arts. 81 y ss. *Housing and Regeneration Act* 2008.

mientras que al segundo le fueron encomendadas las funciones de regulación, mantenimiento y control del registro de propietarios de vivienda social, y también se propuso involucrar más a los arrendatarios en el sector de vivienda social[453]. Por otro lado, esta misma Ley extendió la posibilidad de inscripción en el Registro de proveedores tanto a las entidades con ánimo de lucro como a las entidades públicas (administraciones locales[454] y ALMOs). En consecuencia, la denominación de *Registered social landords* se reemplazó por la de *registered providers* (proveedores registrados, RPs en adelante) para englobar, así, a todas las entidades que, siendo públicas o privadas (con o sin ánimo de lucro) fueran o tuvieran la intención de convertirse en proveedores de vivienda social en Inglaterra y que cumplieran con los criterios económicos, de constitución y otros relacionados con la gestión de la entidad impuestos por el órgano regulador[455]. Esta ampliación persiguió fomentar el aumento de proveedores de vivienda social para incrementar, así, la oferta de vivienda social y permitir a los inquilinos encontrar la vivienda que más se adecúe a sus necesidades. Puede verse la evolución tanto del registro de proveedores de vivienda social como de su órgano regulador en la Tabla 7.

La *Localism Act* 2011 suprimió ulteriormente la Tenant Services Authority y transfirió todas sus funciones a la HCA. A su vez, y a fin de preservar cierta independencia entre las funciones de financiación y de control y regulación del Registro, esta Ley creó un nuevo órgano independiente, una *Regulation Committee* (Comisión de regulación)[456] destinada a supervisar las funciones y actividades de la HCA como regulador[457]. La misma Ley otorgó, además, el poder a las administraciones locales de recaudar y gestionar las rentas de los alquileres de su propiedad, hecho que les permitió poder prever sus ingresos anuales en este ámbito, a fin de poder hacer planes a

---

[453] Este órgano llevó a cabo una amplia consulta a los arrendatarios, a fin de informarles de la introducción de nueva normativa en el marco regulador de los proveedores de vivienda social para garantizar una mayor presencia e implicación de los arrendatarios en la gobernanza y gestión de las entidades proveedoras. MULLINS, D. *Housing associations. Working Paper 16,* cit. p. 34.

[454] El art. 114A de la *Housing and Regeneration Act* 2008 regula la obligación de inscribirse a las administraciones locales que sean proveedoras de vivienda social o vayan a serlo.

[455] Véase los requisitos más detalladamente en el apartado "3.3.2. Proveedores registrados (RP) en Inglaterra" *infra* en este mismo capítulo.

[456] Art. 178 *Localism Act* 2011.

[457] HEYWOOD, A. *Investing in affordable housing. An analysis of the affordable housing sector,* cit. p. 23.

largo plazo. Anteriormente, las rentas cobradas se enviaban al Gobierno central y, posteriormente, este entregaba anualmente una suma de dinero a cada localidad. Por otro lado, y reforzando el papel de estas administraciones locales, se les ofreció una mayor libertad para determinar las cualidades necesarias para entrar en el registro de solicitantes o en la *waiting list* (lista de espera) en referencia a la adjudicación de una vivienda social (teniendo siempre en cuenta los grupos prioritarios establecidos legalmente). De esta manera, se persiguió cumplir con las necesidades locales, que pueden ser muy diferentes en las distintas regiones del país[458].

La última legislación en este sector es la *Housing and Planning Act* 2016 que introdujo bastantes medidas nuevas, orientadas principalmente a incrementar aún más el objetivo de vivienda social a colectivos vulnerables, reducir de manera gradual el parque de vivienda social existente en áreas de altos costes y permitir a los arrendatarios sociales comprar sus viviendas[459]. Así, se incentivó la aplicación del ya mencionado RTB (voluntario) para los arrendatarios de las HAs[460]. Otra medida controvertida y que de momento no se está aplicando es el *pay to stay* (pagar para quedarse), que consiste en incrementar el alquiler social a las unidades familiares con ingresos elevados[461]. Esta ley también regula la desaparición progresiva de los arrendamientos públicos indefinidos, puesto que exige que las administraciones públicas ofrezcan arrendamientos de entre dos y diez años como regla general (con alguna excepción)[462], después del cual debe revisarse si esa familia sigue cumpliendo los requisitos para estar en una vivienda pública. Así pues, el objetivo es destinar la vivienda pública únicamente a los colectivos que lo necesiten, y durante el período que lo necesiten (fomentando la rotación cuando la familia venga a mejor fortuna). Esta

---

[458]   Tal y como se establece en Department for Communities and Local Government. *A plain English guide to the Localism Act*. Londres: Department for Communities and Local Government, 2011. en la p. 15, cuando establece que "el modo demasiado estricto en el que el Gobierno central fijaba las normas dificultaba que los ayuntamientos pudieran adaptarse a las necesidades locales". Traducción propia.

[459]   Scanlon, K. "Social housing in England: Affordable vs 'affordable'", cit. p. 25.

[460]   Medida mencionada con anterioridad al comentar las vías de privatización del parque público, véase el apartado "2.2. Inglaterra" de este capítulo.

[461]   Véase una explicación más exhaustiva de esta medida en el apartado "3.8.4. Adecuar la oferta a la demanda. Fenómeno del *skewness*" de este capítulo.

[462]   Arts. 118-121 y Schedule 7 *Housing and Planning Act* 2016.

imposición no afecta, de momento, a las HAs, aunque tampoco se impone, actualmente, a las viviendas públicas[463].

Aunque no sea su objetivo principal, existen dos leyes recientes que tienen un gran impacto sobre el sector de vivienda social y sobre la capacidad de gestión de las HAs. Así, la *Welfare Reform Act* (Ley de reforma de los servicios sociales) de 2012[464] introdujo tres medidas importantes. La primera, el "Universal Credit", consistente en la agrupación de varias ayudas públicas en un único pago (la ayuda al alquiler entre ellas), y que supuso el fin del pago directo de esta ayuda al alquiler a las HAs (pasando a recibirla y tener que gestionarla el arrendatario social). La segunda, la reducción de la ayuda al alquiler en caso de tener habitaciones vacías (medida conocida como *bedroom tax*) y, la tercera, la imposición de un límite en la cantidad de ayuda pública a percibir (*benefit cap*). Por su parte, la *Welfare Reform and Work Act* (Ley de reforma de los servicios sociales y la ocupación) de 2016[465] trajo la imposición de reducir el precio de los alquileres sociales un 1% anual[466] hasta el 2020[467].

---

[463] Véase el apartado "3.4.2. En Inglaterra" de este mismo capítulo para esta cuestión.
[464] *Welfare Reform Act* (Ley de reforma de los servicios sociales), de 8 de marzo de 2012. c. 5.
[465] *Welfare Reform and Work Act* (Ley de reforma de los servicios sociales y la ocupación), de 16 de marzo de 2016. c. 7.
[466] Art. 23 *Welfare Reform and Work Act* 2016.
[467] Estas medidas irán saliendo a lo largo del libro.

Tabla 7. Evolución del registro de proveedores de vivienda social en Inglaterra: organismos reguladores y entidades registradas

Registro de entidades gestoras de vivienda social	Requisitos de inscripción básicos	Órgano regulador	Legislación
Registered housing associations (Housing associations registradas)	Charities e industrial and provident societies sin ánimo de lucro y cuyo objetivo sea arrendar vivienda, hostales o bien que sea vivienda para sus miembros (cooperativa) y sus objetivos secundarios estén relacionados con la adquisición de suelo, construcción, provisión de servicios e instalaciones destinados a los arrendatarios, construcción de vivienda para ofrecer en shared ownership o dar asesoramiento o proveer servicios para otras HAs.	Housing Corporation	Housing Act 1974 Housing Associations Act 1985
Registered social landlords (Propietarios sociales registrados)	Todos los anteriores y – sociedades registradas bajo la Companies Act 1985 que se dedicaran a la provisión de vivienda en alquiler y siempre que no tuvieran ánimo de lucro		Housing Act 1966
Registeres providers (Propietarios registrados, RPs)	Todos los anteriores y – entidades públicas (administraciones locales y ALMOs) – entidades privadas con ánimo de lucro siempre que: sean o tengan la intención de convertirse en proveedor de vivienda social en Inglaterra y cumplan con los criterios económicos, de constitución y otros relacionados con la gestión de la entidad impuestos por el órgano regulador	Homes and Communities Agency, HCA–funciones de financiación Tenant Services Authority–funciones de regulación	Housing and Regeneration Act 2008
		HCA + Comité de regulación (Regulation Committe)	Localism Act 2011
		Homes England Regulator of Social Housing	The Legislative Reform (Regulator of Social Housing) (England) Order 2018

Fuente: Elaboración propia.

3.2.3. Legislación neerlandesa

El marco legal de las WCOs en los Países Bajos ha sufrido cambios importantes en la última década, fruto de la Decisión de la Comisión Europea de 2009[468] (que solicitó al Gobierno neerlandés que redujera la población con acceso a vivienda social) y también de todo un proceso de investigación parlamentaria entre abril de 2013 y octubre de 2014, donde se llevó a cabo una análisis en profundidad de la estructura y el funcionamiento de las WCOs, a fin de evaluar este modelo y detectar sus fallos para poder así establecer directrices a seguir de cara a políticas futuras del sector (la investigación fue desencadenada por una serie de prácticas de mala gestión y problemas financieros de algunas de las WCOs más grandes)[469]. El resultado ha implicado pasar de un modelo universalista de acceso a la vivienda social, a un modelo más centrado en la población con pocos ingresos (estableciendo unos ingresos máximos), y de un sistema de gestión liderado por unas WCOs independientes y casi sin control público a un régimen donde se les restringen sus funciones principales y donde la Administración pública vuelve a ganar cierto control sobre ellas.

En su origen, la *Woningwet* 1901 fue la primera en establecer un marco legal a las WCOs, lo que supuso su incorporación al marco de las políticas públicas de vivienda. Esta Ley estableció los requisitos básicos para que una entidad proveedora de vivienda social pudiese ser reconocida como *toegelaten instellingen* (institución admitida), lo que implicaba tanto su control público como la posibilidad de beneficiarse de ayudas públicas (actualmente de forma indirecta). Esta Ley ha sufrido diversas modificaciones, como la promovida por la *Wet tot herziening van de Woningwet* (Ley revisada de vivienda) de 1991. La modificación más notoria y reciente se produjo en 2015[470] a raíz de la Decisión de la Comisión Europea y del posterior proceso de investigación parlamentaria mencionados al inicio del apartado. Así,

---

[468] Véase el apartado "3.3.2. La competencia desleal en el ámbito de la vivienda: los casos de los Países Bajos y Suecia" del Capítulo I.

[469] La investigación (https://www.houseofrepresentatives.nl/how-parliament-works/parliamentary-inquiry, último acceso 13-07-2018) se llevó a cabo en diferentes fases, incluyendo un estudio de la documentación, investigaciones e informes parciales, audiencias (a puerta abierta y también cerrada) con profesionales del sector y expertos en la materia, etc. El informe final se presentó en octubre de 2014, llevando por título "Muy lejos de casa" (https://www.houseofrepresentatives.nl/news/presentation-parliamentary-committee-inquiry-housing-associations-its-final-report-'-long-way, último acceso 13-07-2018).

[470] *Woningwet* 2015.

la *Woningwet* 2015 introdujo medidas para enderezar las tareas centrales de las WCOs con el fin de centrarlas en la prestación de un servicio público de vivienda para la población que no pudiese acceder al mercado privado. Entre estas medidas se encuentra el establecimiento de unos ingresos máximos para poder ser beneficiario de vivienda social[471]; la introducción de una lista detallada y concisa de cuáles son las actividades principales que pueden llevar a cabo las WCOs y la necesidad de autorización pública para desarrollar otras actividades[472]; y la obligación de separar ya sea a través de dos entidades legales diferentes ya sea a través de una separación administrativa (estableciendo un sistema contable y financiero independiente), las actividades que son consideradas SIEG (con su activo y su pasivo, su inversión y su gasto) de las que quedan fuera de este concepto (por ejemplo, las viviendas que se puedan ofrecer en el mercado privado). De esta manera se pretende asegurar que solamente las primeras actividades reciben ayudas públicas[473].

Esta misma Ley también se encargó de intensificar el control público tanto interno como externo (ej. antes de nombrar a los cargos directivos y al Consejo de supervisión, la entidad debe comunicar las propuestas al Gobierno, quién debe dar su aprobación)[474] y de otorgar más legitimidad a las administraciones locales y organizaciones de arrendatarios en los planes de la entidad gestora (ej. se establece una obligación anual de consultar con la Administración local y con los arrendatarios sus planes de implementación de las políticas de vivienda en el municipio en cuestión en el año que sigue)[475]. Finalmente, la *Woningwet* 2015 también intentó dar a las WCOs un arraigo más local. Así, estas deben solicitar el permiso para poder desarrollar su actividad en un municipio a la administración local de dicho municipio (solicitar lo que se conoce como una "declaración de no objeción"), el cual posteriormente se envía al Gobierno central; si ese per-

---

[471] Art. 47 *Woningwet* 2015 en relación con el art. 16 *Besluit houdende nieuwe nadere regels betreffende toegelaten instellingen en dochtermaatschappijen en nadere regels betreffende wooncoöperaties*, de 16 de junio de 2015 (conocido como *Besluit toegelaten instellingen volkshuisvesting* o Decreto de las instituciones admitidas de vivienda). *Staatsblad* 2015, núm. 231. Véase esta regulación en el apartado "3.8.3. Sistema de adjudicación en los Países Bajos" *infra* en este mismo Capítulo.

[472] Arts. 45 y ss. *Woningwet* 2015.

[473] Arts. 48a y ss. *Woningwet* 2015.

[474] Arts. 25 y ss. *Woningwet* 2015.

[475] Arts. 44 y ss. *Woningwet* 2015.

miso no se otorga, la WCO puede solicitar su aprobación a dicho Gobierno central directamente[476].

Todo el marco de actuación y las responsabilidades de las WCOs establecidas de forma más genérica en la antigua *Wet tot herziening van de Woningwet* 1991 se desarrollaba en más detalle en el Decreto de gestión de la vivienda social de 1992[477] (BBSH en adelante). Este fijaba en seis áreas las funciones que debían llevar a cabo las "instituciones admitidas":

1. Proveer acceso a la vivienda de forma prioritaria a los grupos de población vulnerables.

2. Conseguir y mantener un nivel mínimo de calidad de vivienda (encargarse de su mantenimiento, rehabilitación, etc.).

3. Involucrar a los arrendatarios en las políticas de gestión de la entidad.

4. Garantizar una viabilidad y continuidad económica.

5. Contribuir a la creación de un ambiente sano y seguro en los vecindarios donde las entidades tuvieran sus viviendas (añadido en 1997).

6. Proveer vivienda para la población mayor y para las personas con discapacidad (añadido en 2001)[478].

Los campos citados eran expresamente amplios para dejar margen a la celebración de acuerdos o convenios entre las WCOs y las administraciones locales, a fin de satisfacer las necesidades locales concretas[479]. Sin embargo, a la práctica, eran muy pocas las entidades gestoras que recurrían a esos acuerdos[480]. Este Decreto fue derogado por el Decreto de las instituciones admitidas de vivienda 2015 (BTIV en adelante)[481], siguiendo toda la reforma legislativa producida ese año. Este nuevo Decreto es el que se encarga de desarrollar el marco general que la *Woningwet* 2015 establece sobre la constitución, organización, funcionamiento y control de las WCOs. Aun

---

[476] Arts. 41 y ss. *Woningwet* 2015.

[477] *Besluit Beheer Sociale Huursector* (Decreto sobre la gestión del sector del alquiler social), de 9 de octubre de 1992. Staatsblad 1992, núm. 555.

[478] HAFFNER, M. et al. "Bridging the gap between social and market rented housing in six European countries?", cit. p. 223.

[479] HAFFNER, M., VAN DER VEEN, M. y BOUNJOUH, H. *National Report for the Netherlands*, cit. p. 30.

[480] ELSINGA, M. y WASSENBERG, F. "Social Housing in the Netherlands", cit. p. 135.

[481] *Besluit toegelaten instellingen volkshuisvesting* 2015.

así, la *Woningwet* actual establece una regulación más extensa y específica que la ley anterior. Delimita mejor, por ejemplo, cuáles deben ser las funciones primordiales de las WCOs[482] y cuáles deben considerarse SIEG[483].

Además de esta normativa básica, existen otras leyes que también regulan aspectos de la gestión de la vivienda social. Por ejemplo, la *Wet op het overleg huurders verhuurder* (Ley de consulta de arrendadores e inquilinos) de 1998[484] establece derechos y responsabilidades tanto para arrendatarios como para arrendadores a la hora de comunicarse y otorga la posibilidad a los arrendatarios de influir en las políticas de gestión de la entidad, papel que, aunque anteriormente se reducía a un mero asesoramiento[485], se ha querido fortalecer con las modificaciones legislativas de 2015. También está la *Huisvestingswet* (Ley de adjudicación de vivienda) de 2014[486], que se basa en el principio de libertad de elección a la hora de acceder a la vivienda, pero que también otorga ciertos poderes a las administraciones locales para influir en la adjudicación de vivienda en términos de reservar vivienda a ciertos colectivos vulnerables y con urgente necesidad de alojamiento.

3.3. Control público. El Registro de proveedores de vivienda social

3.3.1. La importancia del control público

La privatización de la gestión de vivienda social no implica un desentendimiento total por parte de la Administración en esta materia, pues el acceso a una vivienda digna y asequible no deja de ser un servicio público y la Administración pública es la máxima responsable de velar por su cumplimiento.

El hecho de que las HAs dispongan de regulación legal expresa permite la introducción de un marco de control de su actuación y viabilidad económica, puesto que toda intervención pública debe estar justificada y, por

---

[482]   Art. 45 *Woningwet* 2015.

[483]   Art. 47 *Woningwet* 2015.

[484]   *Wet op het overleg huurders verhuurder* (Ley de consulta de arrendadores e inquilinos), de 27 de julio de 1998. Staatsblad 1998, núm. 501.

[485]   Elsinga, M. y Van Bortel, G. "The future of social housing in the Netherlands", en Houard, N. (ed.) *Social Housing across Europe*, cit. pp. 98-115. p. 103.

[486]   *Huisvestingswet* (Ley de adjudicación de vivienda), de 4 de junio de 2014. Staatsblad 2014, núm. 248.

lo tanto, controlada[487]. Así, uno de los puntos importantes con relación a las HAs es que, aun siendo orgánicamente independientes, se someten a cierto control público, y que a cambio de este control y de la imposición de ciertas restricciones, estas entidades tienen la posibilidad de recibir ayudas públicas (directas o indirectas) para llevar a cabo sus actuaciones con finalidades sociales (construir viviendas nuevas, regenerar vecindarios, etc.). El sector público cede todo o parte de su provisión directa de vivienda social a cambio de adoptar un papel más estratégico y de dirección, detectando las necesidades de la población y facilitando instrumentos para poder cubrirlas. Así, el control y seguimiento públicos de la actividad de las HAs es fundamental para velar por el buen funcionamiento de este servicio público y para el cumplimiento de las necesidades de vivienda de la población más necesitada.

Esta regulación pública proporciona también ventajas en el sector de financiación privada, puesto que la normativa destinada a garantizar una buena gobernanza y una viabilidad económica de estas entidades hace que los inversores y prestamistas conciban a las HAs como inversiones de poco riesgo[488]. Finalmente, también supone una protección para los arrendatarios sociales, siempre que su regulación contenga normativa para cumplir con unos estándares de calidad tanto de la vivienda como de los servicios prestados, y provea mecanismos para implicarlos en la gestión en diferentes grados. Este sistema, no obstante, no está exento de riesgos, como bien demuestra la problemática situación sufrida por las WCOs hace unos años[489]. A raíz de los escándalos financieros y problemas de mala gestión mencionados, las WCOs se han visto sujetas a un control económico más severo[490].

El reconocimiento y el control de las HAs por parte del Gobierno en Inglaterra y en los Países Bajos se materializa con la inscripción en un "Registro de proveedores de vivienda social". En los Países Bajos este Registro se controla por el Ministerio competente en materia de vivienda, mientras

---

[487] COMMUNITIES AND LOCAL GOVERNMENT. *Review of social housing regulation*. Londres: Department for Communities and Local Government, 2010. p. 4.

[488] HEYWOOD, A. *Investing in affordable housing. An analysis of the affordable housing sector*, cit. pp. 20 y 21.

[489] Véase en el apartado "3.5.2. Fuentes públicas y fiscalidad de las entidades" de este mismo Capítulo el caso de la mayor WCO de los Países Bajos en su momento, Vestia, que invirtió 20 mil millones de euros en derivados financieros y en 2011 sus pérdidas eran de 3,5 mil millones de euros.

[490] POGGIO, T., "Social housing in Europe: legacies, new trends and the crisis", cit. p. 5.

que en Inglaterra el órgano encargado es actualmente el RSH (Regulator of Social Housing)[491], organismo público no ministerial. Este Registro tiene dos funciones básicas: la primera es llevar un control público de todos los proveedores existentes, así como de sus zonas de actuación y la segunda es la de controlar y supervisar su actividad y exigir el cumplimiento de unos determinados requisitos y la realización de unas determinadas funciones. Lupton y Kent-Smith resaltan la necesidad de huir de propuestas y exigencias impuestas a nivel central y de dar cierto margen para que las HAs puedan gestionar su parque de la manera que consideren más eficiente para cumplir con sus objetivos sociales, lo que les permitirá aumentar su actividad (ej. construir más vivienda) y tener una idea más clara de cómo satisfacer el mercado local[492].

3.3.2. Proveedores registrados (RP) en Inglaterra

Como ha podido verse en la Tabla 7, el Registro de proveedores de vivienda social ha ido evolucionando a lo largo de los años y, si en un inicio solamente se permitía la inscripción de HAs, actualmente pueden ser RPs tanto estas como las entidades privadas con ánimo de lucro, e incluso se abre la inscripción a las entidades públicas.

---

[491]   A raíz de una evaluación realizada sobre el propio funcionamiento de la HCA, el Gobierno decidió dar a la función de regulación de los RPs una mayor autonomía respecto al resto de funciones, ya que en el informe se destaca el conflicto de intereses potencial que se crea en la HCA, pues actúa de acreedor al mismo tiempo que monitor de las RPs (Department for Communities and Local Government. *Tailored Review of the Homes and Communities Agency. November 2016.* Londres: Department for Communities and Local Government, 2016. pp. 49-51). Así, desde enero de 2018, se separa el RSH (funciones que venía haciendo el *Regulation Committee* de la HCA, que ya disponía de cierta autonomía) como órgano autónomo, y se crea la *Homes England*, encargada del resto de funciones que venía desarrollando la HCA. Con ello, el Gobierno pretende dar un mayor impulso al mercado de la vivienda, aumentando el parque, así como atrayendo a nuevos inversores y otros actores del sector. *The Legislative Reform (Regulator of Social Housing) (England) Order* (Orden de reforma legislativa del Regulator of Social Housing, Inglaterra), de 30 de septiembre de 2018. SI 2018/1040. Véase el *White Paper* "Fixing our broken housing market" del *Secretary of State for Communities and Local Government* de febrero de 2017 (pp. 51-53).

[492]   Lupton, M. y Kent-Smith, J. *Does size matter – or does culture drive value for money? Summary,* cit. p. 15.

Así pues, para poder inscribirse como RP, las entidades deben cumplir los dos requisitos siguientes[493]: operar como proveedor de vivienda social en Inglaterra o probar fehacientemente la intención de convertirse en proveedor (no se menciona, pues, la forma jurídica de las entidades), y cumplir los requisitos impuestos por el RSH, basados en criterios de carácter constitutivo, económico y de otros relacionados con su gestión. Básicamente, estos criterios van ligados a la normativa reguladora que las entidades deben cumplir una vez registradas. Así, el cumplir con las normas de viabilidad económica y de gobernanza (en el momento de la inscripción y demostrar su capacidad de mantenimiento en el tiempo) y el disponer de mecanismos de gestión que permitan demostrar la capacidad de cumplir con el resto de la normativa son requisitos indispensables para la inscripción[494].

El Registro, que debe ser de consulta pública, tiene que distinguir claramente los RPs sin ánimo de lucro de los que tienen ánimo de lucro, pues los requisitos y normativa a cumplir varían en función de esa ausencia o no de ánimo de lucro de la entidad. Para que una entidad pueda ser registrada como RP sin ánimo de lucro debe: 1) o bien ser una *charity*[495] o bien no operar con fines de lucro o bien que sus estatutos prohíban la emisión de capital con un interés o dividendo que exceda cierta cantidad prescrita por Hacienda; 2) tener como uno de sus objetivos la provisión o gestión de vivienda; 3) y sus otros objetivos deben estar relacionados con la provisión de vivienda[496]. Todas las entidades que no cumplan estos requisitos son inscritas como RPs con ánimo de lucro.

Una vez inscritos, los PRs deben cumplir con una normativa de organización y funcionamiento[497] controlado por el RSH. Esta normativa se divide en dos bloques: criterios de carácter económico[498], donde el papel

---

493 Arts. 112 a 115 *Housing and Regeneration Act* 2008.
494 Véanse estos criterios en detalle y todo el proceso de inscripción en REGULATOR OF SOCIAL HOUSING. *Guidance for new entrants on applying for registration as a provider of social housing*. Leeds: Regulator of Social Housing, 2020.
495 Véase la definición, requisitos y normativa de las *charities* en el apartado "3.1. Concepto y forma jurídica" de este capítulo.
496 Art. 115 *Housing and Regeneration Act* 2008.
497 La ya mencionada *Regulatory framework for social housing in England from April* 2015 es el marco normativo para la vivienda social en Inglaterra desde abril de 2015, disponible en https://www.gov.uk/government/collections/regulatory-framework-requirements (último acceso 13-03-2021).
498 Art. 194 *Housing and Regeneration Act* 2008.

del RSH es más activo, y criterios de gestión y protección del inquilino[499], en este caso, el papel del RSH es más pasivo, puesto que solo actúa en caso de conflicto grave o incumplimiento. A parte de esta normativa más estricta, el marco regulador de estas entidades también contiene unos *codes of practice* (códigos de prácticas), los cuales sirven para desarrollar las normas de carácter económico para facilitar su aplicación por los RPs y de unas *regulatory guidance* (directrices normativas) que proporciona información adicional y detallada sobre la normativa reguladora y sobre cómo el órgano regulador desenvuelve sus funciones de control.

La normativa económica incluye tres tipos de normas:

a) Las primeras se encargan de asegurar una buena gobernanza y viabilidad económica de las entidades: estas deben disponer de códigos de gobernanza, que establezcan las funciones y responsabilidades de los miembros de gobierno, y de un plan de negocios y de gestión del riesgo sólido que permitan controlar, en todo momento, el patrimonio y las deudas de la entidad, así como evaluar el coste y riesgo de cada actividad de la entidad.

b) El segundo grupo consiste en evaluar la relación calidad-precio de las actividades desarrolladas (*value for money*), es decir, evaluar el rendimiento de la entidad basándose en sus recursos y activos, calculando el retorno financiero, social y medioambiental; se trata de controlar que los recursos de la entidad se gestionan de la manera más económica, eficiente y efectiva posible, al mismo tiempo que se cumple con la calidad de los servicios ofrecidos.

c) El último bloque de normas de carácter económico son las que establecen el precio del alquiler social. El control económico se realiza únicamente sobre las entidades privadas, y respecto a las de ánimo de lucro, solo respecto a las actividades relacionadas con la vivienda social.

Con relación a la normativa relacionada con la protección del inquilino, esta se subdivide en cuatro bloques:

a) Normas relacionadas con el arrendamiento: publicación de las políticas de adjudicación, cooperación con las administraciones locales para identificar y satisfacer necesidades de vivienda a nivel local, tipos de contrato de arrendamiento a ofrecer, etc.

---

[499] Art. 193 *Housing and Regeneration Act* 2008.

b) Normas sobre la calidad de la vivienda: política de *decent homes,* prestar un servicio rentable de mantenimiento y reparación de las viviendas y los espacios comunes, procurar la salud y seguridad de los inquilinos y adaptar los servicios a las necesidades de estos.

c) Normas sobre la implicación y el empoderamiento de los inquilinos: derecho de información, mecanismos de reclamación, instrumentos que permitan influir en las políticas de gestión de la entidad, etc.

d) Normas sobre la involucración en los barrios y las comunidades: cooperar con otros agentes para garantizar seguridad y una buena calidad de vida en los barrios, y para evitar y hacer frente a conductas vandálicas[500].

Todas estas reglas deben establecerse teniendo en cuenta la libertad de los RPs para dictar sus propias políticas, sobre cómo suministrar los servicios y sobre cómo gestionar su negocio.

Los RPs están obligados a llevar una contabilidad. Estas cuentas, que deben entregarse al RSH de manera periódica, deben incorporar los informes de auditoría que deben pasar estas entidades de manera interna, o informes equivalentes en el caso de entidades que no requieran de esta auditoría. Las cuentas de la RP deben presentar la realidad o el estado de la entidad en ese momento, en relación con las actividades que desempeñan relacionadas con el sector de vivienda social y en relación con la disposición de fuentes de financiación y patrimonio para llevar a cabo esas actividades. El órgano regulador se reserva el derecho de dar instrucciones a los RPs sobre la preparación de estas cuentas[501].

Además, a fin de velar por el cumplimiento de la normativa reguladora de los RPs, el RSH dispone de otros mecanismos de control. Así, puede llevar a cabo encuestas sobre el estado y las condiciones de las instalaciones de esa entidad cuando existen sospechas sobre la falta de cumplimiento de la normativa de protección de los inquilinos; puede llevar a cabo inspecciones (genéricas o específicas) sobre el desarrollo de las actividades de la entidad (relacionadas con la provisión de vivienda social) o sobre sus balances financieros, al mismo tiempo que tal inspector puede requerir informes y documentación a la entidad; y, en el caso de existir indicios de

---

[500]   Véase el desarrollo de estas dos últimas en los apartados "3.6. La implicación de los arrendatarios en la *housing association*" y "3.7. Más allá del acceso a una vivienda. El concepto de *Housing Plus*" de este mismo capítulo.

[501]   Arts. 127 y ss. *Housing and Regeneration Act* 2008.

prácticas de mala gestión, el RSH puede exigir el desarrollo de una investigación, durante la cual se puede pedir también una auditoría extraordinaria, llevada a cabo por un auditor cualificado nombrado por el RSH[502]. Con un carácter más excepcional, el RSH está dotado de poderes coercitivos. Así pues, ante los incumplimientos de los RPs de la normativa, el RSH notifica ese incumplimiento al RP y exige su observancia, y si persiste la inobservancia, puede llegar a imponerse una sanción económica. Asimismo, el RSH tiene capacidad para imponer decisiones sobre la gobernanza de un RP cuando este incumple la normativa reguladora, cuando existe mala gestión, cuando los intereses de los arrendatarios requieren protección, cuando la entidad tiene problemas financieros, etc[503]. Además, puede llegar a forzar el cambio del órgano de gobierno de la entidad, decisión que se puede dejar en manos de la entidad o puede imponer el RSH directamente la persona específica[504].

Además, el RSH tiene unos poderes adicionales de control sobre las entidades registradas como RPs sin ánimo de lucro, aunque estos se han visto reducidos por la *Housing and Planning Act* 2016. Así, para la modificación del objeto de la entidad, la introducción de cláusulas sobre la distribución de activos entre los miembros o cuando la entidad pretende convertirse (o dejar de ser) subsidiaria o asociada de otra entidad, el RP necesitaba anteriormente el consentimiento del RSH, mientras que actualmente se limita a una notificación[505].

Anualmente, el RSH realiza evaluaciones de los RPs con más de mil viviendas, donde se refleja el grado de cumplimiento de las normas (*regulatory judgements*) tanto de carácter económico (*ranking* de V1 a V4, siendo la primera la más alta) como de gobernanza (G1 a G4)[506]. Estas evaluaciones, que son públicas, son de especial interés para aquellos agentes interesados en invertir en este sector, puesto que muestra una valoración pública del estado de solidez económica y de gobernanza en que se encuentra una entidad, haciéndola una inversión atractiva y de poco riesgo.

---

[502]   Los poderes de control del RSH están regulados en los arts. 199 a 210 *Housing and Regeneration Act* 2008.

[503]   Art. 220 *Housing and Regeneration Act* 2008.

[504]   Arts. 246 y ss. *Housing and Regeneration Act* 2008.

[505]   Schedule 4 que añade los arts. 169A a 169D y deroga los arts. 211 a 214 *Housing and Regeneration Act* 2008.

[506]   Consultar el archivo con todas las evaluaciones en https://www.gov.uk/government/publications/regulatory-judgements-and-regulatory-notices (último acceso 13-03-2021).

Finalmente, la inscripción en el Registro como RP implica la obligación de registrarse con el Housing Ombudsman[507]. Se trata de un organismo público independiente que permite resolver disputas referentes a la provisión y gestión de una vivienda social entre arrendatarios y arrendadores, cuando entre estos no ha habido acuerdo. Sin embargo, existen algunos temas que salen de su jurisdicción, como las disputas sobre el precio y actualización del alquiler u otros servicios. Por lo tanto, se trata de un recurso subsidiario, al que pueden acudir las partes una vez agotado el proceso de reclamación que prevea el RP. Esta institución trabaja en cooperación con el RSH[508].

La baja del Registro puede ser obligatoria (si se cumplen presupuestos establecidos por Ley, por ejemplo, si se dejan de cumplir los requisitos de inscripción o la entidad ha dejado de desempeñar actividades en el sector de la vivienda social) o voluntaria; esta segunda siempre con el consentimiento del RSH, quién valorando todos los aspectos, puede aceptarlo o no. Así, por ejemplo, el RSH, a la hora de acceder a la baja, tendrá en cuenta que esta garantice la continuidad de protección de los inquilinos, y que no se malversen fondos públicos[509].

3.3.3. Instituciones admitidas en los Países Bajos

Al igual que en el caso inglés, las WCOs neerlandesas deben estar inscritas en un Registro, en este caso controlado por el Ministerio competente en materia de vivienda (actualmente el Ministerio del Interior y de Relaciones del Reino, Ministerie van Binnenlandse Zaken en Koninkrijksrelaties, BZK en adelante). Las WCOs registradas pasan a denominarse *toegelaten instellingen volkshuisvesting* (instituciones admitidas de vivienda pública, TIVs en adelante) y su inscripción implica, por un lado, el obligado cumplimiento de su normativa reguladora (principalmente la *Woningwet* y el BTIV) y, por

---

[507]   Véase el Plan de esta institución en HOUSING OMBUDSMAN SERVICE. *The Housing Ombudsman Scheme.* Londres: Housing Ombudsman Service, 2020 y también Schedule 2 *Housing Act* 1996 y art. 180 *Localism Act* 2011.

[508]   Materializado en un acuerdo entre estos dos: el *Memorandum of understanding between the Housing Ombudsman and the Regulator of Social Housing,* disponible en https://www.gov.uk/government/publications/memorandum-of-understanding-between-the-regulator-of-social-housing-and-the-housing-ombudsman (último acceso 13-03-2021), el cual establece las funciones de cada institución y la comunicación y cooperación entre estas dos.

[509]   Arts. 118 y ss. *Housing and Regeneration Act* 2008.

otro lado, el acceso a ayudas públicas (indirectas) y/o a condiciones más beneficiosas, por ejemplo, a la hora de adquirir suelo público[510].

A diferencia del Registro inglés, solamente las asociaciones y fundaciones sin ánimo de lucro pueden ser TIVs[511]. Estas deben tener como objetivo y destinar la totalidad de sus recursos a desarrollar actividades relacionadas con el área de la vivienda social[512]. Además, la entidad debe especificar el/los municipio/s en los que pretende desarrollar sus actividades. Precisamente, antes de decidir sobre la admisión en el Registro, el BZK permite que tanto las administraciones locales afectadas como también las organizaciones de arrendatarios puedan aportar sus argumentos a favor o en contra de la admisión de dicha WCO (ya se ha mencionado anteriormente la necesidad de la WCO de pedir una "declaración de no objeción" en los municipios donde pretende desarrollar su actividad)[513]. El BZK puede negarse a la admisión por razones de defectos en la escritura de constitución, por no cumplir los estatutos o la elección del órgano de supervisión con lo establecido con la *Woningwet,* por no dedicar sus medios financieros en interés de la vivienda social o por no considerar su actividad de interés para este sector de vivienda social. Otro requisito importante que puede llevar a la no admisión es el de la viabilidad económica. La entidad debe probar que tiene capacidad para garantizar su viabilidad económica actual y también de manera continuada[514].

Una vez admitidas, las TIVs no pueden darse de baja en el Registro de manera voluntaria[515], mientras que pueden ser dadas de baja obligatoriamente por el Gobierno en el caso de extrema mala llevanza de su actividad, juntamente con sanciones económicas[516], o en el caso que se considere que esa institución ya no está activa exclusivamente en el campo de vivienda

---

[510] Boelhouwer, P. y Priemus, H. "Demise of the Dutch social housing tradition: impact of Budget cuts and political changes", cit. p. 223.

[511] Arts. 22 y 19 *Woningwet* 2015. Anteriormente se permitían más formas, como cooperativas y sociedades.

[512] Actividades enumeradas en el art. 45 *Woningwet* 2015.

[513] Véase el apartado "3.2.3. Legislación neerlandesa" de este mismo capítulo.

[514] Todas estas causas de inadmisión se encuentran en el art. 19.3 *Woningwet* 2015.

[515] Boelhouwer, P. y Priemus, H. "Demise of the Dutch social housing tradition: impact of Budget cuts and political changes", cit. p. 224.

[516] Haffner, M. et al. "Bridging the gap between social and market rented housing in six European countries?", cit. p. 224.

social o que no invierta sus recursos exclusivamente en el interés de esa actividad social[517].

El campo de supervisión de las TIVs ha experimentado grandes cambios recientemente a raíz de los escándalos[518] de algunas de las WCOs más grandes de los Países Bajos[519] y de la opinión pública que estas entidades se habían acostumbrado a que no se les exigiera responsabilidad por sus actuaciones[520]. Así, la investigación llevada a cabo por el Parlamento neerlandés[521] dio pie a un cambio legislativo en 2015 y, con ella, la mayor libertad de actuación lograda a raíz de la independencia económica de las entidades gestoras a mediados de los años noventa del siglo pasado (donde el control pasó de ser anterior a ser retrospectivo y las entidades pasaron a asumir el riesgo de sus actuaciones)[522] se vio modificada por una legislación que ha vuelto a imponer más mecanismos de control, un marco re-

---

[517] Art. 19.4 *Woningwet* 2015.

[518] Casos de fraudes, de mala gestión y de salarios desproporcionados de directores. En este último caso, por ejemplo, hasta el 2008, los directores de al menos 110 WCOs cobraban más que el Primer Ministro, considerado el *Balkenende standard* (este salario, que sirve como estándar para establecer los salarios del sector público, era de 230.474 euros en 2014. Véanse la entrevista a PRIEMUS, H. en CORPORATIEGIDS MAGAZINE. *Emeritus Hoogleraar Hugo Priemus: "In de huurmarkt doen we onszelf iets vreselijks aan"*, núm. 2, 2014, pp. 9-13, disponible en https://www.corporatiegids.nl/assets/images/magazines/29/29.pdf (último acceso 08-10-2019) y el informe de la evaluación parlamentaria sobre las WCOs TWEEDE KAMER DER STATEN-GENERAAL. *Parlementaire enquête Woningcorporaties*. Expediente 33 606, núm. 4, 2014-2015, disponible en https://zoek.officielebekendmakingen.nl/kst-33606-4.html#ID-kZFe6U20149131413183971556, última consulta 08-10-2019.

[519] Los dos casos más sonados son los de Vestia y su inversión en derivados financieros y Woonbron y la compra de un crucero para convertirlo en centro de conferencias, hotel, restaurante, etc. Estos casos se resumen en los apartados "3.5.2. Fuentes públicas y fiscalidad de las entidades" y "3.7.2. Impacto en la comunidad" de este Capítulo.

[520] BOELHOUWER, P. *Maturation of the Dutch social housing model and perspectives for the future*, cit. p. 5.

[521] Véase *supra* el apartado "3.2.3. Legislación neerlandesa", donde se habla de esta investigación con más detalle. Esta evaluó el sistema de las WCOs (funcionamiento, gestión y supervisión de estas entidades sin ánimo de lucro desde los años noventa) con el objetivo de desarrollarla y mejorarla.

[522] BOELHOUWER, P. *Maturation of the Dutch social housing model and perspectives for the future*, cit. p. 4.

gulador más estricto y más influencia de otros actores del sector, como las administraciones locales y las organizaciones de arrendatarios[523].

Existen actualmente tres esferas de control de las TIVs:

a) Un control público, llevado a cabo por el BZK, por una nueva Autoriteit Woningcorporaties (Autoridad de las WCOs) que actúa en nombre del Ministerio anterior y de manera más informal e indirecta, también por las administraciones locales.

b) Un control por parte de organismos privados del sector, en el que podemos incluir el Waarborgfonds Sociale Woningbouw (Fondo de garantía para la vivienda social, WSW en adelante), Aedes (la asociación de las WCOs), la Vereniging van Toezichthouders in Woningcorporaties (Asociación de Supervisores de las WCOs, VTW en adelante) y la fundación Stichting Visitatie Woningcorporaties Nederland (SVWN en adelante).

c) Finalmente, un control interno, por parte del órgano de supervisión de cada WCO.

Dentro de la primera esfera de control mencionada, la pública, destaca la creación de la Autoriteit Woningcorporaties[524], perteneciente al BZK, a la cual se le asignan las funciones de supervisar la actuación, la gestión financiera y la gobernanza de las WCOs de una manera más estricta e intervencionista que el organismo anterior, el *Centraal Fonds Volkshuisvesting* (Fondo Central de Vivienda, CFV en adelante). El CFV, suprimido por la *Woningwet* 2015[525], era una entidad pública independiente, creada en 1988, encargada de evaluar la posición financiera de las WCOs anualmente, y en el caso de detectar problemas financieros en alguna de ellas, podía llegar a otorgar préstamos libres de intereses, que venían acompañados de la elaboración y seguimiento (la gestión de las entidades gestoras en cuestión podía ser asumida por miembros de la CFV) de planes de actuación o incluso de restructuración de la entidad[526]. Este Fondo se financiaba a través de una cuota que debían pagar todas las WCOs anualmente.

---

[523] HOEKSTRA, J. "Reregulation and residualization in Dutch social housing: a critical evaluation of new policies", cit. p. 35.

[524] Arts. 60 y ss. *Woningwet* 2015.

[525] Derogación del art. 71 *Wet tot herziening van de Woningwet* 1991.

[526] HAFFNER, M. et al. "Bridging the gap between social and market rented housing in six European countries?", cit. p. 225 y BOELHOUWER, P. *Maturation of the Dutch social housing model and perspectives for the future*, cit. p. 9.

La actual Autoriteit Woningcorporaties se encarga de fiscalizar, principalmente: la legalidad de las actuaciones u omisiones de las WCOs, la integridad de sus políticas de gobernanza, su viabilidad económica y solvencia, la calidad de la gestión financiera y del riesgo financiero, etc. Además, esta Autoridad debe aprobar el nombramiento tanto de los directores como de los miembros del órgano de supervisión de las WCOs, evaluando la idoneidad y aptitud de los candidatos[527], puede imponer sanciones y también interferir en la gestión de la entidad si se considera que esta no cumple con sus funciones o está dañando al sector de vivienda social con su actuación. Los resultados obtenidos los traslada (aportando también sugerencias) al BZK, el cual se encarga de comunicar sobre la actuación de las WCOs de forma anual, valorando el grado de cumplimiento de sus funciones principales.

A parte de este control público más directo y estricto, la nueva legislación da más protagonismo a las administraciones locales. Anteriormente se regulaba la celebración de acuerdos o convenios entre estas y las WCOs para pactar los tipos de actuación que las entidades gestoras llevarían a cabo según las necesidades de esa localidad; pero la realidad era que en muchos municipios esos pactos no existían, o si existían, no se llevaba a cabo un control o evaluación[528]. Actualmente, ese control público local proviene de la necesidad de celebrar reuniones entre la administración local, los representantes de arrendatarios y la WCO para que esta última presente sus planes de actuación para los siguientes cinco años y los dos primeros puedan aportar sus puntos de vista y sugerencias a fin de llegar a un acuerdo[529]; en caso de no llegar a tal acuerdo, el asunto se lleva ante el BZK, que será el encargado de tomar la decisión final. Asimismo, la WCO debe proporcionar anualmente a la administración local, a los representantes de los arrendatarios y a la Autoriteit Woningcorporaties sus cuentas anuales y un informe de vivienda que refleje las actuaciones realizadas en ese año.

Debido al poco poder que tenía el Gobierno para poder influir en la actuación de las WCOs antes de la última reforma legislativa de 2015 (aun siendo, en teoría, la Administración la máxima supervisora de estas entidades), el mayor control y vigilancia se realizaba a través de organismos pri-

---

[527] Arts. 25 y 30 *Woningwet* 2015.
[528] HAFFNER, M. et al. "Bridging the gap between social and market rented housing in six European countries?", cit. p. 224.
[529] Arts. 40 y ss. *Woningwet* 2015.

vados del mismo sector y de instrumentos auto-reguladores desarrollados por los órganos de representación de las WCOs[530]. A pesar del aumento del control público a partir de la *Woningwet* 2015, los instrumentos autoreguladores desarrollados por organismos privados siguen siendo una pieza importante para garantizar una buena gobernanza.

En este ámbito privado, destaca el WSW[531], organización privada sin ánimo de lucro dotada de un fondo de reserva (proveniente mayoritariamente de las tasas pagadas por las WCOs cada vez que utilizan el Fondo) que permite garantizar préstamos para la construcción, adquisición de viviendas u otros servicios relacionados con la vivienda social; obteniendo así, unos tipos de interés bajos. Así, antes de garantizar el préstamo, el WSW evalúa la solvencia de las entidades.

Por otro lado, existe el Código de gobernanza desarrollado conjuntamente por Aedes (la organización paraguas a nivel estatal de las WCOs)[532] y la VTW[533]. Aedes dispone también de una Comisión sobre el Código de gobernanza, que se ocupa de las reclamaciones que las partes interesadas en el sector (incluyendo los arrendatarios) pueden plantear acerca de acciones u omisiones de las entidades gestoras en relación con el Código.

Además, los miembros de Aedes se someten a una evaluación cada cuatro años con respecto a sus actuaciones y resultados. En estas evaluaciones no solo se controlan y analizan los resultados obtenidos, sino que también se hace una evaluación de las futuras actuaciones. Estas las lleva a cabo la fundación SVWN[534], creada en 2009 por el BZK, Aedes, Woonbond (la Asociación neerlandesa de arrendatarios), la VTW y Vereniging van Nederlandse Gemeenten (la Asociación de municipios neerlandeses) con el objetivo de establecer un sistema de control objetivo e independiente que permitiera identificar la actuación y el rendimiento social de las entidades gestoras.

A parte de esto, existen otras entidades privadas que ofrecen otros tipos de controles, como por ejemplo la Kwaliteitscentrum Woningcorporaties

[530] Elsinga, M. y Wassenberg, F. "Social Housing in the Netherlands", cit. p. 36.
[531] Vuelve a mencionarse esta institución *infra*, en el apartado "3.5.2. Fuentes públicas y fiscalidad de las entidades" de este mismo capítulo, al hablar del sistema de garantías de los Países Bajos.
[532] Véase su página web oficial en https://www.aedes.nl (último acceso 13-03-2021).
[533] Véase su página web oficial en https://www.vtw.nl (último acceso 13-03-2021).
[534] Véase su página oficial en https://www.visitaties.nl (último acceso 13-03-2021).

Huursector[535]. Esta organización emite certificados calificando aspectos como la calidad de los servicios prestados por las WCOs, la implicación de los arrendatarios, la buena gobernanza de la entidad o la sostenibilidad del vecindario.

Finalmente, en el área de control interno, encontramos la exigibilidad por parte de las WCOs de contar con un órgano de supervisión que se encargue de controlar las actuaciones realizadas por la entidad. Ante las críticas recibidas sobre su, a veces, falta de sentido crítico, su insuficiente competencia y la falta de información que podían recibir[536], la reforma legislativa de 2015 intentó reforzar este órgano. Así, fortaleció su papel y también las capacidades de los miembros que lo conforman. Como se ha comentado, el nombramiento de los miembros debe pasar por la aprobación de la Autoriteit Woningcorporaties y el BZK.

Entre las funciones de este órgano destacan: controlar y asesorar a la entidad gestora sobre sus políticas de gestión y sobre el curso general del negocio, procurando abordar y satisfacer los intereses sociales de la entidad y de las partes interesadas (ej. arrendatarios); nombrar a los miembros del consejo de gobierno (requiriendo el visto bueno del BZK), los cuales se renuevan como máximo cada cuatro años[537], así como también la posibilidad de suspenderlos o cesarlos. A fin de poder llevar a cabo sus funciones, se exige que el consejo de dirección proporcione la información necesaria al consejo de supervisión de manera regular, y proporcione un informe escrito, anualmente, sobre las políticas principales, los riesgos generales y financieros y el sistema de control y gestión de la entidad.

3.3.4. Reflexiones finales sobre el marco legal, el registro y el control públicos

Es importante analizar los dos apartados anteriores (en relación con el marco legal y al control público de las HAs) como dos medidas que se complementan la una a la otra. Así, tanto Inglaterra como los Países Bajos poseen un marco legal que regula tanto aspectos de constitución y gobernanza, como las actuaciones, monitorización y otros derechos y obligaciones de las HAs. La sujeción de estas entidades a dicha normativa depende

---

[535]   Véase su página oficial en http://www.kwh.nl/ (último acceso 13-03-2021).
[536]   HOEKSTRA, J. "Reregulation and residualization in Dutch social housing: a critical evaluation of new policies", cit. p. 33.
[537]   Art. 25 *Woningwet* 2015.

de su reconocimiento público como proveedores de vivienda social (RPs en Inglaterra o TIVs en los Países Bajos), que se materializa mediante su inscripción en un Registro monitorizado por un organismo público. De este modo, ese reconocimiento es la puerta de acceso de las HAs a su participación activa en el desarrollo de las políticas públicas de vivienda.

Los requisitos principales para poder inscribirse pasan principalmente por demostrar el objetivo principal de proveer vivienda social y operar sin ánimo de lucro, aunque posteriormente se valore el plan de viabilidad económica y de actuación de la entidad. Así, se intenta englobar al mayor número posible de entidades que trabajen en el sector. Sin embargo, Inglaterra ha experimentado en los últimos años una ampliación de las entidades que pueden registrarse, incorporando no solo a las HAs sino también a entidades públicas y a entidades con ánimo de lucro, aunque su regulación y control varía; por lo que a este trabajo se refiere, nos centraremos en las HAs. Una vez estas se registran y acreditan como gestoras de vivienda social, se protege tanto al sector como a los arrendatarios sociales, impidiendo que las primeras puedan darse de baja en el registro, al menos no hacerlo sin que el órgano regulador se asegure de la protección de los inquilinos y de que no se malversen fondos públicos.

Una de las claves de este modelo de gestión es el control público de estas entidades. Es decir, traspasar la gestión de un servicio público a manos privadas requiere de un control público que se asegure de que las ayudas públicas que reciba la entidad registrada (tanto directas como indirectas) vayan destinadas al cumplimiento de ese servicio público así como a actividades complementarias. A partir de aquí, el control puede ser mayor o menor, más o menos estricto. Demasiado control deja poco margen de actuación a las HAs para que persigan el cumplimiento de sus objetivos sociales de la forma que consideren más eficiente. Por otro lado, el caso de los Países Bajos ya ha ejemplificado que una falta de control puede llevar a una falta de cooperación con la Administración pública, así como a actuaciones poco transparentes, concentración de poderes en los directores de las entidades y a malas prácticas en el sector.

Una de las prácticas interesantes en relación con el control público es la realizada por el RSH de las entidades proveedoras inglesas y consiste en publicar periódicamente las evaluaciones que reflejan el grado de cumplimiento de dichas entidades con un parque mayor a las mil viviendas. De esta manera, se presiona a las entidades para que cumplan con la normativa y, por otro lado, refleja su estado de solidez económico y de gobernanza de cara a los inversores.

En resumen, la esencia es dotar a todas aquellas entidades gestoras de vivienda social con un respaldo legal y una normativa común a seguir (además de la posibilidad de ofrecer guías prácticas para cumplir con la normativa), independientemente de su regulación con respecto a la forma jurídica de la entidad, ofreciéndoles igualdad de trato para optar a ayudas públicas, siempre que cumplan con unos requisitos básicos de acceso al sector. Esa legislación y normativa trata los puntos que, en mayor o menor medida, se desarrollan en este capítulo: su constitución y estructura, los requisitos para registrarse como proveedores de vivienda social, sus actuaciones y fuentes de financiación, sus deberes respecto al cumplimiento de sus objetivos sociales y respecto a los arrendatarios sociales, su forma de monitorización tanto interna como externa y la obligación de colaboración con las administraciones locales.

3.4. Formas de tenencia de vivienda social

Aunque al hablar de financiación[538] se verá que uno de los puntos distintivos de las HAs es su capacidad de diversificación de fuentes de financiación a través no solo de acceder a productos de financiación del mercado privado sino también mediante la oferta de diferentes formas de acceso a la vivienda, su actividad principal sigue siendo la oferta de vivienda social en alquiler. Esta puede ofrecerse a través de diferentes esquemas de arrendamientos o figuras análogas. Un aspecto que cabe destacar tanto de los Países Bajos como de Inglaterra es que en ambos modelos prevalecen las tenencias duraderas en el tiempo[539], a fin de garantizar cierta estabilidad a la unidad familiar que accede a una vivienda social.

3.4.1. En los Países Bajos

En los Países Bajos, los contratos de arrendamiento tanto social como privado son, por regla general, de duración indefinida[540], aunque también existen los contratos de duración determinada, que si bien hasta hace poco

---

[538] Véase el apartado "3.5.1. Fuentes privadas" en este mismo capítulo.

[539] Aunque en los dos apartados siguientes se verá la reciente incorporación de contratos de duración determinada en el ámbito del alquiler social.

[540] HAFFNER, M., VAN DER VEEN, M. y BOUNJOUH, H. *National Report for the Netherlands*, cit. pp. 58 y 104.

solamente se permitían en casos muy concretos[541], desde 2016, con la modificación[542] del Libro 7 del Código civil neerlandés[543], es una modalidad que se ha abierto a todo el mercado, sin necesidad de justificar causa alguna. Este regula contratos de arrendamiento de un máximo de dos años[544], aunque en el campo de las WCOs se ha restringido fuertemente su uso[545], permitiendo su celebración únicamente en casos en los que el arrendatario:

a) Se encuentre en situación de desplazamiento por un contrato de trabajo o de estudio temporales.

b) Deba dejar su vivienda por obras de renovación o demolición, por lo que tiene solo una necesidad temporal.

---

[541] Los primeros contratos de duración determinada empezaron a surgir con su introducción en la *Leegstandswet* (Ley de viviendas vacías), de 21 de mayo de 1981 (*Staatsblad* 1981, núm. 337), aunque con los años fueron variando las condiciones y apareciendo nuevas situaciones, aunque su carácter siguió siendo excepcional y por ello se necesitaba de un permiso público. Principalmente, se trataba de casos en los que se debía demoler o hacer grandes rehabilitaciones en una vivienda, o se debía vender, para cubrir el período entre que la vivienda se quedaba vacía y se realizaban las obras o se vendía. También se incorporaron contratos para estudiantes o para jóvenes (hasta llegar a una cierta edad), así como contratos "antiokupas", los cuales tenían una duración incierta en el tiempo, pues se permitía al arrendatario ocupar la vivienda mientras esta estaba vacía, a modo de "guarda de seguridad". Véase más sobre estos tipos de contratos y su evolución en Huisman, C. J. "A silent shift? The precarisation of the Dutch rental housing market", *Journal of Housing and the Built Environment*, vol. 31, núm. 1, 2016, pp. 93-106. pp. 95-98.

[542] Por la *Wet van 14 april 2016 tot wijziging van Boek 7 van het Burgerlijk Wetboek en enkele andere wetten in verband met het stellen van nadere huurmaatregelen tot verdere bevordering van de doorstroming op de huurmarkt (Wet doorstroming huurmarkt,* es decir, Ley para flexibilizar el mercado de alquiler), de 14 de abril de 2016. *Staatsblad* 2016, núm. 158.

[543] Arts. 232 y ss. *Burgerlijk Wetboek Boek* 7 (Código Civil neerlandés. Libro 7º), de 22 de noviembre de 1991. *Staatsblad* 1991, núm. 600.

[544] Para viviendas que disponen de acceso propio y de todas las instalaciones básicas (art. 234 *Burgerlijk Wetboek Boek* 7). Cuando dichas instalaciones básicas deben compartirse (ej. cocina, baño), el contrato puede extenderse a 5 años. Art. 271 *Burgerlijk Wetboek Boek* 7.

[545] Restricción introducida por el *Regeling van de Minister voor Wonen en Rijksdienst van 21 juni 2016, nr. 2016-0000342462, houdende wijziging van de Regeling toegelaten instellingen volkshuisvesting 2015 teneinde daarin een aantal technische wijzigingen en een aantal wijzigingen met beperkte beleidsmatige gevolgen aan te brengen* (Decreto del Ministerio de Vivienda que modifica el Decreto de las instituciones admitidas de vivienda 2015), de 21 de junio de 2016. *Staatscourant* 2016, núm. 34046, concretamente por la inserción del art. 22A en el BTIV.

c) Se encuentre en una situación de emergencia, es decir, de necesidad habitacional inmediata.

d) Se encuentre en situación de segunda o última oportunidad de arrendamiento con la WCO (quizás por incumplimientos anteriores con la entidad).

e) Tenga un contrato en combinación con servicios de asistencia o apoyo doméstico.

Otra limitación que se impone a este tipo de contratos de duración determinada es la prohibición de prorrogar el contrato o celebrar otro de las mismas características con el mismo arrendatario (incluso aunque sumando los dos contratos o la prórroga no se llegue a los 2 años). Además, en el caso de llegar al plazo pactado sin que el arrendador haya notificado (con un mes de antelación) la finalización del contrato, ese contrato se convierte en indefinido[546]. Asimismo, mientras el arrendatario tiene el derecho de desistir del contrato en cualquier momento, no puede hacerlo el arrendador, que tendrá que esperar a que expire el plazo pactado. A diferencia de los contratos de duración determinada para ocasiones excepcionales, en este caso sí que se aplica la renta regulada (se explica *infra* en este mismo apartado).

Precisamente, las propulsoras de estos contratos de duración determinada fueron las WCOs[547], argumentando que de esta manera podrían, por un lado, ofrecer vivienda más rápidamente a grupos que actualmente están desatendidos, como los jóvenes y, por otro, incrementar la movilidad residencial, de tal manera que pasados esos años, la persona podría acceder al mercado privado en el caso de haber mejorado su situación, o ser reubicada dentro del sector de vivienda social en el caso contrario, consiguiendo, de todas formas, más dinamismo en el mercado de vivienda[548].

---

[546] Art. 271.1 *Burgerlijk Wetboek Boek 7*, modificado por la *Wet doorstroming huurmarkt* 2016. Esta regulación se impone tanto a los arrendamientos sociales de las WCOs como a los privados.

[547] Concretamente, iniciado por la WCO Stadgenoot en 2013, y respaldado posteriormente también por Aedes, la entidad representante de estas entidades a nivel nacional. HUISMAN, C. J. "A silent shift? The precarisation of the Dutch rental housing market", cit. p. 100.

[548] HUISMAN, C. J. "Temporary tenancies in the Netherlands: from pragmatic policy instrument to structural housing market reform", *International Journal of Housing Policy*, vol. 16, núm. 3, 2016, pp. 409-422. p. 415.

Hasta la aprobación de estos nuevos contratos de duración determinada, las WCOs utilizaban con frecuencia contratos de duración determinada (de máximo siete años) sobre todo en casos de proyectos de renovación urbana[549]. La esencia de este contrato, que tiene un carácter excepcional y necesita de un permiso público, se fundamenta en poder aprovechar la vivienda (y no tenerla vacía) en el transcurso de tiempo que va desde que se realoja al arrendatario social que habitaba en ella (realojo producido por esas obras y teniendo presente que estos arrendatarios sí gozan de un contrato indefinido) hasta que se inicia finalmente el proceso de demolición o de obras de gran rehabilitación de las viviendas[550]. Estos contratos de duración determinada no gozan de la protección de renta regulada, así como tampoco siguen los criterios de adjudicación que se imponen a las viviendas sociales[551]. En este punto, existen opiniones críticas que destacan el uso abusivo o extenso de esta modalidad por parte de las WCOs, pues sobre todo a raíz de la crisis de 2007, muchos proyectos de renovación se retrasaron, paralizaron o abandonaron, pero en cambio esos contratos de duración determinada no se transformaron en indefinidos[552].

En este país, la protección del alquiler con relación a la estabilidad en la tenencia, el valor de la renta y las actualizaciones de la misma no vienen, por regla general, determinados por la distinción entre vivienda social y vivienda del mercado privado, sino por la distinción entre viviendas con renta regulada y viviendas con renta no regulada (liberalizada). Existe una preponderancia de viviendas con renta regulada que alcanzan el 92% del sector de vivienda en alquiler. Esa cifra es del 96% entre viviendas de las WCOs[553]. Sin embargo, los cambios legislativos de 2016 respecto a la generalización de contratos de duración determinada (a los que ya hemos hecho alusión) y también respecto a las rentas máximas y posibles actualizaciones en la vivienda social (se menciona *infra* en este mismo apartado) han supuesto un importante cambio a esa regla general tradicional de no distinguir entre vivienda social y vivienda de mercado privado.

---

[549] *Supra* en este mismo apartado.
[550] Huisman, C. J. "A silent shift? The precarisation of the Dutch rental housing market", cit. p. 97.
[551] Véase el apartado "3.8.3. Sistema de adjudicación en los Países Bajos" en este mismo capítulo.
[552] Huisman, C. J. "Temporary tenancies in the Netherlands: from pragmatic policy instrument to structural housing market reform", cit. p. 412.
[553] Haffner, M., Van Der Veen, M. y Bounjouh, H. *National Report for the Netherlands*, cit. p. 54.

La determinación sobre si un contrato de alquiler debe regirse por renta regulada o no depende de un sistema de puntos. Así, la renta se determina en relación con los puntos que se adjudican a una vivienda en concreto, y esos puntos se adjudican en relación con las características de esta. Las características que se contemplan para asignar los puntos son, principalmente: la superficie habitable (diferenciando habitaciones principales —dormitorios, cocina, baños— de otros espacios secundarios); la existencia de calefacción; el nivel o índice de energía; el tipo de baños; la calidad de la cocina; las instalaciones para personas con movilidad reducida; el espacio exterior, el valor del inmueble[554] y el tipo de construcción (año, obras de renovación)[555].

Las viviendas se dividen en cuatro categorías: viviendas independientes; espacios habitables dependientes (ej. habitaciones); casas móviles y apartamentos con servicios. Cuando una vivienda se califica como independiente y su puntuación, basada en la calidad de la vivienda, es mayor de 142 puntos, esta pasa a formar parte del ámbito de vivienda liberalizada (renta no regulada). Así, los puntos necesarios para sujetarse a vivienda regulada, la renta que le corresponde a esos puntos y también las actualizaciones de dicha renta regulada vienen marcadas anualmente por el Gobierno. Para el 2020, los 142 puntos que marcan el límite entre los dos tipos de rentas se encuentran en unos 740 euros/mes[556].

---

[554] Este criterio del valor del inmueble, conocido como "WOZ" en neerlandés, pretende adaptar los precios del alquiler a la demanda del mercado local (se basa en los precios de venta locales). Sin embargo, lo que ha ocasionado es que en zonas con precios altos (ej. en muchas zonas de Ámsterdam), muchas viviendas obtengan los puntos suficientes para superar el límite y entrar en el sector de vivienda liberalizada (renta no regulada). HOCHSTENBACH, C. y RONALD, R. "The unlikely revival of private renting in Amsterdam: Re-regulating a regulated housing market", *Environment and Planning A: Economy and Space*, vol. 52, núm. 8, 2020, pp. 1622-1642. p. 1629.

[555] Es posible consultar la asignación de puntos en 2021 en el documento gubernamental RIJKSOVERHEID. *Hoe tel ik tot 1 juli 2021 de punten van mijn zelfstandige huurwoning?* Rijksoverheid, 2020, disponible en https://www.rijksoverheid.nl/documenten/publicaties/2020/05/20/hoe-tel-ik-tot-1-juli-2021-de-punten-van-mijn-zelfstandige-huurwoning (último acceso 20-03-2021), y puede hacerse el cálculo del alquiler en https://www.huurcommissie.nl/onderwerpen/huurprijs-en-punten/nieuwe-huurprijscheck/huurprijscheck-zelfstandige-woonruimte (último acceso 20-03-2021).

[556] Consultar número en https://www.huurcommissie.nl/onderwerpen/huurprijs-en-punten/huurprijscheck-en-puntentelling/ (último acceso 20-03-2021).

Como puede verse en la Tabla 8, solamente el 60% de viviendas de las WCOs[557] (segunda columna) tenían los puntos que obligaban a aplicar la renta regulada en 2009 (véase las dos últimas filas de la tabla, que muestra el porcentaje de viviendas que se encontrarían dentro y fuera de los puntos para regirse por renta regulada). Sin embargo, esas entidades decidieron aplicar la renta regulada en el 96% de su parque de vivienda (véase tercera fila y segunda columna de la tabla), a pesar de no estar obligadas a ello en el 36% de los supuestos.

Uno de los grandes cambios que conllevó la Decisión de la Comisión Europea de 2009 fue la restricción del concepto de vivienda social en los Países Bajos (para poder beneficiarse de ayudas públicas)[558]. Este concepto se fijó a través de dos parámetros: uno con relación a los ingresos familiares y, el otro, en relación con la renta de alquiler. Así, siguiendo este segundo parámetro, la vivienda social actualmente no puede ofrecerse por encima del máximo establecido como renta regulada. Esta política se aplica desde 2011[559], aunque como ya se ha visto en la Tabla 8, la mayoría de vivienda social ya venía ofreciéndose a esas rentas con anterioridad a esa obligación. Además, en 2013 se implementó un sistema de actualización de rentas que permite a las WCOs incrementarlas a aquellas unidades familiares con mayores ingresos: aumento del 4% para las unidades familiares con ingresos menores a 33.614 euros; aumento del 4,5% para las que se encuentran entre los 33.614 y los 43.000 euros y; aumento del 6,5% para las que superan los 43.000 euros de ingresos anuales[560].

---

[557]   Segunda columna por la izquierda, encabezada por "Tenant of housing association". Las otras columnas hacen referencia a arrendatarios privados, dependiendo del tipo de arrendador.

[558]   Como se explica en el apartado "3.3.2. La competencia desleal en el ámbito de la vivienda social: los casos de los Países Bajos y Suecia" del Capítulo I.

[559]   Elsinga, M., Priemus, H. y Boelhouwer, P. "Milestones in housing finance in the Netherlands, 1988-2013", en Lunde, J. y Whitehead, C. (eds.) *Milestones in European Housing Finance*. Chichester: Wiley Blackwell, 2016, pp. 255-272. p. 261.

[560]   Whitehead, C. et al. *Understanding the role of private renting – A four-country case study*. Copenhague: Boligøkonomisk Videncenter, 2016. p. 72.

Tabla 8. Viviendas de renta regulada y no regulada, en relación con la renta aplicada y al sistema de puntos de los Países Bajos, 2009

	Tenant of* housing association	Tenant of* private individual landlord	Tenant of* private organization landlord	Tenant of* other private landlord	Total
% Regulated/de-regulated according to **rent level**					
Regulated rent (rent up to 631.73 Euro** per month as of 1 July 2008)	96	77	59	86	92
Possibly deregulated** rent (rent higher than 631.73 Euro** per month)	4	24	41	14	8
% Regulated/de-regulated according to **quality points**					
Up to about 140 points: must be a regulated rent	60	41		51	57
From about 140 points and more: rent could be set as deregulated rent	40	60		49	43

*   The survey asks tenants who they rent from. Therefore the classifications in the private rental sector are not mutually exclusive
**   Liberalization rent level between 1 July 2008 and 1 July 2009
***   The numbers do not take into account the contracts that have not been renewed since the reference dates of 1 July 1994 for existing dwellings and 1 July 1989 for new construction. If they are not renewed, the rents would be regulated

Fuente: HAFFNER, M., VAN DER VEEN, M. y BOUNJOUH, H. *National Report for the Netherlands*, cit. p. 55.

El arrendatario goza de cierta protección a la hora de determinarse la renta y sus actualizaciones. Cuando la WCO quiere llevar a cabo obras de mejora en la vivienda que implican un aumento en el precio de esta, se necesita su permiso. Asimismo, si el arrendatario no está conforme con el precio o las actualizaciones de la renta en general o si considera que por el estado de conservación de la vivienda debería ser una renta inferior (teniendo como referencia el sistema de puntos, que relaciona precio con calidad de la vivienda), este puede acudir al Huurcommissie (Tribunal o Comisión de Alquileres), a fin de que dictamine si el valor de la renta impuesta está acorde con el sistema de puntos[561].

---

[561] CECODHAS HOUSING EUROPE OBSERVATORY. *Study on financing of social housing in 6 European countries. Final report.* CECODHAS European Social Housing Observatory, 2013. p. 17.

Así, mientras que el primer recurso ante la aparición de problemáticas y quejas entre arrendatario y arrendador es recurrir al Comité de reclamaciones del que suele disponer la WCO, en el caso de no resolver el problema, la disputa puede llevarse a la mencionada Huurcommissie, que es un organismo administrativo nacional independiente e imparcial[562]. Entre sus miembros, designados por el ministro competente, se encuentran representantes tanto de los arrendatarios como de los arrendadores. Esta Comisión resuelve conflictos con relación a la determinación y la actualización de la renta, a la conservación (y las obras) de la vivienda y a los gastos referentes a otros servicios. En cambio, no puede conocer de disputas sobre conductas antisociales ni ayudas al alquiler[563]. La decisión de dicha Comisión puede llevarse a los Tribunales de Justicia[564].

En el caso de llegar a los tribunales, las WCOs en ocasiones no buscan necesariamente desahuciar al arrendatario, sino que lo que pretenden con el veredicto del Tribunal es forzar al arrendatario a cumplir con las cláusulas que se estén incumpliendo[565].

A excepción de las reglas de determinación de la renta y de sus actualizaciones (reguladas/no reguladas y especialidades de la vivienda social), tanto la protección del arrendatario como las causas de terminación del contrato[566] son las mismas tanto para contratos con renta regulada como con renta no regulada, tanto para contratos celebrados con arrendadores privado como por WCOs[567]. La regulación de estos contratos se encuentra mayoritariamente en el Libro 7 del Código civil neerlandés, en la Ley de implementación de los precios del alquiler; en el Decreto de los precios de

---

[562]   Art. 238 *Burgerlijk Wetboek Boek 7* y arts. 3A y ss. *Uitvoeringswet huurprijzenwet woonruimte* (Ley de implementación de los precios del alquiler), de 21 de noviembre de 2002. *Staatsblad* 2002, núm. 589.

[563]   Sus funciones se establecen en los arts. 4 a 5 *Uitvoeringswet huurprijzenwet.*

[564]   Art. 262 *Burgerlijk Wetboek Boek 7* y art. 37.4 *Uitvoeringswet huurprijzenwet woonruimte.*

[565]   HAFFNER, M., VAN DER VEEN, M. y BOUNJOUH, H. *National Report for the Netherlands,* cit. p. 135. A pesar de ello, recuérdese la cifra dada en el apartado "3.4. El derecho a la vivienda en España y la vivienda social" en el Capítulo I, referente a los 23.100 desahucios de vivienda social en alquiler que se llevaron a cabo, solamente en 2013, en los Países Bajos.

[566]   Teniendo presente, eso sí, las nuevas figuras de arrendamientos de duración determinada y sus límites de uso por parte de las WCOs.

[567]   HAFFNER, M., VAN DER VEEN, M. y BOUNJOUH, H. *National Report for the Netherlands,* cit. pp. 55 y 64.

los arrendamientos de vivienda[568]; y en la Ley de consulta de propietarios y arrendatarios[569].

Al celebrarse los contratos de arrendamiento en los Países Bajos mayoritariamente de duración indefinida, al menos hasta hace poco[570], el arrendador (en este caso las WCOs) solamente puede terminar el contrato en circunstancias muy limitadas y expresamente determinadas en el Código civil neerlandés (art. 7:274), y con la intervención de los tribunales[571]. Los casos son, a grandes rasgos, la urgente necesidad del arrendador de la vivienda (aunque es difícil poder aplicarlo al caso de las WCOs), por motivos de uso dentro de la planificación urbanística o cuando el uso y disfrute de la vivienda se vuelva imposible debido a daños en la vivienda que no puedan repararse o que necesitarían tal inversión que el arrendador no tiene por qué asumir (art. 7:210 §2 del Código civil neerlandés). Además, existe la posibilidad de terminar el contrato por el mal comportamiento del arrendatario; por ejemplo, cuando aparecen conductas antisociales (causando molestias a los vecinos o a la comunidad), cuando se produce un impago de la renta por un mínimo de tres meses[572], o cuando el arrendatario subarrienda la vivienda sin el consentimiento del arrendador. Asimismo, es importante que la vivienda se utilice como vivienda principal, puesto que ese es el objeto social de las WCOs: satisfacer la necesidad de vivienda de los arrendatarios[573].

---

[568] *Besluit huurprijzen woonruimte* (Decreto de los precios de los arrendamientos de vivienda), de 18 de abril de 1979. *Staatsblad* 1979, núm. 216.

[569] *Wet op het overleg huurders verhuurder* ya mencionada.

[570] Véase, por ejemplo, HUISMAN, C. J. "Temporary tenancies in the Netherlands: from pragmatic policy instrument to structural housing market reform", cit. p. 416, donde la autora refleja la preocupación porque estos contratos de duración determinada pasen de ser una excepción a convertirse en regla general.

[571] HAFFNER, M., VAN DER VEEN, M. y BOUNJOUH, H. *National Report for the Netherlands*, cit. p. 58.

[572] En este punto, las WCOs desarrollan mecanismos para ponerse en contacto con los arrendatarios que impagan, desde el primer momento. Así, se pretende llegar a acuerdos o buscar soluciones posibles, como muestran los ejemplos de AEDES. *Dutch social housing in a nutshell. Examples of social innovation for people and communities.* La Haya: Aedes, 2016. p. 22.

[573] HAFFNER, M., VAN DER VEEN, M. y BOUNJOUH, H. *National Report for the Netherlands*, cit. p. 123.

3.4.2. En Inglaterra

Al igual que en los Países Bajos, el arrendamiento de duración indefinida es la forma de tenencia preponderante de la vivienda social[574] (tanto en la vivienda gestionada por las HAs como por la gestionada por las administraciones locales), aunque como se verá en este apartado, en los últimos años se han incorporado los contratos de duración determinada, que además se han fomentado con los Programas de vivienda asequible.

La mayoría de arrendatarios sociales de las HAs gozan de lo que se conoce como un contrato de *assured tenancy* (arrendamiento asegurado)[575]. Este contrato ofrece una seguridad residencial al arrendatario, puesto que es indefinido y, por lo tanto, solamente puede terminarse en muy pocas circunstancias tasadas legalmente (véase *infra*), y aun menos si se cuenta con el buen comportamiento del arrendatario. Así pues, una vez adjudicada la vivienda a una unidad familiar que cumple los requisitos para acceder al sector de vivienda social[576], y una vez pasado un periodo provisional (de normalmente un año), esos requisitos no vuelven, generalmente, a ser revaluados[577]. Una figura similar es la del *secure tenancy* (arrendamiento seguro), que goza de unas características y seguridad parecida a las del *assured tenancy*. La diferencia entre ambos es que los *secure tenancies* se gestionan por administraciones locales u otras entidades públicas. En ambos casos el arrendatario tiene la opción de poder comprar la vivienda a un precio reducido[578], y también el poder de que los miembros de la familia que viven con él (solo el cónyuge o pareja de hecho en los contratos celebrados a partir de 2012) le sucedan en el arrendamiento en caso de muerte[579], sin una previa comprobación,

---

[574]   Véase la importancia de la *shared ownership* (propiedad compartida) en el apartado siguiente.

[575]   Arts. 1 y ss. *Housing Act* 1988.

[576]   Véase el proceso de adjudicación y los requisitos principales a cumplir en el apartado "3.8.2. Sistema de adjudicación en Inglaterra" de este mismo capítulo.

[577]   Scanlon, K. "Social housing in England: Affordable vs 'affordable'", cit. p. 26.

[578]   Véase *supra*, en el apartado "2. La privatización de la gestión de la vivienda social", la distinción entre el RTB de las viviendas públicas y el *right to acquire* de las viviendas de las HAs.

[579]   Art. 17 *Housing Act* 1988 para los *assured tenancies* y art. 86A y ss. *Housing Act* 1985 para los *secure tenancies*. La subrogación en estos casos solamente se permite en una ocasión, evitando así un encadenamiento de subrogaciones que se alarguen en el tiempo.

por lo tanto, de que el sucesor siga cumpliendo con los requisitos de necesidad[580].

En ambos casos, y siempre que sea un arrendatario social nuevo (es decir, su primer contrato en este sector)[581], primero se celebra lo que se conoce como un *starter tenancy* (contrato de iniciación), de una duración de doce meses, aunque puede alargarse seis meses más en algunos casos, como por ejemplo cuando se produce algún incumplimiento contractual o comportamiento antisocial del arrendatario[582]; después de este período, el contrato se convierte en indefinido (o puede pasar por un arrendamiento flexible para el caso de las administraciones locales)[583]. Se trataría de un período de prueba, en el que los derechos del arrendatario no son tan fuertes (por ejemplo, a la hora de extinguir el contrato) como cuando pasa a ser un contrato indefinido y en el que el proceso de recuperación de la vivienda por parte de la entidad gestora es más fácil y rápido[584].

Contrastan con los *assured y secure tenancies* los *assured shorthold tenancies* (arrendamientos de duración determinada), que se han convertido en el contrato de arrendamiento más común en el mercado privado de vivienda, pues son contratos de entre seis y doce meses de duración[585]. Sin embargo,

---

[580]   Véase más detalles sobre este derecho de sucesión y sus modificaciones legales de 2012 en WILSON, W. *Succession rights and social housing (England). Briefing Paper number 1998*. Londres: House of Commons Library, 2018.

[581]   Ya que, si no, lo que se hace es pedir referencias al propietario social anterior (ya sea público o privado).

[582]   Véanse los arts. 124 y ss. *Housing Act* 1996 o el punto 2.2 del marco regulador de los RPs (*Regulatory standards*), en HOMES AND COMMUNITIES AGENCY. *Tenancy Standard*. Londres: Homes and Communities Agency, 2012, p. 3, disponible en https://www.gov.uk/guidance/regulatory-standards (último acceso 20-03-2021).

[583]   Art. 137A *Housing Act* 1996.

[584]   Art. 21 *Housing Act* 1988.

[585]   Arts. 19A y ss. *Housing Act* 1988. Estos contratos, los cuales a pesar de facilitar la flexibilidad del mercado laboral también eliminan la seguridad en la tenencia, han hecho aumentar considerablemente el parque de alquiler privado en el Reino Unido desde su introducción hace aproximadamente 30 años, mientras en el resto de Europa la tendencia ha sido la contraria. JORDAN, M. "The British assured shorthold tenancy in a European context: Extremity of tenancy law on the fringes of Europe", en SCHMID, C. U. (ed.) *Tenancy Law and Housing Policy in Europe. Towards Regulatory Equilibrium*. Cheltenham y Northampton: Edward Elgar Publishing Limited, 2018, pp. 239-259. pp. 239 y 251. Al mismo tiempo, este tipo de tenencia se está convirtiendo en la primera causa de "sinhogarismo" del país. KENNA, P. et al. (eds.) *Pilot Project —Promoting protection of the right to housing— Ho-*

en el campo de las HAs, su uso ha sido más limitado[586], utilizándose para el contrato de prueba mencionado, así como para casos de conductas delictivas o vandálicas, bien rebajando el contrato indefinido a uno de duración determinada[587], o bien ofreciendo lo que se conoce como un *family intervention tenancy* (arrendamiento de intervención familiar) en el que al contrato de duración determinada se le une unos servicios de apoyo en el campo de esas conductas y comportamientos[588] Los *shorthold tenancies* también se utilizan para situaciones de necesidad de vivienda temporal[589].

En cuanto a las administraciones locales, la *Localism Act* 2011 introdujo, en su artículo 154 (y ss.), la posibilidad de celebrar contratos de arrendamiento de duración determinada de un mínimo de dos años[590], a los que se les denomina *flexible tenancies* (arrendamientos flexibles) y con unos derechos del arrendatario parecidos a los de los *secure tenancies* (ej. conservan el RTB y derechos sucesorios, aunque estos se ven restringidos en su requisito subjetivo)[591].

---

melessness prevention in the context of evictions, cit. p. 103 y Fernàndez Evangelista, G. *El acceso a la vivienda social de las personas sin hogar*, cit. p. 217. Con la *Localism Act* 2011 (arts. 148 y 149), se les da la posibilidad a las administraciones locales de poder cumplir con su deber de atender a las personas sin hogar ofreciéndoles un contrato de un año en el sector privado. Jordan hace una crítica del uso de esta tenencia para personas sin hogar cuando establece que "teniendo presente que la razón principal por la que una familia se queda sin hogar es la terminación de un contrato de duración determinada (*assured shorthold*), al menos en Londres, no queda nada claro cómo la regulación de arrendamientos bajo un modelo basado en la baja seguridad y el precio de mercado puede ser un apoyo adecuado para las personas sin hogar, particularmente en la situación actual de falta de asequibilidad en el sector" Jordan, M. "The British assured shorthold tenancy in a European context: Extremity of tenancy law on the fringes of Europe", cit. p. 250. Traducción propia.

[586] Véase a continuación, sin embargo, la reciente apuesta por generalizar los contratos de duración determinada de mínimo cinco años (dos en casos excepcionales).

[587] Utilizado como alternativa al desahucio. Arts. 20B y 20C *Housing Act* 1988.

[588] Art. 20D *Housing Act* 1988

[589] Heywood, A. *Investing in affordable housing. An analysis of the affordable housing sector*, cit. p. 18. Sin embargo, muchas veces es complicado determinar la naturaleza temporal de la necesidad, hecho que puede provocar una situación de precarización en cuanto a la seguridad de la tenencia entre los colectivos más vulnerables. Véase esta discusión en el Capítulo IV.

[590] Art. 107A *Housing Act* 1985.

[591] El RTB se conserva, pero con límites a la hora de llevar a cabo, el arrendatario, mejoras en la vivienda y ser compensado por ellas. Wilson, W. *Social housing: flexible and fixed-term tenancies (England). Briefing paper, núm. 7173*. Londres: House of Commons Library, 2018. p. 7. Por su parte, la *Localism Act* 2011 (art. 160) restrin-

La *Housing and Planning Act* 2016[592], viendo el poco provecho que las administraciones habían sacado de la flexibilidad que otorgaban esta nueva modalidad contractual[593], decidió dejar esta modalidad atrás y regular arrendamientos de duración determinada dentro de los *secure tenancies* (tradicionalmente indefinidos); así, la nueva legislación apuesta por el abandono progresivo de los arrendamientos indefinidos para las administraciones locales, regulando la única posibilidad de otorgar, estas últimas, *secure tenancies* de duración entre dos y diez años (con alguna excepción cuando hay menores de nueve años, pues entonces el plazo se extiende hasta que el menor cumpla los diecinueve años). Así, solamente se seguiría permitiendo la celebración de arrendamientos indefinidos en casos muy particulares, como por ejemplo en casos de realojos de arrendatarios que ya gozaban de un *secure tenancy*[594].

Esa generalización y promoción de arrendamientos de duración determinada se materializa también con la modificación de la normativa reguladora (*Regulatory Framework*) tanto de RPs públicos como privados en 2012, y actualmente no limita u otorga preferencia al uso de arrendamientos indefinidos sino que deja a criterio de la entidad gestora (basándose en el objetivo perseguido en cada entidad o alojamiento determinado, a las necesidad de la familia, la sostenibilidad de la comunidad o al uso eficiente del parque de vivienda) el uso de un tipo de arrendamiento u otro, limitando, eso sí, los arrendamientos de duración determinada a un mínimo de cinco años, que puede rebajarse a dos en casos excepcionales[595]. Tanto en vivienda pública como en la de los RPs privados, se exige, en los arrendamientos de duración determinada, notificar por escrito con seis meses de antelación en los casos en los que no se vaya a ofrecer otro arrendamiento al terminar ese[596], así como ofrecer apoyo y asesoramiento para ayudar al arrendatario a encon-

---

gió los derechos sucesorios, tanto para los arrendamientos indefinidos como para los flexibles, al cónyuge o pareja de hecho.

[592] Art. 118 y *Schedule* 7.

[593] Punto 30 de la Exposición de Motivos de la *Housing and Planning Act* 2016.

[594] Arts. 118-121 y Schedule 7 *Housing and Planning Act* 2016. Sin embargo, el Gobierno anunció que, de momento, estas medidas no serán implementadas. WILSON, W., BELLIS, A. y GARTON GRIMWOOD, G. *Implementation of the Housing and Planning Act 2016. Briefing Paper number 8229*. Londres: House of Commons Library, 2018. pp. 13 y 14.

[595] Dentro de los *Regulatory standards*, en HOMES AND COMMUNITIES AGENCY. *Tenancy Standard*, cit. p. 3 y HEYWOOD, A. *Investing in affordable housing. An analysis of the affordable housing sector*, cit. p. 19.

[596] Art. 107D antes para los arrendamientos flexibles y art. 86B para los *secure tenancies* de duración determinada *Housing Act* 1985 y art. 21. *Housing Act* 1988 para las HAs.

trar otra opción de vivienda o alojamiento[597]. En el caso de vivienda pública, además, deben justificarse bien los argumentos para no ofrecer dicho arrendamiento posterior, puesto que el arrendatario puede pedir una revisión (llevada a cabo por el arrendador) de esa propuesta de terminar el contrato sin ofrecer un contrato posterior y el órgano judicial puede rechazar la petición de recuperación de la vivienda por parte del arrendador si esa revisión no se lleva a cabo correctamente o no se ajusta a los términos legales[598].

Con la apuesta por arrendamientos sociales de duración determinada en detrimento de los indefinidos, el Gobierno pretende: estimular a los arrendatarios a cambiar de vivienda y tenencia según vayan evolucionando sus necesidades, creando más movilidad en el sector; asegurar que la vivienda social en alquiler existente se utilice únicamente para aquella población que realmente lo necesite[599], impulsando a aquellas unidades familiares que mejoran su posición económica hacia otras formas de tenencia; y cubrir las necesidades existentes en cada momento en el municipio, que pueden ir variando[600]. Todo ello, con el fin de superar la dependencia del

---

[597]   Robinson, D. y Walshaw, A. "Security of tenure in social housing in England", *Social Policy and Society*, vol. 13, núm. 1, 2014, pp. 1-12. p. 6.

[598]   Se regula en los arts. 107D y E *Housing Act* 1985 para los arrendamientos flexibles y en el Schedule 7 *Housing and Planning Act* 2016 que introduce los arts. 86A-86F *Housing Act* 1985 para los *secure tenancies* de duración determinada. En este segundo caso ya hemos comentado la decisión del Gobierno inglés de no implementar este tipo de arrendamiento de duración determinada por el momento.

[599]   Puesto que la vivienda social es un servicio público pagado por todos los contribuyentes, solo debería destinarse a aquellos que realmente lo necesiten. En 2017, había alrededor de 1,24 millones de familias en lista de espera de vivienda social y casi un cuarto de millón de arrendatarios viviendo en situaciones de hacinamiento. Fitzpatrick, S. y Watts, B. "Competing visions: security of tenure and the welfarisation of English social housing", *Housing Studies*, vol. 32, núm. 8, 2017, pp. 1021-1038. pp. 1024-1026.

[600]   Chartered Institute of Housing. *To fixed term tenancies. Supporting organisations to pioneer new ways of working and review current and emerging practice. New approaches.* Chartered Institute of Housing, 2014. p. 4. En el período 2016/17, un 75% de contratos de arrendamiento flexible de vivienda social general se pactaron para períodos de entre 3 y 5 años, mientras que en el campo de *supported housing,* el 83% de contratos se sitúan en la franja mínima de 2 años (o menos), siendo esta última un tipo de vivienda que lleva aparejada unas instalaciones o características especiales por destinarse a grupos muy específicos de personas que requieren de unos cuidados especiales (por ejemplo, gente mayor o personas con discapacidad psíquica). Ministry of housing, communities and local government. *Social Housing Lettings: April 2016 to March 2017, England.* Londres: Ministry of Housing, Communities and Local Government, 2018. pp. 4 y 10.

Estado del bienestar (*welfare dependancy*) en el que se encuentran muchos ciudadanos ingleses, la cual puede conllevar una falta de responsabilidad de los arrendatarios sociales a la hora de buscar trabajo para obtener ingresos por ellos mismos[601]. Podría, además, argumentarse que una predisposición mayor a la movilidad podría tener un impacto positivo en el mercado laboral, permitiendo al beneficiario trasladarse en función de las potenciales oportunidades laborales. Sin embargo, existen estudios que sugieren que la movilidad por sí misma no supone tal impacto positivo en la participación en el mercado laboral, puesto que debe ir acompañado de servicios que ofrezcan la oportunidad a los arrendatarios de mejorar sus habilidades y crearles incentivos para el trabajo[602].

Contradiciendo los argumentos anteriores a favor de una duración determinada, se encuentran los de algunos profesionales del sector, que opinan que más movimiento crea estigmatización social en las zonas donde se encuentran las viviendas sociales debido a la pérdida de mixtura social, puesto que se obliga a las familias que han mejorado su posición económica a dejar la vivienda, que pasará a ser adjudicada a una familia vulnerable con necesidad de vivienda[603]. Además, este tipo de tenencia crea inseguridad en la unidad familiar, pues no dispone de la certeza de conservar su vivienda mientras cumpla con el contrato. Esa incertidumbre es especialmente severa para familias con problemáticas económicas y/o sociales, pues la vivienda les sirve de "punto de anclaje" en unas vidas que de otra manera se caracterizarían por

---

[601] FITZPATRICK, S. y WATTS, B. "Competing visions: security of tenure and the welfarisation of English social housing", cit. p. 1024. Debe tenerse presente que en Inglaterra muchos de los beneficiarios de la ayuda al alquiler les cubre la totalidad de la renta, por lo que no saben realmente lo que vale esta ni tienen que trabajar para pagarla. HICKMAN, P. et al. "The impact of the direct payment of housing benefit: evidence from Great Britain", *Housing Studies,* vol. 32, núm. 8, 2017, pp. 1105-1126. p. 1107. Véase esta problemática en el apartado "3.5.2. Fuentes públicas y fiscalidad de las entidades" de este mismo capítulo y, sobre todo, la discusión sobre el replanteamiento del sistema de ayudas inglés, precisamente para romper con esta dependencia del sistema.

[602] CHO, Y. y WHITEHEAD, C. "The immobility of social tenants: is it true? Does it matter?", *Journal of Housing and the Built Environment,* vol. 28, núm. 4, 2013, pp. 705-726. p. 724.

[603] Entrevista a un miembro de Accord Housing Association, 20-06-2017. También, FITZPATRICK y PAWSON recalcan la tensión existente (y hasta la incompatibilidad) entre el objetivo de crear comunidades mixtas y el de destinar la vivienda social solamente a las unidades familiares más necesitadas. FITZPATRICK, S. y PAWSON, H. "Ending Security of Tenure for Social Renters: Transitioning to 'Ambulance Service' Social Housing?", *Housing Studies,* vol. 29, núm. 5, pp. 597-615. p. 607.

altos grados de inestabilidad[604]. La estabilidad en la tenencia también permite arraigarse en la comunidad y en el barrio, dotando a la persona o unidad familiar de un apoyo y asistencia informal como son la familia y los amigos[605]. Y, finalmente, también argumentan que existe el riesgo de que la unidad familiar no quiera mejorar su situación deliberadamente, a fin de poder seguir siendo apta para habitar una vivienda social[606]. Todo ello, además del mayor gasto y complejidad para gestionar este parque social y de la falta de interés de los arrendatarios en integrarse en la comunidad y mejorar la vivienda[607].

Estos arrendamientos de duración determinada también se promocionan a través de los nuevos Programas de vivienda asequible[608], los cuales fomentan la celebración de "arrendamientos asequibles" en detrimento de los "arrendamientos sociales". A diferencia de los segundos, en los que la regulación del precio del alquiler social viene determinada a nivel público[609], el alquiler asequible permite ofrecer precios de hasta el 80% del pre-

---

[604] FITZPATRICK, S. y PAWSON, H. "Ending Security of Tenure for Social Renters: Transitioning to 'Ambulance Service' Social Housing?", cit. p. 611.
[605] ROBINSON, D. y WALSHAW, A. "Security of tenure in social housing in England", cit. p. 16.
[606] *Ibid.*
[607] Véanse tres tipos de posiciones de los gestores de vivienda social respecto a la introducción de estos arrendamientos de duración determinada en FITZPATRICK, S. y WATTS, B. "Competing visions: security of tenure and the welfarisation of English social housing", cit. pp. 1027-1030.
[608] Véase *infra* en el apartado "3.5.2. Fuentes públicas y fiscalidad de las entidades", al hablar de las ayudas públicas.
[609] Su cálculo se deriva de combinar el valor de la vivienda, los ingresos de esa localidad y el tamaño de la vivienda. Además, se otorga cierta flexibilidad al RP para poder aumentar (en un porcentaje tasado) esa cantidad, y se impone un límite máximo de incremento del alquiler. Además, existe un límite añadido conocido como el "2020 limit", el cual también se impone a los arrendamientos asequibles. Véanse las pautas para el cálculo de ese alquiler social, el "2020 limit", así como los casos que quedan excluidos en REGULATOR OF SOCIAL HOUSING. *Rent Standard. April 2020.* Leeds: Regulator of Social Housing, 2020, disponible en https://www.gov.uk/government/publications/rent-standard (último acceso 13-03-2021) y en MINISTRY OF HOUSING, COMMUNITIES AND LOCAL GOVERNMENT. *Policy statement on rents for social housing.* Londres: Ministry of Housing, Communities and Local Government, 2019. Todo ello, teniendo presente la medida incorporada por la *Welfare Reform and Work Act* 2016 (art. 23) y aplicada hasta 2020, de reducir en un 1% anual los alquileres sociales por un período de cuatro años. Esta medida se justificó en la necesidad o intención del Gobierno de reducir el gasto en ayudas a la vivienda, la cual reciben la gran mayoría de arrendatarios sociales y hasta puede suponer la totalidad del alquiler. WHITEHEAD, C. "Social Housing Models: Past and Future", cit. p. 23.

cio de mercado. Así, los recortes en ayudas públicas para nueva inversión de vivienda social, la obligación de reducir en un 1% anual los alquileres sociales por un período de cuatro años[610], sumado a estos Programas de vivienda que fomentan la promoción de vivienda asequible, ha hecho crecer este tipo de vivienda, en detrimento del alquiler social, como puede verse en la Figura 11[611]. Las HAs tienen libertad para decidir el establecimiento de alquileres asequibles (y no sociales) en las nuevas promociones de vivienda y a las viviendas que se realquilan después de quedar vacías.

Figura 11. Oferta de vivienda asequible por tipo de tenencia en Inglaterra, período 1991/92-2019/20[612]

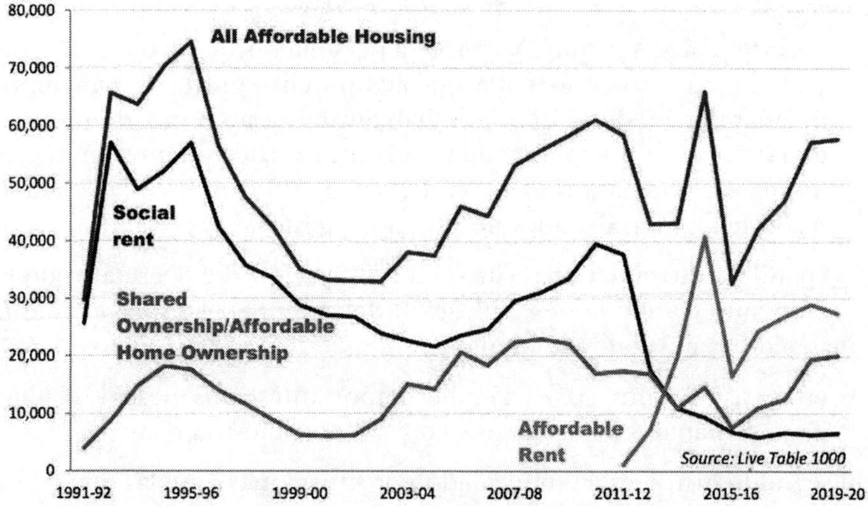

Fuente: Ministry of Housing, Communities and Local Government. *Affordable Housing Supply: April 2019 to March 2020, England. Housing Statistical Release.* Londres: Ministry of Housing, Communities and Local Government, 2020. p. 3.

Exceptuando este cambio de política reciente hacia tenencias más flexibles y de período determinado, la gran mayoría de arrendatarios sociales en Inglaterra gozan de seguridad en su tenencia. Solo en el caso de incum-

---

[610]   Véase el pie de página anterior.

[611]   En la Figura, *social rent* se refiere a la vivienda social, *affordable rent* a esta nueva figura de vivienda asequible, mientras que *intermediate affordable housing* hace referencia a figuras como la *shared ownership*, de la que se hablará en el apartado siguiente.

[612]   Mirando las tendencias a largo plazo, puede observarse que la mayor oferta se produce al final de cada Programa; por ejemplo, en 2014-15, al finalizar el Programa de vivienda de 2011-2015.

plir gravemente el contrato puede verse en un caso de terminación antici-
pada del mismo y en una situación de desahucio; por lo que, si el arrendatario cumple con su parte del contrato y tiene una actuación diligente, no
debe preocuparse por la seguridad de su tenencia.

Las causas por las que la HA puede iniciar un proceso de desahucio para
recuperar una vivienda social con la existencia de un contrato de arrendamiento indefinido son, así, muy limitadas, y están tasadas en el Schedule
2 de la *Housing Act* 1988. Se dividen en causas que pueden imponerse de
manera obligatoria y objetiva y causas que dependen del razonamiento y la
decisión de los tribunales. En el primer grupo se encuentran las siguientes
situaciones:

1) cuando o bien el arrendatario, otra persona residente o una persona
   visitante ha sido condenada por algún delito grave (o si incumple
   mandatos o medidas que se le habían impuesto a raíz de una condena) en el municipio, cometido contra otro residente del mismo
   municipio o de la misma vivienda, o cometido contra el arrendador
   o contra algún trabajador de la entidad gestora;

2) cuando el arrendador recibe una notificación del Secretario de Estado anunciando la descalificación del arrendatario social como tal
   debido a cuestiones de inmigración;

3) en el caso de impagos de alquiler importantes (dos meses si el alquiler es semanal o mensual, tres meses si es trimestral o anual)[613].

El segundo grupo está conformado por situaciones ante las que dichos
tribunales tienen cierta discrecionalidad de decisión. Aquí se encuentran
situaciones como: retrasos continuados en el pago de la renta; todos los
comportamientos antisociales y vandálicos que no se engloban en el primer bloque y que causan molestias o daños a otros vecinos, daños en las
instalaciones y mobiliario de la casa o el propio deterioro de la casa; situaciones de violencia doméstica en los que la parte maltratada ha dejado la
casa; y otros incumplimientos contractuales[614].

Es importante para las HAs dotarse de planes de actuación ante estos
comportamientos, a fin de poder solucionar la problemática o enderezar la
situación, considerándose recurrir a los juzgados como última opción. Así,
por un lado, no dejan de ser entidades que ofrecen un servicio público, por

---

[613]   *Grounds* 7A, 7B y 8 respectivamente.
[614]   *Grounds* 9 a 17.

lo que garantizar el acceso a una vivienda digna y segura a la población es su objetivo, mientras que desahuciar no lo es[615]. Precisamente por ese motivo, y dentro de las causas en las que los tribunales tienen cierto poder de decisión, estos solicitarán y comprobarán que se hayan agotado todas las medidas posibles para intentar solucionar la problemática. En el caso de considerar que no se han agotado, pueden suspender el proceso y pedir o proponer algunas medidas. Además, para las propias entidades gestoras, llegar a los tribunales sin haber podido resolver el asunto con el arrendatario en cuestión es percibido como un fracaso en su labor[616]. Por otro lado, llegar a los tribunales y llevar a cabo todo el procedimiento de desahucio supone un coste de recursos económicos y recursos humanos, que provocan la reducción de la eficiencia en la gestión del parque. Así, deben pagarse las tasas judiciales, más

---

[615] En este punto, es interesante la Sentencia del Tribunal de Apelación de Inglaterra y Gales (*England and Wales Court of Appeal*) de 18 de junio de 2009 ([2009] EWCA Civ 587, caso *R. (on the application of Weaver)* contra *London & Quadrant Housing Trust*), puesto que crea un precedente determinando que las HAs inglesas pueden llegar a equipararse a las administraciones locales a la hora de sujetarse a las disposiciones de la *Human Rights Act* (Ley de derechos humanos), de 9 de noviembre de 1998 (c. 42). Esta Ley considera "autoridad pública" también (fuera del área estrictamente público) a cualquier persona cuyas funciones tengan una naturaleza pública, y siempre que el acto ejercido por esta entidad no tenga una naturaleza exclusivamente privada (arts. 6.3.b y 6.5 *Human Rights Act* 1998). Así, los elementos que se tienen en consideración para determinar si una entidad debe ser considerada como autoridad pública son, a grandes rasgos: recibir financiación pública para sus servicios, ejercer facultades estatutarias, proveer un servicio público, lo que conlleva también estar adoptando el rol o la posición de la administración pública. Posteriormente cabe determinar la naturaleza pública o privada del acto en concreto, y para hacerlo se valora la fuente u origen de la facultad que se ejerce. Ambos criterios, es decir, la naturaleza pública de la función y la naturaleza pública del acto en concreto, van muy unidos, tanto que, como en el caso de la sentencia mencionada, se considera el acto de terminación de un alquiler social de naturaleza pública por asociarlo a la función de provisión de vivienda social. La misma sentencia revela la discordancia de uno de los jueces, el cual "no acepta que por el hecho de que la gestión (o adjudicación) sea una función pública, deba serlo también todos los actos que siguen", puesto que el ámbito de gestión de esas viviendas es muy amplio y puede incluir actos privados. LESLIE, J. "Approaches to section 6 HRA: Lessons from *Weaver v London and Quadrant Housing Trust*", *Judicial Review*, vol. 14, núm. 4, 2009, pp. 327-332. p. 330. Traducción propia. Así, en estos casos, la terminación de los contratos de alquiler social no se contempla como un acto de naturaleza exclusivamente privada, sino que se sujeta a la regulación de cierta normativa pública, en este caso, la *Human Rights Act* 1998. Véase ORJI, P. y SPARKES, P. *National Report for England and Wales*, cit. p. 90.

[616] Entrevista a miembros de Accord Housing Associations, 05-07-2017.

lo que el arrendatario no pagará si es desahuciado y se va a otro lugar, más todo el tiempo y esfuerzo en recopilación de pruebas y trámites burocráticos invertidos en el proceso de desahucio, más el tiempo en que la vivienda se queda vacía antes no se vuelve a adjudicar, etc. Es por todas esas razones que las HAs intentan, primeramente, buscar soluciones, negociar pagos y ofrecer servicios de formación, de acompañamiento o de inserción laboral a estos arrendatarios sociales[617].

3.4.3. Las tenencias intermedias

Whitehead y Yates consideran[618] que una vivienda intermedia es precisamente aquella que se sitúa a medio camino a lo largo de un espectro, pero que es ese espectro el que puede entenderse y definirse desde diferentes dimensiones o enfoques. Las autoras destacan tres de ellos.

El primero se relaciona con los ingresos de la unidad familiar. En este sentido, la vivienda intermedia es aquella que está pensada para personas cuyos ingresos son demasiado altos para ser beneficiarios de una vivienda social pero son demasiado bajos para acceder a una vivienda en propiedad o incluso a un alquiler de buena calidad en el mercado privado (ej. arrendatarios sociales que han mejorado su posición económica, trabajadores con ingresos bajos, los que quieren acceder a la propiedad por vez primera o los antiguos propietarios que por circunstancias sobrevenidas ya no pueden mantener esa vivienda)[619].

La segunda dimensión clasifica las ayudas directas dedicadas a la vivienda, desde la mayor dedicación de ayudas a la oferta de vivienda social y ayudas a los demandantes de vivienda social y de alquiler a las pocas ayudas directas a la adquisición de vivienda en propiedad (aunque es una visión

---

[617] El desahucio se contempla como último recurso, pero se lleva a cabo cuando es necesario. Así, el informe para la Comisión Europea sobre desahucios y "sinhogarismo" de 2016 ya mencionado refleja que entre 2010 y 2012 se llevaron a cabo, en Inglaterra y Gales, 189.255 ordenes de desahucio en el sector de vivienda social de alquiler (más de 60.000 por año). Kenna, P. et al. (eds.) *Pilot Project – Promoting protection of the right to housing – Homelessness prevention in the context of evictions*, cit. p. 64.

[618] Whitehead, C. y Yates, J. "Intermediate housing tenure – principles and practice", en Monk, S. y Whitehead, C. (eds.) *Making housing more affordable. The role of intermediate tenures*. Chichester: Wiley Blackwell, 2010, pp. 19-36. p. 20.

[619] Monk, S. y Whitehead, C. "Introduction", en Monk, S. y Whitehead, C. (eds.) *Making housing more affordable. The role of intermediate tenures*, cit. pp. 1-18. p. 8.

incompleta, puesto que la propiedad suele beneficiarse de beneficios fiscales, no contemplados en este espectro).

Finalmente, el tercer ámbito se construye respecto al tipo de tenencia. Así, el espectro que recorre esta dimensión va desde la vivienda social de alquiler a la propiedad absoluta, pasando por una diversidad de tenencias entre medio. En medio de este espectro se encuentran las tenencias intermedias, las cuales son formas de acceder a una vivienda que otorgan derechos sobre la misma que van más allá de los que posee un arrendatario pero que suelen tener alguna restricción respecto a los derechos asociados al dominio o propiedad absoluta.

Así, existen las tenencias basadas en arrendamientos donde los arrendatarios adoptan una posición más fuerte[620], las tenencias basadas en cooperativas[621] y finalmente, las que se centran en el acceso a la propiedad, pero con ciertas limitaciones o restricciones[622]. Tanto las HAs inglesas como las WCOs neerlandesas disponen de tenencias intermedias de este último grupo. Así, ofrecen tenencias que permiten el acceso a la propiedad, pero a través de unas particularidades que hacen este acceso asequible.

La oferta de este tipo de tenencias es importante para crear un equilibrio en las formas de acceso a una vivienda, permitiendo un *continuum* de posibilidades para que cada unidad familiar escoja la opción que más le convenga, en relación con sus ingresos y necesidades. Además, juegan un

---

[620] Por ejemplo, las viviendas en "derecho de ocupación" en Finlandia, construidas y gestionadas por HAs, donde la persona que accede a la vivienda realiza un pago del 15% del valor de compra de la vivienda en concepto de "cuota de ocupación", lo que se asimilaría a la propiedad, mientras que paga una cuota mensual por el uso, que se asimilaría a una renta. Esa cuota del 15% es lo que permite al arrendatario tener seguridad de tenencia, puesto que solamente se le extinguirá el contrato cuando decida él, momento en el que se le devuelve el valor de dicha cuota. Estas viviendas deben destinarse a vivienda habitual, pudiendo solamente subarrendarla por un periodo máximo de dos años y solo con el consentimiento del propietario. Las viviendas constituidas en este régimen no pueden transformarse en propiedad. ELSINGA, M. "Intermediate housing tenures", en SMITH, S. J. et al. (eds.) *International Encyclopedia of Housing and Home*, vol 4. Amsterdam-Oxford-Waltham: Elsevier, 2012, pp. 124-129. p. 126.

[621] Por ejemplo, el modelo cooperativista estadounidense *Limited equity housing cooperative*, donde los cooperativistas tienen restringida la disposición de su participación en la cooperativa (y de la vivienda en el régimen que se tenga), puesto que no pueden vender a cualquier precio ni a cualquier persona. ELSINGA, M. "Intermediate housing tenures", cit. p. 127.

[622] ELSINGA, M. "Intermediate housing tenures", cit. pp. 124-125.

papel importante en ambos modelos comparados, incluso más en el contexto actual de redirección del sector de la vivienda social en alquiler hacia los grupos de población más vulnerables. Opciones como la *shared ownership* o el *koopgarant* que veremos a continuación, ofrecen la posibilidad de acceder a una vivienda en propiedad de una manera más sostenible, para aquellas unidades familiares que, superando el límite de ingresos regulado para acceder al sector de vivienda social de alquiler[623], no tienen suficientes ingresos para entrar en el mercado privado o no ven el alquiler privado como una opción segura. Por otro lado, el uso de estas tenencias permite a las HAs diversificar su modelo de gestión, lo que conlleva no solo incorporar a familias de diferentes niveles económicos (incluso creando promociones mixtas) sino también obtener ingresos más sustanciales y estables, que suponen una fuente de liquidez para invertir en promociones de vivienda social de alquiler[624].

En Inglaterra, en particular, la *shared ownership*[625] se establece legalmente como la forma de acceso a una vivienda social de propiedad asequible[626]. Esta tenencia, cuya primera promoción tuvo lugar en 1979[627], combina la propiedad con el alquiler: permite adquirir un porcentaje de la propiedad de la vivienda (normalmente entre un 36% y un 40%), mientras que por la cuota que queda en manos de la HA se paga una renta (consistente nor-

---

[623] Así, puede ser una opción complicada para familias con ingresos más bajos, sobre todo en el caso neerlandés, si estas dejan de tener acceso a la ayuda del alquiler por optar por la propiedad. GRUIS, V. et al. "Tenant empowerment through innovative tenures: an analysis of *Woonbron-Maasoevers'* client's choice Programme", *Housing Studies*, vol. 20, núm. 1, 2005, pp. 127-147. pp. 136, 138 y 145.

[624] Véase el apartado "3.5.1.2. Ingresos por actividades propias: el mecanismo de la *cross-subsidization*" en este mismo capítulo y ELSINGA, M. "Intermediate housing tenures", cit. p. 128.

[625] Para obtener más información sobre esta figura, véase BALL, J. "Fragmentando la propiedad para la asequibilidad: la *shared ownership* o "nuevas" tenencias en Inglaterra y Francia", cit.

[626] Junto a las figuras de la *equity percentage scheme* y la *shared ownership trust*. Arts. 68 y 70 *Housing and Regeneration Act* 2008. Véase una explicación breve de estas en el apartado "7.2. La vivienda social en Inglaterra y en los Países Bajos" del Capítulo I del libro.

[627] Existen estudios que localizan la primera casa comprada en régimen de *shared ownership* en Birmingham en 1975. COWAN, D., CARR, H. y WALLACE, A. ""Thank heavens for the lease": histories of shared ownership", *Housing Studies*, vol. 33, núm. 6, 2018, pp. 855-875. p. 855.

malmente en un 2,5% y 3% del porcentaje que retiene la entidad)[628]. A partir de ahí, el propietario puede ir adquiriendo cuotas (se conoce como *staircasing*) a medida que su situación económica se lo permita, hasta llegar a tener el 100% de la propiedad[629]. Aunque el comprador no es propietario de la totalidad de la vivienda, es responsable de la totalidad de obras de mantenimiento y reparaciones necesarias. La *shared ownership* puede ofrecerse en combinación con otras figuras, como es el *right to acquire* de las HAs, o la figura del alquiler con opción a compra (*Rent to Buy*), un programa enfocado sobre todo a jóvenes trabajadores para que puedan ahorrar mientras alquilan para poder comprar una vivienda. Este consiste en ofrecer un alquiler asequible (80% del precio de mercado) durante un máximo de siete años, después del cual la persona puede comprar la vivienda (puede hacerse con la *shared ownership*) o extinguir el alquiler[630].

Bright y Hopkins describen esta figura como "el traje nuevo del emperador" del cuento de Hans Christian Andersen, puesto que *shared ownership* significa propiedad compartida, pero desde el punto de vista legal, consideran que esta no se comparte en ningún momento, ya que mientras que el comprador de una *shared ownership* obtiene lo que se conoce como *leasehold*, la HA se queda con el *freehold*, sin perder la nuda propiedad de esa vivienda[631]. Para ver como funciona, sin embargo, debe explicarse brevemente la institución de propiedad en el sistema anglosajón. En este, no existe la institución de propiedad absoluta como conocemos en España (podría decirse que la Corona inglesa tiene ese derecho), sino que los derechos de propiedad (*proprietary rights*) sobre el suelo se conocen como *estates in land* (estados sobre el suelo) y actualmente hay de dos tipos. Está

---

[628]　Heywood, A. *Investing in affordable housing. An analysis of the affordable housing sector*, cit. pp. 9 y 10.

[629]　Aunque en la práctica, los propietarios no pueden "escalar" tan deprisa, puesto que sus ingresos no aumentan lo suficientemente rápido. Además, únicamente el 2,84% de los propietarios llevaron a cabo la adquisición de más cuota en 2014-15. Heywood, A. *Investing in affordable housing. An analysis of the affordable housing sector*, cit. p. 10. Otra de las críticas de esta figura es que se trata de una tenencia con altos niveles de impagos. Orji, P. y Sparkes, P. *National Report for England and Wales*, cit. p. 22.

[630]　Véase Gov.uk. *New 'Rent to Buy' scheme to help young people save and move up housing ladder*, 26-09-2014, disponible en https://www.gov.uk/government/news/new-rent-to-buy-scheme-to-help-young-people-save-and-move-up-housing-ladder (último acceso 13-10-2019).

[631]　Bright, S. y Hopkins, N. "Home, Meaning and Identity: Learning from the English Model of Shared Ownership", cit. p. 380.

el *freehold*, que se asimilaría más (aunque no lo es) a nuestra propiedad absoluta, pues consiste en el uso y disfrute del suelo durante la vida de quien lo sustenta y se puede transmitir *inter vivos* o *mortis causa* (por lo que o se transmite o se hereda, lo que implica que el período concreto por el cual se tiene ese *estate* es más virtual que real). Y por otro lado, está el *leasehold*, que también consiste en el uso y disfrute del suelo pero por un período limitado (aunque este puede ser cualquiera y normalmente se celebra por 99, 125 o 999 años). Este segundo *estate* puede hacerse tanto sobre un *freehold* o un *leasehold*, siempre que no lo supere en el tiempo[632]. Así, Gray y Gray[633] consideran que ambos *estates* conllevan "derechos de propiedad" y la única diferencia entre estos se encuentra en su duración. Por lo tanto, en este caso sí que consideran que la propiedad se comparte[634]. Lo que sí es cierto es que, el contrato mediante el cual se otorga un *leasehold* puede incluir cláusulas que limiten las facultades del *leaseholder* (el propietario del *leasehold*), como puede ser la prohibición de hacer ciertas obras en el inmueble o llevar a cabo ciertas actividades sobre este. Así, independientemente de interpretar la propiedad como compartida o no, la realidad es que estamos ante una institución compleja, de la que se destaca una falta de información y comprensión por parte de los consumidores, sobre todo a la hora

---

[632] Dixon, M. *Modern land law*. Abingdon y Nueva York: Routledge, 2016 (10ª edición), pp. 7 y ss. y pp. 217 y ss.; Gray, K. y Gray, S. F. *Elements of Land Law*. Oxford: Oxford Unversity Press, 2009 (5ª edición), p. 57 y pp. 309 y ss. y Nasarre Aznar, S. *La garantía de los valores hipotecarios*. Madrid: Marcial Pons, 2003. pp. 694 y ss.

[633] Gray, K. y Gray, S. F. *Elements of Land Law*, cit. p. 57 y pp. 309 y ss.

[634] En la adaptación de la *shared ownership* en Cataluña (la propiedad compartida, regulada en los arts. 556-1 a 556-12 CCC, incorporada, junto con la propiedad temporal, con la Ley 19/2015, de 29 de julio) desaparecen estos problemas legales, pues existe una clara división del dominio y una patrimonialización del propietario material. Nasarre Aznar, S. "Sección 3. La propiedad compartida y la propiedad temporal como tenencias intermedias de acceso a la vivienda y a otros bienes en el Derecho civil de Cataluña y su extensión al resto del Estado", en Nasarre Aznar, S. (dir.) *Bienes en común*. Valencia: Tirant lo Blanch, 2015, pp. 776-826. pp. 802 y ss. y Nasarre Aznar, S. "I. Exposición de motivos de la Ley 19/2015", en Nasarre Aznar, S. (dir.) *La propiedad compartida y la propiedad temporal (Ley 19/2015) Aspectos legales y económicos*, cit. pp. 39-78. pp. 51 y ss. Estas dos instituciones se explican en mayor profundidad en el Capítulo III del libro. Otra cuestión que la Ley prevé también expresamente (art. 556-2.2 CCC), es que propiedad compartida y temporal se combinen, que es lo que sucede con la *shared ownership* inglesa, fundamentada en su *leasehold*. Nasarre Aznar, S. y Simón Moreno, H. "Fraccionando el dominio: las tenencias intermedias para facilitar el acceso a la vivienda", *Revista Crítica de Derecho Inmobiliario*, núm. 739, pp. 3063-3122. p. 3083.

de establecer restricciones en la alteración o modificación de la vivienda, donde puede pactarse el requerimiento del consentimiento del titular del *freehold*[635]. Además, la sentencia *Richardson v Midland Heart Ltd*, de 12 de noviembre de 2007[636] interpretó que un impago de la parte de "renta" pagada en una *shared ownership* sobre un *leasehold* puede llevar a la extinción del contrato, sin obtener el comprador nada a cambio (a diferencia de una ejecución hipotecaria), pudiendo, además, tener que hacer frente a una hipoteca[637]. Finalmente, el valor de la propiedad se va reduciendo a medida que pasa el plazo pactado, pudiendo afectar a la posibilidad de obtener préstamos hipotecarios para adquirir las cuotas sucesivas[638].

Por su parte, los Países Bajos tienen la figura del *erfpacht* (se traduciría como un arrendamiento de suelo o superficie, parecido al derecho de superficie español), que se regula, aunque de forma genérica y poco desarrollada, en los arts. 5:85 a 5:100 del Libro 5 del Código civil neerlandés. Cabe destacar su uso en Amsterdam (también en otras ciudades grandes, como Róterdam o la Haya), por ejemplo, donde la mayoría de suelo se cede con esta figura. Así, el Ayuntamiento no se desprende de la propiedad del suelo[639].

Entre las ventajas de involucrar a las HAs en la oferta y gestión de la *shared ownership* está el hecho de obtener asesoramiento tanto antes como después de adquirir el porcentaje de propiedad (se ha visto que es una figura compleja), así como una segunda comprobación que la familia tiene solvencia crediticia para entrar en esta fórmula (la primera la realiza la entidad bancaria al pedírsele una hipoteca para hacer frente al pago de la primera cuota de adquisición)[640]. Así, algunas HAs dan la posibilidad de "escalar hacia abajo"[641] (*staircase down*), es decir, permi-

---

[635]　BRIGHT, S. y HOPKINS, N. "Home, Meaning and Identity: Learning from the English Model of Shared Ownership", cit. p. 389.

[636]　[2008] L&TR 31.

[637]　BRIGHT, S. y HOPKINS, N. "Home, Meaning and Identity: Learning from the English Model of Shared Ownership", cit. pp. 386 a 388.

[638]　WALLACE, A. "Shared Ownership: Satisfying Ambitions for Homeownership?", *International Journal of Housing Policy*, vol. 12, núm. 2, 2012, pp. 205-226. p. 220.

[639]　Véase la página del Ayuntamiento de Amsterdam en https://www.amsterdam.nl/en/housing/ground-lease/ (último acceso 20-03-2021).

[640]　WALLACE, A. "Shared Ownership: Satisfying Ambitions for Homeownership?", cit. p. 213.

[641]　Véase que así se planteó también ya en la propuesta de creación de la propiedad compartida para el ordenamiento jurídico español y, concretamente, para su uso en el sector de la vivienda social. NASARRE AZNAR, S. y SIMÓN MORENO, H.

ten a aquellos compradores que puedan encontrarse en situaciones de dificultad económica de deshacerse de cierto porcentaje de propiedad ya adquirido, para así recuperar liquidez y evitar, entre otras cosas, el desahucio por impago, tanto de la hipoteca como de la parte que se paga como alquiler. Esta es una práctica que puede ofrecerse, pero que no se regula como un derecho legal del comprador[642]. Además, se puede optar a las ayudas al alquiler para la parte no adquirida que se paga a través de una renta.

Existen distintos factores que permitieron el avance de esta *shared ownership*[643]. La primera, la creación de un grupo de trabajo en la National Housing Federation, federación que agrupa y representa a las HAs inglesas, puesto que, como se ha comentado, estamos ante una figura compleja que necesita de estudio y pedagogía. La segunda, las generosas ayudas públicas para financiar estas promociones y, finalmente, el hecho de haber desarrollado, un modelo de *shared ownership,* por parte de las HAs, consultado y respaldado por la Building Societies Association[644] (Asociación de Sociedades Constructoras)[645]. Existen actualmente unas 157.000 familias viviendo en régimen de *shared ownership* en Inglaterra[646]. La tendencia actual es la de

---

"Fraccionando el dominio: las tenencias intermedias para facilitar el acceso a la vivienda", cit. p. 3087. Así, la Ley que finalmente incorpora la propiedad compartida (y la propiedad temporal) en el CCC también menciona la posibilidad de llevar a cabo ese descenso en porcentaje de propiedad en su Exposición de Motivos cuando se establece que "también es posible que ambas partes pacten que el propietario material, en vez de ir adquiriendo cuota, pueda liberarse gradualmente de la suya, que deba ser adquirida necesariamente por el otro titular, lo que haría posible que el primero obtuviese liquidez". Ley 19/2015, de 29 de julio.

[642] A pesar de ser una medida muy interesante, sobre todo para ayudar a compradores en momentos de dificultad económica, su práctica es poco frecuente, puesto que en muchos casos las HAs no disponen de recursos suficientes. Bright, S. y Hopkins, N. "Home, Meaning and Identity: Learning from the English Model of Shared Ownership", cit. p. 387.

[643] Más allá del hecho que la *Housing Act* 1980 (art. 122) permitió a las HAs disponer de suelo y viviendas, con el consentimiento, en su momento, de la Housing Corporation. Cowan, D., Carr, H. y Wallace, A. ""Thank heavens for the lease": histories of shared ownership", cit. p. 863.

[644] Cowan, D., Carr, H. y Wallace, A. ""Thank heavens for the lease": histories of shared ownership", cit. pp. 863, 870 y 871.

[645] https://www.bsa.org.uk (ultimo acceso 07-10-2019).

[646] Datos estimados de la English Housing Survey. Cromarty, H. *Shared ownership (England): the fourth tenure? Briefing paper number 08828,* Londres: House of Com-

fomentar el impulso de este tipo de tenencia intermedia por parte de los proveedores de vivienda social[647]; por ello, el Gobierno desarrolla programas para su financiación[648].

En los Países Bajos, la tenencia intermedia más utilizada por las WCOs es la denominada *Koopgarant*, creada en 2004[649]. A través de esta figura, distinta a la *shared ownership* inglesa, la WCO ofrece un descuento en la venta de la vivienda (alrededor de un 25%), a cambio de reservarse esta el derecho a recomprar la vivienda una vez el adquirente quiera venderla, compartiendo ambos la diferencia de precio entre la primera y la segunda venta, tanto si el precio aumenta como si disminuye[650]. Cabe la posibilidad de que la WCO se reserve la propiedad del suelo, hecho que permite ofrecer al beneficiario comprador un precio de venta de la vivienda más asequible[651]. Esta es una de las tenencias que se ofrecen dentro del Programa "Elección del Cliente", que inició la WCO Woonbron en 2000 (y posteriormente seguida por otras WCOs) y que se conoce como *Te Woon*[652]. Así, este Programa permite al beneficiario de la vivienda escoger la forma de tenencia con la que quiere acceder, y el abanico de posibilidades comprende el alquiler social, pasando por tenencias intermedias como la comentada y hasta la propiedad absoluta[653].

---

mons Library, 2020, p. 7.

[647] POGGIO, T. "Social housing in Europe: legacies, new trends and the crisis", cit. p. 5.

[648] Véase el actual *Shared Ownership and Affordable Homes Programme 2016 to 2021*, disponible en https://www.gov.uk/government/collections/shared-ownership-and-affordable-homes-programme-2016-to-2021-guidance (último acceso 13-10-2019).

[649] HAFFNER, M., VAN DER VEEN, M. y BOUNJOUH, H. *National Report for the Netherlands*, cit. p. 10.

[650] OXLEY, M. *Financing affordable social housing in Europe*, cit. p. 12.

[651] ZIJLSTRA, S. y GRUIS, V. "The Clients Choice Programme: Perceptions of housing associations and tenants", Comunicación presentada en la *Conferencia Building on home ownership: housing policies and social strategies*. Delft, 2008. p. 3.

[652] ELSINGA, M. y WASSENBERG, F. "Social housing in the Netherlands", cit. p. 38 y ZIJLSTRA, S. y GRUIS, V. "The Clients Choice Programme: Perceptions of housing associations and tenants", cit. pp. 2 y 3.

[653] Véase la variedad de opciones en la Tabla 4 de GRUIS, V. et al. "Tenant empowerment through innovative tenures: an analysis of *Woonbron-Maasoevers'* client's choice Programme", cit. p. 135.

3.4.4. Observaciones finales

La primera conclusión que puede obtenerse respecto a cómo las HAs ofrecen sus viviendas sociales es su apuesta tradicional por los arrendamientos indefinidos. Estos ofrecen seguridad en la tenencia, arraigo en la comunidad que permite crear una red de apoyo social y familiar, fomentan el interés por mejorar la vivienda y por participar más activamente en la comunidad, al tiempo que evitan la estigmatización de la zona. Pero su propia larga extensión en el tiempo ha conllevado también consecuencias negativas, como las largas listas de espera debido a la falta de rotación del parque[654], la dependencia de muchas familias en el sistema de bienestar y el gasto de recursos públicos en familias que han venido a mejor fortuna y podrían valerse ya por sí mismas.

Las externalidades negativas anteriores han llevado a los dos sistemas estudiados a incorporar arrendamientos de duración limitada, fuertemente impuestos en el caso inglés, mientras que en los Países Bajos aún se restringe su uso a casos de necesidades temporales o de emergencia. Inglaterra también dispone de arrendamientos de corta duración u otros tipos de tenencias menos estables para estas situaciones temporales o de emergencia (además de usarlos para el plazo de prueba mencionado antes), por lo que ambos sistemas distinguen tipos de tenencia en función de si la necesidad de vivienda es permanente o temporal.

Aunque el sistema de determinación del precio del alquiler es diferente en los dos sistemas estudiados, ambos se fijan siguiendo criterios establecidos públicamente, donde se tienen en cuenta las características de la vivienda y su localización. Cabe decir que los precios, aunque regulados,

---

[654] En Inglaterra, por ejemplo, la cifra de familias esperando acceder a una vivienda social (en las listas de espera) en 2017 ascendía hasta los 1,15 millones (y solamente se ofrecieron 290.000 viviendas) y el 27% de ellas llevaban en la lista más de 5 años, llegando a los 10 años o más para más de 100.000 familias. THE GUARDIAN. *More than 1m families waiting for social housing in England*, 09-06-2018, disponible en https://www.theguardian.com/society/2018/jun/09/more-than-1m-families-waiting-for-social-housing-in-england y INDEPENDENT. *More than 100,000 families waiting more than a decade for social housing, figures show*, 09-06-2018, disponible en https://www.independent.co.uk/news/uk/home-news/social-housing-uk-family-wait-homeless-shelter-accommodation-a8389926.html (último acceso 13-10-2019). Para el caso de los Países Bajos, véase *infra* en el apartado "3.8. Sistemas de adjudicación de la vivienda social" de este mismo capítulo, cuando se habla de que el tiempo de espera para poder acceder a una vivienda en Amsterdam puede llegar a los quince años.

no son excesivamente bajos (aún más con la incorporación de los "alquileres asequibles" en Inglaterra), puesto que las HAs necesitan desarrollar un negocio viable económicamente. Así las ayudas al alquiler juegan un papel muy importante para mantener la asequibilidad de estos alquileres. Precisamente para reducir el gasto en estas ayudas, se está imponiendo la necesidad de reducir los alquileres sociales en Inglaterra, y asignar las viviendas más asequibles a grupos más vulnerables (los que acceden a las ayudas) en los Países Bajos.

Al ser aún la mayoría de los arrendamientos indefinidos, sus causas de terminación están tasadas y son muy limitadas, vinculándose mayoritariamente al incumplimiento contractual por parte del arrendatario. Los desahucios existen, aunque sobre todo en los casos en los que el arrendatario no coopera, puesto que las HAs intentan evitar la vía judicial, primero por su objetivo social (en Inglaterra los tribunales pueden paralizar ciertos procesos de desahucio o imponer medidas) y, segundo, porque es una vía con altos costes en recursos económicos y humanos. Así la idea primera siempre es negociar con el arrendatario e intentar buscar soluciones o alternativas desde el primer momento.

Relacionado con el punto anterior, ambos sistemas cuentan con órganos públicos de resolución extrajudicial de conflictos (aunque el organismo inglés no es competente para resolver conflictos respecto de los precios de las rentas y sus actualizaciones), además de los servicios de mediación que puedan tener las propias entidades.

Finalmente, la práctica de ofrecer tenencias intermedias es muy conveniente. Primero, porque permite el acceso asequible (y progresivo en el caso inglés) a la propiedad de una vivienda para colectivos que de otra manera no podrían acceder nunca a esta tenencia; a pesar de no ser una tenencia válida para todos los colectivos, puesto que aquellos más vulnerables difícilmente podrán acumular ingresos para ir escalando. Segundo, porque permite crear mixtura social. Tercero, porque puede actuar de puente entre el arrendamiento social y el mercado privado, facilitando a aquellos arrendatarios sociales que vengan a mejor fortuna a que cambien de tenencia, hecho que permite la entrada al alquiler de nuevas familias vulnerables en lista de espera. Y cuarto, porque son una fuente de ingresos importante para las HAs, que invierten en el desarrollo de nuevas promociones sociales. Pueden ser tenencias algo más complejas que la propiedad y el alquiler: la *shared ownership* inglesa, por ejemplo, se estructura sobre un *leasehold*. Por eso, son figuras que necesitan de mayor pedagogía para quién accede a ellas.

3.5. Financiación

3.5.1. Fuentes privadas

3.5.1.1. Entidades privadas sin ánimo de lucro

Una de las peculiaridades de las HAs es que son figuras híbridas, que se guían y se gestionan siguiendo fuerzas y criterios de mercado, pero también del Gobierno y de la comunidad o de la sociedad en general[655]. Son entidades que persiguen un objetivo social, pero siguen criterios de eficiencia de mercado para su consecución y, además, se implican en la satisfacción de los intereses de la comunidad en general y de sus arrendatarios, en particular[656].

Uno de los rasgos característicos de este carácter híbrido[657] es la posibilidad que se les ofrece de poder combinar fuentes de financiación privada con fuentes de financiación pública. Precisamente, la posibilidad de acceder a fuentes privadas y la no dependencia absoluta de fuentes de financiación públicas fue uno de los argumentos principales para ceder la gestión de vivienda social de manos públicas a manos privadas (sin ánimo de lucro). El carácter privado de las HAs les impulsa a buscar diferentes recursos que les permitan mantener una viabilidad económica; y justamente es esa diversidad en la cartera de actividades y fuentes de financiación las que les permiten mantener la actividad social y la construcción de vivienda incluso en tiempos de crisis. En los Países Bajos, por ejemplo, estas entidades se encargaron del 60% de la producción total de viviendas nuevas en 2010 y 2011 (tanto social como de mercado)[658].

Las principales fuentes de financiación privada de las HAs son: a) los ingresos que obtienen de los alquileres sociales; b) los beneficios obtenidos por la oferta de otros tipos de tenencia, como puede ser el alquiler de mercado o las tenencias intermedias; c) la venta de parte de su parque social y d) los préstamos u otros productos financieros que pueden obtener con

---

655   Czischke, D., Gruis, V. y Mullins, D. "Conceptualising social enterprise in housing organizations", *Housing Studies*, vol. 27, núm. 4, 2012, pp. 418-437. p. 428.

656   Sacranie, H. "Hybridity enacted in a large English housing association: a tale of strategy, culture and community investment", *Housing Studies*, vol. 27, núm. 4, 2012, pp. 533-552. p. 536.

657   La importancia de este carácter híbrido se discute en profundidad en el Capítulo IV de este libro.

658   Boelhouwer, P. y Priemus, H. "Demise of the Dutch social housing tradition: impact of Budget cuts and political changes", cit. p. 231.

unas condiciones favorables. Asimismo, el descenso de las ayudas públicas directas en Inglaterra ha llevado a que las fuentes privadas dominen en las fuentes de financiación de estas entidades. En 2014, las ayudas públicas se cifraron en 45,9 mil millones de libras esterlinas, mientras que la financiación privada alcanzó los 52,3 mil millones[659]. En el caso de las WCOs neerlandesas, esa dependencia de fuentes privadas viene de más lejos, debido a su independencia económica desde mediados de los años noventa del siglo pasado.

En este contexto de independencia de las HAs respecto del sector público cabe mencionar la reclasificación que sufrieron las HAs inglesas por parte de la Office for National Statistics (Oficina Nacional de Estadística) en 2015[660]. Pasaron a ser *public non-financial corporations* (sociedades públicas no-financieras), clasificación que se utiliza a efectos de contabilidad pública y de otras estadísticas financieras de esta Oficina. El motivo fue la mayor influencia que la legislación inglesa de 2008 y 2011 (*Housing and Regeneration Act* y *Localism Act* respectivamente) otorgó a la Administración pública sobre ciertas funciones de gestión de las HAs como, por ejemplo, el poder de intervenir en la gestión de la entidad, en su disolución o reestructuración, y el poder de consentir o no sobre la disposición de sus activos. Esta reclasificación implicaba que los gastos efectuados y los préstamos tomados por estas entidades privadas contabilizaran a la hora de incrementar la deuda pública. A efectos prácticos, las consecuencias a corto plazo eran poco visibles, pero a largo plazo podrían haber supuesto un aumento del control público (y restricción) sobre el gasto y los préstamos a tomar por dichas entidades, perdiendo así parte de su autonomía de actuación[661]. Sin embargo, la intención del Gobierno británico de volver a clasificar las HAs como organismos privados[662] se vehiculó mediante la modificación y disminución de los poderes comentados *supra* a través de la *Housing and*

---

[659] HEYWOOD, A. *Investing in affordable housing. An analysis of the affordable housing sector*, cit. p. 29.

[660] Cabe recordar, también, la discusión reflejada en el apartado "3.4.2. En Inglaterra" de este mismo capítulo, donde la jurisprudencia inglesa ya ha considerado en alguna ocasión las HAs como autoridad pública en el marco de su sujeción a la *Human Rights Act* 1998 según qué funciones ejerzan.

[661] NATIONAL HOUSING FEDERATION. *ONS reclassification of private registered providers*, 03-11-2015, disponible en http://www.housing.org.uk/resource-library/browse/ons-reclassification-of-private-registered-providers/ (último acceso 13-10-2019). p. 1

[662] SCANLON, K. "Social housing in England: Affordable vs 'affordable'", cit. p. 23.

Planning Act 2016[663], y desde 2018 las HAs vuelven a tener la categoría de privadas (*private non-financial corporations*)[664].

3.5.1.2. *Ingresos por actividades propias: el mecanismo de la cross-subsidization*

a. Alquiler social

La principal fuente de financiación de las HAs son los ingresos que genera su propia actividad y, a pesar de que son muchas las actuaciones (se verán ahora) que estas entidades pueden desarrollar con el fin de asegurarse un rendimiento económico positivo, su actividad principal sigue siendo la provisión de vivienda social de alquiler. Por ejemplo, el cobro de los alquileres asciende al 85% de la facturación total de una HA inglesa, en términos generales[665]. Esta supone una fuente de ingresos estable y segura gracias a las ayudas al alquiler que reciben los arrendatarios, sumado a la práctica hasta hace poco existente de pagar esa ayuda directamente a la propia HA[666]. Además, ya se ha visto en Inglaterra la tendencia creciente de construir y/o convertir alquiler social en alquiler asequible, es decir, pasar de ofrecer vivienda con un precio y unas actualizaciones marcadas a nivel público a poder ofrecer vivienda al 80% del precio de mercado[667]. Esto permite, por un lado, abrir el campo de la vivienda social a unidades familiares con ingresos medios o medio-bajos que podrían no tener acceso ni al mercado privado ni al sector de vivienda social y, por otro lado, ofrece la opción a las HA inglesas de ser más eficientes después de la imposición de reducir un 1% anual del precio del alquiler social, durante cuatro años.

b. Otras actividades del sector social y del sector privado

A parte de esta actividad principal, las HAs necesitan diversificar su cartera de actividades a fin de poder cumplir con sus objetivos sociales, so-

---

[663]   Véase el *Schedule* 4 de la Ley.

[664]   Véase la nota de prensa del BANK OF ENGLAND en https://www.bankofengland. co.uk/statistics/notice/2018/statistical-notice-2018-01 (último acceso 11-11-2019).

[665]   HEYWOOD, A. *Investing in affordable housing. An analysis of the affordable housing sector*, cit. p. 9.

[666]   Véanse las consecuencias de eliminar esta práctica en el apartado "3.5.2.3. Pago de ayudas al alquiler directamente a la *housing association*" de este mismo capítulo.

[667]   Véase el apartado "3.4. Formas de tenencia de vivienda social" en este mismo capítulo.

bre todo en los últimos años, en los que la financiación pública en nuevas inversiones se ha visto reducida de forma considerable. Es por ello que, junto con la actividad de vivienda social, se ofrecen viviendas en el mercado privado, tanto en alquiler como en propiedad (o su acceso a través de tenencias intermedias) o en alquiler con opción a compra; y hasta pueden llegar a ofrecerse otras actividades comerciales, como el arrendamiento de locales, la construcción de otro tipo de complejos, como hoteles, etc[668]. Esta variedad de actuaciones se muestra en la Figura 12, que refleja las actividades de una importante HA inglesa[669].

Figura 12. Viviendas empezadas *(start on site)* y entregadas *(handovers)* en 2016 por la *housing association* L&Q Group[670]

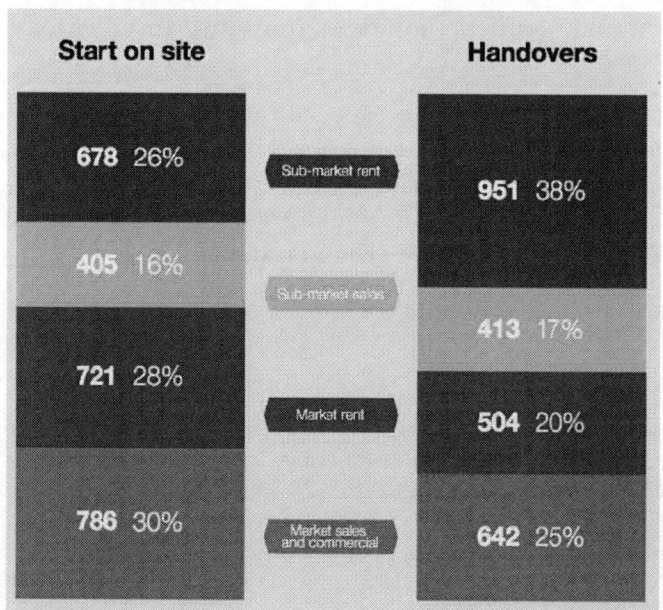

Fuente: L&Q Group. *Financial statements 2016*. Londres: L&Q Group, 2016. p. 23.

---

[668] Véase el apartado "3.5.3. Necesidad de separar actividades" *infra* en este mismo Capítulo, donde se discute como encajar esta diversidad con las reglas de la UE sobre la competencia.

[669] De arriba a abajo: la actividad social y asequible, de alquiler y compraventa respectivamente, y la actividad en el sector privado, de alquiler y compraventa respectivamente.

[670] L&Q es una de las HAs más grandes de Inglaterra, gestionando más de 100.000 viviendas. Véase su página web oficial en https://www.lqgroup.org.uk (último acceso 27-03-2021).

Los beneficios de estas actividades privadas se reinvierten en la consecución de actividades sociales, pues cabe recordar que estamos ante entidades sin ánimo de lucro. Este mecanismo de desarrollar actividades diferentes a las sociales y reinvertir sus beneficios en estas se conoce como *cross-subsidization* (financiación cruzada)[671]. En el caso neerlandés, se utiliza el término de "fondo rotativo" para referirse a la flexibilidad de actuación otorgada a las WCOs con el fin de que sean capaces de llevar a cabo su función de forma independiente desde el punto de vista económico, manteniendo así una viabilidad económica y autofinanciándose[672].

Dentro del mismo campo de actividades sociales también existe variedad de opciones, dentro y fuera del alquiler social. Así, ya se ha hecho mención del *Rent to Buy*[673] por ejemplo, o de las tenencias intermedias, las cuales son una fuente de liquidez para reinvertir en vivienda social de alquiler[674].

Además, la oferta de viviendas especializadas en ciertos sectores y/o con ciertos servicios de atención y cuidados, como para gente mayor o para estudiantes, puede repercutir ciertos ingresos también. Puede verse en la Figura 13, la diversidad de fuentes de ingresos de los RPs sin contar aquellos que obtienen de la oferta de vivienda social.

---

[671]   CZISCHKE, D. y TAFFIN, C. "European policies for social housing funding", en HOUARD, N. (ed) *Social Housing across Europe*, cit. pp. 152-168. p. 162 y PITTINI, A. y LAINO, E. *Housing Europe Review 2012. The nuts and bolts of European social housing systems*, cit. p. 31.

[672]   BOELHOUWER, P. y PRIEMUS, H. "Demise of the Dutch social housing tradition: impact of Budget cuts and political changes", cit. p. 224. Véase *infra* en el apartado "3.5.3. Necesidad de separar actividades" como este mecanismo de fondo rotativo puede llegar a peligrar debido a los cambios legislativos de 2015, que obligan a separar de manera legal o administrativa las actividades consideradas SIEG de las que no lo son.

[673]   Véase el apartado "3.4.3. Las tenencias intermedias" en este mismo capítulo.

[674]   SCANLON, K. y ADAMCZUK, H. "Milestones in housing finance in England", en LUNDE, J. y WHITEHEAD, C. (eds.) *Milestones in European Housing Finance*, cit., pp. 127-145. p. 137 y WALLACE, A. "Shared Ownership: Satisfying Ambitions for Homeownership?", cit. p. 206. Deben tenerse presente, sin embargo, algunos aspectos negativos, como la posibilidad de que bajen los precios, o la antigüedad de las viviendas, a la hora, por ejemplo, de recomprar en el caso de la *Koopgarant* neerlandesa, donde además se comparten las pérdidas. GRUIS, V. et al. "Tenant empowerment through innovative tenures: an analysis of Woonbron-Maasoevers' client's choice Programme", cit. p. 145.

**Figura 13. Ingresos de los *registered providers* (+1000 unidades)
provenientes de actividades fuera de la vivienda social, 2015**

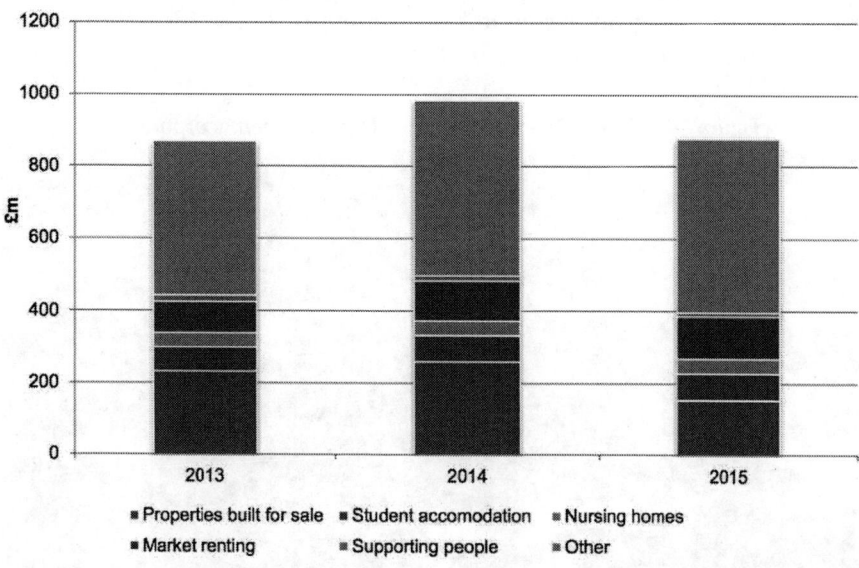

Fuente: Homes and Communities Agency. *2015 Global accounts of housing providers*. Londres: Homes and Communities Agency, 2016. p. 26.

Leyenda (de abajo a arriba): compraventa privada, alojamiento para estudiantes, residencias para personas mayores, alquiler privado, servicios de apoyo, otros.

La posibilidad de las HAs de combinar viviendas sociales con viviendas a precio de mercado, les permite también ofrecer esa combinación dentro de un mismo proyecto, de un mismo edificio o zona[675]. Este tipo de proyectos, además de la financiación interna cruzada que conllevan, sirven para favorecer la mixtura social, aspecto muy importante a la hora de evitar la creación de guetos y la estigmatización de determinadas zonas y determinados grupos. Así pues, combinando tipos de tenencias (vivienda social de alquiler, tenencias intermedias, vivienda de alquiler o propiedad a precio de mercado) pueden coexistir, en un mismo barrio, edificio o escalera, personas de distintos poderes adquisitivos, de manera que esta diferencia no sea visible externamente[676]. Véase, por ejemplo, la Figura 14, que mues-

---

[675] Schuiling, D. y Van Der Veer, J. "Governance in housing in Amsterdam and the role of housing associations", Comunicación presentada en la *International Housing Conference*. Hong Kong, 2004. p. 8.

[676] Para que estos proyectos mixtos puedan tener éxito, es necesario mantener un buen clima en la comunidad y, por lo tanto, es necesario disponer de servicios

tra un edificio[677] propiedad de la WCO Stadgenoot[678] (antes Het Oosten) que combina vivienda social de alquiler con vivienda del mercado privado, que además ofrece gran variedad en el tamaño de los pisos (entre 1 y 4 habitaciones, y también dúplex).

Figura 14. Edificio Parkrand de la Stadgenoot *woningcorporatie*

Fuente: https://www.mvrdv.nl/projects/parkrand/

Uno de los mecanismos que permite desarrollar también estos proyectos mixtos en Inglaterra se encuentra en la normativa de planificación ur-

---

complementarios y de personal que permitan llevar a cabo un seguimiento y tengan los mecanismos para poder resolver cualquier conflicto que pueda surgir en la comunidad de vecinos o el barrio. Sobre este aspecto, véase el apartado "3.7.2. Impacto en la comunidad" en este mismo capítulo.

[677] Véase el proyecto en la página web de los arquitectos MVRDV https://www.mvrdv. nl/projects/parkrand/ (último acceso 13-10-2019).

[678] Véase la web oficial de esta WCO en https://www.stadgenoot.nl (último acceso 13-10-2019).

banística[679]. Esta norma, conocida como los *section 106 agreements* (acuerdos del artículo 106) permite a las administraciones locales negociar ciertas condiciones, restricciones o imposiciones con el constructor respecto a sus nuevas promociones, entre las que pueden encontrarse reservar un porcentaje (el que se acuerde dependiendo de las necesidades de ese municipio y de sus objetivos de vivienda locales)[680] de las viviendas construidas para vivienda asequible[681]. En estos casos, el constructor privado suele, o bien construir la vivienda asequible para luego vendérsela a alguna HA (por su valor de uso existente), o bien vender directamente el suelo a esta última a un precio reducido para que la segunda lleve a cabo la construcción (la HA dispone, normalmente, de ayudas públicas para adquirir o construir estas viviendas).

Esta medida funcionaba mejor antes de la crisis de 2007, puesto que por un lado permitía cierta flexibilidad en la negociación y, por otro, era posible compensar los costes adicionales que implicaban estas reservas con

---

[679] Art. 106 *Town and Country Planning Act* (Ley de planificación urbana y rural), de 24 de mayo de 1990. c. 8.

[680] "El carácter no prescriptivo del sistema de planificación inglés, sin embargo, permite a las autoridades de planificación locales cierta discreción a la hora de interpretar la política nacional a la luz de las circunstancias locales". MORRISON, N. y BURGESS, G. "Inclusionary housing policy in England: the impact of the downturn on the delivery of affordable housing through Section 106", *Journal of Housing and the Built Environment,* vol. 29, núm. 3, 2014, pp. 423-438. p. 424. Traducción propia.

[681] Art. 159 *Housing and Planning Act* 2016 que añade el art. 106ZB a la *Town and Country Planning Act* 1990. Vivienda asequible incluiría tanto alquiler social, como alquiler asequible, así como tenencias intermedias de acceso a la propiedad (véase el Anexo 2 de MINISTRY OF HOUSING, COMMUNITIES AND LOCAL GOVERNMENT. *National Planning Policy Framework.* Londres: Ministry of Housing, Communities and Local Government, 2019). Esto es posible gracias al sistema urbanístico inglés, donde los derechos de urbanización (*development rights*) se separan de la propiedad del suelo. Así, el Gobierno es el propietario de estos derechos de urbanización, independientemente de quién sea la propiedad del suelo, y cada plan de urbanización necesita de un permiso público. MORRISON, N. y BURGESS, G. "Inclusionary housing policy in England: the impact of the downturn on the delivery of affordable housing through Section 106", cit. p. 424. Para poder obtener el permiso, la administración local impone una fiscalidad implícita en forma de infraestructuras sociales, que a parte de la provisión de vivienda social puede ser el desarrollo de escuelas o carreteras. OXLEY, M. "The gain from the planning-gain supplement: A consideration of the proposal for a new tax to boost housing supply in the UK", *European Journal of Housing Policy,* vol. 6, núm. 1, 2006, pp. 101-113. p. 105.

los altos precios del suelo. Eso permitió aumentar el porcentaje de vivienda asequible y al mismo tiempo, construir vivienda asequible en áreas más caras no asociadas con este tipo de viviendas[682]. No obstante, esta medida no queda libre de crítica, pues algunos autores han destacado su falta de transparencia y la facilidad con la que los constructores pueden aprovecharse de la falta de habilidades de negociación de algunas administraciones locales[683]. Con la crisis de 2007, sin embargo, empezaron a aparecer problemas de negociación, puesto que los objetivos de construcción de vivienda asequible impuestos por los municipios empezaron a no congeniar con la viabilidad económica buscada por el constructor. Eso ha provocado que los procesos de negociación se alarguen y sean más costos[684], teniendo que reducir la administración local, en muchos casos, los compromisos a imponer al constructor, con el fin de hacer efectivos proyectos que, de lo contrario, quedarían estancados.

c. Venta de su parque de vivienda social

Otra forma importante de aumentar los ingresos de las HAs para poder reinvertirlos en nuevas promociones de vivienda social o en rehabilitación o mantenimiento es la venta de parte de su parque de vivienda social[685]. Este mecanismo es de crucial importancia en los Países Bajos, donde no existen ayudas públicas directas para la promoción de vivienda nueva[686]. Las ventas pueden pactarse en acuerdos con las administraciones locales, las cuales tienen interés en garantizar que esa venta no disminuya la oferta de vivienda social. Así lo hace Amsterdam, por ejemplo, donde existe un acuerdo entre la Federación de WCOs de esta ciudad (AFWC, de Amsterdamse Federatie van Woningcorporaties), que reúne las nueve WCOs que

---

[682]   MORRISON, N. y BURGESS, G. "Inclusionary housing policy in England: the impact of the downturn on the delivery of affordable housing through Section 106", cit. p. 430.

[683]   MORRISON, N. y BURGESS, G. "Inclusionary housing policy in England: the impact of the downturn on the delivery of affordable housing through Section 106", cit. p. 429.

[684]   OXLEY, M. "The gain from the planning-gain supplement: A consideration of the proposal for a new tax to boost housing supply in the UK", cit. p. 105. Por ello, la *Housing and Planning Act* 2016 introduce un procedimiento de resolución de disputas para estos acuerdos (art. 158 y Schedule 13 que añade un art. 106ZA y un Schedule 9A a la *Town and Country Planning Act* 1990, a pesar de que aun no se ha implementado este cambio).

[685]   ELSINGA, M. y WASSENBERG, F. "Social Housing in the Netherlands", cit. p. 31.

[686]   Mencionado en el apartado "2.3. Países Bajos" en este mismo capítulo.

actúan en ella[687], y la administración local, por el cual se establece el número máximo de ventas permitidas de vivienda social[688].

Solamente las viviendas que se encuentran vacías pueden venderse libremente. En cambio, las viviendas que se encuentran arrendadas deben ofrecerse solo a los arrendatarios, los cuales pueden escoger entre comprar o seguir alquilando[689]. En este caso, la figura *Koopgarant*[690] ofrece a los arrendatarios con pocos ingresos la posibilidad de ser propietarios de una manera más económica y sin tantos riesgos[691]. Las estadísticas, no obstante, muestran como la compra de los arrendatarios de sus viviendas va disminuyendo. De las 15.000 viviendas vendidas en 2007, solo el 34,2% de viviendas vendidas a particulares (14.300 viviendas) fueron adquiridas por los entonces arrendatarios. En 2011, de las 18.100 viviendas vendidas, los arrendatarios solamente adquirieron el 19% de las 14.300 vendidas a particulares[692].

En Inglaterra, la venta de parque de vivienda social (para propósitos distintos de vivienda social) que queda vacía ha aumentado en los últimos años. Esta práctica, además, es alentada por el Gobierno, que anima a las HAs a deshacerse de viviendas de gran valor con altos gastos de mantenimiento con el fin de financiar nuevas viviendas asequibles, queriendo llevar a cabo, así, una gestión eficiente de los recursos[693]. Mientras que an-

---

[687]   En conjunto, estas entidades disponen de un 40% de viviendas en la ciudad de Amsterdam. Véanse estos y más datos en http://www.afwc.nl/english/ (último acceso 27-03-2021).

[688]   AMSTERDAMSE FEDERATIE VAN WONINGCORPORATIES. *United we stand. 90 years of the Amsterdam Federation of Housing Associations.* Amsterdam: Amsterdamse Federatie van Woningcorporaties, 2007. p. 22. Véase también VAN DER VEER, J. y SCHUILING, D. "Economic crisis and regime change in Dutch social housing: The case of Amsterdam", cit. p. 13.

[689]   ELSINGA, M. y WASSENBERG, F. "Social Housing in the Netherlands", cit. p. 27.

[690]   Tenencia intermedia neerlandesa explicada en el apartado "3.4.3. Las tenencias intermedias" de este mismo capítulo.

[691]   KOOPMAN, M. y VOS, M. "Tenant-empowerment through choice of tenure", en KOOPMAN, M., VAN MOSSEL, H. J. y STRAUB, A. (eds.) *Performance measurement in the Dutch social rented sector.* Delft: OTB Research Institute for the Built Environment, 2008, pp. 105-116. p. 106. Véase el apartado "3.4. Formas de tenencia de vivienda social" de este mismo capítulo.

[692]   En ese año también se experimentó un aumento de vivienda vendida a inversores institucionales y otros organismos distintos de particulares (3.800 de las 18.100 viviendas). AEDES. *Dutch social housing in a nutshell,* cit. p. 11.

[693]   Así se refleja en la propuesta del Programa de Vivienda Asequible 2015-2018, cuando se expresa que: "Esperamos que más proveedores lleven a cabo una gestión activa de su cartera (…), incluyendo un programa de venta de parque vacío

teriormente se necesitaba el consentimiento previo del RSH para disponer de una vivienda social, actualmente, y a raíz del cambio legislativo de 2016 (con la *Housing and Planning Act*), solo se pide la notificación de la disposición al RSH (sin perjuicio de que luego, en ciertos casos, pueda reclamarse la devolución de un porcentaje de la ayuda recibida)[694]. Este cambio legislativo va ligado a la voluntad gubernamental de permitir mayor libertad de negocio a las HAs, al tiempo que se recortan las ayudas directas para nuevas promociones. Todo lo anterior teniendo presente que aquellas HAs que tengan un *charitable status* tienen mayor limitación sobre esta facultad de disposición de su parque[695]. Al igual que con los proyectos mixtos, la venta de vivienda social también sirve para crear diversidad dentro del vecindario y puede formar parte (a parte de su claro objetivo económico) de un plan de restructuración del barrio[696], junto con la demolición de viviendas en mal estado, que permiten optimizar la gestión de su patrimonio[697]. En este punto, sin embargo, existe cierta crítica sobre todo por parte de los residentes, puesto que argumentan que estas nuevas promociones traen consigo viviendas a precios más altos, mientras que desaparecen viviendas sociales[698].

---

de alto valor y costoso de mantener para financiar nuevas viviendas asequibles". Traducción propia. HOMES AND COMMUNITIES AGENCY. *Affordable Homes Programme 2015-2018. Prospectus,* cit. p. 3. Cabe recordar que esta práctica de vender propiedades vacías de alto valor también se contempla por parte del parque público local, aunque ya se ha mencionado que no se ha implementado. Véase el apartado "2.2. Inglaterra" en este mismo Capítulo.

[694] La Guía para las fuentes de financiación públicas (*Capital Funding Guide*) regula las situaciones en que un RP puede tener que devolver parte de la ayuda recibida por la HCA. Dos de esos casos son la demolición o la disposición de viviendas sociales (aunque se exceptúa el caso de venta consentida por el RSH). En ciertas ocasiones, los RPs pueden escoger entre repagar la cantidad de la ayuda a la HCA o poner esa cantidad en un fondo (*Recycled Capital Grant Fund*), para utilizarlo posteriormente acorde a las políticas prioritarias de vivienda social que marque la HCA. HOMES AND COMMUNITIES AGENCY. *The Recovery of Capital Grants and Recycled Capital Grant Fund General Determination 2017.* Londres: Homes and Communities Agency, 2016.

[695] Véase el apartado "3.1. Concepto y forma jurídica" en este mismo capítulo, y la preocupación de algunas HAs por la aplicación de estas restricciones ante el cambio legislativo de 2016, hecho que denota la importancia de esta fuente de financiación.

[696] AEDES. *Dutch social housing in a nutshell,* cit. p. 11.

[697] SCANLON, K. "Social housing in England: Affordable vs 'affordable'", cit. p. 27.

[698] Londres, una ciudad que ha experimentado una subida de precios del 45% desde la crisis de 2007 (una vivienda cuesta de media medio millón de libras esterlinas),

Finalmente, otra forma de financiación cruzada sería la que se presenta en el siguiente apartado, consistente en utilizar los activos que poseen las HAs para acceder al mercado financiero y al mercado de capitales, mayoritariamente en forma de préstamos y bonos.

3.5.1.3. Préstamos bancarios y otras fuentes

Junto con los ingresos obtenidos de la actividad que desarrolla directamente la HA, esta se vale de sus activos para entrar en el mercado financiero con el fin de financiar sus nuevas promociones, aunque el grado de dependencia de este mercado varía entre las WCOs y las HAs inglesas, puesto que las segundas aún disponen de subvenciones directas del Gobierno y no necesitan recurrir tanto al mercado financiero. Sin embargo, estas subvenciones se han visto reducidas drásticamente (de representar el 90% en 1988 a situarse por debajo del 25% en los últimos años)[699], por lo que los sucesivos Gobiernos británicos fomentan un enfoque más empresarial de las HAs, empujándolas cada vez más a financiar sus nuevas promociones por medio del mercado financiero, haciendo uso del patrimonio que han ido acumulando a lo largo de las últimas décadas gracias a las inyecciones de dinero público en el sector (mecanismo conocido como *sweating the assets*)[700].

La vía de financiación principal en el mercado financiero son los préstamos bancarios[701]. Aun así, y sobre todo a raíz de la crisis financiera de 2007, las entidades intentan escapar de la dependencia casi exclusiva de esta vía[702], teniendo en cuenta también que los bancos ya no pueden ofre-

---

es uno de los ejemplos en los que se materializa esta disputa entre regeneración y conservación de vivienda social (los datos se extraen de LONDON HOUSING COMMISSION. *Building a new deal for London: Final report of the London Housing Commission*. Londres: IPPR, 2016. p. 5). *Architects for Social Housing* es una iniciativa creada por arquitectos, ingenieros y otros agentes del sector para precisamente ofrecer ayuda, asesoramiento y apoyo a los residentes que se ven perjudicados por estos procesos de regeneración. Véase su página web en https://architectsforsocialhousing.wordpress.com (último acceso 13-10-2019).

[699] WILLIAMS, P. y WHITEHEAD, C. "Financing affordable social housing in the UK; building on success?", *Housing Finance International*, 2015, pp. 14-19. p. 14.

[700] MALPASS, P. y VICTORY, C. "The Modernisation of Social Housing in England", cit. p. 11 y MULLINS, D. *Housing associations. Working Paper 16*, cit. p. 38.

[701] CECODHAS HOUSING EUROPE OBSERVATORY. *Study on financing of social housing in 6 European countries. Final report*, cit. pp. 9 y 16.

[702] MULLINS, D. *Housing associations. Working Paper 16*, cit. p. 42.

cer tan buenas condiciones como antes, ni tampoco préstamos a largo plazo (sus productos a treinta años se ven reducidos hasta a cinco años)[703].

En este contexto, los mercados de capital han incrementado su importancia[704] en la última década[705], con la emisión de bonos por parte de las
HAs (*own-name public bonds*), así como también mediante colocaciones privadas de títulos de deuda en el caso de Inglaterra (*private placements*). La
apuesta por esta vía también se respaldó desde el sector público, por ejemplo en Inglaterra, donde el Gobierno creó en el 2000 un "Grupo de trabajo
sobre la inversión social" (*Social Investment Taskforce*) con el fin de explorar
nuevos mercados financieros sociales y poder así reducir la dependencia
de las HAs a las ayudas públicas[706]. Se trata de buscar un equilibrio en la

---

[703] Heywood, A. *Investing in affordable housing. An analysis of the affordable housing sector*, cit. pp. 29-30.

[704] Sus inicios en Inglaterra, sin embargo, se remontan al 1988, cuando la *Housing Act*
1988 permitió a las HAs utilizar sus activos sociales para negociar en los mercados
financieros y de capital. En ese momento también se creó la Housing Finance
Corporation como apuesta para impulsar un mercado financiero social, aunque
la importancia de este mercado no llegó hasta finales de los 2000, con la crisis
financiera y los recortes en ayudas públicas. Este organismo es una sociedad registrada bajo la *Co-operative and Community Benefit Societies Act* 2014, creada fruto de
una iniciativa conjunta del órgano regulador de las HAs en ese momento (la Housing Corporation), la federación que agrupa y representa las HAs (la National
Housing Federation) y el sector privado. Véase su página web oficial en https://
www.thfcorp.com (último acceso 13-10-2019).

[705] En Inglaterra, por ejemplo, aunque la mayoría de deuda contraída sigue siendo
de préstamos bancarios (68% de toda la deuda, en marzo de 2016), la primera
fuente de deuda nueva proviene del mercado de capitales: 41 bonos emitidos en
2015 (21 en 2016), que junto con las colocaciones privadas, captaron un total de
4.400 millones de libras esterlinas en 2015 (1.600 millones en 2016). Homes and
Communities Agency. *2016 Global accounts of private registered providers*. Londres:
Homes and Communities Agency, 2017. p. 5. Puede verse también una lista de los
bonos emitidos entre 2013 y 2015 en Wainwright, T. y Manville, G. "Financialization and the third sector: Innovation in social housing bond markets", *Environment and Planning A: Economy and Space*, vol. 49, núm. 4, 2017, pp. 819-838. p. 828.

[706] Este incentivó la creación de un Charity Bank (2002), un Phoenix Fund (2003)
y un Social Finance Limited investment Bank (2007) para financiar a las HAs a
través del mercado financiero y de capitales. Wainwright, T. y Manville, G. "Financialization and the third sector: Innovation in social housing bond markets",
cit. p. 822.

cartera de actividades financieras de la entidad que combine préstamos a largo y corto plazo, de interés fijo y variable, deuda bancaria y bonos[707].

La emisión de bonos a través del mercado de capitales se distribuye, mayoritariamente, entre grupos de aseguradoras y fondos de pensiones en Inglaterra[708]. Esta forma de financiación privada ofrece a las HAs una vía relativamente accesible y fácil de gestionar, a largo plazo, con un coste global y unas ratios de cobertura de activos menores[709]; y a los inversores, una fuente de diversificación del riesgo de crédito, con una prima sobre deuda pública y de una solvencia garantizada[710]. Sin embargo, un estudio de TradeRisks Limited, empresa corporativa de inversión y finanzas, sobre los bonos emitidos por las HAs[711] destaca que: es un mercado aún poco desarrollado; que los bonos los gestionan mayoritariamente los mismos bancos que antes concedían los créditos; que los procesos de adjudicación son poco transparentes y que es un grupo reducido de inversores el que subscribe los bonos, lo que les permite, hasta cierto punto, establecer el precio y las condiciones. Aquellas entidades gestoras más pequeñas pueden acceder al mercado de capitales a través de organismos como la mencionada Housing Finance Corporation, que se encarga de agrupar a estas

---

[707] WILLIAMS, P. y WHITEHEAD, C., "Financing affordable social housing in the UK; building on success?", cit. p. 15.

[708] WAINWRIGHT, T. y MANVILLE, G. "Financialization and the third sector: Innovation in social housing bond markets", cit. p. 820. El Banco de Inglaterra añadió, en 2016, bonos emitidos por 14 HAs distintas en su programa de compra de bonos. SOCIAL HOUSING. *Selected housing association bonds added to Bank of England corporate bond-buying list,* 03-11-2016, disponible en http://www.socialhousing.co.uk/news/news/selected-housing-association-bonds-added-to-bank-of-england-corporate-bond-buying-list-26452 (último acceso13-10-2019). Véase, operaciones más recientes, enfocadas a estabilizar los mercados en medio de la crisis del coronavirus en SOCIAL HOUSING. *Bank of England urged to include HA paper in major bond-buying drive,* 23-03-2020, disponible en https://www.socialhousing.co.uk/news/news/bank-of-england-urged-to-include-ha-paper-in-major-bond-buying-drive-65740 (último acceso 27-03-2021).

[709] Sin embargo, se requiere de consultores o asesores especializados en este mercado y de contactos con bancos u otros proveedores de estos servicios para organizar las transacciones. WAINWRIGHT, T. y MANVILLE, G. "Financialization and the third sector: Innovation in social housing bond markets", cit. p. 830.

[710] OXLEY, M. et al. *Prospects for Institutional Investment in Social Housing. Major report.* Londres: Investment Property Forum Research Programme, 2015. p. 36.

[711] TRADERISKS LIMITED. *Social housing bonds.* Londres: Traderisks Limited, 2012. p. 1.

entidades y emitir bonos conjuntamente (que van a nombre de este organismo agrupador)[712].

Con el fin de ser más competitivas en el sector financiero y en el mercado
de capitales y de aumentar las posibilidades de conseguir condiciones favorables, las entidades gestoras de vivienda social se someten a las evaluaciones
de reconocidas agencias de calificación crediticia para que emitan evaluaciones de su solvencia[713]. El otro instrumento para captar financiación en este
campo, la colocación privada, consiste en la emisión de deuda a largo plazo,
pero esta se adjudica a un inversor o grupo de inversores sin que se realice
oferta pública. Así, el mayor interés que puedan tener las HAs inglesas en
esta vía recae principalmente en la mayor flexibilidad que esta ofrece: los
requisitos y exigencias legales son menores y posibilita la negociación directa
entre emisor e inversores, que permite ajustarse a las necesidades y posibilidades de las dos partes. Por otro lado, sin embargo, se trata de un producto
que no cotiza en mercados secundarios, por lo que los inversores deberán,
en muchos casos, mantener su inversión a largo plazo. Este producto atrae
sobre todo a inversores institucionales, como fondos de pensiones[714].

Por su parte, en los Países Bajos, el BNG Bank (Bank Nederlandse Gemeenten) emitió bonos "sociales" (mil millones de euros a ocho años), entre inversores internacionales en 2016, a fin de poder financiar a las WCOs
consideradas más sostenibles para nuevos proyectos; a lo largo de los años
posteriores se han ido emitiendo más bonos[715]. De esa manera, se capta a
inversores internacionales para que inviertan en proyectos sociales y soste-

---

[712]   Véase en que consiste en Heywood, A. *Investing in affordable housing. An analysis of
the affordable housing sector,* cit. pp. 32 y ss.

[713]   Aedes. *Dutch social housing in a nutshell,* cit. p. 8. En Inglaterra, la mayoría de bonos
emitidos en este sector han obtenido calificaciones de entre Aa2 y Aa3 de la agencia
de calificación Moody's. Traderisks Limited. *Social housing bonds,* cit. p. 1.

[714]   Con el fin de captar inversores norteamericanos, se utilizan formularios y documentos normalizados con la regulación y prácticas de este país. Pueden verse
ejemplos de financiación a través de este mecanismo, así como una explicación
detallada de su funcionamiento y ventajas en Social Housing. *Why private placements work for housing associations and investors,* 04-04-2018, disponible en https://
www.socialhousing.co.uk/comment/comment/why-private-placements-work-for-
housing-associations-and-investors-55616 (último acceso 14-10-2019).

[715]   BNG Bank. *Sustainability Bond for Dutch Social Housing Associations,* disponible en
https://www.bngbank.com/Funding/Sustainability-Bond-for-Dutch-Social-Hou-
sing-Associations (último acceso 27-03-2021).

nibles en el país, al mismo tiempo que se estimula a las WCOs a actuar de manera sostenible si quieren tener acceso a esa financiación[716].

El éxito y las ventajas que las HAs obtienen en el sector financiero provienen mayoritariamente de su consideración como inversión de poco riesgo, pues su capital está compuesto principalmente por una gran cantidad de inmuebles, la mayoría en propiedad (valor del activo generalmente alto y con capacidad de realización) sobre los que se pueden constituir derechos de garantía tanto fijas como flotantes[717]. También, porque existe cierta seguridad de los ingresos en concepto de alquiler social[718], aunque el nuevo sistema de ayudas públicas inglés puede hacer tambalear este último punto[719]. Además y, sobre todo, en Inglaterra (aunque ya se ha visto que en los Países Bajos el control se está volviendo más estricto), su reconocimiento y control públicos implica que deben cumplir una normativa estricta en referencia a la buena gobernanza de la entidad y a su viabilidad económica[720], ofreciendo a los inversores una mayor seguridad, puesto que la po-

---

[716] BNG BANK. *BNG Bank issues social bond to finance the most sustainable housing associations*, 06-07-2016, disponible en https://www.bngbank.com/Pages/BNG-Bank-issues-Social-Bond-to-finance-the-most-sustainable-housing-associations.aspx (último acceso 14-10-2019).

[717] Las hipotecas flotantes son aquellas que permiten garantizar diversas obligaciones o mezclar obligaciones presentes y futuras. En España, estas se introdujeron como hipotecas de máximo, por la Ley 41/2007, de 7 de diciembre, por la que se modifica la Ley 2/1981, de 25 de marzo, de Regulación del Mercado Hipotecario y otras normas del sistema hipotecario y financiero, de regulación de las hipotecas inversas y el seguro de dependencia y por la que se establece determinada norma tributaria. BOE 08-12-2007, núm. 294 (añade un art. 153bis a la Ley Hipotecaria de 1946).

[718] WHITEHEAD, C. "Financing Social Housing in Europe", en SCANLON, K. y WHITEHEAD, C. (eds) *Social Housing in Europe II. A review of policies and outcomes*, cit. pp. 83-94. p. 89.

[719] Hablamos de la introducción del "Universal Credit", que también conlleva la imposición de un límite máximo de ayuda a percibir y la desaparición del pago directo de la ayuda al alquiler a las HAs, y de la *bedroom tax*. Véanse estas medidas en los apartados "3.2.2. Legislación inglesa" y "3.5.2.3. Pago de ayudas al alquiler directamente a la *housing association*" en este mismo capítulo.

[720] En este punto es importante, para las entidades gestoras, obtener buena calificación en las evaluaciones que realiza anualmente el RSH, puesto que reflejan el grado de cumplimiento de las normas tanto de carácter económico como de gobernanza, y los agentes interesados en invertir en este sector lo toman como referencia para valorar el estado de solidez económica y de gobernanza de la entidad, decidiendo si se trata de una inversión atractiva y de poco riesgo o no. Véase el apartado "3.3.2. Proveedores registrados (RP) en Inglaterra" en este mismo capítulo.

sibilidad de verse inmersas en problemas financieros se ve minimizado[721]. El director ejecutivo de la HA L&Q menciona que las HA descansan sobre un taburete de tres patas proporcionadas por el Gobierno: regulación, subvenciones y ayudas al alquiler[722].

Las WCOs, por su lado, aunque no disponían de tal control público estricto hasta la *Woningwet* 2015, sí que gozan de un triple sistema de garantía, formado por el WSW, la Autoriteit Woningcorporaties y el Gobierno central o las administraciones locales. Este sistema les permite acceder a préstamos con tipos de interés muy bajos, que deben destinarse íntegramente a proyectos sociales[723]. Sin embargo, cabe destacar que este sistema de garantías, junto con la falta de control estricto por parte del Gobierno, llevó a la relajación excesiva de algunas entidades, que al confiar demasiado en la capacidad de este sistema seguro y sólido de absorber los riesgos, incurrieron en malas prácticas[724].

A pesar de ser estos mercados financieros y de capitales una fuente cada vez más importante, esta vía puede crear tensiones entre las prioridades sociales y las económicas, entre el valor social perseguido por una entidad sin ánimo de lucro y el rendimiento económico buscado por los inversores. Así, las HAs pueden verse presionadas a reducir actividades sociales que no aporten beneficios o rechazar colectivos con pocos ingresos para reducir las probabilidades de impagos, adoptando una posición más comercial[725].

Finalmente, tanto estos mercados financieros y de capitales como el mercado de vivienda privada conducen a las HAs hacia un modelo de negocio que las expone más al riesgo, debido a los ciclos y fluctuaciones del mercado privado[726]. En este capítulo se ejemplifican algunos de estos riesgos, como el caso de las WCOs Vestia y Woonbron en los Países Bajos y la

---

[721] Heywood, A. *Investing in affordable housing. An analysis of the affordable housing sector*, cit. p. 20.

[722] Purkis, A. *Housing Associations in England and the future of voluntary organisations*, cit. p. 12.

[723] Este sistema de garantías se desarrolla en el siguiente apartado.

[724] Véase el apartado "3.5.2.2. Los Países Bajos" a continuación.

[725] Wainwright, T. y Manville, G. "Financialization and the third sector: Innovation in social housing bond markets", cit. pp. 823, 832 y 833.

[726] Manzi, T. y Morrison, N. "Risk, commercialism and social purpose: repositioning the English housing association sector", *Urban Studies,* vol. 55, núm. 9, pp. 1924-1942. pp. 1932, 1937 y 1938.

HA Cosmopolitan en Inglaterra[727]. A pesar de que ninguno de los casos acabó con expropiaciones ni desahucios gracias, sobre todo, a una intervención pública (el Estado no puede permitir que caiga este sector, ya que se considera "*too big to fail*"[728])[729], técnicamente, es decir, legalmente, existe la posibilidad de perder el parque de vivienda social, que pasaría a manos de los inversores en el caso de que la HA no pudiera devolver la deuda o pagar los bonos[730]. Así, la aparición de estos nuevos riesgos requiere tanto de cambios en la organización de las entidades[731] y en sus órganos de gobernanza[732] (incorporando expertos en este sector que sean capaces de llevar una gestión de los riesgos) como de cambios en su control público para evitar incurrir en riesgos innecesarios o excesivos. En este segundo punto ya se ha hablado del control más estricto sobre las WCOs y se hablará de la obligación de separar legalmente sus actividades comerciales de las sociales en los Países Bajos, mientras que en Inglaterra la normativa exige actualmente[733] un control más exhaustivo por parte del RSH[734], bajo el cumplimiento de la regulación referente a la viabilidad financiera de la entidad (dentro del *Regulatory framework*), con evaluaciones reflejadas en

---

[727] Véase apartados "2.4. Resultado de la privatización", "3.5.2. Fuentes públicas y fiscalidad de las entidades" y "3.7.2. Impacto en la comunidad" en este mismo capítulo.

[728] Véase este concepto en NASARRE AZNAR, S. *Securitisation and mortgage bonds: legal aspects and harmonisation in Europe.* Saffron Walden: Gostick Hall Publications, 2004. p. 39.

[729] Véase también el apartado "2.4 Potenciales riesgos de las entidades híbridas" del Capítulo IV.

[730] WAINWRIGHT, T. y MANVILLE, G. "Financialization and the third sector: Innovation in social housing bond markets", cit. p. 830.

[731] Véase, por ejemplo, el concepto de "muralla china" en el apartado "3.5.3. Necesidad de separar actividades" *infra* en este mismo capítulo.

[732] MANZI, T. y MORRISON, N. "Risk, commercialism and social purpose: repositioning the English housing association sector", cit. p. 10.

[733] En 2013, la entonces HCA (ahora RSH) publicó el documento de debate "Protecting Social Housing Assets in a more diverse sector: a discussion paper on the principles for amending the Regulatory Framework for social housing in England" para replantear la normativa, hecho que refleja esa preocupación por regular de más cerca estos nuevos riesgos. Véase https://www.gov.uk/government/consultations/protecting-social-housing-assets-in-a-more-diverse-sector (último acceso 02-08-2018).

[734] Buscando, además, un mayor control también a nivel interno por parte del órgano de gobierno de la entidad. HOMES AND COMMUNITIES AGENCY. *Homes and Communities Agency Corporate Plan 2014-18.* Londres: Homes and Communities, 2014. pp. 16 y 17.

las cuentas anuales, pruebas de estrés financiero[735], de capacidad para entender y gestionar cierto riesgo, etc. [736], prestando especial atención a los productos que afectan al parque social[737].

3.5.2. Fuentes públicas y fiscalidad de las entidades

3.5.2.1. Inglaterra

Complementando las vías de financiación privada, se encuentran las fuentes de financiación públicas. Únicamente aquellas HAs reconocidas públicamente como proveedoras de vivienda social (por medio de su inscripción en el registro de proveedores y de su posterior denominación como RPs en Inglaterra y TIVs en Países Bajos) pueden acceder a ayudas y a otras ventajas públicas.

En el caso de Inglaterra, todos los RPs pueden optar a las subvenciones públicas que el Gobierno concede a través de Programas de vivienda cuatrienales para financiar los nuevos proyectos de vivienda social. El organismo encargado de conceder las subvenciones actualmente es Homes England (antiguo HCA)[738]. Históricamente, las subvenciones públicas eran la fuente de financiación principal para nuevas promociones de las HAs, pero en los últimos dos Programas esa financiación se ha visto reducida en más de la mitad[739]; al mismo tiempo que las actuaciones financiadas han

---

[735]   Pruebas que también se prevén en el marco del control neerlandés por parte de la nueva Autoridad de WCOs. Aalbers, M. B, van Loon, J. y Fernandez, R. "The financialization of a social housing provider", cit. p. 583.

[736]   Véase más sobre ambas normativas y su control en el apartado "3.3. Control público. El Registro de proveedores de vivienda social" de este mismo capítulo.

[737]   También disponen de una guía en la que el RSH se encarga de resaltar los riesgos en los que pueden incurrir los RPs, y recomienda acciones y precauciones que deberían tomar para ser capaces de gestionar esos riesgos.Véase Homes and Communities Agency. *Sector Risk Profile 2017*. Londres: Homes and Communities Agency, 2017.

[738]   A excepción de Londres, donde esta competencia la tiene la Autoridad del Gran Londres (*Greater London Authority*), autoridad que gobierna la región de Londres y que está formada por el alcalde y la Asamblea de Londres. Heywood, A. *Investing in affordable housing. An analysis of the affordable housing sector*, cit. p. 28. Véase la separación de la HCA entre Homes England y el RSH en el apartado "3.3.1. La importancia del control público" de este mismo capítulo.

[739]   Las subvenciones se redujeron de 8.400 millones para el Programa 2008-2011 a 4.500 millones en el Programa 2011-2015 de libras esterlinas (Pearce, J. y Vine, J. "Quantifying residualisation: the changing nature of social housing in the UK",

pasado a ser básicamente alquileres asequibles en lugar de sociales (alquileres al 80% del precio de mercado) y de fomento de la *shared-ownership*[740], como muestra la Figura 15. De esa manera, se pretende mantener la provisión de vivienda asequible (que no social)[741], pero invirtiendo mucho menos presupuesto público y cubriendo esa falta de financiación pública con los incrementos de los alquileres[742].

Figura 15. Redirección de las subvenciones públicas de vivienda social nueva a vivienda asequible, Inglaterra

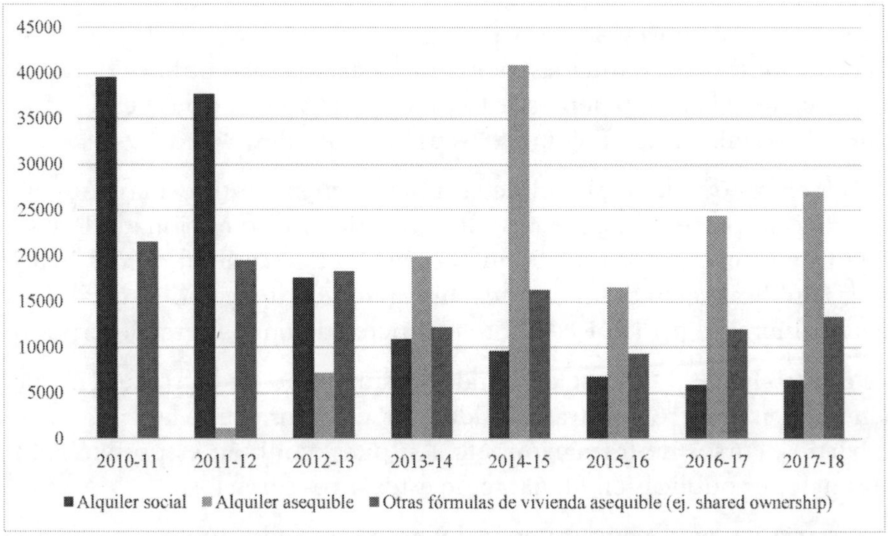

Fuente: Elaboración propia con datos del *Ministry of Housing, Communities and Local Government*.

Las subvenciones se conceden principalmente para financiar proyectos que los RPs presentan acorde con el Programa. Así, las HAs presentan sus

Journal of Housing and the Built Environment, vol. 29, núm. 4, 2014, pp. 657-675. p. 661); cifra que se vio reducida aún más en el Programa 2015-18, con una aproximación de 3.300 millones (HEYWOOD, A. *Investing in affordable housing. An analysis of the affordable housing sector*, cit. p. 28).

740   Los últimos programas son el Programa de vivienda asequible 2015-18 (*Affordable Housing Programme 2015-18*) y el Programa de propiedad compartida y vivienda asequible 2016-2021 (*Shared Ownership and Affordable Homes Programme 2016 to 2021*).

741   Véase *supra* en el apartado "3.4. Formas de tenencia de vivienda social" la diferencia entre estos dos tipos de arrendamientos.

742   STEPHENS, M. y WHITEHEAD, C. "Rental housing policy in England: post crisis adjustment or long term trend?", cit. p. 202.

ofertas, atendiendo a las diferentes actuaciones que el Programa regula, las subvenciones que están previstas otorgarse y las zonas de actuación. Se busca sacar el máximo provecho de cada aportación pública y de cada actuación. Es por eso que las entidades se esfuerzan por hallar la máxima eficiencia en sus actuaciones, intentando ofrecer los mejores servicios al menor coste posible, pero sin perder calidad (*value for money*). Es por eso que también es importante ofrecer servicios más allá de la vivienda, que acompañen a la promoción de vivienda social[743].

Así, existe cierta competitividad entre los proveedores de vivienda social que solicitan las subvenciones, y más en un contexto actual donde las ayudas otorgadas se ven reducidas, por lo que este aspecto conlleva a que estos presenten proyectos eficientes y de calidad, favoreciendo de esta manera tanto a la Administración como a los usuarios finales.

Es esencial que la totalidad de la subvención se destine a la realización del proyecto presentado, sobre todo a raíz de la ya mencionada Decisión de la Comisión Europea 2009, que establece la necesidad de destinar las ayudas públicas recibidas única y exclusivamente a actividades sociales a fin de no vulnerar el principio de libre competencia en el mercado privado.

Por otro lado, al tratarse de entidades sin ánimo de lucro, las HAs también pueden desarrollar otras actividades o servicios, como la regeneración de barrios, cursos de formación, etc. Así pues, también es posible recibir subvenciones públicas en el marco de estos otros servicios.

Otra vía de ayuda pública es la del acceso a suelo público a un precio reducido[744]. Y, por lo que respecta a nivel tributario, las HAs gozan de ciertas exenciones y, entre estas, las que tienen más ventajas fiscales son las entidades con *charitable status*. Así, a grandes rasgos, estas últimas gozan de exenciones dentro del impuesto sobre sociedades (IS en adelante)[745], así como exenciones en las transmisiones *mortis causa* que reciben[746]. A parte de las *charities*, otras HAs pueden estar exentas (debe pedirse por la HA y aprobarse por el Secretario de Estado) de ciertas ganancias imputables en el IS, en concreto, de las que provengan de la venta de viviendas que están

---

[743] Véase el apartado "3.7. Más allá del acceso a una vivienda. El concepto de *Housing Plus*" en este mismo Capítulo.

[744] ORJI, P. y SPARKES, P. *National Report for England and Wales*, cit. p. 82.

[745] Véanse los arts. 466 y ss. *Corporation Tax Act* (Ley del impuesto sobre sociedades), de 3 de marzo de 2010. c. 4.

[746] Art. 23 *Inheritance Tax Act* (Ley del impuesto sobre sucesiones), de 31 de julio de 1984. c. 51.

o habían sido ocupadas por arrendatarios sociales[747]. Otras ventajas fiscales de las que disfrutan las HAs son la exención en relación con el *stamp duty land tax* (impuesto sobre transmisiones patrimoniales)[748], su tributación al 0% por la construcción de edificios con objetivos sociales[749] y la exención de las transmisiones *mortis causa* atribuibles a suelo en el Reino Unido[750].

3.5.2.2. Los Países Bajos

En este ámbito de las fuentes públicas existe gran divergencia entre el sistema inglés y el neerlandés, puesto que mientras en el primero las ayudas públicas son directas y aún cubren buena parte del coste de los nuevos proyectos de vivienda social (aunque cada vez menos)[751], en los Países Bajos las WCOs son económicamente independientes desde mediados de los años noventa del siglo pasado, lo que implica que no reciban ayudas públicas para costear los nuevos proyectos de vivienda social. Lo que sí que ofrecen algunas administraciones locales es la posibilidad de acceder a suelo público por debajo del precio de mercado[752]. A falta de ayudas directas, todas las TIVs tienen acceso a un triple sistema de garantía, formado por:

1. La Autoriteit Woningcorporaties (sustituye al CFV)[753], que se encarga de llevar a cabo la supervisión de la actuación y de la gestión financiera de las WCOs (con funciones más intervencionistas que el CFV) y que, además, puede llegar a ayudar y a financiar entidades de manera particular.

2. El WSW, creado por el conjunto de las WCOs en 1983, conforma el segundo nivel de garantía. El activo de este Fondo se obtiene de las tasas que deben pagar las WCOs cada vez que lo utilizan para garantizar un préstamo, además de una contribución de capital inicial

---

[747] Arts. 642 y ss. *Corporation Tax Act* 2010.
[748] Art. 71 *Finance Act* 2003.
[749] Schedule 8 *Value Added Tax Act* (Ley del impuesto sobre el valor añadido), de 5 de julio de 1994. c. 23.
[750] Art. 24A *Inheritance Tax Act* 1984.
[751] WALKER, R. M. y VAN DER ZON, F. M. J. "Measuring the performance of social housing organisations in England and The Netherlands: A policy review and research agenda", cit. p. 184.
[752] CECODHAS HOUSING EUROPE OBSERVATORY. *Study on financing of social housing in 6 European countries. Final report,* cit. p. 15.
[753] Véase en más detalle estas dos figuras en el apartado "3.3.3. Instituciones admitidas en los Países Bajos" en este capítulo.

por parte del Gobierno[754]. En sus inicios, esta organización privada sin ánimo de lucro servía para garantizar actuaciones de rehabilitación y obras de mejora en las viviendas. Posteriormente y, hoy en día, no obstante, ofrece garantías para financiar tanto proyectos de nueva construcción, como adquisición de viviendas o la realización de obras de mejora o rehabilitación, así como otros servicios relacionados con la vivienda social[755]. 338 entidades participan del WSW (el 98% de todas las WCOs), que dispone de un fondo de reserva de 531 millones de euros (en 2016) que puede utilizarse cuando alguna de las entidades gestoras no puede devolver algún préstamo o pagar los intereses[756] (aunque solo si el antiguo CFV, actual Autoriteit Woningcorporaties, no ha podido solucionar los problemas económicos de tal entidad)[757]. Para acceder a las ventajas de este Fondo es necesario registrarse y, para ello, se exige una posición económica positiva. En el caso de no cumplir (o dejar de cumplir) con este requisito de solvencia económica, las WCOs pueden dirigirse a la Autoriteit relacionada para que les ayude a mejorar su posición económica. A este fondo de garantía le fue otorgada, hasta hace poco[758], la máxima calificación por parte de dos de las mayores agencias de calificación a nivel mundial (AAA por Standard & Poor's y Aaa por Moody's Investors Service)[759]. Esto permite a las WCOs obtener préstamos bancarios a tipos de interés más reducidos.

3. Finalmente, en el caso de que el WSW no pueda hacer frente a sus obligaciones, el Gobierno central y las administraciones locales ac-

---

[754] Boelhouwer, P. *Maturation of the Dutch social housing model and perspectives for the future*, cit. p. 8.
[755] En 2007 pasaron de garantizar préstamos para proyectos específicos a ampliar la garantía para cualquier actividad de las WCOs, por lo tanto, cayendo en el riesgo de aprovechar estas ventajas para financiar proyectos del mercado privado. Aalbers, M. B, van Loon, J. y Fernandez, R. "The financialization of a social housing provider", cit. p. 576.
[756] Ambos datos extraídos del Informe anual 2016 del WSW, en Waarborgfonds Sociale Woningbouw, *Jaarverslag 2016 en liquiditeitsprognose 2017-2021*. Amsterdam: Waarborgfonds Sociale Woningbouw, 2017.
[757] Czischke, D. (ed.) *Financing social housing. After the economic crisis*. Bruselas: Cecodhas Housing Europe, 2010. p. 49.
[758] Elsinga, M., Priemus, H. y Boelhouwer, P. "Milestones in housing finance in the Netherlands, 1988-2013", cit. p. 259.
[759] Aedes. *Dutch social housing in a nutshell*, cit. p. 9.

túan como últimos garantes (tercer nivel de garantía), ofreciendo préstamos libres de interés[760].

Así, el control estricto de la gestión y viabilidad financiera que lleva a cabo la Autoriteit Woningcorporaties, sumado al requisito de viabilidad económica que también impone el WSW, junto con la existencia de un fondo de reserva que permita garantizar el pago de préstamos ante el impago por parte de la WCOs y el respaldo último ofrecido por el Gobierno cuando todo lo anterior falla, permite a las WCOs acceder a préstamos en el mercado financiero a tipos de interés muy bajo. El último respaldo por parte de los Gobiernos central y locales es una de las razones principales que justifican la confianza de los inversores en este sector[761].

Este sistema de garantías basado en una estructura segura de solidaridad entre las WCOs y de respaldo por el Gobierno conlleva más de un peligro. El primero puede ser la excesiva confianza de los inversores surgida del respaldo público de las WCOs. Una experiencia negativa al respecto es la del Gobierno estadounidense en el marco de la crisis de 2007 con sus *government-sponsored enterprises* (GSEs, empresas respaldadas por el Gobierno) y la confianza casi ciega que muchos inversores institucionales depositaron en los productos de estas empresas, que en muchos casos se trataba de hipotecas *subprime* titulizadas[762]. El segundo peligro se conoce como "riesgo moral" o *moral hazard*[763], y encontramos también un ejemplo en el sistema de titulización de hipotecas norteamericano. La constitución y posterior venta de MBSs (bonos de titulización hipotecaria) a inversores institucionales europeos, bancos internacionales y otras instituciones financieras implicaba que las entidades financieras que otorgaban los préstamos hipotecarios transmitían el riesgo de impago de esas hipotecas a los inversores,

---

[760] Cecodhas Housing Europe Observatory. *Study on financing of social housing in 6 European countries. Final report,* cit. p. 16.

[761] Elsinga, M., Priemus, H. y Boelhouwer, P. "Milestones in housing finance in the Netherlands, 1988-2013", cit. p. 259.

[762] Nasarre Aznar, S. "A legal perspective of the origin and the globalization of the current financial crisis and the resulting reforms in Spain", en Kenna, P. (ed.) *Contemporary housing issues in a globalized world.* Farnham: Ashgate Publishing, 2014, pp. 37-72. p. 39.

[763] Véase la misma obra del pie anterior, así como Nasarre Aznar, S. *Securitisation and mortgage bonds: legal aspects and harmonisation in Europe,* cit. pp. 37 y ss. Véase también De Jong, R. *The balance upset. A report on the Dutch social housing sector for the Parliamentary Inquiry on Social Housing Organisations.* La Haya: Aedes, 2013. pp. 38 y 39 y Hoekstra, J. "Reregulation and residualization in Dutch social housing: a critical evaluation of new policies", cit. p. 33.

por lo que no respondían de las consecuencias negativas del riesgo creado, rompiendo así con el principio de *ubi emolumentum, ibi onus.* En el contexto que aquí nos ocupa, saber que el riesgo asumido por la WCO será absorbido bien por las otras entidades gestoras, bien por el Gobierno, el cual no puede permitir que caiga el sistema, puede impulsar a los dirigentes de estas entidades a desarrollar malas prácticas financieras. Es decir, este sistema fomenta una excesiva confianza a la hora de realizar inversiones de riesgo, puesto que, si algo sale mal, no responderá únicamente esta entidad, sino que este sistema "amortiguará el golpe"[764].

Ejemplo de ello fue el escándalo en 2012 de la mayor WCO de los Países Bajos, Vestia[765]. Esta entidad invirtió en derivados financieros por valor de veinte mil millones de euros, y en 2011 sus pérdidas eran de 3,5 mil millones de euros (a la cual debía hacer frente el conjunto del sistema de garantía)[766]. Un pacto entre los bancos, el CFV y el Gobierno consiguió reducir esa cantidad a dos mil millones de euros, 1.300 de los cuales los debía (y debe) soportar la propia WCO[767] y 700 millones fueron a cargo del resto de WCOs[768], materializándose a través de un impuesto especial[769], que se expone a continuación.

Desde la ya comentada Decisión de la Comisión Europea de 2009, cualquier tipo de ayuda recibida de la Administración, ya sea en forma de ga-

---

[764] Aedes. *Dutch social housing in a nutshell,* cit. p. 9.

[765] Puede verse un breve análisis de la evolución de esta entidad desde sus inicios hasta sus problemas financieros y como los ha abordado en Aalbers, M. B, van Loon, J. y Fernandez, R. "The financialization of a social housing provider", cit. pp. 577 y ss. Véase también un resumen del caso en Inside Housing. *Never too big to fail,* 21-09-2012, disponible en https://www.insidehousing.co.uk/insight/insight/never-too-big-to-fail-33067 (último acceso 14-10-2019).

[766] Van Der Veer, J. y Schuiling, D. "Economic crisis and regime change in Dutch social housing: The case of Amsterdam", cit. p. 9 y The Guardian. *Largest Dutch housing association faces mass sell-off of homes,* 29-02-2012, diponible en http://www.theguardian.com/housing-network/2012/feb/29/dutch-housing-association-sell-homes (último acceso 14-10-2019).

[767] Este gran pago supondrá, entre otras cosas, incrementos de alquileres para los arrendatarios sociales, recortes en obras de renovación de sus viviendas y ventas de viviendas sociales. Inside Housing. *Never too big to fail,* cit. En febrero de 2015, Vestia ya había vendido unas 13.000 viviendas: 5.500 a un fondo inmobiliario alemán (Patrizia) y 6.000 habitaciones de estudiantes a otra WCO. Aalbers, M. B, van Loon, J. y Fernandez, R. "The financialization of a social housing provider", cit. p. 582.

[768] Boelhouwer, P. y Priemus, H. "Demise of the Dutch social housing tradition: impact of Budget cuts and political changes", cit. p. 229.

[769] Elsinga, M. y Wassenberg, F. "Social Housing in the Netherlands", cit. p. 31.

rantía o de venta o cesión de suelo a precio reducido, debe destinarse exclusivamente a actividades que tienen por objeto el fomento de la vivienda social[770].

Más allá de este sistema de garantías y de la posibilidad de acceder a suelo público con precios bajos, las TIVs no gozan de más beneficios fiscales destacados. Sí lo hacían anteriormente, puesto que disfrutaban de una exención en el IS, pero esta se suprimió en 2008, así que actualmente se les aplica la regla general de 20% o 25% (en función de los ingresos de la entidad)[771].

No solo no gozan de esa exención del IS sino que además pagan un impuesto conocido como el *verhuurdersheffing* (impuesto del arrendador). Este se introdujo en 2013 con el objetivo de contrarrestar el gasto público en ayudas al alquiler y poder cumplir así con el 3% de déficit presupuestario pedido desde la UE. En el momento de su creación, el impuesto pretendía recaudar, hasta 2017, dos mil millones de euros por año y su aplicación abarcaba todos aquellos arrendadores de viviendas con rentas inferiores a 681,02 euros (el máximo para vivienda social en ese momento) y que tuvieran un mínimo de 10 viviendas; es decir, a la práctica, casi el 90% de los contribuyentes de esta tasa eran WCOs[772]. En 2017 este impuesto logró recaudar 1,7 mil millones[773]. Su continuidad pasado ese año fue uno de los temas de debate y de estrategia de los partidos políticos en las elecciones de 2017[774]. Finalmente, se ha conservado, pero el número de 10 viviendas se ha subido a un mínimo de 50; por lo tanto, a partir de enero de 2018, tienen obligación de pagar este impuesto todos los arrendadores que tengan al menos 50 viviendas en el sector de renta regulada (con alguna excepción y/o posibilidad de reducción, en algunos casos). El estudio de VEENSTRA

---

[770] VAN DER VEER, J. y SCHUILING, D. "Economic crisis and regime change in Dutch social housing: The case of Amsterdam", cit. p. 7. Véase el apartado "3.5.3. Necesidad de separar actividades" *infra* en este capítulo.

[771] HAFFNER, M., VAN DER VEEN, M. y BOUNJOUH, H. *National Report for the Netherlands*, cit. p. 49.

[772] VAN DER VEER, J. y SCHUILING, D. "Economic crisis and regime change in Dutch social housing: The case of Amsterdam", cit. p. 8.

[773] HOEKSTRA, J. "Reregulation and residualization in Dutch social housing: a critical evaluation of new policies", cit. p. 35.

[774] DUTCHNEWS.NL. *The big election issues: Dutch housing market under mounting pressure*, 27-02-2017, disponible en http://www.dutchnews.nl/news/archives/2017/02/the-big-election-issues-dutch-housing-market-under-mounting-pressure/ (último acceso 14-10-2019).

et al.[775] evalúa el impacto que tiene y tendrá este gravamen: aumento de los alquileres; conversión de vivienda social a vivienda de renta libre (fuera del segmento de renta regulada); venta de vivienda a los arrendatarios o a otros agentes del sector; demolición de viviendas; reducción de los costes de mantenimiento; y reducción de la inversión en nuevas viviendas, en renovación de viviendas existentes o en la mejora de la calidad energética[776].

3.5.2.3. Pago de ayudas al alquiler directamente a la housing association

Las ayudas al alquiler tienen un papel importante respecto al cobro de los alquileres por parte de las HAs[777]. En Inglaterra, por ejemplo, el 56% de arrendatarios sociales en el período 2019-2020 (número que llegaba a 65,6% en 2012-2013) recibieron esta ayuda pública[778], que en muchos casos cubrían la totalidad de la renta[779]. Así, estas ayudas suponen un factor estabilizador del sector de la gestión de vivienda social, lo que permite, garantizar el pago de los alquileres, disponer de una fuente de ingresos estable y poder ofrecer alquileres con rentas más altas (que permita a las entidades gestoras garantizar su viabilidad económica) pero sin que eso afecte a la asequibilidad de la vivienda por parte del arrendatario social.

Un mecanismo que ha permitido mantener, en muchas ocasiones, la tasa de morosidad baja y, además, reducir los gastos de cobro de los alquileres, es el pago de la ayuda al alquiler del arrendatario directamente a la

---

[775]   VEENSTRA, J., ALLERS, M. A. y GARRETSEN, J. H. *Evaluatie verhuurderheffing.* Groninga: COELO, 2016.

[776]   PRIEMUS, H. "Dutch social housing: from a unitary to a dual rental system", Comunicación presentada en el *Workshop The role and the future of social housing in Europe.* Amsterdam, 2017. p. 19.

[777]   Alrededor del 50% de los ingresos de una HA inglesa provienen de la ayuda al alquiler del arrendatario. SCANLON, K. y ADAMCZUK, H. "Milestones in housing finance in England", cit. p. 139.

[778]   MINISTRY OF HOUSING, COMMUNITIES AND LOCAL GOVERNMENT. *English Housing Survey. Headline Report: 2019 to 2020,* cit. p. 17. Este sistema de ayudas al alquiler tan extenso es uno de los factores que diferencia el sistema de vivienda del Reino Unido de los demás. En comparación, por ejemplo, estas ayudas bajan al 38% (arrendatarios sociales) en los Países Bajos. STEPHENS, M. y WHITEHEAD, C. "Rental housing policy in England: post crisis adjustment or long term trend?", p. 204.

[779]   Solo el 24% de arrendatarios de las HAs inglesas trabajan a tiempo completo, así que disponer de una ayuda pública al alquiler es de crucial importancia para muchos arrendatarios para poder pagar su alquiler. HEYWOOD, A. *Investing in affordable housing. An analysis of the affordable housing sector,* cit. pp. 18 y 27.

HA[780]. Esta práctica debe pactarse con el arrendatario, el que debe aceptar y consentir (normalmente en el momento de solicitar la ayuda) que la ayuda que reciba en concepto de pago de su alquiler social se transfiera directamente a la HA.

Este mecanismo fue, de hecho, utilizado por las WCOs en los Países Bajos hasta el 2005, mientras que en Inglaterra se ha utilizado hasta la última reforma del modelo de ayudas públicas de 2012[781], que introdujo el "Universal Credit", que supuso la fusión de seis prestaciones sociales principales[782] en un solo pago mensual y directo al beneficiario. Aún así, las HAs inglesas pueden conservar esta medida para los arrendatarios sociales más vulnerables. En ambos sistemas, el objetivo principal perseguido por la decisión de no permitir más el pago directo a la HA fue el de concienciar a los arrendatarios del valor de un alquiler, darles más libertad, independencia y empoderamiento para cumplir con sus obligaciones y responsabilizarse de sus actos. En Inglaterra, además, la ayuda al alquiler tiene una función más de complemento de los ingresos de la familia que de financiación de la vivienda, y con la medida se persigue también luchar contra el alto coste y la dependencia del sistema de bienestar[783].

Una de las preocupaciones principales en relación con este cambio de pago del propietario social al arrendatario social es el incremento de la

---

[780] HEYWOOD, A. *Investing in affordable housing. An analysis of the affordable housing sector*, cit. p. 27.

[781] Con la *Welfare Reform Act* 2012.

[782] Incluye las ayudas siguientes: *Income-based jobseeker's allowance* (subsidio para demandantes de empleo), *housing benefit* (ayuda al alquiler), *working tax credit* (prestación para complementar el salario cuando no se trabaja a jornada completa), *child tax credit* (prestación por hijos), *income-related employment and support allowance* (prestación de empleo y apoyo para los que tienen capacidad limitada para trabajar debido a enfermedades o discapacidad) e *income support* (prestación complementaria para rentas bajas). Véase más sobre el "Universal Credit" en https://www.gov.uk/universal-credit/overview (último acceso 27-03-2021).

[783] El hecho de que la ayuda al alquiler tenga la finalidad de complementar los ingresos (o la falta de estos) de la familia, es decir, de cubrir la cantidad necesaria para que la persona pueda satisfacer sus necesidades básicas después del pago de la vivienda, implica que muchos beneficiarios de esta ayuda tengan la totalidad del alquiler pagado y, por lo tanto, no lo han tenido que pagar nunca (y desconocen el importe a abonar). Es por eso que, de esta manera, responsabilizando a los arrendatarios y haciéndolos gestores de las ayudas para que paguen y tengan conocimiento de lo que cuesta el alquiler, se pretende incentivarlos a buscar trabajo para pagarlo. HICKMAN, P. et al. "The impact of the direct payment of housing benefit: evidence from Great Britain", cit. pp. 1107 y 1110.

morosidad[784]. Así, la HA inglesa L&Q Group llevó a cabo un estudio en 2004 que consistió en modificar el sistema de distribución de las ayudas a la vivienda: pasaron de pagarse directamente a la entidad a entregarse al arrendatario, para que posteriormente este abonara la renta total de su alquiler a la HA. El resultado del estudio mostró un aumento en la tasa de morosidad entre los arrendatarios, que pasó de un 3% a un 7%[785].

Además de este estudio a nivel privado por parte de una HA, el Gobierno también llevó a cabo un proyecto piloto con el fin de evaluar el impacto de este cambio del sistema de pago de las ayudas en las HAs inglesas y en los arrendatarios[786]. Los resultados mostraron como las HAs experimentaban un aumento en los impagos de la renta, sobre todo al inicio, aunque después de un período de transición se fueron recuperando. Sin embargo, esa recuperación se logró en gran medida con la mayor inversión de las HAs en funciones de acompañamiento, formación en gestión de patrimonio, en nuevas instalaciones tecnológicas para el cobro de los alquileres, etc; en definitiva, un mayor gasto en personal, instalaciones, servicios y transacciones (ej. tasas en pagos de tarjeta prepago)[787].

Lo que sí se destaca es un aumento de los impagos que superan el 50% del alquiler. Estos pasaron del 10% al 39% en los dieciocho meses que duró la prueba piloto. Es decir, para aquellos arrendatarios que ya tenían problemas económicos, el hecho de recibir las ayudas ellos y no la HA directamente hizo empeorar su deuda[788]. Y es que los arrendatarios con más problemas económicos (causa principal de la falta de pago) priorizaron

---

[784] La *Welfare Reform Act* 2012 también introdujo un *benefit Cap*, es decir, una cantidad máxima de prestaciones por unidad familiar, lo que además puede hacer perder capacidad económica a ciertas familias, traduciéndose en una imposibilidad de cumplir con el pago del alquiler social.

[785] L&Q. *Where's the Benefit.* Londres: L&Q, 2004.

[786] Para este proyecto piloto se escogieron seis áreas de actuación: Edimburgo, Oxford, Shropshire, Southwark, Torfaen y Wakefield. Hickman, P. et al. *Direct Payment Demonstration Projects: Key findings of the programme evaluation. Final report.* Londres: Department for Work and Pensions, 2014. Véase este y todos los informes de este Proyecto piloto llevado a cabo por el Centre for Regional Economic and Social Research y encargado por el Gobierno del Reino Unido en https://www.gov.uk/government/publications/direct-payment-demonstration-projects-final-reports (último acceso 14-10-2019).

[787] Hickman, P. et al. "The impact of the direct payment of housing benefit: evidence from Great Britain", cit. p. 1120.

[788] Hickman, P. et al. "The impact of the direct payment of housing benefit: evidence from Great Britain", cit. pp. 1119-1121 y p. 1123.

pagar otros gastos inesperados, como comida, electricidad, gas o gastos por circunstancias personales como rupturas sentimentales o muerte de un familiar, así como otros gastos que pudieran generar intereses de demora (a diferencia del impago del alquiler social, que no comporta esos intereses)[789].

El mismo proyecto destacó que el aumento de impagos no era tal si la HA sincronizaba la fecha del pago del alquiler con la del cobro de la ayuda, puesto que entonces los ingresos entraban y salían de la cuenta del arrendatario sin que este se percatara[790].

3.5.3. Necesidad de separar actividades

Uno de los aspectos que pone en duda y en riesgo la actuación de las WCOs como "fondos rotativos" es la medida materializada en la *Woningwet* 2015 de separar las actividades consideradas SIEG de las que no se consideran como tal.

Así, la Ley de vivienda neerlandesa de 2015[791] pone en relación la definición de SIEG con el artículo 106.2 TFUE y con la Decisión de la Comisión Europea de 20 de diciembre de 2011[792]. Su artículo 47 enumera de forma detallada todas las actividades consideradas como SIEG y, estas serían, las que de forma genérica se refieren a la construcción (también demolición), adquisición y oferta de viviendas destinadas a personas que debido a sus bajos ingresos u otras circunstancias, encuentran dificultad para acceder a una vivienda adecuada, así como los servicios vinculados a esta oferta de vivienda, entre los que también se encuentran los relacionados a mantener un buen ambiente en el área donde la entidad posee su parque inmobiliario[793].

---

[789] HICKMAN, P. et al. "The impact of the direct payment of housing benefit: evidence from Great Britain", cit. p. 1119.
[790] HICKMAN, P. et al. "The impact of the direct payment of housing benefit: evidence from Great Britain", cit. p. 1118.
[791] Art. 1 *Woningwet* 2015.
[792] Considerando 11, cuando habla de vivienda "para ciudadanos desfavorecidos o grupos menos favorecidos socialmente que, por problemas de solvencia, no puedan encontrar vivienda en condiciones de mercado". Decisión de la Comisión Europea de 20 de diciembre de 2011 ya mencionada.
[793] El art. 47 se pone en relación con el art. 45, el cual se encarga de regular lo que se considera como el área de vivienda pública/social.

En este punto, la *Woningwet* requiere que las TIVs operen exclusivamente en el campo de la vivienda social. Es por eso por lo que exige la separación: a) o bien legal, formando dos entidades legales diferentes y traspasando todo su parque de vivienda de mercado privado y todas sus otras actividades comerciales a una de estas entidades, b) o bien administrativa, entendida como una separación clara de los sistemas contables y financieros de los dos grupos de actividades. El objetivo es que únicamente las actividades consideradas como SIEG puedan tener acceso a las ayudas públicas, ya sean directas o indirectas. Por otro lado, esta separación también permite construir una "muralla china" (*ring-fencing*) para que los riesgos de la actividad comercial no afecten al parque de vivienda social[794]. Esos riesgos también se intentan minimizar a través de la imposición de restricciones a la hora de iniciar negocios con ciertas empresas o entidades financieras[795].

Esta nueva medida, sin embargo, puede suponer la pérdida del carácter híbrido de estas entidades y, consecuentemente, podría poner en riesgo el modelo planteado de financiación cruzada, puesto que los proyectos mixtos o los comerciales no pueden gozar del sistema de garantías del que disponen las WCOs, por lo que o bien será difícil conseguir que los bancos concedan préstamos para estos proyectos, o bien los intereses de estos préstamos serán muy altos y las condiciones más duras[796]. Además, el patrimonio total se ve dividido, por lo que la percepción de estas entidades como inversiones de poco riesgo debido a la existencia de un vasto activo puede llegar a desaparecer.

En Inglaterra se utiliza esta división en algunos casos en las que las HAs quieren contar con mayor libertad de actuación para desarrollar actividades comerciales y financieras (ej. restricción de actuaciones en el caso de las *charities* inglesas). Así, algunas HAs inglesas se dotan de entidades subsidiarias con o sin ánimo de lucro que no tienen por qué estar registradas como RPs. Esto hace que se creen estructuras de grupo complejas[797] y de difícil fiscaliza-

---

[794]   Así se ha mencionado en el apartado "3.5.1.3. Préstamos bancarios y otras fuentes" *supra* en este capítulo.

[795]   Restricciones impuestas en los arts. 21 y ss. *Woningwet* 2015.

[796]   Muilwijk, A. *Optimal financing commercial property of a Dutch housing association: A case study*. Saarbrücken: LAP Lambert Academic Publishing, 2012. p. 7.

[797]   El 27,4% de RPs privados en 2020 formaban parte de alguna estructura de grupo, lo que en proporción del parque de vivienda social correspondía al 90,2% aproximadamente. Regulator of social housing. *Private registered provider social housing stock in England-sector characteristics and stock movement. 2019-2020*, cit. p. 5. Véase un ejemplo de esa complejidad en el esquema de Morrison, N. "Institutional logics

ción por parte del RSH[798]. Sin embargo, por otro lado, la derivación de estas actividades comerciales hacia entidades subsidiarias permite la mencionada "muralla china" en algunos casos, para proteger al parque de vivienda social de los riesgos asumidos en las actividades comerciales o financieras de la entidad subsidiaria[799]. En los RPs con ánimo de lucro esa separación se exige por normativa, a excepción que la actividad comercial suponga un porcentaje muy bajo de la actividad de la entidad[800]. No se ha llegado, de momento, al punto de poderse considerar competencia desleal como en el caso de los Países Bajos, pero sí que es cierto que cada vez más las HAs inglesas utilizan gran parte de su activo de vivienda social para obtener financiación en el mercado de capitales, y lo que no queda claro es hasta qué punto esa financiación se utiliza para financiar proyectos del mercado privado[801].

3.5.4. Observaciones finales

La combinación de financiación pública y privada es una de las características principales de las HAs y, precisamente, su posible entrada en el campo de financiación privada, una de las razones que fomentó el traspaso del parque público a estas entidades privadas sin ánimo de lucro. Que legalmente se permitiera (y se permita) utilizar el patrimonio acumulado gracias a las ayudas públicas y al traspaso de dicho parque como garantía en negocios en el mercado financiero y de capitales permitió (y sigue permitiendo) a las HAs obtener financiación con unas condiciones favorables. Desde las políticas de vivienda también se trabajó para afianzar un mercado financiero social, fomentando la inclusión o la creación de organismos

---

and organisational hybridity: English housing associations' diversification into the private rented sector", *Housing Studies*, vol. 31, núm. 8, 2016, pp. 897-915. p. 906.

[798] Véase el apartado "2.4. Resultado de la privatización" de este capítulo.

[799] La entidad subsidiaria tiene sus propios mecanismos de financiación, por lo que no recurre al parque de vivienda social como garantía para obtener préstamos o emitir bonos. A pesar de que no existe un control directo por parte del RSH, al no ser RPs, la normativa exige que la HA registrada como RP asegure que su parque de vivienda social no se ponga en riesgo con los negocios de esta entidad subsidiaria, por lo que existe una monitorización indirecta de esta última. MANZI, T. y MORRISON, N. "Risk, commercialism and social purpose: repositioning the English housing association sector", cit. p. 5 y MORRISON, N. "Institutional logics and organisational hybridity: English housing associations' diversification into the private rented sector", cit. p. 913.

[800] Véase el apartado "3.5.1.3. Préstamos bancarios y otras fuentes" en este capítulo.

[801] MANZI, T. y MORRISON, N. "Risk, commercialism and social purpose: repositioning the English housing association sector", cit. p. 11.

públicos o privados centrados en el sector social. Son ejemplos de ello los bancos públicos BNG Bank y NWB Bank o el WSW en los Países Bajos, la banca ética Charity Bank, el banco de inversión Social Finance Limited o la Housing Finance Corporation en Inglaterra.

Además, las ayudas al alquiler, el control financiero periódico llevado a cabo por un organismo público, así como el respaldo último que ofrece la Administración pública a estas entidades es lo que atrae a los inversores a considerarlas como inversiones seguras. Precisamente, respecto del pago de las ayudas al alquiler, existen estudios que han demostrado que el cambio de pagar dicha ayuda a la HA directamente y hacerlo al arrendatario hace aumentar no solo los costes de la entidad en recursos humanos y tecnológicos sin también la morosidad, sobre todo entre los colectivos más vulnerables económicamente, que destinan la ayuda a hacer frente a otros pagos inminentes o a menesteres. Así, aunque esta medida de pago directo se ha eliminado con el fin de responsabilizar y dar empoderamiento a los arrendatarios, es cierto que su conservación para los grupos más vulnerables es planteable (como precisamente se hace en Inglaterra). Además, la sustitución de esta práctica puede ir de la mano de coordinar el cobro de la ayuda con el cobro del alquiler, aunque entonces algunos de los motivos para este cambio desaparecen (los arrendatarios siguen sin tener conocimiento de lo que cuesta la vivienda).

Sin embargo, la mayor independencia económica y las políticas públicas dirigidas a que las HAs dependan cada vez menos de ayudas públicas y más de financiación privada ha conllevado a lo que se conoce como la "financiarización" (*financialization*) de este sector, entendido como "el predominio cada vez mayor de actores financieros, mercados, prácticas, medidas y discursos, a diferentes escalas, dando lugar a una transformación estructural de las economías, las empresas (incluidas las instituciones financieras), los Estados y las familias"[802]. Nuevos riesgos aparecen, que implican la necesidad de renovar y profesionalizar las estructuras organizativas y de gobierno de las HAs, así como de adaptar el control público a estos nuevos riesgos y buscar fórmulas que permitan la protección del parque de vivienda social. La experiencia, sobre todo en el caso de los Países Bajos pero también en Inglaterra, ha reflejado el peligro de depender cada vez más de estos mercados complejos, y solo la intervención de los órganos reguladores públicos han salvado dichas entidades de caer en quiebra. Además,

---

[802] AALBERS, M. B, VAN LOON, J. y FERNANDEZ, R. "The financialization of a social housing provider", cit. p. 573. Traducción propia

nuevos actores entran en el sector, como consultores, asesores, agencias de calificación crediticia, bancos, etc., y el precio de todos estos servicios acaba repercutiendo en el precio de los alquileres, e indirectamente, en las ayudas al alquiler.

Por otro lado, esa diversificación en las fuentes de financiación también viene por la oferta no solo de vivienda social en alquiler sino de tenencias intermedias ofrecidas desde el sector social, así como también el desarrollo de viviendas en el mercado privado. La regulación general por lo que a requisitos se refiere permite a las HAs ofrecer esta diversidad de actividades, siempre y cuando su actividad principal sea la vivienda social y siempre que operen sin ánimo de lucro. Esta combinación permite, a parte de liquidez para invertir en nuevos proyectos sociales, la combinación de estas en un mismo proyecto o zona para crear mixtura social. Las restricciones que experimentan las HAs que se registran como *charities* en Inglaterra, se suple con las estructuras de grupo para tener entidades subsidiarias que se encarguen de desarrollar esas actividades más comerciales. Los Países Bajos por su parte, ha restringido esa capacidad de financiación cruzada, obligando a las WCOs a separar bien legalmente bien económicamente los SIEG de las actividades comerciales. Otra medida interesante, aunque no exenta de crítica, que permite esa mixtura social son los "acuerdos del artículo 106" en Inglaterra, que permite reservar un porcentaje de todos los desarrollos urbanísticos a vivienda social.

La venta de una parte del parque de vivienda social es otra fuente importante para asegurar la viabilidad económica de las HAs. Precisamente, el Gobierno también apoya esta actividad, pues mejora la eficiencia en la gestión activa del parque. Esta medida, sin embargo, debería controlarse para asegurar que no se especula con dinero público y para garantizar un reemplazo del parque que se pierde. Así, son interesantes los acuerdos que las WCOs tienen con los municipios neerlandeses, donde se pacta este último aspecto, entre otros.

Finalmente, por lo que a tributación se refiere, mientras que las WCOs no tienen actualmente ningún trato especial, sí lo tienen las HAs en el desarrollo de algunas de sus actividades y, sobre todo, las consideradas *charities*.

3.6. La implicación de los arrendatarios en la housing association

BOELHOUWER y PRIEMUS definen a las HAs como la única categoría de arrendadores que involucran a los arrendatarios en la elaboración de sus políticas y en la gestión de su parque de vivienda[803]. Y es que aunque son entidades que actúan siguiendo criterios de mercado (competición, eficiencia, profesionalización de la gestión, etc.), su objetivo principal es social y, por lo tanto, deben buscar también la satisfacción de los arrendatarios y de la comunidad en general.

En Inglaterra, la normativa a cumplir por parte de las HAs incorpora dos bloques de normas distintas: el primer bloque contiene normas de carácter económico[804] y el segundo bloque está conformado por normas que velan por la protección de los consumidores. Uno de los subgrupos que conforman este segundo bloque se dedica a establecer normas con relación a la participación y al empoderamiento de los arrendatarios[805].

En este punto, la normativa establece la necesidad de:

1) ofrecer un buen servicio de información y también de reclamaciones de los arrendatarios;

2) garantizar que los arrendatarios tengan la oportunidad de influir en la toma de decisiones de la entidad con relación a cómo gestionar las viviendas y los servicios prestados, mencionando diferentes instrumentos al respecto, como favorecer el *right to manage* (derecho de gestión)[806], apoyar las organizaciones de arrendatarios, crear me-

---

[803] Boelhouwer, P. y Priemus, H. "Demise of the Dutch social housing tradition: impact of Budget cuts and political changes", cit. p. 231.

[804] Véase *supra* el apartado "3.3.2. Proveedores registrados (RP) en Inglaterra" de este mismo capítulo.

[805] Los otros tres subgrupos son en referencia a la calidad de la vivienda, al contrato de arrendamiento y a la implicación en el barrio y en la comunidad. Posible consultar toda la normativa en https://www.gov.uk/government/publications/regulatory-standards (último acceso 27-03-2021).

[806] El *right to manage* se introdujo en 1994 [*The Housing (right to manage) Regulations* (Reglamento de vivienda del *right to manage*), de 7 de marzo de 1994, SI 1994/627] para los arrendatarios de viviendas gestionadas por administraciones locales y permite a los arrendatarios sociales, organizados a través de una *tenant management organisation* (mencionadas en el apartado "1.2. Datos relevantes del sector", en este capítulo), asumir la gestión y el mantenimiento de sus viviendas. En el caso de las HAs, esta opción es voluntaria. Para poder llevarla a cabo, los arrendatarios y la entidad gestora firman un contrato de gestión (*management agreement*), en el cual se delimita qué colaboración y relación tendrán las dos partes y qué servicios gestionarán los arrendatarios a través de la *tenant management organisation*, siendo los más habituales las reparaciones y el mantenimiento de las viviendas (excluyendo reparaciones extraordinarias), así como otros servicios de gestión diaria. Normalmente, la gestión del pago del alquiler y la adjudicación de las viviendas

canismos de supervisión periódicos de la actuación de la entidad o mecanismos para involucrar a los arrendatarios en la gobernanza de la entidad;

3) y ofrecer un trato respetuoso a los arrendatarios, teniendo en cuenta que hay arrendatarios que requieren necesidades y apoyo especiales. Cabe decir, sin embargo, que el control público que el RSH desempeña sobre este tipo de normativa no es tan estricto como el control de las disposiciones económicas[807].

En la práctica, muchas de las HAs inglesas incorporan representantes de los arrendatarios en sus órganos de gobierno. Estos representantes son elegidos por los mismos arrendatarios y, en muchos casos, se les ofrece un programa de formación con el fin de que puedan desempeñar sus responsabilidades adecuadamente. Esta representación es obligatoria en los casos de HAs formadas a partir de las LSVTs. Sin embargo, estos representantes no suelen constituir mayoría dentro del órgano de gobierno[808].

Muchas de las HAs inglesas (sobre todo las creadas a partir de la transferencia de parque de vivienda pública) siguen la estructura de las ALMOs respecto a la configuración del órgano de gobierno de la entidad. Así pues, el órgano se divide en tres grupos: 1) un tercio representa a la administración local, 2) un tercio a los arrendatarios, 3) y un tercio son personas independientes expertas en la materia[809]. Esta estructura permite a las entidades tener un vasto conocimiento en la materia de vivienda, mantener

---

restan en manos de la HA. Véase más sobre esta forma de gestión en SMITH, S. y SECKER, T. "Chapter 112. Tenant Management Organisations", en DOOLITTLE, I. *Housing and Regeneration. A guide to policy, law and practice.* Londres y Edimburgo: LexisNexis UK, 2003. pp. 733-736.

[807] Véase *supra* el apartado "3.3.2. Proveedores registrados (RP) en Inglaterra", donde se discute este rol más pasivo adoptado por el RSH, campo en el que solo actúa en caso de conflicto o incumplimiento grave. Este control era más estricto durante la época en que el control de esta regulación estaba en manos de la Tenant Services Authority, puesto que la creación de este órgano supuso una intención de fomentar un papel más participativo de los arrendatarios en gestión y gobernanza de la entidad gestora de vivienda social. MULLINS, D. *Housing associations. Working Paper 16,* cit. p. 34. También lo mencionan miembros de Accord Housing Associations, entrevista 20-06-2017.

[808] HEYWOOD, A. *Investing in affordable housing. An analysis of the affordable housing sector,* cit. p. 26.

[809] NATIONAL FEDERATION OF ALMOS. *ALMO governance-empowering tenants,* 2017, disponible en http://www.almos.org.uk/almos_docs.php?typeid=11 (último acceso 27-03-2021).

una relación cercana con los ayuntamientos y garantizar una mayor confianza de los arrendatarios.

Además, también existen organizaciones o asociaciones de arrendatarios[810], cuyo representante se encarga de asistir a las reuniones de las diferentes organizaciones o comunidades de vecinos para posteriormente transmitir sus propuestas, quejas e inquietudes al órgano de gobierno de la HA. Este representante suele ser uno de los miembros que forman parte del órgano de gestión de la entidad.

Un aspecto controvertido ya introducido anteriormente en este capítulo, es el hecho de que el aumento del tamaño de algunas HAs, junto a la orientación más comercial que deben adoptar, ha conducido a un distanciamiento de las relaciones cercanas entre la entidad y los arrendatarios. Se ha ido adoptando un enfoque en el que se prestan servicios en masa que, por un lado, buscan poder justificar un mayor grado de atención a los usuarios, en términos de cantidad, pero que, al mismo tiempo, dejan a un lado la implicación y la participación directa de sus arrendatarios[811].

---

[810] A nivel nacional, pueden destacarse el Tenants and Residents Organisations of England (TAROE), organismo que representa a los arrendatarios sociales en Inglaterra, el National Federation of Tenant Management Organisations (NFTMO), organización que representa a las *tenant management organisations* o el Tenant Participation Advisory Service (TPAS), organización formada tanto por grupos de arrendatarios como por RPs que ofrece información, asesoramiento, formación y conferencias en temas de involucración de los arrendatarios en la gestión de sus viviendas. Véase estas, así como iniciativas a nivel regional en Communities and Local Government. *Regional and national tenants' organisations*. Londres: Department for Communities and Local Government, 2010. Encontramos muy interesante la idea de ofrecer formación, y otro ejemplo de ello es la formación que imparte el Chartered Institute of Housing (organización que trabaja y representa a todo los profesionales del sector de la vivienda en el Reino Unido, puede consultarse su página web en http://www.cih.org, último acceso 14-10-2019) con la posterior obtención de un certificado, el *National Certificate in Tenant Participation* (Millward, L. "'Just because we are amateurs doesn't mean we aren't professional': the importance of expert activists in tenant participation", *Public Administration*, vol. 83, núm. 3, 2005, pp. 735-751. p. 736). Véase la evolución y el rol que juegan las asociaciones de vivienda en el Reino Unido, así como la implicación y motivación de los arrendatarios por participar (contrastándolo con las *tenant management organisations*) en Simmons, R. y Birchall, J. "Tenant participation and social housing in the UK: Applying a theoretical model", *Housing Studies*, vol. 22, núm. 4, 2007, pp. 573-595.

[811] Mullins, D. *Housing associations. Working Paper 16*, cit. p. 27. Véase más discusión sobre cómo equilibrar el enfoque comercial con la involucración de los arren-

Independientemente de estos aspectos más controvertidos, las estadísticas muestran cómo los arrendatarios de las HAs inglesas presentan un grado de satisfacción ligeramente mayor al de los arrendatarios en viviendas públicas de las administraciones locales[812]. Además, este grado de satisfacción del nivel de vida, que es del 7,1 (de 10), no queda tan alejado de la que presentan los arrendatarios del mercado privado (7,4), como muestra la Figura 16.

Figura 16. Nivel de calidad de vida en Inglaterra según tenencia, 2017-18

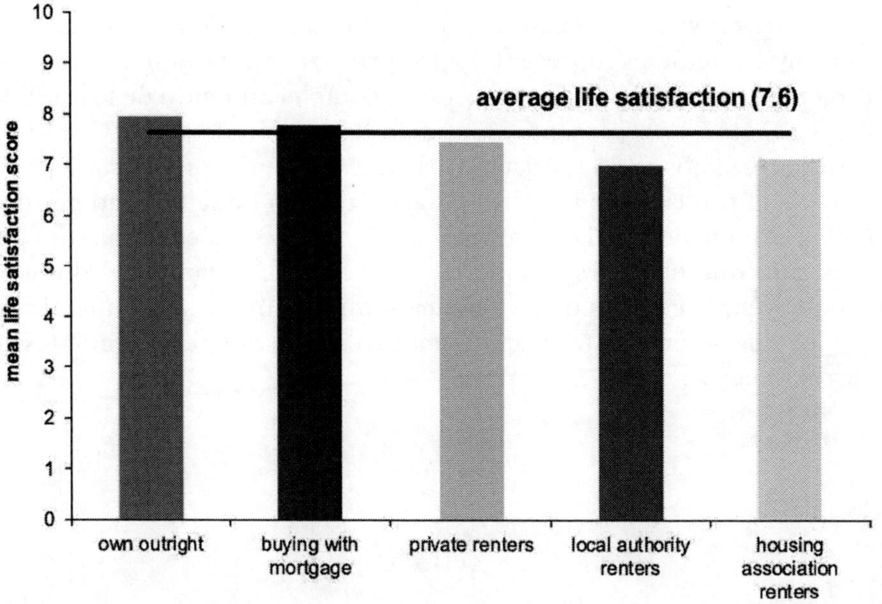

Fuente: MINISTRY OF HOUSING, COMMUNITIES AND LOCAL GOVERNMENT. *English Housing Survey. Headline Report: 2017 to* 2018. Londres: Ministry of Housing, Communities and Local Government, 2019. p. 23.

Leyenda (de izquierda a derecha): propietarios sin hipoteca, propietarios con hipoteca, arrendatarios del mercado privado, arrendatarios de administraciones locales, arrendatarios de HAs.

---

datarios y la comunidad en general en el siguiente Capítulo; así como también una reflexión sobre cómo buscar el equilibrio entre el crecimiento de la entidad (siguiendo economías de escala) con la conservación de una visión local, con un contacto directo con los arrendatarios.

[812] HEYWOOD, A. *Investing in affordable housing. An analysis of the affordable housing sector*, cit. p. 18.

Por lo que respecta a la influencia de los arrendatarios en los Países Bajos, la inclusión de uno o dos representantes de estos (dependiendo del número de miembros del órgano) en el órgano de supervisión de la WCO es un requisito preceptivo para poder constituirse como TIV[813]. Los mismos arrendatarios son los encargados de escoger a estos miembros, aunque deben ser miembros externos, es decir, no puede tratarse de los mismos arrendatarios, por lo que acostumbran a ser expertos en la materia.

Además, existen comisiones u organizaciones de arrendatarios por áreas o barrios, y también Consejos de arrendatarios dentro de la misma WCO, cuya función es representar a los primeros y realizar consultas con el director de la entidad sobre cuestiones como el aumento de los alquileres[814]. La Figura 17 representa el modelo de gestión de una WCO media en los Países Bajos (una fundación). Este esquema presenta claramente el papel y la posición de los arrendatarios dentro de la entidad gestora. Además, evidencia como quién toma las decisiones no es un órgano ejecutivo, sino que el máximo poder se concentra en manos del director, que debe rendir cuentas de su actuación ante el órgano de supervisión, entre los que se encuentran precisamente uno o dos representantes de los arrendatarios.

---

[813]   Art. 30.8 y 30.9 *Woningwet* 2015.
[814]   OUWEHAND, A. y VAN DAALEN, G. *Dutch housing associations. A model for social housing*, cit. p. 75.

Figura 17. Modelo de gestión de una *woningcorporatie* neerlandesa media

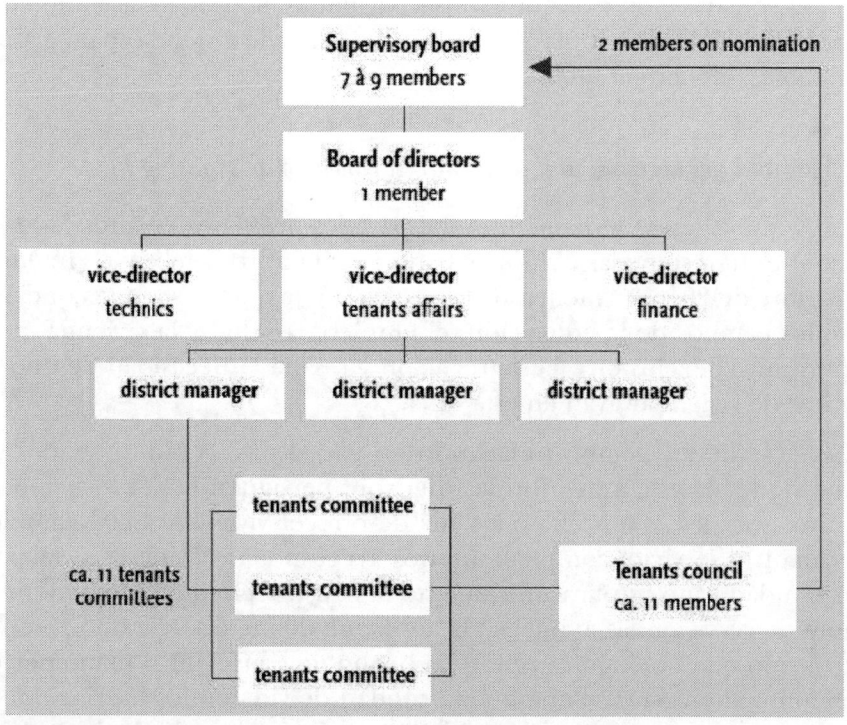

Fuente: Ouwehand, A. y Van Daalen, G. *Dutch housing associations. A model for social housing*, cit. p. 37.

Por otro lado, la *Wet op het overleg huurders verhuurder* (Ley para facilitar las consultas entre arrendatario y propietario)[815] establece un conjunto de derechos y deberes de ambas partes, otorgando la oportunidad a los arrendatarios de influir en la actuación de la entidad proveedora; sin embargo, su papel en ella se reduce a simple consulta y asesoramiento[816]. Su influencia, no obstante, se ha visto aumentada con la *Woningwet* 2015[817], como también lo han hecho las administraciones locales[818], con la imposición de una reunión anual entre la WCO, la administración local y las organizaciones de arrendatarios para debatir sobre las actividades que desarrollará la

---

[815]   *Wet op het overleg huurders verhuurder* 1998.
[816]   HAFFNER, M., VAN DER VEEN, M. y BOUNJOUH, H. *National Report for the Netherlands*, cit. p. 30.
[817]   Art. 44 *Woningwet* 2015 y también arts. 38 y 39 BTIV.
[818]   HOEKSTRA, J. "Reregulation and residualization in Dutch social housing: a critical evaluation of new policies", cit. p. 34.

entidad gestora en el año que sigue. Se pueden llevar a debate temas como la nueva construcción o adquisición de viviendas, la calidad, asequibilidad y accesibilidad de sus propias viviendas, la reserva de viviendas para grupos vulnerables, el incremento de las rentas, etc.

3.7. Más allá del acceso a una vivienda. El concepto de Housing Plus

La Nueva Agenda Urbana mundial para los próximos 20 años (adoptada en el Congreso de las Naciones Unidas Hábitat III celebrado en Quito, en octubre de 2016)[819] menciona la necesidad de que exista una conexión entre los campos de la educación, el empleo, la salud y la vivienda, a fin de prevenir la exclusión y la segregación y resalta la necesidad de que las políticas de vivienda vayan en esta línea.

Las HAs llevan tiempo trabajando en ello. Estas, como entidades sin ánimo de lucro y figuras híbridas que son, persiguen la consecución de objetivos sociales, y, por ello, más allá de ofrecer vivienda social, también ofrecen otros servicios complementarios. La gestión de vivienda social para estas entidades no implica únicamente la construcción, mantenimiento y mejora de las viviendas, o incluso la adopción de medidas de ahorro energético, sino que también se refiere al hecho de conseguir o mantener un buen ambiente vecinal y una buena calidad de vida en los barrios donde estas tienen sus parques de vivienda[820]. A modo de ejemplo, las WCOs destinaron 770 millones de euros en 2011 a mejorar la calidad de vida en las comunidades y vecindarios[821]. Las HAs inglesas, por su lado, invirtieron 746,5 millones de libras esterlinas en el período 2010-2011 en servicios para la comunidad, lo que se traduce en más de 9.000 servicios, 7,75 millones de personas beneficiadas y 11.000 lugares de trabajo creados para llevar a cabo esos servicios[822]. La Tabla 9 muestra de forma desglosada en qué áreas de actuación se invirtió y cuáles son algunos ejemplos de las actividades o servicios ofrecidos en cada campo.

---

[819]   Punto 108. Disponible en http://habitat3.org/the-new-urban-agenda/ (último acceso 27-03-2021).

[820]   AEDES. *Dutch social housing in a nutshell*, cit. p. 8.

[821]   *Ibid.*

[822]   NATIONAL HOUSING FEDERATION. *Building Futures: Neighbourhood Audit, Summary and Key Findings*. Londres: National Housing Federation, 2012. p. 6.

Tabla 9. Inversión en servicios a la comunidad de las *housing associations* inglesas, 2010-2011

Área de actuación	Inversión	Impacto social	Ejemplos de actividades concretas
Empleo y formación	£80m 1.000 proyectos	270.00 participantes 1.250 personas contratadas para llevar a cabo el trabajo	Búsqueda de trabajo; iniciativas empresariales para jóvenes; iniciativas de trabajo local y de creación de empresas; aprendizaje de oficios; organización y oferta de experiencias laborales y prácticas laborales en voluntariado y habilidades y capacidades para un trabajo.
Aprendizaje y habilidades	£73m 1.500 proyectos	500.000 participantes 1.800 personas contratadas para llevar a cabo el trabajo	Habilidades parentales, apoyo y servicios de guardería; desarrollo y formación de las capacidades de los residentes; asesoramiento y orientación en educación; desarrollo de la confianza en uno mismo y vida independiente; educación para adultos; iniciativas de aprendizaje de tecnologías de la información e inclusión digital; contacto con las escuelas locales y formación en horticultura.
Salud y bienestar	£74m 1.100 proyectos	345.000 participantes 1.500 personas contratadas para llevar a cabo el trabajo	Servicios de salud y bienestar para la gente mayor; adaptaciones necesarias; iniciativas de salud mental, de intervención familiar, de consumo de drogas y alcohol, de comida y vida saludable; apoyo general y oferta de prácticas deportivas.
Formación para combatir la pobreza	£60m 1.700 proyectos	1m participantes 1.200 personas contratadas para llevar a cabo el trabajo	Iniciativas de pobreza energética, de asesoramiento frente al endeudamiento, orientación y formación financiera; asesoramiento en ayudas públicas; apoyo general para el arrendamiento (y fase anterior); programas de préstamos, ahorros y cooperativa de ahorro y crédito (*credit union*).
Seguridad y cohesión en la comunidad	£100m 1.900 proyectos	3m personas beneficiarias 2.100 personas contratadas para llevar a cabo el trabajo	Servicios de mediación; eventos y actividades comunitarias y para jóvenes; colaboración con los cuerpos de seguridad y de justicia; prevención y abordaje de comportamientos delictivos y antisociales; involucrar a la comunidad; guardas; iniciativas contra la violencia doméstica y para conseguir seguridad en la vivienda; trabajo de cohesión y desarrollo comunitario.

Área de actuación	Inversión	Impacto social	Ejemplos de actividades concretas
Mejoras de las áreas locales	£257m 1.700 proyectos	2,5m personas beneficiarias 3.100 personas contratadas para llevar a cabo el trabajo	Medidas de eficiencia energética; servicio de conserjería y de pequeñas reparaciones; fondos comunitarios, instalaciones para la comunidad; iniciativas de conservación del paisaje y de las zonas verdes; recogida de basura y material voluminoso, reciclaje e iniciativa de jardinería y de cultivo.
Espacios comunitarios[820]	£502m	1.500 espacios comunitarios	Vallado y rejado; centros sociales/culturales, espacios comunitarios; espacios verdes y áreas de juego; recursos comunitarios, centros de información, bibliotecas; instalaciones de párking; tiendas, comercios minoristas y albergues juveniles.

Fuente: Elaboración propia con los datos de National Housing Federation. *Building Futures: Neighbourhood Audit, Summary and Key Findings*, cit.

Toda esta lista de servicios contemplados en la Tabla anterior forma parte de lo que se conoce como *Housing Plus*. Este no es un concepto nuevo (se remonta a 1995), puesto que para algunas HAs es como "volver a sus raíces"[824]. Problemas de exclusión social, estigmatización y marginalización empezaron a crecer en el sector de la vivienda social en Inglaterra (sector que se enfocaba a albergar colectivos muy vulnerables), así que la Housing Corporation (órgano regulador de las HAs entre 1964 y 2008)[825], viendo la necesidad de invertir más allá de únicamente en la construcción de vivienda, lanzó la iniciativa del *Housing Plus* en 1995[826], que contenía tres dimensiones: crear y mantener comunidades sostenibles; conseguir un valor añadido de la gestión y la inversión en vivienda; e invertir y crear colaboraciones con los diferentes agentes del sector.

Se trata de una definición muy amplia y que incluye servicios que pueden ir desde el acompañamiento más básicos a servicios específicos centrados en la formación y fomento del empleo, al asesoramiento en temas

---

[823]   En este caso, el período tomado para hacer los cálculos es del 2006 al 2011.

[824]   Evans, R. "Tackling deprivation on social housing estates in England: an assessment of the Housing Plus approach", *Housing Studies*, vol. 13, núm. 5, 1998, pp. 713-726. p. 714.

[825]   Véase el apartado "3.2.2. Legislación inglesa" *supra* en este mismo capítulo.

[826]   Evans, R. "Tackling deprivation on social housing estates in England: an assessment of the Housing Plus approach", cit. p. 715.

de gestión del dinero o de eficiencia energética, a la ayuda para adquirir mobiliario y/o electrodomésticos a buen precio, llegando hasta la creación y ejecución de un Plan de actuación integral. Además, también pueden incluir la organización de actividades y eventos, un servicio de mediación, la inversión en instalaciones deportivas, culturales o la inversión en seguridad, entre otros[827].

Estos servicios pueden ofrecerse con personal propio, aunque normalmente las HAs también colaboran estrechamente con autoridades públicas y con otras organizaciones sociales para ofrecer servicios de asistencia, centros de educación, cursos de formación, ayuda con las deudas, ayuda a fin de prevenir desahucios, etc[828].

No es menos cierto que estas entidades gestoras también tienen un interés propio en fomentar este tipo de actividades complementarias (más allá del interés social), puesto que los arrendatarios tendrán mayor facilidad para hacer frente a los pagos del alquiler si tienen un trabajo estable, suficiente poder económico y si saben gestionar su patrimonio. Asimismo, la prevención del vandalismo y de comportamientos antisociales y delictivos es clave para mantener una buena armonía en la zona a largo plazo que permita una gestión rentable de esos bienes inmuebles[829] y que consiga mantener una zona atractiva y valorada para nueva demanda y para el incremento del valor de los inmuebles. Además, la oferta y la calidad de estos servicios puede presentarse también como una estrategia de mercado, que hace que una entidad gestora pueda destacar dentro de un mercado competitivo como lo es el de los gestores de vivienda social en Inglaterra y en los Países Bajos. Se trata de ofrecer el mejor servicio al menor coste posible[830], para así también tener más posibilidad de conseguir ayudas públicas para la promoción de vivienda social o para el desarrollo de estas actividades.

Sea como fuere, las HAs son un caso de entidad gestora de vivienda social que va más allá de la mera oferta de una vivienda social, complemen-

---

[827] Puede verse un ejemplo de la clasificación de estos servicios en EVANS, R. "Tackling deprivation on social housing estates in England: an assessment of the Housing Plus approach", cit. p. 717.

[828] AEDES. *Dutch social housing in a nutshell*, cit. p. 10.

[829] PURKIS, A. *Housing Associations in England and the future of voluntary organisations*, cit. p. 21.

[830] WALKER, R. M. "The changing management of social housing: the impact of externalisation and managerialisation", cit. pp. 289 y 290.

tándola con servicios para los arrendatarios a nivel particular y/o servicios para la comunidad, como se desarrolla en los subapartados que siguen. Esta inversión no cesa en tiempos de crisis y austeridad[831], sino que, por el contrario, en muchos casos, aumenta[832]: las HAs inglesas pasaron de invertir un total de 365 millones de libras esterlinas en 2006/07 a 746,5 millones en 2010/11[833].

3.7.1. Servicios para las personas arrendatarias

En términos generales, los servicios ofrecidos pueden clasificarse en dos grupos. El primer grupo está formado por todas aquellos servicios y actividades que están destinados a cada arrendatario social en particular, con el fin de mejorar su calidad de vida y su situación personal, económica, social o profesional; por ejemplo, las cuatro primeras áreas de actuación de la Tabla 9. El segundo grupo lo conformarían aquellos servicios y actividades enfocados al vecindario o a la comunidad en general, es decir aquellos que persiguen la mejora de la calidad de vida y del ambiente en la zona o barrio concretos[834], como son las tres últimas áreas de actuación de la mencionada Tabla 9. Los dos grupos no son independientes el uno del otro, sino que son complementarios. Así, ayudar a los arrendatarios en particular puede conllevar una mejora en el comportamiento comunitario y en la calidad de vida del barrio[835]; y conseguir un ambiente vecinal sano puede ayudar a la persona en particular a coger motivación para desarrollarse y evolucionar.

---

[831]   Véase la importancia de no depender únicamente de fuentes de financiación pública en el apartado "3.5. Financiación" de este mismo capítulo.

[832]   Mullins, D. "The changing role of housing associations", en Rees, J. y Mullins, D. (eds.) *The third sector delivering public services. Developments, innovations and challenges.* Third Sector Research Series. Bristol: Policy Press, 2016, pp. 211-232. p. 222.

[833]   Véase la tabla en Pritchard-Wilkes, C. *Social impact measurement: constructing an institution within third sector housing organisations.* Tesis doctoral por la Universidad de Birmingham, 2014. p. 119, elaborada con relación a los estudios sobre la inversión de las HAs inglesas en los barrios de 2008 y 2012, encargados por la National Housing Federation.

[834]   Véase, por ejemplo, Brandsen, T., Farnell, R. y Cardoso Ribeiro, T. *Housing association diversification in Europe: Profiles, Portfolios and Strategies.* Coventry: The Rex Group, 2006. pp. 16 y 17.

[835]   Así, la renovación urbana de un área no debe consistir solamente en mejorar las viviendas físicamente, sino que también debe acompañarse de medidas que ayuden a mejorar la posición de sus residentes (vivienda, educación, trabajo y ocio). Esto se conoce como *looking behind the front door.* Wassenberg, F. "Key players in

La vivienda social es un sector del mercado al que acceden, mayoritariamente, colectivos vulnerables que no pueden acceder al mercado privado, ya sea por razones económicas, sociales, profesionales o personales. Así, una gestión eficiente de este parque no puede entenderse sin la provisión de servicios adicionales, que permitan cumplir con el suministro de un servicio público al mismo tiempo que consiguen otros objetivos sociales. La oferta de esos servicios varía sustancialmente en función del colectivo que habita en el parque gestionado por cada entidad y también en función del tamaño y objetivo de cada entidad en concreto. Algunas incluso se especializan en grupos de población determinados, como gente mayor, personas con drogodependencia, personas sin hogar, colectivo joven o personas con discapacidad, entre otros.

Las HAs (sobre todo las de mayor tamaño) hacen uso de las nuevas tecnologías para remodelar y mejorar su capacidad organizativa, beneficiándose de las prácticas del sector privado que les puedan servir para ofrecer una gestión más eficiente de sus servicios. Servicios de atención telefónica (*call centres*), formularios por internet y aplicaciones para móviles, entre otras prácticas, permiten atender a más personas, de manera más rápida y con menos costes y, además, libera a los trabajadores sociales (*housing officers*) de las tareas más rutinarias y administrativas, hecho que les permite centrar su trabajo y atención en atender de manera presencial todas las problemáticas y las necesidades más específicas que puedan tener los arrendatarios[836].

PURKIS pone sobre la mesa una reflexión crítica sobre la posible incompatibilidad entre gestionar una vivienda y ofrecer ciertos servicios complementarios a los arrendatarios. Este argumenta que las HAs muchas veces son percibidas como arrendadores, aquellos que reclaman el alquiler si se deja de pagar o llaman al orden si causan disturbios; por eso, los arrendatarios pueden ser reacios a la hora de hablar (y recibir consejos) sobre sus problemas económicos u otras problemáticas sociales o familiares con ellas, puesto que además, eso implica mostrar debilidades a alguien que tiene poder sobre ti. También añade que el hecho de externalizar este servicio y apoyarse en otras entidades sociales implica que el coste de ese servicio acabe repercutiendo sobre el arrendatario[837].

---

urban renewal in the Netherlands", en SCANLON, K. y WHITEHEAD, C. (eds.) *Social Housing in Europe II. A review of policies and outcomes*, cit. pp. 197-208. p. 201.

[836] WALKER, R. M. "The changing management of social housing: the impact of externalisation and managerialisation", cit. pp. 293 y 294.

[837] PURKIS, A. *Housing Associations in England and the future of voluntary organisations*, cit. p. 23.

3.7.2. Impacto en la comunidad

Una de las tres dimensiones iniciales del *Housing Plus* era crear y mantener comunidades sostenibles. En este punto, el papel que juegan las HAs a nivel de comunidad de vecinos y de barrio es muy importante, pues además, en la mayoría de los casos, estas entidades son las propietarias de la mayor parte de viviendas en el vecindario[838]. Precisamente, velar por el buen ambiente en la comunidad o el barrio es una de las funciones contempladas en la normativa de las HAs inglesas. Así, el *Regulatory Framework* recalca la necesidad de que las HAs trabajen juntamente con autoridades y entidades públicas, así como también otros agentes del sector (ej. otras entidades sociales) para asegurar y mantener la seguridad, la higiene y el bienestar económico, social y medioambiental en el barrio, así como para prevenir o abordar conductas antisociales y delictivas.

Por su parte, el derogado BBSH neerlandés establecía como una de las áreas de actuación de las WCOs la procuración de un buen ambiente (*liveability*) en la comunidad y el barrio; actualmente, mantener esa coexistencia en el área donde la entidad posee su parque inmobiliario se contempla como una de las actividades que puede desarrollar la WCO entre sus actividades consideradas como SIEG.

Así pues, juntamente con las administraciones locales y otros agentes del sector, las HAs son las responsables de conseguir y mantener un buen clima en el barrio. Esto se consigue especialmente por medio de acuerdos de colaboración, por ejemplo, para desarrollar ciertos servicios con otras entidades sociales, o pactar con la administración planes para regenerar barrios, construir instalaciones (centros culturales, escuelas, plazas, parques), etc. También colaboran muy estrechamente con la policía y con otros cuerpos de seguridad, a fin de garantizar seguridad y control en la zona. Así, a parte de la comunicación continua que tienen entre ellos para detectar comportamientos delictivos y antisociales, pueden proporcionar guardias y cámaras de vigilancia a centenares de vecindarios, invertir en alumbrado adicional y en patrullas policiales extras[839].

---

[838] Ouwehand, A. y Van Daalen, G. *Dutch housing associations. A model for social housing*, cit. p. 60.

[839] National Housing Federation. *What is a housing association? How associations deliver decent homes and strong communities*. Londres: National Housing Federation, 2010. p. 15 y Ouwehand, A. y Van Daalen, G. *Dutch housing associations. A model for social housing*, cit. p. 64.

En algunas ocasiones, las HAs ponen a disposición de los barrios servicios de conserjería o de portería. Este personal se encarga de recibir e intentar resolver todas las cuestiones, dudas y problemas diarios que puedan surgir, como ruidos o pequeñas reparaciones; en el caso de no poder encargarse directamente, transmiten los problemas al departamento o autoridad correspondiente. Alternativamente, estas funciones las puede realizar el/la *housing officer*. Además, estas entidades acostumbran o pueden disponer de servicios de limpieza, mediación o acompañamiento social, entre otros. También suelen organizar reuniones, charlas y otros eventos en el vecindario o fomentar centros de cultura y de formación.

Trabajar para mantener y mejorar un buen entorno en la comunidad es esencial para poder conseguir mixtura social, es decir, para que familias con un nivel de ingresos medio-alto adquieran viviendas en propiedad o alquiler de mercado en áreas donde también existe vivienda social. Además, conseguir una coexistencia vecinal también es positivo para las HAs porque los solicitantes de vivienda (social y también de mercado) no tienen presente solamente el precio, el tamaño y la calidad de la vivienda a la hora de buscar o solicitar una vivienda, sino que su localización, buen ambiente y servicios o instalaciones cercanas también son aspectos a tener en cuenta. Además, en el caso de las WCOs, esta importancia del entorno aumenta, pues el establecimiento del precio del alquiler depende de los puntos que obtenga una vivienda y uno de los aspectos que se contempla para sumar puntos es su localización, los servicios que hay alrededor, etc.

En este campo converge una controversia reciente sobre cuales son las funciones que debe desarrollar una HA. Esta discusión ha sido especialmente patente en los últimos años en los Países Bajos. Desde que en 1997 se introdujera la obligación de procurar esa coexistencia y seguridad en los barrios en la BBSH como área de actuación de las WCOs, estas han aumentado su papel en cuanto a servicios, instalaciones para la comunidad y renovación urbana se refiere[840]. Su prosperidad económica de los últimos años y hasta la crisis económica, les permitió llevar a cabo muchos proyectos de comunidad, como proveer al vecindario de escuelas, centros culturales e incluso tiendas y centros comerciales; justificando estas actuaciones como maneras de mejorar la calidad de vida de ese barrio y también de

---

[840] VAN BORTEL, G. *From brick-layers to life-changers…and back again?*, Comunicación presentada en la *Conferencia de la ENHR Mixité: an urban and housing issues?*. Toulouse, 2011. p. 3.

mantener el valor de sus viviendas[841]. Sin embargo, en algunos casos esta inversión trajo consigo procesos de mala gestión que comportaron muchas pérdidas a algunas de estas entidades. El caso más conocido fue el de la WCO Woonbron, que en 2005 compró un antiguo crucero (el SS Rotterdam, en la Figura 18) para convertirlo en un hotel, restaurante, centro de conferencias, centro de formación profesional, etc. e instalarlo en uno de los barrios de Róterdam. La inversión inicialmente esperada (seis millones de euros) se convirtió en 250 millones[842].

Figura 18. Imagen del antiguo crucero SS Rotterdam

Fuente: De Volkskrant. *Topman Woonbron: spijt van aankoop ss Rotterdam*. Volkskrant.nl, 05-06-2014, disponible en https://www.volkskrant.nl/vk/nl/2680/Economie/article/detail/3667353/2014/06/05/Topman-Woonbron-spijt-van-aankoop-ss-Rotterdam.dhtml (último acceso 14-10-2019).

La discusión[843] se centró en la opinión de que el ámbito de actuación de las WCOs dentro del término "entorno habitable" era demasiado ambiguo, y que debería concretarse más. Las WCOs deberían centrarse únicamen-

---

[841] Elsinga, M. y Wassenberg, F. "Social Housing in the Netherlands", cit. p. 37.

[842] Zijlstra, S. y Van Bortel, G. "Will scale finally deliver? Overcoming the crisis: are Dutch housing associations able to deliver better value for money?", Comunicación presentada en la *Conferencia de la Asociación de Housing Studies*. York, 2014. p. 2.

[843] Este fue uno de los aspectos discutidos durante la investigación que llevó a cabo el Parlamento neerlandés entre abril de 2013 y octubre de 2014 sobre las WCOs (véase el apartado "3.2.3. Legislación neerlandesa" *supra* en este mismo capítulo). Véase la formación de la Comisión de investigación en la página oficial del

te en su objeto principal, es decir, la provisión de vivienda y los servicios relacionados directamente con esta y dejar el resto a otras organizaciones especializadas en la materia. Es por ese motivo que la *Woningwet* 2015 restringió el ámbito de actuación de estas entidades. Así pues, la nueva legislación delimita específicamente cuales son las tareas principales de las WCOs y cuales son, en cambio, tareas complementarias, que podrá llevar a cabo solo bajo condiciones de control estricto[844]. En el caso de invertir en la comunidad, se limita a actuaciones que contribuyan a la calidad de vida en las inmediaciones de las zonas donde la entidad gestora tenga viviendas. Dichas actuaciones, además, estarán más controladas por los acuerdos con las administraciones locales[845].

Además de este cambio restrictivo en las funciones principales que pueden desarrollar las WCOs, el "impuesto del arrendador"[846] es otra de las medidas tomadas recientemente por el Gobierno neerlandés que hace peligrar la inversión en programas y servicios para la comunidad[847], puesto que gran parte de los beneficios que obtenían las WCOs de sus actividades irán ahora destinados al pago de este impuesto, mientras que anteriormente se invertía en mantenimiento, mejora de la comunidad, etc[848].

3.7.3. Observaciones finales del papel de las *housing associations* más allá de la provisión de vivienda y del papel del arrendatario social

Junto con la capacidad de financiación privada a través de actividades en el mercado de vivienda privada y de los mercados financieros y de capitales, la involucración de los arrendatarios, así como la atención en prestar servicios complementarios a la vivienda, es el otro sello distintivo de las HAs.

Ambas legislaciones (inglesa y neerlandesa) contemplan la intervención (en distintos grados) de los arrendatarios o de sus representantes en la gestión de la HA. Las neerlandesas lo hacen principalmente reservando dos pla-

---

Parlamento (*Tweede Kamer*) https://www.houseofrepresentatives.nl/dossiers/parliamentary-committee-inquiry-housing-associations (último acceso 14-10-2019).

[844] HOEKSTRA, J. "Reregulation and residualization in Dutch social housing: a critical evaluation of new policies", cit. p. 34.

[845] Art. 45.2.f. *Woningwet* 2015.

[846] Impuesto explicado en el apartado "3.5.2.2. Los Países Bajos" de este capítulo.

[847] ZIJLSTRA, S. "The position of social tenants in the Netherlands", Comunicación presentada en la *Conferencia de la ENHR Overcoming the crisis, integrating in the urban environment*. Tarragona, 2013. p. 6.

[848] AEDES. *Dutch social housing in a nutshell*, cit. p. 7.

zas en el órgano de supervisión de la entidad, el cual ha ganado mayor poder con la *Woningwet* 2015. En el caso inglés, las HAs creadas a través del LSVT tienen la obligación de tener representantes de los arrendatarios en su órgano de gobierno. Por otro lado, ambas normativas también fomentan la creación, apoyo y participación de organizaciones de arrendatarios, con los que celebran reuniones, como las anuales con las WCOs y la administración local.

El papel que desempeñan las HAs en las comunidades o barrios es especialmente importante en aquellos donde poseen gran parte del parque residencial. Así, ambas jurisdicciones también regulan esta necesidad de que las HAs se involucren en el bienestar económico, social y medioambiental del barrio, y colaboren con las administraciones locales y otros agentes para llevarlo a cabo. Este rol se ha restringido en los Países Bajos, para evitar la inversión en actividades que no sean estrictamente necesarias para tal fin.

Además, las HAs suelen ofrecer servicios a los arrendatarios, de acompañamiento o apoyo, de formación, de inserción social o laboral, entre otros. De esta manera pretenden cumplir con la normativa sobre la necesidad de satisfacer las necesidades de los arrendatarios, al mismo tiempo que permite gestionar de manera más eficiente a los colectivos más vulnerables y permite destacar la calidad de su gestión a la hora de competir por financiación pública.

Sin embargo, estas prioridades sociales entran en colisión con el nuevo modelo planteado de "financiarización" del sector, dado que las seguidas fusiones, crecimiento y profesionalización de algunas HAs han hecho perder representación de los arrendatarios, y los servicios complementarios se han visto reducidos con la disminución de ayudas públicas o la prohibición de las WCOs de actuar como "fondo rotativo".

3.8. Sistemas de adjudicación de la vivienda social

3.8.1. ¿Hacia un modelo más restringido (*targeted*) de adjudicación de vivienda social?

A pesar de contar con dos de los sectores más extensos de vivienda social en Europa, Inglaterra y los Países Bajos soportan largas listas de espera para acceder a ella[849]. Se trata de un sector que, por un lado, ha experimenta-

---

[849]   Aspecto ya discutido en el apartado "3.4. Formas de tenencia de vivienda social" en este mismo capítulo.

do y sigue experimentando cierta privatización (con ventas de vivienda a los arrendatarios o a otros agentes del sector o a inversores para obtener financiación para nueva inversión) y que, por otro lado, tiene una rotación mínima, ya que muchos de los arrendamientos sociales son indefinidos.

Además, las últimas políticas europeas (a pesar de la manifestación en contra del Parlamento Europeo) impulsan a acotar un sector que, en el caso de los Países Bajos, era hasta hace poco accesible a gran parte de la población[850]. Uno de los colectivos más perjudicados con ese cambio de orientación son las unidades familiares con ingresos medios, pues tienen demasiados ingresos para acceder a una vivienda social pero no suficientes como para acceder al mercado privado sin sobreendeudarse[851]. Además, la restricción no es solo a nivel externo, sino también a nivel interno, puesto que se han ido adoptando medidas, como el *pay to stay* en Inglaterra o las actualizaciones del precio del alquiler vinculadas al nivel de ingresos en los Países Bajos[852], que tienen por objetivo presionar a estas unidades familiares para que se dirijan a otro tipo de vivienda.

Precisamente, Inglaterra, con la introducción de los Programas de vivienda asequible en 2011[853], pretende volver a ofrecer una salida a este colectivo que queda atrapado entre el sector más social y el privado[854]. El Programa de vivienda asequible crea una nueva línea de vivienda social que permite subir los precios hasta el 80% del valor de mercado; de esta manera, se crean dos niveles distintos dentro del mismo sector de vivienda

---

[850] Véase el capítulo I al respecto.

[851] JONKMAN, A. y JANSSEN-JANSEN, L. "The 'squeezed middle' on the Dutch housing market: how and where is it to be found?", *Journal of Housing and the Built Environment*, vol. 30, núm. 3, 2015, pp. 509-528. p. 510 y ELSINGA, M. y LIND, H. "The effect of EU-legislation on rental systems in Sweden and the Netherlands", cit. p. 968.

[852] Véase ambas medidas *infra*, en el apartado "3.8.4. Adecuar la oferta a la demanda. Fenómeno del *skewness*" de este capítulo.

[853] Véase el apartado "3.4. Formas de tenencia de vivienda social" de este mismo capítulo.

[854] Es necesario buscar diferentes alternativas de vivienda, no solo de arrendamiento, las cuales satisfagan las necesidades de los diferentes tipos de población en las diferentes etapas de su vida. ADLINGTON, J. et al. *"Where next?" Housing after 2015. Creating a sustainable housing investment model*. PricewaterhouseCoopers y L&Q, 2011. p. 11. En este punto, es importante recalcar el rol que pueden jugar las tenencias intermedias (véase *supra* el apartado "3.4.3. Las tenencias intermedias" en este mismo capítulo).

social, con el riesgo de que la vivienda social tradicional quede aún más residualizada[855].

Una de las discusiones respecto a la orientación del sector de vivienda social a los colectivos más vulnerables es que cuanto más orientada a estos colectivos es la adjudicación, más dificultad hay para mantener mixtura social en áreas con altas concentraciones de viviendas de HAs[856].

En sentido contrario a este mayor enfoque hacia colectivos vulnerables, los recortes en ayudas públicas y la voluntad política de que las HAs funcionen de una manera más independiente económicamente, teniendo que buscar sus fuentes de financiación privada, empuja a estas entidades a adoptar políticas de gestión que minimicen el riesgo de impago[857] y, en este sentido, que busquen adjudicar la vivienda a personas que puedan garantizar el pago, ya sea porque disponen de los recursos económicos para hacerlo, o porque tienen acceso a ayudas públicas.

3.8.2. Sistema de adjudicación en Inglaterra

En Inglaterra, cada administración local tiene la obligación de publicar un Plan de adjudicación donde consten el proceso y el sistema de adjudicación, así como los grupos prioritarios de acceso[858]. Los grupos especiales que deben ser respetados como prioritarios vienen establecidos legalmente a nivel estatal, y principalmente se resumen en personas que viven en hogares sobreocupados o en condiciones insalubres, personas con una vivienda temporal o con una tenencia insegura, personas sin hogar y personas que necesitan cambiar de vivienda por motivos de salud o asistenciales[859]. Además de esto, el Plan debe contemplar una prioridad adicional para grupos particulares de personas con una necesidad urgente de encontrar vivienda (como lo son los casos de violencia de género, exclusión racial, acoso o motivos médicos más urgentes). Una vez determinados estos gru-

---

[855]   PEARCE, J. y VINE, J. "Quantifying residualisation: the changing nature of social housing in the UK", cit. p. 671.
[856]   POGGIO, T., "Social housing in Europe: legacies, new trends and the crisis", cit. p. 4.
[857]   PURKIS, A. *Housing Associations in England and the future of voluntary organisations*, cit. p. 24.
[858]   Obligación que, como ya se ha comentado en el apartado "3.2.2. Legislación inglesa", viene impuesta por la *Housing Act* 1996.
[859]   Art. 167.2 *Housing Act* 1996, art. 16.3 *Homelessness Act* (Ley del sinhogarismo), de 26 de febrero de 2002 (c. 7) y art. 147.4 *Localism Act* 2011.

pos prioritarios, las administraciones locales se encargan de establecer las reglas de prioridad entre estos, así como también entre los no prioritarios (atendiendo a aspectos económicos, de vinculación con la localidad, personales, etc.)[860]. Además, la *Localism Act* 2011 les otorga más poder de discreción y decisión sobre quién debe poder solicitar vivienda social y quién no. De esta manera, se quieren reducir largas listas de espera y gestionar la vivienda social de una manera más efectiva, permitiendo adaptar los sistemas de adjudicación a las necesidades concretas de cada localidad[861]. Las administraciones locales, además, disponen de listas de espera (*waiting lists*) o registros de solicitantes.

Las HAs también pueden (y suelen) tener sus propios registros de solicitantes, listas de espera y sistemas de adjudicación. Lo que su normativa regula es que la vivienda se adjudique siguiendo procesos justos, transparentes y eficientes, y teniendo en cuenta las necesidades de vivienda de la población. Al igual que las administraciones locales, sus políticas de adjudicación deben publicarse. Su colaboración con la administración local puede tener diferentes grados[862]. Así, la normativa les obliga a cooperar a fin de identificar y satisfacer las necesidades de vivienda de la población, sobre todo de aquellos grupos más vulnerables. De esta manera, las HAs tienen convenios de colaboración, en los que estas pueden comprometerse a adjudicar viviendas a ciertos colectivos que pueden venir derivados de la administración local. Estos convenios también pueden firmarse con otros entes públicos (como los servicios sociales o de salud) o privados (entidades sociales). La relación con la Administración pública puede ser mayor, puesto que hay HAs que no disponen de registro de solicitantes y trabajan con las listas de espera de la administración local. La influencia de la Administración a la hora de determinar el colectivo a adjudicar las viviendas sociales también puede verse reflejada a la hora de adjudicar los programas de ayudas públicas para la promoción de vivienda social, así como en la adjudicación de suelo público.

Por lo que a sistemas de adjudicación se refiere, existe una diversidad de opciones, aunque los regímenes básicos de adjudicación son[863]: 1) lista de

---

[860] Art. 147.5 *Localism Act* 2011.

[861] DEPARTMENT FOR COMMUNITIES AND LOCAL GOVERNMENT. *A plain English guide to the Localism Act*, cit. p. 15.

[862] Puede verse su obligación de cooperar con la Administración local a la hora de adjudicar viviendas a algunas personas inscritas en el registro local público en el art. 170 *Housing Act* 1996.

[863] GUILLÉN NAVARRO, N. A. *La vivienda social en Inglaterra*, cit. p. 160.

espera y puntuación, 2) sistema de elección y 3) sistema de *first come, first served* (primero en tiempo, primero en derecho).

En el primer sistema, la adjudicación depende del tiempo que el solicitante lleva inscrito en la lista de espera. La posición en la lista, no obstante, puede variar por diversas razones, las cuales deben estar claramente especificadas en el Plan de adjudicación: se puede dar mayor o menor puntuación dependiendo de las circunstancias personales y de necesidad; existen grados de prioridad, relacionados con los grupos vulnerables ya mencionados. Las viviendas se adjudican una vez llegado el turno de la persona, siempre que cumpla con sus necesidades y características. En este punto, a la hora de adjudicar se tienen presentes las características de la unidad familiar, su tamaño y también la prioridad que estos han manifestado por vivir en ciertas áreas; datos que se aportan en el momento de hacer la solicitud para acceder a una vivienda social. Además, debe tenerse presente que existe vivienda que se destina a un colectivo en concreto (gente mayor, personas con discapacidad, jóvenes, etc.). La entidad gestora se dota muchas veces de programas informáticos que con su base de datos consigue emparejar los solicitantes con la vivienda adecuada[864]. A fin de dotar el sistema de eficiencia y evitar tener una vivienda vacía mucho tiempo, normalmente se ofrece poco margen de tiempo entre la oferta y la aceptación, y suele establecerse un límite de veces que una persona puede rechazar ofertas (cada entidad permite un número determinado de renuncias, que normalmente van de una única ocasión hasta tres ocasiones). Si se llegara a este límite impuesto, puede sancionarse a la persona suspendiendo su solicitud durante un año, quitándole sus puntos o hasta cancelando su solicitud[865].

En el segundo sistema de adjudicación, el de elección, es el solicitante inscrito el que debe suscribirse a las ofertas de vivienda que la entidad va publicando de manera periódica a través de la prensa local y/o medios telemáticos. Las viviendas se adjudican a las personas con preferencias (si las hay) o con más tiempo acumulado en la lista de espera (siempre que cumplan con los requisitos exigidos en la oferta de la vivienda en concreto). En este caso queda en manos del solicitante velar por la suscripción a nuevas ofertas que vayan saliendo.

---

[864] Pawson, H., Mullins, D. y McGrath, S. *Allocating social housing. Law and practice in the management of social housing.* Londres: Lemos & Crane, 2000. p. 69.

[865] Pawson, H., Mullins, D. y McGrath, S. *Allocating social housing. Law and practice in the management of social housing,* cit. pp. 71-73.

Finalmente, el sistema de *first come, first served* rompe con el orden de la lista de espera. La oferta de viviendas también se publica a través de medios de prensa y/o internet, mas en este caso, en vez de haber un orden de selección y preferencia, quien primero la solicita se la adjudica (aunque cabe la posibilidad de renunciar a ella después de verla).

Así pues, a pesar de la posible existencia de una variedad de sistemas y la posibilidad de que tanto administraciones locales como HAs puedan tener sus propias políticas de adjudicación y requisitos de acceso a una vivienda social, lo importante es que todos los Planes de adjudicación con sus requisitos de acceso, el sistema elegido para acceder, las preferencias y los restantes factores que permiten dibujar un orden de prelación sea accesible para todo el público; así se consigue que los criterios de adjudicación sean transparentes y objetivos.

Además de los arrendatarios a los que se les adjudica por primera vez una vivienda de la HA, también existen adjudicaciones de vivienda a personas que ya son arrendatarias de la entidad pero que piden un cambio de vivienda, ya sea por motivos económicos (al no poder pagar el alquiler de la vivienda actual)[866], profesionales, sociales, de salud, familiares, etc. En este caso, su preferencia ante personas que se encuentran en las listas de espera dependerá de la urgencia de ser realojado (ej. temas médicos, de violencia o económicos). Además, y desde 2012[867], todos los RPs deben subscribirse a alguno de los servicios de intercambio mutuo disponibles por internet, los cuales dan la oportunidad a todos los arrendatarios sociales a poder hacer un intercambio de vivienda, no solo en su región sino por todo el país[868], facilitando así el movimiento y flexibilidad en la tenencia, cuando estos lo necesiten.

---

[866] Por ejemplo, en casos donde se aplica la *bedroom tax inglesa*, explicada infra en el apartado "3.8.4. Adecuar la oferta a la demanda. Fenómeno del *skewness*". Un ejemplo, sería el caso de aquella persona que vivía con sus hijos, pero estos, al hacerse mayores, se han independizado, y esta persona se encuentra viviendo en una casa con 3 habitaciones, por las que verá reducida su ayuda al alquiler.

[867] Con la aprobación de la *Tenancy Standard* en la *Regulatory Framework*.

[868] Existe un Programa nacional de intercambio de viviendas (*HomeSwap Direct*), el cual concentra cuatro de las plataformas de internet que ofrecen esos servicios de intercambio mutuo de vivienda: *HomeSwapper, House Exchange, Abritas* y *LHS* (*Locata*).

3.8.3. Sistema de adjudicación en los Países Bajos

Sin entrar a valorar la distinta evolución que han (y siguen) experimentado Inglaterra y Países Bajos respecto a ampliar o reducir el alcance de beneficiarios de vivienda social, la situación en ambos es similar, en el sentido de que no puede hablarse de un único modelo de adjudicación de vivienda. Las WCOs también disponen de varios sistemas con unos criterios de adjudicación transparentes y establecidos de antemano, como el tiempo en la lista de espera, urgencia, situación familiar, ingresos económicos, etc[869].

El marco general de la política de adjudicación de viviendas se establece a nivel estatal, a través de la *Huisvestingswet* (Ley de adjudicación de viviendas) de 2014. Esta se basa en el principio de libertad de elección por lo que respecta al lugar de residencia y otorga el poder a las administraciones locales para que, a través de ordenanzas, establezcan la política de adjudicación y la designación de ciertas viviendas que requerirán de un permiso especial. Así, establece los requisitos generales a cumplir para poder acceder a ese permiso, y también otorga la posibilidad de la administración local de establecer unos criterios de prioridad[870]. La misma Ley prevé la consulta con las TIVs activas en ese municipio y organizaciones de arrendatarios para elaborar esas ordenanzas[871]. Así pues, los requisitos que deben reunir los solicitantes de vivienda y los criterios utilizados para determinar la adjudicación de una vivienda pueden variar entre los municipios[872].

---

[869] Aedes. *Dutch social housing in a nutshell*, cit. p. 2.

[870] Art. 12 y ss. *Huisvestingswet* 2014. Por otro lado, es interesante mencionar las políticas de las que disponen en los Países Bajos para combatir la criminalidad y el vandalismo en zonas residenciales. Así, la legislación permite establecer zonas específicas (muy delimitadas y con altos grados de incivismo, que deben poder demostrarse) donde se exige la obtención de un permiso para poder residir allí y este puede prohibirse a personas sin recursos económicos. Véase la regulación de esta medida así como su compatibilidad con el derecho a elegir libremente el lugar de residencia (siempre que siga principios de proporcionalidad y subsidiariedad), regulado en el art. 12 del Pacto Internacional de Derechos Civiles y Políticos y art. 2 del Protocolo núm. 4 del Convenio Europeo de Derechos Humanos, en Vols, M. "Screening and excluding people with low income and nuisance neighbourhoods from housing: human rights proof?", en Sidoli, J., Vols, M. y Kiehl, M. (eds.) *Regulating the city: Contemporary urban housing law*. La Haya: Eleven International Publishing, 2017, pp. 127-143.

[871] Art. 6 *Huisvestingswet* 2014.

[872] Haffner, M. et al. "Bridging the gap between social and market rented housing in six European countries?", cit. p. 222. y Haffner, M., Van Der Veen, M. y Bounjouh, H. *National Report for the Netherlands*, cit. p. 32.

Todo lo anterior, sin perjuicio del requisito que debe cumplirse obligatoriamente desde la Decisión de la Comisión Europea de 2009 de adjudicar el 80% de la vivienda social a unidades familiares con unos ingresos anuales que no superen un límite, establecido en 40.024 euros anuales en el 2021. Otro 10% se adjudica a personas o familias con ingresos entre la cifra anterior y los 44.655 euros anuales (medida prevista hasta finales de 2021), mientras que para el 10% restante se otorga mayor libertad de decisión de la WCO, sin establecer límite de ingresos (para este grupo puede, la WCO, tener sus colectivos prioritarios o puede seguir las reglas de colectivos prioritarios establecidas por la administración local)[873]. Además, y desde enero de 2016, con el fin de promover la asequibilidad para los arrendatarios de las WCOs con ingresos más bajos, al menos el 95% de las adjudicaciones de viviendas a personas que se encuentren en disposición de recibir ayudas públicas para el alquiler (el límite está, en 2019, en 22.700 euros para una persona y 30.825 para unidades familiares de más de una persona o 30.800 si en la unidad familiar hay personas por encima de la edad de jubilación) deben realizarse a viviendas con alquileres que no superen, en 2019, los 607,46 euros (para una o dos personas) o 651,03 euros (para unidades familiares de más de dos personas)[874]. Este sistema de adjudicación más estricto implica concentrar a la población con menores ingresos en el parque de vivienda social más barato, reduciendo, de esta manera, el gasto público en ayudas al alquiler[875].

Entrando en un terreno más práctico, a pesar de la posible diversidad de sistemas de adjudicación que pueden coexistir, el sistema más extendido y utilizado por la mayoría de WCOs es el de elección o anuncios[876]. En este sistema, las WCOs publican periódicamente (semanal, quincenal o mensualmente) las viviendas sociales que ofrecen (ya sean de nueva cons-

---

[873] Consultar estos datos en la página oficial del Gobierno neerlandés, disponible en https://www.rijksoverheid.nl/onderwerpen/huurwoning-zoeken/vraag-en-antwoord/wanneer-kom-ik-in-aanmerking-voor-een-sociale-huurwoning (último acceso 27-03-2021). Véase, también, el apartado "3.3.2. La competencia desleal en el ámbito de la vivienda social: los casos de los Países Bajos y Suecia" del Capítulo I.

[874] *Ibid.* A nivel legislativo, estos requisitos se regulan en el art. 46 *Woningwet* 2015 y en el art. 54 de la BTIV.

[875] HOEKSTRA, J. "Reregulation and residualization in Dutch social housing: a critical evaluation of new policies", cit. p. 35.

[876] OUWEHAND, A. y VAN DAALEN, G. *Dutch housing associations. A model for social housing*, cit. p. 50 y HAFFNER, M. et al. "Bridging the gap between social and market rented housing in six European countries?", cit. p. 222.

trucción o viviendas que han quedado vacías) a través de periódicos, boletines de vivienda y/o internet, proporcionando los detalles de las mismas (básicamente la localización, los metros cuadrados de la vivienda y el precio del alquiler) y los requisitos que deben cumplir los solicitantes (principalmente los ingresos y el tamaño de la unidad familiar). De esta manera, el demandante de vivienda social puede contestar al anuncio (vía telefónica o a través de la misma página web) si está interesado en la vivienda. Este sistema permite al solicitante mostrar sus preferencias y escoger solamente aquellas viviendas en las que esté interesado.

Actualmente, muchas de las WCOs se agrupan por zonas y crean una entidad nueva encargada de gestionar el sistema de adjudicación de sus viviendas (los anuncios, el control de solicitantes, las contestaciones a las ofertas y la selección de candidatos). Gran parte de las WCOs operan a través de la sociedad de responsabilidad limitada WoningNet[877], cuyos socios son las mismas entidades gestoras. Esta organización opera en varias regiones del país (Almere, Amsterdam, Groninga, Utrecht, etc.). Por lo tanto, este sistema permite que las WCOs operen y ofrezcan vivienda a nivel supramunicipal[878]. A través de este sistema, los solicitantes de vivienda social se registran en la región (o regiones) donde quieren buscar la vivienda (la cuota de inscripción son unos 15 o 20 euros en la mayoría de regiones -50 euros en Amsterdam-, mientras que la de renovación anual oscila entre los 8 y 15 euros mayoritariamente), y a partir de entonces pueden inscribirse en las ofertas de vivienda que cumplan sus expectativas.

Antes de asignar una vivienda se realiza el control de los requisitos exigidos para su adjudicación y, también, teniendo presente los requisitos comentados *supra*[879]. A la hora de asignar la vivienda, se escoge a más de un solicitante, por si el primero o los siguientes rechazan la vivienda (lo cual puede y suele ocurrir[880] y no presenta ninguna consecuencia ni penalización para solicitar una vivienda social posteriormente). El sistema de ad-

---

[877]   Su página web oficial es http://www2.woningnet.nl/ (último acceso 27-03-2021).

[878]   Schuiling, D. y Van Der Veer, J. "Governance in housing in Amsterdam and the role of housing associations", cit. p. 9.

[879]   Podría darse el caso de que se permitiera la inscripción en el registro de solicitantes de la WoningNet sin cumplir con alguno de los requisitos; no obstante, a pesar de estar inscrito, no le sería adjudicada ninguna vivienda.

[880]   Koopman, M. *Economic analysis of neighbourhood quality, neighbourhood reputation and the housing market*. Delft: OTB Research Institute for the Built Environment, 2012. p. 82. Un ejemplo es el de la *WCO* Woonbron, que de las 1.806 ofertas hechas entre 2002 y 2004, solamente el 1,5% fueron aceptadas por el primer candidato.

judicación sigue criterios objetivos, los cuales son básicamente el tiempo que se ha estado registrado[881] o el tiempo en que se ha estado viviendo en la vivienda actual[882]. Todo ello teniendo en cuenta los grupos prioritarios y permisos ya mencionados requeridos en ciertos casos.

3.8.4. Adecuar la oferta a la demanda. Fenómeno del *skewness*

A la hora de hablar de adjudicación de vivienda, es importante mencionar la correlación que debe existir entre la oferta y la demanda. Es decir, es necesario que exista diversificación en las características de las viviendas sociales ofertadas a fin de poder satisfacer las diversas preferencias o necesidades de los demandantes[883]. Cabe destacar que el perfil predominante de este sector a nivel europeo ha ido variando, y en los últimos años el tamaño de las familias ha ido decreciendo, concentrando una porción importante de familias monoparentales y población mayor; también se ha incrementado el número de minorías étnicas[884].

Uno de los aspectos a tener en cuenta a la hora de adjudicar una vivienda en los dos sistemas comparados estudiados es el tamaño de la unidad familiar en relación con el tamaño e instalaciones de la vivienda social; así se asegura que la vivienda se otorga a solicitantes que cumplen las características para aquella vivienda. En relación con esta cuestión, la *Welfare*

---

[881] El tiempo de espera antes no se adjudica una vivienda es muy largo. En Amsterdam, por ejemplo, la media es de quince años, mientras que en Utrecht llega a los diez. Otras ciudades como la Haya y Róterdam rondan los tres años. Esta larga espera provoca que muchas personas se registren, aunque no tengan en ese momento la necesidad de obtener una vivienda; pues de esta manera, cuando la necesiten, habrán ido aumentando sus años (y puntos) de espera. DUTCHNEWS. NL. *Social housing waiting lists grow as more "urgent cases" get priority*, 08-08-2018, disponible en https://www.dutchnews.nl/news/2018/08/social-housing-waiting-lists-grow-as-more-urgent-cases-get-priority/ (ultimo acceso 08-11-2019) y VAN DER VEER, J. y SCHUILING, D. "Economic crisis and regime change in Dutch social housing: The case of Amsterdam", cit. p. 2.

[882] HAFFNER, M. et al. "Bridging the gap between social and market rented housing in six European countries?", cit. p. 222.

[883] NIEBOER, N. "Asset management strategies and sustainability in Dutch social housing", Comunicación presentada en la *Conferencia IAHS Sustainability of the Housing Projects*. Trento, 2004. p. 4.

[884] HEINO, J., CZISCHKE, D. y NIKOLOVA, M. *Managing social rental housing in the European Union: experiences and innovative approaches*. Bruselas: CECODHAS European Social Housing Observatory y VVO-PLC, 2007. p. 46.

Reform Act de 2012[885] inglesa introdujo una medida conocida como *bedroom tax* (tasa por dormitorio) o *removal of the spare room subsidy* (derogación de la subvención por dormitorio), que tiene por objetivo penalizar a los arrendatarios de vivienda social (de entidades públicas o privadas) por el espacio inutilizado en su vivienda. Así, la medida consiste en dejar de percibir parte de la ayuda pública de vivienda dependiendo de los dormitorios vacíos (un 14% por uno y un 25% por dos o más)[886]. Esta medida, pues, fuerza a las entidades gestoras a ajustar el tamaño de la vivienda al perfil de demandantes. Sin embargo, también ha conllevado un aumento en impagos de alquiler y muchas peticiones de arrendatarios sociales de ser reubicados en viviendas más pequeñas, por la imposibilidad de afrontar el pago del alquiler con esta nueva medida[887].

Por otro lado, el requisito de no superar un nivel máximo de ingresos para poder ser beneficiario de una vivienda social solamente se exige a la hora de acceder a la vivienda, por lo que ese requisito no se vuelve a comprobar una vez el inquilino ya ha accedido al arrendamiento. Como se ha visto[888], tanto en Inglaterra como en los Países Bajos muchos de los contratos son indefinidos, y el mero hecho de que el arrendatario aumente sus ingresos no supone causa de finalización del contrato[889]. Esto implica, por un lado, seguridad para el arrendatario, pero por otro lado, provoca una falta de rotación en el parque de vivienda social y largas listas de espera para los nuevos solicitantes de vivienda[890]. Además, es una de las causas del fenómeno conocido como *skewness,* que consiste en el hecho de que familias que han dejado de formar parte del grupo destinatario de vivienda social (ej. porque han visto aumentado su nivel de ingresos con el paso de

---

[885]   Véanse las otras medidas que ha incorporado esta ley, como el "Universal Credit" en el apartado "3.5.2.3. Pago de ayudas al alquiler directamente a la *housing association*" de este mismo capítulo, las cuales tienen por objetivo una reducción del gasto público en ayudas.

[886]   Puede encontrarse una explicación detallada de esta medida en National Housing Federation. *Briefing. Size Criteria ('Bedroom Tax').* Londres: National Housing Federation, 2014. Véase, también, Hickman, P. et al. "The impact of the direct payment of housing benefit: evidence from Great Britain", cit. p. 1107.

[887]   Heywood, A. *Investing in affordable housing. An analysis of the affordable housing sector,* cit. p. 14.

[888]   Apartado "3.4. Formas de tenencia de vivienda social" de este capítulo.

[889]   Véase, entre otros, Gruis, V. y Nieboer, N. *Asset management in the social rented sector. Policy and practice in Europe and Australia,* cit. p. 187.

[890]   Koopman, M. y Vos, M. "Tenant-empowerment through choice of tenure", cit. p. 106.

los años o porque la unidad familiar se ha reducido) siguen disfrutando de los precios bajos ofrecidos por las HAs[891]. Este fenómeno es especialmente presente y discutido en los Países Bajos, debido a la ya comentada tendencia histórica de ofrecer vivienda social casi sin restricciones. Es por eso que en 2013 se implementó un sistema de actualización de los alquileres en función de los ingresos familiares que permitió aumentar las actualizaciones máximas[892]. Esto significa que las familias con mayores ingresos pagan una renta superior a las familias con menor poder adquisitivo. Esta medida tiene dos finalidades: por un lado, compensar el "impuesto del arrendador" aplicada a las WCOs[893], y, por otro lado, precisamente incitar a las familias con más ingresos a desplazarse a una vivienda de mercado en propiedad o alquiler, dejando libre la vivienda social para la población con necesidad de vivienda[894].

Inglaterra introdujo una medida similar con la *Housing and Planning Act* 2016[895], conocida como *pay to stay* (pagar para quedarse)[896]. Esta medida, obligatoria (en teoría)[897] para las administraciones locales y voluntaria para las HAs, consiste en incrementar el alquiler social (hasta precios similares a los de mercado) para aquellas unidades familiares con ingresos superiores a 30.000 libras esterlinas al año (40.000 libras esterlinas en Londres). El objetivo perseguido es liberar el sector de vivienda social de alquiler (en tiempos de escasez de vivienda en este sector) de aquellas personas que tienen suficiente poder adquisitivo para acceder al mercado privado[898]. Sin

---

[891] ELSINGA, M. y WASSENBERG, F. "Social Housing in the Netherlands", cit. p. 28.

[892] Véanse los porcentajes en el apartado "3.4.1. En los Países Bajos" *supra* en este capítulo.

[893] HAFFNER, M., VAN DER VEEN, M. y BOUNJOUH, H. *National Report for the Netherlands*, cit. p. 36.

[894] HAFFNER, M., VAN DER VEEN, M. y BOUNJOUH, H. *National Report for the Netherlands*, cit. p. 136.

[895] Arts. 80 y ss.

[896] Con anterioridad a esta medida, y desde 2012, las entidades gestoras de vivienda social tienen la posibilidad de incrementar el alquiler a aquellas unidades familiares con ingresos que superen las 60.000 libras esterlinas al año, pero muy pocas entidades han decidido ejercer este derecho. SCANLON, K. "Social housing in England: Affordable vs 'affordable'", cit. p. 26.

[897] El Gobierno decidió, en la práctica, dejar a discreción de cada administración local y HA su aplicación, no exigiendo su preceptivo cumplimiento. WILSON, W., BELLIS, A. y GARTON GRIMWOOD, G. *Implementation of the Housing and Planning Act 2016. Briefing Paper number 8229*, cit. p. 11.

[898] HEYWOOD, A. *Investing in affordable housing. An analysis of the affordable housing sector.* cit. p. 19.

embargo, esta medida ha quedado apartada por el momento y no se aplica. Dos de los argumentos en contra de su aplicación recaen en el hecho de que: 1) podría llevar a los arrendatarios sociales a no buscar y a no aspirar a un trabajo mejor pagado y 2) la salida de estas familias más estabiliza-das laboralmente podría hacer peligrar la mixtura social en ciertas zonas, puesto que podría suponer una concentración de grupos vulnerables en la misma área[899].

La introducción de los arrendamientos de duración determinada en In-glaterra, los cuales tienen una duración por regla general de cinco años, sí que permiten evaluar, después de este período, si la unidad familiar sigue cumpliendo los requisitos para poder residir en una vivienda social.

3.8.5. Observaciones finales

Independientemente del sistema utilizado para asignar las viviendas sociales, en ambos modelos de gestión se evidencia la obligación de dis-poner de planes de adjudicación que reflejen de manera clara el sistema de adjudicación escogido, la asignación de prioridades, de los puntos y la exigencia de otros requisitos o restricciones. Estos planes permiten ofrecer transparencia y concurrencia en estos procesos.

Otro de los aspectos a destacar es la flexibilidad de la legislación ge-neral que otorga poderes de decisión a nivel municipal, para que sea la administración local la que acabe determinando cuáles son los grupos que necesitan prioridad en cada zona. Precisamente, la normativa de ambos modelos establece una obligación de colaboración (en mayor o menor me-dida) entre administraciones locales y HAs, acordando grupos prioritarios, compartiendo listas de espera o reservando un cupo para adjudicatarios derivados de las listas de la administración local.

Una de las claves para obtener un proceso de adjudicación eficiente es procurar que transcurra el mínimo tiempo posible entre la oferta de una vivienda nueva o vacía y su ocupación efectiva por el beneficiario corres-pondiente. Así, por ejemplo, muchas HAs inglesas ponen en relación el perfil del adjudicatario y sus preferencias respecto a las zonas con la vivien-da ofertada. Además, penaliza las renuncias, siempre y cuando no exista fundamento razonable para ello; podrían justificarse, por ejemplo, con el mal estado de la vivienda o la falta de recursos económicos.

---

[899]   Scanlon, K. "Social housing in England: Affordable vs 'affordable'", cit. p. 28.

Otros puntos que merecen especial mención son la colaboración ideada entre las WCOs para gestionar todo el proceso de adjudicación, lo que les permite simplificar y ahorrar en recursos de adjudicación, y también el servicio de intercambios mutuos de las HAs inglesas para facilitar el movimiento de los que ya son arrendatarios sociales no solo dentro de la misma HA sino entre todas ellas.

Finalmente, y contrarrestando a los aspectos más positivos mencionados, ambos sistemas adolecen de largas listas de espera y una falta de rotación en el parque de vivienda social de alquiler debido, principalmente, a los contratos indefinidos y a la falta de comprobaciones posteriores de los requisitos indispensables para acceder a una vivienda social una vez adjudicada la vivienda. Ello provoca que se acumulen en el parque social de alquiler familias que, con una mejora de su situación económica, profesional y/o social, podrían tener entrada en otra tenencia social o en el mercado privado.

4. CONCLUSIONES DE LOS MODELOS COMPARADOS

La apuesta tanto en los Países Bajos como en Inglaterra, ambos sistemas con un amplio parque de vivienda social, por el sector privado sin ánimo de lucro para ser el gestor principal de ese parque radica principalmente en la voluntad de deshacerse de una gestión pública costosa económicamente y poco eficiente debido a la estricta normativa pública. Así, estos modelos apuestan por separar las funciones de supervisión y de control de las de provisión y de gestión de vivienda social.

El desarrollo de las HAs ha sido posible gracias a un marco legal único y específico para estas entidades con el fin de potenciar y desarrollar este sector al mismo tiempo que se controla su gobernanza, financiación y actuación. Su inclusión en la implementación de las políticas de vivienda se hace a través del reconocimiento de estas entidades gestoras de vivienda social como tales, que por un lado les permite el acceso a financiación pública y por otro lado les autoriza a tener una posición privilegiada a la hora de llevar a cabo ciertas negociaciones en un mercado financiero y de capitales que también se ha intentado adaptar al sector social con intervención pública.

Todo ello ha permitido la aparición de un ecosistema que ha creado y desarrollado sus organismos de control, sus federaciones de representantes, consultores especializados, entidades de calificación independientes, cursos de formación en la materia, etc. Es decir, la profesionalización de este sector ha provocado que una vertiente de las entidades que conforman el tercer sector social (puesto que son organizaciones privadas, autónomas, que no distribuyen beneficios entre sus socios y hasta cierto punto voluntarias[900]) crezca y se consolide como rama independiente, con sus propias estructuras de gestión y representación y con su propio campo de actuación y, además, que se convierta en la herramienta principal de provisión de un servicio público, como es el de la vivienda[901].

Sin ánimo de volver a incidir en los aspectos ya resaltados en las reflexiones parciales de cada apartado, pueden destacarse, como aspectos que hacen interesante y atractivo este modelo de gestión:

1. La creación o adaptación (en el caso de entidades ya existentes) de estructuras de gobernanza y gestión, que por un lado, permiten incluir cierta participación o representación de las administraciones locales y de los arrendatarios sociales u otros especialistas del sector y, por otro lado, permiten adaptarse a un mercado cada vez más especializado y profesionalizado.

2. Su posición entre el sector privado y el público les permite beneficiarse de una doble vía de financiación, tanto pública como privada. Además, en la segunda, se les incentiva a llevar a cabo una gestión activa y eficiente (con técnicas de mercado) de su parque, patrimonio y activo.

3. Su origen en el tercer sector les permite conservar una gestión centrada en sus arrendatarios sociales y a la comunidad, para satisfacer necesidades que van más allá de la oferta de una vivienda.

4. Todo ello sin que la Administración pública pierda su control sobre el sector y sobre estas entidades privadas, que se materializa en una monitorización directa de la actuación y la financiación de dichas

---

[900]   El grado de participación voluntaria, no obstante, depende del tipo de HA. Mullins, D. *Housing associations. Working Paper 16*, cit. p. 6.

[901]   Mullins las considera como un "tío lejano" del tercer sector, y a pesar de que las entidades que han ido creciendo más han ido tomando cierta autonomía del modelo básico de entidad del tercer sector (al adoptar un modelo híbrido que les permite tener una posición a caballo entre la Administración pública y el mercado privado y poder así encontrar más oportunidades de financiación), las HAs más pequeñas y arraigadas a la comunidad y las que se centran en atender a un colectivo vulnerable específico como las víctimas de violencia de género o las personas sin hogar conservan una mayor afinidad con este modelo de entidad del tercer sector. Mullins, D. *Housing associations. Working Paper 16*, cit. pp. 5 y 6.

entidades y de sus cuentas anuales (con poderes incluso coercitivos) y en un compromiso de colaboración para desarrollar las políticas públicas de vivienda y satisfacer las necesidades a nivel local. Esa colaboración no termina con la Administración, sino que también suele producirse entre las mismas HAs u otros actores del sector, en el marco de ofrecer una gestión más eficiente y económicamente viable.

A partir de aquí, es importante tener presentes tanto los pros como los contras de un modelo que se encuentra en constante cambio para adaptarse a nuevas necesidades, exigencias o riesgos y para hacer frente a problemas ya materializados. Así, la apuesta por la independencia económica de este sector empuja a las HAs adentrarse en mercados complejos y de riesgo, que obligan a su reestructuración y profesionalización y, a menudo, a la agrupación en estructuras o en la fusión de diversas entidades para hacer frente a esos riesgos y posicionarse en un sector competitivo. Eso causa, sin embargo, una pérdida del contacto directo con los arrendatarios o de su representación en la entidad, así como una dificultad de congeniar los intereses del mercado privado con los intereses de una actividad social. Por otro lado, una alta dependencia del presupuesto público y un control estricto de estas entidades restringe la capacidad de una inversión continua en el sector y en diferentes actividades, al mismo tiempo que crea un riesgo, como se vio sobre todo en el caso inglés, de etiquetar las HAs de organismos públicos para ciertos aspectos, hecho que les hubiera hecho perder la liberad e independencia de la que gozan.

Adentrándonos en el ámbito más interno de actuación de las HAs, se ha visto la tensión existente entre la necesidad de acotar los grupos beneficiarios a colectivos vulnerables con la obligación de mantener una viabilidad económica; así como la tensión entre intentar garantizar tenencias estables pero que a la vez provocan largas listas de espera y una "dependencia" del sistema de bienestar.

La Tabla 10 muestra los cambios principales que se han ido produciendo desde la apuesta firme por este modelo de gestión. Puede verse como se ha ido modulando el modelo de cada sistema estudiado, principalmente por influencias de: 1) las necesidades y políticas públicas del país, 2) la normativa a nivel de la UE y 3) la propia actuación de las entidades de sus buenas o malas prácticas en el sector. A pesar de estos cambios, el aspecto que cabe resaltar es la apuesta firme por este modelo de gestión privado sin ánimo de lucro para proveer gran parte del parque de vivienda social.

Una vez expuestos y analizados estos dos modelos comparados, debemos evaluar qué aspectos pueden ser claramente positivos y aprovechables de estos sistemas y cuales no. Entre los primeros, se encontrarían la existencia de una denominación y una legislación y normativa común para todos los gestores de vivienda social o la capacidad de ofrecer un abanico de tenencias que permitan a las entidades autofinanciarse. Entre los segundos estarían el bajo control público de las entidades privadas sin ánimo de lucro que ofrecen este servicio público, su incursión sin límites en los mercados financieros y de capitales, la capacidad de estas entidades de subir precios por tener un sistema de ayudas directas a los arrendatarios fuerte, o la poca rotación en el parque de vivienda social que provoca largas listas de espera. De este modo, y una vez se haya llevado a cabo el análisis de los modelos de gestión de vivienda social en España, en el capítulo siguiente, procederemos a analizar de qué modo determinados aspectos de estos sistemas comparados pueden añadir valor y eficiencia al sistema español de gestión del parque de vivienda social.

Tabla 10. Cambios en políticas de vivienda en relación con las HAs. Comparativa entre los Países Bajos e Inglaterra

	Países Bajos			Inglaterra		
	Anterior	Origen del cambio	Actual	Anterior	Origen del cambio	Actual
Beneficiarios de vivienda social	Modelo universal	Decisión Comisión Europea 2009 y Woningwet 2015	Modelo acotado (*targeted*)	Modelo acotado (*targeted*)	A partir de Programa de Vivienda 2011-15 con introducción de "alquiler asequible"	Modelo acotado, pero ampliando a unidades familiares con ingresos medios (ej. con alquiler asequible)
Regulación y control públicos	Control menor	Investigación Parlamento neerlandés 2013-14 y Woningwet 2015	Mayor control	Mayor control público	*Housing and Planing Act 2016*	Más libertad HAs (no en aspectos financieros) Exigencia reducción estructuras de grupo complejas (por parte de RSH)
Fuentes de financiación	Independencia económica – fuentes de financiación privada: mercado financiero y de capitales Apoyo público indirecto		Independencia económica – fuentes de financiación privada: mercado	Más dependencia de ayudas públicas	Programas de vivienda asequible 2008-2011, 2011-2015, 2016-2018. Medidas de la *Welfare Reform Act* 2012.	Reducción de ayudas públicas-aumento fuentes de financiación privada: mercado financiero y de capitales.
Financiación cruzada (combinación de actividades)	Actuación como "fondo rotativo"	Decisión de la Comisión Europea de 2009 y Woningwet 2015.	Separación legal o administrativa de SIEG y no-SIEG	Financiación cruzada		

Fuente: Elaboración propia.

Capítulo III

El sistema de gestión de vivienda social en España

1. EL ACCESO A UNA VIVIENDA DIGNA, ADECUADA Y ASEQUIBLE EN ESPAÑA

1.1. Situación actual

Transcurridos casi quince años desde el estallido de la crisis económica, e inmersos actualmente en la crisis sanitaria y también económica del coronavirus, la distribución de las formas de tenencia de la vivienda sigue mostrando una clara superioridad de la vivienda en propiedad, con un 75,9%, en detrimento del alquiler, que supone un 18,1% (15,4% clasificados como alquiler a precio de mercado y 2,7% de alquiler inferior al precio de mercado)[902]. En el contexto actual, España cuenta con un 16,13% de tasa de desempleo (que se eleva al 40% en menores de 25 años)[903], un 20,7% de población en riesgo de pobreza[904] y donde el salario anual más frecuente es de 18.468,93 euros[905], es decir, unos 1.300 euros/mes aproxi-

---

[902] Datos de 2019. El 6% restante lo componen otras formas de tenencia. En 2007, la propiedad suponía un 80,1% del parque total de vivienda, y el alquiler significaba un 13,6% (10,4% a precio de mercado y 3,2% a precio inferior al de mercado). Datos extraídos del Instituto Nacional de Estadística (INE en adelante), disponible en http://www.ine.es/dyngs/INEbase/es/operacion.htm?c=Estadistica_C&cid=1254736176807&menu=resultados&secc=1254736194793&idp=1254735976608 (último acceso 27-03-2021).

[903] Datos del cuarto trimestre de 2020 del INE, disponible en http://www.ine.es/jaxiT3/Tabla.htm?t=4247 (último acceso 27-03-2021). A las tasas de desempleo se le suma la precariedad laboral existente en muchos casos, como por ejemplo entre los jóvenes, "que se traducen en parcialidad, temporalidad y sobrecualificación" CONSEJO DE LA JUVENTUD DE ESPAÑA. *Observatorio de Emancipación núm. 13*, segundo semestre 2016, disponible en http://www.cje.org/es/publicaciones/novedades/observatorio-de-emancipacion-n-13-segundo-semestre-2016/ (último acceso 17-07-2019). p. 1.

[904] Datos de 2019 del INE, disponible en https://www.ine.es/jaxiT3/Tabla.htm?t=9963 (último acceso 27-03-2021).

[905] Datos de la Encuesta de Estructura Salarial (EES), 2018, del INE. Disponible en https://www.ine.es/dyngs/INEbase/es/operacion.htm?c=Estadistica_C&cid=1254736177025&menu=ultiDatos&idp=1254735976596 (último acceso 27-03-2021).

madamente (contando 14 pagas); además de contar con más de 210.377 ejecuciones hipotecarias de primera residencia y 206.109 desahucios de arrendatarios entre los años 2010 y 2015[906]. Estará por ver, además, qué sucederá con todas aquellas personas o familias beneficiadas con moratorias de préstamos hipotecarios o personales o de la deuda arrendaticia, prórrogas extraordinarias de los contratos de arrendamiento de vivienda habitual o suspensiones de procedimientos de desahucio y de lanzamiento para aquellos colectivos vulnerables que no dispongan de alternativa habitacional[907], después de finalizar el plazo de las medidas extraordinarias debido a la COVID-19[908]. Estas cifras, sumadas a la todavía reticencia de las entidades financieras a conceder créditos[909] han conducido a muchas

---

[906]   Nasarre Aznar, S. y Garcia Teruel, R. M. "Evictions and homelessness in Spain 2010-2017", en Kenna, P. et al. (eds.) *Loss of homes and evictions across Europe*. Cheltenham y Northampton: Edward Elgar, 2018, pp. 292-332. p. 321.

[907]   Véase todas estas medidas, principalmente, en los Real Decreto-ley 8/2020, de 17 de marzo, de medidas urgentes extraordinarias para hacer frente al impacto económico y social del COVID-19 (BOE 18-03-2020, núm. 73), Real Decreto-ley 11/2020, de 31 de marzo, por el que se adoptan medidas urgentes complementarias en el ámbito social y económico para hacer frente al COVID-19 (BOE 01-04-2020, núm. 91).

[908]   Prorrogado, por el momento, hasta el día 31 de octubre de 2021, por el Real Decreto-ley 16/2021, de 3 de agosto.

[909]   A esta reticencia debe sumársele el requisito que impone la Directiva 2014/17/UE del Parlamento Europeo y del Consejo, de 4 de febrero de 2014, sobre los contratos de crédito celebrados con los consumidores para bienes inmuebles de uso residencial y por la que se modifican las Directivas 2008/48/CE y 2013/36/UE y el Reglamento (UE) nº 1093/2010 (DOUE 28-02-2014, núm. L 60), en sus arts. 18 y ss., de evaluar la solvencia del potencial prestatario antes de conceder el préstamo. España finalmente la ha traspuesto con la Ley 5/2019, de 15 de marzo, reguladora de los contratos de crédito inmobiliario (BOE 16-03-2019, núm. 65), donde en su art. 11.5 especifica que "El prestamista solo pondrá el préstamo a disposición del prestatario si el resultado de la evaluación de la solvencia indica que es probable que las obligaciones derivadas del contrato de préstamo se cumplan según lo establecido en dicho contrato". De manera más estricta lo regulaba el Código de Consumo de Cataluña (Ley 22/2010, de 20 de julio, del Código de consumo de Cataluña. BOE 13-08-2010, núm. 196), que en su art. 263-2 preveía de manera expresa la prohibición que se le imponía al prestamista de conceder el crédito o préstamo hipotecario si el resultado de la evaluación de solvencia era negativo; este último precepto, sin embargo, fue derogado por la STC de 24 de mayo de 2018 (RTC 2018\54), por falta de ámbito competencial. Este requisito dificulta, en mayor o menor medida, aun más el acceso a un préstamo hipotecario para aquellas familias que no dispongan de una buena suma de dinero ahorrado. Nasarre reflexiona que "la evaluación de la solvencia y sus consecuencias son un

personas y familias a no poder acceder a una vivienda libre en propiedad, o de no poder hacerlo sin verse obligados a sobreendeudarse.

Asimismo, el mercado de alquiler privado tampoco es una alternativa real[910] para muchas de estas familias que no pueden comprar: desde la aprobación del Decreto 4104/1964, de 24 de diciembre, por el que se aprueba el texto refundido de la Ley de arrendamientos urbanos[911] (LAU en adelante) y hasta día de hoy, la tasa de arrendamientos ha ido en continuo descenso[912], pasando de un 42,5% en 1960 a un 18,1% en 2019[913]. Ese descenso ha sido continuo, pese a la regulación pendular que han venido sufriendo los arrendamientos urbanos desde la LAU de 1964[914] y el ligero aumento en la última década (ej. era del 13% en 2005 y es del 18,1% en 2019)[915] se fundamenta principalmente en motivos coyunturales, debido a la elevada tasa de desempleo y la contracción de crédito ya menciona-

---

"arma de doble filo" que pueden impedir a los más vulnerables a acceder a una vivienda en propiedad y no creo que queramos una sociedad de "ricos propietarios" y de "pobres inquilinos"". NASARRE AZNAR, S. *Los años de la crisis de la vivienda. De las hipotecas subprime a la vivienda colaborativa*, cit. p. 463.

[910] Véase la discusión y los motivos en NASARRE AZNAR, S. "La vivienda en propiedad como causa y víctima de la crisis hipotecaria", *Teoría y Derecho*, núm. 16, 2014, pp. 10-37 y en NASARRE AZNAR, S. GARCIA, M. O. y XERRI, K. "¿Puede ser el alquiler una alternativa real al dominio como forma de acceso a la vivienda? Una comparativa legal Portugal-España-Malta", cit.

[911] BOE 29-12-1964, núm. 312.

[912] NASARRE AZNAR, S. y MOLINA ROIG, E. "Medidas programáticas para un mercado del alquiler atractivo", en MUÑIZ ESPADA, E. et al. (dirs.) *Reformando las tenencias de la vivienda. Un hogar para tod@s*, cit., pp. 245-275. p. 251.

[913] Véase la tabla de la evolución del porcentaje de alquiler desde 1950 hasta 2016 en MOLINA ROIG, E. *Una nueva regulación para los arrendamientos de vivienda en un contexto europeo*. Tesis doctoral por la Universidad Rovira i Virgili, 2017. p. 43

[914] Véase NASARRE AZNAR, S. y MOLINA ROIG, E. "Medidas programáticas para un mercado del alquiler atractivo", cit. p. 250 cuando dice que "La regulación española sobre arrendamientos urbanos ha sido pendular, es decir, ha ido modificando elementos esenciales del contrato que afectan a la relación arrendaticia (como la duración, la renta, efectos de la transmisión de la vivienda, el desistimiento, el proceso de desahucio) para, unas veces, atender a los intereses del arrendador (1985, 2013) y, otras, los intereses del arrendatario (1964, 1994), dependiendo del momento histórico y de las circunstancias en que se han aprobado las diferentes leyes". La regulación del RDL 7/2019 (véase *infra* en este mismo apartado) vuelve a mover el péndulo a favor de los intereses del arrendatario.

[915] Datos extraídos del INE, disponible en http://www.ine.es/dyngs/INEbase/es/operacion.htm?c=Estadistica_C&cid=1254736176807&menu=resultados&secc=1254736194793&idp=1254735976608 (último acceso 27-03-2021).

dos[916]. La reforma de la LAU por la Ley 4/2013[917], no contribuyó a que los arrendamientos urbanos fueran más asequibles, flexibles y estables[918] y, a pesar de que el nuevo Real Decreto-ley 7/2019, de 1 de marzo, de medidas urgentes en materia de vivienda y alquiler (RDL 7/2019 en adelante)[919] tiene como objetivo recuperar cierta estabilidad y asequibilidad para los arrendatarios[920], está por ver cómo afectará este cambio normativo a la dinámica del mercado inmobiliario de alquiler[921]. Independientemente

---

[916] Nasarre Aznar, S. Garcia, M. O. y Xerri, K. "¿Puede ser el alquiler una alternativa real al dominio como forma de acceso a la vivienda? Una comparativa legal Portugal-España-Malta", cit. p. 194. Solamente el 27% de personas que viven en alquiler lo hacen por preferencia, en contra de un 55% que si pudiera comprar, lo haría (Fotocasa. *Los españoles y su relación con la vivienda*, cit. p. 11). Además, la demanda de vivienda en alquiler ha caído un 36% de 2007 al 2018, señalándose como una de las causas de esta bajada (no la única) la subida de los precios del alquiler (Fotocasa. *Radiografía del mercado de la vivienda 2017-2018*, 2018. pp. 6, 8 y 21).

[917] Ley 4/2013, de 4 de junio, de medidas de flexibilización y fomento del mercado del alquiler de viviendas (BOE 05-06-2013, núm. 134).

[918] Nasarre Aznar, S. y Molina Roig, E. "A legal perspective of current challenges of the Spanish residential rental market", *International Journal of Law in the Built Environment*, vol. 9, núm. 2, 2017, pp. 108-122. pp. 119-120.

[919] Real Decreto-ley 7/2019, de 1 de marzo, de medidas urgentes en materia de vivienda y alquiler. BOE 5-3-2019, núm. 55.

[920] Se modifican, entre otros aspectos, la prórroga obligatoria, que pasa a ser de 5 años y hasta de 7 para personas jurídicas, la prórroga tácita, que aumenta hasta tres años y la limitación de las garantías adicionales a la fianza en 2 mensualidades de renta. Por otro lado, se establece la creación del sistema estatal de índices de referencia del precio del alquiler de vivienda y se recoge la posibilidad de creación de índices autonómicos, ya desarrollada por algunas CCAA, como por ejemplo Cataluña. Véanse todos los cambios, así como un análisis crítico, en Nasarre Aznar, S. *Los años de la crisis de la vivienda. De las hipotecas subprime a la vivienda colaborativa*, cit. pp. 590 y ss.

[921] Los arrendamientos de habitaciones se presentan como una práctica para evitar la protección de la LAU. Véase, por ejemplo, Expansión. *El alquiler de habitaciones: una nueva modalidad muy popularizada en zonas urbanas tensionadas*, 08-07-2019, disponible en https://www.expansion.com/juridico/opinion/2019/07/08/5d2 309b2e5fdeae8048b465f.html (último acceso 24-11-2019). El arrendamiento de habitaciones se regula por las disposiciones del arrendamiento de cosas (art. 1543 CC), que reconoce una posición jurídica al habitacionista más débil que la reconocida al arrendatario por la LAU. Véase Molina Roig, E. *Una nueva regulación para los arrendamientos de vivienda en un contexto europeo*, cit. p. 229 y una tabla visual comparativa entre la aplicación de la LAU y del CC al contrato de alquiler de habitaciones en Simón Moreno, H. "El lloguer d'habitacions", en Nasarre Aznar,

de lo anterior, Nasarre reflexiona sobre si estos cambios frecuentes en la normativa de alquiler son adecuados para la estabilidad y seguridad jurídica del mercado arrendaticio y para su promoción, puesto que "coexisten hoy seis regímenes de alquiler de vivienda en España y se aplica uno u otro dependiendo de la fecha de firma del contrato"[922]. Además, el mercado de alquiler privado se sigue considerando como una tenencia residual, tanto para los que no disponen de suficientes ingresos para acceder al régimen de propiedad como para aquellos que no cumplen los requisitos para beneficiarse de una vivienda social, cuya escasa disponibilidad por tener un parque de vivienda social reducido, como se verá a continuación, presiona al mercado de alquiler privado a adoptar el papel de proveedor de este tipo de vivienda[923]. Todo ello contribuye a la estigmatización del alquiler como forma de tenencia de la vivienda. Por lo tanto, con un mercado de alquiler privado que tiene poco peso porcentual y que además es cada vez más caro[924], mucha población queda excluida del mercado de vivienda privada.

S., Simón Moreno, H. y Molina Roig, E. (dirs.) *Un nou dret d'arrendaments urbans per a afavorir l'accés a l'habitatge*. Barcelona: Atelier, 2018, pp. 293-309.

[922] Nasarre Aznar, S. *Los años de la crisis de la vivienda. De las hipotecas subprime a la vivienda colaborativa*, cit. p. 594.

[923] Pareja Eastaway, M. y Sánchez Martínez, M. T. "El sistema de vivienda en España y el papel de las políticas ¿qué falta por resolver?", *Cuadernos Económicos de ICE*, núm. 90, 2015, pp. 149-174. pp. 151 y 157. Véase también Abbé Pierre y Feantsa. *An overview of housing exclusion in Europe 2015*, 2015. p. 24.

[924] El informe Banco de España. *El mercado de la vivienda en España entre 2014 y 2019. Documentos Ocasionales nº 2013*. Madrid: Banco de España, 2020 (pp. 13 y ss.) destaca ese fuerte incremento de los precios de alquiler desde 2014. Véase, además, en el apartado 5 "Vivienda social, vivienda pública y vivienda asequible" del Capítulo I cuando se fija el máximo del 30% de los ingresos familiares disponibles como porcentaje de referencia para considerar cuándo una vivienda deja de ser asequible. Así, a modo de ejemplo, el precio medio del alquiler en España en 2018 era de 664 euros/mes (vivienda de 80m2) y el salario mínimo interprofesional para ese mismo año era de 735,90 euros/mes. Datos extraídos de Fotocasa. *La vivienda en alquiler en España en el año 2018*, 2019, p. 7 y del Real Decreto 1077/2017, de 29 de diciembre, por el que se fija el salario mínimo interprofesional para 2018. BOE 30-12-2017, núm. 317 respectivamente. Por lo tanto, una persona que solo disponga de su renta para afrontar el alquiler, y suponiendo que esta sea la mínima, tendría que destinar el 90% de su sueldo al pago de su vivienda habitual. El portal inmobiliario Fotocasa analiza en un informe como el precio de alquiler se ha incrementado un 49% en Cataluña y un 27% en Madrid entre el periodo 2013 y 2018 (véase Fotocasa. *El precio del alquiler se ha incrementado un 49% en Cataluña y un 27% en Madrid en los últimos cuatro años*, 20-02-2018, disponible en

En consecuencia, la solución para estas familias pasa por optar a una vivienda social. Es entonces cuando se recurre a la cifra del 2% de vivienda social en España, que de ser fidedigna, implicaría que tenemos uno de los parques de vivienda social más bajos de la UE. Sin embargo, estamos ante una cifra un tanto dudosa, a pesar de estar generalizada tanto a nivel estatal como internacional. Así, aparece en un estudio de Housing Europe de 2011[925], pero precisamente este extrae los datos de un estudio europeo anterior[926] donde, por un lado, hace referencia únicamente a vivienda social en alquiler (por lo que no contempla la predominante promoción de vivienda protegida en propiedad)[927] y, por otro lado, es una cifra del 1990, puesto que para España no se dispone de cifras para el resto de los años analizados (hasta 2008). Este 2% también aparece en un estudio de Trilla i Bellart de 2002[928] el cual ya contemplaba este mismo porcentaje en 1960. En cambio, Pareja Eastaway habla de un 1% en el período de 1990 y 1995[929], así como en 2010[930]. Por otro lado, el estudio a nivel de la UE de 2017, toma como referencia la Encuesta de Condiciones de Vida del INE[931]; así, el 2,5% de vivienda de alquiler social que menciona hace referencia a lo que el INE clasifica como "alquiler inferior al precio de mercado", que engloba no solo lo que consideramos vivienda social en este libro[932], sino también vivienda privada de precio asequible como las viviendas de renta antigua, las cedidas por la empresa u organización en las que

---

https://prensa.fotocasa.es/precio-del-alquiler-se-ha-incrementado-49-cataluna-27-madrid-los-ultimos-cuatro-anos/, último acceso 17-10-2019).

[925] Esta cifra aparece en Pittini, A. y Laino, E. *Housing Europe Review 2012. The nuts and bolts of European social housing systems,* cit. p. 24.

[926] Dol, K. y Haffner, M. *Housing Statistics in the European Union,* cit. p. 67.

[927] Véase el apartado "2.1. Predominio de la tenencia en propiedad" de este mismo capítulo.

[928] Trilla i Bellart, C. *La política d'habitatge en una perspectiva europea comparada,* cit. p. 55.

[929] Pareja Eastaway, M. y San Martín Varo, I. "The Tenure Imbalance in Spain: The Need for Social Housing Policy", *Urban Studies,* vol. 39, núm. 2, 2002, pp. 283-295. p. 284.

[930] Pareja Eastaway, M. "El régimen de tenencia en España", cit. p. 124.

[931] Pittini, A. et al. *The State of Housing in the EU 2017.* Bruselas: Housing Europe, 2017. p. 99. El informe de 2019, por su lado, no especifica la fuente del dato, a pesar de que conserva el 2,5% del estudio anterior. Pittini, A. (dir.) *The State of Housing in the EU 2019,* cit. p. 85.

[932] Siguiendo el apartado "4. Rasgos principales de la vivienda social" del Capítulo I.

trabaja algún miembro del hogar o por familiares[933]. Este 2,5% también aparece en el Boletín especial de Vivienda Social 2020 del Observatorio de Vivienda y Suelo español[934]. En cambio, el informe europeo de 2021 habla del 1,1%, aunque solo se refiere a vivienda de titularidad pública[935]. Todo lo anterior no hace más que reafirmar la falta de datos estadísticos de este sector a nivel nacional e internacional, lo que dificulta aún más la tarea de establecer políticas de vivienda y de gestión de esta. A ciencia cierta, pues, no se sabe con exactitud cuanta vivienda social hay en España.

A pesar de lo anterior, lo que parece claro es que no es suficiente, lo que puede explicarse básicamente por la tendencia de las políticas públicas de las últimas décadas de fomentar el acceso a la propiedad, mediante un fácil acceso a la financiación, los incentivos fiscales, etc. [936], así como de tratarse, este sector, de un mercado poco atractivo para promotores y constructores, que se han decantado por los beneficios que generaba el mercado de vivienda libre en una época de bonanza económica y de *boom* inmobiliario[937]. La tendencia de fomentar la vivienda en propiedad también se ha visto re-

---

[933] INSTITUTO NACIONAL DE ESTADÍSTICA. *Encuesta de Condiciones de Vida. Metodología.* Madrid, 2005 (revisada 2013), p. 76.

[934] MINISTERIO DE TRANSPORTES, MOVILIDAD Y AGENDA URBANA, DG DE VIVIENDA Y SUELO. *Observatorio de Vivienda y Suelo. Boletín especial vivienda social 2020.* Ministerio de Transportes, Movilidad y Agenda Urbana, 2020. p. 31. Este mismo informe establece que España cuenta con un parque de vivienda social de unas 290.000 viviendas aproximadamente. Sin embargo, solamente hace referencia a las viviendas en alquiler de titularidad pública (p. 4); cifra que, además, no concuerda con las 452.040 viviendas tenidas en cuenta para el 2,5% de porcentaje de vivienda social mencionado anteriormente (p. 31).

[935] Este informe toma, precisamente, como fuente del dato, el estudio del Boletín especial de Vivienda Social 2020, aunque este último menciona que las 290.000 viviendas en alquiler de titularidad pública ofrecen cobertura al 1,6% de hogares españoles, no al 1,1%. HOUSING EUROPE. *The State of Housing in Europe 2021*, cit. p. 91.

[936] NASARRE AZNAR, S., GARCIA, M. O. y XERRI, K. "¿Puede ser el alquiler una alternativa real al dominio como forma de acceso a la vivienda? Una comparativa legal Portugal-España-Malta", cit. pp. 194 y 195.

[937] En 2007 se finalizaron 579.665 viviendas libres, por 67.514 de protegidas. A fecha de 2020, la diferencia ha experimentado una reducción drástica, no por un aumento de viviendas protegidas (que por el contrario también se ha reducido en gran medida), sino por una caída en picado de la vivienda libre (77.531 libres por 8.732 protegidas). Datos del Ministerio de Fomento, disponible en https://www.fomento.gob.es/informacion-para-el-ciudadano/informacion-estadistica/vivienda-y-actuaciones-urbanas/estadisticas/vivienda-y-suelo (último acceso 27-03-2021).

flejada en la promoción de vivienda protegida[938], tipología de vivienda que conforma gran parte de la vivienda social en España[939]. Una de cada dos viviendas principales construidas entre 1940 y 2011 era protegida. Y desde el punto de vista de los beneficiarios, un 80% de familias que accedieron a una vivienda hasta el 1991 (desde 1940) y un 70% hasta el 2001, lo hicieron a través de una vivienda protegida[940]. Sin embargo, el hecho de promover vivienda protegida mayoritariamente de compraventa ha imposibilitado que toda esa construcción mencionada ayude a formar parte de un parque significativo y suficiente de vivienda social de alquiler[941]. Pareja Eastaway y Sánchez Martínez argumentan que "la política de vivienda, entendida como política social (no con objetivos económicos de crecimiento y de creación de empleo), ha sido contra-cíclica; en los momentos de más necesidad por parte de la población es cuando menos VPO se han iniciado"[942].

En ocasiones es el mismo entorno familiar el que se encarga de asegurar este derecho a la vivienda de sus familiares y evitar situaciones de exclusión residencial y social. Así, entre 2010 y 2012, el 40,4% de las personas mayores ayudaron con su pensión a familiares o amigos[943], mientras que el 27,9% de personas mayores vivían en 2010 con sus hijos en su propia casa,

---

[938]   En 2005, el 76% de calificaciones provisionales de vivienda protegida eran de propiedad, cifra que sigue siendo del 74% en 2019, aunque debe tenerse en cuenta que el número de calificaciones provisionales ha caído de manera significativa (de 81.855 en 2005 a 12.496 en 2019). Datos del Ministerio de Fomento, disponible en http://www.fomento.gob.es/be2/?nivel=2&orden=31000000 (último acceso 27-03-2021).

[939]   Véase el apartado "7.1. La vivienda social en España" del Capítulo I de este libro.

[940]   Trilla i Bellart, C. y Bosch Meda, J. *El parque público y protegido de viviendas en España: un análisis desde el contexto europeo*. Documento de trabajo 197/2018. Fundación Alternativas, 2018. p. 22.

[941]   Pareja Eastaway, M. y Sánchez Martínez, M. T. "Vivienda y cambio social en España", en Pérez-Rincón Fernández, S. y Tello i Rovira, R. (coord.) ¿Derecho a la vivienda?: miradas críticas a las políticas de vivienda, Barcelona: Edicions Bellaterra, 2012, pp. 113-140. p. 129.

[942]   Pareja Eastaway, M. y Sánchez Martínez, M. T. "La política de vivienda en España: Lecciones aprendidas y retos de futuro", vol. 21, núm. 2, 2012, pp. 1-31. p. 15.

[943]   Fundación Encuentro. *Informe España 2013. Una interpretación de su realidad social*. Madrid: Fundación Encuentro, 2013. p. 227. Además, este informe añade que un 5,5% de los gastos de las personas mayores corresponden a ayudas económicas que prestan a sus familiares, ya sean hijos o nietos.

es decir, los acogían[944]; teniendo presente, también, que la tasa de emancipación entre jóvenes de 16 a 29 años es solamente del 19,5%[945] y que la tasa de fertilidad en España es la segunda más baja de la UE (1,31 hijos/mujer)[946].

1.2. Aumentando por todas las vías el parque de vivienda social en alquiler

El Parlamento Europeo destaca que es imprescindible disponer de una oferta suficiente de viviendas adecuadas, dignas, higiénicas y a precio asequible para hacer efectivo el derecho a la vivienda[947]. Esta idea también es una de las 18 recomendaciones (la número 10) del informe para la Comisión Europea sobre desahucios y "sinhogarismo" con el fin de proteger el derecho a la vivienda[948]. Esta recomendación resalta la necesidad de garantizar un parque suficiente no solo de vivienda social, sino también de vivienda en propiedad, alquiler privado y tenencias intermedias[949]. Se trata

---

[944] FUNDACIÓN ENCUENTRO. *Informe España 2013. Una interpretación de su realidad social*, cit. p. 228. NASARRE recuerda la obligación de dar alimentos entre parientes contemplada en los arts. 143 y 144 CC. NASARRE AZNAR, S. "La vivienda en propiedad como causa y víctima de la crisis hipotecaria", cit. p. 25. Precisamente esta tendencia y predominio por la vivienda en propiedad es la que ha permitido poder ejercitar esta solidaridad intergeneracional y familiar, puesto que gran parte de la población mayor tiene la vivienda en propiedad y pagada.

[945] CONSEJO DE LA JUVENTUD DE ESPAÑA. *Observatorio de Emancipación núm. 13*, cit. p. 1.

[946] La primera es Malta, con un 1,26 hijo/mujer. Eurostat 2019, disponible en https://ec.europa.eu/eurostat/statistics-explained/index.php/Fertility_statistics (último acceso 10-07-2019).

[947] PARLAMENTO EUROPEO. *Resolución de 11 de junio de 2013 sobre la vivienda social en la Unión Europea*, cit., puntos 38, 45 y 58. Reafirman la necesidad de proporcionar a las personas necesitadas acceso a viviendas o ayudas a la vivienda de buena calidad el Parlamento Europeo juntamente con el Consejo y la Comisión Europea, a través del pilar europeo de derechos sociales de 2017 (principio número 19). Véase el apartado "3.4. El derecho a la vivienda en España y la vivienda social" del capítulo I de este libro, donde precisamente se resalta la preocupación de diferentes organismos de las Naciones Unidas (el Relator especial sobre la vivienda adecuada y el Comité DESC) por el insuficiente parque de vivienda social en España.

[948] KENNA, P et al. (eds.) *Pilot Project – Promoting protection of the right to housing – Homelessness prevention in the context of evictions*, cit. pp. 197 y 198.

[949] De ahí la importancia de resaltar el uso de tenencias intermedias por parte de las HAs inglesas y neerlandesas (véase el apartado "3.4.3. Las tenencias intermedias" del Capítulo II). A nivel español, cabe mencionar la introducción de la propiedad compartida y la propiedad temporal en el Código civil de Cataluña, mediante la

de disponer de un *continuum* de formas de tenencia de vivienda, que permita dotarse de un mercado de vivienda equilibrado para que cada unidad familiar pueda escoger la tenencia que mejor le convenga atendiendo a sus recursos y necesidades, sin verse con la obligación de vivir en condiciones de infravivienda o de sobreendeudamiento, entre otras.

Actualmente, y a pesar de su diversidad en los medios y mecanismos de ejecución, muchas de las políticas públicas de vivienda existentes (tanto a nivel estatal, como autonómico y local) se encaminan a engrosar la cifra del 2% de parque de vivienda social de alquiler.

A nivel estatal, a pesar de que el Plan Estatal de Vivienda 2009-2012 ya venía fomentando el alquiler por encima de la propiedad, requiriendo que al menos un 40% de la oferta de vivienda protegida se llevara a cabo en alquiler[950], el Plan Estatal de Vivienda 2013-2016 supuso un cambio importante en cuanto a políticas de vivienda, dejando a la propiedad sin ningún tipo de ayuda pública, ni para su promoción ni para su adquisición, y, centrándose, únicamente, en dos pilares: la promoción de vivienda en alquiler y la rehabilitación, regeneración y renovación urbanas. El Plan Estatal de Vivienda 2018-2021 sigue con esa línea de fomentar la vivienda en alquiler, regulando un programa de fomento del parque de vivienda en alquiler e incorporando el régimen de cesión en uso[951]. Sin embargo, vuelve a añadir una línea de ayudas para la adquisición de vivienda, pero únicamente para el colectivo de jóvenes y solamente en municipios de pequeño tamaño (menos de 5.000 habitantes)[952]; sigue esta misma línea el Proyecto de Real Decreto que regula el Plan 2022-2025 (en municipios con una población

---

Ley 19/2015, de 29 de julio. Véase un estudio exhaustivo de estas formas de tenencia en NASARRE AZNAR, S. (dir.) *La propiedad compartida y la propiedad temporal (Ley 19/2015). Aspectos legales y económicos,* cit., las cuales se vuelven a mencionar más adelante en este mismo Capítulo, en el apartado "3.5.2.2. Formas de tenencia de las viviendas sociales". Precisamente, se interpuso un recurso de inconstitucionalidad en relación con la propiedad temporal, pero el TC lo desestimó con la STC de 6 de julio de 2017 (RTC 2017\95).

[950]   Exposición de Motivos del Plan Estatal de Vivienda 2009-2012.

[951]   Véase más sobre esta forma de acceso a la vivienda en el apartado "3.5.2.2. Formas de tenencia de las viviendas sociales" de este mismo capítulo. Se regulan en los arts. 24 y ss. del Plan Estatal de Vivienda 2018-2021. También se regula el fomento de construcción de viviendas en estos dos regímenes cuando se llevan a cabo junto con instalaciones y servicios comunes adaptados para gente mayor y personas con discapacidad. Arts. 65 y ss. del mismo Plan.

[952]   Arts. 55 y ss. Plan Estatal de Vivienda 2018-2021.

igual o inferior a los 10.000 habitantes)[953]. Aun así, esta política determinada a crear finalmente un parque suficiente de vivienda social en alquiler se ve frenada por una falta de recursos económicos[954], así como también por una falta de experiencia y conocimiento por parte de los promotores y gestores en cuanto al desarrollo y gestión de este tipo de viviendas y sobre todo respecto al uso de nuevas fórmulas planteadas[955] como el derecho de superficie o la cesión de uso[956], acompañado todo ello por una legislación que no está preparada, hoy por hoy, para dar respuesta a algunas de las complejas problemáticas que surgen de la gestión de este parque[957].

Por otro lado, en noviembre de 2012 se creó el Fondo Social de Viviendas[958], propiedad de las entidades de crédito y destinado a personas en situación especial de vulnerabilidad, desahuciadas de su vivienda por impago de hipoteca (con posterioridad al 1 de enero de 2008). Esta medida se convirtió en estructural con la aprobación de la Ley 1/2013[959], que encomendó al Gobierno promover la constitución del Fondo. Debido a su escaso impacto inicial[960], la Comisión de Seguimiento y Coordinación

---

[953] Arts. 34 y ss. Proyecto de Real Decreto por el que se regula el Plan Estatal para el acceso a la vivienda 2022-2025.

[954] Véase *infra* el apartado "2.2. Vivienda: política económica vs. política social" en este mismo capítulo.

[955] Pareja Eastaway, M. y Sánchez Martínez, M. T. "More social housing? A critical analysis of social housing provision in Spain", cit. p. 128.

[956] Aunque el Plan Estatal de Vivienda 2018-2021 deja de contemplarlo, el Plan Estatal de Vivienda 2013-2016 planteaba solamente financiación a la promoción de vivienda de alquiler sobre suelo público, cedido gratuitamente o a través de un derecho de superficie o una concesión administrativa. Y mientras que el anterior obligaba a destinar la vivienda a arrendamiento por un plazo mínimo de 50 años, el Plan actual lo ha reducido a 25 años (arrendamiento o cesión en uso). Arts. 14 y ss. Plan 2013-2016 y arts. 24 y ss. Plan 2018-2021. En cambio, el Proyecto de Real Decreto que regula el Plan 2022-2025, regula ayudas a la adquisición de viviendas por parte del sector público con la obligación de destinarlas a alquiler o cesión en uso durante, otra vez, un plazo mínimo de 50 años.

[957] Pareja Eastaway, M. y Sánchez Martínez, M. T. "More social housing? A critical analysis of social housing provision in Spain", cit. p. 128.

[958] Creado por el Real Decreto-ley 27/2012, de 15 de noviembre, de medidas urgentes para reforzar la protección a los deudores hipotecarios, BOE 16-11-2012, núm. 276.

[959] Ley 1/2013, de 14 de mayo, de medidas para reforzar la protección a los deudores hipotecarios, reestructuración de deuda y alquiler social. BOE 15-05-2017, núm. 116.

[960] Pasados dos años y medio de su creación, solamente el 30% de sus casi 6.000 viviendas se habían puesto en uso. EL MUNDO. *El fracaso del Fondo Social de Viviendas,*

acordó, en mayo de 2014[961], flexibilizar los requisitos de acceso y ampliar los grupos de población elegibles para estas viviendas (ej. familias con hijos menores de edad, prejubilados o jubilados que hubieran avalado a sus hijos, así como otras personas en situación de vulnerabilidad social con informe previo de los servicios sociales)[962]. A finales de 2017, el Fondo estaba gestionando 9.866 viviendas sociales en toda España, ofrecidas a precios que oscilan entre los 150 y 400 euros de alquiler[963].

Asimismo, el Real Decreto-ley 5/2017, de 17 de marzo, que modificó el Real Decreto-ley 6/2012 y la Ley 1/2013 añadió la posibilidad de exigir un derecho de arrendamiento sobre la misma vivienda para aquellos deudores hipotecarios ejecutados y cuyo lanzamiento hubiera sido suspendido[964], aunque solo se prevé en los casos en que el acreedor ejecutante esté adherido al Código de Buenas Prácticas para la reestructuración viable de las deudas con garantía hipotecaria sobre la vivienda habitual[965]. Dicho arrendamiento tiene una duración de un año, prorrogable a voluntad del

---

22-06-2015, disponible en http://www.elmundo.es/economia/2015/06/22/558 6eaffe2704e0a1f8b457a.html (último acceso 17-10-2019). Las causas principales fueron unos requisitos de acceso demasiado estrictos, las malas condiciones de algunas de las viviendas cedidas y el hecho de que aceptar la vivienda ofrecida implicaba a veces tener que desplazarse del entorno habitual de trabajo y/o personal de la familia. SUNDERLAND, J. *Sueños rotos. El impacto de la crisis española de la vivienda en grupos vulnerables.* EEUU: Human Rights Watch, 2014. p. 56.

[961] Siguiendo la posibilidad de hacerlo que le otorgaba la redacción original de la DA 1ª de la Ley 1/2013, de 14 de mayo.

[962] Así, en 2015 se reguló la posibilidad de ampliarlo a personas en circunstancias de vulnerabilidad distintas a las previstas en el art. 1 de la Ley 1/2013, y se amplió la posibilidad de destinar un 5% de las viviendas del fondo a casos de desalojos por impago de préstamos no hipotecarios. DA 1ª Ley 1/2013, de 14 de mayo, con la modificación por la DF 4ª Ley 9/2015, de 25 de mayo, de medidas urgentes en materia concursal. BOE 26-05-2015, núm. 125.

[963] Véase su web oficial en: https://www.fondosocialdeviviendas.es (último acceso 17-10-2020).

[964] Tanto el Real Decreto-ley 6/2012 como la Ley 1/2013 contemplan una suspensión temporal de los lanzamientos sobre viviendas habituales de colectivos especialmente vulnerables, que además el Real Decreto-ley 6/2020, de 10 de marzo, por el que se adoptan determinadas medidas urgentes en el ámbito económico y para la protección de la salud pública (BOE 11-03-2020, núm. 62) extiende hasta mayo de 2024.

[965] Código aprobado por el mencionado Real Decreto-ley 6/2012. Arts. 1.2 y 2 Real Decreto-ley 5/2017. Esta opción de arrendar la vivienda cobra únicamente sentido cuando permite extender el plazo de permanencia en la vivienda (5 años) más allá de lo que permite la suspensión del lanzamiento (hasta 2024), puesto

arrendatario hasta completar el plazo de cinco años (y posibilidad de prórroga anual durante cinco años adicionales con mutuo acuerdo entre el ejecutado y el adjudicatario), con una renta anual máxima del 3% de su valor (al tiempo de la aprobación del remate).

Paralelamente, y complementando las medidas anteriores destinadas a reducir el número de ejecuciones hipotecarias y de lanzamientos (en las que deben añadirse también las comentadas *supra* en el actual contexto de crisis sanitaria y económica debido a la COVID-19)[966], el Plan Estatal de Vivienda 2018-2021 reguló la creación de fondos de viviendas para alquiler social, fomentando la colaboración público-privada entre entidades de crédito (con posibilidad de incorporar otros propietarios)[967], el Ministerio de Fomento (creación de un convenio marco) y las distintas CCAA (con convenios específicos)[968]. A través de estos convenios se acordaba el compromiso de puesta a disposición de las viviendas[969] entre la entidad de crédito y la CA, las características del alquiler asequible, que debía ser de tres años (entendemos que, de siete años a partir de marzo de 2019, con la entrada en vigor

---

que sino se estaría pagando una renta cuando no existe necesidad, puesto que el lanzamiento está suspendido.

[966] Véase el apartado "3.4. El derecho a la vivienda en España y la vivienda social" del Capítulo I.

[967] El Borrador del Real Decreto del Plan Estatal de Vivienda 2018-2021 destacaba de manera específica el papel de la SAREB en la cesión de sus viviendas. Arts. 19 y ss. del Borrador. SAREB es el acrónimo de Sociedad de Gestión de Activos Procedentes de la Reestructuración Bancaria, S.A., sociedad de gestión de activos creada por la DA 7ª Ley 9/2012, de 14 de noviembre, de reestructuración y resolución de entidades de crédito (BOE 15-11-2012, núm. 275. Ley derogada en su mayoría por la Ley 11/2015, de 18 de junio, de recuperación y resolución de entidades de crédito y empresas de servicios de inversión, BOE 19-06-2015, núm. 146, pero no su DA 7ª). Esta tiene como objeto la tenencia, gestión y administración directa o indirecta, adquisición y enajenación de los activos que de manera obligada o voluntaria (DA 9ª Ley 9/2012) le transfieran las entidades de crédito.

[968] Arts. 19 y ss. Plan Estatal de Vivienda 2018-2021 [suprimidos por Orden TMA/336/2020, de 9 de abril, por la que se incorpora, sustituye y modifican sendos programas de ayuda del Plan Estatal de Vivienda 2018-2021, en cumplimiento de lo dispuesto en los artículos 10, 11 y 12 del Real Decreto-ley 11/2020, de 31 de marzo, por el que se adoptan medidas urgentes complementarias en el ámbito social y económico para hacer frente al COVID-19 (BOE 11-04-2020, núm. 101)].

[969] Aunque el Borrador del Plan regulaba la necesidad de llevar a cabo esa puesta a disposición a través de un contrato de cesión de usufructo, la redacción definitiva del Plan lo extiende a "la relación jurídica que se determine". Art. 19 Borrador y art. 20 Plan Estatal de Vivienda 2018-2021 (suprimido por Orden TMA/336/2020, de 9 de abril).

de la modificación llevada a cabo por el RDL 7/2019) y no podía superar los 400 euros mensuales. Así, una de las características distintivas de estos fondos era que la gestión de todo el proceso y el seguimiento del arrendamiento[970] debía llevarse a cabo por un órgano de gestión que se organizaría a nivel autonómico (o municipal, si así se requería) y del que podrían participar representantes de las entidades de crédito y de las organizaciones del tercer sector[971] con actividad en el campo de la vivienda social; además de la posibilidad de contar con la colaboración de entidades del tercer sector para el desarrollo de estas funciones, entre las que también podía encontrarse el establecimiento de un plan de acompañamiento social de la familia[972]. En cuanto a los beneficiarios, podían ser personas que habían sido o iban a ser objeto de lanzamiento por ejecución hipotecaria y también por ejecución no hipotecaria, así como por demanda de desahucio por impago de la renta del alquiler. No existía una lista tasada de circunstancias de especial vulnerabilidad, sino que la situación de vulnerabilidad se iba a determinar, en este caso, a través de un informe de los servicios sociales pertinentes[973]. Sin embargo, el "Programa de ayuda a las personas en situación de desahucio o lanzamiento de su vivienda habitual" que regulaba este Fondo ha sido sustituido en 2020 por el "Programa de ayuda a las víctimas de violencia de género, personas objeto de desahucio de su vivienda habitual, personas sin hogar y otras personas especialmente vulnerables"[974]. Este último tiene por objetivo poner a disposición de estos colectivos una vivienda de titularidad pública o gestionada por la administración o, incluso de vivienda privada o alojamiento o dotación residencial, con las ayudas pertinentes. Las ayudas podrán adjudicarse de forma directa a las personas beneficiarias o, por cuenta de estas, a las administraciones públicas, empresas públicas y entidades

---

[970]   El seguimiento de actuaciones judiciales que puedan conducir a un lanzamiento o desahucio de vivienda habitual, la formalización de la propuesta de asignación al beneficiario, la proposición del contrato de alquiler, así como su revisión. Art. 22 Plan Estatal de Vivienda 2018-2021 (suprimido por Orden TMA/336/2020, de 9 de abril).

[971]   Véase la definición de este concepto en el apartado "3.2. La designación de la gestión de la vivienda social en la normativa de vivienda. Agentes y federaciones" de este mismo capítulo.

[972]   Art. 22.4 y 22.5 Plan Estatal de Vivienda 2018-2021 (suprimidos por Orden TMA/336/2020, de 9 de abril).

[973]   Art. 23 Plan Estatal de Vivienda 2018-2021 (suprimido por Orden TMA/336/2020, de 9 de abril).

[974]   Orden TMA/336/2020, de 9 de abril, ya mencionada, a raíz del mandato del art. 11 del Real Decreto-ley 11/2020, de 31 de marzo.

sin ánimo de lucro, de economía colaborativa o similares (siempre que sean sin ánimo de lucro), cuyo objeto sea dotar de una solución habitacional a los colectivos vulnerables beneficiarios del programa. El Proyecto de Real Decreto que regula el Plan 2022-2025 vuelve a contar con un programa para captar vivienda del ámbito financiero pero, en este caso, solo para viviendas de la Sareb, y solamente regula ayudas para las CCAA y los entes locales para la adquisición del derecho de usufructo[975].

Anteriormente, en 2005, se creó, también a nivel estatal, la Sociedad Pública de Alquiler (SPA)[976], con el fin de incentivar y contribuir al desarrollo del mercado de alquiler. Con ella, los poderes públicos querían ofrecer mayores garantías a arrendadores y arrendatarios, dotarlos de seguridad jurídica y reducir costes de transacción a través de facilitar información, asesoramiento y la gestión de viviendas (tanto libres como protegidas). Sin embargo, esta sociedad, que ya nació con algunas críticas[977], se disolvió en 2012[978], después de reconocer, el Ministerio de Fomento, el bajo número de viviendas gestionadas y las pérdidas acumuladas de más de 37 millones de euros[979].

---

[975] Para ser destinadas a arrendamiento social al menos durante 5 años (tener presente que la LAU regula arrendamientos de vivienda de hasta 7 años cuando el arrendador es persona jurídica). Arts. 72 y ss. del Proyecto de Real Decreto.

[976] El Consejo de Ministros acordó autorizar al Ministerio de Vivienda para que constituyese dicha Sociedad a través de la Resolución de 1 de abril de 2005, de la Subsecretaría, por la que se dispone la publicación del Acuerdo del Consejo de Ministros, de 25 de febrero de 2005, por el que se adoptan mandatos para poner en marcha medidas de impulso a la productividad. BOE 02-04-2017, núm. 79.

[977] Véase, por ejemplo, IDEALISTA. *Sociedad pública de alquiler: siete comunidades autónomas ofrecen gratis lo mismo por lo que Trujillo cobrará*, 15-04-2005, disponible en https://www.idealista.com/news/inmobiliario/vivienda/2005/04/15/5103-sociedad-publica-de-alquiler-siete-comunidades-autonomas-ofrecen-gratis-lo-mismo-por (último acceso 17-10-2019), cuando menciona que "ya hay comunidades autónomas que cuentan con agencias o programas de alquiler similares a la spa 'con la gran diferencia de que nosotros no cobramos nada a los particulares', dice un director de vivienda autonómico".

[978] Orden HAP/583/2012, de 20 de marzo, por la que se publica el Acuerdo del Consejo de Ministros de 16 de marzo de 2012, por el que se aprueba el plan de reestructuración y racionalización del sector público empresarial y fundacional estatal. BOE 24-03-2012, núm. 72.

[979] Véase la Nota de prensa del Ministerio de Fomento de 16 de marzo de 2012, en la que además se menciona que "El plan de negocio inicial de la SPA estimaba que en 2008 gestionaría una bolsa de 24.000 viviendas que aportarían a la sociedad 2,2 millones de euros de beneficios, con lo que se alcanzaría el equilibrio financiero. Sin embargo, la cifra máxima de alquileres que llegó a gestionar fue de 9.000,

A nivel autonómico, han sido bastantes las medidas adoptadas con el fin de aumentar el parque de vivienda social de alquiler[980]. Más que en medidas de nueva promoción de vivienda social[981], la mayoría de instrumentos se han encaminado (y se siguen encaminando), en términos generales, a la captación de vivienda vacía del sector privado para incorporarla al parque de vivienda social. Recordemos que España es el segundo país de la UE (después de Portugal) con más viviendas por cada mil habitantes, con 544[982]. Asimismo, el censo de condiciones de vida del INE de 2011 cifró en casi 3,5 millones el número de viviendas vacías[983] en España[984], aun-

---

siendo ahora unos 4.370 los contratos que gestiona". Ministerio de Fomento. *El Gobierno autoriza la disolución de la Sociedad Pública de Alquiler (SPA)*, 16-03-2012, disponible en http://www.fomento.es/NR/rdonlyres/9AF9030A-E3AA-40B9-83E8-AB47606F4CF8/110155/12031601.pdf (último acceso 17-10-2019).

[980] Véase una comparativa interesante entre las medidas adoptadas a nivel estatal y las adoptadas por las CCAA del País Vasco, Cataluña y Andalucía en Dol, K. et al. "Regionalization of housing policies? An explanatory study of Andalusia, Catalonia and the Basque Country", *Journal of Housing and the Built Environment*, vol. 32, núm. 3, 2017, pp. 581-598. Véase la competencia exclusiva en vivienda de las CCAA (también tienen cierta competencia los ayuntamientos, art. 25.2.a Ley 7/1985, de 2 de abril, reguladora de las Bases del Régimen Local. BOE 03-04-1985, núm. 80) en el apartado "2.3. Competencia en materia de vivienda" de este capítulo.

[981] Pueden compararse las 90.531 calificaciones provisionales de vivienda protegida en 2008, tanto de planes estatales como autonómicos, con las 11.903 de 2018 (de las cuales solamente 2.479 se calificaron para alquiler), llegando a ser de 5.306 en 2015. Datos del Ministerio de Fomento, disponibles en http://www.fomento.gob.es/BE2/?nivel=2&orden=31000000 (último acceso 12-11-2019).

[982] Datos de 2010, extraídos de Pittini, A. y Laino, E. *Housing Europe Review 2012. The nuts and bolts of European social housing systems*, cit. p. 13. En este concepto de vivienda se incluyen las principales, las secundarias y las vacías.

[983] Entendiendo como vivienda vacía aquella que permanece sin ser ocupada, está disponible para su venta o alquiler, o incluso está abandonada.

[984] Cabe destacar la incertidumbre que rodea este dato, pues el censo se elaboró, básicamente, a través del censo de 2001, del padrón, del Catastro, de los datos de las Oficinas de Estadística de las CCAA y de algunas entrevistas personales, por internet o en papel. Rodríguez López, J. "2011, año de censos de población y viviendas", *El siglo de Europa*, núm. 913, 2011. A mayor abundancia, la crítica del mismo autor en El País. *Mercado de vivienda 2013, dificultades estadísticas para el análisis*, 29-05-2013, disponible en https://elpais.com/economia/2013/05/29/vivienda/1369853720_383241.html (último acceso 17-10-20179). Además, tampoco se tiene conocimiento de hasta qué punto esta cifra también incluye los más de 1,2 millones de alquileres no declarados a la Agencia Estatal de la Administración Tributaria (que representa el 55,38% del total del parque de viviendas alquiladas), Molina Roig, E. *National Report for Spain*, en el

que la cifra se ha cuestionado. La adopción de algunas de estas medidas se promueve a través de incentivos positivos, como ofreciendo garantías a los propietarios (ej. garantizar el cobro del alquiler, el buen estado de la vivienda, la defensa jurídica o la gestión del contrato de alquiler) para que pongan sus viviendas desocupadas en régimen de alquiler a precios asequibles, como la Red de mediación para el alquiler social en Cataluña[985] (vigente desde 2004) o el Programa de vivienda vacía Bizigune del País Vasco[986] (impulsado en 2003). También fomentan programas similares a los dos anteriores la mayoría de las CCAA en sus recientes legislaciones[987]. El

Proyecto TENLAW: Tenancy Law and Housing Policy in Multi-Level Europe, 2014, disponible en https://www.uni-bremen.de/jura/tenlaw-tenancy-law-and-housing-policy-in-multi-level-europe/ (último acceso 02-10-2019). p. 25.

[985] Arts. 15 y ss. PDVC.

[986] Decreto 466/2013, de 23 de diciembre, por el que se regula el Programa de Vivienda Vacía "Bizigune". BOPV 30-12-2013, núm. 247. El País Vasco también dispone, desde 2012, de otro Programa, el Programa de Intermediación en el Mercado de Alquiler de Vivienda Libre ASAP, que funciona en paralelo del anterior. Este se reguló por Decreto 43/2012, de 27 de marzo, por el que se crea el Programa de Intermediación en el Mercado de Alquiler de Vivienda Libre ASAP (Alokairu Segurua, Arrazoizko Prezioa) (BOPV 30-03-2012, núm. 66), pero al regularse su vigencia hasta el 31 de diciembre de 2018, el nuevo Decreto 144/2019, de 17 de septiembre de 2019 por el que se regula el Programa de Intermediación en el Mercado de Alquiler de Vivienda Libre ASAP (Alokairu Segurua, Arrazoizko Prezioa) (BOPV 30-09-2019, núm. 185) deroga el decreto anterior y, además, decide dotar al programa de una vigencia indefinida. Este se referirá como Programa ASAP en adelante.

[987] Andalucía (arts. 44-45 y 47bis Ley 1/2010, de 8 de marzo, reguladora del derecho a la vivienda en Andalucía. BOE 30-03-2010, núm. 77, añadidos, respectivamente por la Ley 4/2013, de 1 de octubre, de medidas para asegurar el cumplimiento de la función social de la vivienda. BOE 02-11-2013, núm. 263 y por la Ley 1/2018, de 26 de abril, por la que se establece el derecho de tanteo y retracto en desahucios de viviendas en Andalucía, mediante la modificación de la Ley 1/2010, de 8 de marzo, reguladora del derecho a la vivienda en Andalucía, y se modifica la Ley 13/2005, de 11 de noviembre, de medidas para la vivienda protegida y el suelo. BOE 25-05-2018, núm. 127), Aragón (art. 22 Ley 10/2016, de 1 de diciembre, de medidas de emergencia en relación con las prestaciones económicas del Sistema Público de Servicios Sociales y con el acceso a la vivienda en la Comunidad Autónoma de Aragón. BOE 17-01-2017, núm. 14), Canarias (art. 98 Ley 2/2003, de 30 de enero, de vivienda de Canarias. BOE 06-03-2003, núm. 56, modificado por la Ley 2/2014, de 20 de junio, de modificación de la Ley 2/2003, de 30 de enero, de Vivienda de Canarias y de medidas para garantizar el derecho a la vivienda. BOE 11-07-2014, núm. 168), Castilla y León (art. 83 y ss. Ley 9/2010, de 30 de agosto, del derecho a la vivienda de la Comunidad de Castilla y León. BOE 28-09-2010, núm. 235), la Comunidad Valenciana (arts.

mismo Proyecto de Real Decreto del Plan Estatal para el acceso a la vivienda 2022-2025 regula un programa de fomento de la puesta a disposición de las CCAA y ayuntamientos de viviendas para su alquiler como vivienda asequible o social (arts. 82 y ss.). Además, existen entidades financieras que han cedido parte de su parque vacío de viviendas a las Administraciones públicas para su alquiler y gestión[988]. Respecto a estas prácticas, puede plantearse hasta qué punto estas cesiones vienen motivadas por incentivos negativos, como los descritos a continuación. Otra de las medidas tomadas por algunas Administraciones públicas es la conversión de vivienda pública inicialmente destinada a compraventa hacia el alquiler o el alquiler con opción a compra. Es el caso, por ejemplo, de Cataluña, que en el marco de un plan de choque impulsado por la Agencia de Vivienda de Cataluña consiguió reducir la vivienda vacía de la Agencia de 3.264 en 2010 a 1.206 en 2013[989]. Así, además de aumentar el parque de vivienda social en alquiler, esta medida permitió reducir el parque de vivienda pública vacía existente[990].

---

25 a 27 Ley 2/2017, de 3 de febrero, por la función social de la vivienda de la Comunidad Valenciana. BOE 07-03-2017, núm. 56), Extremadura (DF 5ª Ley 2/2017, de 17 de febrero, de emergencia social de la vivienda de Extremadura. BOE 22-03-2017, núm. 69 y art. 124 Ley 11/2019, de 11 de abril, de promoción y acceso a la vivienda de Extremadura. BOE 15-05-2019, núm. 116) y las Islas Baleares (art. 28 Ley 5/2018, de 19 de junio, de la vivienda de las Illes Balears. BOE 13-07-2018, núm. 169), entre otras.

[988] En Cataluña, las entidades financieras habían cedido, a fecha de 2017, un total de 4.260 viviendas: 3.960 a la Generalidad de Cataluña, 250 al Ayuntamiento de Barcelona y 50 a entidades del Tercer Sector. TRILLA, C. y TUCAT, P. "Els habitatges buits dels bancs. Una oportunitat perduda per ampliar el parc d'habitatge social?", *Debats Catalunya Social. Propostes des del Tercer Sector,* núm. 53, 2017. p. 12. Precisamente, Jaume Fornt, director de la Agencia de la Vivienda de Cataluña dijo, en una entrevista con Human Rights Watch, que "la solución a la falta de vivienda social no es la construcción de nuevas unidades, sino aprovechar las viviendas vacías en manos del banco". SUNDERLAND, J. *Sueños rotos. El impacto de la crisis española de la vivienda en grupos vulnerables,* cit. p. 55. Otro ejemplo se regula en el art. 14 del Decreto-ley 24/2020, de 23 de diciembre, de las Islas Canarias.

[989] GENERALITAT DE CATALUNYA y AGÈNCIA DE L'HABITATGE DE CATALUNYA. *Memòria de l'Agència de l'Habitatge de Catalunya 2013.* p. 53.

[990] Encontramos ejemplos en otras CCAA: en el art. 17 Decreto-ley 24/2020, de 23 de diciembre, de las Islas Canarias y en el art. 14bis del Decreto 3/2004, de 20 de enero, de Castilla-La Mancha, entro otros.

Por otro lado, CCAA como Andalucía, Cataluña, Extremadura y el País Vasco regulan derechos de tanteo y retracto a favor de la Administración pública autonómica[991] ante la transmisión de viviendas adquiridas en proceso de ejecución hipotecaria, por compensación o por pago de deuda con garantía hipotecaria[992] (o dación en pago de deuda con garantía hipotecaria en el caso andaluz), siempre que, por regla general (aunque no siempre), se sitúen en municipios con demanda residencial fuerte y acreditada. A modo de ejemplo, la Agencia de Vivienda de Cataluña adquirió 1.101 viviendas ejerciendo este derecho de tanteo y retracto en 2019[993]. Adicionalmente, el RDL 7/2019 permite que las CCAA regulen, en sus respectivas legislaciones de vivienda, el derecho de tanteo y retracto a favor del órgano designado por la Administración competente en materia de vivienda en los casos en que no pueda haber lugar a este derecho

---

[991] El art. 72 Ley 1/2010 del derecho a la vivienda en Andalucía lo hace a favor de la "Consejería competente en materia de vivienda, directamente o a través de la Agencia de Vivienda y Rehabilitación de Andalucía o quien asuma sus competencias"; el art. 65.6 LVPV a favor de "la Administración pública vasca (…) bien directamente o a través de entidades de derecho público con personalidad jurídica propia y competentes en materia de vivienda"; el art. 2.2.a Decreto-Ley 1/2015 de 24 de marzo, de medidas extraordinarias y urgentes para la movilización de las viviendas provenientes de procesos de ejecución hipotecaria de Cataluña (BOE 01-06-2015, núm. 130), a favor de "la Administración de la Generalidad, directamente o a través de entidades de derecho público con personalidad jurídica propia competentes en materia de vivienda, en beneficio propio, del municipio, de otras entidades vinculadas que dependen de estas, de sociedades mercantiles de capital íntegramente público, o en beneficio de entidades sin ánimo de lucro que formen parte de la Red de viviendas de inserción o que tengan la consideración de promotores sociales de acuerdo con lo establecido en el artículo 51.2.b) de la Ley 18/2007, del derecho a la vivienda" y los arts. 125 y ss. Ley 11/2019, de 11 de abril, a favor de la Junta de Extremadura.

[992] Andalucía regula los derechos de tanteo y retracto en los casos de adquisiciones de vivienda con ocasión de una dación en pago de deuda con garantía hipotecaria y el derecho de retracto en las transmisiones de viviendas derivadas de un proceso judicial o extrajudicial de ejecución hipotecaria. Art. 72 Ley 1/2010 del derecho a la vivienda en Andalucía. Por su lado, Extremadura regula estos derechos ante entidades financieras que procedan a adjudicarse viviendas de promoción pública o sujetos a cualquier régimen de protección, siempre que eso implique el lanzamiento judicial de los anteriores propietarios, que la utilizaran como vivienda habitual. No se pide, en este caso, el requisito de encontrarse la vivienda en un municipio con demanda residencial fuerte y acreditada. Art. 125 Ley 11/2019, de 11 de abril.

[993] GENERALITAT DE CATALUNYA. *Informe sobre el sector de l'habitatge a Catalunya. 2019*, 2020. p. 98.

a favor de un arrendatario en el marco de los arrendamientos urbanos de vivienda; o sea, en los casos en los que la vivienda arrendada se venda conjuntamente con las restantes viviendas o locales propiedad del arrendador que formen parte de un mismo inmueble o cuando esa totalidad de viviendas y locales del inmueble sean de distinto propietario pero se vendan de forma conjunta a un mismo comprador[994].

En otras ocasiones, en cambio, las medidas son más intrusivas en las relaciones privadas y los incentivos son de carácter negativo[995], como los recargos tributarios[996], las sanciones, los alquileres forzosos o las expropiaciones del uso, del usufructo o incluso de la propiedad de la vivienda. A modo de ejemplo, regulan expropiaciones forzosas, cesiones obligatorias o alquileres

---

[994]   Art. 1.13 RDL 7/2019, que modifica el art. 25.7 LAU.

[995]   Véase, a modo de ejemplo, un resumen de las medidas principales adoptadas en Cataluña, ordenadas de menos a más intrusivas en el mercado en Nasarre Aznar, S. y Molina Roig, E. "La política de vivienda y el Derecho civil", cit. p. 200. También en Nasarre Aznar, S. *Los años de la crisis de la vivienda. De las hipotecas subprime a la vivienda colaborativa*, cit. pp. 469-474, donde además el autor comenta la constitucionalidad de algunas de ellas.

[996]   El art. 72.4 del Real Decreto Legislativo 2/2004, de 5 de marzo, por el que se aprueba el texto refundido de la Ley reguladora de las Haciendas Locales (BOE 09-03-2004, núm. 59) faculta a los ayuntamientos a exigir un recargo del 50% de la cuota del impuesto sobre bienes inmuebles a los inmuebles de uso residencial que se encuentren desocupados con carácter permanente. Así lo han hecho ya, más de 219 municipios, como Albacete, Barcelona, Cáceres, Córdoba, Coruña, Lérida, Segovia, Sevilla, Terrassa y Zaragoza (Abc. *El recargo del IBI a las casas vacías dobla sus ingresos desde 2006,* 25-09-2017, disponible en http://www.abc.es/economia/abci-recargo-casas-vacias-dobla-ingresos-desde-2006-201701160254_noticia.html, último acceso 18-10-2019; y Nasarre Aznar, S. y Molina Roig, E. "La política de vivienda y el Derecho civil", cit. p. 214). Hasta hace poco esta era una medida de controversia, puesto que este art. 72.4 y lo que debía considerarse como inmuebles desocupados de carácter permanente quedaba supeditado a un desarrollo reglamentario que no se llevó a cabo por el Estado, y fueron varios los tribunales autonómicos que determinaron que los Ayuntamientos no tenían potestad para establecer esa definición, ej. STSJ de Cataluña de 19 de noviembre de 2004 (JUR 2004\1188). El art. 4.2 RDL 7/2019, modifica ese art. 72.4 con el fin de solventar dicha controversia. Así, relaciona el concepto de inmueble desocupado con carácter permanente a lo que sobre ello tenga regulado la normativa sectorial de vivienda, autonómica o estatal, al respecto, siempre que tenga rango de ley y sea conforme a los requisitos, medios de prueba y procedimiento que establezca la ordenanza fiscal.

forzosos de viviendas vacías, Aragón[997], Cataluña[998] y las Islas Baleares[999]. El País Vasco y Navarra[1000] regulan incluso la expropiación de la propiedad de las viviendas[1001]. Cataluña[1002] también contempla la expropiación del usufruc-

---

[997] Art. 12 Decreto-ley 3/2015, de 15 de diciembre, del Gobierno de Aragón, de medidas urgentes de emergencia social en materia de prestaciones económicas de carácter social, pobreza energética y acceso a la vivienda (BOA 18-12-2015, núm. 243), suspendido por providencia de 4 de octubre de 2016 que admite a trámite el recurso de inconstitucionalidad núm. 4952/2016 contra algunos de los arts. de esta Ley, mantenida la suspensión por ATC de 31 de enero de 2017 (RTC 2017\18 AUTO) pero finalmente declarado el desistimiento del recurso respecto a este precepto por STC de 17 de enero de 2019 (RTC 2019\5). Lo regula de manera similar el art. 24 Ley 10/2016, de 1 de diciembre, de Aragón, que a pesar de suspenderse por providencia del TC de 3 de octubre de 2017, de admisión a trámite del recurso de inconstitucionalidad núm. 4403-2017 y mantenerse dicha suspensión por ATC de 7 de febrero de 2018 (RTC 2018\12 AUTO), finalmente la STC de 14 de febrero de 2019 (RTC 2019\21) aceptó el desistimiento del Abogado del Estado respecto de la impugnación de este artículo 24.

[998] Art. 7 Ley 24/2015, de 29 de julio y art. 15 Ley 4/2016, de 23 de diciembre de Cataluña. Ambos artículos fueron suspendidos, por la admisión a trámite de recursos de inconstitucionalidad ya mencionados. Sin embargo, finalmente las SSTC de 31 de enero de 2019 y de 17 de enero de 2019 aceptaron el desistimiento del Abogado del Estado respecto de la impugnación promovida contra estos artículos, respectivamente, por lo que se encuentran vigentes.

[999] Art. 42 Ley 5/2018, de 19 de junio, de la vivienda de las Illes Balears (BOE 13-07-2018, núm. 169).

[1000] Arts. 52.2.a Ley Foral 10/2010, de 10 de mayo, del derecho a la vivienda en Navarra (BOE 31-05-2010, núm. 132), modificado por la Ley Foral 24/2013, de 2 de julio, de medidas urgentes para garantizar el derecho a la vivienda en Navarra (BOE 27-07-2013, núm. 24). Este precepto se suspendió por ATC de 14 de marzo de 2014, puesto que se admitió a trámite, por providencia de 5 de noviembre de 2013, el recurso de inconstitucionalidad núm. 6036-2013 contra algunos de los artículos de esta Ley Foral 24/2013. Sin embargo, la STC de 22 de febrero de 2018 (RTC 2018\16) declaró su constitucionalidad.

[1001] Art. 59 (alquiler forzoso) y art. 72.1 y 72.3.c. (expropiación forzosa) LVPV. Además, otra singularidad de la regulación vasca es que no solo se reduce a personas jurídicas, sino también a personas físicas. Estos artículos se suspendieron por providencia del TC de 12 de abril de 2016, que admitía a trámite el recurso de inconstitucionalidad núm. 1643-2016, esa suspensión se mantuvo por ATC de 19 de julio de 2016 (RTC 2016\144 AUTO), pero finalmente la STC de 19 de septiembre de 2018 (RTC 2018\97) declaró su constitucionalidad.

[1002] Cataluña regula, en el art. 4 Decreto-Ley 1/2015, de 24 de marzo, la expropiación temporal del usufructo, por un plazo de entre cuatro a diez años, para aquellos casos en que, habiendo sido la vivienda adquirida en un proceso de ejecución hipotecaria o mediante compensación o pago de deuda con garantía hipotecaria,

to y posterior puesta a alquiler social en casos de incumplimiento del deber de rehabilitación[1003]. Así, algunas CCAA también habían regulado las expropiaciones temporales de uso o usufructo[1004] ante procesos de desahucio por ejecución hipotecaria de personas en especiales circunstancias de emergencia social, como Andalucía[1005], las Islas Canarias[1006], la Comunidad Valenciana[1007], Cataluña[1008], Navarra[1009], el País Vasco (este último también en arrendamientos)[1010] y Extremadura[1011], aunque estas medidas fueron declaradas inconstitucionales. Asimismo, algunas CCAA imponen alquileres sociales forzosos a las entidades financieras principalmente, ante situaciones de ejecuciones hipotecarias de colectivos en circunstancias de emergencia social, como Cataluña (también incluye el desahucio por impago de renta de alquiler en su Ley 4/2016, aunque la medida tiene un carácter excepcional

---

el propietario no haya ejecutado las obras de habitabilidad requeridas por la Administración competente.

[1003] Otras CCAA, como por ejemplo el País Vasco o Galicia, también regulan la expropiación en casos de falta de conservación y rehabilitación, aunque no contemplan el posterior destino de esas viviendas para programas de vivienda social. Art. 72 LVPV y arts. 99 y 100 Ley 8/2012, de 29 de junio, de vivienda de Galicia (BOE 08-09-2012, núm. 217) también regula la expropiación forzosa en los casos de no realizar las obras que exija la normativa en materia de accesibilidad y supresión de barreras arquitectónicas en edificios en régimen de PH.

[1004] Sobre las políticas de expropiación de uso o usufructo, véase Argelich Comelles, C. *La expropiación temporal del uso de viviendas*. Madrid: Marcial Pons, 2017, donde la autora considera, respecto de la diferencia entre expropiación de uso o de usufructo y respecto a los autores que mantienen una concepción restrictiva del derecho de uso (no sería el caso de Cataluña, donde el art. 562-4 CCC permite gravar o enajenar el derecho de uso siempre con el consentimiento del propietario, y teniendo presente que la Ley 426 de la Ley 1/1973, de 1 de marzo, por la que se aprueba la Compilación del Derecho Civil Foral de Navarra. BOE 07-03-1973, núm. 57, permite compartir el ejercicio del derecho de uso con otras personas, pero no cederlo totalmente), que "se tiene que prescindir de la restricción conceptual para armonizar la normativa y poder constituir un arrendamiento, bien sea de forma ordinaria o considerando que la cesión en virtud del derecho de uso expropiado es onerosa por haber satisfecho el justiprecio, aunque sea en forma de contribución a su pago". p. 77.

[1005] Tanto la DA 2ª Decreto-ley 6/2013, de 9 de abril, de medidas para asegurar el cumplimiento de la función social de la vivienda (BOJA 11-04-2013, núm. 69) como su regulación similar por la DA 1ª Ley 4/2013, de 1 de octubre, han sido declaradas inconstitucionales por STC de 14 de mayo de 2015 (RTC 2015\93) y STC de 12 de abril de 2018 (RTC 2018\32) respectivamente.

[1006] DA 4ª Ley 2/2014, de 20 de junio, precepto declarado inconstitucional por STC de 26 de abril de 2018 (RTC 2018\43).

y transitorio, de máximo cinco años, prorrogable por el Gobierno por un periodo máximo de tres años más)[1012], Valencia (declarado inconstitucional)[1013] o Murcia[1014]. Y finalmente, la presión para poner vivienda vacía en el mercado se ha llevado a cabo, también, a través de impuestos, multas coercitivas o sanciones[1015], medidas que se han acompañado en muchos casos de la creación de Registros de viviendas vacías o deshabitadas, como sería el caso de Cataluña[1016], la Comunidad Valenciana[1017], Andalucía[1018], el País Vasco[1019], Navarra[1020], las Islas Canarias[1021], Galicia[1022], Aragón[1023] o las Islas Baleares[1024]. En los últimos años se han interpuesto recursos de inconstitucionalidad contra muchas de estas medidas autonómicas. Sin entrar a analizar los argumentos dictaminados por el TC para cada sentencia en concreto, las medidas que finalmente se han declarado inconstitucionales son las que guardan relación con la expropiación o el alquiler forzoso

---

[1007] Art. 13 y Anexo I Ley 2/2017, de 3 de febrero, de la Generalitat, por la función social de la vivienda de la Comunitat Valenciana (BOE 07-03-2017, núm. 56). Ambos preceptos fueron declarados inconstitucionales por STC de 5 de julio de 2018 (RTC 2018\80).

[1008] El art. 17 Ley 4/2016, de 23 de diciembre, lo regula en casos de pérdida de vivienda por acuerdo de compensación o dación en pago de préstamos o créditos hipotecarios. Este artículo fue declarado inconstitucional (art. 17.3, 4 y 5) por la STC de 17 de enero de 2019 ya mencionada.

[1009] DA 10ª Ley Foral 10/2010, de 10 de mayo, añadida por el art. 7 Ley Foral 24/2013, de 2 de julio. Declarada inconstitucional por la STC de 22 de febrero de 2018 ya mencionada.

[1010] Del caso de arrendamiento se exceptúa cuando la vivienda será ocupada por su propietario, por el cónyuge o por un familiar hasta el segundo grado de parentesco. Arts. 9.4 y 74 LVPV, declarados inconstitucionales por la mencionada STC de 19 de septiembre de 2018.

[1011] Art. 2 Ley 2/2017, de 17 de febrero. Este artículo se suspendió por providencia del TC de 12 de diciembre de 2017, que admitió a trámite el recurso de inconstitucionalidad 5659-2017 contra diversos preceptos de dicha Ley, se mantuvo esa suspensión por ATC de 20 de marzo de 2018 (RTC 2018\31 AUTO) y finalmente se declaró inconstitucional y nulo por la STC de 4 de octubre de 2018 (RTC 2018\106).

[1012] Art. 5 Ley 24/2015, de 29 de julio (se mantuvo la suspensión por el ya mencionado ATC de 20 de septiembre de 2016) y art. 16 Ley 4/2016, de 23 de diciembre (se mantuvo la suspensión por el ya mencionado ATC de 20 de marzo de 2018). Ambos artículos se encuentran actualmente vigentes, puesto que las SSTC de 31 de enero de 2019 y de 17 de enero de 2019 respectivamente han aceptado el desistimiento del Abogado del Estado respecto de la impugnación promovida contra estos artículos.

[1013] El art. 12 de la Ley 2/2017, de 3 de febrero, regula la obligación de la entidad financiera o de gestión de activos adjudicataria del remate (en procedimientos de ejecución hipotecaria) de ofrecer un arrendamiento con opción a compra para evitar el lanzamiento en los casos de grupos en situación de emergencia social. El apartado 4 de ese artículo, el que regula la posibilidad de expropiar el usufructo ante la negativa de suscribir dicho contrato, se declaró inconstitucional por la STC de 5 de julio de 2018. En cambio, no fueron declarados inconstitucionales los arts. 33.3.b y 34 de la misma Ley, que regulan como infracción muy grave con sanción de multa de hasta 30.000 euros el hecho de no celebrar el contrato de alquiler.

[1014] En este caso, el art. 59 quáter Ley 6/2015, de 24 de marzo, de la vivienda de la Región de Murcia (BOE 30-04-2015, núm. 103) solamente exige la obligación de ofrecer un alquiler social en los casos en los que los adquirentes sean grandes tenedores de vivienda que hayan sido adheridos a un convenio regional de grandes tenedores.

[1015] Autores como Moreu Carbonell critican la precipitación en la adopción de dichas medidas de penalización, que si bien persiguen objetivos meritorios, no han sido fruto de un análisis con datos empíricos respecto de su eficacia. Esta misma autora resalta que la expropiación de viviendas vacías es excesivamente gravosa, que beneficia nada o muy poco a la comunidad (a diferencia de las medidas de fomento o medidas fiscales) y que además supone una necesidad de medios materiales y personales que la Administración no está en condiciones de asumir. Así, mantiene una visión crítica, mencionando que le da la impresión de que "las Administraciones públicas buscan el golpe mediático, más que la solución al problema". Moreu Carbonell, E. "Capítulo 1. Viviendas vacías", en Alonso Pérez, M. T. (dir.) *Nuevas vías jurídicas de acceso a la vivienda. Desde los problemas generados por la vivienda en propiedad ordinaria financiada con créditos hipotecarios a otras modalidades jurídico-reales de acceso a la vivienda.* Cizur Menor: Thomson Reuters Aranzadi, 2018, pp. 27-72. pp. 64-65.

[1016] Registro creado por el art. 1.3 del Decreto-ley 1/2015, de 24 de marzo, e impuesto regulado en la Ley 14/2015, de 21 de julio, del impuesto sobre las viviendas vacías, y de modificación de normas tributarias y de la Ley 3/2012 (BOE 15-08-2015, núm. 195). Se interpuso un recurso de inconstitucionalidad núm. 2255-2016 contra algunos de los preceptos de la Ley 14/2015 que llevaron a su suspensión por providencia de 28 de abril de 2016, se levantó la suspensión de los preceptos por ATC de 20 de septiembre de 2016 (RTC 2016\157 AUTO) y, finalmente, la STC de 17 de enero de 2019 (RTC 2019\4) desestimó el recurso de inconstitucionalidad.

[1017] El art. 11.4 de la Ley 2/2017, de 3 de febrero, regula la creación de un Registro de viviendas deshabitadas, mientras que el art. 19 establece multas coercitivas. Este segundo artículo se encontraba suspendido ante la admisión a trámite del ya mencionado recurso de inconstitucionalidad núm. 5425-2017, pero fue declarado constitucional por STC de 5 de julio de 2018.

[1018] El art. 41 de la Ley 1/2010 regula la creación de un Registro de viviendas deshabitadas, mientras que el art. 53.1.a regula como infracción muy grave, con multas de hasta 9.000 euros (art. 61) el mantener una vivienda deshabitada. Estos artículos

con el fin de evitar ejecuciones hipotecarias de los colectivos más vulnerables1[1025]. En cambio, el TC ha declarado la constitucionalidad de las expropia-

fueron introducidos por el art. 1 de la Ley 4/2013, de 1 de octubre, y tanto el último mencionado (art. 53.1.a) como el nuevo art. 25, que define el concepto de vivienda deshabitada, se suspendieron por providencia del TC de 14 de enero de 2014, que admitió a trámite el recurso de inconstitucionalidad núm. 7357-2013, pero la mencionada STC 32/2018, de 12 de abril de 2018 los declaró constitucionales.

[1019] Los arts. 56 y ss. de la LVPV regulan la creación de un Registro de viviendas deshabitadas, así como un canon; el art. 56 que es el que regula el concepto de vivienda deshabitada se suspendió por la admisión a trámite del mencionado recurso de inconstitucionalidad 1643-2016. Finalmente, la STC de 19 de septiembre de 2018 declaró la desestimación del recurso en relación con este artículo. Extremadura también cuenta con un canon de vivienda deshabitada, introducido por la DF 3ª Ley 2/2017, de 17 de febrero.

[1020] El art. 42 sexies de la Ley Foral 10/2010, de 10 de mayo, introducido por el art. 1 de la Ley Foral 24/2013, de 2 de julio, regula la creación de un Registro de viviendas deshabitadas. Por otra parte, el art. 66.1 de la Ley Foral 10/2010 (modificado por el art. 5 de la Ley Foral 24/2013) contempla como infracción muy grave y prevé sanciones de hasta 300.000 euros (art. 67.1.c) las viviendas deshabitadas por dos años. Ambos artículos se encontraban suspendidos, pero se declararon constitucionales por la STC de 22 de febrero de 2018. Finalmente, el art. 132 de la Ley Foral 2/1995, de 10 de marzo, por la que se regulan las Haciendas Locales (BOE 07-07-1995, núm. 161), modificado por el art. 1 de la Ley Foral 31/2013, de 31 de octubre, de modificación del artículo 132 y del Capítulo VIII del Título II de la Ley Foral 2/1995, de 10 de marzo, de Haciendas Locales de Navarra (BOE 27-11-2013, núm. 284) introduce un impuesto sobre viviendas deshabitadas.

[1021] El art. 97 de la Ley 2/2003, de 30 de enero, regula la creación de un Registro de Viviendas Deshabitadas, mientras que el art. 106.i regula como infracción muy grave no dar uso habitacional a la vivienda, estableciendo multas de hasta 300.000 euros (art. 212.c). Los dos primeros artículos, modificados por el art. 1.26 y 1.27 Ley 2/2014, de 20 de junio, se encontraban suspendidos hasta que la STC de 26 de abril de 2018 declaró su constitucionalidad.

[1022] Decreto 17/2016, de 18 de febrero, por el que se crea y se regula el Censo de viviendas vacías de la Comunidad Autónoma de Galicia (DOG 26-02-2016, núm. 39).

[1023] El art. 14 del Decreto-ley 3/2015, de 15 de diciembre y posteriormente el art. 27 de la Ley 10/2016, de 1 de diciembre regulan la creación de un Registro de Viviendas Desocupadas de Aragón.

[1024] El art. 38 de la Ley 5/2018, de 19 de junio regula la creación de un Registro de viviendas desocupadas.

[1025] El TC argumenta que el hecho de que la normativa autonómica regule un nuevo mecanismo orientado a satisfacer una situación de necesidad ya regulada por normas estatales distorsiona la ordenación básica aprobada en virtud del art. 149.1.13 CE, interfiriendo en el ejercicio legítimo que el Estado hace de sus competencias (en este caso, del art. 149.1.13 CE) y menoscabando la plena efectividad de dicha

ciones de viviendas vacías y las sanciones impuestas por considerar el hecho de mantener una vivienda desocupada como sanción muy grave, y también ha respetado los alquileres sociales forzosos a las entidades financieras ante situaciones de ejecuciones hipotecarias de colectivos vulnerables.

Finalmente, y a modo de conclusión de este apartado que refleja la necesidad y voluntad de las políticas de vivienda de engrosar el parque de vivienda social de alquiler en España, es importante (y preocupante) destacar la existencia de una incertidumbre en cuanto a datos estadísticos concernientes a la oferta y demanda real de vivienda social:

a) existe vivienda disponible que no encaja con el perfil de demanda actual, donde las unidades familiares son cada vez más reducidas y más envejecidas[1026];

b) cada CA tiene su propia definición de vivienda social y sus propios programas;

c) existe una gran diversidad de proveedores de vivienda social que actúan a diferentes niveles (estatal, autonómico, regional y local)[1027] y nadie sabe a ciencia cierta cuántas viviendas protegidas y/o sociales hay, hoy por hoy, en España;

d) y aunque existen registros de solicitantes de vivienda protegida o de protección oficial en las diferentes CCAA, hay colectivos con necesidad de acceder a una vivienda digna y adecuada que no se contemplan en estos registros, ya sea porque no cumplen los requisitos de inscripción, o porque se trata de población que vive en situaciones de infravivienda o sobreocupación o se encuentra en riesgo de des-

---

competencia estatal. Así lo dispuso ya la STC de 14 de mayo de 2015 (FJ 18), y la siguen las SSTC de 22 de febrero de 2018 (FJ 13), de 12 de abril de 2018 (FJ 5), de 26 de abril de 2018 (FJ 4) y de 5 de julio de 2018 (FJ 3), entre otras. Véase una argumentación más extensa en el apartado "2.3. Competencia en materia de vivienda" de este mismo capítulo.

[1026] "La constitución de un parque de viviendas sociales tendría que hacerse en gran parte a partir del parque de viviendas existentes en la actualidad, con una rehabilitación de este y su adecuación a las nuevas necesidades de unos hogares más reducidos y más envejecidos." Leal Maldonado, J. y Martínez del Olmo, A. "Tendencias recientes de la política de vivienda en España", *Cuadernos de Relaciones Laborales*, vol. 35, núm. 1, 2017, pp. 15-41. p. 39.

[1027] Se puede ver *infra* en el apartado "3.1. Marco general de los modelos de gestión y de su forma jurídica" de este mismo capítulo.

ahucio por impago de alquiler o hipoteca[1028], por lo que, hacer una estimación precisa del parque de vivienda social realmente necesario no es tan sencillo. Un estudio del Tercer Sector en Cataluña calcula que en esta CA hacen falta unas 230.000 viviendas sociales aproximadamente[1029], aunque el propio estudio resalta la dificultad de dar una cifra concreta debido a la fragmentación de los datos disponibles para calcularla[1030].

1.3. Inexistencia de legislación y de políticas de gestión de vivienda social

Una vez contemplada esa intención y tendencia de las políticas públicas de vivienda hacia engrosar por todos los medios el porcentaje de vivienda social en alquiler en España, a fin de poder gestionar un *pool* mucho mayor de este tipo de vivienda (la media europea está en 8,3%[1031], de manera que, si damos por buena la cifra del 2%, habría que triplicar el parque actual) creemos que es necesario dotarse de estructuras de gestión completas y eficientes.

[1028] LAMBEA LLOP, N. "Social housing management models in Spain", *Revista catalana de dret públic,* núm. 52, 2016, pp. 115-128. pp. 120 y 121.

[1029] Los siguientes indicadores se tienen en cuenta para hacer el cálculo: las inscripciones en el Registro de solicitantes de VPO en ese momento (69.000), los lanzamientos y ejecuciones hipotecarias de vivienda habitual de los últimos cinco años según el Consejo General del Poder Judicial (50.000), las familias que según el Plan Nacional de Vivienda se encontrarían en riesgo de exclusión (65.000), las familias mal alojadas según un estudio de 2009 sobre el análisis de exclusión social en Cataluña (37.000), y la estimación de la demanda oculta (10.000). BERMÚDEZ SÁNCHEZ, T. y TRILLA I BELLART, C. "Un parque de viviendas de alquiler social. Una asignatura pendiente en Cataluña", *Debats Catalunya Social. Propostes des del Tercer Sector,* núm. 39, 2014. pp. 8-11.

[1030] Piénsese, por ejemplo, la posibilidad de que las personas contabilizadas por un indicador también lo estuvieran por otro, provocando, por lo tanto, una duplicidad: personas inscritas en el Registro de solicitantes de VPO que se puedan encontrar en indicadores de mal alojamiento o de familias con riesgo de exclusión social, o familias contabilizadas como de riesgo de exclusión por el Plan Nacional de Vivienda que posteriormente hayan sido desahuciadas y que, por lo tanto, también entrarían en este segundo indicador, o la coincidencia entre familias en riesgo de exclusión con familias mal alojadas. TRILLA y BOSCH resaltan esa información desestructurada que crea duplicidades y solapamientos entre variables o no permite ver la demanda efectiva de vivienda social. TRILLA I BELLART, C. y BOSCH MEDA, J. *El parque público y protegido de viviendas en España: un análisis desde el contexto europeo,* cit. p. 73.

[1031] BRAGA, M. y PALVARINI, P. *Social Housing in the EU,* cit. p. 9.

Los países de Europa noroccidental llevan años discutiendo y buscando fórmulas eficientes que ayuden a superar un excesivo coste público y una mala gestión de los recursos públicos en el mantenimiento de los parques de alquiler público[1032], políticas que cobran una importancia fundamental cuando los países disponen de unos parques de vivienda social considerables[1033].

Por el contrario, los sucesivos legisladores españoles no han tenido este interés por formular políticas de gestión de vivienda social, posiblemente porque su vivienda social ha ido principalmente encaminada a la propiedad y no al alquiler de manera que nada habría que gestionar una vez vendida la vivienda. El modelo tradicional predominante de promoción y gestión de vivienda en este sector se ha basado durante muchos años en la existencia de promotoras de vivienda protegida (públicas o privadas) que pueden acceder, o no, a suelo público y que obtienen financiación para la construcción, para posteriormente alquilar las viviendas en las condiciones establecidas por la Administración[1034]. Sin embargo, acabamos de ver que en los últimos años se ha puesto especial énfasis en fórmulas de captación de vivienda privada, por lo que se produce más variación en cuanto al perfil de las entidades que gestionan y los títulos legales bajo los cuales captan y gestionan esas viviendas[1035]. Nótese, en cambio, que la mayoría de legislación y normativa sigue haciendo referencia a "promotores" de vivienda social o de protección oficial, y no se utiliza el término "gestor/a" de vivienda social y/o vivienda protegida[1036].

[1032] TRILLA I BELLART, C. *La política de vivienda en una perspectiva europea comparada*, cit. p. 56.

[1033] PRIEMUS, H. "Managing social housing", cit. p. 469. Véase, además, los Capítulos I y II de este libro para analizar la evolución hacia modelos encaminados a la gestión privada eficiente y a un sector cada vez más acotado a colectivos vulnerables y menos universalista.

[1034] INURRIETA BERUETE, A. *Mercado de vivienda en alquiler en España: más vivienda social y más mercado profesional*. Documento de trabajo 113/2007. Fundación Alternativas, 2007. p. 28.

[1035] Lo cual añade complejidad a un sector ya de por sí confuso, debido a los diferentes niveles competenciales y a la gran cantidad de normativa e instrumentos temporales.

[1036] Véase, por ejemplo, el art. 2 del Real Decreto-ley 31/1978, de 31 de octubre, el art. 7 del Real Decreto 2960/1976, de 12 de noviembre, por el que se aprueba el Texto Refundido de la legislación de viviendas de protección oficial (BOE 29-12-1976) y el art. 51 de la LDVC.

El parque de vivienda social es un parque difícil de gestionar, con riesgo de acumulación de morosidad, falta de proximidad con el inquilino, dificultades administrativas casi insalvables en los procesos de adjudicación de vivienda[1037], dispersión en el territorio de las viviendas, que a veces quedan vacías por situarse en zonas geográficas con malas conexiones y con poca demanda, y con unos costes de mantenimiento elevados[1038]. Los gastos de vigilancia de promociones nuevas o vacías para evitar "okupaciones" también pueden llegar a ser muy altas[1039].

Ejemplos de la dificultad de la Administración pública para hacer frente a los gastos de gestión del parque público de vivienda los encontramos en la venta en Madrid de casi 3.000 pisos del Plan Joven del Instituto de la Vivienda de Madrid, (IVIMA en adelante) al fondo inversor Goldman Sachs-Azora[1040] y la venta de 1.860 pisos de la Empresa Municipal de la Vivienda y Suelo de Madrid al fondo inversor Blackstone[1041]. En Cataluña, también,

---

[1037] BERMÚDEZ SÁNCHEZ, T. y TRILLA I BELLART, C. "Un parque de viviendas de alquiler social. Una asignatura pendiente en Cataluña", cit. p. 7.

[1038] Véase un ejemplo de los altos costes que supone la gestión de vivienda social en COHABITAC y TAULA D'ENTITATS DEL TERCER SECTOR SOCIAL DE CATALUNYA. *Reptes i limitacions de la promoció i la gestió d'habitatges de lloguer social a Catalunya*, Barcelona, 2020. pp. 42 y 43.

[1039] CCAA como Madrid o Cataluña externalizaron este servicio de vigilancia a fin de reducir el gran gasto que suponía. Véase, por ejemplo, CINCO DÍAS. *Madrid y Cataluña fichan vigilantes para ahuyentar a los okupas en VPO*, 28-02-2011, disponible en https://cincodias.elpais.com/cincodias/2011/02/28/economia/1298876180_850215.html (último acceso 19-10-2019) y EL MUNDO. *Cataluña blinda sus VPO vacías*, 12-02-2013, disponible en http://www.elmundo.es/elmundo/2013/02/12/suvivienda/1360660473.html (último acceso 19-10-2019).

[1040] EL ECONOMISTA. *Madrid vende 3.000 pisos a Goldman Sachs y Azora por 201* millones, 09-08-2013, disponible en http://www.eleconomista.es/interstitial/volver/nectarnovdic13/vivienda/noticias/5059064/08/13/La-Comunidad-de-Madrid-vende-3000-pisos-a-Goldman-Sachs-y-Azora-por-201-millones.html (último acceso 19-10-2019). La STSJ de Madrid de 14 de mayo de 2019 (JUR 2019\194325) desestima el recurso presentado por IVIMA y Azora, y reafirma el hecho de que tal enajenación no se argumentó el requisito de innecesariedad (para el cumplimiento de los fines del IVIMA) de las concretas viviendas enajenadas, exigido tanto por la legislación de la Comunidad de Madrid como la estatal en esta materia (ej. art. 131.1 Ley 33/2003, de 3 de noviembre, de patrimonio de las Administraciones Públicas. BOE 04-11-2003, núm. 264).

[1041] EL ECONOMISTA. *Madrid vende 1.860 viviendas a Blackstone por 128,5 millones: sale una media de 69.000 euros por piso*, 24-07-2013, disponible en http://www.eleconomista.es/vivienda/noticias/5018630/07/13/Madrid-vende-a-Blackstone-1860-pisos-a-un-precio-de-69000-euros.html (último acceso 19-10-2019). Esta venta ha

hubo un intento en 2013 por parte del Incasòl (Institut Català del Sòl) de vender a fondos de inversión extranjeros el parque de vivienda social del que era propietario, que constaba en ese momento de unas 14.000 viviendas[1042]. A más pequeña escala, puede mencionarse también el caso de Regesa (empresa pública dependiente del Consejo Comarcal del Barcelonés), que vendió 298 pisos de alquiler público situados en distintos barrios barceloneses a la sociedad de inversión inmobiliaria Colón Viviendas, filial del grupo Lazora[1043] (gestionado por Azora Inversiones). En general, incluso, aunque no sea vivienda en alquiler, los tenedores públicos de vivienda también hacen caja con ventas masivas de vivienda pública, por ejemplo, en el País Vasco[1044]

---

llevado controversia, y mientras en diciembre de 2018 el Tribunal de Cuentas condenaba a la entonces alcaldesa y a seis de sus ediles ha abonar 22,7 millones de euros por vender esas promociones de vivienda pública a un precio por debajo del precio contable y de mercado (EL MUNDO. *El Tribunal de Cuentas condena a Ana Botella y a su equipo por la venta de pisos a 'fondos buitre' y considera que la operación fue "ilegal"*, 28-12-2018, disponible en https://www.elmundo.es/madrid/2018/12/28/5c25d945fdddffaf698b456f.html, último acceso 19-10-2019), este mismo Tribunal revertía su fallo inicial en julio de 2019, revocando la condena impuesta (IDEALISTA. *Revocada la condena a Ana Botella por la venta de pisos sociales a Blackstone*, 18-07-2019, disponible en https://www.idealista.com/news/inmobiliario/vivienda/2019/07/18/776744-revocada-la-condena-a-ana-botella-por-la-venta-de-pisos-sociales-a-blackstone?xts=582065&xtor=RSS-86, último acceso 19-10-2019). Sin embargo, la Audiencia Provincial de Madrid dictó un Auto el 27-05-2019 ordenando al juzgado de instrucción núm. 38 de Madrid que volviera a iniciar sus actuaciones (ELDIARIO.ES, *La Justicia reabre el caso de la venta de viviendas públicas a un fondo buitre en el mandato de Ana Botella en Madrid*, 28-05-2019, disponible en https://www.eldiario.es/madrid/Justicia-viviendas-publicas-Ana-Botella_0_903960190.html, último acceso 19-10-2019).

[1042] LA VANGUARDIA. *El Govern prepara la privatización de los 14.000 pisos públicos del Incasòl*, 13-11-2013, disponible en http://www.lavanguardia.com/economia/20131113/54393371000/govern-privatizacion-pisos-publicos-incasol.html (último acceso 19-10-2019).

[1043] LA VANGUARDIA. *Una empresa privada adquiere 298 pisos protegidos de Barcelona*, 29-11-2013, disponible en http://www.lavanguardia.com/local/barcelona/20131129/54394661451/empresa-privada-adquiere-pisos-protegidos-barcelona.html (último acceso 19-10-2019).

[1044] Desde 2010 y después de cinco convocatorias, se han realizado 4.771 operaciones de venta de suelo (se incluyen viviendas, trasteros y garajes), y para la sexta convocatoria (2017), podían optar a ello casi 20.000 inmuebles. EL DIARIO VASCO. *Los titulares de 20.000 VPO con derecho de superficie podrán adquirir la plena propiedad de su vivienda*, 24-01-2017, disponible en https://www.diariovasco.com/sociedad/201701/24/titulares-derecho-superficie-podran-20170124170203.html, último acceso 19-10-2019.

y Madrid[1045] con la venta del suelo en los casos de viviendas adquiridas en derecho de superficie, desapareciendo, así, esa reserva de suelo público. Todos estos ejemplos son indicios que inducen a pensar que es una quimera crear un parque público de vivienda suficiente perdurable en el tiempo de manera sostenible.

Y, de hecho, a pesar de la necesidad de vivienda social resaltada, un estudio del Defensor del Pueblo de 2013 cifró en 13.504 las viviendas protegidas vacías en España[1046] y, entre las causas para ello[1047], se daban algunas que concernían al ámbito de la gestión, como el mal estado de conservación de las viviendas, el desconocimiento por parte de la entidad de que determinadas viviendas estuvieran vacías (por ejemplo, por fallecimiento o mudanza del titular), la conflictividad vecinal, el deficiente mantenimiento de los elementos comunes de los inmuebles y la demora en la adjudicación de las viviendas.

Así, este Capítulo pretende sistematizar el enmarañado conjunto de modelos de gestión de vivienda social en España, fruto de esa falta de necesidad e interés históricos por crear estructuras organizadas, completas y complejas de gestión. Se denotará cierto contraste respecto a los modelos de gestión como el neerlandés y el inglés expuestos en el Capítulo anterior, donde se aportaba toda su evolución y un estudio exhaustivo de sus características, complementado por muchos datos del sector. Precisamente, la falta de datos estadísticos es uno de los motivos del relativo éxito de las

---

[1045] Desde 2009 ya no hace falta un acuerdo unánime de la comunidad de propietarios para pedirlo por lo que en 2010 se había formalizado la venta del suelo de más de 300 viviendas. EUROPA PRESS. *El Plan 18.000 del Ayuntamiento ya ha formalizado la venta de más de 300 viviendas*, 14-05-2010, disponible en https://www.europapress.es/madrid/noticia-plan-18000-ayuntamiento-ya-formalizado-venta-mas-300-viviendas-20100514151227.html, último acceso 19-10-2019.

[1046] Cabe mencionar que este número es relativo y poco preciso, puesto que no incorpora las viviendas gestionadas por ayuntamientos o empresas públicas municipales, ni tampoco existe una definición general y única a nivel estatal de "vivienda protegida vacía". BECERRIL, S. *Estudio sobre viviendas protegidas vacías*, cit., pp. 29 y 30.

[1047] A pesar de ser, las causas principales, de carácter económico: imposibilidad de los adquirentes de encontrar financiación para la compra y/o precios de las viviendas libres por debajo de las protegidas. El informe de MINISTERIO DE FOMENTO. *Observatorio de vivienda y suelo. Boletín número 29, primer trimestre 2019*, cit. revela como el precio de la vivienda protegida supera el de la vivienda libre usada en once provincias, mientras que en doce provincias más el precio de la vivienda protegida es solo un quince por ciento inferior al precio de la vivienda libre usada. pp. 15 y 16.

políticas de vivienda en España, incluidos datos concernientes a la oferta y demanda reales[1048] de vivienda social. Otro motivo es que cada CA tiene su propia definición de vivienda social y sus propios programas y existe una gran diversidad de proveedores de vivienda social en los diferentes niveles (autonómico, regional y local). Y a pesar de disponer de registros de solicitantes de vivienda protegida o VPO en las diferentes CCAA[1049], hay colectivos con necesidad de acceder a una vivienda digna y adecuada que no se contemplan en estos registros, como se ha reflejado en el apartado anterior. Disponer de datos suficientes sobre la necesidad real de vivienda social es indispensable para poder idear y desarrollar políticas y planes de vivienda funcionales[1050].

[1048] La diferencia entre demanda y necesidad de vivienda según Vinuesa Angulo recae en el hecho de que "la necesidad (…) se convertirá en demanda efectiva sólo en el caso de que los hogares tengan capacidad económica para acudir al mercado de vivienda libre o protegida". Vinuesa Angulo, J. "¿Cuántas viviendas se necesitarán en España?", en García-Moreno Rodríguez, F. y González García, F. (dirs.) *Reflexiones sobre la vivienda en España*. Cizur Menor: Thomson Reuters Aranzadi, 2013, pp. 245-277. p. 252.

[1049] La DA 6ª del Plan Estatal de Vivienda 2005-2008 aporta la exigencia de creación por parte de las CCAA de un Registro de demandantes de vivienda, imponiéndolo como requisito para poder adquirir una vivienda protegida (art. 13.7 y DA 6ª). El Plan Estatal de Vivienda y Rehabilitación 2009-2012 mantiene la exigencia de inscripción a este registro como condición para acceder a la vivienda, pero además lo extiende a requisito para acceder a las ayudas financieras del Plan (art. 3.1.b y DT 6ª), aunque curiosamente, esta aportación no ha tenido "una clara materialización en las normas de creación de los registros autonómicos, los cuales (…) optan en su mayoría en asociar registro con acceso a una vivienda, dejando fuera las ayudas económicas". Guillén Navarro, N. A. *El beneficiario de las viviendas sometidas a un régimen de protección pública*. Madrid: Marcial Pons, 2012. p. 117. Véase más sobre este tema *infra* en este mismo capítulo, en el apartado "3.5.2.6. El sistema de adjudicación de las viviendas".

[1050] "Tanto las viviendas como los hogares solo son censadas cada diez años, y la información resultante presenta importantes debilidades en cuanto a concreción, actualización y fiabilidad". Vinuesa Angulo, J. y Palacios García, A. J. "Marco normativo y organizativo", en Moya González, L. (ed.) *VSE La vivienda social en Europa. Alemania, Francia y Países Bajos desde 1945*. Madrid: Mairea Libros, 2008, pp. 39-73. p. 43. A nivel autonómico y también regional o local se proveen, en mayor o menor medida, datos sobre este sector, como por ejemplo el Observatorio Vasco de la Vivienda (http://www.etxebide.euskadi.eus/x39-ovhome/es/) o el Observatorio Valenciano de la Vivienda (http://www.habitatge.gva.es/es/web/vivienda-y-calidad-en-la-edificacion/observatorio-valenciano-de-vivienda). Algunas de las CCAA los han formado a raíz de las últimas legislaciones y siendo conscientes de la necesidad existente, como Andalucía en 2014 (https://www.juntadeandalucia.

En conclusión, en este Capítulo llevamos a cabo una aproximación de los modelos de gestión de vivienda social existentes en España actualmente, tanto de manera general, como posteriormente focalizándolo en modelos concretos de éxito, no sin antes poner de relieve el porqué de un sistema de gestión poco desarrollado, desestructurado y diversificado. Porque junto con la necesidad expuesta de encontrar soluciones a la falta de oferta de viviendas para la demanda y necesidad actuales, una de las preguntas clave reside en quién y cómo se debe gestionar este parque que obligatoriamente debe ir en aumento[1051].

Y en esa línea, totalmente en consonancia con los objetivos de este libro, empiezan a ir tímidamente las nuevas políticas de vivienda: el Plan Estatal de Vivienda 2013-2016 ya mostraba interés en fomentar la colaboración público-privada a la hora de implantar y gestionar las actuaciones del mismo Plan[1052], en el que cabe resaltar la mención concreta que se hace no solamente de entidades públicas y entidades privadas sin ánimo de lucro sino de las sociedades anónimas cotizadas de inversión en el mercado inmobiliario (SOCIMI en adelante)[1053]. El Plan Estatal de Vivienda 2018-2021 conserva esa necesaria colaboración público-privada[1054]; y el Informe de España 2050 recalca la necesidad de contar con partenariados público-privados

---

[1051] es/organismos/fomentoyvivienda/consejeria/organos-colegiados/60411.html), el Observatorio de la vivienda y suelo de Cantabria en 2013 (http://www.observatoriovivienda.cantabria.es/inicio) o el Observatori Metropolità de l'Habitatge de Barcelona en 2017 (https://www.ohb.cat).

[1051] PAREJA EASTAWAY, M. y SÁNCHEZ MARTÍNEZ, M. T. "More social housing? A critical analysis of social housing provision in Spain", cit. p. 125.

[1052] Arts. 4 y 7 Plan Estatal de Vivienda 2013-2016.

[1053] Art. 7.2 Plan Estatal de Vivienda 2013-2016. Véase el rol de las SOCIMIs en el sector de vivienda social *infra* en este mismo capítulo, en el apartado "3.1. Marco general de los modelos de gestión y de su forma jurídica".

[1054] Art. 8 Plan Estatal de Vivienda 2018-2021 (sigue la misma línea el art. 8 del Proyecto de Real Decreto del Plan 2022-25), aunque deja de mencionar las SOCIMIs en particular. Se regulaba, además, en el art. 22 del Plan, en relación con la gestión de los Fondos de viviendas para alquiler social de los arts. 19 y ss. del Plan; sin embargo, estos han quedado suprimidos por la Orden TMA/336/2020, de 9 de abril, que los ha substituido por el programa de ayuda a las víctimas de violencia de género, personas objeto de desahucio de su vivienda habitual, personas sin hogar y otras personas especialmente vulnerables (arts. 3 y 4 Orden). Asimismo, lo resaltaba también la DA 1ª del RDL 7/2019, aunque se declaró inconstitucional y fue anulada por la STC de 28 de enero de 2021 (RTC 2020\14), puesto que se determinó que "el Gobierno no ha justificado la necesidad de acudir a un Real Decreto-ley para la adopción de unas medidas para cuya puesta en práctica, en

y de modelos similares a las *housing associations* para mejorar la gestión de un parque de vivienda social que debe ir en aumento[1055]. Además, la Ley del Tercer Sector de Acción Social[1056] pretende, entre otras cuestiones, fomentar y reforzar el rol de estas entidades privadas sin ánimo de lucro en el campo de las políticas públicas sociales.

2. EL PARQUE DE VIVIENDA PÚBLICA Y/O SOCIAL EN ESPAÑA Y SU GESTIÓN

El apartado anterior evidencia la falta de interés histórico de las políticas públicas españolas para tratar de manera específica y completa el sistema o los modelos de gestión de la vivienda pública y/o social existentes, contrastando con los complejos sistemas inglés y neerlandés tratados en el capítulo anterior.

Tres serían, a nuestro juicio, las razones que podrían justificar esa falta de voluntad política y legislativa para focalizar las regulaciones en este ámbito. La primera es la tendencia histórica de construir vivienda social en propiedad. La segunda cuestión, ligada a la primera, es la preferencia de tratar la vivienda como un instrumento de política económica antes que como una política social. La última trata la vertiente competencial: al tiempo que se destaca la compleja estructura de competencias en materia de vivienda, que inicialmente ya dispone de tres niveles, se plantea, no tanto si debiese o no existir una Ley Estatal de Vivienda (puesto que su aprobación es inminente), sino algunos de los aspectos que esta Ley debería regular, en referencia al ámbito de la gestión de la vivienda social.

2.1. *Predominio de la tenencia en propiedad*

Uno de los elementos más significativos de la política de vivienda española, en comparación con otros países de la UE, es la prioridad que se le ha dado a la tenencia en propiedad desde los años cuarenta del siglo XX, a

---

principio, no se aprecia la exigencia de contar con la habilitación de una norma con rango de ley", FJ 5.

[1055] Gobierno de España. *España 2050. Fundamentos y propuestas para una Estrategia Nacional de Largo Plazo.* 2021. p. 269

[1056] Ley 43/2015, de 9 de octubre. BOE 10-10-2015, núm. 243.

través de instrumentos como la política tributaria o la vivienda pública[1057]. En 1939, se creó el Instituto Nacional de Vivienda y, desde el principio, se apostó por la construcción de viviendas públicas que se cedían en régimen de propiedad sin tener en cuenta las características socioeconómicas de los destinatarios (teniendo presente la situación del momento, pasada la última Guerra Civil y con una gran falta de parque de vivienda adecuado). La voluntad era la de garantizar la propiedad de la vivienda para cada familia y favorecer, así, la generación de empleo a través de la construcción[1058]. Entre 1940 y 2011 se contruyeron casi 6,7 millones de viviendas protegidas (de un total de 12,6 millones de viviendas principales construidas)[1059]. Con el fin de la época franquista[1060] y la llegada de la transición, las ayudas y subvenciones pasaron de destinarse a incentivar la oferta a fomentar la adquisición de vivienda, con el propósito de reactivar la demanda.

Así, tras la instauración de la democracia, la política pública ha venido consistiendo, en gran medida, en regular fundamentalmente a través de los planes de vivienda los tipos de vivienda protegida, establecer los criterios de acceso a la misma y diseñar los instrumentos que faciliten el acceso a esas viviendas para las familias con menos recursos[1061]. Cabe decir, no obstante, que la construcción de vivienda protegida se ha ido reduciendo a lo largo de las últimas décadas[1062], fruto, por una parte, del aumento de

---

[1057] NACIONES UNIDAS. *Informe del Relator Especial sobre una vivienda adecuada como elemento integrante del derecho a un nivel de vida adecuado, Sr. Miloon Kothari. Misión a España*, cit. p. 7.

[1058] VINUESA ANGULO, J. y PALACIOS GARCÍA, A. J. "Marco normativo y organizativo", cit. p. 48 y ALGUACIL DENCHE, A. et al. *La vivienda en España en el siglo XXI. Diagnóstico del modelo residencial y propuestas para otra política de vivienda.* Madrid: Cáritas y Fundación Foessa, 2013. pp. 51-52.

[1059] TRILLA I BELLART, C. y BOSCH MEDA, J. *El parque público y protegido de viviendas en España: un análisis desde el contexto europeo*, cit. p. 22.

[1060] "En la etapa final de la dictadura franquista el nivel de protección de la vivienda llegó a rondar el 60% del parque inmobiliario, si bien es cierto que la protección era fundamentalmente financiera". BURÓN CUADRADO, J. "Una política de vivienda alternativa", *Ciudad y territorio. Estudios territoriales*, núm. 155, 2008, pp. 9-40. p. 16.

[1061] ESTIVAL ALONSO, L. *La vivienda de protección pública en España (V.P.O.). Régimen jurídico, ayudas y limitaciones.* Madrid: Grupo difusión, 2008. p. 42.

[1062] Disminuyendo un 47,5% entre el 1970 y 2000. MOLINA ROIG, E. *Una nueva regulación para los arrendamientos de vivienda en un contexto europeo*, cit. p. 47. Véase también, RODRÍGUEZ ALONSO, R. "La política de vivienda en España desde la perspectiva de otros modelos europeos", *Boletín CF+S, núm. 29/30*, 2005, pp. 189-207. p. 193.

las ayudas a las viviendas libres para intentar reactivar la construcción de vivienda en una época de fuerte crisis del mercado inmobiliario, aumento de paro, inflación y liberalización del mercado financiero (a mediados de los setenta y los ochenta del siglo pasado)[1063]. Y, por otra parte, porque las restricciones que presentaba la construcción de vivienda protegida y su baja rentabilidad hacía que fuera un sector poco atractivo para los promotores, sobre todo en una época de continua revalorización de las viviendas libres en régimen de propiedad[1064].

Paralelamente, y como ya se ha comentado, la tasa de arrendamientos ha ido en continuo descenso desde mediados del siglo pasado, marcado por una legislación que imponía la congelación de las rentas y la prórroga forzosa del contrato, sobre todo, a partir de la LAU del 1964.

Así pues, el alto porcentaje de vivienda en propiedad en España es el resultado de "la combinación de una política sostenida de penalización de la inversión en viviendas en alquiler, y de un impulso sostenido del acceso a la propiedad al que han ido dirigidas la mayor parte de las inversiones y beneficios de la política de vivienda"[1065].

La Figura 19 refleja claramente la preferencia por las viviendas protegidas en propiedad incluso en los últimos años. La caída en la construcción (también en vivienda protegida) ha hecho que el margen entre vivienda construida en propiedad y en alquiler se estreche, aunque como muestra dicha figura, en 2019 sigue siendo mayor el número de viviendas protegidas construidas para acceder en propiedad. Cabe mencionar que ese bajo número también puede relacionarse con el hecho de que las últimas políticas de vivienda se centran en la captación de viviendas vacías del mercado privado, tanto de particulares como de entidades financieras[1066].

[1063] ESTIVAL ALONSO, L. *La vivienda de protección pública en España (V.P.O.). Régimen jurídico, ayudas y limitaciones,* cit. pp. 37 y 38.

[1064] MOLINA ROIG, E. *Una nueva regulación para los arrendamientos de vivienda en un contexto europeo,* cit. pp. 48-50. Véase, también, a VINUESA ANGULO, J. y PALACIOS GARCÍA, A. J. "Marco normativo y organizativo", cit., al mencionar que "La mayor o menor participación de los promotores privados viene determinada por la evolución del mercado libre. En los periodos alcistas la vivienda de protección queda casi exclusivamente supeditada a la acción subsidiaria de los promotores públicos", p. 45.

[1065] LEAL MALDONADO, J. y MARTÍNEZ DEL OLMO, A. "Tendencias recientes de la política de vivienda en España", cit. p. 34.

[1066] Véase *supra* el apartado "1.2. Aumentando por todas las vías el parque de vivienda social en alquiler" de este mismo capítulo.

Figura 19. Calificaciones provisionales de vivienda protegida según régimen de uso. Planes estatales y autonómicos. Período 2005-2019

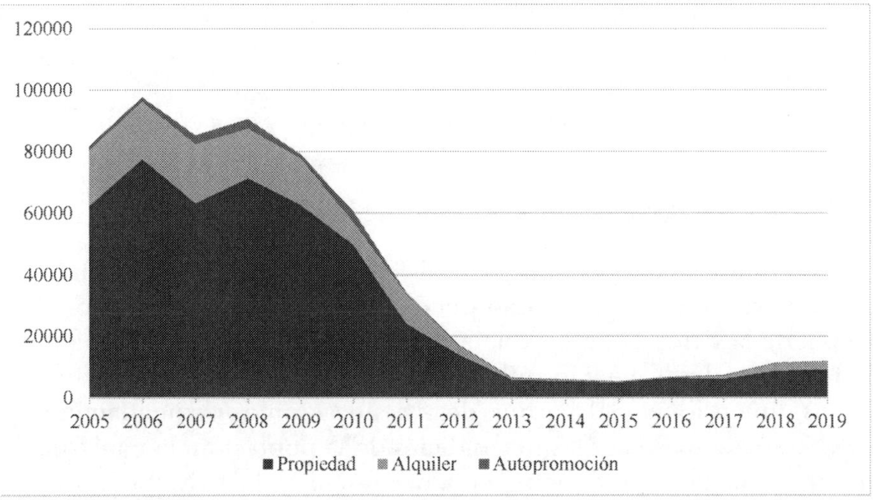

Fuente: Elaboración propia con datos del Ministerio de Fomento, disponible en http://www.fomento.gob.es/BE2/?nivel=2&orden=31000000 (último acceso 09-04-2021).

Según TRILLA I BELLART y BOSCH MEDA, si todas las viviendas protegidas construídas a partir de la década de los cuarenta del pasado siglo se hubieran conservado en el sector de vivienda protegida, dispondríamos de un amplio porcentaje de este parque (en ese caso, sin embargo, estaríamos discutiendo la posibilidad de gestión de ese parque de manera sostenible)[1067]. Los mecanismos que han impedido que estas viviendas hayan pasado a formar una bolsa de vivienda social son el de la temporalidad de las calificaciones de vivienda protegida[1068] (después de los plazos establecidos en cada Plan o normativa, por ejemplo, diez, veinte o treinta años, la vivienda se incorpora al mercado privado) y las autorizaciones de descalificaciones de viviendas protegidas antes del plazo de expiración de la calificación. Asimismo, el Relator Especial sobre vivienda adecuada en 2008, el Sr Miloon Kothari, destacó en su informe que "se ha observado que la posibilidad de

---

[1067] TRILLA I BELLART, C. y BOSCH MEDA, J. *El parque público y protegido de viviendas en España: un análisis desde el contexto europeo*, cit. p. 22.

[1068] Precisamente para evitar esta situación, ya se ha mencionado en el apartado "7.1. La vivienda social en España" del Capítulo I (y puede verse en la Tabla 4), como algunas CCAA han empezado a adoptar calificaciones permanentes (por regla general ó en algunos supuestos); así, por ejemplo, podemos mencionar el País Vasco, las Islas Baleares, Murcia, Cataluña y Andalucía.

vender la VPO transcurrido el plazo legal en el mercado libre perjudica la consolidación del parque de vivienda estatal"[1069]. TRILLA I BELLART y BOSCH MEDA critican las plusvalías (diferencia entre el valor de la vivienda social y el de mercado como vivienda libre) que genera la mercantilización de estas viviendas protegidas que pasan al mercado privado, es decir, como un esfuerzo colectivo pasa a ser objeto de negocio y especulación[1070].

2.2. Vivienda: política económica vs. política social

El predominio por las políticas de vivienda pública centradas en la promoción de vivienda en propiedad puede justificarse por la tradicional vinculación de la vivienda en España a políticas de fomento económico y no a políticas sociales[1071]. Así lo refleja, también, el hecho de que cuando en 1970 las dimensiones del parque de vivienda eran aproximadamente las necesarias para abastecer las necesidades de la población, la construcción continuó creciendo, sin deberse a esa necesidad real de vivienda, sino más bien a intereses económicos, entre otras causas[1072]. La construcción llegó a suponer un 13,9% del empleo total en España en 2007[1073]. Así pues, ante la vivienda como fenómeno complejo que puede ser al mismo tiempo objeto de inversión (valor de cambio) y objeto de primera necesidad (valor de

---

[1069] NACIONES UNIDAS. *Informe del Relator Especial sobre una vivienda adecuada como elemento integrante del derecho a un nivel de vida adecuado, Sr. Miloon Kothari. Misión a España*, cit. p. 11. La figura de la VPO tampoco convence a ESTIVAL ALONSO, que considera que este sistema a partir de la democracia "no ha tenido el éxito previsto por varias razones, entre ellas, la posibilidad de descalificación de la vivienda antes de terminar el plazo legal, la ausencia de una voluntad política firme para controlar el fraude y, sobre todo, la equiparación de precios con las viviendas llamadas libres". ESTIVAL ALONSO, L. *La vivienda de protección pública en España (V.P.O.) Régimen jurídico, ayudas y limitaciones*, cit. p. 42.

[1070] TRILLA I BELLART, C. y BOSCH MEDA, J. *El parque público y protegido de viviendas en España: un análisis desde el contexto europeo*, cit. p. 38. Véase una opinión similar en TEJEDOR BIELSA, J. "Régimen jurídico general de la vivienda protegida", cit. p. 319.

[1071] PAREJA EASTAWAY, M. y SÁNCHEZ MARTÍNEZ, M. T. "La política de vivienda en España: Lecciones aprendidas y retos de futuro", cit. p. 9.

[1072] MOLINA ROIG, E. *Una nueva regulación para los arrendamientos de vivienda en un contexto europeo*, cit. p. 43.

[1073] RODRÍGUEZ LÓPEZ, J. "Situación actual de la vivienda en España. Algunos rasgos caracterizadores", en GARCÍA-MORENO RODRÍGUEZ, F. y GONZÁLEZ GARCÍA, F. (dirs.) *Reflexiones sobre la vivienda en España*, cit. pp. 179-244. p. 188.

uso)[1074], la política de vivienda española ha ido tradicionalmente dirigida a considerar la vivienda como valor de cambio[1075].

Esta histórica segregación de la vivienda de la política social también ha estado latente en la distribución de los departamentos en las Administraciones públicas, donde siempre ha existido una fuerte separación entre las secciones de urbanismo, vivienda y servicios sociales[1076], lo que también puede conllevar dificultades de gestión por la tradicional falta de coordinación entre estos departamentos. Esta es una cuestión, no obstante, que empiezan a tener en cuenta algunas Administraciones[1077].

Recientemente, los esfuerzos de las políticas de vivienda se han redirigido hacia la oferta de vivienda social de alquiler y a garantizar el derecho a la vivienda de los colectivos más vulnerables. En consecuencia, la política económica está dejando paso a una política de vivienda más social. Incluso, en algunos ámbitos, la función social de la propiedad está ganando terreno a la institución de la propiedad en sí misma, al punto de hacerla irreconocible[1078]. Sin embargo, la realidad es que de la inversión que se lleva a cabo

---

[1074] Véase el apartado "3.1. La vivienda como pilar fundamental y distintivo del Estado del bienestar" del Capítulo I de este libro.

[1075] GAVIRIA, M. et al. ya afirmaban en 1991 que "el origen de los problemas actuales de vivienda y suelo ha sido la progresiva liberación del sector, que ha equiparado la vivienda a un objeto de inversión privilegiada financiera y fiscalmente. En definitiva, se entiende la vivienda como valor de cambio y no como valor de uso" en GAVIRIA, M. et al. *Vivienda social y trabajo social*. Madrid: Editorial popular, 1991. p. 40.

[1076] Puede citarse a FERNÀNDEZ EVANGELISTA cuando menciona que "Siempre ha existido una fuerte separación entre las áreas de vivienda y de servicios sociales. La primera actuaba sobre los problemas estructurales de la vivienda y la segunda atendía a los problemas de las personas. Una el continente y la otra el contenido". FERNÀNDEZ EVANGELISTA, G. *El acceso a la vivienda social de las personas sin hogar,* cit. p. 287. A nivel estatal, por ejemplo, encontramos el Ministerio de Fomento, el cual incluye arquitectura, vivienda y suelo por un lado, y el Ministerio de Sanidad, Servicios Sociales e Igualdad por otro.

[1077] Por ejemplo, el Ayuntamiento de Barcelona ya dispone de un área de Derechos Sociales, en la que se incluye la vivienda. Véase el organigrama municipal en http://ajuntament.barcelona.cat/ca/organitzacio-municipal (último acceso 21-10-2019).

[1078] Véanse, por ejemplo, los casos de Ceesay Ceesay y Otros contra España (demanda núm. 62688/13 TEDH), la STEDH de 28 de enero de 2014 ya mencionada y la demanda interpuesta ante el TEDH el 3 de marzo de 2014 para proteger los derechos de las familias de Corrala Utopía. Véase estas tres decisiones en SIMÓN MORENO, H. "La jurisprudencia del Tribunal Europeo de Derechos Humanos sobre

NÚRIA LAMBEA LLOP

en vivienda por parte del Estado, solamente una parte residual se destina a este nuevo modelo de políticas[1079], puesto que la mayor parte sigue destinándose al cumplimiento de obligaciones contraídas en los anteriores planes[1080], centradas principalmente a la adquisición de una vivienda en propiedad. Así, aunque los recientes Planes Estatales de Vivienda (2013-2016 y 2018-2021) ya no contemplan la subsidiación de préstamos convenidos, sí que se mantienen los ya concedidos en planes anteriores[1081]. La Exposi-

---

la vivienda en relación al Derecho español", cit., p. 168. Véase también NASARRE AZNAR, S. ""Robinhoodian" courts' decisions on mortgage law in Spain", cit.

[1079] El Plan Estatal de Vivienda 2018-2021 cuenta con una dotación estatal de 1.443 millones de euros (LA MONCLOA. GOBIERNO DE ESPAÑA. *1.443 millones de euros para las subvenciones del Plan Estatal de Vivienda 2018-2021*, 16-03-2018, disponible en https://www.lamoncloa.gob.es/consejodeministros/Paginas/enlaces/160318-enlacevivienda.aspx, último acceso 21-10-2019), 360 millones al año de media, lo que supone únicamente el 0,03% del PIB español (ELDIARIO.ES, M. *El nuevo plan del Gobierno condena a España a la cola de Europa en políticas de vivienda*, 09-03-2018, disponible en https://www.eldiario.es/economia/Espana-desarrollados-destina-politicas-vivienda_0_748225974.html, último acceso 21-10-2019).

[1080] LEAL MALDONADO, J. y MARTÍNEZ DEL OLMO, A. "Tendencias recientes de la política de vivienda en España", cit. p. 37.

[1081] Véase la DA 2ª de la Ley 4/2013, de 4 de junio, de medidas de flexibilización y fomento del mercado del alquiler de viviendas y las SSTC de 22 de octubre de 2015 (RTC 2015\216) y de 14 de diciembre de 2015 (RTC 2015\267) en relación con la duración de las subsidiaciones de préstamos convenidos para compradores de viviendas protegida. Los Planes Estatales de Vivienda 2005-2008 y 2009-2012 concedían la subsidiación por un período inicial de cinco años con opción de renovación de otros cinco años (art. 23 Plan 2005-2008) u otros diez años (art. 43 Plan 2009-2012), previa acreditación que se seguían reuniendo las condiciones para acceder a esa subsidiación (requisito de ingresos máximos, entre otros). Sin embargo, las SSTC mencionadas permitieron rechazar esas renovaciones si se presentaban con posterioridad a la entrada en vigor de dicha Ley 4/2013, alegando que "procede excluir la presencia de efectos retroactivos constitucionalmente prohibidos en el apartado a) de la disposición impugnada, ya que su regulación se proyecta a los efectos futuros de situaciones jurídicas que aún no se han producido" FJ 8 STC de 22 de octubre de 2015. Sin embargo, no requieren dicha autorización de renovación algunas ayudas de rehabilitación de edificios (ej. art. 65 Plan 2005-2008 y art. 60 Plan 2009-2012) o de eficiencia energética, por lo que la subsidiación se aplicará a toda la vida del préstamo. Véase, por ejemplo, la ayuda por eficiencia energética en la STS de 27 de mayo de 2019 (RJ 2019\2071), donde se expone que "a diferencia de lo que sucede con las ayudas de subsidiación de préstamos convenidos a las que se refiere el párrafo a/ de la disposición adicional segunda de la Ley 4/2013, en las que el nacimiento del derecho a la ayuda está subordinado a la autorización o conformidad del Ministerio de Vivienda (…) las

ción de Motivos del Plan 2013-2016 estableció la necesidad de mantener estas ayudas debido a "la creciente dificultad de las familias para poder afrontar el cumplimiento de las obligaciones de los préstamos hipotecarios que suscribieron para la adquisición de una vivienda protegida", mientras que la Exposición de Motivos del Plan 2018-2021 habla de poder evitar, así, "casos de ejecución hipotecaria que culminan en procedimientos de lanzamiento". Sin embargo, en ninguno de los dos Planes se aportan datos estadísticos en relación con las afirmaciones anteriores.

Lo que parece evidente es que el fomento de la compra de vivienda ha sido hasta hace poco una de las medidas de la política de vivienda más utilizada y que ha requerido un mayor presupuesto[1082]; incluso para aquellos colectivos con unos ingresos más bajos, ayudándose de préstamos a un tipo inferior de mercado, de subsidiaciones de préstamos, de desgravaciones, etc. Debe tenerse en cuenta, además, que la tenencia en propiedad se contempla como un vehículo de acumulación de patrimonio y riqueza[1083], y que esta tenencia desempeña un papel muy importante a la hora de mantener estándares de vida dignos para la gente mayor (jubilada) ante el tambaleo o el debilitamiento de los sistemas de pensiones[1084]. Así, si la situación en España no es más grave, sobre todo entre el mencionado colectivo de la tercera edad, es "precisamente porque la mayoría de nuestros mayores

---

ayudas a la eficiencia energética en la promoción de viviendas, que son reconocidas por el órgano competente de la Administración autonómica una vez concedida la calificación provisional de vivienda protegida, no están sometidas a nueva autorización del Ministerio de Fomento ni de ningún otro órgano administrativo" FD 3.

[1082] Leal Maldonado, J. y Martínez del Olmo, A. "Tendencias recientes de la política de vivienda en España", cit. p. 29.

[1083] Un estudio sobre la pobreza y la exclusión social de Eurostat de 2010 reflejó que, al comparar la tasa de riesgo de pobreza entre los arrendatarios y los propietarios, la de los primeros era bastante mayor en España, con un 32%, comparado con el 18% de los propietarios. Eurostat. *Combating poverty and social exclusion. A statistical portrait of the European Union 2010.* Luxemburgo: Comisión Europea, 2010. p. 41.

[1084] Andrews, D. y Caldera Sánchez, A. "The evolution of homeownership rates in selected OECD countries: demographic and public policy influences", *OECD Journal: Economic Studies*, vol. 2011/1, 2011. p. 210. Este estudio también relaciona la tenencia en propiedad con un mejor resultado escolar y con un rol más activo en los proyectos de barrio a largo plazo. Por el contrario, esta misma tenencia se asocia a una menor movilidad laboral y un mayor porcentaje de desempleo. p. 211.

tiene una vivienda en propiedad ya pagada"[1085]. En referencia a este punto, recordemos lo expuesto *supra* sobre la solidaridad intergeneracional, que ha llevado a la población de la tercera edad a ayudar tanto económicamente como a nivel de alojamiento a sus familiares[1086].

2.3. Competencia en materia de vivienda

España es un Estado descentralizado (art. 2 CE) en el que las CCAA tienen competencia exclusiva en algunas materias, entre las que se encuentra la vivienda (art. 148.1.3 CE); materia que todas las CCAA han adoptado en sus Estatutos de Autonomía (EA en adelante)[1087].

Además, también tienen competencia en vivienda los ayuntamientos[1088], en virtud del art. 25.2.a de la Ley reguladora de las Bases del Régimen Local (LRBRL en adelante)[1089]; y deben mencionarse también las Diputaciones Provinciales, y en el caso de Cataluña, los Consejos Comarcales, los cuales pueden encargarse de la gestión mancomunada de vivienda de los municipios más pequeños a través de convenios con las CCAA y los Ayuntamientos. Por lo tanto, la competencia en vivienda, y más concretamente, de promoción y gestión de vivienda social, que es el objeto de estudio de este trabajo, se divide en tres niveles: el estatal, el autonómico y el local. Así, los objetivos y medidas de las políticas públicas en vivienda pueden

---

[1085] Nasarre Aznar, S. Garcia, M. O. y Xerri, K. "¿Puede ser el alquiler una alternativa real al dominio como forma de acceso a la vivienda? Una comparativa legal Portugal-España-Malta", cit. p. 191.

[1086] Véase el primer apartado de este capítulo, al hablar de la situación actual.

[1087] Por ejemplo, el art. 137 EA de Cataluña, el art. 10.31 EA para el País Vasco (LO 3/1979, de 18 de diciembre, de Estatuto de Autonomía para el País Vasco. BOE 22-12-1979, núm. 306), el art. 49.3.12ª EA de la Comunidad Valenciana, art. 26.1.4 EA de la Comunidad de Madrid (LO 3/1983, de 25 de febrero de 25 de febrero, de Estatuto de Autonomía de la Comunidad de Madrid. BOE 01-03-1983, núm. 51) o el art. 71.10ª EA de Aragón (LO 5/2007, de 20 de abril, de reforma del Estatuto de Autonomía de Aragón. BOE 23-04-2007, núm. 97).

[1088] Dentro del campo del urbanismo, tiene competencia en "planeamiento, gestión, ejecución y disciplina urbanística. Protección y gestión del Patrimonio histórico. Promoción y gestión de la vivienda de protección pública con criterios de sostenibilidad financiera. Conservación y rehabilitación de la edificación."

[1089] LRBRL, teniendo en cuenta su importante modificación por la Ley 27/2013, de 27 de diciembre, de racionalización y sostenibilidad de la Administración Local (LRSAL en adelante). BOE 30-12-2013, núm. 312.

variar entre las CCAA[1090], hecho que dificulta tanto la gestión (existencia de una diversidad de proveedores de vivienda en los diferentes niveles) como la posibilidad de recolectar datos estadísticos precisos sobre la oferta y demanda real de vivienda social, pues cada CA tiene su propia definición de vivienda social[1091] y también sus programas de políticas de vivienda. Esa competencia a nivel autonómico y local, no obstante, debe respetar siempre las bases mínimas generales que dicta el Estado, principalmente en materia de igualdad de todos los españoles en el ejercicio de los derechos y cumplimiento de deberes constitucionales (art. 149.1.1ª CE), de bases de ordenación del crédito, banca y seguros (art. 149.1.11ª CE) y de las bases y coordinación de la planificación general de la actividad económica (art. 149.1.13ª CE).

Respecto a este último punto, es de especial interés la STC de 14 de mayo de 2015 ya mencionada, que declara inconstitucional algunos de los preceptos del Decreto-ley de Andalucía 6/2013, de 9 de abril. Esta sentencia impone una línea de interpretación[1092] expansiva de la competencia del Estado sobre las bases y la planificación general de la actividad económica (art. 149.1.13ª CE) que, además, puede ir en detrimento de competencias autonómicas que pudieran ser concurrentes, como lo es la vivienda[1093]. Así, alega que el Estado ya regula mecanismos para la protección de las personas en situación de vulnerabilidad (la suspensión de lanzamientos y la creación de un fondo social de viviendas regulados por el Real Decreto-ley 27/2012 y sustituido por la Ley 1/2013) que en este caso "son compatibles con el adecuado funcionamiento del mercado hipotecario y, a la vez, para evitar que el equilibrio que juzga oportuno se quiebre, impide que las Comunidades Autónomas en el ejercicio de sus competencias propias adopten disposiciones que, con este mismo propósito de tutela, afecten de

---

[1090]   LEAL MALDONADO, J. "Social housing and policy in Spain", en HOUARD, N. (ed.) *Social Housing across Europe*, cit., pp. 71-84. p. 75.

[1091]   Véase el apartado "7.1. La vivienda social en España" del Capítulo I de este libro, donde se define la vivienda social en España y discute los diferentes términos utilizados a nivel autonómico.

[1092]   También siguen esta línea interpretativa las posteriores SSTC de 22 de febrero de 2018, de 12 de abril de 2018, de 26 de abril de 2018, de 5 de julio de 2018 y de 19 de septiembre de 2018, entre otras, mencionadas en el apartado "1.2. Aumentando por todas las vías el parque de vivienda social" de este mismo capítulo.

[1093]   TEJEDOR BIELSA, J. "El saneamiento del sistema financiero como límite a la competencia autonómica sobre vivienda. Comentario a la Sentencia del Tribunal Constitucional 93/2015, de 14 de mayo", *Práctica urbanística: Revista mensual de urbanismo*, núm. 137, 2015, pp. 48-53. p. 2.

un modo más intenso a dicho mercado" (FJ 17). La sentencia califica al mercado hipotecario como subsector decisivo dentro del sector financiero y, por lo tanto, toda medida que pueda implicar algún sacrificio de este sector incide directamente sobre la actividad económica general, por lo que se le reserva la facultad al Estado de poder adoptar ciertas líneas directrices de la ordenación de este segmento de la economía. Finalmente, la sentencia concluye que "las indicadas acciones estatales no agotan la competencia autonómica en materia de vivienda, que sigue intacta en gran medida porque puede ser ejercida a través de todo tipo de regulaciones que estén desligadas del mercado hipotecario"[1094]. Como ya hemos mencionado previamente, algunas medidas de diversas CCAA han sido declaradas inconstitucionales siguiendo la línea interpretativa anterior[1095].

A esta incertidumbre legal se le suma la complicación de disponer de diferentes niveles de vivienda protegida. Los Planes de vivienda plurianuales (cuatrienales actualmente, en su mayoría) son los instrumentos principales para desarrollar las políticas de vivienda tanto a nivel estatal como autonómico, desde el Plan Nacional de Vivienda 1961-1976[1096]. En sus inicios, estos Planes regulaban únicamente las condiciones de construcción y las ayudas a las viviendas protegidas en relación con su financiación y con los subsidios y beneficios de los que podían ser objeto, pero a lo largo de los últimos quince años se han empezado a añadir programas[1097] de fomento a la rehabilitación de viviendas, de captación de vivienda privada vacía, la breve regulación de la Renta Básica de Emancipación, etc. Así, en términos generales, los Planes regulan las actuaciones protegibles (condiciones de construcción y adjudicación, otras actuaciones y programas financiables) y las modalidades de financiación pública.

Con la aprobación de la CE, las CCAA asumieron la competencia de vivienda. Inicialmente su tarea se limitaba a administrar el parque público ya

---

[1094] *Ibíd.*

[1095] Véase *supra* el apartado "1.2. Aumentando por todas las vías el parque de vivienda social en alquiler" al hablar de las medidas más intrusivas y los incentivos de carácter negativo que han tomado las CCAA, principalmente para movilizar vivienda vacía e impedir desahucios de colectivos vulnerables.

[1096] Ley 84/1961, de 23 de diciembre, sobre el Plan Nacional de la Vivienda para el periodo 1961-1976. BOE 28-12-1961, núm. 310. Véase Vinuesa Angulo, J. y Palacios García, A. J. "Marco normativo y organizativo", cit. p. 53.

[1097] Leal Maldonado, J. y Martínez del Olmo, A. "Tendencias recientes de la política de vivienda en España", cit. p. 34.

existente y a desarrollar los planes estatales[1098], pero poco a poco fue apareciendo una tendencia progresiva a la descentralización[1099], y los planes de vivienda autonómicos, que solían acompasarse con los planes estatales, dejaron de limitarse a complementarlos para regular, en algunos casos, tipologías de vivienda social propias[1100]. Por su parte, el Estado ampara la posibilidad de seguir publicando sus Planes para regular actuaciones financiadas por fondos estatales por las competencias ya mencionadas que le otorga la CE en su art. 149.1 (puntos 1, 11 y 13 mayoritariamente, referentes a la regulación de las condiciones básicas para garantizar la igualdad de todos los españoles en el ejercicio de derechos y cumplimiento de deberes constitucionales, a las bases de la ordenación del crédito y a las bases y coordinación de la planificación general de la actividad económica, respectivamente), como así reafirmó, además, la STC de 20 de julio de 1988[1101].

Así, actualmente las CCAA pueden llegar a gestionar hasta tres niveles de vivienda protegida, cada una con su cuerpo normativo:

[1098] VINUESA ANGULO, J. y PALACIOS GARCÍA, A. J. "Marco normativo y organizativo", cit. p. 55 y TEJEDOR BIELSA, J. "A vueltas con las competencias sobre vivienda y la estabilidad del sistema financiero", *La ley digital*, núm. 2538, 2018, pp. 1-11. p. 2.

[1099] MAS BADIA, M. D. *Problemas de valoración y precio en las viviendas de protección oficial. Compraventa, arrendamiento, ejecución judicial, liquidación de sociedad de gananciales, partición de herencia y división de cosa común*, cit. p. 50.

[1100] IGLESIAS GONZÁLEZ, F. "La planificación de la vivienda protegida", en LÓPEZ RAMÓN, F. (coord.) *Construyendo el derecho a la vivienda*, cit., pp. 349-381. pp. 361 y 362.

[1101] RTC 1988\152. Esta establece, en su FJ 2, "tanto el art. 149 de la Constitución como los Estatutos de Autonomía dejan a salvo las facultades de dirección general de la economía y, por tanto, de cada uno de los sectores productivos, que han de quedar en poder de los órganos centrales del Estado. En consecuencia, dentro de la competencia de dirección de la actividad económica general tienen cobijo también las normas estatales que fijen las líneas directrices y los criterios globales de ordenación de sectores económicos concretos, así como las previsiones de acciones o medidas singulares que sean necesarias para alcanzar los fines propuestos dentro de la ordenación de cada sector. (…) Este razonamiento es también aplicable al sector de la vivienda, y en particular, dentro del mismo, a la actividad promocional, dada su muy estrecha relación con la política económica general, debido a la incidencia que el impulso de la construcción tiene como factor del desarrollo económico y, en especial, como elemento generador de empleo. De otro lado, en cuanto que esta actividad de fomento de la construcción de viviendas queda vinculada a la movilización de recursos financieros no sólo públicos, sino también privados, no puede hacer abstracción de las competencias estatales sobre las bases de la ordenación del crédito, a que ambas partes hacen referencia".

1) las viviendas que derivan de los Planes estatales, por los que se crea todo un sistema de convenios para poder hacer efectiva la ejecución y el acceso a la financiación estatal;

2) las viviendas diferentes a las primeras que promocionan los planes autonómicos con financiación autonómica[1102] y

3) las viviendas que se rigen por la normativa estatal existente anteriormente[1103] a que las CCAA asumieran la competencia exclusiva en vivienda; esa normativa regirá, además, de manera supletoria a las normas estatales básicas y de las autonómicas en la materia.

Además, esta clasificación se acompaña tanto de denominaciones de viviendas protegidas diferentes como de modelos jurídicos diferentes de protección pública, lo que dificulta tanto la actuación de los promotores y los gestores (en el siguiente apartado se ve otro ejemplo de dificultad de gestión), como la comprensión por parte de la población[1104].

2.4. Planteamiento de una Ley Estatal de Vivienda

Por un lado, la temporalidad de los Planes de vivienda (tanto estatales como autonómicos) permite adaptar las políticas de vivienda a la situación económica y social por la que atraviesa el país en cada momento. Por el otro, al no tener estas normas normalmente carácter retroactivo, esto genera una pluralidad de regímenes coexistentes, que se aplicarán dependiendo de la fecha de calificación de la vivienda, y que resulta en un

---

[1102] Así, por ejemplo, aunque el Plan Estatal de Vivienda 2013-2016 solamente regulaba la promoción de vivienda protegida en alquiler, el PDVC establece como formas de acceso la compra, el alquiler, el alquiler con opción a compra; y además incluye un novedoso artículo (art. 54) que permite el acceso a través de tenencias intermedias (propiedad compartida, propiedad temporal y derecho de superficie). Véase, al respecto, Nasarre Aznar, S. y Simón Moreno, H. "Fraccionando el dominio: las tenencias intermedias para facilitar el acceso a la vivienda", cit.

[1103] Así, por ejemplo, el Decreto 2114/1968, de 24 de julio, por el que se aprueba el Reglamento de Viviendas de Protección Oficial (BOE 07-09-1968, núm. 216); el Real Decreto 2960/1976, de 12 de noviembre; el Real Decreto-ley 31/1978, de 31 de octubre, desarrollado por Real Decreto 3148/1978, de 10 de noviembre; o el Real Decreto 727/1993, de 14 de mayo, sobre precio de las viviendas de protección oficial de promoción privada (BOE 01-06-1993, núm. 130).

[1104] Iglesias González, F. "La planificación de la vivienda protegida", cit. p. 364.

panorama que puede llevar a cierta confusión[1105]. Así, tanto las actuaciones protegidas e incentivadas (construcción, rehabilitación, alquiler, compra, etc.) como las subvenciones, ayudas y personas beneficiarias de estas (inquilinos, propietarios, promotores, etc.) pueden variar, suscitando incertidumbre e inseguridad legal para los beneficiarios, tanto para promotores como para inquilinos. Anteriormente, la normativa que regulaba las actuaciones protegidas se regulaba de manera separada e independiente de la normativa de financiación de esas actuaciones[1106]. Esa disociación se fue difuminando, hasta el punto de que desde hace ya años los Planes de vivienda incorporan ambos aspectos.

No existe, hoy[1107], una ley más o menos estable en el tiempo que permita conocer el régimen jurídico de una vivienda, sino que hay que acudir, en la mayoría de los casos, al Plan de vivienda que estaba en vigor cuando cada una se construyó y calificó (y al Programa concreto de financiación), aunque no sea la normativa vigente actualmente. De esta forma, "se produce una cascada aplicativa de normas formales o materialmente derogadas"[1108]. Así, esa misma brevedad de los Planes dificulta la gestión de la vivienda social, puesto que varían sus características, sus límites máximos de renta y venta, sus años de calificación, etc., y eso provoca que las entidades proveedoras tengan una pléyade de normas legales en el parque de vivienda que gestionan.

Además de esa brevedad de los Planes de vivienda, y del distanciamiento cada vez mayor entre el Plan estatal y los Planes autonómicos, el entramado de legislación referente a la vivienda y a la vivienda social también es complejo. Como acertadamente reflexiona Ponce Solé, existe un "problema tradicional de las disposiciones en materia de vivienda, que han sido siempre dispersas, inconexas y, además, recogidas en normas reglamentarias"[1109]. Ya se ha mencionado la pasividad estatal que contrasta con la actividad y

---

[1105] Mas Badia, M. D. *Problemas de valoración y precio en las viviendas de protección oficial. Compraventa, arrendamiento, ejecución judicial, liquidación de sociedad de gananciales, partición de herencia y división de cosa común*, cit. 2014. p. 62.

[1106] Se han mencionado, por ejemplo, el Real Decreto 2960/1976, de 12 de noviembre o el Real Decreto-ley 31/1978, de 31 de octubre, desarrollado por Real Decreto 3148/1978, de 10 de noviembre.

[1107] Se menciona *infra*, en este mismo apartado, los objetivos del Anteproyecto de Ley estatal por el derecho a la vivienda.

[1108] Iglesias González, F. "La planificación de la vivienda protegida", cit. p. 354.

[1109] Ponce Solé, J. "Algunas reflexiones sobre la competencia en materia de vivienda y las tendencias actuales en su ejercicio", *Informe comunidades autónomas*, núm. 2004, 2004, pp. 800-822. p. 814.

las legislaciones más intrusivas aprobadas por las CCAA (la mayoría con recursos de inconstitucionalidad recientemente resueltos). Asimismo, debe realzarse la inexistencia de normas especiales que aborden la compleja regulación de la administración y gestión de la vivienda pública y/o social: las existentes en este ámbito (LAU, CC, Ley de propiedad horizontal y normativa administrativa de las CCAA, entre otras) no se encuentran planteadas para resolver posibles problemáticas existentes en el concreto campo de la vivienda social[1110].

En este punto de panorama complejo y confuso por lo que a legislación y políticas de vivienda se refiere, Iglesias González se muestra a favor de crear una Ley estatal de vivienda[1111], al mismo tiempo que critica la falta de adaptación del Estado ante las nuevas necesidades de políticas de vivienda[1112]. El autor reclama la necesidad de crear un marco estable y homogéneo de referencia para regular un bien tan importante como es el de la vivienda, puesto que, aunque las CCAA tienen competencia exclusiva en esta materia, "el Estado también tiene competencias que inciden directamente en la materia vivienda y que justifican (e incluso hacen necesaria)

[1110] Sanz Cintora, A. (coord.) *Diagnóstico 2012. La gestión de la vivienda pública de alquiler*, cit. p. 13. Por ejemplo, por lo que respecta a los arrendamientos de vivienda social, si bien existen límites en el establecimiento de las rentas, en cuanto a su régimen, estos se rigen por la LAU, y si bien la DA 1ª de dicha Ley refleja una voluntad de tratar el tema, no existe ninguna concreción al respecto. Cataluña, por su lado, estableció la necesidad de incluir el alquiler de viviendas sociales dentro del ámbito de la aplicación de un nuevo régimen de arrendamientos urbanos, dotándolo de un régimen especial, como se estableció en la cuestión 1 de las Conclusiones a los Trabajos de la Comisión para la elaboración de unos criterios para un derecho de arrendamientos urbanos en Cataluña 17-1-2017. Esos Principios seguían el mandato de la DF 6ª Ley 4/2016, de 23 de diciembre, sin embargo, estos no han sido desarrollados aún. Nasarre Aznar y Molina Roig defienden el importante rol del Derecho civil en el acceso a una vivienda y como instrumento de política de vivienda, puesto que este debe "actuar decididamente para perfilar un bien inmueble *sui generis*, con un marco legal propio y unas características especiales, debida su especialidad como derecho humano y consideración constitucional". Nasarre Aznar, S. y Molina Roig, E. "La política de vivienda y el Derecho civil", cit. p. 237

[1111] Iglesias González, F. "Una visión panorámica de las leyes autonómicas de vivienda y la necesidad de una ley estatal", en García-Moreno Rodríguez, F. y González García, F. (dirs.) *Reflexiones sobre la Vivienda en España*, cit., pp. 15-61. pp. 58-60 e Iglesias González, F. "La planificación de la vivienda protegida", cit. p. 367.

[1112] Iglesias González, F. "La planificación de la vivienda protegida", cit. p. 364.

la existencia de una Ley estatal sobre la vivienda, que permita la existencia de un régimen jurídico básico común sobre el régimen jurídico de las viviendas, que ahora es, en la práctica, inexistente"[1113].

Precisamente, ya está en marcha el proceso para elaborar y aprobar dicha Ley estatal por el derecho a la vivienda. Pasada la fase de consulta pública previa a la redacción del Anteproyecto de ley[1114], restamos a la espera de la publicación de dicho Anteproyecto. Por lo que, por el momento, solamente se conocen los objetivos generales de esta norma: 1) Regular las políticas de vivienda como servicio público de interés general; 2) Blindar la función social de la vivienda; 3) Promover el desarrollo de parque público de vivienda estable; 4) Reforzar el derecho de una vivienda digna a precio asequible; 5) reforzar la planificación y cooperación interadministrativa en esta materia y 6) trasparencia, seguridad e información como garantía del derecho a la vivienda[1115].

Cabrá ver, pues, si esta Ley estatal por el derecho a la vivienda aprovecha la ocasión para conseguir una legislación mínima común y estable para un derecho básico como es el de la vivienda, en un contexto donde algunas CCAA no tienen ley de vivienda propia, y que las surgidas como reacción a la crisis económica de 2007 se han impugnado ante el TC y declaradas inconstitucionales en parte, como ya se ha visto[1116]. Quizás sería interesante que esta futura norma permitiese homogeneizar al menos una categoría de vivienda protegida con un régimen jurídico común en todas las CCAA[1117], que posteriormente podría complementarse con otros programas o tipologías específicas a nivel autonómico; que permitiese regular un régimen de calidad mínima a cumplir por las viviendas (más allá de la Ley de Ordenación de la Edificación y el Código Técnico de la Edificación,

---

[1113] Iglesias González, F. "Una visión panorámica de las leyes autonómicas de vivienda y la necesidad de una ley estatal", cit. p. 59.

[1114] https://www.mitma.gob.es/el-ministerio/buscador-participacion-publica/consulta-publica-previa-sobre-el-anteproyecto-de-ley-por-el-derecho-la-vivienda (último acceso 06-04-2021).

[1115] Véase el documento del Ministerio de Transportes, Movilidad y Agenda Urbana "Consulta pública previa a la redacción del Anteproyecto de ley estatal por el derecho a la vivienda", disponible en https://www.mitma.gob.es/el-ministerio/buscador-participacion-publica/consulta-publica-previa-sobre-el-anteproyecto-de-ley-por-el-derecho-la-vivienda (último acceso 06-04-2021).

[1116] Véase el apartado "1.2. Aumentando por todas las vías el parque de vivienda social en alquiler" de este mismo capítulo.

[1117] Iglesias González, F. "Una visión panorámica de las leyes autonómicas de vivienda y la necesidad de una ley estatal", cit. pp. 60 y 61.

puesto que se trata de vivienda en particular, y no de cualquier edificio) y que, aprovechando la reivindicación llevada a cabo en este capítulo, pudiera incorporar la regulación básica de los tipos de gestores de vivienda social, con la normativa que debiesen cumplir y la necesidad de crear un registro para ellos[1118].

No debería tratarse, no obstante, de una normativa estatal que impidiera el desarrollo de la materia de vivienda por parte de las CCAA, las cuales tienen competencia exclusiva, sino de crear un marco general que permitiera el acceso al derecho a la vivienda en igualdad de condiciones en todo el país (art. 149.1.1 CE).

3. MODELOS DE GESTIÓN DE VIVIENDA SOCIAL Y TIPOLOGÍAS DE VIVIENDA SOCIAL

3.1. Marco general de los modelos de gestión y de su forma jurídica

El parque de vivienda social en España se gestiona, principalmente, a través de organismos e instituciones públicas de ámbito local o autonómico[1119]. Desde la década de los ochenta del siglo XX, la mayor parte de gobiernos autonómicos y municipales han ido creando sus propias empresas o agencias de vivienda[1120]. Además de estas entidades públicas (entre las que ya existe gran variedad de modelos y regímenes jurídicos, con diferente tamaño de parque de vivienda, personal, estructura de gestión, supervisión y rotación de arrendatarios)[1121], también existen entidades privadas, tanto con ánimo de lucro como sin ánimo de lucro. A nuestro juicio, pueden distinguirse al menos ocho modelos de gestión de vivienda social[1122].

[1118] Estos aspectos se discuten en el apartado "4.1.1. Encaje legal en el ordenamiento jurídico español" del Capítulo IV de este libro.

[1119] Molina Roig, E. *National Report for Spain*, cit. p. 20.

[1120] Pareja Eastaway, M. y Sánchez Martínez, M. T. "La política de vivienda en España: Lecciones aprendidas y retos de futuro", cit. p. 20.

[1121] Alberdi, B. "Social Housing in Spain", en Scanlon, K., Whitehead, C. y Fernández Arrigoitia, M. (eds.) *Social Housing in Europe*, cit., pp. 223-237. p. 228.

[1122] Véase Lambea Llop, N. "Social housing management models in Spain", cit., donde se describen algunos de estos modelos, cuyo estudio se enmarca en el Proyecto financiado por la Escuela de Administración Pública de Cataluña "Gestió de l'habitatge social a Catalunya", GRI/2844/2013, DOGC núm. 6542, 17-01-2014.

3.1.1. Sector público

A nivel público existen tres modelos. El primero es el de entidad pública a nivel de CA, como sería la Agencia de la Vivienda en Cataluña[1123] o la Agencia de Vivienda y Rehabilitación de Andalucía[1124].

Este tipo de entidades se encargan, por regla general, del desarrollo de las políticas públicas de vivienda a nivel autonómico, por lo que, aunque la gestión del parque público de vivienda sea una de sus funciones, no es la única, ya que también se encarga de ejecutar y gestionar otros programas, ayudas, etc.[1125]; aunque alguno de ellos puede cederlos a entidades locales o regionales, como, por ejemplo, las oficinas locales de vivienda. A pesar de lo anterior, a nivel de toda la CA también existe algún caso de empresa pública especializada en provisión y gestión de vivienda, como el caso de Alokabide en el País Vasco[1126].

Los dos modelos públicos restantes son a nivel local. Por un lado, están las empresas públicas y los organismos autónomos locales[1127], que son instituciones públicas específicas de vivienda. Y, por último, el tercer nivel lo conformarían las oficinas o departamentos de vivienda dentro de la Administración local o provincial/regional, como los Consejos Comarcales en

---

[1123] Creada por la Ley 13/2009, de 22 de julio, de la Agencia de la Vivienda de Cataluña (BOE 17-08-2009, núm. 198).

[1124] Creada como Empresa Pública de Suelo de Andalucía por el Decreto 262/1985, de 18 de diciembre, sobre constitución de la Empresa Pública de Suelo de Andalucía (EPSA) (BOJA 24-01-1986, núm. 6) pero con cambio de denominación por la DF 1ª Ley 4/2013, de 1 de octubre.

[1125] Véase la lista de sus funciones en el art. 3 de la Ley 13/2009, del 22 de julio y en el art. 5 de los Estatutos en el Decreto 174/2016, de 15 de noviembre, por el que se aprueban los Estatutos de la Agencia de Vivienda y Rehabilitación de Andalucía (AVRA). BOJA 21-11-2016, núm. 223.

[1126] Sociedad pública dependiente del Gobierno Vasco. Véase su web oficial en http://www.alokabide.euskadi.eus/home-alokabide/ (último acceso 7-10-2021).

[1127] Las formas de gestión de los servicios públicos locales se enumeran en el art. 85 de la LRBRL (teniendo en cuenta la modificación por la Ley 27/2013, de 27 de diciembre. Algunos ejemplos serían el Organismo Autónomo Local Viviendas Municipales de Bilbao (http://www.bilbao.eus/servlet/Satellite/vvmm/es/inicio), la Sociedad Municipal Zaragoza Vivienda (http://www.zaragozavivienda.es/index.asp), sociedad limitada unipersonal y el Servicio municipal de la vivienda y actuaciones urbanas S.A. de Tarragona (SMHAUSA), http://www.tarracohabitat-ge.cat/index.php.

Cataluña, por ejemplo[1128]. Las estructuras y modalidades de gestión a nivel público, pues, varían en gran medida, así como también sus dimensiones, alcance y plantilla[1129].

Así, la gestión directa en el sector público puede ser centralizada o descentralizada. En la primera, no se crea persona jurídica instrumental alguna, sino que la prestación del servicio la lleva a cabo la propia entidad local. Esta la puede realizar por los propios órganos ordinarios de la corporación o a través de un órgano especializado al efecto, sin personalidad jurídica distinta de la corporación, pero con cierta diferenciación patrimonial y presupuestaria. En ambos casos, no se dispone de patrimonio propio, pues es el de la Administración, el cual designa las partidas para tal fin[1130]. En el caso que nos ocupa, esta gestión más centralizada correspondería al tercer modelo mencionado *supra*, es decir, a las propias áreas, departamentos u oficinas locales del municipio o Administración supramunicipal (ej. Consejos Comarcales).

La gestión descentralizada, por su lado, se lleva a cabo mediante una persona jurídica propia, la cual puede mantener una mayor o menor dependencia y vinculación con la Administración pública. Así, los organismos autónomos (locales) y las entidades públicas empresariales (locales) se

---

[1128] Estos entes pueden regularse de distinta forma en cada CA. En Cataluña, por ejemplo, encontramos las Oficinas Locales de Vivienda, ya sean a nivel de municipio (ej. Oficina Local de Vivienda de Vilanova i la Geltrú, http://www.vilanova.cat/html/tema/urbanisme_i_habitatge/olh_main.html) o de región/comarca (ej. Oficina Local de Vivienda del Consejo Comarcal del Tarragonès, http://tarragones.cat/habitatge). La posibilidad de su creación se establece en el art. 8 de la LDVC, y también se regulan en el art. 60 de la PDVC. El art. 10 de la LVPV, por ejemplo, establece la posibilidad de las entidades locales de encomendar o delegar sus funciones en materia de vivienda al órgano competente en materia de vivienda del Gobierno Vasco o en la diputación correspondiente.

[1129] Véase, por ejemplo, en Cataluña, Díaz, L. (ed.) *Polítiques públiques dels municipis catalans*. Barcelona: Fundació Carles Pi i Sunyer, 2014. p. 178.

[1130] Véase Domingo Zaballos, M. J. (coord.) *Comentarios a la Ley Básica de Régimen Local (Ley 7/1985, de 2 de abril, reguladora de las bases del régimen local). Tomo II.* Cizur Menor: Thomson Reuters, 2013 (3ª edición). pp. 1756-1758 y Santa-María Pérez, L. F. "Capítulo 13. El servicio público: concepto y evolución. Servicios económicos de interés general. Referencia a los modos de gestión de los servicios públicos. La Administración electrónica: funcionamiento electrónico del sector público. Uso de medios electrónicos por los interesados en su relación con las Administraciones Públicas", en Bueno Sánchez, J. M. et al. (coords.) *Lecciones fundamentales de Derecho administrativo (Parte general y parte especial)*. Cizur Menor: Thomson Reuters Aranzadi, 2018 (2ª edición), pp. 301-321. p. 310.

agrupan dentro de la denominación genérica de organismos públicos[1131], vinculados en mayor medida con la Administración, dependientes de esta o de un organismo autónomo vinculado, el cual se encarga de la dirección estratégica, la evaluación de los resultados de su actividad y el control de la eficacia. Los organismos autónomos se rigen por el Derecho administrativo, mientras que las entidades públicas empresariales lo hacen por el Derecho privado, exceptuando lo relativo a la formación de la voluntad de sus órganos, en el ejercicio de las potestades administrativas que tengan atribuidas y en los aspectos que específicamente se regulen legalmente[1132]. Las modificaciones introducidas por la LRJSP hace que la diferenciación entre ellas deje de ser tan estricta: a las entidades empresariales se les puede asignar potestades administrativas o a ejercer con sujeción al Derecho administrativo (aunque también introduce la obligación de que se financien mayoritariamente con ingresos de mercado), y a los organismos autónomos se les autoriza a obtener ingresos propios (ya lo hacía el artículo 45.2 LOFAGE), es decir, obtener algún tipo de contraprestación, normal-

---

[1131] Arts. 88 y ss. de la Ley 40/2015, de 1 de octubre, de Régimen Jurídico del Sector Público (LRJSP en adelante). BOE 02-10-2015, núm. 236. Un tercer organismo público regulado por la anterior Ley 6/1997, de 14 de abril, de Organización y Funcionamiento de la Administración General del Estado (LOFAGE en adelante). BOE 15-04-1997, núm. 90, en su art. 43, eran las Agencias, sin embargo, la LRJSP ya no las contempla en la clasificación y, además, deroga la Ley 28/2006, de 18 de julio, de Agencias estatales para la mejora de los servicios públicos (BOE 19-07-2006, núm. 171).

[1132] Arts. 99 y 104 LRJSP. Las especialidades de los organismos autónomos y las entidades públicas empresariales cuando son locales se encuentran en el art. 85bis LRBRL. Además, la DF 14ª.2.c LRJSP establece expresamente que todo lo regulado en esa ley en relación con la organización y funcionamiento del sector público institucional estatal, los organismos públicos estatales, las Autoridades administrativas independientes, las sociedades mercantiles estatales, las fundaciones del sector público estatal y los fondos carentes de personalidad jurídica, no tiene carácter básico y se aplica exclusivamente a la Administración General del Estado y al sector público estatal. Paralelamente, no se ha modificado el art. 85bis LRBRL en relación con la remisión que hace a la LOFAGE, ley que derogó expresamente la LRJSP. En consecuencia, podría entenderse que ante esa remisión a la LOFAGE que ha quedado vacía de sentido, solamente en defecto de regulación autonómica será de aplicación supletoria (art. 149.3 CE) el régimen de los organismos públicos estatales para los locales. Véase, por ejemplo, la STC de 11 de mayo de 2017 (RTC 2017\54). Véanse las entidades institucionales locales en Cosculluela Montaner, L. *Manual de Derecho administrativo*. Cizur Menor: Civitas, 2017 (28ª edición). pp. 307-311.

mente mediante tarifas o precios públicos[1133]. A pesar de lo anterior, la propia definición de la entidad pública empresarial incluye una referencia a su financiación mayoritaria con ingresos de mercado[1134]. En ambos casos su presupuesto se integra en la entidad local y queda sometido a las reglas de contabilidad públicas.

En cuanto a las fórmulas más alejadas de la Administración y que no pueden ejercer potestades públicas, encontramos las fundaciones del sector público y las sociedades mercantiles estatales o locales[1135], siendo esta fórmula de sociedad mercantil, y en específico la local, la forma de gestión más utilizada por el sector público, probablemente por su marco de gestión más flexible[1136]. A modo de ejemplo, de las más de mil organizaciones que conforman la Asociación española de gestores públicos de vivienda y suelo (AVS en adelante)[1137], aproximadamente el 80% son sociedades mercantiles[1138]. La LRJSP define la sociedad mercantil estatal[1139] atendiendo al

---

[1133] Campos Acuña, C. (dir.) *Comentarios a la Ley 40/2015 de Régimen Jurídico del Sector Público*. Las Rozas: Wolters Kluwer, 2017. p. 418.

[1134] Art. 103 LRJSP.

[1135] Art. 85 LRBRL y art. 84 LRJSP.

[1136] Cabrera Marcet, F. et al. *Estudio sobre el sector Público y recopilación de buenas prácticas sobre renovación urbana*. Cecodhas, 2006. p. 28. Hacer uso de estas formas de prestación de servicio se encuadra dentro de un fenómeno conocido como el de "huida del derecho administrativo", tratado extensamente por la doctrina administrativa como Sala Arqueren, J. M. "Huida al Derecho privado y huida del Derecho", *Revista española de derecho administrativo*, núm. 75, 1992, pp. 399-416 y Borrajo Iniesta, I. "El intento de huir del Derecho administrativo", *Revista española de derecho administrativo*, núm. 78, 1993, pp. 233-250. Por su lado, Mellado Ruiz considera que "aunque no sean, formal y subjetivamente, Administración pública, sino entes privados creados por ella, y su forma jurídica sea de Derecho privado, su dependencia y control por parte de la Administración pública matriz determina importantes consecuencias e influye decididamente en la configuración dual o híbrida de su régimen jurídico". Mellado Ruíz, L. "Las sociedades mercantiles públicas: marco europeo y constitucional de su actividad", en García Rubio, F. (coord.) *Estudio sobre empresas públicas*. Madrid: Dykinson SL, 2011, pp. 27-57. p. 28.

[1137] Se menciona esta asociación en el apartado "3.2. La designación de la gestión de vivienda social en la normativa de vivienda. Agentes y federaciones" de este mismo capítulo.

[1138] http://gestorespublicos.org/presentacion (último acceso 24-10-2019).

[1139] Recuérdese la DF 14.2.c) de la LRJSP, donde se establece que esta Ley es de aplicación únicamente a las sociedades mercantiles integrantes del sector público estatal (por carecer de carácter básico), a pesar de su posible aplicación como derecho supletorio al autonómico.

control público estatal que se establece, el cual puede venir por la participación directa y mayoritaria (superior al 50%) de la Administración pública en el capital social de la sociedad, o por encontrarse bajo control estatal, es decir, cuando la Administración ostente una posición dominante y de control (posesión de la mayoría de los derechos de votos, facultad de nombrar o destituir a la mayoría de miembros del órgano de administración, etc.)[1140]. En el ámbito local, al artículo 85 LRBRL se refiere únicamente a aquellas sociedades mercantiles locales cuyo capital social sea de titularidad pública. Estas sociedades, que pueden constituirse bajo las fórmulas que permite el Real Decreto Legislativo 1/2010, de 2 de julio, por el que se aprueba el texto refundido de la Ley de Sociedades de Capital (TRLSC en adelante)[1141], funcionan como empresas privadas y se someten casi en su totalidad al derecho privado (respetando los requisitos administrativos para su constitución y sometiéndose al derecho administrativo para ciertos aspectos relacionados con algunas cuestiones presupuestarias, de contabilidad, de personal, de control económico-financiero y de contratación); por contra, no disfrutan de potestades administrativas[1142].

En el caso de la regulación de las fundaciones, ocurre una cosa similar a los organismos públicos y a las sociedades, es decir, la LRJSP se aplica exclusivamente a las fundaciones del sector público estatal[1143], con el añadido que el artículo 85 LRBRL no incorpora a las fundaciones municipales como forma de gestión directa de los servicios municipales[1144]. La LRJSP detalla, en su artículo 128, los criterios para que una entidad pueda me-

---

[1140] Art. 111 LRJSP y art. 42 Real Decreto de 22 de agosto de 1885 por el que se publica el Código de Comercio. BOE 16-10-1885, núm. 289.

[1141] Siguiendo el art. 85 ter de la LRBRL, puesto en relación con el art. 1.1 del Real Decreto Legislativo 1/2010, de 2 de julio, por el que se aprueba el texto refundido de la Ley de Sociedades de Capital (BOE 03-07-2010, núm. 161), que establece que "son sociedades de capital la sociedad de responsabilidad limitada, la sociedad anónima y la sociedad comanditaria por acciones".

[1142] Sin embargo, el art. 113 de la LRJSP contempla una excepción a esa prohibición de disponer de facultades que impliquen el ejercicio de autoridad pública, al establecer un "sin perjuicio de que excepcionalmente la ley pueda atribuirle el ejercicio de potestades administrativas".

[1143] A excepción de los arts. 129 (adscripción de las fundaciones) y 134 (protectorado), que tienen carácter básico y se aplican al sector público autonómico y local.

[1144] Véase al respecto, aunque anterior a la aprobación de la LRJSP, TRIBUNAL DE CUENTAS. *Informe de fiscalización de las fundaciones del ámbito local, núm. 932*, 2102 y la Resolución de 28 de abril de 2015, aprobada por la Comisión Mixta para las Relaciones con el Tribunal de Cuentas, en relación con el Informe de fiscalización de las Fundaciones del ámbito local (BOE 08-10-2015, núm. 241).

recer la calificación de fundación del sector público estatal. Estos criterios (que no son acumulativos sino alternativos) hacen referencia a la presencia mayoritaria del sector público institucional estatal en los derechos de voto del patronato (mayoría de derechos de voto), en el patrimonio de la fundación (en más de un 50% de sus bienes o derechos) o en su aportación inicial o con posterioridad a su constitución (aportación mayoritaria, directa o indirecta). Por lo que respecta a su régimen jurídico, se rigen en primer lugar por las previsiones de la propia LRJSP, en segundo lugar, por las previsiones de la Ley 50/2002 de fundaciones, en tercer lugar, por la legislación autonómica que resulte aplicable y, finalmente, por el ordenamiento jurídico privado, a excepción de materias que les resulte de aplicación la normativa contable, presupuestaria, de control económico-financiero y de contratación del sector público[1145]. Asimismo, al igual que las sociedades, no pueden ejercer potestades públicas en el ejercicio de su actividad[1146].

Además, los diferentes niveles territoriales (Estado, CCAA, Diputaciones, Ayuntamientos) pueden constituir consorcios entre ellos o con participación de entidades privadas con el fin de desarrollar actividades de interés común a todas ellas dentro de su ámbito de competencias[1147]. Se trata de entidades con personalidad jurídica propia y diferenciada, sujetas al derecho administrativo, al tratarse de una forma de asociación interadministrativa[1148].

En definitiva, puede verse la gran variedad y complejidad de fórmulas que puede adoptar el sector público para, en este caso, proveer y gestionar vivienda social. La LRJSP ya intenta apostar por una nueva clasificación del sector, más clara, ordenada y simple, como bien se hace referencia en su Preámbulo, al mismo tiempo que pretende dar más flexibilidad a ciertas formas para evitar la "huida del derecho administrativo", asegurando, sin embargo, mecanismos de control públicos. Así, el artículo 81.2 LRJSP establece la necesidad de establecer un sistema de supervisión continua para todas sus entidades dependientes, sin distinguir, entre aquellas más

---

[1145] Art. 130 LRJSP.

[1146] CAMPOS ACUÑA, C. (dir.) *Comentarios a la Ley 40/2015 de Régimen Jurídico del Sector Público*, cit. p. 524.

[1147] Arts. 118 y ss. LRJSP.

[1148] Algunos ejemplos son el Consorcio de la Vivienda de Barcelona (http://www.bcn.cat/consorcihabitatge/es/home.html), el Consorcio de la Vivienda del Área Metropolitana de Barcelona (http://www.cmh.cat/es/home) y el Consorcio de Viviendas de Gran Canaria (http://viviendagc.org).

o menos vinculadas a la normativa administrativa. Por su lado, la LRSAL persigue como uno de sus objetivos el abordar los solapamientos competenciales entre Administraciones existentes que llevan a la duplicidad en la prestación de servicios, como así expresa en su mismo Preámbulo.

Además de esa apuesta por una gestión pública más eficiente y sin duplicidades, la tendencia legislativa es la de buscar, en toda la organización de la Administración pública, así como en sus actuaciones, una estabilidad presupuestaria[1149] y una sostenibilidad financiera[1150]. A nivel municipal, por ejemplo, la LRSAL vincula el mantenimiento de la competencia de promoción y gestión de vivienda de protección pública de los municipios a criterios de sostenibilidad financiera[1151]. Además, solamente se permite hacer uso de las figuras de la sociedad mercantil local y la entidad pública empresarial cuando pueda demostrarse mayor sostenibilidad financiera y eficiencia respecto de la gestión por la propia entidad local o mediante un organismo autónomo local[1152], limitando, así, la posibilidad de estas formas de gestión.

Un modelo a caballo entre el sector público y el privado es el de empresa o sociedad mixta, es decir, aquella en la que participan tanto una o varias entidades públicas como también privadas[1153]. Esta sociedad mixta configura el cuarto de los ocho modelos mencionados. Un ejemplo en el ámbito de la vivienda social es SBD Lloguer Social SA[1154] y, más recientemente (marzo 2018), se constituyó la sociedad anónima denominada

---

[1149] Según el art. 3.2 de la LO 2/2012, de 27 de abril, "se entenderá por estabilidad presupuestaria de las Administraciones Públicas la situación de equilibrio o superávit estructural". Esta se regula en la propia CE, en su art. 135.

[1150] Art. 81 LRJSP. Se entiende por sostenibilidad financiera, la "capacidad para financiar compromisos de gasto presentes y futuros dentro de los límites de déficit, deuda pública y morosidad de deuda comercial conforme a lo establecido en esta Ley, la normativa sobre morosidad y en la normativa europea". Art. 4.2 LO 2/2012, de 27 de abril.

[1151] Art. 1.8 LRSAL, que modifica el art. 25 de la LRBRL.

[1152] Art. 85.2.A.d LRBRL.

[1153] Esta forma de gestión pública indirecta se refleja en el art 85.2.B de la LRBRL y debe ponerse en relación con el art. 3.1.h (ver también la DA 22ª) de la Ley 9/2017, de 8 de noviembre, de Contratos del Sector Público, por la que se transponen al ordenamiento jurídico español las Directivas del Parlamento Europeo y del Consejo 2014/23/UE y 2014/24/UE, de 26 de febrero de 2014 (LCSP en adelante). BOE 09-11-2017, núm. 272.

[1154] http://www.sabadell.cat/es/fitxa-repertori/11531-repertori-24340.

Habitatge Metròpolis Barcelona, S.A[1155]. A pesar de constituirse en su inicio como sociedad anónima de capital íntegramente público (inicialmente por el Área Metropolitana de Barcelona y posteriormente se añadió el Ayuntamiento de Barcelona, con una participación del 50% cada una), el objetivo es crear una empresa público-privada, una sociedad de economía mixta, incorporando un operador privado elegido a través de concurso público (dicha incorporación se lleva a cabo a través de una ampliación del capital que represente un 50% del capital social). La idea es que mientras el Ayuntamiento y el Área Metropolitana de Barcelona aporten principalmente suelo urbano y capital, la entidad privada se encargue de la gestión administrativa y patrimonial de la sociedad (ej. gestión de las promociones de vivienda y del parque de alquiler). Después de que el primer concurso público para encontrar ese operador privado quedara vacío[1156], una vez finalizado el segundo concurso, finalmente se ha adjudicado a la oferta conjunta de Cevasa SA y Neinor Homes S.A.[1157].

3.1.2. Sector privado

A nivel de gestión privada, debe distinguirse entre las entidades con ánimo de lucro y las entidades sin ánimo de lucro.

Respecto a las primeras, destacan las sociedades patrimoniales que tienen por objeto la promoción de viviendas o su arrendamiento, que suelen constituirse como sociedades de capital[1158]. También pueden encontrarse fon-

---

[1155] https://ajuntament.barcelona.cat/dretssocials/ca/innovacio-social/habitatge-metròpolis-barcelona-sa (último acceso 24-10-2019). Pueden consultarse sus estatutos en https://cido.diba.cat/estatuts/7677731/estatuts-dhabitatge-metropolis-barcelona-sa-habitatge-metropolis-barcelona-sa (último acceso 27-09-2018).

[1156] La Vanguardia. *L'operador d'habitatge no troba cap soci privat*, 18-09-2019, disponible en https://www.pressreader.com/spain/la-vanguardia-catala/20190918/281981789296944 (último acceso 15-10-2019) y EuropaPress. *Barcelona vuelve a buscar socio privado para el operador de vivienda metropolitano*, 07-07-2020, disponible en https://www.europapress.es/catalunya/barcelona-economias-00982/noticia-barcelona-vuelve-buscar-socio-privado-operador-vivienda-metropolitano-20200707113909.html (último acceso 10-04-2021).

[1157] Véase el anuncio, las características, los pliegues de cláusulas de la licitación y la empresa adjudicataria en https://contractaciopublica.gencat.cat/ecofin_pscp/AppJava/notice.pscp?reqCode=viewCn&idDoc=70050859&lawType= (último acceso 10-10-2021).

[1158] Reguladas principalmente por el TRLSC. Pueden citarse, por ejemplo, CEVASA S.A. (http://www.cevasa.com/edit/home.aspx) y VISOREN S.L. (http://www.vi-

dos o sociedades de inversión inmobiliaria (FII y SII respectivamente)[1159], que son instituciones de inversión colectiva de carácter no financiero que tienen por objetivo invertir en bienes inmuebles de naturaleza urbana para destinarse al arrendamiento[1160]. Ambas deben destinar un alto porcentaje de su capital a bienes inmuebles (un 80% las sociedades y un 70% los fondos)[1161] y mantener esos bienes inmuebles un mínimo de tres años en cartera. En el caso de las sociedades de inversión inmobiliaria, además, se debe adoptar la forma de sociedades anónimas y disponer de un capital mínimo totalmente desembolsado desde su constitución[1162]. Dentro de este nivel debe destacarse el papel que hubieran podido desarrollar las SOCIMIs, creadas en 2009[1163] para impulsar y profesionalizar el mercado de alquiler de inmuebles en España[1164] y cuyas acciones se admiten a negociación en un mercado oficial de valores. Su objetivo es la adquisición y promoción de bienes inmuebles de naturaleza urbana para destinarlos a arrendamiento (debe suponer el 80% de su activo), con una obligación de mantener esos bienes inmuebles en cartera durante un mínimo de tres años. Estas son entidades que gozan de una tributación al 0% en el IS

---

soren.es).

[1159] Por ejemplo, la sociedad de inversión inmobiliaria Lazora (http://www.lazora.com). Nasarre y Rivas critican su poca relevancia y su carácter poco atractivo para la industria financiera y los inversores. Además, de los fondos consideran que tienen una naturaleza jurídica "poco clara", puesto que "son unos fondos parafiduciarios, sin personalidad jurídica, pero "personificados" (¿?), donde los propietarios no gestionan y los no-propietarios gestionan". Nasarre Aznar, S. y Rivas Nieto, E. "Las nuevas sociedades anónimas cotizadas en el mercado inmobiliario (SOCIMI): ¿Solución para el alquiler de vivienda en España?", *CEF Legal. Revista Práctica del Derecho*, núm. 105, 2009, pp. 15-80. pp. 42-45.

[1160] Reguladas principalmente por la Ley 35/2003, de 4 de noviembre, de instituciones de inversión colectiva (BOE 05-11-2003, núm. 265).

[1161] En los términos que exigen los arts. 90 y 86 del Real Decreto 1082/2012, de 13 de julio, por el que se aprueba el Reglamento de desarrollo de la Ley 35/2003, de 4 de noviembre, de instituciones de inversión colectiva (BOE 20-07-2012, núm. 173).

[1162] Capital mínimo de nueve millones de euros, la misma cantidad que se exige como patrimonio mínimo inicial de los fondos de inversión inmobiliaria. Art. 37 de la Ley 35/2003, de 4 de noviembre y arts. 92 y 93 del Real Decreto 1082/2012, de 13 de julio.

[1163] Mediante la Ley 11/2009, de 26 de octubre, por la que se regulan las Sociedades Anónimas Cotizadas de Inversión en el Mercado Inmobiliario, BOE 27-10-2009, núm. 259.

[1164] Para un estudio detallado de esta institución, véase Nasarre Aznar, S. y Rivas Nieto, E. "Las nuevas sociedades anónimas cotizadas en el mercado inmobiliario (SOCIMI): ¿Solución para el alquiler de vivienda en España?", cit.

desde su reforma en 2012[1165], y en las que el propio Gobierno español vio como entidad a impulsar en el sector social[1166], mencionándolas expresamente en el Plan Estatal de Vivienda 2013-2016 (Plan prorrogado hasta 2017)[1167] como potencial entidad colaboradora con la Administración para gestionar las ayudas del Plan[1168]. Sin embargo, el actual Plan Estatal de

---

[1165] Medida implementada a raíz de la modificación de la Ley 11/2009, de 26 de octubre, como resultado del fracaso de la regulación inicial, durante la cual ninguna entidad se acogió al régimen de las SOCIMI. Esa modificación se introdujo por la Ley 16/2012, de 27 de diciembre, por la que se adoptan diversas medidas tributarias dirigidas a la consolidación de las finanzas públicas y al impulso de la actividad económica. BOE 28-12-2012, núm. 312.

[1166] Queremos, en este punto, mencionar un *case study* llevado a cabo desde la Cátedra UNESCO de Vivienda de la Universidad Rovira i Virgili (http://housing.urv.cat/es/) con un Ayuntamiento importante, donde se intentó vehicular un partenariado público-privado a través de la figura de la SOCIMI, que tendría, en este caso, un carácter social. Las ventajas que presenta esta figura son diversas. Primero, porque permite a una gran diversidad de agentes participar en ella a través de diferentes canales, aportando dinero, suelo, inmuebles o servicios. Segundo, por su objeto legal, la adquisición y promoción de bienes inmuebles de naturaleza urbana para destinarlos a arrendamiento (en este caso, social). Tercero, por las claras ventajas fiscales, tanto para la tributación de la entidad (ej. 0% en el IS) como para sus accionistas (tanto en la distribución de dividendos como en las aportaciones dinerarias). Cuarto, porque atrae inversión tanto nacional como internacional: por un lado, existe la obligatoriedad de repartir dividendos (que, en el caso de las administraciones públicas y las entidades sin ánimo de lucro, se podría pactar la reinversión de dichos beneficios en la propia SOCIMI) y, por otro, es un vehículo reconocido a nivel internacional, puesto que se rige por un régimen fiscal con unos efectos económicos similares a los que tiene el régimen del *Real Estate Investment Trust* o REIT (Preámbulo II Ley 11/2009, de 26 de octubre, por la que se regulan las Sociedades Anónimas Cotizadas de Inversión en el Mercado Inmobiliario. Véase el concepto, características principales y sus ventajas en Inurrieta Beruete, A. *Mercado de vivienda en alquiler en España: más vivienda social y más mercado profesional*, cit. pp. 42-44). Y quinto, porque gracias a todas las ventajas anteriores, se trata de un vehículo con viabilidad económica y que permite la diversificación de su cartera. Sin embargo, a pesar de las claras ventajas que creemos que conlleva, se trata de un modelo que no queda exento de dificultades, como por ejemplo la complejidad y los requisitos técnicos que comportan la obligación de cotizar en un mercado regulado o en un sistema multilateral de negociación, o la dificultad de congeniar los intereses de las entidades públicas con los de las entidades privadas sin ánimo de lucro y los de las entidades privadas con ánimo de lucro.

[1167] Real Decreto 637/2016, de 9 de diciembre.

[1168] Art. 7.2.e) Plan Estatal de Vivienda 2013-2016.

Vivienda 2018-2021[1169] no las menciona de manera expresa y, hasta hace poco, tampoco existía ninguna SOCIMI en el sector de vivienda social[1170]; si bien es cierto que alguna de ellas dispone de viviendas adquiridas que siguen calificadas como protegidas. Es el caso de Fidere, filial de Blackstone, que entre el parque de viviendas de alquiler que gestiona se encuentran las 1.860 viviendas que este fondo de inversión estadounidense adquirió a la Empresa Municipal de la Vivienda y Suelo de Madrid en 2013[1171]. No obstante, en 2021 se crea "Primero H" como primera SOCIMI social[1172], la cual

---

[1169] El art. 8.2 del Plan Estatal de Vivienda 2018-2021 menciona de manera genérica a "las entidades financieras y cualesquiera otras sociedades o entidades privadas cuya colaboración se considere necesaria por la Administración que reconozca las ayudas" como posibles entidades colaboradoras en la gestión de las ayudas del Plan. De forma similar se regula en el art. 8.2 del Proyecto de Real Decreto del Plan 2022-2025.

[1170] INMOLEY. *Las Socimi incumplen su función social de vivienda*, 02-06-2016, disponible en http://www.inmoley.com/NOTICIAS/1612345/2016-1-inmobiliario-urbanismo-vivienda/06-16-inmobiliario-01-22.html (último acceso 24-10-2019). En el sector del mercado privado de arrendamientos, estas entidades no empezaron a mostrar interés hasta finales de 2016, pero a 2018 ya son 19 sociedades que apuestan por este sector, acumulando un parque de unas 24.000 viviendas aproximadamente. Véase EL MUNDO. *Las Socimis agitan ahora la vivienda*, 23-09-2016, disponible en http://www.elmundo.es/economia/2016/09/23/57e3f4cde5fdeaf4388b45bc.html (último acceso 24-10-2019), EXPANSIÓN. *Las Socimis ponen el foco en la vivienda*, 24-03-2017, disponible en http://www.expansion.com/directivos/estilo-vida/casas/2017/03/24/58d4f60822601d14398b45a3.html (último acceso 24-10-2019) y ELDIARIO.ES. *Cuatro socimis acumulan casi 20.000 viviendas destinadas a alquiler*, 22-07-2018, disponible en https://www.eldiario.es/economia/veintena-acumulan-viviendas-destinadas-alquiler_0_794770886.html (último acceso 24-10-2019). También la SAREB ha creado una SOCIMI, Témpore Properties, seleccionando 1.500 propiedades en alquiler en sitios con gran demanda. EL MUNDO. *Sareb lanzará su Socimi con una selección de 1.500 de sus mejores activos en alquiler*, 21-08-2017, disponible en http://www.elmundo.es/economia/vivienda/2017/08/21/599a8aad268e3e62398b45f2.html (último acceso 24-10-2019).

[1171] Véase esta y más ventas de parque público a fondos de inversión en el apartado "1.3. Inexistencia de legislación y de políticas de gestión de vivienda social". Véase, también, EL CONFIDENCIAL. *Blackstone endeuda a Fidere con 543 millones para un dividendo millonario*, 23-04-2018, disponible en https://www.elconfidencial.com/empresas/2018-04-23/blackstone-refinancia-543m-fidere-dividendo-millonario_1552971/ (último acceso 24-10-2019).

[1172] Véase EXPANSIÓN. *Nace Primero H, la primera Socimi social en España para acoger a personas sin hogar*, 04-03-2021, disponible en https://www.expansion.com/empresas/inmobiliario/2021/03/04/6040b427468aeb3f038b46d0.html (último acceso 27-03-2021).

cuenta con Asocimi (asociación española de SOCIMIs)[1173] y Hogar Sí (fundación que trabaja para las personas sin hogar)[1174] como socios fundacionales y tiene el objetivo de arrendar pisos a precios asequibles a entidades sin ánimo de lucro para ponerlos a disposición de colectivos vulnerables, como lo es el colectivo de personas sin hogar. Así pues, cabe puntualizar la entrada de nuevos gestores privados con ánimo de lucro, principalmente, por la incursión de fondos de inversión inmobiliarios extranjeros a través de la compra, por ejemplo, de viviendas públicas, así como las presiones puestas sobre las entidades financieras para que destinen parte del parque recuperado con las numerosas ejecuciones hipotecarias a alquiler social[1175]. Algunas entidades financieras han creado sus propias gestoras de vivienda social, como es el caso de Sogeviso (Sociedad Gestora de Vivienda Social), empresa del Grupo Banco de Sabadell.

En relación aún con las entidades privadas con ánimo de lucro, cabe mencionar que el Plan Estatal de Vivienda 2013-2016 dejaba de contemplarlas como promotoras de nueva vivienda social (art. 16), apostando, por consiguiente, por una promoción o bien pública o bien privada sin ánimo de lucro. Sin embargo, el nuevo Plan Estatal de Vivienda 2018-2021 las reintroduce como posibles beneficiarias de las ayudas a la promoción, con el fin de incrementar la oferta de viviendas en los regímenes de alquiler y de cesión en uso (art. 26)[1176].

Un modelo de gestión que se encuentra en esa línea difusa que separa a una entidad con ánimo de lucro de una entidad sin ese ánimo de lucro es el de las cooperativas, y para el tema que nos ocupa, las cooperativas de vivienda[1177]. Estas se definen como asociaciones voluntarias de personas que se unen con el fin de obtener una vivienda para ellas y para las perso-

---

[1173] Página web oficial: https://asocimi.org (último acceso 27-03-2021).

[1174] Página web oficial: https://hogarsi.org (último acceso 27-03-2021).

[1175] Véase el apartado "3.4. Nuevas fronteras, nuevos gestores" de este mismo capítulo.

[1176] Véase, también, el Programa de fomento del parque privado de vivienda en alquiler asequible, en los arts. 54 y ss. del Proyecto de Real Decreto del Plan Estatal para el acceso a la vivienda 2022-2025.

[1177] Estas se regulan a nivel estatal por la Ley 27/1999, de 16 de julio, de cooperativas (BOE 17-07-1999, núm. 170), específicamente, en los arts. 89-92; y también se regulan a nivel autonómico por la mayoría de CCAA, normativa que se aplicará cuando las cooperativas estén inscritas o lo pretendan estar en el Registro de Cooperativas de las correspondientes CCAA. En 2017 existían un total de 93 cooperativas de vivienda en situación de alta en la Seguridad Social (de un total de 12.056 cooperativas). Fuente: Ministerio de Trabajo, Migraciones y Seguridad Social, disponible en http://www.mitramiss.gob.es/es/sec_trabajo/autonomos/

nas que con ellas convivan[1178]. Más allá de la discusión doctrinal sobre su naturaleza jurídica[1179], la propia ley de cooperativas prevé la posibilidad de clasificar a determinadas cooperativas como de "iniciativa social", siempre que se traten de cooperativas "sin ánimo de lucro"[1180]. Estas no suponen una clase más de cooperativa, sino una condición que puede obtener cualquier cooperativa con independencia de su clase. Mientras que el hecho de clasificarse como cooperativa de iniciativa social se justifica en su objetivo o función (el cual se centra en satisfacer necesidades de tipo social no atendidas por el mercado), el hecho de poder denominar una cooperativa como de "sin ánimo de lucro" tiene una connotación principalmente económica, que a grandes rasgos se justifica en el hecho de prohibir la distribución de los resultados positivos que se produzcan en un ejercicio económico entre los socios, la gratuidad de algunos de los cargos de la cooperativa y limitaciones respecto tanto a los intereses que pueden devengar las aportaciones de los socios al capital social como a las retribuciones a percibir por los socios trabajadores (o, en su caso, por los socios de trabajo) y por los

---

economia-soc/EconomiaSocial/estadisticas/CooperativasAltaSSxClase/2017/IndiceClases.htm (último acceso 17-12-2018).

[1178] La DT 2ª de la Ley 5/2011, de 29 de marzo, de economía social (BOE 30-03-2011, núm. 76) abre la posibilidad a poder enajenar o arrendar viviendas de la cooperativa a terceros que no sean socios, operaciones que no pueden alcanzar más del 50% de las realizadas con los socios. Esta medida, que responde a una necesidad de resolver problemas financieros de promociones de cooperativas que encontraban problemas en la captación de socios, es, sin embargo, de carácter transitorio y no busca una solución de futuro, puesto que solo lo prevé para viviendas iniciadas con anterioridad a la entrada en vigor de la Ley (30 de abril de 2011). Algunas CCAA, como Cataluña y Galicia, prevén la posibilidad de adjudicar viviendas a personas no socias (siempre que cumplan con ciertas condiciones) en el caso que finalizada una promoción quedara alguna vivienda por adjudicar. Art. 123.4 Ley 12/2015, de 9 de julio, de cooperativas de Cataluña (BOE 14-08-2015, núm. 194) y art. 120 Ley 5/1998, de 18 de diciembre, de Cooperativas de Galicia (BOE 25-03-1999, núm. 72).

[1179] Tratada ya por varios autores, como por ejemplo PANIAGUA ZURERA, M. *Mutualidad y lucro en la sociedad cooperativa*. Madrid: Mc Graw-Hill, 1997; LAMBEA RUEDA, A. *Cooperativas de viviendas. La promoción, construcción y adjudicación de la vivienda al socio cooperativo*. Granada: Editorial Comares, 2012 (3ª edición) y ARGUDO PÉRIZ, J. L. "Las cooperativas sin ánimo de lucro: ¿vuelta a los orígenes o respuesta a nuevas necesidades sociales?", *Revista vasca de economía social*, núm. 3, 2007, pp. 179-201, y que, además, trasciende al objeto de este trabajo.

[1180] Art. 106 y DA 1ª Ley 27/1999 de cooperativas, de 16 de julio.

trabajadores por cuenta ajena de la cooperativa[1181]. El objetivo de estas clasificaciones es poder ser consideradas juntamente con las demás entidades sin ánimo de lucro a la hora de acceder a concursos públicos, subvenciones o cualquier medida de fomento sin que les sea recriminado su carácter societario y de lucro[1182], e incluso igualar su régimen fiscal[1183].

[1181] Sin embargo, existe variedad de terminología, de requisitos y de matizaciones en sus objetos sociales tanto a nivel estatal como a nivel autonómico, pues como se ha mencionado, las CCAA cuentan con su propia legislación. Véase Augoustatos Zarco, N. "Capítulo XXVII. Cooperativas sin ánimo de lucro", en Peinado Gracia, J. I. (dir.) *Tratado de derecho de cooperativas. Volumen 2.* Valencia: Tirant lo Blanch, 2013, pp. 1453-1470. En ellas puede contemplarse como varían los conceptos, y como en algunos casos (como el caso estatal) también se les exige a las cooperativas sin ánimo de lucro una necesidad de que la actividad de la cooperativa tenga como finalidad gestionar servicios de interés colectivo o de titularidad pública o de realizar actividades que conlleven la integración laboral de ciertos colectivos considerados excluidos socialmente. Sin entrar en mayor discusión respecto de todo este entramado de terminologías y de requisitos, un tanto confuso y enmarañado, puesto que el objetivo de este apartado no es más que hacer un análisis general de las tipologías de entidades gestoras de vivienda social, pueden consultarse al respecto la obra mencionada, así como Díaz de la Rosa, A. "Capítulo XXVI. Cooperativas de iniciativa social", en Peinado Gracia, J. I. (dir.) *Tratado de derecho de cooperativas. Volumen 2*, cit., pp. 1443-1453 y Argudo Périz, J. L. "Las cooperativas sin ánimo de lucro: ¿vuelta a los orígenes o respuesta a nuevas necesidades sociales?", cit., entre otros.

[1182] Así lo establece expresamente, por ejemplo, la Ley 12/2015 de cooperativas de Cataluña, que regula la condición de cooperativa como entidad sin ánimo de lucro a efectos de "concursos públicos, de contratación con entes públicos, de beneficios fiscales, de subvenciones y, en general, de cualquier otra medida de fomento que sea de aplicación", art. 144.

[1183] Aunque a nivel estatal no se contempla, puesto que expresamente se remite su regulación por la Ley 20/1990, de 19 de diciembre, sobre Régimen Fiscal de las Cooperativas (BOE 20-12-1990, núm. 304) en su DA 9ª Ley 27/1999 de cooperativas (que también regula beneficios tributarios para las cooperativas, art. 33 y ss.), algunas CCAA sí remiten, de manera indirecta, su régimen fiscal a la Ley 49/2002, de 23 de diciembre, de régimen fiscal de las entidades sin fines lucrativos y de los incentivos fiscales al mecenazgo (BOE 24-12-2002, núm. 307), como, por ejemplo, Galicia (DA 4ª Ley 5/1998, de 18 de diciembre), la Comunidad Valenciana (art. 114.5 Decreto Legislativo 2/2015, de 15 de mayo, del Consell, por el que aprueba el texto refundido de la Ley de Cooperativas del la Comunitat Valenciana. DOCV 20-05-2015, núm. 7529) y la Comunidad de Madrid (art. 107.4 Ley 4/1999, de 30 de marzo, de cooperativas de la Comunidad de Madrid. BOE 02-06-1999, núm. 131), cuando equiparan las cooperativas sin ánimo de lucro (en algún caso de iniciativa social) a las entidades sin ánimo de lucro "a todos los efectos"; en el caso

En España, de los diferentes tipos de cooperativas de vivienda que pueden crearse (atendiendo a las actividades desarrolladas para el cumplimiento de su objeto social)[1184], tradicionalmente[1185] se ha desarrollado la cooperativa de promoción para la adjudicación de las viviendas en propiedad (con la disolución de la cooperativa al acabar la obra y conversión, en muchos casos, en propiedad horizontal)[1186], que permite disminuir los costes de promoción al reducir el número de intermediarios, como por ejemplo el beneficio empresarial del promotor inmobiliario. Estas cooperativas tuvieron su mejor momento en los años sesenta y setenta del siglo XX, donde sobre todo se ligaban a las promociones de vivienda protegida, empezando su declive a mediados de los ochenta[1187]. Si bien es verdad que estas cooperativas han contribuido a la promoción de vivienda asequible,

---

de Cataluña, en cambio, únicamente se las equipara, en este campo fiscal, a los "beneficios fiscales" (art. 144 Ley 12/2015, de 9 de julio).

[1184] La forma tradicional que se menciona a continuación de cooperativa para la adjudicación de viviendas en propiedad con disolución posterior de la cooperativa, la cooperativa de rehabilitación de viviendas, la de gestión de elementos y servicios comunes, la cooperativa que se explicará a continuación con cesión del uso de la vivienda, etc. Véase una enumeración en Etxezarreta Etxarri, A. y Merino Hernández, S. "Las cooperativas de vivienda como alternativa al problema de la vivienda en la actual crisis económica", *REVESCO: Revista de estudios cooperativos*, núm. 113, 2014, pp. 92-119. y en Lambea Rueda, A. "Adjudicación y cesión de uso en las cooperativas de viviendas: usufructo, uso y habitación y arrendamiento", *CIRIEC-España. Revista Jurídica de economía social y cooperativa*, núm. 23, 2012, pp. 139-178. p. 149.

[1185] Merino Hernández, S. "Capítulo XXIII. Cooperativas de viviendas", en Peinado Gracia, J. I. (dir.) *Tratado de derecho de cooperativas. Volumen 2*, cit., pp. 1393-1422. p. 1400 y Lambea Rueda, A. "Adjudicación y cesión de uso en las cooperativas de viviendas: usufructo, uso y habitación y arrendamiento", cit. pp. 11 y 12.

[1186] Etxezarreta y Merino las clasifican como "puras herramientas transitorias", que no reúnen los valores que define el cooperativismo. Etxezarreta Etxarri, A. y Merino Hernández, S. "Las cooperativas de vivienda como alternativa al problema de la vivienda en la actual crisis económica", cit. p. 116. Véase, por ejemplo, los principios que debe seguir una sociedad cooperativa según la Alianza Cooperativa Internacional (ACI) (estipulados en la Declaración de la ACI sobre la Identidad Cooperativa, aprobada en el Congreso centenario de la ACI en Manchester 1995): adhesión voluntaria y abierta; control democrático de los miembros; participación económica de los miembros; autonomía e independencia; educación, capacitación e información; cooperación entre cooperativas e interés por la comunidad. Estos principios se incorporan, precisamente, en la Ley 27/1999, de 16 de julio, de cooperativas, en su art. 1.

[1187] Estival Alonso, L. *La vivienda de protección pública en España (V.P.O.) Régimen jurídico, ayudas y limitaciones*, cit. p. 112.

su cuantificación es complicada debido a la falta de estadísticas oficiales[1188]. Además, al ser viviendas de propiedad, su contribución al parque de vivienda social es casi inexistente, puesto que, aun siendo viviendas protegidas en su momento, sus plazos de calificación ya han finalizado[1189].

Sin embargo, las cooperativas de vivienda como modelo propiamente de gestión de vivienda[1190] es relativamente reciente[1191] y aparece de la mano de las cooperativas de cesión de uso[1192], inspiradas en un modelo denominado "Andel"[1193], nacido en Dinamarca a principios del siglo XX[1194]. A diferencia del modelo tradicionalmente utilizado en España, en este la cooperativa dispone de la propiedad del inmueble, y lo que cede es el uso de las distintas viviendas a sus socios, a través de las distintas modalidades

---

[1188] ESTIVAL ALONSO, L. *La vivienda de protección pública en España (V.P.O.) Régimen jurídico, ayudas y limitaciones*, cit. p. 112.

[1189] LACOL y LA CIUTAT INVISIBLE. *Habitar en comunidad. La vivienda cooperativa en cesión de uso.* Madrid: Fundación Arquia y Catarata, 2018. p. 14.

[1190] Véase a continuación por qué se hace referencia a vivienda en general y no a vivienda social en particular.

[1191] A pesar de existir algunos ejemplos particulares anteriores, como el de la Cooperativa Obrera de Viviendas El Prat de Llobregat, fundada en 1962 para promover vivienda asequible para la clase obrera y para servir como instrumento de ayuda mutua y solidaria entre la vecindad, generando cooperativas de consumo, caja de crédito, mutua de decesos o un colegio de pedagogía activa, entre otros. Actualmente ofrece un amplio abanico de servicios para sus socios (centro de día, asistencia a domicilio, centro social, servicios de asesoramiento, *coworking*), además de seguir promoviendo vivienda (la última promoción es de 2009, y es de alquiler). Véase su página web en https://www.cov-elprat.com/home.html (último acceso 04-11-2019).

[1192] Son ejemplos de cooperativas basadas en régimen de cesión de uso Sostre Cívic (https://sostrecivic.coop) y la Borda (http://www.laborda.coop/es/), entre otras. Sin embargo, LAMBEA RUEDA resalta la continuidad de las cooperativas de adjudicación de la vivienda en propiedad, al responder a una necesidad perseguida por la mayor parte de la sociedad, el acceso a la propiedad de un inmueble, como base de seguridad o estabilidad socioeconómica. LAMBEA RUEDA, A. "Adjudicación y cesión de uso en las cooperativas de viviendas: usufructo, uso y habitación y arrendamiento", cit. p. 12. En este punto sería importante asegurar que este nuevo modelo de cooperativa en cesión de uso pudiera garantizar esa seguridad y estabilidad en la tenencia.

[1193] El término para designar a las cooperativas de vivienda en Dinamarca es el de *andelstanken*. SØRVOLL, J. y BENGTSSON, B. "Mechanisms of Solidarity in Collaborative Housing – The Case of Co-operative Housing in Denmark 1980-2017", *Housing Theory and Society*, 2018, DOI: 10.1080/14036096.2018.1467341. pp. 2 y 8.

[1194] ETXEZARRETA ETXARRI, A. y MERINO HERNÁNDEZ, S. "Las cooperativas de vivienda como alternativa al problema de la vivienda en la actual crisis económica" cit. p. 112.

que permiten la cesión de ese uso (derecho de uso, arrendamiento de vivienda, derecho de usufructo)[1195]. Obviamente, los derechos y deberes de los socios en su derecho de uso dependerán de la figura legal escogida, así como de lo que se pacte en los estatutos de la cooperativa y en los respectivos contratos (ej. respecto de la transmisión *inter vivos* o *mortis causa* de la condición de socio y del derecho de uso de la vivienda). Sin embargo, la idea principal es la de ofrecer un derecho de uso indefinido sobre la vivienda (o por el plazo del derecho de superficie si la cooperativa ha obtenido el suelo por esta vía)[1196] a cambio del pago de una renta periódica, además de abonar el pago de una cantidad inicial, que da derecho a ser socio y que puede recuperarse en caso de querer dejar de serlo.

Uno de los puntos positivos de este modelo concreto es la búsqueda por garantizar el valor de uso de la vivienda frente a su valor de cambio. A pesar de ello, existen experiencias, precisamente en Dinamarca, por ejemplo, que ponen en duda este modelo de acceso asequible, llegándose a cuadruplicar el precio de la cuota de socio[1197]. Es un modelo que favorece el empoderamiento, la organización y la participación de los socios tanto en

---

[1195] Véanse estas modalidades de acceso a una vivienda en el apartado "3.5.2.2. Formas de tenencia de las viviendas sociales" de este mismo capítulo, en el que se discuten sus ventajas e inconvenientes. Las distintas leyes de cooperativas no tratan las modalidades bajo las cuales se pueden ceder las viviendas, así que debemos remitirnos a la legislación general (ej. el CC o la LAU).

[1196] Práctica que se fomenta actualmente desde las políticas públicas de vivienda. Encontramos ejemplos en Barcelona (transmisión de una parcela por el Ayuntamiento a la Cooperativa La Borda a través de un derecho de superficie, disponible en http://www.laborda.coop/es/proyecto/derecho-de-superficie/, último acceso 30-11-2018) y en Valencia (concurso para la transmisión onerosa y constitución de un derecho de superficie sobre parcelas propiedad de la Entidad Valenciana de Vivienda y Suelo para destinarlas a la promoción, construcción y gestión de viviendas calificadas como protegidas en régimen de alquiler a favor de las cooperativas de viviendas en régimen de cesión de uso, disponible en http://www.evha.es/eige/castellano/concursos.php, último acceso 30-11-2018), entre otros.

[1197] "Cuando el Gobierno flexibilizó la normativa que restringía la valorización de las aportaciones sociales de los socios, las asambleas de las cooperativas de vivienda privadas empezaron a votar masivamente a favor del aumento de las aportaciones obligatorias mínimas al capital social para ser socio dentro de los nuevos márgenes permitidos. Esto ha restringido la asequibilidad y accesibilidad de las viviendas mientras que simultáneamente permite a los socios actuales capitalizar el patrimonio ampliado del *stock* de viviendas". VIDAL-FOLCH DUCH, L. (*Re)turning to housing cooperativism? Perspectives on the housing question from Denmark and Uruguay*, tesis doctoral por la Universitat Autònoma de Barcelona, 2018. p. 57. Traducción propia.

todo el proceso de construcción (por lo tanto, con la opción de adaptar las viviendas a las necesidades de las familias y de generar un sentido de pertenencia y apropiación) como en el mantenimiento, gestión, y en general toda la resolución y satisfacción de necesidades colectivas[1198].

Esta última ventaja también puede presentarse como un obstáculo, puesto que la necesidad de acordar todos los pasos del proceso de manera colectiva puede implicar lentitud en este (aprobación de los estatutos y del reglamento interno, búsqueda del solar y de fuentes de financiación, diseño y aprobación del proyecto arquitectónico, elección de equipos técnicos, etc.).

Sin embargo, uno de los mayores problemas es el económico, puesto que los altos costes iniciales de estos proyectos y la dificultad de encontrar tanto un suelo apropiado y asequible como fuentes de financiación impiden el acceso de familias con pocos ingresos a este modelo. Así, al no disponer, los socios, de la vivienda en propiedad, las entidades financieras exigen a los socios suficientes garantías individuales, por lo que la falta de patrimonio con el que poder avalar la operación resulta un obstáculo importante[1199]. La cooperativa en sí también encuentra dificultades para obtener préstamos y otras fuentes de financiación, una vez hechas las aportaciones iniciales de los socios[1200]. Muchos de estos proyectos recurren a entidades financieras éticas; sin embargo, estas últimas se encuentran ante una limitación de fondos disponibles, lo que se transforma en un factor limitante para la extensión de este modelo[1201]. Tanto la dificultad para en-

---

[1198] En el caso de cooperativas con más recursos económicos y también en colaboración con otras cooperativas y entidades, pueden incluso fomentar el arraigo y la cohesión territorial, implicándose en la construcción de centros escolares y culturales, zonas verdes, centros de deporte, etc., puesto que la cooperación entre cooperativas y el interés por la comunidad supone uno de los siete principios de las sociedades cooperativas mencionados. Lacol y La Ciutat Invisible. *Habitar en comunidad. La vivienda cooperativa en cesión de uso*, cit. pp. 44, 82, 83, 96 y 97.

[1199] Etxezarreta Etxarri, A., Cano Fuentes, G. y Merino Hernández, S. "Las cooperativas de viviendas de cesión de uso: experiencias emergentes en España", *CIRIEC – España. Revista de economía pública, social y cooperativa*, núm. 92, 2018, pp. 61-86. pp. 79 y 80.

[1200] La dificultad para encontrar socios, con el suficiente nivel económico, dispuestos a acceder a este modelo de vivienda se ejemplifica en la medida transitoria aprobada por la Ley 5/2011, de 29 de marzo, de economía social ya mencionada, que permite la entrada de no socios para que arrenden las viviendas que queden vacías (algunas CCAA también lo prevén, no solo de manera transitoria).

[1201] Lacol y La Ciutat Invisible. *Habitar en comunidad. La vivienda cooperativa en cesión de uso*, cit. p. 78.

contrar fuentes de financiación como la esencia de las sociedades de cooperativas de participación activa (que incluso supone una obligación legal de los socios cooperativistas)[1202] y colaboración y convivencia[1203] hacen que este sea un modelo de réplica difícil.

Esa vivienda cooperativa en cesión de uso puede vehicularse o no a través de vivienda social propiamente, hecho que depende de la titularidad del suelo o del inmueble (si es público o privado) y de la reserva de ese suelo a promoción de vivienda protegida (o inmueble ya calificado como tal). En el caso de tratarse de vivienda protegida, la cooperativa se encarga de gestionar las entradas y salidas; sin embargo, deberá seguir los criterios públicos y transparentes requeridos para la adjudicación de este tipo de vivienda[1204]. Finalmente, las cooperativas se contemplan como un instrumento de política pública[1205] y, por ello, gozan de ciertas prerrogativas, como disponer de un régimen fiscal especial y de la posibilidad de adjudicación directa de suelo público[1206]. Las políticas de fomento del sistema de cesión de uso se centran, recientemente, en la concesión de este suelo público mediante la constitución de un derecho de superficie[1207] oneroso de larga duración[1208].

[1202] Por ejemplo, el art. 15.2.b de la Ley 27/1999, de 16 de julio, de cooperativas estatal y el art. 41.1.a y g de la Ley 12/2015, de 9 de julio, de cooperativas de Cataluña.

[1203] Algunas iniciativas de cooperativas de cesión de uso albergan en ocasiones proyectos de *cohousing* o de vivienda colaborativa (ej. *cohousing* sénior, con instalaciones médicas, habitabilidad adaptada, salas de ocio comunes, etc.). ETXEZARRETA ETXARRI, A., CANO FUENTES, G. y MERINO HERNÁNDEZ, S. "Las cooperativas de viviendas de cesión de uso: experiencias emergentes en España", cit. p. 70.

[1204] Véase el apartado "3.5.2.6. El sistema de adjudicación de las viviendas" de este mismo capítulo.

[1205] Encontramos el fomento y desarrollo de cooperativas cimentado en la propia CE, en su art. 129.2. LAMBEA RUEDA, A. *Cooperativas de viviendas. La promoción, construcción y adjudicación de la vivienda al socio cooperativo*, cit. p. 67.

[1206] Véase, por ejemplo, la DA 5ª apartado 6 de la Ley 27/1999, de 16 de julio, de cooperativas estatal y el art. 138.7 de la Ley 4/1993, de 24 de junio, de cooperativas de Euskadi (BOE 10-02-2012, núm. 35). Clasificación diferente realiza Cataluña, por ejemplo, donde no se ofrece esta prerrogativa a las cooperativas en particular sino a todas las entidades calificadas como promotores sociales (art. 17.7 LDVC).

[1207] Véase esta institución en el apartado "3.5.2.2. Formas de tenencia de las viviendas sociales" de este capítulo.

[1208] Véanse unos cuantos ejemplos a nivel estatal en ADEFINITIVAS. *Cooperativas de vivienda en cesión de uso. Colaboración público-privada en España*, 23-11-2018, disponible en https://adefinitivas.com/2018/11/23/borrador-automatico/ (último acceso 24-10-2019).

Finalmente, en el ámbito privado sin ánimo de lucro encontramos entidades con tipos de formas jurídicas muy diversas, que, además, varían a la hora de organizarse y funcionar, puesto que mientras unas presentan un carácter más informal y/o familiar y de amistad, otras persiguen una estructura más empresarial. Asimismo, están las que pueden casi confundirse con el sector público (por sus vías de financiación o por su tutela)[1209]. Así, existen fundaciones, asociaciones sin ánimo de lucro, entidades religiosas, confederaciones, etc.[1210]. En este apartado también se incluyen aquellas cooperativas que no poseen ánimo de lucro.

Al igual que sucede en materia de cooperativas, las CCAA pueden tener competencias para regular estas personas jurídicas, por lo que existe dispersión normativa al respecto. Así, encontramos la LO 1/2002, de 22 de marzo, reguladora del derecho de asociación y la Ley 50/2002, de 26 de diciembre, de fundaciones[1211] estatales. Estas se aplican a aquellas asociaciones y fundaciones que desarrollan su actividad a ámbito estatal o en más de una CA. Tanto el derecho de asociación como el de fundación se contemplan en la CE (arts. 22 y 34 respectivamente), siendo, además, el primero, un derecho fundamental, por lo que los preceptos de la ley estatal que tengan rango de LO al considerarse que constituyen el desarrollo de este derecho fundamental de asociación, deben aplicarse por las CCAA. Además, estas últimas también deberán respetar aquellos aspectos de ambas leyes estatales que se relacionen con competencias exclusivas del Estado como son la regulación de las condiciones básicas para garantizar la igualdad de todos los españoles en el ejercicio de los derechos y cumplimiento de los deberes constitucionales, la legislación procesal, la legislación civil (teniendo en cuenta los derechos forales) y la Hacienda general, sin perjuicio de los regímenes tributarios forales del País Vasco y Navarra (art. 149.1 apartados 1, 6, 8 y 14 respectivamente)[1212].

[1209]   Véanse estas tres corrientes representadas en un gráfico en García Delgado, J. L. (dir.) *Las cuentas de la economía social. El tercer sector en España*. Madrid: Civitas, 2004. pp. 27-29.

[1210]   Algunas de ellas son Càritas Diocesana de Barcelona (https://caritas.barcelona/es/), Fundació Foment de l'Habitatge Social (http://www.habitatgesocial.org), Fundació Família i Benestar (http://fibs.cat/es/), Associació Prohabitatge (http://www.prohabitatge.org/esp/home), Sant Joan de Déu Serveis Socials (http://www.sensellarsjd.com), Fundación Eguzkilore (http://www.fundacioneguzkilore.org) o Fundación Federico Ozanam (http://www.ozanam.es).

[1211]   BOE 27-12-2002, núm. 310.

[1212]   DF 1ª tanto de la LO 1/2002, de 22 de marzo, reguladora del derecho de asociación como de la Ley 50/2002, de 26 de diciembre, de fundaciones. Es por ello

La diferencia principal entre las asociaciones y las fundaciones radica en su objetivo o causa de constitución, hecho que determina posteriormente toda su estructura, gobierno y funcionamiento. Las asociaciones son personas jurídicas de base asociativa, es decir, se constituyen por una pluralidad de personas (físicas o jurídicas) que se agrupan con el objetivo de cumplir con una finalidad concreta, que puede ser de interés general o de interés particular[1213]. En cambio, las fundaciones son de base fundacional, lo que significa que se basan en afectar un patrimonio al cumplimiento de una finalidad predeterminada por el fundador o fundadores, finalidad que debe ser de interés general, es decir, beneficiar a una colectividad genérica de personas y perseguir fines como los de defensa de derechos humanos, asistencia e inclusión social o de promoción y atención a las personas en riesgo de exclusión por razones físicas, sociales o culturales, entre otras[1214]. Así, las primeras tienen una base democrática[1215], que puede reflejarse en su estructura corporativa, que consta de una asamblea general, formada por todos los socios y de un órgano de gobierno y representación, del cual solamente pueden formar parte asociados. Los estatutos pueden requerir la autorización expresa de la asamblea general ante ciertos actos de gobierno del segundo órgano y, además, en algunos casos se requerirá de mayorías cualificadas (ej. para modificar los estatutos y para disponer o enajenar bienes)[1216]. En el caso de las fundaciones, su estructura corporativa se reduce a un único órgano de gobierno y representación, el patronato, órgano colegiado que debe estar formado por un mínimo de tres miembros (personas físicas y/o jurídicas) y cuya elección, renovación y cese se determina en los estatutos, a voluntad de los fundadores, que pueden reservarse estas

---

por lo que para definir los rasgos fundamentales generales de las asociaciones y fundaciones nos referiremos, en este apartado, a la legislación estatal.

[1213]   Existe la posibilidad de declarar una asociación como de utilidad pública, en cuyo caso el fin estatutario deberá promover el interés general y su actividad deberá abrirse en beneficio de personas no asociadas. Estos y el resto de los requisitos, entre los que se encuentran disponer de los medios personales y materiales adecuados y con la organización idónea para garantizar el cumplimiento de los fines estatutarios y que estén inscritas en el Registro al menos dos años anteriores a la solicitud, se encuentran en el art. 32 de la LO 1/2002, de 22 de marzo. Estas asociaciones pueden disfrutar de exenciones y beneficios fiscales, así como otros beneficios económicos que la ley establezca (art. 33 de la misma Ley).

[1214]   Art. 3 Ley 50/2002, de 26 de diciembre, de fundaciones.

[1215]   El art. 2.5 de la LO 1/2002, de 22 de marzo, reivindica la necesidad de que tanto la organización interna como el funcionamiento de las asociaciones deban ser democráticos.

[1216]   Art. 12 LO 1/2002, de 22 de marzo.

potestades para ellos mismos. Así, este órgano concentra todas las facultades de gobierno y administración de la entidad, contando con potestades
como la de enajenar bienes y derechos (en el caso de ser bienes o derechos
que formen parte de la dotación o estén directamente vinculados al cumplimiento de fines fundacionales), aprobar las cuentas anuales, modificar
los estatutos y acordar fusiones[1217]; todo ello, sin perjuicio de las prohibi-
ciones que puedan establecerse en los estatutos. En los dos últimos casos
se exige una mera comunicación al protectorado[1218], que solamente podrá
oponerse por razones de legalidad y mediante acuerdo motivado. Así, las
fundaciones carecen de una instancia interna que supervise y controle al
patronato, lo que es labor de la asamblea general en las asociaciones respecto al órgano de gobierno[1219]. Además, a diferencia de estas últimas, la
fundación no exige que los miembros del patronato sean miembros de la
fundación aunque, como se acaba de mencionar, los fundadores pueden
reservarse alguna de las plazas, de manera temporal o indefinida, para no
perder el control sobre la gestión de la entidad. Por todo ello, las fundaciones facilitan una gestión centralizada y directa, más profesionalizada y con
un funcionamiento más ágil cuando se persiguen fines fundacionales[1220].

Por su parte, las entidades religiosas[1221] se rigen principalmente por
los tratados internacionales, acuerdos y convenios de cooperación entre
las distintas iglesias y el Estado[1222]. Cabra de Luna y de Lorenzo García

---

[1217]   Véanse los arts. 14, 21, 25, 29 y 30 de la Ley 50/2002, de 26 de diciembre.

[1218]   Órgano de asesoramiento y fiscalización de las fundaciones, encargado de velar
        por que se cumplan las finalidades fundacionales, las disposiciones legales y los
        estatutos de la entidad. Se ejerce por la Administración pública, del Estado o de
        cada CA, dependiendo de si las fundaciones son de competencia estatal o autonó-
        mica respectivamente. Este órgano se menciona en el apartado siguiente.

[1219]   Algunas legislaciones autonómicas prevén la posibilidad de crear dicho órgano de
        control y supervisión interna, distinto al patronato. Es el caso, por ejemplo, de la
        legislación catalana, en el art. 331-9.g CCC.

[1220]   Argudo Périz, J. L. "Las cooperativas sin ánimo de lucro: ¿vuelta a los orígenes o
        respuesta a nuevas necesidades sociales?", cit. p. 194 y Vicent Chuliá, F. Introduc-
        ción al Derecho Mercantil. Volumen I. Valencia: Tirant lo Blanch, 2012 (23ª edición).
        pp. 1222 y 1229.

[1221]   El art. 16 de la CE garantiza la libertad religiosa y de culto, que se desarrolla en la
        LO 7/1980, de 5 de julio, de Libertad Religiosa. BOE 24-07-1980, núm. 177.

[1222]   Así, tanto la LO 1/2002, de 22 de marzo, reguladora del derecho de asociación
        (art. 1.3) como la Ley 50/2002, de 26 de diciembre, de fundaciones (DA 2ª) men-
        cionan su aplicación de carácter supletorio ante tratados internacionales, acuer-
        dos y convenios de cooperación entre las distintas iglesias y el Estado y leyes espe-
        cíficas de estas iglesias, confesiones y comunidades religiosas.

mencionan la gran presencia y arraigo que tienen las organizaciones asociativas de la Iglesia católica en nuestra sociedad[1223]. Por su parte, Cáritas Española[1224] es una entidad singular[1225], en tanto que institución religiosa sometida a la jerarquía eclesiástica, que no se nutre de ingresos de operaciones de mercado, sino que sus fuentes principales son el trabajo voluntario, las donaciones y las subvenciones[1226].

La mayoría de estas entidades se integran dentro de lo que se conoce como el "tercer sector", del que forman parte, a grandes rasgos, aquellas entidades que se dotan de una forma jurídica específica y de sus propios órganos de autogobierno para poder disponer y gestionar recursos con el fin de cumplir con sus objetivos sociales; que sean privadas, es decir, que su presupuesto no se integre en los presupuestos públicos; que no tengan ánimo de lucro, es decir, que los beneficios generados no se repartan entre sus socios o miembros; y que además sean altruistas, implicando algún grado de participación voluntaria y/o un objetivo de interés general[1227].

[1223] CABRA DE LUNA, M. A. y DE LORENZO GARCÍA, R. "El Tercer Sector en España: ámbito, tamaño y perspectivas", *Revista Española del Tercer Sector*, núm. 1, 2005, pp. 95-134. p. 119.

[1224] Esta institución, que nace como asociación de fieles, para coordinar la acción caritativa y social de la Iglesia católica en España, adquiere autonomía y personalidad jurídica propia eclesiástica y civil en 1957 y se inscribe en el Registro de Instituciones Religiosas del Ministerio de Justicia en 1981. Sus estatutos la definen como una confederación de las entidades de acción caritativa y social de la Iglesia católica en España, siendo sus miembros confederados todas las Cáritas diocesanas y las agrupaciones de Cáritas constituidas en cada CA, entre otras organizaciones. GARCÍA DELGADO, J. L. (dir.) *Las cuentas de la economía social. El tercer sector en España*, cit. pp. 121 y 122. Véase su web oficial en https://www.caritas.es (último acceso 09-12-2018).

[1225] La denominación de entidad singular se le concede por disponer de un régimen jurídico propio y con unas especificidades que la distinguen de las demás entidades del tercer sector como pueden ser las asociaciones y fundaciones. Se incluyen dentro de esta denominación, también, la Organización Nacional de Ciegos Españoles (ONCE) y la Cruz Roja Española. Véase GARCÍA DELGADO, J. L. (dir.) *Las cuentas de la economía social. El tercer sector en España*, cit. pp. 111 y ss. y CABRA DE LUNA, M. A. y DE LORENZO GARCÍA, R. "El Tercer Sector en España: ámbito, tamaño y perspectivas", cit. pp. 116 y ss.

[1226] GARCÍA DELGADO, J. L. (dir.) *Las cuentas de la economía social. El tercer sector en España*, cit. pp. 128 y 129.

[1227] CABRA DE LUNA, M. A. y DE LORENZO GARCÍA, R. "El Tercer Sector en España: ámbito, tamaño y perspectivas", cit. pp. 101 y 102. De manera similar lo regula la reciente Ley del Tercer Sector de Acción Social española, que se menciona en el siguiente apartado.

Así, el tercer sector engloba una compleja y heterogénea constelación de entidades, pues agrupa todas aquellas entidades que no pertenecen ni al sector público (tienen naturaleza jurídico-privada) ni al sector privado mercantil (no poseen ánimo de lucro y tienen un carácter altruista)[1228]. Además, es un sector que se caracteriza por ser muy atomizado y por contener entidades de dimensión reducida, que si bien pueden tener su razón de ser por la función que desempeñan, tienen carencias de gobierno o de dimensión para atender a todas las actividades que realizan, para captar financiación, tanto pública como privada y para constituir organizaciones representativas y de defensa de los intereses de todas ellas en su conjunto[1229], aunque la reciente legislación tiene precisamente por objetivo paliar esta situación[1230].

Debe tenerse en cuenta que solamente una parte de todas estas entidades del tercer sector de acción social ofrecen servicios de vivienda y/o alojamiento, y como ya se ha comentado en alguna ocasión, muchas de ellas lo hacen como servicio accesorio para cubrir las necesidades de colectivos en concreto, y no como objetivo principal. Sin embargo, también es notable el aumento de entidades que apuntan como su campo de actuación el de la vivienda, que ha pasado de un 0,1% en 2011 a un 8,7% en 2015[1231], como consecuencia de los efectos de la crisis de 2007.

Así, el aumento de necesidades sociales acuciado por la crisis económica de 2007[1232], el desarrollo demográfico procedente del fenómeno migratorio, el incremento de personas mayores o el cambio en las estructuras familiares, entre otros[1233], junto con un presupuesto público que ha tendi-

---

[1228] Cabra de Luna, M. A. y de Lorenzo García, R. "El Tercer Sector en España: ámbito, tamaño y perspectivas", cit. p. 100.

[1229] Argudo Périz, J. L. "Las cooperativas sin ánimo de lucro: ¿vuelta a los orígenes o respuesta a nuevas necesidades sociales?", cit. p. 181 y García Delgado, J. L. (dir.) *Las cuentas de la economía social. El tercer sector en España,* cit. pp. 23 y 227.

[1230] Véase el apartado siguiente, donde se mencionan las Leyes del Tercer Sector de Acción Social y de Economía Social.

[1231] Systeme Innovación y Consultoría. *El Tercer Sector de acción social en 2015: Impacto de la crisis.* Plataforma de ONG de Acción Social, Plataforma tercer sector, Eea grants, 2015. p. 25. Este mismo informe lo atribuye a la reacción a los problemas de las personas afectadas por los desahucios.

[1232] Fundación PwC. *Radiografía del Tercer Sector Social en España: retos y oportunidades en un entorno cambiante.* Pricewaterhousecoopers, 2018. p. 8.

[1233] Véase el apartado "1.1. Situación actual" de este mismo capítulo. Véase también Cabra de Luna, M. A. y de Lorenzo García, R. "El Tercer Sector en España: ámbito, tamaño y perspectivas", cit. p. 127.

do a reducirse o estabilizarse, han provocado que las entidades sin ánimo de lucro hayan tenido que hacer frente (y lo sigan haciendo, ahora con la crisis sanitaria y económica de la COVID19) a una creciente demanda que, además, ha evolucionado hacia nuevas necesidades de atención[1234]. La misma Administración pública deja reflejada en la legislación y demás instrumentos actuales su apuesta para que estas entidades privadas desarrollen un mayor rol en la oferta y gestión de servicios sociales y/o públicos[1235], como lo es la vivienda social en este caso[1236].

Todo ello provoca que estas entidades del tercer sector se vean en la necesidad de adoptar sistemas de gestión de carácter profesional y empresarial[1237], que les permita cubrir ese aumento de necesidades actuando de la manera más eficiente posible y con los escasos recursos económicos de los que disponen.

Precisamente, en esta línea cabe destacar dentro de este sector de entidades sin ánimo de lucro, el surgimiento en los recientes años de una última modalidad de gestión, el de "fundación gestora de vivienda social", que si bien no conlleva la creación de una entidad con una forma jurídi-

---

[1234] En muchos casos, la única manera de actuar pasa por disponer de más viviendas. Cervera, C., Sutrias, F. y Trilla, C. "La contribució del Tercer Sector al lloguer social", *Dossier Catalunya Social. Propostes des del Tercer Sector*, núm. 45, 2016. p. 6.

[1235] Aunque no se refiere únicamente al campo de la vivienda y aunque sean datos de 2004, queremos resaltar un dato que demuestra la importante función económica y social de estas entidades privadas sin ánimo de lucro y es el hecho de que se "eleva hasta un tercio de millón el número de funcionarios en que habría de incrementar su plantilla la Administración para hacer frente al conjunto de tareas actualmente desplegadas por el Tercer Sector de Acción Social en España". García Delgado, J. L. (dir.) *Las cuentas de la economía social. El tercer sector en España*, cit. p. 84.

[1236] Por ejemplo, a través del desarrollo de legislación del tercer sector y de economía social, así como mencionarlas como entidades colaboradoras o, por ejemplo, el hecho de que puedan ser beneficiarias de los tanteos y retractos de la Administración de la Generalitat de Cataluña (art. 2.2.a Decreto-ley 1/2015, de 24 de marzo).

[1237] Argudo Périz, J. L. "Las cooperativas sin ánimo de lucro: ¿vuelta a los orígenes o respuesta a nuevas necesidades sociales?", cit. p. 179. Por ejemplo, la necesidad de introducir principios empresariales, en este caso en la gestión financiera de las entidades sin ánimo de lucro, respetando siempre su forma jurídica y objeto social la resaltan Valor Martínez y de la Cuesta González en Valor Martínez, C. y de la Cuesta González, M. "Estructura y gestión financiera de las entidades sin ánimo de lucro especial atención a la financiación privada", *Revista Española del Tercer Sector*, núm. 2, 2006, pp. 125-152. p. 127.

ca diferente a las ya conocidas (puesto que se trata de fundaciones en su mayoría), tiene la particularidad de que su objeto fundacional es exclusivamente la gestión de vivienda social. Esta modalidad la forman, ya sea de forma fundacional o a través de una estrecha red de colaboraciones, varias entidades privadas sin ánimo de lucro[1238]. Dicho modelo aparece a raíz de la detección de la necesidad de las entidades de dotarse de mayor conocimiento (*know-how*) y habilidades en la compleja técnica de gestión de un parque de viviendas. Así, hallamos muchas de las entidades del tercer sector que tienen como objetivo principal satisfacer un conjunto de necesidades de un sector de población vulnerable específico, como, por ejemplo, el de gente mayor, personas con discapacidad, personas sin hogar, inmigrantes o personas con drogodependencia. Es decir, aunque ofrecer una vivienda pueda ser uno de los servicios que se tiene en cartera, no son entidades que se dediquen propiamente a la gestión de vivienda social, sino que la vivienda es precisamente un medio para cumplir con la finalidad de ayuda e inserción social de ciertos colectivos vulnerables. En cambio, las fundaciones gestoras de vivienda social nacen precisamente para esta finalidad de gestionar vivienda social.

En consecuencia, la gestión de vivienda social en España se reparte entre un amplio abanico de actores de diversa índole, forma jurídica y tamaño, creando un entramado disperso, atomizado y poco estructurado y coherente. Algunas entidades son propietarias del parque que gestionan mientras que otras son arrendatarias o adquieren los pisos a través de otras fórmulas de tenencia. Además, mientras algunas entidades tienen como objetivo principal la oferta de vivienda social, otras contemplan esta función como conjunta o accesoria a otros servicios ofrecidos.

La Figura 20 resume los diversos tipos de entidades que gestionan vivienda social en España, agrupados en los modelos de gestión que hemos comentado, así como algunos ejemplos.

[1238] La Fundación Mambré (http://www.fundaciomambre.org), por ejemplo, se creó en 2007 por cuatro entidades (Arrels Fundació, Assís Centre d'Acollida, Filles de la Caritat de Sant Vicenç de Paül y Ordre Hospitalari de Sant Joan de Déu) que creyeron oportuno agruparse para poder ofrecer un servicio de mantenimiento y gestión residencial difícilmente afrontable a nivel individual, debido a la falta de recursos humanos y técnicos. Más recientemente, en 2014 se creó la Fundación Hàbitat3 (http://habitat3.cat), con el fin de captar y gestionar vivienda social tanto para las entidades del tercer sector como para las Administraciones públicas.

Figura 20. Modalidades de gestión de vivienda social en España y algunos ejemplos

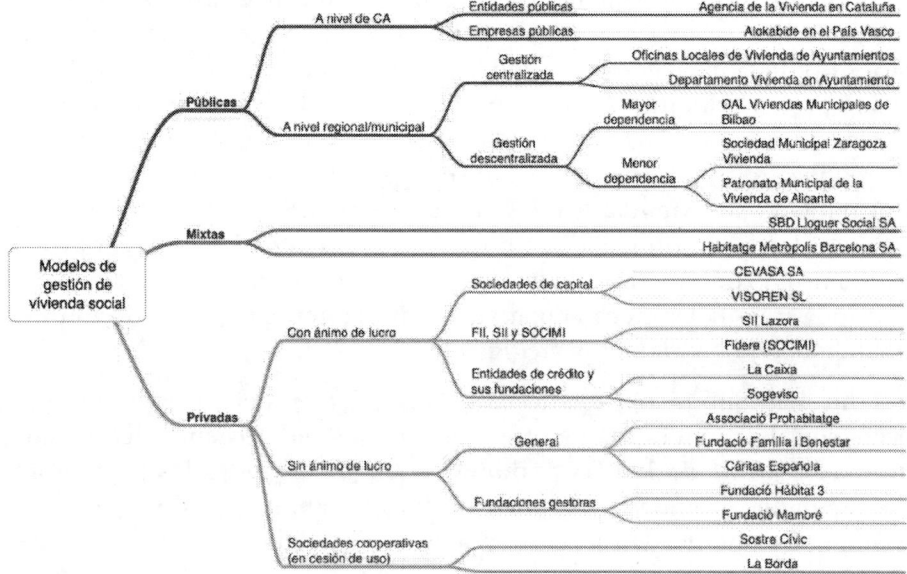

Fuente: Elaboración propia.

3.2. La designación de la gestión de vivienda social en la normativa de vivienda. Agentes y federaciones

La estructura de modelos de gestión expuesta en el apartado anterior se vuelve más compleja e incierta si cabe debido a la falta de información relativa al número de gestores existentes y a sus ámbitos de actuación. A pesar de disponer de Registros de solicitantes de vivienda protegida, como se ha visto *supra*[1239], lo que no existe a nivel estatal es un Registro unificado de proveedores y de gestores de vivienda social, como sí existe en Inglaterra y en los Países Bajos[1240], así como tampoco existe una voz representante que lidere o dirija de manera uniforme este sector[1241].

Existe a nivel estatal el concepto legal de "promotor de vivienda", regulado expresamente en el artículo 9.1 de la Ley de ordenación de la edifica-

---

[1239] Véase, en este mismo capítulo, el apartado "1.3. Inexistencia de legislación y de políticas de gestión de vivienda social".

[1240] Véase *supra,* en el Capítulo II.

[1241] ALBERDI, B. "Social Housing in Spain", cit. p. 236.

ción[1242], donde se define como "cualquier persona, física o jurídica, pública o privada, que, individual o colectivamente, decide, impulsa, programa y financia, con recursos propios o ajenos, las obras de edificación para sí o para su posterior enajenación, entrega o cesión a terceros bajo cualquier título". A pesar de que este término no se englobaría dentro de la definición estricta de "gestión de vivienda social" establecida en el Capítulo I[1243], se ha utilizado tradicionalmente a nivel español para el desarrollo de políticas públicas de vivienda. Así, los planes de vivienda estatales contemplan la figura del "promotor"[1244] a la hora de otorgar ventajas fiscales y ayudas económicas para aquellos promotores que lleven a cabo las actuaciones protegidas reguladas en cada plan, mayoritariamente de construcción y de rehabilitación de vivienda protegida[1245].

A nivel autonómico, cabe destacar la regulación del concepto de "promotor social de vivienda" que ofrece la legislación de vivienda de Cataluña en el artículo 51 de la LDVC, donde se engloban todos los promotores que mediante promoción de obra nueva o rehabilitación de viviendas se orientan a aumentar la oferta de vivienda protegida, de forma principal,

---

[1242] Ley 38/1999, de 5 de noviembre. BOE 06-11-1999, núm. 266.

[1243] Véase el apartado "8. ¿Qué se entiende por "gestión de vivienda social"?" del Capítulo I, donde también se menciona que el hecho de que no se incluya en el concepto de gestión no excluye la posibilidad de que una entidad que gestiona pueda ser a la vez promotora.

[1244] La existencia de este concepto no implica la subsiguiente existencia de un Registro donde se inscriban las entidades que cumplen con la definición y las características para considerarse promotores. Esto, a pesar de que normativa estatal vigente (pero en desuso) contemplaba la regulación de ciertos registros, como el "Registro de Entidades del Instituto Nacional de la Vivienda" (art. 23 Decreto 2114/1968, de 24 de julio) y el "Registro Especial de Entidades Promotoras de Viviendas de Protección Oficial", vinculándose, este último caso, a la posibilidad de su existencia en cada CA (art. 1.1 Real Decreto 2028/1995, de 22 de diciembre, por el que se establece las condiciones de acceso a la financiación cualificada estatal de viviendas de protección oficial promovidas por cooperativas de viviendas y comunidades de propietarios al amparo de los Planes Estatales de Vivienda. BOE 16-01-1996)

[1245] No todo promotor puede tener total acceso a estas ventajas siempre, puesto que en los dos últimos planes (2013-2016, 2018-2021) se desglosan las entidades que pueden beneficiarse de dichas ayudas (arts. 16 y 26 respectivamente), restringiéndose, por ejemplo, en el Plan estatal de vivienda 2013-2016 al sector público y a entidades privadas sin ánimo de lucro. También determina específicamente los beneficiarios de cada programa el Proyecto de Real Decreto del Plan estatal 2022-2025.

habitual, estable en el tiempo y concertada con el Gobierno de Cataluña (al amparo de los planes de vivienda). Pueden tener la condición de "promotor social de vivienda" los diversos entes e instituciones del sector público, las cooperativas y las entidades urbanísticas especiales. También los promotores privados de vivienda y las entidades sin ánimo de lucro que tengan por objeto social y como objeto de su actividad efectiva la promoción y/o gestión y explotación de vivienda protegida. La legislación establece, también, para algunos casos, un procedimiento de homologación con unos requisitos interesantes, puesto que buscan que tenga una suficiente capacidad organizativa para poder gestionar el alquiler de las viviendas y capacidad económica para garantizar su solvencia económica a largo plazo[1246]. Sin embargo, ese procedimiento no se ha llegado a regular por el momento, a pesar de que este concepto de "promotor social de vivienda" se utiliza en políticas públicas de captación de vivienda en esta CA (ej. art. art. 2.2.a del Decreto-Ley 1/2015, art. 5.9.b de la Ley 24/2015 y art. 174.1.c del Decreto Legislativo 1/2010)[1247] y que la propia ley exigía el establecimiento de dicho procedimiento de homologación en el plazo de seis meses desde su publicación[1248]. Cuestión similar sucede con la posibilidad que ofrece la misma LDVC (art. 107) de crear un Registro que englobe promotores, promotores sociales y administradores de fincas habilitados para gestionar viviendas protegidas de alquiler u otra forma de cesión de uso; es decir, se trata de un instrumento interesante existente pero no desarrollado hasta el

---

[1246]   Art. 51.5 y 6 LDVC.

[1247]   El art. 2.2.a Decreto-Ley 1/2015, de 24 de marzo, las menciona como posibles beneficiarias en relación al derecho de tanteo y retracto de la Administración pública respecto a la transmisión de ciertas viviendas (adquiridas en un proceso de ejecución hipotecaria o mediante compensación o pago de deuda con garantía hipotecaria que estén situadas en áreas de demanda residencial fuerte y acreditada); el art. 5.9.b de la Ley 24/2015, de 29 de julio, las regula para excepcionarlas como grandes tenedores de vivienda y el art. 174.1.c del Decreto Legislativo 1/2010, de 3 de agosto, por el que se aprueba el texto refundido de la Ley de urbanismo (BOE 08-09-2010, núm. 218), como beneficiarias del derecho de tanteo y retracto sobre transmisiones onerosas que afecten a determinados bienes regulados en el artículo anterior. Además, también se hace uso de este concepto en el Acuerdo marco para la adhesión de Ayuntamientos con demanda fuerte y acreditada, y homologación de entidades sociales con interés en la adquisición de viviendas provenientes del tanteo y retracto mediante una línea de préstamos bonificados, 14-06-2018, para designarlas como posibles beneficiarias de esta línea de financiación.

[1248]   DA 12ª LDVC.

momento[1249]. Aragón, por su parte, también regula la posibilidad de declarar "promotores sociales preferentes de vivienda protegida", para que los que obtengan tal certificado, después de cumplir unos requisitos mínimos establecidos legal (haber impulsado, directa o indirectamente, un mínimo de 800 viviendas protegidas en los doce últimos años y no haber sido sancionados por infracciones graves ni muy graves en materia de vivienda protegida, subvenciones públicas, seguridad social, trabajo o tributaria)[1250] y reglamentariamente, puedan optar de manera preferente a promociones de vivienda protegida en suelo público. Sin embargo, dicho reglamento tampoco ha sido, de momento, desarrollado[1251].

Cabe recordar que la tendencia dentro del sector de vivienda social español ha sido la de fomentar la construcción de parque de vivienda protegida de compraventa, por lo que las ayudas han tendido a financiar la construcción y no la gestión. Sin embargo, hemos visto que las últimas políticas de vivienda se focalizan en captar vivienda ya existente, de manera que cabría esperar una mayor actuación del legislador en la gestión óptima del parque. Por ello, más allá del concepto de "promotor" o de "promotor social de vivienda", las CCAA utilizan en sus leyes de vivienda términos como el de "agente colaborador"[1252], "agentes vinculados con el sector de

---

[1249] Existen algunas iniciativas a nivel local, como es el caso de Barcelona con el Registro de entidades promotoras de vivienda protegida. Lo creó la Diputación de Barcelona para el periodo 2007-2011, y se renovó para el periodo 2012-2015. Tras plantear su renovación más allá de 2015, se decidió no hacerlo, debido principalmente a trabas legales y a la falta de demanda de promotores. Una vez la Diputación estudiaba la viabilidad de las promociones presentadas por los Ayuntamientos, esta elegía, mediante concurso entre los promotores inscritos, al promotor encargado de llevar a cabo esa promoción. Más información en http://www.diba. cat/es/web/hua/rephp (último acceso 21-12-2018). Este Registro, pero, tenía un carácter más de promoción de vivienda, y no de gestión.

[1250] DA 7ª Ley 24/2003, de 26 de diciembre, de medidas urgentes de política de vivienda protegida (BOE 16-01-2004, núm. 14), añadida por la DF 2.2 de la ya derogada Ley 4/2010, de 22 de junio, por la que se modifica la Ley 9/1998, de 22 de diciembre, de Cooperativas de Aragón (BOE 12-08-2010, núm. 195).

[1251] Además, el proyecto de ley de vivienda de Aragón (BOCA 22-10-2018, núm. 283), finalmente no aprobada debido a su caducidad, regulaba, en su art. 111, los promotores de viviendas protegidas, pero sin la mención a "promotores sociales preferentes", y estos podían ser tanto personas físicas como jurídicas, públicas o privadas y las comunidades de bienes.

[1252] El País Vasco en relación con el Programa ASAP de captación de vivienda vacía (Decreto 144/2019, de 17 de septiembre). Los requisitos para poderse homologar como agente colaborador del Gobierno Vasco se encuentran en el art. 3, entre los

la vivienda"[1253] o simplemente hacen referencia a las "entidades sin ánimo de lucro"[1254] a la hora de regular su implicación y colaboración con la Administración pública en el desarrollo de diferentes políticas de vivienda o para poder ser beneficiarias de viviendas protegidas[1255]. En este punto, por ejemplo, Cataluña dispone de la "Red de viviendas de inserción social", integrada por entidades sin ánimo de lucro que gestionan viviendas destinadas a personas con riesgo de exclusión y que tienen la consideración de entidades gestoras de programas públicos de apoyo a la vivienda[1256].

Por otro lado, también se regula a nivel estatal el concepto de "entidad colaboradora", para referirse a todas aquellas entidades a las que los diferentes órganos competentes de las CCAA pueden delegar la gestión de ciertas actuaciones de los planes de vivienda, mediante convenios de encomienda de gestión[1257]. Algunas CCAA disponen de Registros de viviendas protegidas,

---

que destacan se agente de la propiedad inmobiliaria, acreditar una experiencia mínima de cinco años en el ejercicio de dicha actividad, tener un establecimiento abierto al público y estar al corriente en el cumplimiento de las obligaciones tributarias y de la seguridad social. Además, también se regula brevemente su estatuto, en los arts. 9 y ss., donde se establecen requisitos de publicidad, formación, obligaciones con respecto a las personas arrendadoras, a las personas arrendatarias y al Gobierno Vasco.

[1253] Art. 54 Ley 6/2015, de 24 de marzo, de la Vivienda de la Región de Murcia.

[1254] Véase, por ejemplo, el art. 71 de la Ley Foral 10/2010, de 10 de mayo, del derecho a la vivienda en Navarra, el art. 46 de la Ley 2/2003, de 30 de enero, de Vivienda de Canarias, el art. 4 del Anexo I del Decreto 149/2006, de 25 de julio, por el que se aprueba el Reglamento de Viviendas Protegidas de la Comunidad Autónoma de Andalucía y se desarrollan determinadas Disposiciones de la Ley 13/2005, de 11 de noviembre, de medidas en materia de Vivienda Protegida y el Suelo (BOJA 08-08-2006, núm. 153) y el art. 63.4 de la Ley 9/2010, de 30 de agosto, del derecho a la vivienda de la Comunidad de Castilla y León.

[1255] Véase, a modo de ejemplo, la Tabla 14 en el Capítulo IV.

[1256] Art. 23 PDVC.

[1257] La forma jurídica de las entidades que pueden actuar como entidades colaboradoras ha variado en cierta medida dentro del sector privado. Así, a parte de mencionar a los organismos públicos y demás entidades, corporaciones, empresas y sociedades públicas, asociaciones de entidades locales y entidades privadas sin ánimo de lucro, el Plan Estatal de Vivienda 2013-2016 mencionaba expresamente a las SOCIMIs (art. 7.2). En cambio, el Plan Estatal de Vivienda 2018-2021 no menciona a las sociedades cuyo objeto es la adquisición y promoción de activos inmobiliarios de naturaleza urbana para su alquiler, sino que hace especial referencia a las entidades de crédito y además extiende la lista a otras sociedades o entidades privadas cuya colaboración se considere necesaria por la Administración (art. 8.2); además, incorpora el concepto de economía social (siguiendo la Ley 5/2011, de 29 de marzo,

como las Islas Baleares y La Rioja[1258], que si bien no tienen el objetivo de inscripción y control de las entidades gestoras de las viviendas protegidas directamente, sí pretenden facilitar la gestión y el control del parque de viviendas identificando, indirectamente, a sus entidades gestoras.

El entramado de legislación y de planes de vivienda existentes tanto a nivel estatal como a nivel autonómico no facilitan la tarea de identificar dichos agentes gestores. De nuevo, nos encontramos ante un escenario con una diversidad de terminologías que responden más bien a la consecución de políticas públicas concretas, sin suponer una clasificación que a modo estructural defina y agrupe a todos los proveedores y gestores de vivienda social en nuestro país.

También su inscripción en algún registro que cree control y publicidad (y que, en algún caso, como el de las sociedades de capital, las cooperativas y las fundaciones, sea de carácter constitutivo) responde a su forma jurídica, resultando en una diversidad de registros que además no se regulan únicamente a nivel estatal sino a nivel autonómico en algunos casos. Así, lo podemos encontrar, entre otros, en el Registro Mercantil para las sociedades de capital[1259], en el Registro de fundaciones[1260], en el Registro de asociaciones[1261], en el Registro de cooperativas[1262], en el Registro de

---

de economía social que se menciona *infra* en este mismo apartado). Sigue la misma línea el Proyecto de Real Decreto por el que se regula el Plan Estatal para el acceso a la vivienda 2022-2025.

[1258] Art. 71 Ley 5/2018, de 19 de junio, de la vivienda de las Illes Balears y https://www.larioja.org/vivienda/es/registro-vpo (último acceso 05-06-2019).

[1259] Art. 20 TRLSC y Real Decreto 1784/1996, de 19 de julio, por el que se aprueba el Reglamento del Registro Mercantil (BOE 31-07-1996, núm. 184). Este se organiza por medio de un Registro Mercantil Central y unos Registros Mercantiles territoriales, todos bajo la dependencia del Ministerio de Justicia (art. 1 Reglamento).

[1260] Los arts. 36 y ss. de la Ley 50/2002, de 26 de diciembre, de fundaciones regulan el Registro de Fundaciones para la inscripción de aquellas que desarrollen su actividad en todo el territorio o en más de una CA y además se crea, en el Consejo Superior de Fundaciones, la Comisión de cooperación e información registral, con el fin de establecer mecanismos de colaboración e información mutua entre los distintos registros.

[1261] Los arts. 24 y ss. de la LO 1/2002, de 22 de marzo, reguladora del derecho de asociación regulan el Registro Nacional de Asociaciones, mencionan la existencia de Registros autonómicos y regulan la cooperación y colaboración entre Registros.

[1262] Arts. 109 y ss. Ley 27/1999, de 16 de julio, de cooperativas para el Registro de Sociedades Cooperativas de ámbito estatal.

entidades religiosas[1263] o en el Inventario de entidades del sector público estatal, autonómico y local[1264].

La gran diversidad de gestores conlleva una variedad de organizaciones representantes, aunque, al localizarse el mayor grosor de gestores en el sector público, una de las organizaciones que engloba a más entidades gestoras es la ya mencionada AVS[1265], que se desglosa en cinco secciones autonómicas en Andalucía, Canarias, la Comunidad Valenciana, Madrid y el País Vasco y que, en el ámbito de Cataluña, tiene suscrito un convenio especial de colaboración con la Asociación de Gestores de Políticas Sociales de Vivienda de Cataluña (GHS)[1266]. Esta última engloba tanto a entidades públicas como a promotores sociales privados. AVS cuenta con más de cien miembros que administran un parque de unas 250.000 viviendas en alquiler y, además, forma parte de Housing Europe, la Federación de vivienda social, pública y cooperativa, representante de 45 federaciones nacionales y regionales en 24 países[1267].

En el ámbito del sector privado sin ánimo de lucro, se aprobó en 2015 una ley a nivel estatal que engloba a todo el tercer sector de acción social[1268], que no viene a sustituir sino a complementar el marco legal específico que tiene cada entidad atendiendo a su forma jurídica. Así, esta ley agrupa a todas estas entidades privadas sin ánimo de lucro que tengan ese objetivo de trabajar de forma altruista por la inclusión y cohesión social, prestando especial atención a los colectivos más vulnerables de la sociedad. También a nivel autonómico empieza a desarrollarse normativa al respecto. Así, el País Vasco cuenta, desde el 2016, con la Ley del tercer sector social de Euskadi[1269], y, entre otras CCAA con su propia regulación encontramos las Islas Baleares, Extremadura, Castilla-la Mancha y Castilla y León, mientras que en otras como las Islas Canarias se encuentra en vías

---

[1263] Real Decreto 594/2015, de 3 de julio, por el que se regula el Registro de Entidades Religiosas. BOE 01-08-2015, núm. 183.

[1264] Los arts. 82 y 83 de la LRJSP establecen dicho Inventario, el cual se configura como un registro público administrativo para todas las entidades integrantes del sector público institucional, con independencia de su forma jurídica.

[1265] Véase su web oficial en http://www.promotorespublicos.org.

[1266] Véase su web oficial en http://ghscatalunya.org.

[1267] Reúnen aproximadamente 43.000 proveedores de vivienda pública y/o social. Véase más sobre esta organización en el apartado "3.3.1. Políticas de la UE en materia de vivienda" del Capítulo I y consúltese su página web en http://www. housingeurope.eu.

[1268] Ley 43/2015, de 9 de octubre.

[1269] Ley 6/2016, de 12 de mayo. BOE 23-06-2016, núm. 151.

de desarrollo[1270]. Este tipo de legislación pretende crear un marco jurídico común que permita fomentar la creación de estas entidades, así como su apoyo, fortalecimiento, difusión y formación. También pretende potenciar mecanismos de intervención en su participación en las políticas públicas y mecanismos de colaboración de las organizaciones entre sí, con el sector público y con el sector privado. Como se ha mencionado, se trata de un sector con un alto grado de atomización, aunque las organizaciones suelen constituir redes agrupándose entre las que trabajan en un mismo ámbito (federaciones, asociaciones o agrupaciones de segundo nivel)[1271].

La Ley estatal del tercer sector de acción social[1272] define las entidades de este sector como "aquellas organizaciones de carácter privado, surgidas de la iniciativa ciudadana o social, bajo diferentes modalidades, que responden a criterios de solidaridad y de participación social, con fines de interés general y ausencia de ánimo de lucro, que impulsan el reconocimiento y el ejercicio de los derechos civiles, así como de los derechos económicos, sociales o culturales de las personas y grupos que sufren condiciones de vulnerabilidad o que se encuentran en riesgo de exclusión social" (art. 2)[1273]. Además de esa definición, también se delimitan las características o los principios rectores que estas entidades deben cumplir, y que son independientes de la forma jurídica de la entidad. Entre ellos pueden

---

[1270] Ley 3/2018, de 29 de mayo, del tercer sector de acción social (BOE 19-06-2018, núm. 148) de las Islas Baleares; Ley 10/2018, de 22 de noviembre, del Tercer Sector Social de Extremadura (BOE 17-12-2018, núm. 303); Ley 1/2020, de 3 de febrero, del Tercer Sector Social de Castilla-La Mancha (BOE 16-04-2020, núm. 106) y Ley 5/2021, de 14 de septiembre, del Tercer Sector Social en Castilla y León y de modificación de la Ley 8/2006, de 10 de octubre, del Voluntariado en Castilla y León (BOCyL 29-09-2021, núm. 189).

[1271] PLATAFORMA DE ONG DE ACCIÓN SOCIAL (coord.) *III Plan estratégico del Tercer Sector de acción social*. Madrid: Plataforma de ONG de acción social, 2017. p. 19 y Exposición de Motivos de la Ley del tercer sector social de Euskadi.

[1272] Ley que se aplica a "todas las entidades del Tercer Sector de Acción Social de ámbito estatal, siempre que actúen en más de una comunidad autónoma o en las Ciudades Autónomas de Ceuta y Melilla" (art. 3).

[1273] De manera similar, pero en el ámbito autonómico, forman parte del tercer sector social del País Vasco "las organizaciones de iniciativa social, con sede y actividad en la Comunidad Autónoma del País Vasco, cuya finalidad principal es promover, a través de actividades de intervención social, la inclusión social, la cooperación al desarrollo y el ejercicio efectivo de los derechos de personas, familias, grupos, colectivos o comunidades que afrontan situaciones de vulnerabilidad o exclusión, desigualdad, desprotección, discapacidad o dependencia". Art. 2 Ley 6/2016, de 12 de mayo, del tercer sector social de Euskadi.

destacarse la necesidad de tener personalidad jurídica propia y ser de naturaleza jurídica privada, no poseer ánimo de lucro y tener carácter altruista, adoptar formas de participación para la toma de decisiones, actuar de modo transparente y siguiendo el principio de igualdad de oportunidades, de trato y no discriminación, y contribuir a hacer efectiva la cohesión social por medio de la participación ciudadana a través del voluntariado[1274]. A pesar de todos los mecanismos regulados para el impulso de estas entidades del tercer sector social (ej. para potenciar su participación en las políticas públicas, para fomentar la diversificación de sus fuentes de financiación o para potenciar mecanismos de colaboración con la Administración pública), muchos de ellos, a nivel estatal[1275], no se han desarrollado ni materializado aún[1276], aunque la Ley preveía la aprobación del Programa en el plazo de doce meses desde su entrada en vigor[1277].

Por otro lado, en 2011 se publicó la Ley 5/2011, de 29 de marzo, de economía social, con el objetivo de establecer un marco común para todas aquellas entidades que conforman el sector de la economía social, entendido como el "conjunto de las actividades económicas y empresariales, que en el ámbito privado llevan a cabo aquellas entidades que, de conformidad con los principios recogidos en el art. 4, persiguen bien el interés colectivo de sus integrantes, bien el interés general económico o social, o ambos"[1278]. A pesar de que el sector de economía social en España se concentra en

---

[1274] Art. 4 Ley 43/2015, de 9 de octubre, del tercer sector de acción social y art. 3 Ley 6/2016, de 12 de mayo, del tercer sector social de Euskadi.

[1275] Sí se ha desarrollado, en cambio, la Estrategia de promoción del Tercer Sector Social de Euskadi, que puede consultarse en https://www.sareensarea.eus/images/documentos/DocumentacionDeReferencia/Estrategia-de-Promocin-del-Tercer-Sector-Social-28-11-2017.pdf (último acceso 19-02-2018).

[1276] LA VANGUARDIA. *Organizaciones sociales reclaman el desarrollo de la ley del Tercer Sector,* 09-10-2017, disponible en http://www.lavanguardia.com/vida/20171009/431921266952/organizaciones-sociales-reclaman-el-desarrollo-de-la-ley-del-tercer-sector.html (último acceso 24-10-2019). Esta noticia destaca que de las medidas reguladas en la Ley, "hasta el momento sólo se ha aprobado el Reglamento de la Comisión para el Diálogo Civil, pero queda pendiente el citado programa de impulso, la regulación del estatuto de las organizaciones sociales como entidades colaboradoras de la Administración General del Estado o la creación y puesta en marcha del inventario de las entidades sociales".

[1277] Art. 6 Ley 43/2015, de 9 de octubre, del tercer sector de acción social.

[1278] Art. 2 Ley 5/2011, de 29 de marzo, de economía social. Estos principios que se mencionan del art. 4 hacen referencia principalmente a otorgar primacía a las personas y al fin social sobre el capital, a aplicar los resultados obtenidos de la actividad económica principalmente en función del trabajo aportado por los socios

diversos tipos de personas jurídicas (en cooperativas, sociedades laborales, empresas de inserción, centros especiales de empleo y mutualidades)[1279], no es menos cierto que esta ley denota la necesidad de establecer un marco común ante tanta variedad de entidades reguladas por sus propias normativas, en este caso concreto con el fin de fomentar y desarrollar dichas entidades, constituir organismos de representación y crear y mantener un catálogo para poder contabilizar y disponer de datos en este sector[1280].

En cuanto a asociaciones o federaciones representantes de este sector sin ánimo de lucro, encontramos la Plataforma del tercer sector[1281], que también se desglosa en plataformas o mesas territoriales[1282], o las Entidades catalanas de acción social (ECAS)[1283] en Cataluña, por ejemplo, aunque todas estas federaciones de entidades de acción social no se limitan al campo de la vivienda. Las que sí lo hacen son la federación COHÀBITAC por ejemplo, que engloba a doce fundaciones dedicadas a promover y gestionar vivienda social de alquiler en Cataluña, las cuales gestionan unas 3.500

---

y miembros de la entidad y al fin social objeto de la entidad y dotarse de independencia de los poderes públicos.

[1279] Sobre todo si tenemos presente los incentivos regulados por la propia Ley (arts. 9-12) y el hecho de que el Consejo para el Fomento de la Economía Social, el órgano asesor y consultivo de estas entidades, se encuadra en el Ministerio de Trabajo y Economía Social. Sin embargo, la Ley también establece legalmente la inclusión de asociaciones y fundaciones que lleven a cabo actividad económica.

[1280] Este Catálogo, sin embargo, se encuentra en vías de formación, si se tiene en cuenta que una resolución de 2018 (siete años después de la promulgación de la ley) regula impulsar la elaboración de dicho Catálogo. Resolución de 15 de marzo de 2018, de la Secretaría de Estado de Empleo, por la que se publica el Acuerdo del Consejo de Ministros de 29 de diciembre de 2017, por el que se aprueba la Estrategia Española de Economía Social 2017-2020. BOE 20-03-2018, núm. 69. Por otro lado, los datos estadísticos de economía social que ofrece el Gobierno estatal (a través del Ministerio de Trabajo y Economía Social) se reducen a sociedades cooperativas y sociedades laborales. Disponible en https://www.mites.gob.es/es/sec_trabajo/autonomos/economia-social/estadisticas/index.htm (último acceso 03-04-2021).

[1281] Plataforma compuesta, actualmente, por veinte organizaciones que representan a 30.000 entidades del tercer sector aproximadamente. Véase su web oficial en http://www.plataformatercersector.es/es.

[1282] Independientemente de esas Plataformas territoriales, también encontramos Sareen Sarea, la asociación que agrupa a las redes de entidades del tercer sector social de Euskadi (https://www.sareensarea.eus/es/) y la Mesa de entidades del tercer sector social de Cataluña (http://www.tercersector.cat).

[1283] Véase su web oficial en http://acciosocial.org.

viviendas de alquiler social en total[1284] y CONCOVI, la Confederación de cooperativas de viviendas de España[1285], que junto con AVS, forman parte de Housing Europe.

A modo de reflexión, ninguna de las denominaciones existentes (promotor o promotor social de vivienda, promotor social preferente de vivienda protegida, agente colaborador, entidad sin ánimo de lucro, entidad colaboradora) ni las asociaciones, federaciones o organizaciones representativas engloba a la totalidad de gestores de vivienda social de España. Todas ellas son organizaciones que asesoran a sus miembros, que representan (en el caso de AVS y CONCOVI) la vivienda social de España en Europa, que presentan estudios sobre la oferta y la demanda de vivienda social[1286] o sobre la gestión de este parque[1287], pero todas ellas son sectoriales[1288] y, por lo tanto,

---

[1284] Datos extraídos de su página web https://www.cohabitac.cat/ (último acceso 03-04-2021).

[1285] Véase su web oficial en https://concovi.org.

[1286] Véase, por ejemplo, el estudio que engloba las entidades que conforman la Mesa del tercer sector de Cataluña, que gestionan vivienda social, y que tiene un doble objetivo: contabilizar el número de viviendas sociales gestionadas en ese momento, por un lado, y determinar las necesidades actuales y futuras de vivienda de estas entidades, por otro. CERVERA, C., SUTRIAS, F. y TRILLA, C. "La contribució del Tercer Sector al lloguer social", cit. Sin embargo, se trata, una vez más, de una estimación, puesto que el cuestionario lo respondieron 129 entidades, lejos de la cifra de la totalidad de entidades que forman parte del tercer sector de Cataluña. A pesar de ello, se trata de un número alto, atendiendo a que no todas las entidades de la Mesa del tercer sector actúan o tienen necesidad de gestionar vivienda. pp. 8 y ss. del estudio.

[1287] Es interesante el estudio sobre la gestión del parque de vivienda en alquiler público llevado a cabo por AVS en SANZ CINTORA, A. (coord.) *Diagnóstico 2012. La gestión de la vivienda pública de alquiler*, cit.

[1288] El propio Defensor del Pueblo destaca en su informe sobre vivienda protegida vacía de 2013 la dificultad de proporcionar un número preciso de viviendas con algún tipo de protección pública en España, puesto que por un lado, no dispone del número de viviendas gestionadas por los ayuntamientos o empresas públicas municipales y, por otro, los datos aportados le suscitan dudas por la posibilidad de haber solapamientos entre las tipologías de vivienda. BECERRIL, S. *Estudio sobre viviendas protegidas vacías*, cit. pp. 29 y 30. Otro estudio que denota la necesidad de conocer la realidad existente entre las entidades del tercer sector, en este caso, es el de CERVERA, C., SUTRIAS, F. y TRILLA, C. "La contribución del Tercer Sector al lloguer social", cit. p. 7. Este estudio fue impulsado por la Fundación Hàbitat3, entidad gestora de vivienda social de reciente creación, que al tener como finalidad captar y gestionar vivienda para entidades del tercer sector (también para las Administraciones públicas), necesitaba conocer primero la realidad existente de esas

aportan solo datos parciales de un sector muy atomizado, hecho que supone una falta de información, a la hora de contabilizar cuántos gestores de vivienda social existen a nivel tanto autonómico como estatal, en qué zonas desarrollan sus actividades, qué tipología de vivienda social ofrecen y cuánta y a qué sectores de la población se dirigen. Así, este sistema desestructurado y disperso facilita una falta de coordinación entre proveedores de vivienda social, lo que a su vez puede traducirse en duplicaciones de servicios[1289] que se encaminan a la consecución del mismo resultado, o al contrario, una ausencia o deficiencia de esos servicios en algunas áreas, lo que desfavorece claramente la eficiencia en este ámbito, generando, en definitiva, ineficacias.

3.3. Predominancia de modelos de gestión públicos

El hecho de que predominen los modelos de gestión públicos implica que la inversión en el parque de vivienda público dependa en gran medida de la partida de presupuesto público que se destine. Por eso, puede suceder que, en épocas de crisis económica, cuando más necesidad existe de este tipo de viviendas, menos se invierta y menos promociones se lleven a cabo, puesto que el presupuesto público se reduce considerablemente. Además, esta determinación presupuestaria también depende del ciclo y la coyuntura política, por lo que las decisiones en este sector público suelen ser a corto plazo[1290]. Esa vinculación también se contempla en la gestión operativa y estratégica de la entidad gestora pública, relacionando los órganos de gobierno (más directa o indirectamente) con los departamentos políticamente responsables[1291].

---

entidades: número de viviendas, localización, tipos colectivos atendidos, costes de gestión, principales problemáticas, necesidades actuales y futuras de vivienda.

[1289] Ya se ha visto que uno de los objetivos de la LRSAL es precisamente evitar la duplicación y solapamiento de competencias entre administraciones, como así se dispone expresamente en el tercer y cuarto párrafo de la Exposición de Motivos de dicha ley.

[1290] López Casasnovas, G. (dir.) *Los nuevos instrumentos de la gestión pública.* Barcelona: la Caixa, 2003. pp. 18 y 20. Jaria i Manzano establece, muy acertadamente, que "las políticas de vivienda se inscriben en el conjunto global de decisiones políticas que garantizan los estándares mínimos de bienestar de acuerdo con la interpretación que, en cada momento, se pueda hacer de la cláusula de Estado social". Jaria i Manzano, J. "El derecho a una vivienda digna en el contexto del Estado Social", cit. p. 74.

[1291] *Ibid.* p. 32.

Por otro lado, el sector público y todas las entidades que lo conforman, se configuran bajo una organización jerárquica burocratizada que sigue "un lenguaje procedimental cerrado bajo la amenaza última de sanción administrativa", con la necesidad de dictar órdenes, directrices, reglamentaciones, instancias, resoluciones, etc[1292]. Y si bien los procedimientos seguidos garantizan poder seguir con objetividad los intereses generales y cumplir con principios como los de participación, objetividad y transparencia y la buena fe, entre otros[1293], contrariamente, podrían conllevar poca flexibilidad y agilidad en la gestión de la entidad[1294].

Otra cuestión añadida es el problema de los desahucios: las organizaciones públicas se encuentran sometidas a presiones mediáticas y vecinales que en muchos casos dificulta o, incluso impiden, la toma de estas decisiones ante morosidades clamorosas. Por ejemplo, casi el 40% de entidades gestoras públicas españolas esperan entre 8 y 12 meses de impago para iniciar un proceso de desahucio[1295]. Este hecho, a parte de ser económicamente insostenible[1296], puede implicar, irónicamente, un incumplimiento del principio de igualdad, pues se habilita a permanecer en una vivienda social a arrendatarios que no pagan ni la cuantía de renta subsidiada o que no están cumpliendo con el resto de requisitos exigidos (ej. mostrando un mal uso de la vivienda o incurriendo en actos vandálicos o antisociales), mientras que potenciales inquilinos que sí podrían cumplir con estas normas siguen en la lista de espera[1297]. Además, son plazos que se alejan de los países europeos con más vivienda social, puesto que en el Capítulo I se refleja como estos últimos desahucian más y más rápido[1298].

[1292] Ibid pp. 18 y 35.

[1293] Arts. 103 CE y 3 LRJSP.

[1294] Véanse, por ejemplo, las problemáticas del control de pago de los alquileres y también de las adjudicaciones de las viviendas protegidas en los apartados "3.5.2.2. Formas de tenencia de las viviendas sociales" y "3.5.2.6. El sistema de adjudicación de las viviendas" de este capítulo respectivamente.

[1295] Concretamente, el 38,5%. Datos de SANZ CINTORA, A. (coord.) *Diagnóstico 2012. La gestión de la vivienda pública de alquiler,* cit. pp. 108 y 109.

[1296] Véase, por ejemplo, el alto porcentaje de impagos traducido en (muchos) millones de euros para la Agencia pública de Vivienda y Rehabilitación de Andalucía en el apartado "3.5.2.2. Formas de tenencia de las viviendas sociales" de este mismo capítulo.

[1297] SANZ CINTORA, A. (coord.) *Diagnóstico 2012. La gestión de la vivienda pública de alquiler,* cit. p. 111.

[1298] Véase el apartado "3.4. El derecho a la vivienda en España y la vivienda social" del Capítulo I de este libro.

Además, las administraciones públicas tienen otros intereses, más allá de la vivienda social y, en consecuencia, tanto sus recursos económicos como humanos no van exclusivamente destinados a vivienda, lo que puede significar que, recursos inicialmente adjudicados a vivienda acaben siendo invertidos en otros servicios públicos a los que se les de preferencia en una determinada coyuntura (ej. sanidad, desempleo, pensiones, etc.)[1299]. Todo ello teniendo en cuenta los techos de endeudamiento con los que se encuentran estas administraciones, lo que supone un gran límite a la hora de asumir promoción de vivienda, sobre todo de alquiler, ya que exige un endeudamiento mayor y a largo plazo[1300].

3.4. Nuevas fronteras, nuevos gestores

El complejo entramado de gestores de vivienda social en España se ve aún más alterado cuando incorporamos los nuevos gestores que surgen a raíz de las últimas políticas de vivienda destinadas a la protección de los colectivos vulnerables y al incremento del parque de vivienda social, como las entidades financieras y los fondos de inversión. Habrá que esperar para ver si estos nuevos gestores lo son únicamente de manera coyuntural o si se convierten en parte estructural del panorama de gestión de este parque.

Así, recuperando algunas de las medidas ya mencionadas anteriormente, a nivel estatal, el Real Decreto-ley 27/2012 crea el Fondo Social de Vivienda y regula una suspensión temporal de lanzamientos sobre viviendas habituales de colectivos especialmente vulnerable (actualmente extendida hasta mayo de 2024), y al que el Real Decreto-ley 5/2017 añade un derecho de arrendamiento (de un año prorrogable hasta cinco años) para aquellos colectivos a los que se les suspende el lanzamiento. Asimismo, el Plan Estatal de Vivienda 2018-2021 regulaba, hasta hace poco, la constitución de fondos de vivienda para alquiler social para colectivos vulnerables desahuciados, aunque en este caso, estaba previsto que la gestión y el seguimiento del arrendamiento lo llevara a cabo el órgano de gestión (en el que podían participar representantes de las entidades de crédito y de las organizaciones del tercer sector con actividad en el campo de la vivienda social y experiencia en cuestiones de inclusión y apoyo social). Así, la competencia que

---

[1299] Véase el mismo argumento, pero en el ámbito de la protección del territorio y el medio ambiente, en Nasarre Aznar, S. "La custodia del territorio mediante mecanismos *mortis causa* en el Derecho Civil de Cataluña", *Boletín Servicio de Estudios Registrales de Cataluña*, núm. 155, 2011, pp. 88-121. pp. 89 y 90.

[1300] Trilla i Bellart, C. y Bosch Meda, J. *El parque público y protegido de viviendas en España: un análisis desde el contexto europeo*, cit. p. 73.

ya podía existir en el campo de la vivienda en propiedad[1301], se traslada al sector de vivienda social, con la (forzada) irrupción de las entidades bancarias como nuevos gestores de vivienda social.

A nivel autonómico, también se han visto medidas que imponen alquileres forzosos para las entidades bancarias y, además, han surgido medidas que han presionado a los bancos a ceder sus viviendas a las Administraciones públicas o a entidades del tercer sector, o bien se han regulado las expropiaciones de uso en casos de viviendas vacías o de desahucios de colectivos vulnerables por ejecuciones hipotecarias, aunque las medidas en relación a estos desahucios han sido declaradas inconstitucionales en su mayoría[1302]. En consecuencia, esto implica, por un lado, el nuevo ya mencionado rol de las entidades financieras en el campo de la vivienda social y, por otro lado, el incremento del parque de vivienda gestionado por la Administración (en sus diferentes niveles) o por entidades sin ánimo de lucro, lo que conlleva la aún mayor diversidad de programas que regulan esas viviendas y que marcan su marco jurídico, hecho que hace la gestión más compleja. Esa complejidad también continua con el Proyecto de Real Decreto del Plan estatal para el acceso a la vivienda 2022-2025, ya que regula distintos programas de captación de vivienda privada, cada uno con sus requisitos en relación con los beneficiarios, los años de arrendamiento o cesión y los límites de precio. La Figura 21 refleja esa variedad de programas que puede llegar a gestionar la Administración pública catalana, en este caso.

Además, ya se ha mencionado *supra*[1303] la irrupción de los fondos de inversión a través de la compra de parque público. Estas operaciones han recibido, sin embargo, duras críticas, entre las que se encuentran la subida de precios impuestos y la especulación con estas viviendas[1304].

[1301] "Los promotores reconocen no construir VPOs porque los bancos venden viviendas a un 20% por debajo del precio que los promotores podrían ofrecer al construir con los precios actuales. En otras palabras, los bancos, transformados en agencias inmobiliarias, compiten ahora directamente con muchos promotores de VPO". PAREJA EASTAWAY, M. y SÁNCHEZ MARTÍNEZ, M. T. "More social housing? A critical analysis of social housing provision in Spain", cit. p. 128. Traducción propia.

[1302] Véanse las legislaciones declaradas inconstitucionales y las declaradas constitucionales en el apartado "1.2. Aumentando por todas las vías el parque de vivienda social en alquiler" de este capítulo.

[1303] En el apartado "3.1. Marco general de los modelos de gestión y de su forma jurídica" de este mismo capítulo.

[1304] Véase, por ejemplo, EL PAÍS. *Un fondo de inversión subirá el alquiler un 40% en casas protegidas en Las Rozas*, 17-05-2017, disponible en https://elpais.com/ccaa/2017/05/10/madrid/1494438343_707542.html (último acceso 24-10-

Figura 21. Viviendas destinadas a políticas sociales en Cataluña,
según su procedencia 2018-2019[1305]

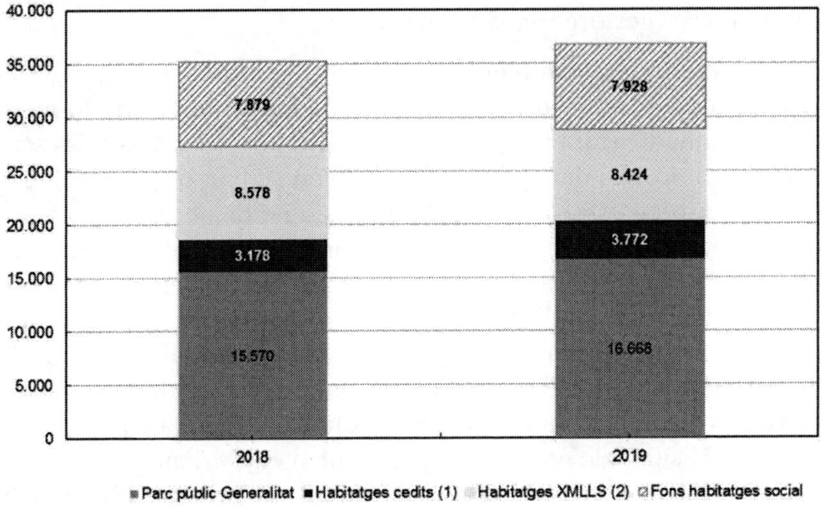

Parc públic Generalitat   Habitatges cedits (1)   Habitatges XMLLS (2)   Fons habitatges social

Fuente: Generalitat de Catalunya. *Informe sobre el sector de l'habitatge a Catalunya 2019*, 2020, p. 92.

_____

2019) y El País. *Mil familias contra un fondo de inversión*, 27-08-2018, disponible en https://elpais.com/ccaa/2018/08/25/madrid/1535220469_241839.html (último acceso 24-10-2019). Precisamente para evitar la venta de parque público a dichos fondos de inversión, la CA de Andalucía modificó el art. 4 del Reglamento de Viviendas Protegidas de la Comunidad Autónoma de Andalucía (por el art. 2.2 del Decreto 161/2018, de 28 de agosto, de defensa de la vivienda del parque público residencial de la Comunidad Autónoma de Andalucía, por el que se modifica el Decreto 149/2006, de 25 de julio, el Reglamento de Viviendas Protegidas de la Comunidad Autónoma de Andalucía, aprobado por dicho decreto, y el Reglamento Regulador de los Registros Públicos Municipales de Demandantes de Vivienda Protegida, aprobado por Decreto 1/2012, de 10 enero. BOJA 05-09-2018, núm. 172), estableciendo que "en ningún caso, la Administración de la Junta de Andalucía, directamente o a través de la Agencia de Vivienda y Rehabilitación de Andalucía (AVRA), o ente que la sustituya, podrá enajenar viviendas protegidas a personas jurídicas salvo que éstas sean de naturaleza pública, de conformidad con lo expresado en el párrafo segundo del apartado 2".

[1305] De izquierda a derecha en la leyenda (o de abajo a arriba en la figura): el parque de vivienda público propio de la Generalidad de Cataluña; las viviendas que gestiona la Agencia de la Vivienda de Cataluña cedida por parte de entidades financieras y particulares; las viviendas captadas de particulares que forman parte del Programa de Mediación de Vivienda Social catalán (*Programa de Mediació per al Lloguer Social*); y otras viviendas públicas (de administraciones locales) que forman parte de lo que se conoce como Fondo de vivienda social catalán.

3.5. Modelos de gestión representativos

Una vez analizado el marco general, en el que queda evidenciada la dificultad de tratar la gestión de la vivienda social en España desde una visión estatal y unitaria, y ante la dificultad y la excesiva extensión que supondría tratar todos y cada uno de los modelos de gestión existentes, con sus respectivas particularidades, este apartado tiene como propósito examinar algunos de los modelos que consideramos más representativos.

Así, los modelos escogidos pretenden englobar otros modelos que, a pesar de sus mayores o menores particularidades, siguen un esquema de gestión parecido, ya sea por su carácter público o privado, su tipo de persona jurídica, su objetivo, su organización interna, etc. Además, para poder situar estos modelos representativos en contexto, se tendrán en cuenta las CCAA en las que estos actúan[1306].

Así, primeramente, se describen las tipologías de vivienda social existentes en estas CCAA escogidas, ya que, como se ha dicho, cada una puede disponer de diferentes tipologías de vivienda social. Posteriormente, se presentan los modelos de gestión escogidos, y los apartados en los que se desglosan siguen un esquema parecido (adaptado a nuestro sistema) al del capítulo anterior donde se han estudiado los modelos comparados, puesto que de esa forma puede hacerse una comparativa más clara. Finalmente, y a modo de conclusión, se exponen los rasgos comunes que poseen los modelos desarrollados, así como también sus diferencias más notorias, mencionando otros aspectos que también son de interés para este estudio.

3.5.1. Tipologías de vivienda social

Las CCAA cuyos modelos de gestión de vivienda social trataremos son: Aragón, Cataluña, la Comunidad Valenciana y el País Vasco. Así, la Figura 22 muestra, de una forma general, los tipos de vivienda social a los que pueden acceder las unidades familiares de estas CCAA, ordenadas en relación con los ingresos anuales máximos permitidos. Debe tenerse en cuenta, por un lado, que las referencias a los ingresos máximos son aproximadas, ya

---

[1306] La elección de unas determinadas CCAA no responde a una intención de desfavorecer o ignorar las CCAA restantes, las cuales también disponen de modelos para proveer vivienda social, pero nótese que tratar todas y cada una de las CCAA supondría o bien un trabajo demasiado extenso, o bien un resumen poco preciso y acurado.

que pueden oscilar dependiendo de las circunstancias personales o del número de miembros de la unidad familiar y, por otro lado, que el acceso a cada tipología de vivienda puede depender del cumplimiento de otros requisitos exigidos. Además, dicha Figura muestra un retrato de las tipologías ofrecidas a 2019 y, en consecuencia, no se incluyen aquellas tipologías que, aun habiendo promociones vigentes, son de Planes o normativas anteriores ya derogadas[1307].

Figura 22. Tipologías de vivienda según los ingresos familiares o de la unidad de convivencia, 2019. Aragón, Cataluña, la Comunidad Valenciana y el País Vasco

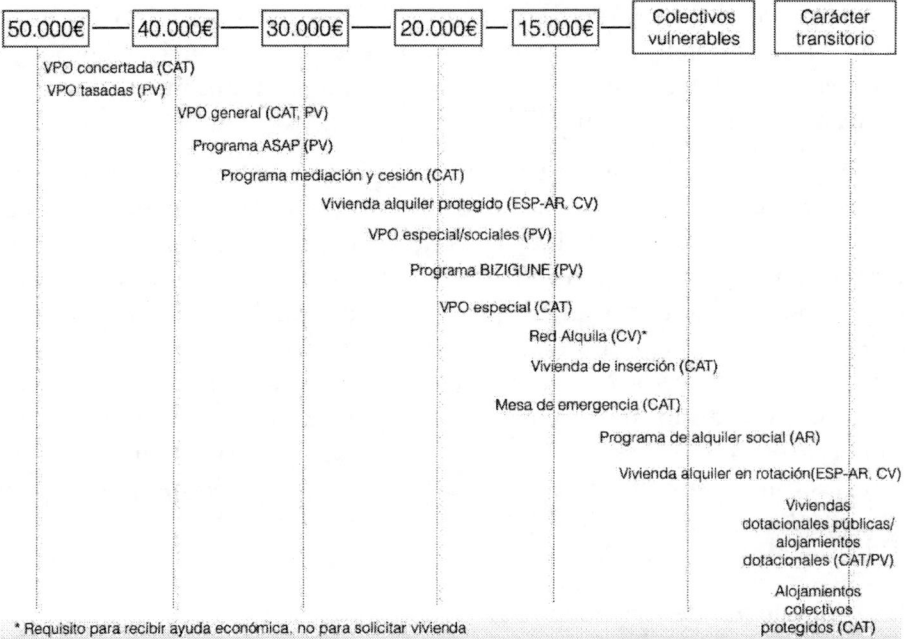

Fuente: Elaboración propia.

[1307] Respecto a la convivencia de promociones de vivienda que se rigen por Planes ya derogados, véase *supra* el apartado "2.4 Planteamiento de una Ley Estatal de Vivienda" de este mismo capítulo. Sí incorporamos, sin embargo, la vivienda de alquiler en rotación del Plan Estatal de Vivienda 2013-2016, para poder contrastarla con la vivienda de alquiler del Plan 2018-2021. Posterior al 2019 también ha habido algunos cambios, como por ejemplo las tipologías de VPO en Cataluña, que actualmente ya no se dividen en general, especial y concertada, sino que simplemente se distingue entre calificación genérica o específica dependiendo de la tenencia con la que se accede a esa vivienda por la persona usuaria (véase Tabla 4 de este libro).

Este resumen gráfico pone en evidencia lo que ya hemos venido exponiendo hasta ahora: la gran variedad de tipologías de vivienda que pueden incluirse en el ámbito de vivienda social, que además puede venir regulada por distinta normativa e instrumentos[1308]. Cabe destacar que actualmente este parque abarca una gran franja de población, pero que la mayoría de programas para los colectivos con menos ingresos son relativamente recientes[1309] y fruto del incremento de demanda de vivienda social posterior a la crisis económica de 2007.

3.5.2. Modelos de gestión

3.5.2.1. Modelos representativos seleccionados y su relevancia en el sector

Puesto que la legislación y la normativa existentes no llegan a abarcar ni a profundizar en aspectos importantes relacionados con la gestión de vivienda social, más allá de la normativa referente a la forma jurídica de cada entidad a la que hemos aludido, es necesario recurrir a la información que se pueda recopilar de los documentos y protocolos de funcionamiento interno de cada entidad gestora.

Por ese motivo, y debido a la gran atomización del sector y de la pluralidad de tipos de entidades que gestionan parque de vivienda social en España, hemos escogido entidades que representan diferentes modelos de gestión existente, lo que nos permite ofrecer una visión más aproximada a la realidad y a la práctica del campo de la gestión del parque de vivienda social[1310].

[1308] Iremos viendo ejemplos de la diversidad normativa a lo largo de este apartado.

[1309] El Programa de vivienda de alquiler en rotación se regulaba en el Plan Estatal de Vivienda 2013-2016 (arts. 14 y ss.), el Programa de alquiler social aragonés se crean en 2013 con el Decreto 102/2013, de 11 de junio, del Gobierno de Aragón, por el que se crea y regula la Red de Bolsas de Viviendas para el Alquiler Social de Aragón (BOA 20-06-2013, núm. 120), y la Mesa de emergencia de Cataluña en 2014, por el PDVC (arts. 73 y ss.). El Plan Estatal de Vivienda 2018-2021 regula la promoción de vivienda de alquiler o cedida en uso para personas con unos ingresos (de la unidad de convivencia) que no pueden superar los 22.000 o 34.000 euros/anuales aproximadamente, por lo tanto, aumenta los ingresos máximos respecto del Plan anterior.

[1310] Este apartado parte del trabajo realizado para el Proyecto "Gestió de l'habitatge social a Catalunya", financiado por la Escuela de Administración Pública de Cataluña. GRI/2844/2013. DOGC núm. 6542, 17-01-2014. En el marco de este, se realizó un cuestionario sobre modelos de gestión de vivienda social, añadido como

Así, hemos tomado como referencia, para desarrollar el apartado que sigue, los modelos enumerados en las Tablas 11 y 12. Se analiza a la Agencia de la vivienda de Cataluña[1311] (AVC en adelante) como modelo de entidad pública a nivel de CA; a la Oficina local de vivienda del Consell Comarcal del Tarragonès[1312] (OLV CCT en adelante) en el ámbito supramunicipal; y a la Sociedad municipal Zaragoza Vivienda[1313] (Zaragoza Vivienda en adelante), al Patronato municipal de la vivienda de Alicante[1314] (fundación municipal), al Organismo autónomo local Viviendas Municipales de Bilbao[1315] (VVMM de Bilbao en adelante) y al Servicio municipal de la vivienda y actuaciones urbanas S.A. de Tarragona[1316] (SMHAUSA en adelante), en el ámbito público y municipal.

Anexo a este libro, contestado por las doce entidades enumeradas en las tablas 11 y 12 (de un total de 24 cuestionarios enviados), en el que además las entidades adjuntaron documentos y protocolos de funcionamiento interno de sus respectivas entidades. Es por ello que el estudio de este apartado se centra en el período 2016-2018 en su mayoría.

[1311] Véase su página web oficial en http://agenciahabitatge.gencat.cat/wps/portal/!ut/p/z1/04_Sj9CPykssy0xPLMnMz0vMAfIjo8ziLQIs3T0sTIx-8DIK8TAwcTT1d3D0tTIwNDEz0wwkpiAJKG-AAjgZA_VGElBTkRhikOyoqAgD-GDC0x/dz/d5/L2dBISEvZ0FBIS9nQSEh/ (último acceso 28-01-2018).

[1312] Véase su página web oficial en http://tarragones.cat/habitatge (último acceso 28-01-2018).

[1313] Véase su página web oficial en http://www.zaragozavivienda.es/index.asp (último acceso 28-01-2018).

[1314] Véase su página web oficial en http://www.alicante.es/es/equipamientos/patronato-municipal-vivienda (último acceso 28-01-2018).

[1315] Véase su página web oficial en http://www.bilbao.eus/servlet/Satellite/vvmm/es/inicio (último acceso 28-01-2018).

[1316] Véase su página web oficial en http://www.tarracohabitatge.cat (último acceso 28-01-2018).

Tabla 11. Parque de vivienda social gestionado por los modelos representativos públicos escogidos, 2018

Tipo de entidad	Tipo de persona jurídica	Entidad concreta	Número de viviendas sociales gestionadas
Entidad autonómica	Agencia (entidad de derecho público)	AVC	18.7481[1316]
Ámbito supramunicipal	Oficina local Consejo Comarcal	OLV CCT	691[1317]
Ámbito municipal	SLU	Zaragoza Vivienda	2.3851[1318]
	Fundación municipal	Patronato Municipal de la Vivienda de Alicante	1.6151[1319]
	Organismo autónomo local	VVMM de Bilbao	4.1691[1320]
	SA	SMHAUSA	2201[1321]

Fuente: Elaboración propia siguiendo los datos extraídos de las memorias de las entidades, de las entrevistas y cuestionarios realizados, referenciado en cada entidad. Datos del 2018 en su mayoría.

[1317] GENERALITAT DE CATALUNYA. *Informe sobre el sector de l'habitatge a Catalunya. Any 2018*, 2019. p. 94. Este número incluye tanto parque público como parque privado (de particulares y de entidades financieras) cedido y gestionado por la AVC.

[1318] Entrevista realizada el día 30-01-2018, con datos de día 31-12-2017, en el marco del Proyecto "Gestió de l'habitatge social a Catalunya" ya mencionado.

[1319] SOCIEDAD MUNICIPAL ZARAGOZA VIVIENDA, S.L.U. *Cuentas anuales e informe de gestión 2018. Incluye informe de auditoría de cuentas anuales*, 2019. p. 30. De estas, 1.789 son propiedad de Zaragoza Vivienda mientras que 596 son cedidas por el Ayuntamiento de Zaragoza, por particulares y por entidades bancaria.

[1320] Cuestionario del Anexo respondido el 27-02-2015. De estas, 716 son viviendas de patrimonio propio mientras que 899 se gestionan a través de un Programa de intermediación social inmobiliaria.

[1321] ORGANISMO AUTÓNOMO LOCAL VIVIENDAS MUNICIPALES DE BILBAO. Memoria 2018, 2019. pp. 6 y 7. 4.149 son viviendas y 20 son alojamientos dotacionales.

[1322] SERVEI MUNICIPAL DE L'HABITATGE I ACTUACIONS URBANES, S.A. *Informe de gestió 2018*, 2019. pp. 5 y 6. De estos 220, 112 son del Programa de la Bolsa de mediación, es decir, provenientes de particulares y gestionados por la Oficina Local de Vivienda.

En el campo privado, se toman como referencia a la Compañía Española de Viviendas en Alquiler S.A.[1323] (CEVASA en adelante) como entidad privada con ánimo de lucro, y la Fundación Família i Benestar Social (FIBS en adelante)[1324] y Sant Joan de Déu Serveis Socials[1325] como entidades privadas sin ánimo de lucro, siendo la primera una fundación y la segunda una orden religiosa. Requiere de una mención especial la Fundación Bancaria Caja de Ahorros y Pensiones de Barcelona, "la Caixa" (Fundación Bancaria "la Caixa" en adelante)[1326], puesto que se construye mediante un entramado corporativo complejo, basado en la Fundación Bancaria[1327] y un seguido de grupos de empresas dependientes de ella[1328], como el Grupo Inmo Criteria Caixa S.A.U. que se encarga de la promoción y gestión inmobiliaria y, por ende, de los programas de vivienda social y asequible[1329]. Finalmente, se analiza la Fundación Mambré[1330] y la Fundación Hàbitat3[1331] como modelos de fundaciones especializadas en la gestión de vivienda social. Todo ello, sin perjuicio que se puedan añadir entidades distintas para hacer referencia a alguna de sus prácticas de gestión en concreto.

[1323] Véase su página web oficial en http://www.cevasa.com/edit/home.aspx (último acceso 28-01-2018).

[1324] Véase su página web oficial en http://fibs.cat (último acceso 28-01-2018).

[1325] Véase su página web oficial en http://www.sjdserveissocials-bcn.org (último acceso 28-01-2018).

[1326] Véase su página web oficial en http://obrasocial-lacaixa.com/es/vivienda-asequible/home (último acceso 28-01-2018).

[1327] Regulada principalmente por la Ley 26/2013, de 27 de diciembre, de cajas de ahorros y fundaciones bancarias (BOE 28-12-2013, núm. 311) y por la Ley 50/2002, de 26 de diciembre, de fundaciones.

[1328] Véanse todas las sociedades dependientes de la Fundación Bancaria "la Caixa" en Fundación Bancaria "la Caixa". *Cuentas anuales consolidadas e Informe de gestión consolidado del Grupo Fundación Bancaria "la Caixa" correspondientes al ejercicio 2018*, 2019. pp. 114-118.

[1329] Véase https://www.inmocaixa.com/politica-de-privacidad (último acceso 14-11-2019), donde pueden verse todas las empresas que conforman el Grupo InmoCaixa. Asimismo, puede consultarse el organigrama y posición de InmoCaixa dentro de la Fundación Bancaria "la Caixa" en CriteriaCaixa. *Presentación corporativa 2019*. p. 4.

[1330] Véase su página web oficial en http://www.fundaciomambre.org/ca/home.html (último acceso 28-01-2018).

[1331] Véase su página web oficial en http://habitat3.cat (último acceso 28-01-2018).

1332133313341335

Tabla 12. Parque de vivienda social gestionado por los modelos representativos privados escogidos, 2018

Lucro	Tipo de persona jurídica	Entidad concreta	Número de viviendas sociales gestionadas
Con ánimo de lucro	SA	CEVASA	12.4801[1331]
	Estructura corporativa: Fundación + SAU (principalmente)	Fundación Bancaria "la Caixa"	12.0001[1332]
Sin ánimo de lucro	Fundación	FIBS	5061[1333]
	Orden religiosa	Sant Joan de Déu Serveis Socials	401[1334]
	Fundaciones especializadas en gestión de vivienda	Fundación Mambré	2181[1335]
		Fundación Hàbitat3	4401[1336]

Fuente: Elaboración propia siguiendo los datos extraídos de las memorias de las entidades, de las entrevistas y cuestionarios realizados, referenciado en cada entidad. Datos del 2018 en su mayoría.

[1332] Se trata de 9.387 viviendas de Cevasa Patrimonio en Alquiler, SLU y 3.093 de SBD Lloguer Social, sociedad participada un 80% por CEVASA. COMPAÑÍA ESPAÑOLA DE VIVIENDAS EN ALQUILER. *Informe financiero anual correspondiente al ejercicio 2018*, 2019. p. 146.

[1333] Esta cifra es aproximada e incluye los diferentes Programas que tiene Fundación Bancaria "la Caixa" de vivienda social, que sumadas al Programa de vivienda de CaixaBank se elevan a más de 28.000 viviendas. FUNDACIÓN BANCARIA "LA CAIXA". *Informe de gestión del Grupo Fundación Bancaria "la Caixa". Ejercicio 2018*, 2019. p. 7. La memoria de CaixaBank, sin embargo, cifra en 22.000 las viviendas sociales del Grupo, mencionando que, de estas, más de 6.000 se gestionan en colaboración con la Obra Social "la Caixa", denotando una diferencia importante de las cifras entre las dos memorias. CAIXABANK. I*nforme de gestión consolidado del Grupo Caixa-Bank 2018*, 2019. p. 87. Por su lado, en el Cuestionario del Anexo respondido el 20-02-2015, se reflejó la existencia en ese momento de 9.990 viviendas gestionadas por el Grup Foment Immobiliari Assequible (actual InmoCaixa), 3.990 de las cuales provenían del Programa de Vivienda Asequible (viviendas propias) y 6.000 del Programa de Alquiler Solidario Centralizado (gestión de viviendas propiedad de otras sociedades del Grupo).

[1334] Este número incluye 481 viviendas de alquiler social y 25 plazas en la *Llar la Mercè*. FUNDACIÓ FAMÍLIA I BENESTAR SOCIAL. Memòria 2018, 2019. pp. 4 y 9.

[1335] Cuestionario del Anexo respondido el 21-12-2016. Estas viviendas se relacionan con el Programa Llars de viviendas de inclusión (15 viviendas) y Programa de Primer la Llar o *Housing First* (25 viviendas). En SANT JOAN DE DÉU SERVEIS SOCIALS BARCELONA. *Hitos+* 2018, 2019. p. 4 pueden verse estos y demás Programas, así como el total de personas atendidas cada día por Programa (265 personas en total).

Así, este apartado se construye a caballo entre el análisis de la legislación y normativa vigente en la materia, y el estudio de aspectos concretos de las entidades tomadas como referencia para cada modelo representatm ivo, siempre teniendo presente que habrá entidades dentro de los modelos representativos que se organicen, actúen y gestionen de manera distinta del aquí reflejado.

A la hora de hablar del rol que cada modelo de gestión desempeña dentro del sector de vivienda social, es un dato significativo tanto el tamaño de las entidades como sus funciones principales. En relación con el primer punto, y teniendo en cuenta las Tablas 11 y 12 ya mencionadas, las entidades gestoras de mayor volumen de negocio son las autonómicas, las cuales suelen ceder o descentralizar parte de su gestión hacia oficinas territoriales o locales[1338]. Les siguen las entidades públicas que disponen de personalidad jurídica propia[1339] (disponiendo, por lo tanto, de patrimonio propio y plena capacidad de obrar). En el sector de gestión privada, existe mayor diversidad, aunque las entidades con ánimo de lucro disponen, por lo general, de mayor parque de vivienda social que las entidades sin ánimo de

---

[1336] Fundació Mambré. *Memòria 2018: un any amb 127.398 nits*, 2019. p. 2.

[1337] Fundació Hàbitat3. *Memòria 2018. Garantint el dret a l'habitatge per a persones en situació vulnerable*. Barcelona, 2019. p. 11. De estos, 20 son en propiedad, 52 con un encargo de acompañamiento social sin gestión contractual, 74 son viviendas cedidas por la Generalidad de Cataluña y 294 cedidas por particulares; del total, 345 se gestionan por encargo de administraciones públicas y 95 por encargo de entidades sociales.

[1338] A parte del ejemplo de la AVC, que dispone de colaboraciones con las oficinas locales de vivienda y las bolsas de mediación (que dependen de ayuntamientos, consejos comarcales y agrupaciones de municipios) para gestionar parte de su oferta de vivienda, encontramos el ejemplo de Alokabide en el País Vasco, constituida como sociedad anónima, que dispone de tres Oficinas territoriales, en Bilbao, San Sebastián y Victoria-Gasteiz. Alokabide gestiona unas 12.121 viviendas, teniendo presente que incluyen Viviendas sociales de su parque propio, del parque del Gobierno Vasco, del parque de Ayuntamientos, viviendas sociales de Harri 1 S.L (sociedad privada participada por Kutxabank), viviendas del Programa Bizigune y del Programa ASAP (véase estos dos últimos Programas en el siguiente apartado). Alokabide. *Memoria 2016*. pp. 18 y 19.

[1339] Es el caso, también, del nuevo Instituto municipal de Vivienda y Rehabilitación de Barcelona, entidad que agrupa a los servicios de vivienda de Barcelona Gestión Urbanística SA y el Patronato Municipal de Vivienda, y que gestiona más de 7.000 pisos en la ciudad (véase http://habitatge.barcelona/ca/qui-som/institut-municipal-habitatge-rehabilitacio, último acceso 30-01-2018). Claro está que se trata de una afirmación en términos generales y, por lo tanto, existen excepciones, como sería el caso de SMHAUSA.

lucro, diferencia que se nota sobre todo en las entidades del tercer sector social cuya esencia es precisamente la ayuda, apoyo y prestación de servicios a colectivos muy concretos, siendo uno de sus valores la proximidad con los mismos. Se exceptionan las fundaciones gestoras creadas específicamente para gestionar vivienda social, precisamente porque ya nacen con esa función principal.

Otro de los aspectos importantes a tener en cuenta es qué tipo de vivienda se gestiona, en qué régimen se hace y con qué título las poseen las entidades, cuestiones que se tratan en los siguientes apartados.

3.5.2.2. Formas de tenencia de las viviendas sociales

a. Fórmulas de acceso a la vivienda social

a.1. Acceso por parte de la entidad

Siguiendo con la última reflexión hecha en el apartado anterior, es importante tener presente, a la hora de hablar de las formas de tenencia de las viviendas sociales, que no todas las entidades gestoras poseen las viviendas con el mismo título, sino que encontramos entidades que son propietarias del parque que gestionan, otras son arrendatarias, otras poseen un derecho de usufructo, un derecho de cesión de uso, etc. Por ello, la forma de acceso del beneficiario de una vivienda social, así como el papel que desempeñará la entidad gestora en la gestión dependerá en gran medida del título que tenga dicha entidad sobre la vivienda.

En términos generales, las entidades privadas con ánimo de lucro y las entidades públicas con personalidad jurídica propia suelen disponer de más vivienda de promoción propia que, junto con la vivienda obtenida de la compra, hace que sean propietarios de la gran mayoría de parque que gestionan. Sin embargo, no es menos cierto que, en los últimos años, han aumentado las viviendas provenientes de programas de captación de parque privado vacío[1340]. Así, las entidades públicas acabadas de mencionar también gestionan vivienda de la que no son titulares, sino sobre las que se les ha "cedido la gestión" a través de diferentes fórmulas que se tratarán en este apartado[1341]. Estos programas suponen gran parte de la

---

[1340] Véanse ejemplos de estos Programas *infra* en este mismo capítulo, en el apartado "3.5.2.6. El sistema de adjudicación de las viviendas".

[1341] A modo de ejemplo, más de la mitad de vivienda gestionada por SMHAUSA y por el Patronato Municipal de la Vivienda del Ayuntamiento de Alicante proviene de

vivienda gestionada por las oficinas locales y/o regionales, que además son, en algunos casos, de las entidades de vivienda autonómicas (como la AVC), y que tiene cedida a esas oficinas (ej. Programa de mediación del alquiler social gestionado por la OLV CCT). En cuanto a las entidades sin ánimo de lucro, existe diversidad respecto a la titularidad o no de la vivienda gestionada, pero muchas de las entidades que conforman el tercer sector no tienen un gran porcentaje de vivienda en propiedad (aunque reciben algunas donaciones o herencias también), sino que el parque de viviendas que gestiona proviene de alquilar en el sector privado, de cesiones de la vivienda por parte de la propia Administración pública, por parte de otras entidades privadas o por parte de particulares[1342], pudiendo existir también suelo público adquirido en derecho de superficie[1343]. Destaca la celebración de contratos o convenios de cesión de la gestión de esas viviendas en los casos de las comentadas fundaciones creadas con la finalidad de gestionar parque de vivienda social (ej. Fundación Hàbitat3[1344] y Fundación Mambré[1345]).

Esa gran variedad de tenencias de la vivienda social supone la existencia de un complejo entramado de contratos y convenios celebrados entre entidad o persona propietaria/arrendadora y entidad gestora, entre entidad

---

este tipo de programas. En el caso de la segunda entidad, además, esa gestión se traspasa a una entidad privada sin ánimo de lucro, la Asociación Provivienda (véase https://www.alicante.es/es/contenidos/programa-alquiler-asequible-vivienda, último acceso 25-10-2019).

[1342] Véase, a modo de ejemplo, los porcentajes de regímenes de tenencia de las viviendas gestionadas por parte de entidades del tercer sector social en Cataluña: alquiler en el mercado privado (31,2%), vivienda cedida privada (25,1%) y pública (17,8%), en propiedad (17,1%), alquiler del sector público (8,8%) CERVERA, C., SUTRIAS, F. y TRILLA, C. "La contribució del Tercer Sector al lloguer social", cit. p. 21.

[1343] Véase la definición de esta institución *infra* en este mismo apartado al hablar de las vías de acceso a una vivienda social. A modo de ejemplo, el Plan para el derecho a la vivienda en Barcelona 2016-2025 regula y quiere potenciar el uso del derecho de superficie primero como régimen de tenencia de las familias beneficiarias de vivienda protegida y segundo como mecanismo para ceder suelo público a promotores sociales privados para que estos realicen promociones de vivienda en régimen de alquiler o de cesión en uso. AYUNTAMIENTO DE BARCELONA. *Pla pel dret a l'habitatge de Barcelona 2016-2025*, cit. p. 258.

[1344] Véase la colaboración de esta entidad con el sector público en https://www.habitat3.cat/collaboradors, último acceso 25-10-2019.

[1345] Véase sus colaboraciones con entidades en http://www.fundaciomambre.org/ca/web/70_gestio-dhabitatge.html, último acceso 25-10-2019.

gestora y usuario final de la vivienda y entre entidad o persona propietaria/arrendadora y usuario final. Esto enmaraña aun más un sector ya de por sí confuso. Así, más allá de las viviendas que se tienen en propiedad o en derecho de superficie, aparecen términos como: "cesión de la vivienda" o "cesión del uso de la vivienda"[1346], "cesión del derecho de usufructo"[1347], "contratos de mandato"[1348], etc.

Con el fin de visualizar un poco mejor este entramado, presentamos algunos ejemplos. Así, pueden mencionarse el Programa ASAP y el Programa Bizigune del País Vasco, ambos con el objetivo de captar vivienda vacía del mercado libre para ofrecerla en arrendamiento asequible[1349]. Por un lado, en el Programa ASAP, el contrato de arrendamiento se celebra directamente entre el propietario y el arrendatario social, y le acompaña un contrato de mandato, por el que se atribuye la gestión de la vivienda en exclusiva a un agente colaborador (intermediario homologado)[1350]. Por otro lado, en el Programa Bizigune, el propietario de la vivienda cede la vivienda a la Administración (a Alokabide S.A. concretamente), para que esta última la ofrezca posteriormente en arrendamiento[1351]. La Fundación

---

[1346] El uso de una vivienda puede cederse mediante diversas formas jurídicas como el arrendamiento, el usufructo, el mandato, el comodato, el derecho de uso o el de habitación. Los arts. 523 y ss. CC regulan el derecho de uso y también de habitación. Así, el uso "da derecho a percibir de los frutos de la cosa ajena los que basten a las necesidades del usuario y de su familia, aunque ésta se aumente." (art. 524 CC) y los derechos de uso y habitación "no se pueden arrendar ni traspasar a otro por ninguna clase de título" (art. 525 CC). En Cataluña, en cambio, el CCC regula expresamente la posibilidad de enajenar y gravar el derecho de uso, siempre y cuando tengan el consentimiento de los propietarios (art. 562-4 CCC). Véase más sobre estas figuras en el apartado siguiente, al hablar de las fórmulas de acceso por parte del beneficiario de la vivienda social.

[1347] Art. 467 CC: "El usufructo da derecho a disfrutar los bienes ajenos con la obligación de conservar su forma y sustancia, a no ser que el título de su constitución o la ley autoricen otra cosa."

[1348] Regulado por el art. 1709 (y ss.) CC, que establece "Por el contrato de mandato se obliga una persona a prestar algún servicio o hacer alguna cosa, por cuenta o encargo de otra."

[1349] Véase un poco más sobre estos Programas *infra* en este mismo capítulo, en el apartado sobre los sistemas de adjudicación de vivienda social.

[1350] Arts. 20 y 24 Decreto 144/2019, de 17 de septiembre de 2019. Características parecidas presenta el Programa de mediación para el alquiler social en Cataluña, pues también existe un contrato de arrendamiento celebrado directamente entre arrendador y arrendatario y un documento de mandato (arts. 16 y ss. PDVC).

[1351] Art. 3 Decreto 466/2013, de 23 de diciembre, por el que se regula el Programa de Vivienda Vacía "Bizigune". El propio artículo especifica que "La cesión se podrá

Hàbitat3 presenta varios programas conjuntamente con diferentes niveles de la Administración pública; por ejemplo, el Programa de viviendas vacías con el Ayuntamiento de Barcelona, por el que los propietarios ceden el uso de la vivienda a Hàbitat3, y esta entidad celebra el contrato de alquiler con el arrendatario social designado por el Ayuntamiento, disponiendo además de un convenio entre este último y la entidad gestora, donde se acuerdan las obligaciones de ambas partes[1352]; o convenios celebrados con la AVC, por los que la segunda cede la gestión del uso de viviendas de titularidad pública, viviendas que se permite a Hàbitat3 que ceda a través de un contrato de uso o de un alquiler de carácter asistencial (por lo tanto, de uso distinto al de vivienda)[1353]. En ambos casos se utiliza la "cesión de uso" y la "cesión de la gestión del uso" como figuras distintas a las tipificadas (ej. arrendamiento, mandato o derecho de uso)[1354]. Como último ejemplo, pueden citarse los fondos de viviendas para alquiler social que regulaba (hasta 2020) el nuevo Plan Estatal de Vivienda 2018-2021, con la existencia de convenios entre las entidades de crédito y el Ministerio de Fomento (convenio marco) y entre las entidades de crédito y las CCAA (convenios específicos). Este último convenio específico también regulaba la relación jurídica que se escogía para ceder la vivienda a la CA, que, a diferencia del borrador del plan, no estipulaba ninguna figura concreta[1355].

---

formalizar utilizando cualquier figura contractual que faculte a Alokabide, S.A. para arrendar o subarrendar posteriormente las viviendas". La fórmula utilizada en este Programa es similar al antiguamente regulado Programa de cesión a la Administración de viviendas para destinarlas al alquiler social en Cataluña, arts. 85 y ss. Decreto 13/2010, de 2 de febrero, del Plan para el derecho a la vivienda de 2009-2012 (DOGC 11-02-2010, núm. 5565).

[1352] Véase más detalles de este Programa en https://www.habitat3.cat/projecte-pisos-buits-bcn (último acceso 13-11-2019).

[1353] Véase, como ejemplo, "Conveni entre l'Agència de l'Habitatge de Catalunya i Hàbitat 3 Tercer Sector Social, relatiu a la cessió de la gestió de l'ús de 2 habitatges de titularitat pública". Barcelona, 5 de mayo de 2016.

[1354] En este punto, debe tenerse presente que "las partes no pueden transmutar la naturaleza de las prestaciones por mucho que incurran en error o en voluntaria alteración de la denominación del contrato: el contrato será lo que resulte de su contenido, y no de la denominación que las partes le atribuyan". SAP de Las Palmas de 19 de febrero de 2002 (JUR 2002\277426), FD1.

[1355] El Borrador del Plan 2018-2021 regulaba en su art. 19 la cesión a través de un derecho de usufructo. El anterior art. 20.3 del Plan Estatal de Vivienda 2018-2021 mencionaba de forma general "conforme a la relación jurídica que se determine". El Proyecto de Real Decreto del Plan Estatal para el acceso a la vivienda 2022-2025 vuelve a regular el derecho de usufructo, en viviendas que la Sareb ceda a las CCAA o a entidades locales para destinar a arrendamiento social (arts. 72 y ss.)

Una línea innovadora que merece cierta atención es la seguida por el Gobierno catalán en relación con su política de tanteos y retractos ante la transmisión de las viviendas adquiridas en un proceso de ejecución hipotecaria o mediante compensación o pago de deuda con garantía hipotecaria[1356]. El Decreto ley 1/2015 permite que la Administración pública ejerza este derecho en su beneficio o en beneficio de municipios (y entidades vinculadas), de sociedades mercantiles de capital íntegramente público, de entidades sin ánimo de lucro que formen parte de la Red de viviendas de inserción o que tengan la consideración de promotores sociales[1357] según el art. 51.2.b) de la LDVC. Así, ante la cantidad de viviendas disponibles y la dificultad de la Administración catalana (principalmente por vía de la AVC) de adquirirlas todas, se celebró un Convenio entre la AVC y el Instituto Catalán de Finanzas[1358] que creó una línea de préstamos bonificados para la compra de esas viviendas. Lo interesante es que uno de los requisitos para ser beneficiario de estos préstamos bonificados es que se debe transmitir la titularidad sucesiva a la AVC para así constituir una propiedad temporal (arts. 547-1 y ss. CCC), es decir, la entidad beneficiaria del préstamo será propietaria por un plazo de setenta y cinco años, después del cual la propiedad revertirá a la AVC. La entidad beneficiaria se compromete a instar la calificación de esas viviendas como viviendas protegidas y destinarlas a alquiler o cesión de uso para unidades de convivencia con ingresos que no superen los 3,5 IRSC (unos 2.000 euros/mes aproximadamente).

[1356] Regulada en el art. 2.2.a del Decreto-ley 1/2015, de 24 de marzo, medida mencionada en el apartado "1.2. Aumentando por todas las vías el parque de vivienda social en alquiler" de este mismo capítulo.

[1357] Teniendo presente la inexistencia de un proceso de homologación de dichos promotores sociales exigido en el art. 51.3 de la LDVC, como ya se menciona *supra* en el apartado "3.2. La designación de la gestión de vivienda social en la normativa de vivienda. Agentes y federaciones".

[1358] Convenio de colaboración entre la Agencia de la Vivienda de Cataluña y el Instituto Catalán de Finanzas para la creación de una línea de préstamos bonificados para la adquisición de viviendas en ejercicio del derecho de tanteo y retracto previsto en el Decreto ley 1/2015 para destinar a alquiler social, 18-06-2018. Véase también la Adenda al Acuerdo marco para la adhesión de Ayuntamientos con demanda fuerte y acreditada, y homologación de entidades sociales con interés en la adquisición de viviendas provenientes del tanteo y retracto mediante una línea de préstamos bonificados, 29-05-2019.

a.2. Título de acceso del beneficiario social

En función del título con el que las entidades gestoras poseen su parque de vivienda, las formas de tenencia del beneficiario de vivienda social podrán ser unas u otras. Estas también irán ligadas al tipo de programa por el que se ofrezca esa vivienda, vinculado a su vez al tipo de colectivo destinatario. La vivienda protegida en general puede ofrecerse en alquiler[1359] (con o sin opción de compra), pero también, y teniendo presente que la vivienda es una competencia autonómica, se ofrece en propiedad, en derecho de superficie, en cesión de uso, etc[1360].

El derecho de superficie es un derecho real que atribuye la propiedad del inmueble o el derecho de edificación sobre terreno ajeno. Así, varios autores lo presentan como una disociación del dominio, en el que el concedente retiene la propiedad del terreno mientras que el superficiario adquiere la propiedad "superficiaria" del inmueble ya construido o por construir; sin embargo, no estamos ante un supuesto de cotitularidad, puesto que cada derecho tiene un objeto distinto[1361].

Su regulación en el ordenamiento jurídico español es, sin embargo, pobre y enfocada a la voluntad de pacto entre las partes[1362]. Así, el CC se limita a mencionarlo en su art. 1611 cuando dispone que su redención se regirá por una ley especial, mientras que su desarrollo se encuentra en los arts. 53 y 54 del Real Decreto Legislativo 7/2015, de 30 de octubre, por el que se aprueba el texto refundido de la Ley de Suelo y Rehabilitación

---

[1359] El Plan Estatal de Vivienda 2013-2016 únicamente contemplaba la promoción de vivienda protegida en alquiler (arts. 14 y ss.), línea que también sigue el Plan Estatal de Vivienda 2018-2021 (aunque este Plan se desprende de la nomenclatura de vivienda protegida), añadiendo el fomento de vivienda cedida en uso (arts. 24 y ss. y arts. 65 y ss.); sigue la misma línea el Proyecto de Real Decreto del Plan Estatal para el acceso a la vivienda 2022-2025.

[1360] Véase, por ejemplo, el art. 53 del PDVC.

[1361] ALONSO PÉREZ, M. T. "Capítulo 8. La temporalidad del derecho de superficie y los efectos de su extinción (Principal inconveniente para que sirva de vía de acceso a la vivienda)", en ALONSO PÉREZ, M. T. (dir.) *Nuevas vías jurídicas de acceso a la vivienda. Desde los problemas generados por la vivienda en propiedad ordinaria financiada con créditos hipotecarios a otras modalidades jurídico-reales de acceso a la vivienda*, cit., pp. 349-400. p. 355; ALBALADEJO, M. *Derecho Civil III. Derecho de Bienes*. Madrid: Edisofer, 2010. p. 687 y ROCA SASTRE, R. M. "Ensayo sobre el derecho de superficie", *Revista Crítica de Derecho Inmobiliario*, núm. 392-393, 1961. pp. 7-66. p. 18.

[1362] Véase ARANDA RODRÍGUEZ, R. "El derecho de superficie. Análisis de algunos de sus problemas jurídicos", *Revista crítica de derecho inmobiliario*, núm. 759, 2017, pp. 404-420. pp. 404 y 405.

Urbana (TRLSRU en adelante)[1363]. En cambio, tienen regulaciones más completas de este derecho Cataluña y Navarra, que lo contemplan en sus legislaciones tanto civiles como de suelo y urbanismo[1364].

Este derecho, pues, se dota de un régimen jurídico totalmente voluntario y, por regla general, no puede exceder de noventa y nueve años[1365] (aunque en la CA de Navarra puede constituirse por tiempo indefinido según su legislación civil y no puede superar los setenta y cinco años en la normativa urbanística)[1366], momento en el que se incorpora lo construido a la propiedad del suelo, siguiendo el principio de accesión inmobiliaria (art. 358 CC)[1367], a no ser que la propiedad del suelo se venda al superficiario con anterioridad[1368]. El hecho de tratarse de una propiedad distorsionada puede llegar a crear cierta confusión en cuanto a las facultades del superficiario, si estas no se pactan en detalle, como por ejemplo con relación a los derechos en un inmueble organizado en régimen de propiedad horizontal[1369]. Es decir, la propiedad superficiaria sobre las diferentes viviendas de un inmueble constituido en este régimen de propiedad horizontal es un escenario difícil, puesto que cabe ver si el concedente se reserva la propiedad de los elementos comunes, cómo contribuyen los superficiarios a los gastos comunes y en qué medida, quién debe reservarse, por ejemplo, los derechos de asistencia y de voto en las reuniones de la junta de propietarios de una propiedad horizontal, etc[1370]. Por lo tanto, a pesar

---

[1363] BOE 31-10-2015, núm. 261.

[1364] Arts. 564-1 y ss. CCC y art. 171 del Decreto Legislativo 1/2010, de 3 de agosto, en Cataluña, y Ley 427 y ss. de la Compilación del Derecho Civil Foral de Navarra y arts. 239-241 del Decreto Foral Legislativo 1/2017, de 26 de julio, por el que se aprueba el Texto Refundido de la Ley Foral de Ordenación del Territorio y Urbanismo (BOE 09-11-2017, núm. 272). Otras CCAA también incorporan el derecho de superficie en sus leyes de urbanismo.

[1365] Art. 53.2 TRLSRU y art. 564-3.2.a CCC.

[1366] Ley 428 Compilación del Derecho Civil Foral de Navarra y art. 240.2 Decreto Foral Legislativo 1/2017, de 26 de julio, respectivamente.

[1367] Cataluña, por su lado, regula la posibilidad de pactar, una vez extinguido el derecho de superficie, en qué dirección opera ese principio de accesión inmobiliaria, puesto que puede decidirse que la propiedad ordinaria se concentre en manos del superficiario. Art. 564-6.2 CCC.

[1368] Véanse los casos de Madrid y el País Vasco *infra* en este mismo apartado.

[1369] Trata alguno de estos problemas SERRET MASIÀ, E. M. *El derecho de superficie como medio de acceso a la vivienda*. Barcelona: Distribuidora Alfambra de Papelería, S.L., 2014. pp. 73-77.

[1370] NASARRE AZNAR y SIMÓN MORENO se preguntan "¿quién tiene los deberes sobre el edificio en sí, si el derecho de superficie es sólo sobre los apartamentos?", en

de que se hable del derecho de superficie como un derecho de propiedad sobre el inmueble (o piso/apartamento), no estamos ante una propiedad "ordinaria"[1371], es decir, no se trata de un tipo de propiedad (art. 348 y ss. CC).

Más allá de la posibilidad de acceder a una vivienda en superficie de manera más asequible (al no adquirir la titularidad del suelo)[1372], uno de los objetivos del uso del derecho de superficie por parte de la Administración pública es que pasado el periodo pactado (o el máximo permitido), la vivienda vuelve a incorporarse al parque de vivienda social, por lo que la inversión pública dedicada no desaparece en el mercado privado y todo el mantenimiento recae sobre el beneficiario. Sin embargo, existen experiencias pasadas que ponen en entredicho este argumento positivo de preservación de la titularidad pública del suelo[1373]. Así, el País Vasco y Madrid han sido ejemplos de CCAA que han apostado por esta tenencia, aunque en ambos casos se ha decidido vender el suelo cedido en superficie a los superficiarios[1374], por lo que esa venta ha supuesto la disminución del parque de vivienda pública disponible.

Nasarre Aznar, S. y Simón Moreno, H. "Fraccionando el dominio: las tenencias intermedias para facilitar el acceso a la vivienda", cit. p. 3079.

[1371] Alonso Pérez, M. T. "Capítulo 8. La temporalidad del derecho de superficie y los efectos de su extinción (Principal inconveniente para que sirva de vía de acceso a la vivienda)", cit. pp. 363 y 364.

[1372] El Patronato municipal de la Vivienda de Barcelona (actualmente reorganizado en el Instituto Municipal de la Vivienda y Rehabilitación de Barcelona) apostó por introducir esta figura en 2007, con el objetivo de dar salida a la demanda de vivienda protegida en compraventa para un segmento de la población que no podía acceder al mercado libre pero quizás tampoco al precio de una VPO en compraventa absoluta, al mismo tiempo que se preservaba la titularidad pública del suelo. García Almirall, P. et al. "Modelos de política de vivienda municipal en Europa y América", en Palay, J. y Santos, I. (coords.) *Qüestions d'Habitatge. Políticas comparadas de vivienda. Número 20.* Barcelona: Ayuntamiento de Barcelona, 2016, pp. 31-63. p. 32. En este caso barcelonés, el adjudicatario adquiere la propiedad de la vivienda (en condición de superficiario) por un periodo de 75 años. Véase la promoción de este tipo de viviendas en http://www.pmhb.org/document.asp, último acceso 04-02-2018.

[1373] Se defiende en el caso barcelonés, por ejemplo, en su Plan para el derecho de la vivienda 2016-2025, pp. 229 y 258 y en Serret Masià, E. M. *El derecho de superficie como medio de acceso a la vivienda*, cit. p. 92.

[1374] Nasarre Aznar, S. y Simón Moreno, H. "Fraccionando el dominio: las tenencias intermedias para facilitar el acceso a la vivienda", cit., p. 3074 en el caso de Madrid y la web vasca de Etxebide (Servicio vasco de Vivienda) http://www.etxebide.euskadi.eus/x39-contpest/es/contenidos/informacion/introd_drch_sup_2017/es_

En Cataluña, también se regula la posibilidad de acceder a una vivienda protegida a través de la propiedad compartida y la propiedad temporal[1375], figuras que pretenden ofrecer las ventajas tanto de la propiedad (estabilidad, seguridad) como del alquiler (flexibilidad, asequibilidad)[1376]. La propiedad compartida permite la adquisición gradual de la propiedad de la vivienda[1377], mientras que la propiedad temporal otorga la propiedad absoluta pero por un periodo determinado en el tiempo (entre diez y noventa y nueve años)[1378]. La gran diferencia de la propiedad temporal con el derecho de superficie es que en la primera estamos ante un tipo de propiedad, solo que limitada en el tiempo, por lo que los aspectos más controvertidos comentados y las distorsiones del derecho dominical que puede llegar a presentar el derecho de superficie desaparecen[1379].

---

    etxecont/index.shtml (último acceso 11-10-2018), donde ya llevan seis ocasiones ofreciendo esta oportunidad. Véanse las cifras en el apartado "1.3. Inexistencia de legislación y de políticas de gestión de vivienda social" de este mismo capítulo.

[1375] Art. 53 PDVC. La propiedad temporal y la propiedad compartida, a las que ya se ha hecho mención *supra,* al inicio de este capítulo, se introdujeron en el CCC con la Ley 19/2015, de 29 de julio, en sus arts. 547-1 y ss. (por lo tanto, dentro del Título que trata el derecho de propiedad) y arts. 556-1 y ss. (como una situación de comunidad).

[1376] Véase el estudio exhaustivo de ambas figuras en Nasarre Aznar, S. (dir.) *La propiedad compartida y la propiedad temporal (Ley 19/2015). Aspectos legales y económicos,* cit. y un estudio de carácter más sucinto en Simón Moreno, H., Lambea Llop, N. y Garcia Teruel, R. M. "Shared ownership and temporal ownership in Catalan law", *International Journal of Law in the Built Environment,* vol. 9, núm. 1, 2017, pp. 63-78.

[1377] De esa forma, el propietario material (el comprador de la vivienda social) puede adquirir un porcentaje de la propiedad (ej. un 25%), cuota que le faculta para el uso y disfrute de la totalidad de la propiedad. Por la parte que no se es propietario, se puede acordar el pago de una contraprestación dineraria con el vendedor (art. 556-9 CCC). El comprador tiene el derecho, inalienable, de adquirir la cuota de dominio restante del vendedor (propietario formal) de manera gradual. Se trata de una figura temporal, que a falta de pacto (puede pactarse hasta 99 años), será de 30 años. Si terminado el periodo pactado o el establecido legalmente por defecto, el comprador no ha adquirido la totalidad de cuota de propiedad, la propiedad compartida se extingue y el bien afectado pasa a la situación de comunidad ordinaria indivisa (arts. 556-4.3 y 556-11 CCC).

[1378] Al finalizar el plazo acordado, la propiedad retorna a su vendedor o a la persona a quién el primero haya transmitido su derecho (titular sucesivo) de forma gratuita (art. 547-1 CCC).

[1379] Es de este parecer también Serret Masià, cuando menciona que "Jurídicamente en DS [derecho de superficie] se crea una ficción e incluso una distorsión *ex lege* del derecho dominical. En cambio en las TI [tenencias intermedias, es decir, pro-

Por otro lado, los alquileres de vivienda social se rigen actualmente por la misma normativa que los alquileres privados, es decir, por la LAU principalmente[1380], con la excepción de los límites en algunas cuestiones (ej. la renta máxima y sus actualizaciones) que establece la DA 1ª de la LAU y también por los aspectos regulados por las leyes y los planes de vivienda autonómicos y demás normativa específica al respecto. Además, debe tenerse presente, en los casos en que sea necesario, la normativa de vivienda protegida estatal anterior[1381]. Aun así, no existe una regulación específica que contemple el alquiler público[1382] (y añadiríamos social, ya que muchas de las políticas actuales se orientan a la gestión privada o a la captación de viviendas privadas para el alquiler social). El RDL 7/2019 vuelve a extender los plazos de prórroga obligatoria a cinco años (existentes en la LAU 1994 y reducidos a tres años en la LAU 2013) y, además, aumenta ese plazo a siete años en caso de que el arrendador sea persona jurídica. Asimismo, aumenta de uno a tres años la prórroga tácita (con plazos anuales), es decir, en el caso que, transcurrido el periodo de prórroga obligatoria, ninguna de las partes hubiese notificado a la otra la voluntad de no renovar (al menos con cuatro meses de antelación en el caso del arrendador y dos meses en el caso del arrendatario)[1383].

Paralelamente, ya se ha comentado que existe variedad en cuanto a lo referido al acceso a una vivienda social y, sobre todo, en los casos donde los

---

piedad compartida y propiedad temporal] la separación de la naturaleza jurídica entre poseedor, usuario y propietario es mucho más clara". Serret Masià, E. M. *El derecho de superficie como medio de acceso a la vivienda*, cit. p. 103.

[1380] Además, habrá entidades gestoras que dispongan aun de viviendas con contratos de arrendamiento que se rijan por la LAU del 64. A modo de ejemplo, CEVASA disponía, en el cierre de su actividad de 2016, de casi una tercera parte de parque de vivienda protegida de renta antigua y sujetas a contratos indefinidos (regulación del 64). Compañía española de viviendas en alquiler, S.A. y Grupo Cevasa. *Informe de gestión 2016*. p. 10. Esta pluralidad de normativa a tener en cuenta, junto con la idea ya mencionada de la diversidad de planes, dificulta en gran medida la gestión de estas viviendas.

[1381] Podemos citar, por ejemplo, el Real Decreto 2960/1976, de 12 de noviembre, por el que se aprueba el texto refundido de la Legislación de Vivienda de Protección Oficial, el Real Decreto-ley 31/1978, de 31 de octubre, sobre política de viviendas de protección oficial, desarrollado por Real Decreto 3148/1978, de 10 de noviembre y el Real Decreto 727/1993, de 14 de mayo, sobre precio de las viviendas de protección oficial de promoción privada.

[1382] Sanz Cintora, A. (coord.) *Diagnóstico 2012. La gestión de la vivienda pública de alquiler*, cit. p. 69.

[1383] Art. 1.4 y 1.5 RDL 7/2019 que modifica los arts. 9 y 10 LAU respectivamente.

colectivos beneficiarios son más vulnerables, se utilizan fórmulas como las cesiones o los derechos de uso o habitación o la de arrendamiento para uso distinto al de vivienda por su carácter temporal o asistencial[1384].

Se trata de fórmulas que dependen mucho más de la libertad de pactos entre las partes y, en el último caso, de arrendamientos en los que no rige la protección de la que gozan los arrendatarios urbanos de vivienda mediante derechos inalienables (ej. plazo mínimo de duración del contrato, derecho de desistimiento a los seis meses de celebrar el contrato, limitaciones en las actualizaciones anuales de la renta, la realización de ciertas obras, etc.) sujetos a la LAU[1385]. El arrendamiento para uso distinto del de vivienda[1386] se utiliza en el campo de la vivienda social para los casos en que persigue una actividad de naturaleza "asistencial y/o de emergencia"[1387]. Sin embar-

---

[1384] LAMBEA RUEDA argumenta que estas figuras, que no son para nada nuevas en nuestro ordenamiento jurídico, podrían haberse visto relanzadas en la práctica gracias a la situación de crisis económica que vivimos desde 2007, proporcionando la utilidad de un bien como es el de la vivienda. LAMBEA RUEDA, A. "Los derechos de uso y habitación desde una nueva perspectiva: cesión de inmuebles", *Revista Crítica de Derecho Inmobiliario*, núm. 728, 2011, pp. 3105-3149. Este argumento se encuentra en consonancia con lo que vienen defendiendo las últimas políticas públicas en relación con la vivienda como un bien de primera necesidad y su valor de uso en contra de la vivienda como objeto de inversión y valor de cambio. Véase, también, el apartado "2.2. Vivienda: política económica vs. política social" al respecto.

[1385] Para un estudio en profundidad de todo lo referente a la LAU, véase MOLINA ROIG, E. *Una nueva regulación para los arrendamientos de vivienda en un contexto europeo.* cit.

[1386] Regulado en el art. 3 LAU: "1. Se considera arrendamiento para uso distinto del de vivienda aquel arrendamiento que, recayendo sobre una edificación, tenga como destino primordial uno distinto del establecido en el artículo anterior. 2. En especial, tendrán esta consideración los arrendamientos de fincas urbanas celebrados por temporada, sea ésta de verano o cualquier otra, y los celebrados para ejercerse en la finca una actividad industrial, comercial, artesanal, profesional, recreativa, asistencial, cultural o docente, cualquiera que sean las personas que los celebren."

[1387] Se regulaba su uso, por ejemplo, en Cataluña, para las viviendas provenientes de la Mesa de Emergencia, en el art. 12.3 Reglamento de la Mesa de valoración de situaciones de emergencias económicas y sociales de Cataluña, 01-02-2016 (la posterior Resolución TES/987/2019, de 15 de abril, por la que se publica el Reglamento de la Mesa de Valoración de situaciones de emergencias económicas y sociales de Cataluña. DOGC 18-04-2019, núm. 7857 no menciona, sin embargo, las posibles fórmulas de acceso a esas viviendas) y para las que provienen del Fondo de vivienda de alquiler destinado a políticas sociales (art. 5 Acuerdo relativo

go, el concepto de "actividad asistencial" se encuentra poco desarrollado tanto a nivel legal, como jurisprudencial y doctrinal. Las pocas resoluciones judiciales al respecto lo relacionan con centros específicos y colectivos vulnerables concretos, como los centros de ayuda contra la drogadicción. Las resoluciones hacen referencia al centro de ayuda como (co)arrendatario que posteriormente ofrece esa actividad; por lo tanto, no se refiere al centro como arrendador que alquile con esa finalidad asistencial[1388]. Es decir, al igual que la línea que siguen las actividades del art. 3 LAU, el arrendador arrienda ese inmueble para que el arrendatario no lo destine a vivienda sino para que este último ejerza, posteriormente, una actividad industrial, profesional o asistencial, entre otras. Respecto al plazo mínimo de duración, una de las problemáticas, a parte de su carácter inestable por contratos que pueden tener cortas duraciones, de un año o menores, otra cuestión quizás menos planteada, es la obligación que tienen los arrendatarios de tener que abonar el impuesto de transmisiones patrimoniales onerosas cada vez que se renueva el contrato (si este se alarga en el tiempo). Así, aunque las entidades sin fines lucrativos se encuentran exentas de pagar dicho impuesto, no lo son los usuarios finales en este caso[1389].

Al igual que en los arrendamientos para uso distinto al de vivienda, las fórmulas de "cesión en/de uso", "régimen de uso y habitación" y otras nomenclaturas similares se utilizan habitualmente como vías de acceso de

---

al Fondo de vivienda de alquiler destinado a políticas sociales de Cataluña, 12-06-2015). Ambos casos tienen como beneficiarios a familias vulnerables: en situación de emergencia económica y social y en riesgo de exclusión residencial respectivamente. También para ciertas viviendas que la AVC tiene cedidas a la Fundación Mambré, por lo tanto, viviendas de inserción (cláusula tercera del Convenio entre la Agencia de Vivienda de Cataluña y la Fundación Privada Mambré para la cesión de la gestión del uso de 15 viviendas de titularidad pública administradas por la Agencia, 10-09-2018).

[1388] SAP de Las Palmas de 19 de febrero de 2002. Esta sentencia, que deniega la posibilidad de acogerse a la prórroga legal hasta alcanzar los cinco años de duración de contrato (por no ser un arrendamiento de vivienda), argumenta que "por la propia naturaleza del objeto social de la entidad apelante, además, la morada que establecerán los usuarios o socios será temporal". La entidad es un Centro de Ayuda contra la Drogadicción, y el arrendamiento se pacta con la finalidad expresa de servir al "fin exclusivo de acogida de personas con problemas de drogadicción" FD 1.

[1389] Véase el apartado "3.5.2.3. Fuentes de financiación" en este mismo Capítulo. Téngase presente, además, que el RDL 7/2019 (art. 5) añade una exención en este impuesto, la de los arrendamientos de vivienda para uso estable y permanente a los que se refiere el artículo 2 LAU; por lo tanto, no incluye los de uso distinto.

viviendas destinadas a los colectivos más vulnerables[1390]. Aunque la fórmula de cesión de uso se contemple también para la vivienda que las cooperativas ceden a sus asociados[1391] y en los programas del Plan Estatal de Vivienda 2018-2021[1392], tanto para fomentar la promoción del parque de vivienda con precios limitados y para familias con ingresos medios-bajos como para fomentar la construcción y rehabilitación para personas mayores y personas con discapacidad[1393]. En ocasiones, sin embargo, no queda claro si esas cesiones de uso o de habitación hacen referencia a un arrendamiento para uso distinto al de vivienda o arrendamiento de habitación o si, por el contrario, existe la voluntad de regularlo como un derecho de uso o derecho de habitación, es decir, como derechos reales en cosa ajena.

El arrendamiento de habitación puede definirse como un contrato por el que se acuerda la cesión del uso y disfrute, en exclusiva, de una habitación ubicada en el interior de una vivienda, por un tiempo determinado y a cambio de un precio cierto, y en el que puede unirse un derecho adicional a hacer uso de otras dependencias de la misma vivienda como la cocina y el cuarto de baño, de forma compartida[1394]. Existe divergencia jurispruden-

---

[1390] El art. 5 del Acuerdo relativo al Fondo de vivienda de alquiler destinado a políticas sociales de Cataluña, 12-06-2015 habla de destinar esas viviendas a familias en riesgo de exclusión residencial a través, preferentemente de "régimen de alquiler o en su caso en régimen de cesión de uso o fórmula equivalente con finalidad asistencial" Traducción propia. También se encuentra, por ejemplo, en el art. 4.2.1 del Reglamento revisado para la adjudicación de viviendas y otros recursos residenciales para emergencia social por pérdida de vivienda del Consorci de l'Habitatge de Barcelona (BOPB 29-7-2016), cuando establece que "el régimen de adjudicación de las viviendas será en alquiler, en régimen de uso y habitación o cualquier otra forma de cesión de uso". Traducción propia.

[1391] Por ejemplo, en Cataluña, en el art. 54 PDVC.

[1392] Arts. 24 y 66 Plan Estatal de Vivienda 2018-2021. Como ya se ha mencionado en el Capítulo I de este libro al definir el concepto de vivienda social en España, el Plan 2018-2021 abandona el término "vivienda protegida", aunque cumplen con los requisitos esenciales para ser vivienda social según la definición que hemos establecido en el primer Capítulo. Sigue la misma línea el Proyecto de Real Decreto del Plan Estatal para el acceso a la vivienda 2022-2025.

[1393] En este punto volvemos a la discordancia entre la nomenclatura utilizada en clave administrativista y en clave civilista, es decir, si estamos ante derecho de uso propiamente o la normativa administrativa quiere referirse con "cesión de uso" a cualquier figura jurídica que permita ceder el uso, como, por ejemplo, el arrendamiento de vivienda, el de arrendamiento para uso distinto al de vivienda, el usufructo, el comodato, etc.

[1394] Botello Hermosa, J. M. "El contrato de arrendamiento de habitación: la problemática de su regulación. ¿Ley de Arrendamientos Urbanos o Código Civil?",

cial respecto del régimen jurídico aplicable a este contrato, disponiendo de tres líneas de interpretación[1395]: 1) aplicar la LAU y considerarlo como arrendamiento de vivienda; 2) aplicar la LAU, pero como arrendamiento de uso distinto al de vivienda y 3) regularlo por las normas generales del CC, como arrendamiento de cosa (arts. 1542 y ss. CC). Autores como Botello Hermosa y Simón Moreno[1396] apoyan la última línea jurisprudencial, argumentando que el objeto del contrato en puridad es la habitación, y esta, *per se*, no cumple con unos servicios mínimos esenciales para poder hablar de edificación habitable (ej. cocina, comedor, baño). Cae, por lo tanto, fuera del ámbito de aplicación de la LAU, pues los contratos de esta deben celebrarse sobre la totalidad de la finca, no siendo válidos los arrendamientos parciales. El uso de dependencias comunes como la cocina, el baño o el comedor tiene lugar con aquiescencia del propietario o arrendador.

En cambio, si nos referimos al derecho de uso y de habitación como derechos reales en cosa ajena[1397], estos suponen un mayor gravamen para el propietario, creando un vínculo jurídico más fuerte que el de los derechos de obligaciones[1398]. El derecho de uso concede el derecho a usar un bien

---

Revista Crítica de Derecho Inmobiliario, núm. 754, 2016, pp. 1000-1038. p. 1003.

[1395] Véase la discusión de estas tres líneas jurisprudenciales y una relación de sentencias al respecto en Simón Moreno, H. "El lloguer d'habitacions", cit. pp. 294 y ss. y en Botello Hermosa, J. M. "El contrato de arrendamiento de habitación: la problemática de su regulación. ¿Ley de Arrendamientos Urbanos o Código Civil?", cit. pp. 1017 y ss.

[1396] Botello Hermosa, J. M. "El contrato de arrendamiento de habitación: la problemática de su regulación. ¿Ley de Arrendamientos Urbanos o Código Civil?", cit. pp. 1024 y 1025 y Simón Moreno, H. "El lloguer d'habitacions", cit. pp. 208-300.

[1397] Mencionaba expresamente el contrato de un derecho de uso como derecho real el anterior Reglamento de la Mesa de valoración de situaciones de emergencias económicas y sociales de Cataluña, 01-02-2016, en su art. 12.3; sin embargo, no hace referencia ni al derecho de uso ni a ninguna fórmula de tenencia en particular el nuevo Reglamento de15 de abril de 2019 ya mencionado.

[1398] Los derechos reales son de carácter inmediato y absoluto, es decir, pueden ejercitarse de manera directa sobre los bienes que constituyen el objeto del derecho, independientemente de quien sea el propietario en cada momento y sin necesidad de intermediación de otras personas y tienen eficacia *erga omnes*. En cambio, los derechos personales tienen efectos *inter partes*, es decir, solamente entre las partes del contrato y, además, se trata de una relación entre personas, donde se otorga el derecho de exigir a otra persona el cumplimiento de una determinada prestación. Díez-Picazo, L. *Fundamentos del derecho civil patrimonial vol. III*. Navarra: Aranzadi, 2008. pp. 81 y 82. Véase también la dificultad de distinguir entre

y disfrutarlo solo directamente, es decir, únicamente en la medida de las necesidades del titular y de los que convivan con él. Por su lado, el derecho de habitación faculta al titular del derecho a ocupar en una casa ajena las dependencias necesarias para atender las necesidades de vivienda del habitacionista y de los que con él convivan. Ambos se plantean como derechos de carácter personal, familiar y asistencial, puesto que tienen su origen en servidumbres personales[1399]. Así, se regulan como derechos de carácter personal e intransmisible, tanto ellos mismos como su ejercicio, a nivel de CC (art. 525), por lo que el disfrute por parte del beneficiario debe ser directo; en cambio, sí permite su transmisión o cesión el CCC[1400] y la Compilación de Navarra[1401], por lo que en el Derecho catalán y navarro el carácter asistencial de la figura puede quedar desvirtuada[1402]. Como bien se ha mencionado, estos derechos se rigen principalmente por lo que diga su título de constitución, lo que implica que queda a disposición de las partes

---

derechos personales y reales y la desnaturalización de la relación obligatoria en el arrendamiento de vivienda y su apariencia de derecho real en MOLINA ROIG, E. *Una nueva regulación para los arrendamientos de vivienda en un contexto europeo,* cit. pp. 233-260.

[1399] LACRUZ MANTECÓN, M. "Capítulo 7. Mi casa no es mía: usufructo, uso y habitación como vías de acceso a la vivienda", en ALONSO PÉREZ, M. T. (dir.) *Nuevas vías jurídicas de acceso a la vivienda. Desde los problemas generados por la vivienda en propiedad ordinaria financiada con créditos hipotecarios a otras modalidades jurídico-reales de acceso a la vivienda,* cit., pp. 285-348. p. 301.

[1400] El art. 562-4 CCC permite el gravamen o la enajenación del derecho de uso y del de habitación pero siempre con el consentimiento del propietario.

[1401] La Compilación del Derecho Civil Foral de Navarra permite al habitacionista arrendar la vivienda total o parcialmente (Ley 424) y al titular del derecho de uso ceder parcialmente su derecho, compartiendo su ejercicio con otras personas (Ley 426).

[1402] LACRUZ BERDEJO opina que "la cesión de estos derechos frustra su finalidad misma ya que impide la satisfacción directa de las necesidades del usuario o habitacionista". LACRUZ BERDEJO, J. L. *Elementos de Derecho Civil III. Derechos reales, vol. 1. Posesión y propiedad.* Madrid: Dykinson, 2011 (edición revisada por Luna Serrano, A.) p. 79. Son de opinión similar DEL POZO, VAQUER y BOSCH cuando establecen que "en el CCCat la naturaleza personalísima es una característica *natural,* pero no esencial, de los derechos de uso y de habitación, en tanto que se permite su enajenación si el propietario lo consiente (art. 562-4.1). En este caso, los derechos de uso y de habitación pasan a tener un carácter puramente patrimonial, que los desnaturaliza y los acerca al usufructo: la separación es mayor entre un derecho de uso "alimenticio" y un derecho de uso "patrimonial", que entre este último y un derecho de usufructo". DEL POZO CARRASCOSA, P., VAQUER ALOY, A y BOSCH CAPDEVILA, E. *Derecho Civil de Cataluña. Derechos reales.* Madrid: Marcial Pons, 2018 (6ª edición). p. 414.

(y, en este caso, de la entidad gestora) su regulación. Debe tenerse presente, a la hora de constituirlos, que en Cataluña y Navarra son derechos que se presumen vitalicios cuando se constituyen a favor de personas físicas[1403], si no se pacta un tiempo determinado. Las diferencias principales entre el derecho de uso y de habitación recaen en que mientras el primero permite usar la cosa (en este caso la vivienda) totalmente[1404] además de percibir los frutos necesarios, el segundo autoriza solo a ocupar los espacios necesarios, mas solo se aplica a una vivienda y únicamente para el fin de alojamiento. Pueden ser de carácter gratuito[1405], por lo que se entienden como vías de acceso que permiten una estabilidad que no depende de contraprestaciones, sino de la necesidad de vivienda de la persona. La legislación prevé en mayor o menor medida la contribución del usuario y/o habitacionista a los gastos ordinarios. Así, a nivel estatal se regula su obligación de abonar los gastos ordinarios de conservación y pago de contribuciones cuando el habitacionista ocupa toda la casa o el usuario consume todos los frutos de la cosa ajena (art. 527 CC). A nivel autonómico, Navarra prevé la obligación de ambos titulares (usuario y habitacionista) de abonar las contribuciones derivadas del uso y los gastos de reparaciones ordinarias (Ley 423.2 Compilación del Derecho Civil Foral de Navarra) y Cataluña exige al habitacionista el abono de los gastos individualizables y que deriven del

---

[1403] Art. 562-2 CCC. La Ley 423.2 Compilación del Derecho Civil Foral de Navarra no distingue entre personas físicas o jurídicas. En el CC no existe tal presunción, mas también puede tener carácter vitalicio (art. 513.1 CC). En cambio, en personas jurídicas, que solo se permite en el derecho de uso, no en el de habitación (Cataluña lo regula expresamente en el art. 562-10 CCC. Véase una discusión doctrinal en LACRUZ MANTECÓN, M. "Capítulo 7. Mi casa no es mía: usufructo, uso y habitación como vías de acceso a la vivienda", cit. p. 306. El CCC no menciona a personas jurídicas, aunque puede responderse afirmativamente, aplicando de forma supletoria el régimen del derecho de usufructo), el plazo a falta de pacto es de treinta años. A nivel de CC se establece ese límite de treinta años como máximo (art. 515 CC), mientras que en Cataluña se establece como presunción a falta de pacto, aunque su límite, si se pacta, está en noventa y nueve años (art. 561-3.4 CCC).

[1404] Es más, el art. 562-7 CCC regula que en el caso de que el uso recaiga sobre una vivienda, se extiende a la totalidad de esta. En cambio, en Navarra, en su Compilación del Derecho Civil Foral de Navarra, es precisamente en el derecho de habitación que se presume la facultad de ocupar la vivienda total y exclusivamente (Ley 424), mientras que en el derecho de uso se concurre en su ejercicio con el uso ordinario del propietario o persona que lo sustituya (Ley 426).

[1405] LAMBEA RUEDA, A. "Los derechos de uso y habitación desde una nueva perspectiva: cesión de inmuebles", cit. pp. 3109 y 3112 y FAUS I PUJOL, M. "Normas del derecho común sobre uso y habitación", Práctico Derechos Reales, vLex, 2019.

uso de la vivienda, así como los derivados de servicios que haya instalado o contratado (art. 562-11 CCC), mientras que el usuario también debe responsabilizarse de los gastos de conservación, mantenimiento y reparación ordinaria, entre otros (art. 561-12 CCC).

Tanto el derecho de uso como el de habitación se rigen, de manera subsidiaria, por la regulación del derecho de usufructo. Este derecho real[1406], se diferencia de los anteriores porque el derecho de usar y disfrutar (recoger frutos) del bien (salvando su forma y sustancia, a falta de pacto en contrario) es total y, además, se permite su transmisión. Asimismo, no puede controlarse tanto el abuso del titular del derecho, puesto que la extinción del derecho por abuso grave de la cosa y/o habitación se contempla solamente para los derechos de uso y de habitación (art. 529 CC)[1407]. Así, los derechos de uso y habitación se plantearían como "una suerte de usufructos limitados a las necesidades de sustento y vivienda del beneficiario y su familia"[1408]. Aunque el usufructo es una figura compleja y poco utilizada, se recogía en el borrador del Plan Estatal de Vivienda 2018-2021 para ceder las viviendas de las entidades de crédito a los fondos de vivienda de alquiler social[1409], pero finalmente se modificó por una fórmula más genérica (la de "relación jurídica que se determine"). El Proyecto de Real Decreto del Plan Estatal para el acceso a la vivienda 2022-2025 recupera esta figura para las viviendas de la Sareb que se ceden a las CCAA y a las entidades locales (arts. 72 y ss.). Así pues, tendría su rol principal como fórmula de captación de vivienda para su gestión, y no como vía de acceso a la vivienda: Extremadura y la Comunidad Valenciana regulaban las expropiaciones forzosas del usufructo temporal en casos de procedimiento de desahucio por ejecución hipotecaria de personas en especiales circunstancias de emergencia

---

[1406] Arts. 467 y ss. CC, arts. 561-1 y ss. CCC y Ley 408 y ss. Compilación del Derecho Civil Foral de Navarra.

[1407] También la Ley 423.3 de la Compilación del Derecho Civil Foral de Navarra. El art. 562-5 CCC regula la extinción de los derechos de uso y de habitación por resolución judicial en casos de "ejercicio gravemente contrario a la naturaleza del bien".

[1408] LACRUZ MANTECÓN, M. "Capítulo 7. Mi casa no es mía: usufructo, uso y habitación como vías de acceso a la vivienda", cit. p. 302. Así lo defiende también ALBALADEJO, cuando establece que "puede afirmarse que el derecho de uso es hoy un usufructo limitado" ALBALADEJO, M. *Derecho Civil III. Derecho de Bienes*, cit. p. 554. Téngase en cuenta, sin embargo, las regulaciones de Cataluña y Navarra, que como se ha mencionado, desvirtúan en cierta medida el carácter asistencial de estas figuras.

[1409] Art. 19 borrador del Plan Estatal de Vivienda 2018-2021.

social[1410], aunque ambas medidas fueron declaradas inconstitucionales[1411]. Cataluña lo sigue regulando (por un plazo de entre cuatro a diez años) en los casos de falta de ejecución de las obras de habitabilidad requeridas por la Administración competente en casos de viviendas adquiridas en procesos de ejecución hipotecaria o mediante compensación o pago de deuda con garantía hipotecaria[1412].

En algún caso y, principalmente, en entidades del tercer sector orientadas al apoyo de colectivos vulnerables determinados, se hace uso de un contrato atípico, mediante el cual la entidad pretende buscar una flexibilidad y cubrir unas necesidades (respecto a los servicios a ofrecer a la persona vulnerable) que las instituciones civiles tipificadas mencionadas anteriormente no permiten por sí solas cubrir. Así, enumerando algunas de sus posibles cláusulas:

   a) no se pacta un plazo determinado, mas vincular la duración del contrato a la finalización de un plan o proceso de inserción de la persona necesitada, lo que lo aleja a la rigidez de plazo mínimo del arrendamiento urbano de vivienda. También se aleja de este arrendamiento el hecho de tratarse, en ocasiones, del uso solo de una habitación;

   b) la entidad gestora se reserva el derecho a rescindir el contrato unilateralmente en cualquier momento cuando considere que se ha incumplido de manera grave con lo pactado (ej. con los pactos acordados para el proceso de reinserción) o que hayan variado las circunstancias personales del beneficiario (ej. si viene a mejor fortuna o empeora en gran medida sus capacidades físicas o psíquicas que le imposibilitan una vida autónoma)[1413];

   c) vincular la celebración del contrato a la aceptación de una normativa de funcionamiento y convivencia y al cumplimiento de los pactos establecidos;

[1410] Art. 13 y Anexo I Ley 2/2017, de 3 de febrero, por la función social de la vivienda de la Comunitat Valenciana y art. 2 Ley 2/2017, de 17 de febrero, de emergencia social de la vivienda de Extremadura.

[1411] Por STC de 4 de octubre de 2018 en el caso de Extremadura y por STC de 5 de julio de 2018 en el caso de la Comunidad Valenciana.

[1412] Art. 4 Decreto-Ley 1/2015, de 24 de marzo.

[1413] Podría discutirse hasta qué punto estas primeras dos cláusulas podrían contravenir al art. 1256 CC, el cual prohíbe dejar la validez y el cumplimiento de los contratos al arbitrio de uno de los contratantes.

d) acordar el pago de una cantidad por el usuario, pero a modo de colaboración en los gastos de servicios y suministros prestados[1414] y

e) prestación de esos suministros o servicios, aceptando y autorizando a los trabajadores de la entidad a entrar en las dependencias comunes e individuales[1415], así como la aplicación de un régimen de exoneración de responsabilidad por extravío de cosas depositadas (aspectos que lo alejan de las figuras mencionadas y lo aproximan al contrato de hospedaje[1416]).

La situación más inestable y que podría llegar a darse es la de precario, puesto que se trata de una figura que abarca todos los supuestos en que una persona posee alguna cosa sin derecho a ello, es decir, casos en que se ocupa una vivienda ajena sin título, en virtud de título nulo o título que haya perdi-

---

[1414] Ese carácter oneroso lo aleja de la figura del comodato (arts. 1740 y ss. CC), que es esencialmente gratuita. El comodato es un tipo de préstamo, por lo que se trata de una relación obligacional, a diferencia de los derechos de usufructo, uso y habitación mencionados, que son derechos reales. A pesar de la gratuidad como requisito esencial del comodato, esto no excluye la posibilidad del comodante de obtener cierta ventaja o utilidad de este. Así, el modo es "aquella carga o gravamen que no tiene carácter de contraprestación de la obligación, que se sirve de base y de la cual es accesoria, y que puede imponerse al beneficiario en los actos a título gratuito". MOLINA ROIG, E. *Una nueva regulación para los arrendamientos de vivienda en un contexto europeo*, cit. p. 271. Sin embargo, esa accesoriedad del modo implicaría que el no cumplimiento del abono de esa carga no sería causa suficiente para revocar el comodato.

[1415] Véase una discusión sobre el concepto de domicilio y lo que implica la inviolabilidad de este, derecho fundamental regulado en el art. 18.2 CE, en CABALLÉ FABRA, G. "VII. Límites en el acceso del titular sucesivo (propiedad temporal) y del propietario formal (propiedad compartida) al bien objeto de propiedad", en NASARRE AZNAR, S. (dir.) *La propiedad compartida y la propiedad temporal (Ley 19/2015) Aspectos legales y económicos*, cit., pp. 493-538. pp. 528 y ss. Así, GONZÁLEZ TREVIJANO define el domicilio como aquel "ámbito más esencial y primario, desde el que se expresa la personalidad humana, excluyendo cualquier interferencia lesiva de la autonomía, a la intimidad y a la vida privada de los ciudadanos". GONZÁLEZ-TREVIJANO SÁNCHEZ, P. J. *La inviolabilidad del domicilio*. Madrid: Tecnos, 1992. p. 65.

[1416] De naturaleza compleja, la STS de 20 de junio de 1995 (RJ 1995\4932) define el contrato de hospedaje como "un contrato de tracto sucesivo en el que se combina arrendamiento de cosas (para la habitación o cuarto), arrendamiento de servicios (para los servicios personales), de obra (para comida) y depósito, para los efectos que introducen". (FD 1)

do su validez[1417]. Podríamos encontrarnos situaciones en las que la entidad gestora, aun a sabiendas que esa persona carece de título para ocupar la vivienda, tolere dicha ocupación sin pedir contraprestación a cambio. Como esa posesión se produce por la mera liberalidad del dueño, eso implica que en cualquier momento la entidad gestora puede poner fin a esa situación.

Finalmente, una vez expuestas tanto las vías de captación de vivienda por parte de las entidades como las fórmulas de acceso ofrecidas a los beneficiarios, nos planteamos unas reflexiones finales. La primera es en relación con las vías de captación de vivienda del sector privado para incorporarlas al sector de vivienda social. Esas políticas se basan principalmente en ofrecer vivienda a los colectivos más vulnerables que han quedado excluidos incluso de la vivienda protegida tradicional. El parque para estos grupos se obtiene, en su mayoría, a través de fórmulas temporales (arrendamientos, cesión de la gestión o del uso o usufructo), por lo que la subsiguiente puesta a disposición de esas viviendas a sus beneficiarios se hará por medio, sí o sí, de vías de acceso excesivamente temporales y poco estables.

La segunda reflexión hace referencia a la tendencia de algunas entidades, sobre todo las que tratan con colectivos más vulnerables, de no optar por contratos de arrendamiento urbanos de vivienda de la LAU, puesto que no ofrecen la flexibilidad que necesitan en relación con estos colectivos, por ejemplo, con respecto a la duración del contrato[1418], ya que para ellos es incierto y va ligado a la ejecución de un plan de inclusión social, al no cumplimiento de dicho plan o a la evolución favorable de la familia, entre otros; también respecto a la provisión de otros servicios complementarios. Por ello, hacen uso de fórmulas como el arrendamiento de uso distinto, el alquiler de habitaciones o contratos atípicos que permiten ceder el uso, privando a los beneficiarios de la vivienda de la protección que ofrecen los arrendamientos de vivienda. Así, paradójicamente, parece que cuanto más vulnerable sea la persona, más precaria es su forma de tenencia

Finalmente, la búsqueda por esas fórmulas más flexibles tampoco aporta seguridad jurídica a las entidades gestoras, que suelen ampararse, para su uso, en la vulnerabilidad y la especificidad de los colectivos con

---

[1417] Magro Servet, V. "1. Defensa de la posesión", en Llamas Pombo, E. (dir.) *Acciones civiles. Tomo IV. Derechos reales. Derecho inmobiliario.* Las Rozas: La Ley, 2013, pp. 1-266. p. 181.

[1418] Con la nueva regulación de arrendamientos urbanos, que eleva el plazo mínimo hasta siete años en el caso de personas jurídicas, ese argumento de falta de flexibilidad en los plazos se refuerza.

los que se trata o en el hecho de que no se paga una renta. Con relación al primer tema, el mismo Preámbulo de la LAU justifica la separación de regulación entre arrendamientos de vivienda y arrendamiento para uso distinto al de vivienda en el hecho que los primeros deben gozar de más medidas de protección al ser la finalidad del arrendamiento la satisfacción de la necesidad permanente de vivienda del individuo. Lo que exige la ley no es que la vivienda sea permanente, sino que lo sea la necesidad[1419]. Así la distinción entre necesidad permanente o temporal de vivienda se determina atendiendo a la causa o finalidad de la ocupación de la vivienda[1420], que en el caso de la necesidad permanente será la de "convertir la vivienda en sede personal y no destinarla a mera residencia temporal u ocasional"[1421]. Precisamente esa necesidad permanente de vivienda podría justificarse en algunos de los casos que se llevan por arrendamiento para uso distinto al de vivienda, al tratarlos como contratos temporales por su carácter asistencial y/o de emergencia. Sin embargo, la demanda de vivienda para aquellas entidades que en un inicio trataban con colectivos muy específicos y con problemáticas muy específicas, se vuelve cada vez más general, es decir, se encuentran con colectivos donde su único problema es el de no poder acceder a una vivienda por falta de recursos económicos.

[1419] Así, la contraposición entre "permanente" y "temporal" no puede ser absoluta, puesto que entonces se excluiría de la protección del arrendamiento de vivienda de la LAU situaciones en que, objetivamente, la necesidad es temporal y en ocasiones, determinada (ej. personas que se trasladan por trabajo a otra ciudad o porque están realizando obras de rehabilitación o construyendo su propia casa). FUENTES LOJO argumenta que "no parece lógico que se excluya de la protección que otorga la ley al inquilino que necesita una vivienda, pero que sabe que esa concreta vivienda sólo la va a ocupar durante un plazo determinado" FUENTES LOJO, A. *Arrendamientos Urbanos. Derecho sustantivo y procesal. Adaptado a la Ley 4/2013, de 4 de junio.* Madrid: El Derecho y Quantor, 2013. p. 30.

[1420] En relación a la calificación de arrendamiento de temporada, que quedaría excluido de la protección del arrendamiento de vivienda, la SAP de Barcelona de 1 de junio de 2004 (AC 2004\1524) establece que "no deriva del plazo concertado sino de la finalidad de la ocupación, ajena a la ocupación como residencia habitual del arrendatario, siendo ocasional y esporádica; de manera que el arrendamiento se hace en atención, no a la necesidad del arrendatario de establecer su vivienda, sino para ocuparla de una forma accidental y en épocas determinadas por razón de circunstancias distintas de la instalación de la residencia permanente y domicilio habitual" FD 2. Véanse también las SSTS de 19 de febrero de 1982 (RJ 1982\784) y de 15 de diciembre de 1999 (RJ 1999\9352).

[1421] MOLINA ROIG, E. *Una nueva regulación para los arrendamientos de vivienda en un contexto europeo,* cit. p. 218.

En referencia a la renta, el art. 1543 CC establece que, para poder hablar de arrendamiento de cosa, es necesaria la existencia de un precio cierto (determinado o determinable). A pesar de que la LAU no defina en ningún momento el concepto de "renta", la jurisprudencia otorga una interpretación negativa, estableciendo en más de una ocasión, que no equivale a la renta "los gastos o pagos que pesen sobre el ocupante de los bienes por otros conceptos y en su propia utilidad (luz, contribuciones, gas, calefacción, conservación, etc.)"[1422]. La existencia o no de renta puede traer cierta confusión en los casos de viviendas sociales donde la cantidad pagada por la unidad familiar es muy baja, debido a su capacidad económica. En este punto, la jurisprudencia otorga una interpretación para tener en cuenta respecto del precio, el cual "no está en función exclusivamente de las condiciones del mercado, sino que puede establecerse legítimamente en atención a razonables consideraciones sobre la persona del arrendatario, sin que por ello pierda su naturaleza arrendaticia, y sin que quepa considerar ilícita o inmoral la causa"[1423]. Por lo tanto, los tribunales podrían considerar que algunos de los casos tratados como "arrendamiento de uso distinto" o "derecho de uso", entre otros, son, en realidad, arrendamientos de viviendas, lo cual significaría la sujeción de esa relación contractual a la regulación de la LAU para arrendamientos de vivienda.

Vista esta situación, en el Capítulo IV proponemos fórmulas y la adaptación de la legislación de arrendamientos de vivienda para resolver esta situación gris de las tenencias de la vivienda social, que resumimos en la Figura 23[1424].

[1422] STS de 22 de octubre de 1987 (RJ 1987\7463), FJ 3. Véase también la STS de 30 de octubre de 1986 (RJ 1986\6017), SAP de Lleida de 4 de junio de 1997 (AC 1997\1394) y SAP de Madrid de 17 de febrero de 1999 (AC 1999\1989), entre otras.

[1423] STS de 8 de julio de 1997 (RJ 1997\5575), FJ 4. En este caso se pactan unas condiciones muy favorables para la arrendataria, para que pueda hacer frente al abono de la renta con su limitada capacidad económica, sin que ello desvirtue la clara voluntad de la parte arrendadora de entregar el uso de la vivienda a cambio de una renta mensual. Véase González Pacanowska, I. "Artículo 17. Determinación de la renta", en Bercovitz Rodríguez-Cano, R. (coord.) Comentarios a la Ley de Arrendamientos Urbanos. Cizur Menor: Thomson Reuters Aranzadi, 2013, pp. 563-600. p. 567 y también Fuentes-Lojo Lastres, A. y Fuentes Lojo, J. V. Novísima suma de arrendamientos urbanos. Tomo VI. Barcelona: Bosch editor, 2007, p. 66.

[1424] Esta figura muestra toda la vivienda gestionada por algún tipo de entidad proveedora y/o gestora de vivienda social, por lo que no contemplamos la vivienda social en propiedad, es decir, la que se vende al beneficiario final.

Figura 23. "Iter" del título desde el propietario inicial al beneficiario final de la vivienda social

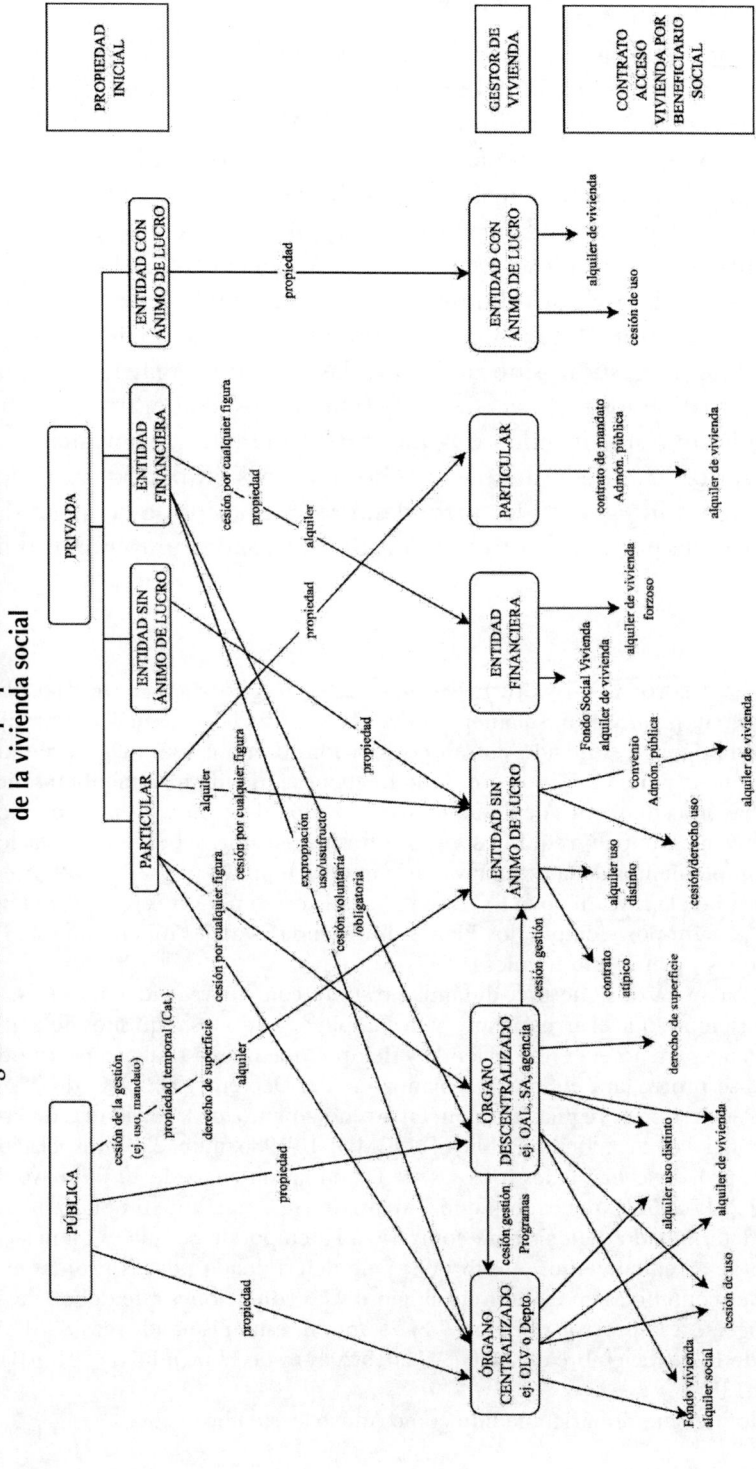

Fuente: Elaboración propia.

b. Morosidad, desahucios y rotación del parque

Contrastando con la reclamada escasez de vivienda social disponible, se encuentra la poca rotación del parque existente, puesto que, en términos generales, las entidades gestoras no llevan a cabo un control periódico para comprobar que el arrendatario siga cumpliendo con los requisitos para poder seguir siendo beneficiario de la vivienda que en su momento le fue adjudicada[1425], ya que en la mayoría de los casos la legislación y normativa existentes no lo prevén expresamente[1426]. Así, el control se lleva a cabo usualmente solo a la hora de adjudicar la vivienda y también en el caso de renovación del contrato[1427]. En algunos casos (aspecto que no depende del tipo de modelo de gestión, sino de las ayudas que se otorgan), se realiza un control anual de los ingresos de los arrendatarios, con el fin de actualizar las ayudas que se conceden o la parte de renta que se subvenciona a los arrendatarios[1428]. Puede llevarse a cabo una revisión periódica, ligada a un seguimiento integral de los arrendatarios o usuarios de las viviendas sociales, pero esta no sigue tanto criterios de control de cumplimiento de

---

[1425] Según Sanz Cintora, A. (coord.) *Diagnóstico 2012. La gestión de la vivienda pública de alquiler*, cit. pp. 75 y 76, solamente el 2,3% de todas las viviendas del parque de vivienda pública estudiado entran en rotación. Como causas más frecuentes de rotación, se enumeran, por orden de frecuencia (de mayor a menor): salida voluntaria, procedimientos de desahucio, finalización del contrato sin renovación (porque ya no cumplen requisitos, o por otras causas que deben tener relación con incumplimientos de la normativa de la entidad), pp. 78 y 79.

[1426] No se prevé en la LAU ni en el CC si se regula el acceso por otras figuras, ni tampoco lo prevén, por ejemplo, los Planes de vivienda estatales ni, en general, las legislaciones y planes autonómicos.

[1427] Madrid, en su caso, sigue una dinámica distinta con sus viviendas públicas de alquiler: siempre que el arrendatario siga cumpliendo con los requisitos de ingresos máximos para acceder a la vivienda y siempre que no sea titular o posea otra vivienda, se prorrogará el contrato bianualmente. Decreto 100/1986, de 22 de octubre, por el que se regula la cesión, en arrendamiento, de las viviendas de Protección Oficial de Promoción Pública (BOCM 31-10-1986, núm. 259). En relación con estas prórrogas bianuales forzosas, el TS, en la sentencia de 12 de mayo de 2017 (RJ 2017\2052]), determinó que "excluye que estemos ante un plazo indefinido, indeterminado o inexistente contrario a la temporalidad que es esencial al contrato de arrendamiento, puesto que viene determinado por las propias estipulaciones contenidas en el contrato litigioso y las condiciones que deben darse para acogerse a la prórroga bianual." FJ 2. Apoyan esta misma idea las SSAP de Madrid de 16 de diciembre de 2016 (AC 2016\2044) y de 15 de julio de 2015 (JUR 2015\244135).

[1428] Resultados del cuestionario añadido como Anexo a este libro.

los requisitos, sino que se enmarca en los servicios de acompañamiento y seguimiento social prestados a los colectivos más vulnerables[1429].

La morosidad se destaca como una de las problemáticas principales en el campo de la vivienda social. Esta suele ser más elevada en las entidades gestoras públicas[1430], hecho que coincide con el dato de que son, precisamente, las entidades públicas las que dejan transcurrir más tiempo antes de iniciar la reclamación de las rentas impagadas (hasta tres recibos), cuando del art. 27 de la LAU se desprende la posibilidad de iniciarla desde el primer impago[1431]. Un ejemplo de alta morosidad (93 millones de euros desde 2000, de los que solamente se prevén recuperar 43 millones) y lentitud en los procesos de reclamación del cobro del alquiler y comprobación de la situación de la vivienda (que puede encontrarse vacía) es la Agencia pública de Vivienda y Rehabilitación de Andalucía. Se trata, en muchos casos, de pisos con rentas muy reducidas (ej. 34 euros mensuales), y los 50 millones que la Agencia da por perdidos suponen una cuarta parte de su presupuesto anual, aproximadamente[1432].

Dentro de este mismo ámbito público, también cabe diferenciar aquellos casos en los que el programa de vivienda se gestiona directamente de los que el servicio se externaliza y/o se cede, puesto que en el segundo caso las tasas de morosidad suelen ser más altas que en el primero; la falta de comunicación e información dificulta la posibilidad de conocer con cierta celeridad qué arrendatarios impagan y cuántas mensualidades llevan impagadas. En cambio, el sector privado con ánimo de lucro tiene tasas de morosidad menores, y esperan únicamente entre una y dos mensualidades impagadas antes de reclamarlas.

[1429] Véase *infra*, el apartado "3.5.2.5. Más allá del acceso a una vivienda. Servicios a los arrendatarios y a la comunidad".

[1430] Llegando al 11% en alguna de las entidades públicas estudiadas. Dato de 2015, extraído del Cuestionario para el Proyecto "Gestió de l'habitatge social a Catalunya".

[1431] Así lo recogen las SSTS de 24 de julio de 2008 (RJ 2008\4625), FD 2 y de 19 de diciembre de 2009 (RJ 2009\23), FD 2.

[1432] LA RAZÓN. *La Junta da por perdidos 50 millones en impagos del alquiler de pisos sociales*, 18-06-2017, disponible en https://www.larazon.es/local/andalucia/la-junta-da-por-perdidos-50-millones-en-impagos-del-alquiler-de-pisos-sociales-HB15412261 (último acceso 25-10-2019). En esta se establece que "el conflicto de la morosidad en el parque público de viviendas viene de atrás y se ha agravado en los últimos años, elevando el índice de impagos al 49%. Esto significa que más de 25.000 familias deben dinero a la Junta".

Debido a la importancia de la morosidad como problemática dentro de la gestión del parque de vivienda social, así como por el perjuicio económico que este fenómeno puede suponer para la entidad, además de tratarse de dinero público, así como su importancia por ser uno de los motivos principales de desahucio, muchas entidades gestoras, tanto públicas como privadas, cuentan con protocolos de actuación ante casos de morosidad. La mayoría de estos protocolos incorporan un contacto previo con el arrendatario para poder conocer la causa del impago y poder, así, intentar buscar posibles soluciones o acordes de pago. Este contacto y seguimiento es más constante y directo en las entidades que disponen de un departamento o de un equipo social, habiendo, en algunos casos (sobre todo cuando se trata con colectivos más vulnerables), coordinación con los servicios sociales. Además, las entidades gestoras públicas suelen tener mejor conocimiento de los recursos sociales y las ayudas públicas a las que pueden optar los arrendatarios o usuarios con problemas de pago, ya que algunas las gestionan directamente o, si no, tienen conocimiento de las ayudas existentes y del lugar al que deben dirigirse los arrendatarios para solicitarlas. Como buen ejemplo de coordinación, la OLV CCT celebra reuniones con los servicios sociales para informarse sobre las novedades en ayudas y programas.

El tiempo que se tarda en iniciar un proceso de desahucio depende mucho del caso concreto, de la solución que se haya intentado buscar y, sobre todo, de la actitud que haya tomado el arrendatario a la hora de llegar a un acuerdo con la entidad gestora, puesto que el proceso suele iniciarse más rápidamente en los casos en que el arrendatario no contesta, o no pone voluntad a la hora de buscar una solución.

A título de ejemplo de buenas prácticas en este tema, puede mencionarse el convenio de colaboración existente entre el Consejo General del Poder Judicial, el Gobierno de Aragón y la Federación aragonesa de municipios, comarcas y provincias (FAMCP), en el que los jueces se comprometen a comunicar a los servicios sociales los casos que les lleguen de desahucios por ejecución hipotecaria o impago de la renta que afecten a personas o familias en situación de vulnerabilidad. En Cataluña también existe un protocolo de ejecución de las diligencias de lanzamiento en los partidos judiciales de esta CA[1433], mediante el cual se prevén mecanismos de coordinación entre los diferentes operadores con los ayuntamientos para que

---

[1433] Firmado el 5 de julio de 2013 por el Departamento de Justicia de la Generalidad de Cataluña, el Tribunal Superior de Justicia de Cataluña, las cuatro diputaciones provinciales, las dos entidades municipalistas (la Asociación Catalana de Munici-

estos últimos tengan conocimiento de las personas que se encuentren en riesgo de desahucio y que estén en situación de vulnerabilidad social. Su finalidad es doble: por un lado, informar a estas personas del catálogo de servicios sociales al que pueden acceder y, por otro, procurar una rápida actuación de los servicios sociales para poder encontrarles alternativas. A nivel privado con ánimo de lucro, CEVASA tiene un protocolo verbal con el Ayuntamiento de Sabadell, que consiste en no realizar ningún desahucio sin comunicarlo previamente a los servicios sociales de la localidad.

El reciente RDL 7/2019 regula la posibilidad de suspender el proceso de desahucio de vivienda habitual un máximo de uno o tres meses, dependiendo de si el demandante es una persona física o jurídica respectivamente, siempre que los servicios sociales aprecien una situación de vulnerabilidad social y/o económica y con el fin de adoptar las medidas oportunas. La comunicación a los servicios sociales de la existencia de procedimientos de desahucio por impago de renta o expiración del plazo contractual o legal se realiza de oficio por el Juzgado[1434]. Por otro lado, debe tenerse presente que el art. 704.1 de la Ley de Enjuiciamiento Civil (LEC en adelante) permite, ya en fase de ejecución, prorrogar en un mes el plazo que tiene el ejecutado para desalojar la vivienda habitual siempre y cuando ofrezca un motivo fundado, mes que se le suma al que ya se le da por ser dicha vivienda habitual[1435].

Finalmente, cabe destacar que el segundo motivo de la morosidad en el pago de la renta de los arrendatarios sociales en el parque de vivienda pública es la mala gestión que estos hacen de sus recursos económicos (la primera es la falta de estos recursos económicos). En consecuencia, muy

---

pios y la Federación de Municipios de Cataluña) y los Consejos de los Colegios de Abogados y de Procuradores de Cataluña.

[1434] Art. 3.3 RDL 7/2019 por el que se introduce un apartado 5 en el art. 441 de la Ley 1/2000, de 7 de enero, de Enjuiciamiento Civil. BOE 08-01-2000, núm. 7.

[1435] Las demandas que versen sobre reclamación de cantidades por impago de rentas y cantidades debidas, así como la recuperación posterior por el dueño o persona con derecho a poseer la vivienda (también en los casos de expiración del plazo fijado contractual o legalmente), se deciden en juicio verbal; también las que pretendan la tutela sumaria de la tenencia o de la posesión de una cosa o derecho por quien haya sido despojado de ellas o perturbado en su disfrute (ej. casos de ocupación sin título habilitante), donde además permite pedir la inmediata recuperación de la plena posesión de la vivienda en los casos en los que quién haya sido privado sin su consentimiento sea una persona física, una entidad sin ánimo de lucro o una entidad pública poseedora o propietaria legítima. Art. 250.1.1° y 4° LEC respectivamente.

relacionados con la morosidad de los arrendatarios van los servicios de asesoramiento, acompañamiento, seguimiento y formación[1436].

3.5.2.3. Fuentes de financiación

a. Rendimiento de su actividad

Uno de los ingresos principales de las entidades gestoras de vivienda
social proviene del rendimiento de su propia actividad principal, la social,
siendo en su mayoría, el cobro del alquiler o contraprestación abonada por
los arrendatarios o beneficiarios de esos servicios en general.

Entre las entidades públicas destaca como una de las primeras problemáticas por lo que a gestión se refiere la dificultad de controlar el cumplimiento del pago del alquiler, con sus porcentajes de morosidad ya mencionados en el apartado anterior. Además, un estudio de AVS muestra que, si
bien no puede destacarse un grupo de población determinado que incurra
en impagos más que otro, sí es cierto que, en más de la mitad de las entidades públicas, entre el 80 y el 100% de los que impagan son reinciden-
tes[1437]. A la hora de detectar las causas de dichos impagos, estas pueden
agruparse en motivos objetivos, motivos subjetivos y motivos de salud[1438].
Los primeros, que se desglosan en la falta de recursos económicos y en la
mala gestión de esos recursos, suponen las primeras dos causas y suman el
55% de los motivos.

Sobre la mala gestión de estos recursos y los servicios que ayudarían a su
reducción se ha hablado en el apartado anterior. En cuanto a la falta de recursos, desempeñan un papel importante las ayudas de las que puedan disponer los arrendatarios, como la del pago del alquiler. En este punto, ya se
ha mencionado que las entidades del sector público tienen un mayor conocimiento de los recursos sociales y de las ayudas públicas disponibles a las
que pueden optar los arrendatarios o usuarios con dificultades económicas
o de otro tipo, no solo por ser la misma Administración quien otorga esas

---

[1436] De ahí, también, la importancia del apartado que encontramos *infra* "3.5.2.5. Más
allá del acceso a una vivienda. Servicios a los arrendatarios y a la comunidad".

[1437] Después de este grupo más genérico de población que supone el mayor porcentaje de impagos, le siguen de cerca las unidades familiares con rentas bajas. SANZ
CINTORA, A. (coord.) *Diagnóstico 2012. La gestión de la vivienda pública de alquiler*,
cit. pp. 95-98.

[1438] SANZ CINTORA, A. (coord.) *Diagnóstico 2012. La gestión de la vivienda pública de alquiler*, cit. pp. 100-101.

ayudas sino por recibir y gestionar algunas de ellas directamente. Asimismo, algunas entidades públicas independientes (ej. el Patronato Municipal de la Vivienda de Alicante y Zaragoza Vivienda) coordinan el cobro de las ayudas al alquiler con el cobro del alquiler. Esta práctica permite controlar cuándo reciben los inquilinos las ayudas para prevenir situaciones en las que se exija el pago del alquiler antes de que el inquilino haya recibido la ayuda, evitando así situaciones de impagos continuados. Esa coordinación no suele darse en el sector privado con ánimo de lucro ni tampoco sin ánimo de lucro, aunque algunas entidades de este segundo sector alegan un contacto cercano con los arrendatarios que hace que dicha coordinación no sea necesaria. Fundación Bancaria "la Caixa", por su lado, ofrece rentas subvencionadas en algunos de sus programas, por lo que ella misma aplica esas reducciones a los alquileres.

Una medida interesante es la que han tomado algunas fundaciones privadas: solicitar el reconocimiento como entidad colaboradora para poder cobrar la ayuda del alquiler de sus arrendatarios directamente por la entidad y descontarlo, así, del alquiler mensual del arrendatario. Tanto el Plan Estatal de Vivienda de 2013-2016 (art. 11.6) como el de 2018-2021 (art. 18) han contemplado, creemos que acertadamente, esa gestión de las ayudas de alquiler desde la entidad gestora (arrendadora) de vivienda cuando sea al mismo tiempo entidad colaboradora, aplicando el correspondiente descuento al alquiler una vez recibida la ayuda[1439]. Asimismo, el nuevo Programa de ayuda a las víctimas de violencia de género, personas objeto de desahucio de su vivienda habitual, personas sin hogar y otras personas especialmente vulnerables, añadido en 2020 en el Plan 2018-2020[1440], también permite adjudicar directamente, y por cuenta de los beneficiarios finales, las ayudas a las administraciones públicas, empresas públicas y entidades sin ánimo de lucro o de economía colaborativa que proporcionen la vivienda a estos colectivos vulnerables. Además, en el caso de las entidades privadas sin ánimo de lucro y, sobre todo, con relación a algunos de los

---

[1439] El art. 18 del Plan Estatal de Vivienda 2018-2021 establece que "En los casos en que exista una entidad colaboradora que actúe, además, como arrendadora de las viviendas, podrá acordarse en la convocatoria de la Comunidad Autónoma o Ciudad de Ceuta y Melilla que la entidad colaboradora gestione directamente lo relativo a la recepción de la ayuda para su directa aplicación al pago del alquiler mediante, en su caso, el correspondiente descuento". Lo vuelve a contemplar el Proyecto de Real Decreto del Plan Estatal para el acceso a la vivienda 2022-2025, en sus arts. 18 y 43.

[1440] Por la Orden TMA/336/2020, de 9 de abril.

convenios de estas entidades con las Administraciones públicas en referencia a Programas concretos que gestiona la primera, puede pactarse que la Administración cubra la diferencia entre el canon o el alquiler pagado al propietario privado (para captar la vivienda) y el alquiler o contraprestación pagada por el arrendatario o el usuario final (a la entidad del tercer sector). Sería ejemplo de ello el Programa "Viviendas vacías" entre la Fundación Hàbitat3 y el Ayuntamiento de Barcelona. Asimismo, en algunos casos, sobre todo con relación al modelo de fundación gestora, son las entidades a las que esta fundación cede la vivienda quién realizan el pago a la entidad gestora, independientemente del acuerdo y la cantidad abonada entre el usuario final y la entidad del tercer sector a la que se le cede la vivienda (ej. Fundación Mambré con las fundaciones fundadoras o Hàbitat 3 con otras entidades del tercer sector).

La falta de cultura de pago, la percepción de que no pasa nada si no se paga, menos aún habiendo menores en la vivienda, y el conocimiento de las dificultades técnicas y políticas para llevar a cabo un desahucio, forman parte de los motivos subjetivos, que representan el 35% de impagos en los alquileres públicos. En este caso, además del apoyo y formación que se pueda prestar, es importante un punto de presión, reacción y coacción por parte de las entidades, que debe generarse por medio de una capacidad de actuación rápida[1441]. Finalmente, que el 9% de impagos tengan su causa en patologías psíquicas denota la necesidad de colaboración y trabajo conjunto con entidades u organizaciones que trabajen con estos colectivos en concreto.

Más allá de la oferta de vivienda social (independientemente de la modalidad y el programa escogidos), las entidades privadas con ánimo de lucro y la estructura compleja que forma Fundación Bancaria "la Caixa" ofrecen otros negocios en el mercado libre inmobiliario, como por ejemplo el alquiler de vivienda a precio de mercado, el alquiler de plazas de garaje o de oficinas, el alquiler o la venta de locales comerciales, entre otros. También recurren a algunas de estas actividades en el mercado privado las entidades públicas con carácter autónomo o independiente, principal-

---

[1441] Ya se ha mencionado (véase tanto el apartado anterior como el apartado "3.3. Predominancia de modelos de gestión públicos" de este mismo capítulo) las altas tasas de morosidad en el sector público, ligadas a la tardía reacción, así como a las presiones vecinales y mediáticas y a la dificultad de justificar y hacer socialmente aceptables este tipo de intervenciones cuando los arrendatarios son especialmente vulnerables. Sanz Cintora, A. (coord.) *Diagnóstico 2012. La gestión de la vivienda pública de alquiler*, cit. pp. 110-111.

mente en relación con el alquiler de locales comerciales, garajes, despachos, trasteros y otros equipamientos. En cambio, las entidades privadas sin ánimo de lucro, tanto las de mayor como de menor tamaño, se suelen dedicar exclusivamente a actividades sociales, mientras que las oficinas locales ofrecen servicios propios de una oficina local, como es la coordinación de ayudas públicas y la transmisión y asesoramiento de información general sobre vivienda a los ciudadanos, dependiendo al 100%, por lo tanto, del presupuesto público.

Así, las entidades privadas con ánimo de lucro y el sector público descentralizado diversifican en mayor o menor medida sus fuentes de ingresos en relación con los servicios que ofrecen. Además de las actividades en el mercado libre que tienen las entidades privadas con ánimo de lucro, estas también se financian a través de otras fuentes privadas, por medio del mercado financiero e hipotecario.

Una de las líneas de financiación para los gestores públicos que también son promotores, que no solamente les permitía ser autosuficientes económicamente, sino que incluso les aportaba el suficiente margen como para desarrollar otras líneas de actuación de vivienda (ej. rehabilitación), era la promoción y consiguiente venta de vivienda protegida, pero estas actuaciones se frenaron bruscamente a raíz de la crisis de 2007[1442]. Con el fomento del alquiler social, que además debe hacer frente a situaciones de gran vulnerabilidad, se ha visto incrementada la morosidad, la conflictividad y la rotación del parque, lo que implica un mayor gasto y menos ingresos para el promotor y gestor público[1443].

Finalmente, cabe recordar otra medida tomada por algunas entidades públicas para aumentar su liquidez es, por un lado, la venta de la propiedad del suelo a los superficiarios que ya habían adquirido su vivienda protegida con un derecho de superficie y, por otro, la venta de parque de vivienda de alquiler público a empresas inversoras[1444].

[1442] MIRA CORTADELLAS, A. "Las políticas sociales de vivienda desde la perspectiva local. Los promotores públicos", en PALAY, J. y SANTOS, I. (coords.) *Qüestions d'Habitatge. Políticas comparadas de vivienda. Número 20*, cit., pp. 11-15. p. 13.

[1443] *Ibid.* p. 14.

[1444] Ambos mecanismos han sido ya comentados en el apartado "3.5.2.2. Formas de tenencia de las viviendas sociales" y "1.3. Inexistencia de legislación y de políticas de gestión de vivienda social" de este mismo capítulo respectivamente, así como las críticas recibidas.

b. Fuentes públicas de financiación

Las entidades privadas sin ánimo de lucro dependen, en gran medida, de fuentes de ingresos de origen público, bien en forma de contratos o convenios, bien en forma de ayudas públicas, puesto que los ingresos de los alquileres suelen ser bastante reducidos teniendo en cuenta los colectivos a los que asisten[1445].

Esa fuerte dependencia de fondos públicos ligado a una falta de diversificación en sus fuentes de financiación, además de su atomización, genera una incertidumbre presupuestaria que limita la capacidad de planificar y ejecutar nuevas actuaciones, más teniendo en cuenta que la convocatoria de subvenciones, por ejemplo, puede ser irregular y los procesos de adjudicación y pago largos, y las entidades no pueden anticipar fondos y además asumir el riesgo de que estas no les sean finalmente concedidas. Además, la complejidad burocrática que se forma para mantener un control público de los procedimientos administrativos de acceso y justificación de las subvenciones puede llegar a suponer una pérdida de eficacia en la gestión e incluso una barrera de acceso para aquellas entidades de menor tamaño. Si bien

---

[1445] Aunque reducido al ámbito territorial de Cataluña y al número de entidades que han respondido la encuesta (129), es interesante el estudio que se centra en las entidades del tercer sector que tiene como uno de sus objetivos el alquiler social, en el que se muestra claramente la preponderancia de las fuentes de financiación pública. Así, estas suponen el 62% de la financiación (24% contratos y conciertos y 38% subvenciones y convenios), mientras que las aportaciones de los propios usuarios suponen el 22% y el 16% lo componen otras vías como donaciones, ventas o aportaciones en especie. Cervera, C., Sutrias, F. y Trilla, C. "La contribució del Tercer Sector al lloguer social", cit. pp. 23 y 24. A nivel estatal, y con relación a todo el tercer sector de acción social (sin especificar el campo de la vivienda social) existe un estudio de 2004 que cifra los ingresos de origen público en este sector en más del 50%. Este estudio desglosa los resultados entre asociaciones y fundaciones, siendo en el primer caso más relevantes los ingresos provenientes de subvenciones, donaciones y cuotas, mientras que en las segundas los ingresos provenientes de ventas, prestación de servicios o rentas del patrimonio es mayor. García Delgado, J. L. (dir.) *Las cuentas de la economía social. El tercer sector en España*, cit. pp. 59-61. Más recientemente, también a nivel estatal y también sin distinguir las entidades que actúan en el ámbito de la vivienda social, el estudio de Plataforma de Ong de Acción Social (coord.). *III Plan estratégico del Tercer Sector de acción social*, cit. cifra en un 55,3% la financiación pública, seguida de la financiación propia (25,3%) y la privada (19,4%). Este mismo estudio pone énfasis en la necesidad de estas entidades de diversificar sus fuentes de ingresos, y en el crecimiento de las aportaciones de personas socias o usuarias y de entidades colaboradoras ante la caída de la financiación tanto pública como privada. p. 17.

es cierto que estas entidades cuentan con la celebración de convenios con la Administración pública para gestionar su parque o para captar vivienda privada para su rehabilitación y/o gestión, las subvenciones recibidas sirven para cubrir única y exclusivamente esas actuaciones, por lo que no permiten generar ingresos para destinar a otras actuaciones. Eso limita sus posibilidades de desarrollo y expansión. Además, esa dependencia también implica que en tiempos de crisis económica la financiación pública se contraiga, que coinciden con los periodos en los que la demanda social crece. Finalmente, su dependencia de fuentes inestables y la consiguiente incertidumbre sobre sus ingresos futuros, así como el hecho de no disponer de demasiado inmovilizado propio las sitúa en una posición débil a la hora de acceder al mercado hipotecario e incluso financiero, puesto que se perciben como inversiones de mayor riesgo[1446]. Las cajas de ahorros suponían la fuente de financiación privada más recurrida, aunque la pérdida de peso de estas tras la reestructuración del sector bancario provocó una caída en esta vía de financiación[1447].

Como se ha ido introduciendo en este capítulo, las fuentes principales de financiación de programas de vivienda se encuentran en los planes de vivienda, tanto a nivel estatal como a nivel autonómico. Para ver qué actuaciones reguladas a nivel estatal se aplican en cada CA, cada una de estas formaliza un convenio regulador con el Estado para fijar las directrices esenciales y para ver en qué actuaciones estatales se va a destinar el presupuesto disponible. Por lo tanto, no tienen por qué desarrollarse a nivel autonómico todas las líneas de actuación estatal; y, por el contrario, pueden existir vías de financiación autonómicas que a nivel estatal no se regulen. Así, estos son los instrumentos temporales (cuatrienales en su mayoría) que establecen las actuaciones susceptibles de ser protegidas (financiadas), las modalidades de

---

[1446] Véase, en relación con los diversos argumentos anteriores, VALOR MARTÍNEZ, C. y DE LA CUESTA GONZÁLEZ, M. "Estructura y gestión financiera de las entidades sin ánimo de lucro especial atención a la financiación privada", cit. pp. 134 y ss.; GARCÍA DELGADO, J. L. (dir.) *Las cuentas de la economía social. El tercer sector en España*, cit. p. 61; FUNDACIÓN PWC. *Radiografía del Tercer Sector Social en España: retos y oportunidades en un entorno cambiante*, cit. pp. 8-12; JARAÍZ ARROYO, G. "El Tercer Sector de Acción Social en la intervención comunitaria", *Revista Española del Tercer Sector*, núm. 12, 2009, pp. 101-128. p. 125 y FEU, J. y CODINA, T. "Cap a un nou model del finançament del Tercer Sector", *Dossiers del Tercer Sector*, núm. 18, 2012. p. 3.

[1447] Después de la reestructuración bancaria se ha estabilizado. FUNDACIÓN PWC. *Radiografía del Tercer Sector Social en España: retos y oportunidades en un entorno cambiante*, cit. pp. 40 y 64 y VALOR MARTÍNEZ, C. y DE LA CUESTA GONZÁLEZ, M. "Estructura y gestión financiera de las entidades sin ánimo de lucro especial atención a la financiación privada", cit. p. 134.

vivienda protegida y las garantías y condiciones para su acceso, la financiación y las ayudas públicas, y otras medidas conexas y complementarias que permitan cumplir con los objetivos establecidos en el Plan[1448].

España ha destacado históricamente por la importancia del gasto público indirecto, en forma de desgravaciones fiscales, modificaciones de tipos impositivos, etc.[1449] Después de unas décadas fomentando tanto la adquisición como la promoción de viviendas protegidas para su compraventa, ya hemos visto como los últimos planes se centran en la promoción de vivienda en alquiler mayoritariamente o en programas de captación de viviendas privadas[1450].

Al ser Planes temporales, los programas y las líneas de financiación pueden variar cada cuatro años, creando incertidumbre y dificultando las planificaciones a medio y largo plazo de las entidades. Así, por ejemplo, el Plan Estatal de Vivienda 2013-2016 limitó los beneficiarios de las ayudas a la promoción de parque público de vivienda en alquiler a entidades públicas y entidades sin ánimo de lucro[1451], mientras que el Plan 2018-2021 vuelve a extenderlo al sector privado con ánimo de lucro[1452]. Sin embargo, a pesar de todos los nuevos programas, gran parte del poco presupuesto que se destina a vivienda sigue ligado al pago de subsidiaciones de préstamos hipotecarios. Igualmente, al fomento de la promoción de vivienda de alquiler protegido no le favorece el hecho de que las entidades financieras lo perciban como actuaciones excesivamente arriesgadas. En un momento donde se reduce el ya escaso presupuesto público destinado a financiar nuevas promociones de vivienda social, los promotores deben acudir a los mercados financieros[1453], y se encuentran con restricciones a la hora de obtener préstamos para promociones de alquiler[1454].

[1448]   Véase el apartado "2.3. Competencia en materia de vivienda" de este mismo capítulo.

[1449]   "Mientras que en Europa se distribuye entre un 75% de inversión directa y un 25% en gasto fiscal o indirecto, en España, el sistema es el contrario, un 70% es de gasto fiscal y un 30% de inversión directa". ALGUACIL DENCHE, A. et al. *La vivienda en España en el siglo XXI. Diagnóstico del modelo residencial y propuestas para otra política de vivienda*, cit. p. 16.

[1450]   Véase el apartado "1.2. Aumentando por todas las vías el parque de vivienda social en alquiler" de este mismo capítulo, donde se explican las políticas de vivienda actuales.

[1451]   Art. 16 Plan Estatal de Vivienda 2013-2016.

[1452]   Art. 26 Plan Estatal de Vivienda 2018-2021.

[1453]   MIRA CORTADELLAS, A. "Las políticas sociales de vivienda desde la perspectiva local. Los promotores públicos", cit. p. 12.

[1454]   TRILLA I BELLART, C. y BOSCH MEDA, J. *El parque público y protegido de viviendas en España: un análisis desde el contexto europeo*, cit. p. 72.

A nivel autonómico, existen CCAA que se basan exclusivamente o casi en exclusiva en los Programas estatales, como Aragón y la Comunidad Valenciana[1455], mientras que otras disponen de Planes con programas más allá de los regulados a nivel estatal, como el País Vasco y Cataluña[1456].

Un aspecto limitante para las Administraciones públicas, tanto autonómicas como locales, así como los entes vinculados a ellas, a la hora de gestionar y de promocionar parque nuevo de vivienda social, son las exigencias de sostenibilidad financiera que viene requiriéndose de manera más severa desde 2012, con la LO 2/2012 de estabilidad presupuestaria y sostenibilidad financiera[1457] y, a nivel local, con la LRSAL. Estas legislaciones instan a todas las Administraciones públicas y demás entidades públicas dependientes de las primeras a presentar un equilibrio presupuestario/financiero o superávit, es decir, no incurrir en déficit estructural[1458]. Así, estas entidades no pueden asumir muchos proyectos de promoción de vivienda, menos aun de alquiler, pues se trata de promociones que requieren de mayor financiación y endeudamiento a largo plazo[1459]. Apostar en mayor medida por la promoción de vivienda protegida en compraventa o el alquiler de locales, aparcamientos u otros en condiciones de mercado, así como utilizar otras vías como el derecho de superficie para ceder suelo o vivienda de alquiler para que la gestione

---

[1455] Aragón tiene el Decreto 223/2018, de 18 de diciembre, del Gobierno de Aragón, por el que se regula el Plan Aragonés de Vivienda 2018-2021 (BOA 19-12-2018, núm. 244), donde sus programas se asimilan en gran medida con los estatales. La Comunidad Valenciana, por su parte, cuenta con la Resolución de 2 de agosto de 2018, de la Secretaría General de Vivienda, por la que se publica el Convenio con la Comunitat Valenciana, para la ejecución del Plan Estatal de Vivienda 2018-2021 (BOE 16-08-2018, núm. 198).

[1456] Véase el Plan Director de Vivienda 2018-2020 del País Vasco y el PDVC.

[1457] Véanse estos dos conceptos en el apartado "3.1.1. Sector público" de este mismo capítulo.

[1458] Arts. 2 y 3 y 11 y ss. LO 2/2012, de 27 de abril, de estabilidad presupuestaria y sostenibilidad financiera. BOE 30-04-2012, núm. 103. Véase, a nivel de exigencias del sector público local, la DA 9ª de la LRBRL, modificada por el art. 1.36 de la LRSAL.

[1459] Véase a modo de ejemplo, GARCÍA ALMIRALL, P. et al. "Modelos de política de vivienda municipal en Europa y América", cit. p. 32, donde establece que la actividad de alquiler del Patronato Municipal de Vivienda de Barcelona (actual Instituto Municipal de la Vivienda y Rehabilitación) es deficitaria. Véase un estudio sobre la viabilidad económica de la promoción de vivienda social en COHABITAC y TAULA D'ENTITATS DEL TERCER SECTOR SOCIAL DE CATALUNYA. *Reptes i limitacions de la promoció i la gestió d'habitatges de lloguer social a Catalunya*, cit.

una tercera entidad se presentan como medidas para poder cumplir con las exigencias legales de equilibrio financiero[1460].

Finalmente, a nivel urbanístico existen instrumentos que permiten establecer reservas de suelo para la construcción de viviendas protegidas. Así, a nivel estatal, el TRLSRU regula la necesidad de destinar un porcentaje mínimo de suelo para viviendas de protección pública (art. 20)[1461]. A nivel autonómico, son bastantes las CCAA que introducen estos instrumentos de zonificación en sus normativas urbanísticas, como por ejemplo el País Vasco[1462] o Cataluña[1463].

Trilla i Bellart y Bosch Meda subrayan, acertadamente, que estas reservas de suelo no suponen por sí solas una solución a la falta de vivienda asequible existente en España[1464], y que es necesario que vayan acompañadas de "un sistema acorde de ayudas públicas que garantice la viabilidad de las promociones, sobre todo para poder atender las necesidades residenciales de aquellos hogares con bajos o muy bajos ingresos", puesto que de lo contrario, o bien los terrenos quedan vacantes o bien se promocionan viviendas protegidas pero en régimen de compraventa y para destinatarios con ingresos medios[1465]. Esto se vincula con la incertidumbre e irregularidad de líneas de financiación antes mencionada.

[1460] García Almirall, P. et al. "Modelos de política de vivienda municipal en Europa y América", cit. p. 33.

[1461] La Ley 8/2007, de 28 de mayo, de suelo (BOE 29-05-2007, núm. 128) reguló este instrumento por primera vez para toda España.

[1462] Art. 80 Ley 2/2006, de 30 de junio, de suelo y urbanismo del País Vasco (BOE 4-11-2011, núm. 266), modificado por la DF 7ª LVPV.

[1463] Art. 57.3 Decreto Legislativo 1/2010, de 3 de agosto, por el que se aprueba el texto refundido de la Ley de urbanismo.

[1464] Además, una de las incongruencias que plantean estos autores es que mientras la calificación del suelo para vivienda protegida tiene vocación de permanencia (con posibilidad de alterarlo mediante la modificación o revisión del plan correspondiente), las normativas de vivienda protegida suelen regular calificaciones con plazos temporales, después de los cuales las viviendas pasan al mercado libre. Esto podría conllevar la existencia de viviendas libres sobre terrenos destinados a vivienda protegida. Trilla i Bellart, C. y Bosch Meda, J. *El parque público y protegido de viviendas en España: un análisis desde el contexto europeo*, cit. p. 32. Sin embargo, ya son algunas las CCAA que han empezado a regular viviendas protegidas de calificación permanente, como puede verse en la Tabla 4 de este libro.

[1465] Trilla i Bellart, C. y Bosch Meda, J. *El parque público y protegido de viviendas en España: un análisis desde el contexto europeo*, cit. p. 32.

c. La tributación de las entidades gestoras

La fiscalidad de las entidades también es un aspecto importante para tener en cuenta al tratar la economía, viabilidad y eficiencia de dichas entidades. El IS grava la renta o beneficios obtenidos por las sociedades y demás entidades jurídicas[1466]. El tipo de gravamen general es del 25%[1467]. El Estado, las CCAA y las entidades locales, así como sus organismos autónomos y entidades de derecho público de carácter análogo están totalmente exentas de este impuesto[1468]; en cambio, no lo están ni las entidades públicas empresariales ni los entes de derecho público que se rijan por normas de Derecho privado en sus actividades externas[1469].

A nivel privado, existen diversos tipos de entidades que gozan de tipos de gravámenes reducidos. Así, las sociedades cooperativas fiscalmente protegidas[1470] tributan al 20% y las SII y FII lo hacen al 1%, siempre que tengan por objeto exclusivo la inversión en inmuebles de naturaleza urbana para su arrendamiento (y siempre que no se enajenen hasta transcurrir al menos tres años desde su adquisición) o cuando desarrollen la actividad de promoción exclusivamente de viviendas para destinarlas a su arrendamiento (arrendados u ofrecidos en arrendamiento un mínimo de siete años)[1471]. Por su lado, las entidades sin ánimo de lucro reguladas por la Ley 49/2002[1472] gozan de un tipo de gravamen al 10%, al mismo tiempo

---

[1466] Se regula por la Ley 27/2014, de 27 de noviembre, del impuesto sobre sociedades (BOE 28-11-2014, núm. 288), LIS en adelante.

[1467] Este porcentaje se reduce al 15% para entidades de nueva creación que realicen actividades económicas, en el primer período impositivo en que la base imponible resulte positiva y en el siguiente (a menos que deba tributar a un tipo inferior). Art. 29.1 LIS.

[1468] Art. 9.1 LIS.

[1469] Véase la Consulta de la DGT 356/1996 de 08 de mayo de 1996.

[1470] Se consideran cooperativas protegidas las que se ajustan a los principios y disposiciones de la Ley 27/1999, de 16 de julio, de cooperativas o de las Leyes de cooperativas de las CCAA que tengan competencia en la materia, y siempre que no incurran en ninguna de las causas previstas en el art. 13 de la Ley 20/1990, de 19 de diciembre, sobre pérdida de la condición de cooperativa fiscalmente protegida.

[1471] Art. 29.4 LIS.

[1472] En esta se incluyen las fundaciones, las asociaciones declaradas de utilidad pública y las federaciones y asociaciones de dichas entidades sin fines lucrativos, entre otras (art. 2), y siempre que cumplan con los requisitos de fin de interés general, gratuidad de algunos cargos, destino de los ingresos y rentas, obligaciones contables y de elaboración de memoria económica anual, etc. regulados en el art. 3.

que se benefician de un seguido de rentas y explotaciones económicas que
quedan exentas al IS. Entre estas, encontramos: donaciones, cuotas de asociados, colaboradores o benefactores, subvenciones, las rentas procedentes
del patrimonio mobiliario e inmobiliario de la entidad, las derivadas de
adquisiciones o de transmisiones de bienes o derechos, las que proceden
de la prestación de servicios de promoción y gestión de la acción social,
así como las que proceden de asistencia e inclusión social, entre otras[1473].
Finalmente, existen regímenes tributarios (opcionales) especiales para las
sociedades dedicadas al arrendamiento y para las SOCIMIs. En el primer
caso, se les aplica una bonificación del 85% (al régimen general del 25%)
de la parte de cuota íntegra que corresponda a rentas derivadas de arrendamientos de viviendas, mientras que las segundas tributan al tipo de gravamen del 0%[1474].

Además del IS, también destacan todos los beneficios fiscales existentes
para las viviendas protegidas. Así, estas tributan al 4% (el gravamen general

---

[1473] Arts. 6 y 7 Ley 49/2002, de 23 de diciembre, de régimen fiscal de las entidades sin
fines lucrativos y de los incentivos fiscales al mecenazgo.

[1474] Arts. 48 y 49 LIS y art. 9 Ley 11/2009, de 26 de octubre, por la que se regulan las
Sociedades Anónimas Cotizadas de Inversión en el Mercado Inmobiliario. En ambos casos, se exige la permanencia de las viviendas en arrendamiento u ofrecidas
en arrendamiento durante al menos tres años. Además, las sociedades dedicadas
al arrendamiento deben tener un mínimo de ocho viviendas arrendadas u ofrecidas en arrendamiento. Por su lado, la estructura de la SOCIMI es más exigente y
compleja, puesto que exige un capital social mínimo de cinco millones de euros,
una inversión de al menos el 80% del valor del activo en bienes inmuebles de naturaleza urbana destinados al arrendamiento, en terrenos para la promoción de
bienes inmuebles que vayan a destinarse a dicha finalidad y en participaciones en
el capital o patrimonio de otras entidades con el mismo objeto social, la exigencia
de que al menos el 80% de las rentas provengan de los arrendamientos y de dividendos o participaciones en beneficios procedentes de participaciones afectas al
cumplimiento de su objeto social principal, la obligación de negociación en un
mercado regulado o en un sistema multilateral de negociación y la obligación de
distribución de los beneficios obtenidos entre sus accionistas y de una forma esti-
pulada legalmente, entre otros (véase el apartado "3.1.2. Sector privado" de este
mismo capítulo). Las sociedades dedicadas al arrendamiento deben tener como
actividad económica principal, como su propio nombre indica, el arrendamiento
de viviendas situadas en territorio español que hayan construido, promovido o
adquirido. Así, no se incluyen en el cómputo del número de viviendas arrendadas
necesarias para aplicar este régimen las viviendas de que se disponga en virtud de
cualquier otro título jurídico, como usufructo, derecho temporal de explotación
o arrendamiento. Así, el ámbito objetivo y territorial de las SOCIMIs es más amplio que el de las sociedades dedicadas al arrendamiento.

es del 10%) en el IVA, es decir, el que grava la primera adquisición directamente del promotor legal. En el caso del impuesto por las transmisiones patrimoniales onerosas, no existe una regla a nivel general puesto que este impuesto se encuentra cedido totalmente a las CCAA, aunque la mayoría de ellas regulan tipos de gravamen reducidos para viviendas protegidas, familias numerosas, personas con minusvalías y/o jóvenes[1475]. El impuesto sobre transmisiones patrimoniales y actos jurídicos documentados (ITP y AJD en adelante)[1476] grava las transmisiones patrimoniales onerosas[1477], las operaciones societarias[1478] y los actos jurídicos documentados[1479]. Además, existen ciertas operaciones relacionadas con las viviendas protegidas que también se encuentran exentas del ITP y AJD1[1480]. Ciertas operaciones de las SOCIMI y de las FII y SII también gozan de exenciones y bonificaciones en este impuesto[1481].

[1475] Véase un resumen comparativo de los ITP aplicados en las diferentes CCAA en EL PAÍS. *Si compras una casa usada, tendrás que pagar el ITP. ¿Qué tipo aplican en tu comunidad autónoma?*, 31-03-2018, disponible en https://elpais.com/economia/2018/03/27/actualidad/1522147018_946664.html (último acceso 25-10-2019).

[1476] Real Decreto Legislativo 1/1993, de 24 de septiembre, por el que se aprueba el texto refundido de la Ley del Impuesto sobre Transmisiones Patrimoniales y Actos Jurídicos Documentados (TRLITPAJD en adelante). BOE 20-10-1993, núm. 251.

[1477] Arts. 7 y ss. TRLITPAJD.

[1478] Arts. 19 y ss. TRLITPAJD.

[1479] Arts. 27 y ss. TRLITPAJD.

[1480] Las encontramos en el art. 45.B.12 TRLITPAJD, y se relacionan con transmisiones de terrenos, solares y cesiones del derecho de superficie para construir edificios con régimen protegido, escrituras públicas, constitución de préstamos hipotecarios y constitución de sociedades con objeto de promoción de edificios con régimen protegido. Las exenciones se aplican, también a las viviendas protegidas que emanen de la legislación autonómica, siempre que sigan los parámetros y no se excedan de los previstos en la norma estatal, con independencia de la denominación que cada legislación autonómica pueda utilizar. Así, esa exención no es extensible a todas las viviendas que las CCAA atribuyan algún tipo de protección, sino solo a las mencionadas anteriormente. Así lo corroboran las STSJ de Cataluña de 2 de octubre de 2008 (JT 2009\192) y STSJ de Madrid de 4 de abril de 2014 (JUR 2014\249500).

[1481] Exención en la modalidad de operaciones societarias del ITP y AJD ante operaciones de constitución, aumento de capital y aportaciones no dinerarias a dichas entidades y bonificación del 95% de la cuota de este impuesto por la adquisición de viviendas destinadas al arrendamiento y la adquisición de terrenos para la promoción de viviendas destinadas al arrendamiento. Art. 45.B.20 y 22 TRLITPAJD.

A parte de los gravámenes reducidos a favor de la vivienda protegida, se encuentran totalmente exentos de pagar este impuesto las Administraciones públicas, las entidades sin ánimo de lucro reguladas en la Ley 49/2002 (mencionadas anteriormente), las cajas de ahorro y las fundaciones bancarias (cuando las adquisiciones se destinen directamente a su obra social), las confesiones y comunidades religiosas con acuerdos de cooperación con el Estado español, y otras entidades singulares como la Cruz Roja[1482]. Por su lado, las cooperativas protegidas también disfrutan de algunas exenciones en ciertos actos, contratos y operaciones en el ITP y AJD[1483].

Además, existen también exenciones en el IVA para los arrendamientos de edificios o partes de estos destinados a vivienda o a su posterior arrendamiento por parte de sociedades dedicadas al arrendamiento (régimen especial IS) y por parte de entidades que gestionen programas públicos de apoyo a la vivienda[1484]. También para entidades públicas o privadas de carácter social en los casos de prestación de servicios de asistencia social (entre los que se incluye el alojamiento) para colectivos de tercera edad, personas con minusvalías, minorías étnicas, refugiados y asilados, sin techo y exreclusos, entre otros[1485].

Otros incentivos a destacar en este ámbito son, por un lado, la reducción del rendimiento neto obtenido por el arrendamiento de una vivienda en un 60%, por lo que solamente se tributa en el impuesto sobre la renta de las personas físicas por el 40% del rendimiento positivo[1486]; y, por otro, la deducción en la cuota íntegra autonómica de este mismo impuesto del 30% existente en Aragón cuando el contribuyente ponga una o más vivien-

---

[1482] Art. 45 TRLITPAJD.

[1483] Art. 33.1 Ley 20/1990, de 19 de diciembre, sobre régimen fiscal de cooperativas.

[1484] Art. 20.1.23°.b Ley 37/1992, de 28 de diciembre, del impuesto sobre el valor añadido. BOE 29-12-1992, núm. 312. Son los gobiernos autonómicos los que conceden ese certificado de "programa público de apoyo a la vivienda". En Cataluña, por ejemplo, estos se conceden sin tener un protocolo fijo o una normativa de concesión al respecto.

[1485] Art. 20.1.8° Ley 37/1992, de 28 de diciembre, del impuesto sobre el valor añadido.

[1486] Art. 23.2 Ley 35/2006, de 28 de noviembre, del Impuesto sobre la Renta de las Personas Físicas y de modificación parcial de las leyes de los Impuestos sobre Sociedades, sobre la Renta de no Residentes y sobre el Patrimonio. BOE 29-11-2006, núm. 285.

das a disposición del Gobierno autonómico o de alguna de sus entidades que gestionen el Plan de Vivienda de esa CA[1487].

3.5.2.4. El rol de los arrendatarios dentro de la entidad gestora

En términos generales, los modelos de gestión de vivienda social no suelen prever expresamente (salvo alguna excepción contemplada a continuación) representantes en los órganos de dirección o gobierno de la entidad gestora, ni en las leyes por las que se rigen según la forma jurídica de cada entidad (ej. LCSP, LRBRL o Ley de fundaciones estatal), ni tampoco en los estatutos de los modelos que se estudian en este capítulo.

La esencia colaborativa y participativa sí que se encuentra entre las cooperativas, donde los socios forman parte de la asamblea general de la misma, con derecho a formular propuestas y participar con voz y voto en la adopción de los acuerdos, además de ser electores y elegibles de los cargos de los órganos sociales[1488]. También regula el derecho de asistencia y voto en la Asamblea General y la posibilidad de formar parte de los órganos de gobierno y gestión la LO reguladora del derecho de asociación (art. 21), pero solamente en el caso que los arrendatarios sean al mismo tiempo, asociados.

Sin embargo, sí que encontramos, a nivel particular, alguna entidad que integra, de una manera u otra, representantes de los arrendatarios en sus órganos de gestión o en una posición de decisión de ciertas políticas de la entidad. Así, el Patronato Municipal de Vivienda del Ayuntamiento de Alicante cuenta con un representante de la asociación de vecinos y un representante de la asociación de promoción gitana en su Junta general[1489]. Por su parte, la sociedad municipal Zaragoza Vivienda está estudiando una herramienta para ceder la toma de decisiones de una parte del presupues-

---

[1487] Art. 110-13 Decreto Legislativo 1/2005, de 26 de septiembre, del Gobierno de Aragón, por el que se aprueba el texto refundido de las disposiciones dictadas por la Comunidad Autónoma de Aragón en materia de tributos cedidos. BOE 28-10-2005, núm. 128.

[1488] Véase el art. 16 de la Ley 27/1999, de 16 de julio, de cooperativas, a nivel estatal, y también, entre otras, el art. 23 de la Ley 4/1993, de 24 de junio, de cooperativas de Euskadi y el art. 38 de la Ley 12/2015, de 9 de julio, de cooperativas de Cataluña, a nivel autonómico.

[1489] Art. 6 de los Estatutos del Patronato de la Vivienda de Alicante, fundación municipal. Además, y siguiendo el art. 9 de los mismos estatutos, estos representantes pueden llegar a ser miembros de la Comisión Ejecutiva.

to destinado a mantenimiento a manos de los arrendatarios, para que tengan poder para decidir qué aspectos quieren mantener y mejorar (no se refiere a los gastos cotidianos de comunidad)[1490].

En consecuencia, el rol de los arrendatarios sociales suele reducirse en la mayoría de los casos a un mero derecho de información[1491] y asesoramiento en ciertas cuestiones. Si bien es cierto que, en bastantes modelos, las entidades gestoras realizan reuniones con representantes de arrendatarios, comunidades de vecinos o representantes de escalera, o también la celebración de asambleas participativas, también lo es que existe un amplio abanico respecto de la periodicidad y la posición activa o pasiva de la entidad gestora: puede ir desde reuniones periódicas a solamente cuando existe alguna cuestión a tratar o cuando lo piden los representantes, y siempre que previamente existan estas asociaciones. La variación depende de si la entidad gestiona la totalidad o gran parte de la comunidad, de si existen programas concretos que requieran de reuniones de seguimiento periódicas (véase el apartado siguiente) o de los recursos económicos y humanos de los que dispone la entidad, siendo más común que la entidad adopte una posición más activa si cuenta con un departamento o área social.

Cabe mencionar que el papel de las asociaciones de inquilinos actualmente es muy reducido en España y además "no disponen de un tejido

---

[1490] Material del Curso online *Gestión social del parque público de viviendas*, 11 abril a 12 junio 2016, AVS promotores públicos. "Módulo VII. Los aspectos de comunidad en la gestión de patrimonio", p. 8. Esta herramienta aun no se ha puesto en marcha, debido principalmente a dos motivos: el primero, la implementación de otros planes que necesitan de mayor prioridad (plan de rehabilitación de 800 viviendas con la participación de los vecinos); el segundo, la necesidad de trabajar el sentimiento comunitario en las comunidades donde se debe llevar a cabo este proyecto. Para lograr este segundo objetivo, contaran con profesionales dedicados en exclusiva a la intervención comunitaria. Finalmente, esta sociedad cuenta con unos criterios de cobro de reparaciones (intentando favorecer a los arrendatarios) para evitar conflictos en un campo un tanto confuso y poco claro.

[1491] Regula a nivel estatal los derechos básicos de los consumidores y usuarios, entre los que se encuentran los de información sobre los servicios prestados, el Real Decreto Legislativo 1/2007, de 16 de noviembre, por el que se aprueba el texto refundido de la Ley general para la defensa de los consumidores y usuarios y otras leyes complementarias. BOE 20-11-2007, núm. 287 (arts. 8 y ss.). Véase también el Real Decreto 515/1989, de 21 de abril, sobre protección de los consumidores en cuanto a la información a suministrar en la compraventa y arrendamiento de viviendas (BOE 17-05-1989, núm. 117).

organizativo como el de los propietarios de inmuebles"[1492]. Algunas de las existentes son la Cámara Oficial de vecinos e inquilinos de Madrid[1493], la Asociación de arrendatarios e inquilinos de Aragón, consumidores y usuarios[1494], y las Asociaciones de inquilinos de Burgos[1495] y de La Coruña[1496]. Y en el ámbito del sector de vivienda social, encontramos la Federación de Asociaciones de vecinos de vivienda social de Cataluña (FAVIBC)[1497], que da apoyo a 100 Asociaciones de Vecinos y tiene presencia en 53 municipios de Cataluña[1498]. Además de esa función de asesoramiento, la FAVIBC actúa de *lobby* defendiendo los intereses de las asociaciones ante los diferentes sectores políticos, gestiona proyectos de participación comunitaria dirigidos a combatir la exclusión social en los barrios y la creación de redes comunitarias, participa en las actuaciones que cada barrio desarrolla en coordinación con el municipio y los servicios sociales, y también ofrece formación en materia de gestión y administración comunitaria, a través de charlas, talleres, etc. Además, y fruto sobre todo de los efectos de la crisis económica de 2007, con unos números de desahucios por impagos de alquiler o de hipoteca elevados y con un alto porcentaje de población con riesgo de pobreza[1499], han crecido las organizaciones que representan y defienden los derechos de los inquilinos, aunque en sus inicios se enfocan a evitar desahucios[1500] y a luchar contra los abusos inmobiliarios y por una

---

[1492] MOLINA ROIG, E. *Una nueva regulación para los arrendamientos de vivienda en un contexto europeo*, cit. p. 81.

[1493] Véase su web oficial en http://www.camarainquilinos.es (último acceso 18-01-2018).

[1494] http://otal.aragob.es/cgi-bin/dirc2/BRSCGI?CMD=VERDOC&BASE=DIRC&DOCN=000000016 (último acceso 26-10-2019).

[1495] http://consumo.jcyl.es/web/jcyl/Consumo/es/Plantilla100Directorio/1284297006536/1282999991894/1188972931198/DirectorioPadre (último acceso 26-10-2019).

[1496] https://www.coruna.gal/portal/es/detalle/asociacion-de-inquilinos/entidad/1149055797593?argIdioma=es (último acceso 26-10-2019).

[1497] Véase su web oficial en http://www.favibc.org/index.html (último acceso 26-10-2019).

[1498] FEDERACIÓ D'ASSOCIACIONS DE VEÏNS D'HABITATGE SOCIAL DE CATALUNYA. *Memòria 2018*. p. 1.

[1499] Véanse datos al respecto en el inicio de este capítulo.

[1500] Uno de los movimientos destacados es el de "Stop desahucios" de la Plataforma de Afectados por la Hipoteca, el cual, a parte de ofrecer información y asesoramiento legal sobre los desahucios, se implica activamente en acciones de paralización de desahucios arrendaticios y ejecuciones hipotecarias. Véase http://afectadosporlahipoteca.com/stop-desalojos/ (último acceso 26-10-2019).

regulación adecuada del mercado de alquiler. Así, en 2017 aparecen Sindicatos de inquilinos en Barcelona y en Madrid[1501].

Finalmente, todas las entidades gestoras, tanto públicas como privadas, cuentan con memorias anuales que reflejan (con mayor o menor detalle), por un lado, la actividad llevada a cabo en ese año y su impacto (ej. población o colectivos beneficiados) y, por otro, un informe económico reflejando las cuentas y el balance de sus operaciones. Lo que estas memorias no suelen reflejar es el nivel de satisfacción de los servicios prestados (entre ellos, el de gestión de la vivienda) y/o actividades llevadas a cabo de los arrendatarios y otros usuarios[1502].

En conclusión, la mayor o menor implicación de los arrendatarios en las políticas de gestión de la entidad gestora de vivienda social se decide mayoritariamente, y exceptuando algún tipo de modelo como es el de cooperativa, dentro de la política de cada entidad, sin existir un marco legal o normativo que regule el empoderamiento de estos arrendatarios sociales. A pesar de poder afirmar que los arrendatarios tienen un mayor rol en algunas entidades públicas locales y en entidades privadas sin ánimo de lucro, no es menos cierto que dentro de un mismo modelo de gestión existen variaciones notables. En el marco privado con ánimo de lucro, algunas entidades conciertan reuniones con asociaciones de arrendatarios.

3.5.2.5. *Más allá del acceso a una vivienda. Servicios a los arrendatarios y a la comunidad*

A pesar de la diversidad en lo que a concepto de vivienda social y a tipologías de vivienda social en España se refiere, en el Capítulo I hemos determinado que el rasgo que distingue esencialmente el mercado de vivienda privado del de vivienda social es su adjudicación siguiendo pautas

---

[1501] Véanse sus webs oficiales en https://sindicatdellogateres.org/es/ y http://www.inquilinato.org respectivamente (último acceso 26-10-2019). Véase una referencia a ellos y a la FAVIBC en NASARRE AZNAR, S. "Les associacions de propietaris i de llogaters", en NASARRE AZNAR, S., SIMÓN MORENO, H. y MOLINA ROIG, E. (dirs.) *Un nou dret d'arrendaments urbans per a afavorir l'accés a l'habitatge*. Barcelona: Atelier, 2018, pp. 223-231. pp. 224 y 225.

[1502] Algunas entidades sí lo promueven, por ejemplo, las VVMM de Bilbao, que participa del Estudio de satisfacción de personas usuarias de los servicios municipales del Ayuntamiento de Bilbao (por lo tanto, no es exclusivo de vivienda). Véase http://www.bilbao.eus/servlet/Satellite/vvmm/es/calidad-del-servicio (último acceso 26-10-2019).

establecidas por los poderes públicos y basadas en criterios de necesidad de vivienda. En consecuencia, la mayor parte de población que accede a una vivienda social cuenta con algún tipo de problemática, ya sea económica, social, profesional o personal que le impide acceder a una vivienda digna y adecuada en el mercado privado.

En este punto, es importante analizar cuáles son los modelos de gestión que, tomando esta dimensión más social de la vivienda, ofrecen algún tipo de servicio más allá del de acceso a una vivienda digna, segura y asequible, y de qué manera lo llevan a cabo. Estos servicios pueden clasificarse, como ya se ha hecho en el Capítulo anterior[1503], entre los que se ofrecen particularmente a los arrendatarios o beneficiarios y persiguen mejorar su calidad de vida y su posición personal, social, laboral y/o económica, y los que se enfocan al vecindario o a la comunidad en general, cuyo objetivo consiste en mejorar la coexistencia y la calidad de vida en esa zona o barrio concreto. Son servicios que van íntimamente ligados, puesto que mejorando la situación personal de los arrendatarios también se mejora la calidad de vida del barrio.

En términos generales, los servicios ofrecidos a los beneficiarios de las viviendas sociales dependen de su perfil. Así, los modelos de gestión de las entidades del tercer sector social suelen especializarse en sectores de la población considerados como colectivos vulnerables, por lo que deben disponer de personal con dedicación profesionalizada y especializada a satisfacer las necesidades sociales de estos colectivos[1504]. Con la crisis de 2007 y la del 2020 del coronavirus[1505], se ha agravado la situación de las personas más vulnerables al mismo tiempo que han aparecido nuevos riesgos sociales como la pobreza infantil, la pobreza energética y la exclusión residencial, por lo que se han intensificado las exigencias sobre estas entidades y además se ha tenido que reorientar la intervención social. Todo ello conlleva una mayor complejidad de casos[1506]. Son colectivos atendidos

---

[1503]   Nos remitimos al apartado "3.7. Más allá del acceso a una vivienda. El concepto de *Housing Plus*" del Capítulo II.

[1504]   CERVERA, C., SUTRIAS, F. y TRILLA, C. "La contribució del Tercer Sector al lloguer social", cit. p. 6.

[1505]   A pesar de que todavía es pronto para disponer de datos sobre el impacto del coronavirus, se prevé un aumento de personas con riesgo extremo de pobreza y de exclusión social a nivel europeo. ABBÉ PIERRE y FEANTSA. *Sixth Overview of housing exclusion in Europe 2021*, 2021. p. 15.

[1506]   PLATAFORMA DE ONG DE ACCIÓN SOCIAL (coord.) *III Plan estratégico del Tercer Sector de acción social*, cit. p. 20. Véase, también, AMNISTÍA INTERNACIONAL. *Derechos*

por estas entidades del tercer sector social: personas con problemas de salud mental, personas con discapacidad, pobreza y exclusión social, con drogodependencia, inmigrantes, jóvenes, personas en paro, gente mayor, mujeres, niños, reclusos y población con enfermedades[1507].

Por su lado, los modelos de gestión pública suelen abarcar un grupo heterogéneo de beneficiarios, que depende de la tipología y los programas de vivienda social que ofrecen. En cambio, las entidades con ánimo de lucro y algunas sin ánimo de lucro no tienen tanta concentración de colectivos especialmente vulnerables con problemáticas más allá de las económicas.

A falta de las exigencias de la normativa por prestar este tipo de servicios (más allá de los fines de interés general que ya llevan aparejadas algunas entidades por su forma jurídica, por ejemplo, la Ley de fundaciones, en su art. 3, o la Ley reguladora del derecho de asociación al mencionar las asociaciones de utilidad pública, en el art. 32, entre los que se incluye la defensa de los derechos humanos y la asistencia social e inclusión social), algunas son las entidades que regulan esa necesidad de ofrecer algún tipo de acompañamiento o seguimiento social en sus estatutos. Se trata, principalmente, de entidades públicas y de entidades privadas sin ánimo de lucro[1508].

Teniendo presente que la finalidad de la mayoría de las entidades del tercer sector social es conseguir la inclusión social de ciertos colectivos

---

[1507] *desalojados. El derecho a la vivienda y los desalojos hipotecarios en España*. Madrid: Amnistía Internacional España, 2015. p. 16.

[1507] CERVERA, C., SUTRIAS, F. y TRILLA, C. "La contribució del Tercer Sector al lloguer social", cit. p. 16.

[1508] Pueden verse, como ejemplos a nivel público, el art. 4.2.h de los estatutos de VVMM de Bilbao, que habla de "diseño, desarrollo e implantación de programas de intervención socio-comunitaria hacia colectivos sociales de atención preferente como demandantes de vivienda protegida" y el art. 2.1.h de los estatutos de Zaragoza Vivienda, que menciona como uno de los fines de la sociedad la "prestación de todo tipo de servicios y actividades comprendidos en el objeto social encomendadas tanto por el Ayuntamiento de Zaragoza como por otras Administraciones Públicas o Entidades". A nivel de las entidades del tercer sector social, puede mencionarse el art. 3 de los estatutos de la Fundación Mambré, en el que entre las actividades a realizar por la fundación enumera el diseño y la gestión de programas de inserción laboral, la oferta de asesoramiento legal, así como otras actividades encaminadas a garantizar la inclusión social de las personas sin hogar; así como la Fundación Hábitat3, que en su art. 5 establece la necesidad de acompañar el derecho de acceso a una vivienda digna de las personas más desfavorecidas con un plan de acompañamiento social que facilite su inclusión social.

especialmente vulnerables, sus objetivos siempre van a ir más allá de la oferta de una vivienda y de combatir solamente la exclusión residencial. Es por eso por lo que la mayoría de ellas cuentan con programas para sus beneficiarios: programas de seguimiento o acompañamiento social, de supervisión del uso de las viviendas, de acompañamiento de salud, de atención psicológica, de orientación e inserción laboral, de formación, de apoyo jurídico, de apoyo técnico de obras[1509], entre otros. Otro modelo de gestión de vivienda social que permite ofrecer parte de estos servicios complementarios de seguimiento y/o acompañamiento social, formación e inserción laboral, asesoramiento legal o contra la pobreza energética y también servicios de mediación comunitaria o resolución de conflictos son las entidades públicas que disponen de áreas o departamentos de intervención social y/o comunitaria, puesto que disponen de personal formado por trabajadores sociales dedicado exclusivamente a ese contacto más directo con el arrendatario o usuario[1510]. Las entidades privadas con ánimo de lucro no suelen tener este tipo de servicios, aunque en algunos casos se coordinan con los servicios sociales de la localidad en concreto. Precisamente, la colaboración con los servicios sociales existe en mayor o menor medida en todos los modelos (se ha visto algún ejemplo *supra* al hablar de los procedimientos de desahucio), aunque lo que puede destacarse es la falta de un convenio específico o protocolo firmado entre los dos entes.

Todos estos servicios pueden ofrecerse de manera directa por las entidades, pero algunas de ellas construyen redes de colaboración con otras entidades. Así, destaca la colaboración entre modelos de gestión pública y entidades del tercer sector, donde, o bien los modelos públicos ceden las viviendas para que las entidades del tercer sector las gestionen por completo, o bien colaboran para prestar ciertos servicios complementarios. También se plantean convenios entre entidades de este tercer sector, así como la práctica de acudir a los servicios que ya ofrece el municipio (ej.

[1509] Ordenadas, de mayor a menor uso, por las entidades del tercer sector social de Cataluña. CERVERA, C., SUTRIAS, F. y TRILLA, C. "La contribución del Tercer Sector al lloguer social", cit. p. 122

[1510] Véanse, por ejemplo, programas y proyectos en Zaragoza Vivienda (http://www.zaragozavivienda.es/M04_GESTION-SOCIAL/index.asp último acceso 26-10-2019) o la interesante propuesta del Patronato municipal de vivienda del Ayuntamiento de Alicante con el edificio intergeneracional Plaza de América, donde los propios arrendatarios (colectivo joven) se encargan de realizar servicios de acompañamiento, ayuda y apoyo a la gente mayor, a parte de gestionar diversas tareas comunitarias (proyecto disponible en http://www.alicante.es/es/contenidos/alquiler-viviendas último acceso 26-10-2019).

el Servicio de prevención, intervención y mediación en viviendas públicas del Consorcio de la vivienda de Barcelona[1511]). Cabe destacar, en el caso de modelo de gestión de entidad privada sin ánimo de lucro creada para gestionar parque de vivienda social, el trabajo en red con las entidades fundadoras o colaboradoras, las que se encargan de llevar el seguimiento y acompañamiento de los arrendatarios de las viviendas. En definitiva, la gran variedad de convenios de colaboración entre entidades públicas y el tercer sector o entre entidades de este tercer sector denota la necesidad de colaborar por falta de recursos humanos y/o económicos y de conocimientos técnicos para hacer frente a todas las vertientes que componen una gestión integral del parque de vivienda social.

Uno de los instrumentos interesantes en este campo es el denominado "contrato social", en el cual pueden establecerse, desde reglas de comportamiento y uso hasta planes de acompañamiento, de inserción social, de inserción laboral, etc. Pueden citarse, como ejemplos, VVMM Bilbao con su "compromiso social común", en el que los arrendatarios se comprometen a una debida optimización del uso de la vivienda y convivencia pacífica vecinal, derivando, su incumplimiento, en actuaciones de inspección, mediación, conciliación, etc[1512]; Sant Joan de Déu Serveis Socials con su "documento de pactos" y Sogeviso, con un "contrato social" anexo en el que se prevé un Programa de acompañamiento, asistencia social y/o un plan de inserción laboral.

A nivel de servicios relacionados con la mejora en la calidad de vida de la comunidad y/o el barrio, ya se ha mencionado la existencia de servicios de mediación comunitaria por parte de las entidades que disponen de áreas sociales, aunque sea también un servicio que ofrezcan otros modelos públicos sin esa área, puesto que lo ofrece el ayuntamiento correspondiente. Existen entidades que procuran dinamizar el barrio de distintas mane-

---

[1511] Este servicio nace ante la identificación de una serie de elementos problemáticos relacionados con la gestión del parque de viviendas públicas (estigmatización de la vivienda social, alta conflictividad, morosidad o falta de responsabilidad de los arrendatarios por cumplir sus obligaciones, entre otros) que hacían necesaria la creación de mecanismos o instrumentos para resolverlos. Además, también tiene como objetivo afrontar la falta de cohesión social, la relación con la comunidad dentro de los inmuebles y mejorar la coordinación institucional en la gestión del propio parque. Véase Ayuntamiento de Barcelona. *Banc de bones pràctiques*, Boletín núm. 2, 2015. p. 15.

[1512] https://www.bilbao.eus/servlet/Satellite/vvmm/es/actividades-0#ancla2 (último acceso 26-10-2019).

ras[1513]. Algunas entidades del tercer sector como Sant Joan de Déu Serveis Socials o Hàbitat 3 organizan eventos, comidas y jornadas para crear comunidad e integrar a sus usuarios en el barrio. Además, cuando la entidad gestora es propietaria de la mayor parte de un bloque de viviendas, algunas disponen de responsables de mantenimiento y de conserjes (ej. CEVASA en sus promociones).

Finalmente, y más allá de estos servicios y actividades destinadas a dinamizar el barrio y a conservar la coexistencia, únicamente los modelos de gestión pública juegan un papel más destacado a la hora de llevar a cabo actuaciones urbanísticas y de mantenimiento y rehabilitación y renovación de los barrios o zonas de la ciudad, puesto que son precisamente estas entidades públicas las ejecutoras de las políticas y de los planes integrales aprobados por los municipios[1514].

3.5.2.6. *El sistema de adjudicación de las viviendas*

El sistema de adjudicación de viviendas sociales también es una cuestión compleja, causada principalmente por el hecho de ser la vivienda una competencia de las CCAA y por existir diversidad de tipologías de vivienda social que rigen requisitos de acceso totalmente diferentes. Esto conlleva la coexistencia de diferentes sistemas de adjudicación y de censos de demandantes, que pueden tener carácter autonómico y/o local y que pueden

---

[1513] Destacar, en este punto, los programas existentes tanto en VVMM de Bilbao (http://www.bilbao.eus/servlet/Satellite/vvmm/es/proyectos-programas/programa-jovenes-solidarios último acceso 26-10-2019), en el Patronato municipal de la vivienda del Ayuntamiento de Alicante (http://www.alicante.es/es/contenidos/alquiler-viviendas último acceso 26-10-2019) y en Zaragoza Vivienda (http://www.zaragozavivienda.es/M05_PROMOCION-DE-VIVIENDA/03%20ALQ_estudiantes/opcion2.asp último acceso 26-10-2019), que consisten en ofrecer arrendamientos a estudiantes a precios muy asequibles a cambio de que colaboren en proyectos comunitarios y de dinamización y revitalización del barrio.

[1514] Véase, por ejemplo, el art. 2.f de los estatutos de SMHAUSA, el art. 4 de los estatutos de VVMM de Bilbao o el art. 1.3 de los estatutos de Zaragoza Vivienda. El rol que juegan los modelos de gestión a nivel autonómico, como el de la AVC, es el de seguimiento y control de este tipo de políticas, así como la coordinación y el apoyo a ayuntamientos para llevar a cabo estas actuaciones (ej. art. 14 del Anexo del Decreto 157/2010, de 2 de noviembre, de reestructuración de la Secretaría de Vivienda, creación del Observatorio del Hábitat y la Segregación Urbana y aprobación de los Estatutos de la Agencia de la Vivienda de Cataluña. DOGC 11-11-2010, núm. 5753).

variar en función de si la vivienda adjudicada se somete a las reglas de las viviendas protegidas o no.

En cuanto a vivienda protegida en general, el Plan Estatal de Vivienda 2005-2008 supuso un punto de inflexión, al exigir a las CCAA la creación de Registros de demandantes de vivienda protegida, que pasarían a ser requisito preceptivo para poder adquirir viviendas protegidas[1515]. Estos Registros buscan garantizar la transparencia e igualdad de oportunidad de acceso a una vivienda protegida, por lo que los promotores o gestores que tienen promociones para adjudicar deben seguir unas políticas de publicidad y comunicación[1516]. Los requisitos para acceder a este Registro no son únicamente de carácter económico, sino también de carácter personal y de necesidad de vivienda. En términos generales, y teniendo presente que estos pueden variar dependiendo de la CA o incluso de la municipalidad[1517], son requisitos frecuentes de inscripción:

a) ser mayor de edad o menor emancipado;

b) tener necesidad de vivienda, lo que incluye no disponer de una vivienda en propiedad, con derecho de superficie o usufructo;

c) estar empadronado[1518] en uno de los municipios de esa CA en concreto y

---

[1515] Se ha tratado ya esta cuestión *supra* en este capítulo, en el apartado "1.3. Inexistencia de legislación y de políticas de gestión de vivienda social", donde además se menciona que el Plan Estatal de Vivienda 2009-2012 extiende la inscripción al registro para poder acceder a las ayudas financieras de los planes de vivienda, aunque la mayoría de normativa autonómica no lo contempla. Sí lo hace el Registro de demandantes de la Comunidad Valenciana, en el art. 2 de la Orden de 18 de diciembre de 2009, de la Consellería de Medio Ambiente, Agua, Urbanismo y Vivienda, por la que se crea y regula el Registro de Demandantes de Vivienda Protegida. DOCV 28-12-2009, núm. 6173.

[1516] Las entidades anuncian sus promociones por medios habituales de información pública, y algunas, por campañas especiales de información en los medios de comunicación. Sanz Cintora, A. (coord.) *Diagnóstico 2012. La gestión de la vivienda pública de alquiler*, cit. p. 70.

[1517] Algunos de los municipios con Registro propio en Cataluña, por ejemplo, son Barcelona, Sabadell y Terrassa.

[1518] Las CCAA pueden tener regulado unos años de empadronamiento mínimo, que normalmente se establecerá en las condiciones particulares de la promoción. Puede citarse, a modo de ejemplo: Cataluña, donde la antigüedad mínima exigible en viviendas de alquiler no puede superar los tres años (art. 31.2.f Decreto 106/2009, de 19 de mayo, por el que se regulan el Registro de Solicitantes de Viviendas con Protección Oficial de Cataluña y los procedimientos de adjudicación de las vi-

d) cumplir con los límites de ingresos mínimos y máximos que establece la normativa de vivienda protegida para acceder a sus diferentes modalidades[1519].

Debe tenerse presente y distinguir entre los requisitos generales de inscripción en el Registro y los requisitos más concretos y perfilados que pueden exigirse para ser adjudicatario de una modalidad de vivienda protegida en concreto.

Precisamente, para seguir los principios de publicidad, concurrencia e igualdad que rigen el proceso de adjudicación ya mencionado, los sistemas más frecuentes son el sorteo y la baremación. En el primer modelo, se realiza un sorteo entre las personas demandantes de una vivienda inscritas en el Registro para cada promoción de vivienda llevada a cabo; una vez hecho el sorteo, se comprueba que las personas beneficiarias cumplan con los requisitos exigidos para ser adjudicatarias de la vivienda en concreto. En el modelo de la baremación o por puntos, se establecen unos criterios ponderados previamente y, analizando esos criterios, se hace la suma de puntos de cada solicitante. Estos criterios se basan en circunstancias económicas, personales y familiares y en la necesidad de vivienda. Estos dos modelos pueden com-

---

viendas con protección oficial. DOGC 13-07-2009, núm. 5419 y art. 100.4 LDVC); el País Vasco, que permite suplirlo por la disposición de un contrato de trabajo con cierta antigüedad y duración, con puesto de trabajo en el propio municipio o en su área funcional (art. 32.5 LVPV y art. 12 de la Orden de 15 de octubre de 2012, del Consejero de Vivienda, Obras Públicas y Transportes, del registro de solicitantes de vivienda y de los procedimientos para la adjudicación de Viviendas de Protección Oficial y Alojamientos Dotacionales de Régimen Autonómico. BOPV 31-10-2012, núm. 211); y Aragón, que exige una antigüedad mínima de dos años en los casos de solicitudes de vivienda protegida en propiedad (art. 20.1.c y 22 Decreto 211/2008, de 4 de noviembre, del Gobierno de Aragón, por el que se aprueba el Reglamento del Registro de solicitantes de vivienda protegida y de adjudicación de viviendas protegidas de Aragón. BOA 14-11-2008, núm. 190).

[1519] Véanse, por ejemplo, los requisitos de inscripción para el Registro de solicitantes de VPO de Cataluña (art. 7 del Decreto 106/2009, de 19 de mayo), los del Registro de solicitantes de vivienda protegida de Aragón (art. 20 Decreto 211/2008, de 4 de noviembre) y los del Registro de solicitantes de vivienda del País Vasco (arts. 8 y ss. Orden de 15 de octubre de 2012). Los requisitos de inscripción no son tan estrictos en el caso de la Comunidad Valenciana, puesto que su Registro de demandantes de vivienda protegida sirve no solo para acceder a una vivienda sino también para optar a la financiación establecida en los planes y, por lo tanto, los requisitos económicos y de necesidad de vivienda se tendrán en cuenta a la hora de la adjudicación de las viviendas (arts. 2 y ss. de la Orden de 18 de diciembre de 2009).

binarse, siendo común que se utilice la baremación para la población con pocos recursos y para situaciones de emergencia o pérdida de vivienda, y el sorteo para la población en general, para cuando el volumen de solicitudes es muy alto[1520]. En todos los sistemas puede haber reservas para grupos de protección preferente. Así, por ejemplo, el Plan Estatal de Vivienda 2018-2021 menciona, sin ser una lista cerrada (puesto que cada CA puede regular y definir los colectivos que considere), a las familias numerosas, a las unidades familiares monoparentales con cargas familiares, unidades de convivencia con algún miembro con discapacidad, con alguna víctima de violencia de género, en las que alguna persona asume la patria potestad, tutela o acogimiento familiar permanente del menor huérfano por violencia de género o donde todos los miembros se encuentren en situación de desempleo y hayan agotado las prestaciones correspondientes, las personas afectadas por ejecuciones hipotecarias o que hayan dado su vivienda habitual en pago de deuda, por situaciones catastróficas, mujeres en situación de necesidad o en riesgo de exclusión, las personas sin hogar y las víctimas del terrorismo[1521].

Además, debe puntualizarse la distinción entre el acceso a viviendas nuevas y el acceso a viviendas ya usadas, en segundas o sucesivas ocupaciones, que pueden seguir procesos de adjudicación distintos, destacándose en el segundo, la realización de un análisis de la adecuación de la vivienda vacía con los solicitantes o la lista de espera, eligiendo a la unidad familiar más adecuada[1522].

El sistema de baremación ha sido durante décadas el modo general de adjudicación de viviendas protegidas (en especial las de promoción pública)[1523], pero las irregularidades en el proceso de adjudicación y la

---

[1520] Fernàndez Evangelista, G. *El acceso a la vivienda social de las personas sin hogar,* cit. p. 286.

[1521] Art. 7.4 Plan Estatal de Vivienda 2018-2021. El Plan Estatal de Vivienda 2013-2016 contemplaba una lista parecida no tan exhaustiva en su Anexo I. El Plan anterior, el 2009-2012, ofrecía una lista mayor en su art. 1.2, incluyendo, además de algunos de los ya mencionados, las unidades familiares con ingresos muy bajos (máximo 1,5 veces IPREM para alquiler y 2,5 veces IPREM para acceso a la propiedad); personas accediendo por primera vez a la vivienda; jóvenes (menores de 35 años); personas mayores de 65 años; personas separadas o divorciadas, al corriente del pago de pensiones alimenticias y compensatorias, en su caso; y personas procedentes de operaciones de erradicación del chabolismo.

[1522] Sanz Cintora, A. (coord.) *Diagnóstico 2012. La gestión de la vivienda pública de alquiler,* cit. p. 75.

[1523] La Orden de 17 de noviembre de 1980 sobre adjudicación de viviendas de promoción pública del Estado o de sus organismos autónomos (BOE 6-12-1980, núm.

fuerte opinión de que se trataba de un sistema fácilmente manipulable y poco transparente conllevaron que algunas CCAA se decantaran por el sistema de sorteo[1524]. Cataluña, por ejemplo, fue uno de esos casos[1525]. El sistema actual de selección de los adjudicatarios distingue entre el cupo general, el cual se adjudica mediante un sistema de concurrencia, transparencia y objetividad[1526], y los cupos especiales de reserva[1527], que se adjudican atendiendo a las circunstancias personales y de la unidad de convivencia[1528]. El sistema de adjudicación depende, actualmente, de si el promotor es público o es privado, de si existen ayudas públicas recibidas, de si el suelo se reserva al uso de vivienda protegida y de la tenencia por la que el beneficiario final accede a la vivienda[1529]. Así, en las promociones públicas, la Administración promotora es la encargada de aprobar las bases y gestionar el procedimiento de adjudicación, atendiendo a los criterios y necesidades de la Administración local. En cambio, los promotores privados que reciben ayudas públicas deben regirse por las condiciones y los criterios de selección de los adjudicatarios que establezca la Administración otorgante de la ayuda, y el encargado de gestionar el proceso dependerá de si la Administración se lo reserva para sí o lo deja al promotor privado. En este caso, es importante distinguir si las viviendas adjudicadas son en

---

293) supone la última normativa que establece el procedimiento y los criterios de baremación a nivel estatal, puesto que a partir de entonces son las CCAA las que, asumiendo la competencia en vivienda, regulan estos procedimientos. GUILLÉN NAVARRO, N. A. *El beneficiario de las viviendas sometidas a un régimen de protección pública,* cit. p. 222.

[1524] GUILLÉN NAVARRO, N. A. *El beneficiario de las viviendas sometidas a un régimen de protección pública,* cit. p. 229.

[1525] Así se regula en el art. 35.1 del Decreto 106/2009, de 19 de mayo, al mencionar que "con el fin de garantizar una efectiva mixtura social, las viviendas incluidas en el contingente general se adjudican mediante sorteo". Y también para la gestión de los contingentes especiales de reserva, aunque en este caso pueden aplicarse unos baremos de puntuación, de manera excepcional. El art. 29 del Decreto regula los casos en los que se aplica este procedimiento general.

[1526] Debe destacarse el art. 100.3 LDVC, que regula la necesidad de establecer unas condiciones de adjudicación que permitan garantizar una mixtura social efectiva, estableciendo que esas condiciones deben asegurar que "la composición final de los adjudicatarios sea la más parecida a la de la estructura social del municipio, distrito o zona, tanto en lo que se refiere al nivel de ingresos como al lugar de nacimiento, y que eviten la concentración excesiva de colectivos que puedan poner la promoción en riesgo de aislamiento social".

[1527] Se regulan en el art. 99 LDVC.

[1528] Art. 101 LDVC.

[1529] Arts. 101 y ss. LDVC.

régimen de alquiler, puesto que entonces la adjudicación se llevará a cabo por orden de preferencia según la mayor antigüedad de la inscripción en el Registro de Solicitantes de VPO, siguiendo la lista proporcionada por la Administración. En el caso de no recibir ayudas públicas pero construirse en suelo reservado a esta tipología de vivienda, el promotor privado podrá gestionar el proceso de adjudicación a partir de la lista proporcionada por la Administración[1530]. Finalmente, en las viviendas de iniciativa privada sobre suelo libre, los promotores gozan de libertad de adjudicación, respetando los requisitos exigidos para acceder a una VPO y con el único requisito de que las personas adjudicatarias deben estar inscritas en el Registro de solicitantes de VPO (debiendo cumplir, por lo tanto, los requisitos de acceso al Registro); también debe ponerse en conocimiento de la Administración la lista definitiva de personas a las que se les va a adjudicar las viviendas[1531]. El País Vasco, por su lado, se decanta por el modelo de baremación cuando se trata de promociones públicas, en el que los criterios de puntuación son: la antigüedad de la inscripción, el número de miembros de la unidad convivencial, los ingresos y la especial necesidad de vivienda[1532]. Y cuando las viviendas son de promotor privado, estas se adjudican a decisión del promotor, pero estando los candidatos en un listado de los demandantes inscritos en el Registro de solicitantes de vivienda que hubieran comunicado expresamente su voluntad de participar en la adjudicación de esa promoción, listado que la Delegación Territorial de Vivienda facilita al promotor. Para llevar a cabo la adjudicación, el promotor debe tener en cuenta la adecuación del número de dormitorios de las viviendas a las necesidades de la unidad convivencial. Se recorre al sorteo cuando el número de demandantes es mayor al número de viviendas de la promoción[1533].

Por su propia naturaleza jurídica, las cooperativas siguen sus propias reglas de adjudicación, pero tanto la normativa vasca como la catalana exigen que los adjudicatarios reúnan los requisitos que prevé la normativa para acceder y adjudicar una vivienda protegida (ej. Registros de solicitan-

---

[1530]   Art. 101bis LDVC.
[1531]   Art. 103 LDVC.
[1532]   Arts. 47 y ss. Orden de 15 de octubre de 2012. El art. 50 establece que la asignación se hará en función de: los cupos establecidos en el art. 47bis (personas con discapacidad, menores de 36 años, titulares del derecho subjetivo de acceso a ocupación legal de vivienda, personas con especial necesidad de vivienda y resto de solicitantes), la adecuación de las viviendas y el orden de puntuación aplicando el baremo del art. 51. Véase también el art. 32 de la LVPV.
[1533]   Arts. 60-69 Orden de 15 de octubre de 2012.

tes) cuando se trate de viviendas protegidas, respetando los criterios de transparencia y objetividad[1534].

Además, ambas CCAA pueden reservar viviendas para cupos destinados a resolver necesidades de carácter social, y suelen disponer de viviendas reservadas a personas con discapacidad[1535].

Las causas principales que pueden causar la baja en el Registro de solicitantes de vivienda protegida son:

a) la baja voluntaria por parte del solicitante;

b) el transcurso del plazo de vigencia de la inscripción sin haber sido expresamente renovada;

c) el fallecimiento del solicitante;

d) el incumplimiento sobrevenido de los requisitos para la inscripción;

e) la adjudicación de una vivienda;

f) la revocación de la inscripción por constatación posterior del incumplimiento originario de las condiciones de acceso al Registro y

g) la renuncia a participar en un procedimiento de adjudicación y/o renuncia a la vivienda protegida adjudicada, sin causa razonable justificada[1536].

En relación con esta última causa, no es nada infrecuente la renuncia del adjudicatario de la vivienda que le es asignada, punto que hace retrasar aun más el ya complejo proceso de adjudicación de una vivienda, con los respectivos costes económicos y sociales que conlleva. Uno de los motivos que explican algunos fenómenos de ocupación sin título habilitante de viviendas públicas es la lentitud de estas Administraciones en los procesos de adjudicación, debido, en gran medida, a unas leyes y normativas que

---

[1534] Arts. 70-72 de la Orden de 15 de octubre de 2012 para el País Vasco y art. 102 de la LDVC, que exige expresamente que los socios estén inscritos en el Registro de solicitantes de VPO.

[1535] Art. 32 LVPV y art. 52 del Orden de 15 de octubre de 2012. En Cataluña, el art. 28.1 del Decreto 106/2009, de 19 de mayo, establece que "en todas las promociones se tiene que reservar un mínimo del 3% de las viviendas con destino a personas con movilidad reducida".

[1536] Véase el art. 11 del Decreto 106/2009, de 19 de mayo, para Cataluña; el art. 18 de la Orden de 15 de octubre de 2012, para el País Vasco y el art. 24 del Decreto 211/2008, de 4 de noviembre, para Aragón.

persiguiendo una igualdad de derechos acaban por derivar en largos procedimientos administrativos[1537].

Los motivos más frecuentes de renuncia son económicos (imposibilidad de acceder a financiación o disminución de ingresos por la pérdida del puesto de trabajo), pero también existen otros motivos de carácter subjetivo, como son la insatisfacción con la ubicación del municipio, la altura de la planta del edificio, la orientación o la lejanía con los familiares del beneficiario, entre otros[1538]. Precisamente para evitar el abuso que pueden implicar esas renuncias, muchos Registros de solicitantes regulan la baja automática del Registro cuando se renuncia a una vivienda protegida, ya sea una única vez (como en el País Vasco) o dos veces (como en Cataluña), o con la imposibilidad de poderse dar de alta durante unos años (tres en Aragón). Son siempre casos de renuncias injustificadas. Se podría justificar dicha renuncia, por ejemplo, en aquellos casos en los que la vivienda fuera inadecuada por su estado o superficie o por las necesidades habitacionales de la unidad familiar o que el beneficiario hubiera sufrido circunstancias imprevistas de orden laboral o personal que le hubiera comportado un cambio sustancial en alguno de los requisitos para participar en esa convocatoria[1539].

Otra problemática en la adjudicación de viviendas es que a veces la vivienda ofertada no concuerda con las características de los solicitantes, no coincide con la demanda (aumento de familias monoparentales, divorcios y separaciones, envejecimiento de la población, etc.)[1540] o con el lugar donde se construyen las promociones de vivienda protegida, o incluso con el precio, pues a pesar de que los precios pueden ser asequibles de antemano, los gastos de comunidad y las tasas los pueden llegar a encarecer mu-

---

[1537] Trilla i Bellart, C. y Bosch Meda, J. *El parque público y protegido de viviendas en España: un análisis desde el contexto europeo,* cit. p. 65.

[1538] Becerril, S. *Estudio sobre viviendas protegidas vacías,* cit. p. 24.

[1539] Véanse los mismos artículos que regulan la baja del Registro en Cataluña, Aragón y el País Vasco. Véase, también, otros ejemplos en Becerril, S. *Estudio sobre viviendas protegidas vacías,* cit. pp. 25 y 26.

[1540] Aspectos que ponen de manifiesto la necesidad de disponer cada vez más de viviendas de tamaño reducido. Por el contrario, el fenómeno de la inmigración impulsa demandas de viviendas mayores. Sanz Cintora, A. (coord.) *Diagnóstico 2012. La gestión de la vivienda pública de alquiler,* cit. p. 67. Este aspecto también se refleja en el tercer sector social, donde los pisos más demandados son de una y de tres habitaciones. Cervera, C., Sutrias, F. y Trilla, C. "La contribució del Tercer Sector al lloguer social", cit. p. 29.

cho[1541]. Para evitar esa falta de concordancia entre las viviendas ofrecidas y la demanda real, y poder así disminuir el grado de renuncias, es importante adecuar el tamaño y las prestaciones de la vivienda con la demanda real.

A parte de los sistemas de adjudicación mencionados (sorteo, baremación, mixto y reservas para cupos especiales), existen viviendas protegidas para las que rigen procedimientos singulares. Así, algunas viviendas se exceptúan del procedimiento general, siendo de adjudicación directa. Este mecanismo se utiliza principalmente para dar respuesta a situaciones urgentes, de emergencia y de especial necesidad: lanzamientos de vivienda, catástrofes, víctimas de violencia de género, actos terroristas, y otros casos de riesgo de exclusión social[1542]. Otras viviendas se exceptúan rigiéndose por normas concretas de adjudicación establecidas en promociones, procesos específicos de adquisición contemplados en programas o planes de vivienda. Por ejemplo, en el caso de Cataluña, encontraríamos las viviendas que la Administración obtiene por cesión o por otras vías singulares, viviendas para afectados por actuaciones urbanísticas que tengan reconocido el derecho al realojamiento o viviendas que provienen de programas especiales de los planes de vivienda (ej. las viviendas de inserción gestionadas por entidades sin ánimo de lucro, que se destinan a personas con problemas de inserción y que requieren de atención y seguimiento especializados, así como personas arrendatarias de infraviviendas o de viviendas sobreocupadas), entre otras[1543].

Asimismo, existen otros programas de vivienda social que no siguen las reglas de adjudicación de las viviendas protegidas: algunos exigen la inscripción de los adjudicatarios en el Registro de solicitantes de vivienda protegida, pero regulan sus propios sistemas de adjudicación que normalmente se vinculan a la adecuación de la unidad familiar con la vivienda en cuestión (teniendo en cuenta, entre otros, el tamaño de la primera, sus ingresos familiares, la necesidad de vivienda o el municipio demandado). Es el caso, por ejemplo, de los ya mencionados programas de captación de viviendas privadas y/o vacías para su integración en el sector de vivienda

---

[1541] BERMÚDEZ SÁNCHEZ, T. y TRILLA I BELLART, C. "Un parque de viviendas de alquiler social. Una asignatura pendiente en Cataluña", cit. p. 13.

[1542] Véase, por ejemplo, el art. 32 de la LVPV y el art. 12 del Decreto 39/2008, de 4 de marzo, para el País Vasco. En Cataluña, el art. 92.2 de la LDVC y el art. 73 del PDVC.

[1543] Art. 104 LDVC, art. 43 Decreto 106/2009, de 19 de mayo y arts. 22 y ss. PDVC.

social: los Programas Bizigune[1544] y ASAP[1545] en el País Vasco, el Programa de mediación para el alquiler social en Cataluña[1546], la Red de bolsas de viviendas para el alquiler social de Aragón[1547] o el Programa de Red Alquila en la Comunidad Valenciana[1548]. Estos programas se gestionan a través de las Administraciones, en la forma de entidad pública de la que disponga cada localidad, aunque también puede cederse la gestión a través de una red de agentes colaboradores, como es el caso del Programa ASAP y de Red Alquila.

Antes de concluir este apartado, es importante destacar una vía de adjudicación acaecida a raíz de una realidad actual como es la de la ocupación sin título habilitante de viviendas. La usurpación (art. 245 CP[1549]) es el delito que, con un 168%, más ha aumentado desde 2008 en España[1550]. Así, un estudio sobre la ocupación ilegal en España estima que existen más de 87.500 familias ocupando viviendas en nuestro país[1551]. Dichas viviendas

---

[1544] Véase el Decreto 466/2013, de 23 de diciembre, por el que se regula el Programa de Vivienda Vacía "Bizigune".

[1545] Decreto 144/2019, de 17 de septiembre de 2019.

[1546] Arts. 16 y ss. PDVC.

[1547] Decreto 102/2013, de 11 de junio, del Gobierno de Aragón, por el que se crea y regula la Red de Bolsas de Viviendas para el Alquiler Social de Aragón. BOA 20-06-2013, núm. 120.

[1548] Orden 5/2010, de 30 de julio, de la Conserjería de Medio Ambiente, Agua, Urbanismo y Vivienda, por la que se crea y regula la Red Alquila. DOCV 13-08-2010, núm. 6332.

[1549] "1. Al que con violencia o intimidación en las personas ocupare una cosa inmueble o usurpare un derecho real inmobiliario de pertenencia ajena, se le impondrá, además de las penas en que incurriere por las violencias ejercidas, la pena de prisión de uno a dos años, que se fijará teniendo en cuenta la utilidad obtenida y el daño causado. 2. El que ocupare, sin autorización debida, un inmueble, vivienda o edificio ajenos que no constituyan morada, o se mantuviere en ellos contra la voluntad de su titular, será castigado con la pena de multa de tres a seis meses." Art. 245 LO 10/1995, de 23 de noviembre, del Código Penal.

[1550] Así lo pone de relieve Nasarre Aznar, cuando además añade que "según la Fiscalía General del Estado, en 2014 se produjeron prácticamente el doble de incoaciones de delito de usurpación que en 2013, 24.164 frente a 12.569". Nasarre Aznar, S. "Cuestionando algunos mitos del acceso a la vivienda en España, en perspectiva europea", *Cuadernos de relaciones laborales*, vol. 35, núm. 1, 2017, pp. 43-69. p. 58.

[1551] Institut Cerdà. *La ocupación ilegal: realidad social, urbana y económica… un problema que necesita solución*, 2017, disponible en http://www.icerda.org/es/mas-de-87-familias-ocupan-ilegalmente-viviendas-en/n/128 (último acceso 26-10-2019). p. 17.

son, en muchos casos, de titularidad pública o de entidades bancarias[1552]. Esta situación supone, de por sí, un agravio para el resto de personas vulnerables que, estando en los registros de solicitantes o en listas de espera, no se les puede adjudicar la vivienda por estar "okupada". Además, algunos consistorios han decidido tomar medidas al respeto legalizando algunas de esas situaciones irregulares[1553], hecho que, a pesar del objetivo perseguido de normalizar estas situaciones, también provoca una vulneración del principio de igualdad de acceso a una vivienda social, puesto que prescinde del procedimiento ordinario de acceso a una vivienda social[1554]. Asimismo, también existe la posibilidad, como ya se ha mencionado en el primer Capítulo, de manera excepcional y solamente de manera temporal por la crisis sanitaria y económica de la COVID-19, de suspender los procedimientos de desahucio y de lanzamiento de personas que ocupan sin título habilitante, siempre que se consideren colectivos vulnerables y sin alternativa

---

[1552] DEFENSOR DEL PUEBLO. *Informe anual 2015 y debates en las Cortes Generales.* Madrid: Defensor del Pueblo, 2016. p. 415.

[1553] Así lo han hecho, a modo de ejemplo, Madrid (ej. EL MUNDO. *Cifuentes legaliza a 331 okupas,* 26-10-2017, disponible en http://www.elmundo.es/madrid/2017/10/26/59f0ece2e5fdeab0698b45ed.html, último acceso 26-10-2019), la Generalidad de Cataluña (EL PAÍS. *La Generalitat regulariza 300 familias que vivían en pisos del banco malo",* 12-02-2016, disponible en https://elpais.com/ccaa/2016/02/12/catalunya/1455301836_374779.html, último acceso 26-10-2019), la Generalidad Valenciana (VALENCIAPLAZA. *La Generalitat quiere regularizar a los 'okupas' de las viviendas públicas,* cit.) y Barcelona (EL MUNDO. *Barcelona dobla su parque de vivienda pública con otros 255 pisos,* 02-03-2016, disponible en http://www.elmundo.es/cataluna/2016/03/02/56d6f1e822601daf3d8b4672.html, último acceso 26-10-2019). Otro caso en Barcelona es el acuerdo entre el Ayuntamiento y el fondo inversor Blackstone, por el que el segundo se compromete a rehabilitar y a ofrecer en alquiler asequible para un grupo de familias que venían ocupando sin título habilitante desde hace unos años un bloque de pisos propiedad de dicho fondo y ofrecerles planes de inserción socio-laboral, mientras que el Ayuntamiento se ofrece a coordinar estos planes además de conceder ayudas municipales con el fin de que las familias no deban abonar más del 30% de sus ingresos. Véase LA VANGUARDIA. *Ayuntamiento de Barcelona y Blackstone acuerdan una renta asequible en la calle Hospital 99,* 15-07-2019, disponible en https://www.lavanguardia.com/local/barcelona/20190715/463484919304/ayuntamiento-de-barcelona-y-blackstone-acuerdan-una-renta-asequible-en-la-calle-hospital-99.html (último acceso 26-10-2019).

[1554] Crítica puesta de relieve por diferentes Administraciones públicas en el informe mencionado anteriormente. INSTITUT CERDÀ. *La ocupación ilegal: realidad social, urbana y económica...un problema que necesita solución,* cit. p. 29.

habitacional[1555]. En sentido contrario, la Ley 5/2018, de 11 de junio[1556], viene a regular lo que popularmente se conoce como "desahucio exprés" de las personas que ocupan una vivienda sin título habilitante (y sin el consentimiento o mera tolerancia del propietario o poseedor legítimo). Así, siempre que esas viviendas pertenezcan a personas físicas, entidades sin ánimo de lucro con derecho a poseerlas o entidades públicas propietarias o poseedoras legítimas de vivienda social[1557], el proceso para recuperar la plena posesión de dicha vivienda es mucho más rápido, otorgando a los demandados únicamente cinco días para que aporten un título que justifique su situación posesoria, y en el caso de no aportarlo, el tribunal ordena la inmediata entrega de la posesión de la vivienda, auto contra el que no cabe recurso alguno y, además, sin necesidad de respetar el plazo de veinte días que prevé el art. 548 LEC[1558]. La misma Ley 5/2018 prevé la posibilidad de comunicar dicho procedimiento de desahucio y de que exista coordinación entre los servicios sociales de ámbito autonómico y local para prever situaciones de exclusión residencial y dar respuesta en los casos en los que se detecte situación de vulnerabilidad[1559].

En conclusión, los criterios de adjudicación y, por lo tanto, los sectores de la población destinatarios de vivienda social en España, se definen fundamentalmente por su nivel de ingresos y por la necesidad de vivienda (reflejada en términos generales por la falta de una vivienda en propiedad, en derecho de superficie o de usufructo), al mismo tiempo que las políticas de vivienda protegen de manera especial ciertos colectivos con riesgo de exclusión social y/o residencial, y al mismo tiempo que las CCAA o los ayuntamientos pueden tener líneas de actuación preferentes[1560]. Además de los criterios de acceso de los Registros de solicitantes para las viviendas

---

[1555] Véase el apartado "3.4. El derecho a la vivienda en España y la vivienda social" del Capítulo I.

[1556] Ley 5/2018, de 11 de junio, de modificación de la Ley 1/2000, de 7 de enero, de Enjuiciamiento Civil, en relación a la ocupación ilegal de viviendas (BOE 12-06-2018, núm. 142).

[1557] En este punto quedan fuera las entidades privadas con ánimo de lucro que también gestionan vivienda social, hecho que reafirma aún más nuestra idea de delimitar un concepto de "gestor de vivienda social".

[1558] Apartados cuatro y cinco del art. único de la Ley 5/2018, de 11 de junio, los cuales añaden un apartado 1bis al art. 441 y al art. 444 de la LEC respectivamente.

[1559] Arts. 150.4 y 441.1bis LEC añadidos por los apartados uno y cuatro del art. único de la Ley 5/2018, de 11 de junio, respetivamente y DA de la misma Ley 5/2018.

[1560] Sanz Cintora, A. (coord.) *Diagnóstico 2012. La gestión de la vivienda pública de alquiler,* cit. p. 60.

protegidas en general, deben contemplarse los criterios de elegibilidad generales para cada tipología o programa de vivienda social establecidos tanto por los Planes de vivienda estatales para las promociones reguladas y financiadas a nivel estatal, como por los Planes de vivienda autonómicos; al mismo tiempo que se contemplan los criterios de elegibilidad establecidos para cada promoción, a través de convenios entre las entidades promotoras, la CA, y los entes locales cuando corresponda, teniendo en cuenta el régimen de protección de las viviendas.

Los Registros de solicitantes persiguen la transparencia e igualdad de oportunidad de acceso a una vivienda protegida, al mismo tiempo que pretenden servir como instrumento para proporcionar información actualizada sobre la demanda existente en cada localidad o CA. Sin embargo, debe tenerse presente que vincular la necesidad de una vivienda al cumplimiento de los requisitos para acceder al Registro puede suponer dejar de contabilizar necesidades de vivienda que no cumplen con estos requisitos de acceso (ej. por no llegar a los ingresos mínimos).

El Relator Especial sobre una vivienda adecuada de las Naciones Unidas en 2008, ya resaltó que el sistema de sorteo (junto con el requisito de unos años de residencia legal) puede ser perjudicial para familias o personas con mayor urgencia[1561], opinión que comparten otros autores, que defienden que el sometimiento de estos colectivos prioritarios al azar puede prolongar y empeorar su situación[1562]. Entre esta creciente necesidad de vivienda social para grupos cada vez más vulnerables y el ya expuesto parque de vivienda social en alquiler mínimo existente en España aparecen las "tensiones entre satisfacer las demandas de los más desfavorecidos y garantizar que las viviendas sociales no se conviertan en guetos de marginación y exclusión social"[1563], puesto que con un parque tan reducido se hace difícil poder aplicar políticas de vivienda que combinen promociones de diferentes rangos económicos y de diferentes colectivos.

[1561] NACIONES UNIDAS. *Informe del Relator Especial sobre una vivienda adecuada como elemento integrante del derecho a un nivel de vida adecuado, Sr. Miloon Kothari. Misión a España*, cit. p. 11.

[1562] GUILLÉN NAVARRO, N. A. *El beneficiario de las viviendas sometidas a un régimen de protección pública*, cit. p. 236.

[1563] SANZ CINTORA, A. (coord.) *Diagnóstico 2012. La gestión de la vivienda pública de alquiler*, cit. p. 60.

4. CONCLUSIONES

La tendencia de las últimas décadas en España a la promoción de vivienda social en propiedad y la consiguiente inexistencia de un parque mínimo de este tipo de vivienda al llegar la crisis de 2007, ha hecho que no se haya planteado seriamente ni apostado por la creación de un sistema de gestión de vivienda social bien estructurado y con un marco legal sólido que lo ampare y promueva. Precisamente, la elaboración y estructura de este capítulo, y en especial de la segunda parte, que muestra más concretamente los modelos de gestión más representativos, refleja la dificultad de hacer un estudio que abarque las características de cada modelo de gestión, puesto que incluso dentro de cada uno existe diversidad. Por lo tanto, se destaca la dificultad de poder definir con claridad y precisión patrones de gestión vinculados a cada modelo de gestión.

La primera consecuencia de esa falta de planteamiento de políticas de gestión la encontramos en la gran variedad de gestores de vivienda social existentes en nuestro país, que va desde entidades y empresas del sector público hasta entidades mixtas y entidades privadas con y sin ánimo de lucro: con forma jurídica, objetivos principales, tamaño y actividades de diversa índole. A la existencia de un sistema desestructurado y disperso, cabe añadir que no existe ningún control o registro de entidades gestoras, lo que dificulta la posibilidad de saber cuántas hay, qué servicios ofrecen, y dónde actúan, provocando duplicidades y lagunas. Así, tampoco encontramos un concepto legal de "gestor de vivienda", puesto que históricamente se centraba en el término de promotor o promotor social. Eso provoca una diversidad terminológica ("entidad colaboradora", "agente colaborador", "entidad sin ánimo de lucro", entre otros) que responde a la consecución de políticas públicas concretas, creando incertidumbre para siguientes políticas y programas.

A grandes rasgos, podemos identificar ocho modelos de gestión de vivienda social, con un claro predominio de los modelos públicos. La gestión pública conlleva dependencia del presupuesto público y decisiones a corto plazo, techos de endeudamiento, una organización jerárquica burocratizada y presiones mediáticas y vecinales ante aspectos conflictivos como los desahucios. Por otro lado, las entidades privadas con ánimo de lucro y las entidades públicas más descentralizadas permiten diversificar sus fuentes de ingresos, mientras que las entidades privadas sin ánimo de lucro dependen en gran medida de ayudas públicas. Estas últimas, sin embargo, son las que tienen más en cuenta los aspectos más sociales, ofreciendo servicios y programas de acompañamiento, inserción social o laboral, de dinamización del barrio, etc. Igualmente, suelen ofrecer estos servicios las entidades públicas con áreas sociales, aunque también trabajan con convenios con entidades del tercer sector. Por su objeto social y por su perfil de beneficiarios, las entidades privadas con ánimo de lucro no suelen contar con estos servicios sociales complementarios (con alguna excepción). Es asimismo importante la tributación de estas entidades y de los actos y actividades que desarrollen para la consecución de sus fines, puesto que la mayoría de ellas disponen, en menor o mayor medida, de beneficios e incentivos fiscales.

El modo en que se plantean las políticas de vivienda actuales y las tipologías de vivienda social suponen una complejidad a la hora de gestionar este tipo de viviendas, sobre todo si la entidad tiene en cartera viviendas de distintos programas y años. Así, la competencia en vivienda se desglosa en tres niveles (estatal, autonómico y local) y los planes de vivienda, tanto estatales como autonómicos son temporales. Eso conlleva una pluralidad de regímenes existentes y la aplicación en cascada de normas derogadas. A todo ello, se le añaden todos los programas de captación de vivienda privada hacia el sector de vivienda social, lo que acaba de dificultar aun más la gestión. Por lo tanto, esta complejidad y diversidad en la gestión exige unos conocimientos importantes en este campo por parte de las entidades gestoras.

En cuanto a la gestión de las viviendas y de sus beneficiarios, existen diversas entidades, tanto en el ámbito público como en el privado que ofrecen buenas prácticas, por ejemplo, en los campos de los servicios de acompañamiento y de inserción social o laboral, los protocolos de actuación ante casos de morosidad, participación de los beneficiarios en las decisiones de la entidad, etc. Disponer o carecer de estas prácticas depende en mayor medida de la forma jurídica de la entidad, del perfil de los beneficiarios y, sobre todo, de su estructura organizativa y objeto social. Por lo tanto, existen buenas prácticas en el campo de gestión de vivienda social en España, el problema es que se trata de casos particulares, originados en la práctica o conocimiento de cada entidad en concreto, por lo que se detecta una falta de generalización de su regulación, un vacío de marco normativo al respecto.

En definitiva, y complementando todo lo anterior, tanto los textos legales como las actuales políticas de vivienda se encaminan a promover mecanismos público-privados para atender a las necesidades actuales de vivienda social. Ante la carencia de un parque de vivienda público, las exigencias de sostenibilidad financiera (que chocan con los costes de promoción y gestión de parques de alquiler social) y la falta de recursos económicos y humanos, las Administraciones públicas presionan a las entidades finan-

cieras para que cedan viviendas al parque público e involucran en mayor
medida a las entidades del tercer sector en la gestión de este parque y a la
oferta de servicios complementarios. Sin embargo, este cambio de estrategia no ha venido acompañado de un cambio del marco legal. Para fomentar el rol de las entidades sin ánimo de lucro es necesario ir más allá de la
legislación del tercer sector y de la economía social (demasiado generales
y sin materializar medidas, sobre todo porque no se distinguen campos),
creando un marco legal estable que les sea favorable y no les suponga obstáculos como actualmente ocurre.

El complejo entramado de contratos y convenios fruto, en gran medida,
de las políticas de captación de vivienda del sector privado, no aportan ni
seguridad ni estabilidad a los beneficiarios. Además, las entidades gestoras
intentan idear contratos haciendo uso en ocasiones de fórmulas poco idóneas o no tipificadas, con el fin de buscar la flexibilidad que la legislación
no concede. Esos contratos no favorecen ni a las entidades gestoras ni tampoco a los beneficiarios finales, puesto que crea una incertidumbre legal
para las primeras y una indefensión o desprotección para los segundos.

Capítulo IV

Buenas prácticas comparadas en la gestión de la vivienda social. Un nuevo marco de la gestión de vivienda social en España

1. BUENAS PRÁCTICAS COMPARADAS EN LA GESTIÓN DE VIVIENDA SOCIAL

Las Naciones Unidas cuenta con unos criterios que utiliza, dentro de su Programa de Buenas Prácticas[1564], para definir y seleccionar aquellas experiencias que tratan de remediar problemas en relación con la vida en las ciudades y en las aglomeraciones en las que viven gran parte de los habitantes del planeta, entre las que se encuentran las que pretenden mejorar las condiciones de vida en general y el acceso a una vivienda adecuada en particular. Estos criterios se establecieron por el Centro de Naciones Unidas para los Asentamientos Humanos en la Conferencia Internacional de Dubái, previa (noviembre 1995) a la Conferencia de las Naciones Unidas sobre los asentamientos Humanos (Hábitat II)[1565].

Una buena práctica es aquella actuación que:

1) produce un impacto, es decir, una mejora que sea tangible en la condición de vida de las personas;

2) es fruto de la colaboración entre entidades (Administración pública en sus distintos niveles, organizaciones no gubernamentales, medios de comunicación o líderes cívicos y voluntariado, entre otros), puesto que solo así se garantiza una multidimensionalidad necesaria para dar respuesta a los problemas complejos de nuestras ciudades;

3) es sostenible en el tiempo, por lo que debe asegurar cambios duraderos en el marco legislativo y demás normativa, en las políticas públi-

---

[1564] https://new.unhabitat.org/knowledge/best-practices (último acceso 27-10-2019).

[1565] La Conferencia Hábitat II, que se celebró en junio de 1996 en Estambul, giró entorno a dos temáticas principales: la vivienda adecuada para todos y el desarrollo de asentamientos humanos sostenibles en un mundo en proceso de urbanización. NACIONES UNIDAS. *Informe de la Conferencia de las Naciones Unidas sobre los asentamientos Humanos (Habitat II)*, A/CONF. 165/14, 1996. p. 7.

cas y las estrategias, en los marcos institucionales y en los sistemas de administración, gestión y toma de decisiones;

4) contribuye al fortalecimiento de la comunidad y de su capacidad de organización y participación y

5) presta atención a la diversidad social y cultural y promueve la igualdad y equidad social (de género, cultural, étnica o económica)[1566].

A pesar de ser en el contexto del Programa mencionado, compartimos la visión de Rodríguez Alonso cuando establece que "el objetivo último de cualquier práctica es el de incrementar el grado de bienestar del conjunto de los ciudadanos que habitan en un determinado contexto urbano" y que "las prácticas no son válidas por sí mismas y que no están al servicio de los intereses profesionales de aquellos que intervienen, ni de los de una firma política", sino que "han de tener en cuenta las necesidades reales y específicas de los habitantes y han de dar una solución que los incluya en el proceso desde el principio, garantizándoles una mejora adecuada a sus necesidades y recursos"[1567].

Las buenas prácticas que se enumeran en este capítulo se extraen de los resultados obtenidos del estudio de los modelos de gestión de vivienda social tanto comparados (Inglaterra y Países Bajos) como los de España, analizados en los dos capítulos anteriores. Así, se trata de identificar el conjunto de características que permiten a un modelo de gestión de vivienda social ser exitoso, es decir, cumplir con su objetivo social de una manera viable y eficiente, para repercutir en el bienestar final de los ciudadanos.

Con el fin de ofrecer un estudio ordenado y de mejor comprensión, estos puntos clave detectados se sistematizan en tres bloques. El primero hace referencia al ámbito de la regulación y del control público de las entidades gestoras de vivienda social, en el que también se incluyen las ventajas fiscales de las que se las dota y las posibles ayudas públicas existentes. El segundo bloque engloba todos aquellos aspectos relevantes dentro de las estructuras de gestión tanto a nivel interno como a nivel externo de la

---

[1566] Hernández Aja, A. *Informe sobre la evolución de las buenas prácticas españolas y su relación con el cumplimiento del Programa Hábitat,* disponible en http://habitat.aq.upm.es/evbpes/abpes.html (último acceso 27-10-2019). Véase también la página web del Gobierno de España https://www.fomento.gob.es/areas-de-actividad/arquitectura-vivienda-y-suelo/urbanismo-y-politica-de-suelo/buenas-practicas (último acceso 27-10-2019). Los dos últimos criterios se añadieron en el 2000.

[1567] Rodríguez Alonso, R. "El Programa de Buenas Prácticas de Naciones Unidas y su implantación en España", *Boletín CF+S, núm. 17/18,* 2001.

entidad. Y, por último, y siendo el más extenso, el tercer bloque contiene todos los aspectos relacionados con la cartera de actividades de la entidad. Así pues, este tercer bloque hará referencia no solamente a la actividad de vivienda social y a sus modalidades de acceso, sino también a las otras actividades que la entidad pueda ofrecer, siendo estas de carácter social o comercial. Todo ello sin dejar de lado los riesgos que pueden aparecer en cada uno de los bloques, con el fin de tenerlos presentes a la hora de considerar y proponer un marco legal para un modelo funcional de gestión de vivienda social en el ordenamiento jurídico español.

1.1. Primer bloque. Regulación y control público

El primer bloque de prácticas a tener en cuenta para poder desarrollar un sistema de provisión y gestión de vivienda social exitoso no radica en las propias entidades gestoras, sino en su marco regulador.

Así, tanto las HAs inglesas como las WCOs neerlandesas disponen de legislación y normativa específicas que incluye requisitos de constitución y estructuras de gobernanza, sistemas de adjudicación de vivienda, grupos beneficiarios y grupos de adjudicación prioritaria, condiciones de los arrendamientos y rol de los arrendatarios, fuentes de financiación tanto públicas como privadas (y sus restricciones, como por ejemplo, a la hora de exponerse a cierto riesgo financiero), funciones principales de las entidades, cooperación con la Administración pública y mecanismos de control de dichas entidades. El objetivo principal es dar reconocimiento y respaldo legal a las entidades gestoras de vivienda social, independientemente de la forma jurídica que decidan adoptar (sobre todo en Inglaterra, donde existe una gran diversidad)[1568], puesto que, a pesar de la diferencia en la organización interna, su función principal es la misma, la de proveer y gestionar la vivienda social. Por lo tanto, lo importante es que sus funciones, estructuras de gobernanza, control y financiación se rijan por una misma normativa completa y coherente.

1.1.1. El Registro de entidades proveedoras y gestoras de vivienda social

Esa regulación existente en los modelos comparados viene de la mano de un control y monitorización públicas, que se materializan en la creación de un Registro de entidades proveedoras y/o gestoras de vivienda social

---

[1568] Véase el apartado "3.1. Concepto y forma jurídica" en el Capítulo II.

controlado por un organismo público. En el caso inglés, las HAs que se inscriben pasan a denominarse RPs, mientras que las WCOs se convierten en TIVs[1569].

Salvando las especificidades más concretas que puedan exigirse, los requisitos básicos que, por regla general, deben cumplir las entidades para poder inscribirse son:

a) Que su objeto principal sea el de proveer vivienda social (aportando su plan de actuación o sus estatutos, por ejemplo). En los Países Bajos, además, y a raíz de la modificación legislativa de 2015 que impuso un mayor control, deben especificarse los municipios donde la entidad actuará, puesto que la decisión sobre su admisión o no se consensuará con los municipios afectados y las organizaciones de arrendatarios del área[1570].

b) Demostrar su viabilidad económica presente y también futura.

c) Cumplir con otros requisitos de constitución (respecto de la estructura de gobernanza, por ejemplo) o de gestión de la entidad, con objeto de demostrar y garantizar que disponen de los mecanismos necesarios para cumplir con la normativa que impone el órgano regulador.

d) A parte de estos tres, los Países Bajos añaden el requisito de que estas entidades se constituyan como asociaciones o fundaciones. Inglaterra, por su parte, no limita actualmente la inscripción por tipo de persona jurídica; es más, lo abre a entidades públicas y privadas, con o sin ánimo de lucro[1571]. Sin embargo, sí que distingue, dentro del mismo Registro, las entidades con ánimo de lucro de las que carecen de él, puesto que la normativa y el nivel de control que se exige difiere entre ambas. Así, las HAs se encontrarían en el subgrupo de entidades que actúan sin ánimo de lucro (siguiendo su definición del art. 1 *Housing Associations Act* 1985).

[1569]   Apartados "3.3.2. Proveedores Registrados (RP) en Inglaterra" y "3.3.3. Instituciones admitidas en los Países Bajos" del Capítulo II.

[1570]   Apartado "3.3.3. Instituciones admitidas en los Países Bajos" del Capítulo II.

[1571]   Anteriormente sí lo restringía a HAs, pero el alcance de este Registro se ha ido ampliando a lo largo de los años, con el fin de fomentar el aumento de proveedores de vivienda social. Véase esta evolución en la Tabla 7 del apartado "3.2.2. Legislación inglesa" del Capítulo II.

El Registro tiene dos funciones principales. Por un lado, se trata de poder tener conocimiento de los proveedores y gestores existentes y permitir su introducción como actores en la implementación de las políticas públicas de vivienda. Por otro, permite ejercer una función de control y supervisión de la actuación y viabilidad económicas de las entidades registradas. En consecuencia, la existencia de este Registro permite e implica:

a) A favor de la Administración pública y del colectivo beneficiario:

   a. La obligación de las entidades registradas de cumplir con la legislación y normativa específicas, lo que permite garantizar y controlar que estas desarrollan de manera efectiva la oferta de un servicio público a una vivienda digna y adecuada, que no entran en demasiado riesgo financiero poniendo en peligro a los beneficiarios y que el presupuesto público invertido se destina a actividades en el ámbito de la provisión y gestión de vivienda social. Para garantizar y hacer efectivo el cumplimiento de la normativa, el órgano regulador dispone de cierto poder coercitivo, y tiene la posibilidad de actuar mediante diferentes mecanismos cuando aparece algún incumplimiento (ej. en casos de mala gestión, de actividades de demasiado riesgo o de problemas financieros, puede exigir la observancia de la normativa, imponer sanciones económicas ante la continuada inobservancia y, hasta imponer decisiones sobre la gobernanza, buscar fusiones o forzar el cambio de órgano de gobierno, entre otros mecanismos)[1572].

   b. Los Programas de ayudas públicas a los que las entidades registradas tienen acceso permiten a la Administración perfilar y dirigir las actuaciones a las áreas donde crea que habrá necesidad de vivienda social. En este punto, es importante disponer de datos que reflejen la necesidad real. Así, estableciendo las zonas de actuación y las ayudas que se otorgan en esas zonas, la Administración pública puede tener un mayor control sobre el cumplimiento, por parte de las entidades gestoras, de las políticas de vivienda en particular y del derecho de acceso a una vivienda en general.

   c. La competitividad en el sector que se origina en la búsqueda de la adjudicación de ayudas por parte de las entidades revierte posi-

---

[1572] Por ejemplo, arts. 120 y ss. y 247 y ss. *Housing and Regeneration Act* 2008 para el RSH y arts. 61d y ss. y 105 *Woningwet* 2015 para el BZK.

tivamente en el arrendatario, puesto que obliga a las entidades a intentar presentar proyectos eficientes y de calidad.

b) A favor de las entidades inscritas en el Registro:

a. La inscripción en el Registro conlleva la posibilidad de optar a los programas de financiación pública para el desarrollo de sus funciones relacionadas con el sector de vivienda social. También puede permitir[1573] el cobro de la ayuda del alquiler de sus arrendatarios directamente por parte de la entidad gestora en lugar de que lo cobre el arrendatario, a pesar de que esta práctica se ha ido retirando en ambos modelos comparados[1574].

b. Se consigue una competitividad en el sector para la concesión de ayudas, vivienda o suelo, puesto que la adjudicación sigue un proceso de concurrencia y el cumplimiento de unos requisitos en el que todas las entidades registradas pueden acceder.

c. Garantía para los inversores privados: el control público de la buena gobernanza y la viabilidad económica de las entidades registradas hace que los inversores y prestamistas las conciban como inversiones atractivas y de poco riesgo[1575].

Además, como medida de protección de los inquilinos o usuarios de las entidades gestoras y para evitar la malversación de fondos públicos, la baja de este Registro no puede llevarse a cabo unilateralmente por parte de la entidad gestora. Mientras que los Países Bajos son más estrictos y no permiten la baja voluntaria (solo la obligatoria por el Gobierno), Inglaterra sí que tiene las dos opciones, pero la voluntaria se supedita al consentimiento preceptivo del órgano regulador.

[1573] Actualmente solo es posible en Inglaterra para los casos de colectivos más vulnerables.

[1574] Hablaremos de ello *infra*, en el apartado "1.3.1.3. Incumplimiento del contrato. Especial atención al pago del alquiler" de este mismo Capítulo.

[1575] Por ejemplo, las evaluaciones realizadas por el RSH anualmente a los RPs de más de 1.000 viviendas, que reflejan el grado de cumplimiento de las normas de carácter económico y de gobernanza, son públicas y de especial interés para los agentes interesados en invertir en este sector, puesto que muestran una valoración pública del estado de solidez económica y de gobernanza en que se encuentra una entidad. Véase más sobre estas evaluaciones en el apartado "3.3.2. Proveedores registrados (RP) en Inglaterra" del Capítulo II. Esta ventaja puede convertirse en desventaja, como se muestra en la enumeración de riesgos *infra*, en el apartado "2.4. Potenciales riesgos de las entidades híbridas" de este capítulo.

El ordenamiento jurídico español no contempla dicho Registro único, sino que los existentes responden a la forma jurídica de las entidades gestoras, por lo que tenemos diversidad de registros, no solo no específicos para materia de vivienda, sino, además, existiendo multiniveles, estatal y autonómico en algunas ocasiones. Algunas CCAA cuentan con instrumentos interesantes y parecidos a los registros neerlandés e inglés. Sin embargo, estos carecen de desarrollo reglamentario. Es el caso de Cataluña con el "promotor social de vivienda" y de Aragón con el "promotor social preferente de vivienda protegida".

En el caso catalán, pueden ser promotores sociales tanto entidades del sector público como del sector privado, con o sin ánimo de lucro, siempre que se orienten a incrementar la oferta de viviendas de protección oficial en Cataluña. Sus requisitos de homologación varían en función de si el objeto del promotor es la promoción de viviendas protegidas destinadas a alquiler o destinadas a la venta. En el primer caso, se exige garantizar una suficiente capacidad organizativa y capacidad económica, para poder gestionar con éxito el alquiler de viviendas y poder garantizar en forma de recursos propios su solvencia económica a largo plazo. En el segundo caso, se requiere que conste en los estatutos la dedicación a la promoción de viviendas protegidas y que la entidad demuestre haberse dedicado, de manera preponderante, a la promoción de vivienda protegida (dentro del conjunto de viviendas promovidas en los veinte años anteriores)[1576].

En el caso aragonés, son requisitos para poder obtener un certificado de promotor preferente de vivienda protegida tener cierta experiencia en el sector (haber impulsado, directa o indirectamente, un mínimo de 800 viviendas protegidas en los doce últimos años) y no haber sido sancionado por infracciones graves ni muy graves en materia de vivienda protegida, subvenciones públicas, seguridad social, trabajo o tributaria. Este certificado permite optar de manera preferente a promociones de vivienda sobre suelos públicos[1577].

También queremos mencionar la figura del "agente colaborador" en el País Vasco, puesto que aunque en este caso haga solamente referencia a agentes de la propiedad inmobiliaria[1578], nos parece interesante la idea de

---

[1576] Art. 51 LDVC.
[1577] DA 7ª Ley 24/2003, 26 de diciembre, de medidas urgentes de política de vivienda protegida de Aragón.
[1578] Con una experiencia mínima de cinco años en el ejercicio de dicha actividad, que tengan un establecimiento abierto al público y que estén al corriente en el

contar con una homologación para gestionar ciertos programas públicos (en este caso concreto, el de captación de vivienda vacía), así como contar con una regulación básica de su estatuto[1579], donde se establecen requisitos de publicidad, formación, obligaciones con respecto a las personas arrendadoras, a las personas arrendatarias y al Gobierno Vasco.

Finalmente, a pesar de que los Planes Estatales de Vivienda regulan la posibilidad de las entidades de convertirse en "entidad colaboradora" con el fin de que les sea encomendada la gestión de algunas actuaciones reguladas en los mismos planes, esta figura se regula de manera escueta (enumerando solamente qué forma jurídica tiene posibilidad de ser entidad colaboradora) y, además, tiene carácter temporal, puesto que puede variar de un plan a otro (recordemos que los planes son cuatrienales en su mayoría).

En definitiva, y volviendo a los modelos comparados, este mecanismo de control permite asegurar que el traspaso del servicio público de vivienda social a manos de entidades privadas no implica un desentendimiento de la Administración hacia el desempeño de una función pública. Los dos modelos comparados estudiados en el Capítulo II tienen el origen del rol principal que ocupan en el sector de la vivienda social en la postura que adoptaron los respectivos Gobiernos en la década de los setenta y ochenta del siglo pasado de ceder todo o parte de su provisión directa de vivienda social a las *housing associations* a cambio de adoptar un rol de estrategia y dirección[1580]. La inyección de dinero público y el traspaso de parte del parque de vivienda pública fueron claves, pero también lo fue la disponibilidad y desarrollo de una estructura legal preparada para hacer frente a ese aumento.

El crecimiento de este sector, junto con todo el marco legal creado, ha permitido, en el caso de Inglaterra y los Países Bajos, dotarlo de todo un ecosistema, un entramado de normativa e instituciones, consistentes no solamente en las propias entidades y los órganos reguladores, sino también de federaciones representantes, consultores especializados, agencias que otorgan ciertos sellos de calidad, etc.

Más allá de disponer de una regulación unitaria, otra buena práctica en este punto es disponer de guías prácticas que permitan y faciliten, pre-

---

cumplimiento de las obligaciones tributarias y de la seguridad social, entre otros requisitos, regulados en el art. 3 Decreto 144/2019, de 17 de septiembre.
[1579] Arts. 9 y ss. Decreto 144/2019, de 17 de septiembre.
[1580] Véase el apartado "3.3.1. La importancia del control público" del Capítulo II del libro.

cisamente, el cumplimiento de la normativa anterior: códigos de buena gobernanza y directrices normativas que establezcan información detallada sobre los pasos a seguir o buenas prácticas que adoptar. Estos pueden desarrollarse por el propio órgano regulador (RSH en Inglaterra) o por algunos de los agentes del sector que forma parte del ecosistema acabado de mencionar, como las federaciones representantes (ej. Aedes en los Países Bajos y la National Housing Federation en Inglaterra, entre otros).

Así, la existencia de asociaciones o federaciones que representen la totalidad (o gran parte) de las entidades gestoras de vivienda social es crucial tanto para la defensa de estas entidades, como para su organización, disposición de recursos, su rol en las políticas públicas de vivienda, etc. Las HAs en Inglaterra tienen a la National Housing Federation, mientras que en los Países Bajos está Aedes para las WCOs. En España, en cambio, existe una variedad de organizaciones representantes, dependiendo del tipo de persona jurídica que sea, siendo la mayor AVS (engloba a todos los gestores públicos). En el sector privado sin ánimo de lucro se encuentran distintas Plataformas del Tercer Sector, pero estas no se especializan en vivienda. Eso implica una ausencia de voz unitaria en el sector de vivienda social en nuestro país.

1.1.2. Financiación pública y fiscalidad

Ya se ha mencionado la relación directa entre la inscripción en el Registro y la facultad para tener acceso a los Programas (cuatrienales) y ayudas públicas para el desarrollo o gestión de vivienda social en Inglaterra y para hacer uso y beneficiarse del triple sistema de garantías[1581] en el caso de los Países Bajos.

Esa correlación no existe en España, al carecer de un registro que agrupe a todos los agentes que actúan en el sector de la vivienda social. Así, todos los ejemplos contemplados a lo largo del Capítulo III[1582] asocian las ayudas, ventajas o trato preferente dentro de las políticas de vivienda a uno o a varios tipos de persona jurídica (ej. solo a entidades sin ánimo de lucro, o a promotores sociales de vivienda, o abierto también a entidades con ánimo de lucro, contemplando también las entidades bancarias), delimitados a nivel particular para cada tipo de Programa o de tipología de vivienda gestionada.

[1581] Véase el apartado "3.5.2. Fuentes públicas y fiscalidad de las entidades" del Capítulo II.

[1582] Véase una compilación de ejemplos en la Tabla 14 *infra* en este mismo capítulo.

Una política importante existente en nuestro país es la obligación establecida a nivel legislativo (leyes de suelo y urbanismo, a nivel general y a nivel de CA), de contar con reservas de suelo público en los planes de ordenación territorial y urbanística para la construcción de viviendas protegidas. Sin embargo, ya se ha detectado que estas reservas no garantizan la viabilidad de nuevas promociones de vivienda social a menos que se acompañe de un sistema de ayudas públicas al respecto. En Inglaterra existe también un instrumento de planificación urbanística para garantizar ciertos niveles de construcción de vivienda social. Así, los denominados "acuerdos del art. 106"[1583] de la normativa de planificación urbanística permiten a las administraciones locales negociar con los constructores ciertas condiciones, restricciones o imposiciones, como por ejemplo, reservar un porcentaje de la vivienda construida para vivienda asequible. Ambos instrumentos, no obstante, únicamente funcionan cuando el sector de la construcción se encuentra activo, lo que no es el caso en épocas de crisis económicas.

Por otro lado, en cuanto a la adjudicación de suelo público, era una práctica interesante, puesto que garantizaba transparencia y libre concurrencia, el Registro de entidades Promotoras de Vivienda Protegida existente en la Diputación de Barcelona, creado en 2007, pero no renovado en 2015 por trabas legales y por falta de demanda de promotores. En él, los Ayuntamientos presentaban la necesidad de llevar a cabo promociones en suelo público, la Diputación estudiaba la viabilidad de dichas promociones y elegía al promotor, mediante concurso entre los promotores inscritos en el Registro[1584].

La fiscalidad es otro de los instrumentos importantes en este campo, puesto que una fiscalidad favorable para ciertas entidades gestoras puede ayudar a su creación, crecimiento y consolidación. Así, en España existen exenciones y tipos reducidos en el impuesto de sociedades, así como también en otros impuestos relacionados con los negocios jurídicos que realizan estas entidades (ITP o IVA, entre otros). Sin embargo, estos beneficios fiscales se relacionan con el tipo de persona jurídica y no con su actuación en el sector de vivienda social, existiendo gran diversidad al respecto[1585].

[1583] Explicado en el apartado "3.5.1.2. Ingresos por actividades propias: el mecanismo de la *cross-subsidization*" del Capítulo II.

[1584] Apartado "3.2. La designación de la gestión de vivienda social en la normativa de vivienda. Agentes y federaciones" del Capítulo III.

[1585] Apartado "3.5.2.3. Fuentes de financiación" del Capítulo III.

En el modelo comparado inglés, las entidades con *charitable status* son las que disfrutan de más ventajas fiscales, sobre todo en IS y en donaciones *mortis causa*. Estas y las demás HAs tienen otras ventajas fiscales, en impuestos de transmisiones patrimoniales o en las construcciones de edificios con objetivos sociales, entre otros. En cambio, las "instituciones admitidas" neerlandesas no gozan de beneficios fiscales destacables[1586].

A este primer bloque referido a la importancia de una normativa especializada para los gestores de vivienda social y la existencia de un Registro o denominación común de todas ellas que les permita englobarlas bajo una misma área de control, cabe hacer dos apuntes finales. El primero, la experiencia ya existente del caso neerlandés en el que una falta de control más activo condujo a grandes problemas financieros y de mala gestión. El segundo hace referencia a la necesidad de buscar un equilibrio entre la imposición de normativa a cumplir con la necesidad de dar cierto margen de actuación a las entidades inscritas para que puedan gestionar su parque de la manera que consideren más eficiente para cumplir con sus objetivos sociales.

1.2. Segundo bloque. Estructuras de gestión

Las buenas prácticas a destacar en este segundo bloque pueden dividirse entre aquellas que se centran en la estructura (de gobernanza o de gestión) propiamente interna de la entidad gestora y aquellas que hacen referencia a las relaciones externas de esa entidad gestora con otros agentes del sector.

1.2.1. Estructura a nivel interno

En cuanto al primer grupo (marco interno), la primera práctica a tener en cuenta es que la entidad gestora cuente con un área, un departamento o, sencillamente, con personal dedicado exclusivamente a la atención de los arrendatarios y a la comunidad (ligado a la necesidad de ofrecer acompañamiento y otros servicios complementarios al de vivienda)[1587]. Sin embargo, y sobre todo si estamos ante entidades de menor envergadura, ese área o departamento puede sustituirse por un convenio de colabora-

---

[1586] Apartado "3.5.2. Fuentes públicas y fiscalidad de las entidades" del Capítulo II.
[1587] Véase el apartado "1.3.3. Servicios complementarios al de la vivienda. Mirada a la comunidad" *infra* en este mismo capítulo.

ción con entidades especializadas en el desarrollo del servicio en cuestión, como sucede con algunas HAs y también con algunas entidades (tanto públicas como privadas) en España. Lo importante es disponer de personal cualificado que se dedique exclusivamente a ofrecer un acompañamiento completo y demás servicios complementarios al de la vivienda que encontramos en el tercer bloque de buenas prácticas[1588].

Otra práctica seguida en gran medida por los dos modelos comparados estudiados que consideramos acertada es la existencia de representantes de los arrendatarios entre los órganos de gobierno y/o de supervisión de la entidad gestora, en parte gracias a su imposición normativa[1589]. La legislación neerlandesa exige incluir al menos uno o dos representantes de arrendatarios (dependiendo del número de miembros que conforman el órgano) en el órgano de supervisión de la WCO como requisito para poder constituirse como TIV. Por su lado, la normativa inglesa no es tan estricta, pero sí que contiene reglas sobre la participación y el empoderamiento de los arrendatarios, entre las que se exige garantizar que estos puedan influir en la toma de decisiones de la entidad con relación a la gestión de las viviendas y a los servicios prestados. Así, muchas HAs incorporan representantes de arrendatarios en sus órganos de gobierno y esa exigencia de representación se convierte en estricta cuando estas han sido formadas a partir de la transferencia de parque público de vivienda. Finalmente, es muy interesante la estructura que sigue el órgano de gobierno de las ALMOs, utilizada, también, por muchas HAs: un tercio representa a la Administración local, un tercio a los arrendatarios y un tercio se compone de personas independientes expertos en la materia. Esta estructura permite ver representados los intereses de los arrendatarios, al mismo tiempo que permite cierta influencia de la Administración y se consigue también garantizar conocimientos en la materia objeto de gestión.

Lo que a veces se plantea como un difícil encaje es combinar la representación de los arrendatarios con el alcance de los conocimientos técnicos en materia de gestión en un sector tan profesionalizado como suele ser el de las HAs, donde se buscan técnicas del mercado privado para conseguir una máxima eficiencia en la gestión. Ello se intenta solventar de manera distinta en ambos modelos comparados. En los Países Bajos, los

---

[1588] *Ibid.*

[1589] Véase algunos resultados sobre como cierta involucración de los arrendatarios en la gestión de vivienda social puede llevar a una mejor gestión y a una menor exclusión social en PRIEMUS, H. "Managing social housing", cit. pp. 470-472.

representantes de los arrendatarios deben ser miembros externos, por lo que suelen escoger a expertos en materia de vivienda. Y en Inglaterra, a los representantes elegidos por los arrendatarios se les ofrece, en ocasiones, programas de formación con el fin de poder desempeñar sus funciones adecuadamente[1590].

A nivel español, esa exigencia de representación se refleja solamente en función de la forma jurídica que adopte la entidad gestora. Así, por ejemplo, encontramos la esencia colaborativa y participativa en las cooperativas (los socios forman parte de la asamblea general) y, también, en el caso de las asociaciones, existe la posibilidad de formar parte del órgano de gobierno y gestión, así como el derecho de asistencia y voto en la asamblea general, pero solo si el arrendatario es asociado. En consecuencia, las buenas prácticas en este punto se encuentran a nivel singular, donde vemos que algunas entidades que cuentan con representantes de los arrendatarios en alguno de sus órganos de dirección y/o gestión (ej. El Patronato de Vivienda de Alicante cuenta con un representante de la asociación de vecinos y uno de la asociación de promoción gitana en su Junta General). Es interesante destacar, también, la fórmula que seguían los Fondos de Viviendas para Alquiler Social, creados y regulados en el Plan Estatal de Vivienda 2018-2021 hasta 2020 (anteriores arts. 18 y ss.). Así, después de que la entidad de crédito cedía a la CA la vivienda para ofrecerla en alquiler asequible, la gestión del proceso y el seguimiento del arrendamiento se llevaba a cabo por un órgano de gestión autonómico o municipal formado por: la Administración autonómica o local, representantes de las entidades de crédito y de las organizaciones del tercer sector con actividad en el campo de la vivienda.

Finalmente, cabe mencionar que la mayor o menor influencia de los arrendatarios dependerá de las facultades que se le otorguen al órgano donde se sitúen sus representantes (gestión más directa en el caso inglés, y control de la gestión en el neerlandés) y también del porcentaje que estos representen dentro del órgano en cuestión. Uno de los riesgos que puede aparecer tanto en este punto como el que sigue es el distanciamiento entre la entidad y los arrendatarios, sobre todo en caso de producirse fusiones o cuando la entidad gestora quiera adoptar una orientación más de mercado que haga perder esa implicación y participación más directa de los arren-

---

[1590] Apartado "3.6. La implicación de los arrendatarios en las *housing association*" del Capítulo II.

datarios, enfocándose a la prestación de servicios en masa que justifiquen un mayor grado de atención a los usuarios.

1.2.2. Relaciones externas

Respecto a las buenas prácticas que hacen referencia a las relaciones externas, la primera va ligada al argumento acabado de mencionar sobre la necesidad de involucrar y hacer partícipes a los arrendatarios de lo que sucede en sus viviendas. Así, a parte de la representación que los arrendatarios puedan tener a nivel de gestión interna de la entidad, otro instrumento de participación y presión clave en este campo es el de las organizaciones o asociaciones de arrendatarios o de vecinos. Precisamente, muchas HAs fomentan la creación de estas organizaciones allí donde concentran más parque de vivienda. El contacto, en Inglaterra, entre estas organizaciones y la entidad gestora se realiza habitualmente a través del representante de los arrendatarios (normalmente el que forma parte del órgano de gobierno), que asiste a reuniones con las diferentes organizaciones para traspasar las propuestas, quejas e inquietudes de estas al órgano de gobierno. En los Países Bajos, el modelo típico de entidad conlleva la existencia de un entramado de consejos de inquilinos que les representan y conciertan reuniones con el director de la entidad para discutir cuestiones como el aumento de los alquileres[1591]. Además, y a raíz del cambio legislativo de 2015, se ha intensificado el poder de los municipios y de las organizaciones de arrendatarios, puesto que a parte de jugar un papel a la hora de permitir la inscripción de la WCO como TIV[1592], la legislación regula la celebración de reuniones anuales entre aquellos y la entidad gestora, con el fin de debatir sobre las actividades que desarrollará esta en la zona en el siguiente año.

En el caso español, a pesar de que esta práctica de reuniones con representantes de arrendatarios y/o de comunidades de vecinos existe, depende en gran medida de cada entidad: de si gestiona la totalidad o gran parte de la comunidad, de si existen programas concretos o de si hay los recursos económicos o humanos para ello.

La existencia de estas organizaciones de arrendatarios o de vecinos y su necesaria relación con las entidades que gestionan sus viviendas permiten, por un lado, tener conocimiento por parte de la entidad del nivel de satis-

---

[1591] Véase la Figura 17 del apartado "3.6. La implicación de los arrendatarios en la *housing association*" del Capítulo II.
[1592] Véase el apartado anterior.

facción de los arrendatarios y de sus preocupaciones, quejas o reclamaciones y, por otro, permite mantener a este colectivo satisfecho e implicado en el buen funcionamiento del barrio y también con su vivienda en particular. Recordemos que uno de los principales problemas del parque de vivienda social español es su mal estado de conservación debido al mal uso que hacen los arrendatarios[1593]. Por lo tanto, este mecanismo de implicación de los arrendatarios intenta evitar precisamente este fenómeno de desvinculación de los arrendatarios respecto del lugar dónde residen.

La segunda buena práctica en este subgrupo es la necesaria coordinación que debe existir entre la entidad proveedora y gestora de vivienda social y otras instituciones, tanto públicas como privadas, y tanto del campo de la vivienda como de otras disciplinas, como servicios sociales o de salud. Precisamente, la mayoría de entidades españolas encuestadas para el Capítulo III mantienen algún tipo de contacto con los Servicios Sociales de la localidad. Sin embargo, muchas de ellas no disponen de protocolos escritos, sino que se basan en una simple predisposición, en acuerdos verbales o en prácticas habituales[1594]. En este punto pues, se destaca la importancia de disponer de este tipo de protocolos escritos, con el fin de que cada entidad y toda su plantilla sepa cómo actuar en cada situación y cuándo hacerlo. En el bloque siguiente se reflejan algunos de estos protocolos necesarios.

1.3. Tercer bloque. Cartera de actividades

1.3.1. Formas de acceso a una vivienda social

1.3.1.1. Adjudicación de la vivienda

Antes de entrar a analizar cuáles son las formas idóneas de acceder a una vivienda social, cabe empezar por el mecanismo que permite a los beneficiarios de esa vivienda entrar a vivir allí, esto es, los sistemas de adjudicación de la vivienda social.

[1593] En el estudio de AVS de 2012, un 68,42% de las entidades encuestadas señalaron el mal uso de las viviendas como causa de sus problemas de mantenimiento del parque anterior al 1985; y ese porcentaje aumentaba hasta el 88% en el parque posterior al 1985. Sanz Cintora, A. (coord.) *Diagnóstico 2012. La gestión de la vivienda pública de alquiler,* cit. pp. 134 y 139.

[1594] Apartado "3.5.2.2.b. Morosidad, desahucios y rotación del parque" del Capítulo III.

Independientemente del tipo de sistema de adjudicación que se utilice (puntuación o baremación, sorteo, *first come first served,* etc.)[1595], lo importante en este campo es que exista un marco legal básico, el cual exija la necesidad tanto de entidades públicas como privadas de disponer de planes de adjudicación que, estableciendo los sistemas elegidos, los requisitos de acceso, los grupos preferentes y otros factores determinantes, permitan la publicidad, transparencia y objetividad de estos procesos. Ese marco básico también debe regular los colectivos que de manera genérica deban considerarse como de mayor vulnerabilidad, y la necesaria colaboración que debe existir entre la Administración Pública y las entidades gestoras para alojarlos.

Esta cooperación puede llevarse a cabo a través de diferentes mecanismos: celebración de convenios reservando un porcentaje de vivienda de la entidad gestora para estos colectivos vulnerables derivados de la Administración, licencias de vivienda concedidas por la última que otorgan prioridad para dichos colectivos, etc. Así se regula en mayor o menor medida en los Países Bajos e Inglaterra, en sus respectivas leyes de vivienda y también en leyes específicas en este ámbito (en el caso de los Países Bajos). En ambos casos, la regulación es estatal, genérica y de cariz básico, puesto que se quiere dar libertad a las administraciones locales y a las entidades gestoras de vivienda social para adaptar el sistema de adjudicación a las necesidades concretas de esa localidad y también a la consecución de una gestión efectiva. A nivel español, en cambio, no existe este marco general estatal, puesto que la vivienda es una competencia autonómica y, además, existe una gran diversidad de sistemas de adjudicación y requisitos de acceso dependiendo de las tipologías de programas de vivienda. Así, los grupos vulnerables preferentes se encuentran en los distintos planes de vivienda estatales y autonómicos, así como en legislaciones autonómicas y disposiciones reglamentarias.

En relación con los sistemas de adjudicación, es una buena práctica disponer de registros de solicitantes o *waiting lists,* que permitan garantizar la transparencia y la igualdad de oportunidad de acceso a una vivienda social. Aquí cabe distinguir entre los requisitos generales de inscripción con los requisitos especiales de cada promoción de viviendas. En este punto, los

---

[1595] Hemos comprobado que tanto los modelos comparados estudiados como los modelos españoles desarrollan distintos sistemas de adjudicación, dependiendo de la oferta existente respecto a la demanda real, dependiendo del colectivo beneficiario (si es general o son grupos especialmente vulnerables) y también dependiendo de si se adjudica una vivienda nueva o de segundo o posterior uso. Véanse los respectivos apartados destinados a tratar los sistemas de adjudicación en el Capítulo II y III de este libro.

tres sistemas de gestión estudiados disponen de este registro o de instrumentos análogos, que pueden ser municipales o de cada entidad gestora (Inglaterra y España en algunos casos), autonómicos (modelo español), pero especialmente interesante es la propuesta ofrecida por los Países Bajos, donde muchas de las WCO operan a través de una sociedad de responsabilidad limitada, la WoningNet, en los que los socios son las mismas entidades, y permite ofrecer vivienda a nivel supra-municipal y hasta estatal, puesto que las personas se inscriben en la región o regiones donde quieren buscar viviendas. Esa organización, además, se encarga de todo el proceso, desde hacer anuncios de las ofertas y controlar los requisitos de los solicitantes, hasta seleccionar a los beneficiarios.

Para conseguir la máxima eficiencia posible en el proceso de adjudicación, consideramos que es una buena práctica seguir protocolos de actuación que consigan la rápida ocupación de esa vivienda. Algunas actuaciones al respecto serían empezar la asignación de la vivienda al futuro beneficiario social y, a ser posible, la visita de la vivienda antes de que esta quede vacía, una vez se tenga la fecha de salida de la persona o familia anterior, hacer obras de acondicionamiento lo más rápido posible, o dejar un plazo corto de decisión a la persona adjudicataria. Y que también permitan lograr, por otro lado, el mejor emparejamiento posible entre las características y las necesidades de la unidad familiar con la vivienda que se ofrece. A modo de ejemplo, algunas HAs se dotan de programas informáticos con una base de datos que permite valorar todos los factores de los solicitantes, como el tiempo en el registro, la necesidad prioritaria, las personas que conforman la unidad familiar y si existe necesidad de vivienda adaptada, la localidad preferente para vivir, etc. Así, es el mismo programa el que se encarga de hacer el mejor emparejamiento posible con cada vivienda que se oferta. De esta manera, se intentan reducir las renuncias por falta de adecuación de la vivienda asignada. Precisamente, también para evitar renuncias, puesto que estas conllevan grandes costes económicos y sociales, es una práctica común entre las HAs inglesas y también entre los modelos de gestión españoles limitar las posibilidades de rechazar una oferta sin que exista fundamento justificado (podría justificarse por el nivel de ingresos o por la falta de calidad o inadecuación de la vivienda, entre otros motivos), penalizando con la suspensión o cancelación de la inscripción en el Registro, o suprimiendo los puntos acumulados[1596]. La adecuación

---

[1596] Apartado "3.8.2. Sistema de adjudicación en Inglaterra" en el Capítulo II y apartado "3.5.2.6. El sistema de adjudicación de las viviendas" en el Capítulo III.

o inadecuación de la vivienda también va ligada a la necesidad general de disponer de un parque de vivienda suficientemente amplio que se pueda ajustar a las necesidades y características de las personas necesitadas de vivienda social. Para ello, es importante tanto conocer y, por lo tanto, tener datos de los perfiles de los demandantes de vivienda de la zona, como disponer de viviendas de diversas características y dimensiones.

La inadecuación de la vivienda puede ser sobrevenida, por ejemplo, cuando no se necesita una vivienda tan grande por separación, abandono o fallecimiento de algún miembro de la familia, cuando no se puede pagar el precio de esa vivienda por pérdida de trabajo, cuando existe desplazamiento por razones laborales o cuando la vivienda deja de ser adecuada por necesidad de adaptación de esta por razones físicas o psíquicas. En consecuencia, también consideramos una buena práctica el hecho de disponer de programas de realojamiento de esos arrendatarios o usuarios sociales. Algunos modelos españoles ya incorporan ese tipo de realojamiento, pero existe una práctica interesante en Inglaterra, y esa es la obligación que tienen los RPs de suscribirse a algún servicio de intercambio mutuo online, el cual les permite desplazarse por todo el territorio nacional, sin necesidad de ligarse a una localidad o entidad gestora[1597].

Finalmente, y relacionado con el aspecto de mixtura social[1598], dentro del mismo ámbito de vivienda social es interesante y una buena práctica para conseguir diversidad en la zona y evitar la creación de guetos adjudicar una promoción de viviendas a colectivos vulnerables de diversa índole y de diferentes rangos económicos. Se trata de poder combinar sistemas de adjudicación (como la baremación y el sorteo) o hacer uso de una práctica regulada en Cataluña, por ejemplo, que consiste en separar por tramos de renta los contingentes especiales antes de hacer el sorteo[1599]. Uno de los riesgos en este aspecto es la restricción de perfiles de beneficiarios que impuso primero la Comisión Europea y luego adaptó la legislación neerlandesa. También, el hecho de que sea complicado desarrollar prácticas de mixtura social cuando el parque de vivienda social es reducido (como en el caso español) y hay un porcentaje amplio de colectivos especialmente vulnerables que necesitan ver satisfecho su derecho a una vivienda.

[1597] Apartado 3.8.2. del Capítulo II mencionado en el pie de página anterior.
[1598] Volverá a mencionarse en el apartado siguiente al hablar de las ventajas de hacer promociones mixtas que puedan agrupar vivienda social y vivienda del mercado privado.
[1599] Mencionada en el apartado "3.5.2.6. El sistema de adjudicación de las viviendas" del Capítulo III.

1.3.1.2. Tipo de tenencias

Tanto en los Países Bajos como en Inglaterra predominan los arrendamientos indefinidos como forma de acceso a una vivienda social, aunque cabe recordar que existe una tendencia hacia un cambio hacia arrendamientos de duración determinada[1600].

Así, el arrendamiento indefinido conlleva más seguridad al arrendatario social, que sabe que, por regla general, podrá seguir en su vivienda siempre y cuando no incurra en un incumplimiento grave del contrato, como, por ejemplo, no pagar el alquiler o desarrollar conductas consideradas antisociales, vandálicas o delictivas. En consecuencia, las causas de extinción del contrato son tasadas y muy concretas. Además, Inglaterra aporta una práctica interesante para intentar asegurar que el arrendatario social se adaptará a la normativa, a la entidad y a la comunidad antes de celebrarse ese arrendamiento indefinido. Así, cuando el arrendatario social es nuevo en el sector de vivienda social (si proviene de otra entidad, se le puede pedir referencias), se celebra un contrato conocido como *starter tenancy*, contrato de arrendamiento de una duración de entre 12 y 18 meses, después del cual, si no hay nada destacable negativamente, se celebra el contrato indefinido.

Sin embargo, esta seguridad en la tenencia también lleva aparejadas ciertas connotaciones valoradas como negativas (de ahí la voluntad de cambio hacia arrendamientos de duración determinada) y no exentas de discrepancias desde el sector tanto social y profesional como desde el científico[1601], como el hecho de que pueda convertirse en una dependencia total del sistema de ayudas públicas (creando un círculo vicioso de dependencia) o la existencia del *skewness*, fenómeno consistente en disponer de unidades familiares en el parque social que han visto mejorados sus ingresos mientras que colectivos más vulnerables se encuentran en lista de espera por la poca rotación que suponen esos arrendamientos indefinidos.

En consecuencia, en el sector de la vivienda social y, más concretamente, cuando nos referimos al acceso a una vivienda en alquiler, es complejo y arriesgado determinar si un contrato de duración indefinida es la mejor práctica, puesto que en este ámbito existen dos ideas o criterios que pue-

---

[1600] Véase el apartado "3.4. Formas de tenencia de la vivienda social" en el Capítulo II.
[1601] Véase, por ejemplo, el estudio y las conclusiones de FITZPATRICK, S. y PAWSON, H. "Ending Security of Tenure for Social Renters: Transitioning to 'Ambulance Service' Social Housing?", cit.

den llegar a colisionar entre ellos. Por un lado, el no limitar el concepto de vivienda adecuada al acceso a una vivienda únicamente como estructura física[1602]. El Comité DESC de las Naciones Unidas, en la Observación general número 4 sobre el derecho a una vivienda adecuada (1991), lo amplía al derecho a vivir en seguridad, paz y dignidad. Por lo tanto, un elemento esencial para poder hablar de vivienda adecuada es la seguridad en la tenencia. Así lo refleja también la Tabla ETHOS[1603], que clasifica el alojamiento inseguro como un tipo de "sinhogarismo". Esa seguridad en la tenencia es especialmente importante para los colectivos vulnerables, los cuales parten de unas problemáticas económicas, sociales, o de salud física o mental, entre otras, que les dificulta el acceso a una vivienda. Por lo tanto, ante estas adversidades y ante la falta de control en otras esferas de sus vidas[1604], es importante disponer de una estabilidad en la tenencia de la vivienda que, además, les permita el arraigo en el territorio y la integración en el barrio: disponer de un espacio donde poder desarrollar su vida y ejercer un conjunto de derechos sociales, políticos y económicos como, por ejemplo, y más allá del derecho a la vivienda, el derecho al trabajo, a la educación, a la salud y al ocio[1605].

Por otro lado, sin embargo, la función general de la vivienda social es la de ofrecer vivienda asequible, digna y adecuada a aquellas personas que no puedan acceder al mercado privado. Así, ya se ha tratado en el Capítulo I[1606] la definición acotada de la Comisión Europea para que la vivienda pueda clasificarse como servicio de interés económico general, limitándola a "ciudadanos desfavorecidos o grupos menos favorecidos socialmente que, por problemas de solvencia, no puedan encontrar vivienda en condi-

---

[1602] Más detalles en el Capítulo I, en su apartado "3.2. Instrumentos supranacionales".

[1603] Tabla elaborada por Feantsa, la Federación Europea de organizaciones nacionales que trabajan con las personas sin hogar, en la que se clasifican las tipologías identificadas de sinhogarismo y de exclusión residencial en Europa. Puede consultarse en http://www.feantsa.org/en/toolkit/2005/04/01/ethos-typology-on-homelessness-and-housing-exclusion (último acceso 27-10-2019).

[1604] Fitzpatrick, S. y Pawson, H. "Ending Security of Tenure for Social Renters: Transitioning to 'Ambulance Service' Social Housing?", cit. p. 604.

[1605] Precisamente, Lefebvre contempla la consecución de estos derechos como necesarios para el desarrollo tanto de la sociedad como del espacio urbano, y lo describe como el derecho a la ciudad en su dimensión más real. Lefebvre, H. *Le droit à la Ville*, cit. Véase, también, el apartado "3.5. El derecho a la vivienda en el contexto del derecho a la ciudad" del Capítulo I.

[1606] En su apartado "3.3.1. Políticas de la UE en materia de vivienda".

ciones de mercado"[1607]. Por lo tanto, la base sobre la que se fundamenta la celebración de este contrato es el cumplimiento de unos requisitos por parte de la persona solicitante de vivienda, sobre todo de cariz económico/patrimonial, social o personal que son precisamente los que se utilizan para determinar la dificultad de esa persona o familia de acceder a una vivienda en el mercado privado. Por ejemplo, el art. 83.3 de la LDVC habla de favorecer la temporalidad y la rotación entre las viviendas con protección oficial de alquiler.

Precisamente y, sobre todo en Inglaterra, se están promocionando recientemente los contratos de duración determinada de hasta cinco años[1608]. Sin embargo, para proteger al arrendatario, la entidad debe notificar la no renovación con seis meses de antelación, decisión basada, sobre todo, en la mejora o empeoramiento de la situación económica y/o social de esa familia o del tamaño de la vivienda con relación a los miembros que conviven, y proveer de apoyo y asesoramiento para encontrar una vivienda alternativa. Así, por ejemplo, en el caso de viviendas públicas, el órgano judicial puede llegar a rechazar la petición de recuperar la vivienda por parte de la entidad si no se justifica adecuadamente esa decisión de no renovar. En cambio, en los Países Bajos, la celebración de contratos de arrendamiento de duración determinada (dos años) por parte de las WCOs quedan tasadas reglamentariamente y muy limitadas a situaciones de emergencia o de necesidades claramente temporales (trabajo, estudio, obras de rehabilitación de la vivienda), así como también a contratos que se combinan con servicios de apoyo o asistencia domésticos. En este punto, existen riesgos de malas prácticas con este tipo de contratos, como es el caso de los Países

---

[1607] COMISIÓN DE LAS COMUNIDADES EUROPEAS. *Decisión 2005/842/CE de la Comisión, de 28 de noviembre de 2005, relativa a la aplicación de las disposiciones del artículo 86, apartado 2, del Tratado CE a las ayudas estatales en forma de compensación por servicio público concedidas a algunas empresas encargadas de la gestión de servicios de interés económico general,* cit.

[1608] Los Países Bajos también ha introducido recientemente una nueva legislación para fomentar contratos de arrendamiento de una duración máxima de dos años, pero en el campo de las WCOS se ha restringido fuertemente su uso, pudiéndose celebrar únicamente en los casos donde el arrendatario esté en una situación claramente temporal y circunstancial (desplazamiento por trabajo, por obras de demolición o renovación o en situación de emergencia), o bien tiene un contrato en combinación con servicios de asistencia y apoyo doméstico o por incumplimientos anteriores se encuentra en una situación de segunda o última oportunidad de arrendamiento con la WCO. Véase el apartado "3.4. Formas de tenencia de vivienda social" del Capítulo II.

Bajos en la posibilidad de celebrar contratos de arrendamiento de corta duración en proyectos de renovación urbana[1609].

Aunque esta modalidad permite la rotación del parque mencionada[1610], en contra ya se ha argumentado que, además del mayor grado de inseguridad que comporta para la unidad familiar, también puede provocar, por un lado, que las familias no busquen mejorar su situación deliberadamente (ej. no querer aspirar a un trabajo o a un trabajo con mayor remuneración) y, por otro lado, que el cambio de familias ya estabilizadas y con una posición mejorada por la de nuevas personas o familias vulnerables rompa la cohesión del barrio y también se pierda la mixtura social por acumulación de colectivos vulnerables.

La temporalidad es, precisamente, uno de los rasgos característicos de los arrendamientos de vivienda españoles. Así, al seguir la misma legislación que los arrendamientos del mercado privado, su duración mínima obligatoria ha pasado de ser de prórroga forzosa o indefinida (1964), a libre pacto (1985), a ser de cinco años (1994), a ser de tres años (2013), a ser, actualmente, de cinco o siete años (2019) dependiendo de si el arrendador es una persona física o persona jurídica respectivamente. A pesar de ese aumento de estabilidad, muchos arrendadores de viviendas sociales huyen precisamente de esta fórmula por no otorgar la flexibilidad que necesitan (basada en el perfil de colectivos beneficiarios y también a la escasez de vivienda social existente en España), celebrando contratos que dependen mucho más de la voluntad de las partes que de la ley y que suponen, por lo tanto, incluso más inestabilidad para el arrendatario o usuario final. A pesar del uso de fórmulas incluso atípicas, se introducen cláusulas interesantes, como la vinculación entre el contrato y la normativa de funcionamiento y convivencia y a su cumplimiento, la posibilidad de rescindir el contrato cuando el beneficiario viene a mejor fortuna, o por incumpli-

---

[1609] Véase el apartado "3.4.1. En los Países Bajos" del Capítulo II.

[1610] Un informe para la Comisión Europea de 2016 sobre desahucios destaca que este tipo de tenencia de corta duración provoca inseguridad en la tenencia en los colectivos más vulnerables, por lo que una de las recomendaciones finales (la número 10) establece la restricción del uso de estos contratos a los arrendatarios con circunstancias temporales especiales, como los estudiantes y los trabajadores con alto grado de movilidad, puesto que en Inglaterra y Gales se ha experimentado una fuerte vinculación entre la expiración de estos contratos de arrendamiento de corta duración con un aumento de los casos de sin hogar a nivel local. Kenna, P. et al. *Pilot Project – Promoting protection of the right to housing – Homelessness prevention in the context of evictions*, cit. p. 199.

miento grave de pactos acordados para el proceso de reinserción, la introducción de prestación de suministros o servicios (que acerca el contrato al contrato de hospedaje), entre otros[1611]. Estos son aspectos que deberían plantearse para un régimen especial de arrendamiento de vivienda social.

No es menos cierto que a veces la temporalidad del contrato ya viene predeterminada por la tenencia bajo la cual el arrendador dispone de esa vivienda. Mientras que la mayoría de HAs y WCOs son propietarias del parque de vivienda que gestionan, no pasa lo mismo en España, sobre todo entre las entidades privadas sin ánimo de lucro, pero también en el sector público, que ha visto incrementadas otras formas de tenencia a raíz de todos los programas recientes de captación de vivienda privada vacía. Todo ello implica un complejo entramado de contratos y convenios de cesiones temporales entre propietario y entidad gestora reflejados en la Figura 23, que conlleva, necesariamente, cesiones posteriores de carácter temporal y con menor estabilidad entre la entidad gestora y el usuario final. Es interesante mencionar, también, la fórmula seguida por las viviendas públicas de alquiler en Madrid, en las que se regula un arrendamiento de vivienda con prórroga forzosa bianual, siempre y cuando se sigan cumpliendo los requisitos para acceder a esa vivienda.

En consecuencia, esta dicotomía entre seguridad de tenencia y necesidad de vivienda dificulta la determinación de cuál es la duración ideal de los contratos de alquiler social. ¿Cómo se puede garantizar la seguridad en la tenencia y el arraigo en el territorio al mismo tiempo que se garantiza la rotación en un parque escaso de vivienda social como es el español para poder asegurar que las pocas viviendas disponibles se destinan a unidades familiares que tienen una necesidad real de vivienda?[1612] La propuesta que se desarrollará *infra* en este mismo capítulo pasa por intentar equilibrar un cierto nivel de seguridad con el requisito de necesidad de la vivienda, al mismo tiempo que se pretende superar la complejidad e incertidumbre de las formas de acceso a una vivienda social existentes en España. Por lo tanto, se trata de buscar una figura que permita cierta seguridad siempre que se sigan cumpliendo los requisitos de necesidad.

[1611]	Véase el apartado "3.5.2.2.a.2. Título de acceso del beneficiario social" del Capítulo III.

[1612]	En este sentido, ESCOLÁSTICO resalta la importancia de la rotación con el fin de satisfacer la necesidad de vivienda en situaciones donde existe una gran demanda y una oferta limitada SANZ CINTORA, A. (coord.) *Diagnóstico 2012. La gestión de la vivienda pública de alquiler*, cit. p. 75.

Más allá de la tenencia en sí, es interesante cómo el precio de la vivienda social viene definido, sobre todo, en el sistema neerlandés, por las características y la localización de la vivienda. Además, los modelos comparados cuentan con órganos públicos de resolución extrajudicial de conflictos, que en el caso neerlandés, protege a los arrendatarios en referencia a si el precio del alquiler o sus actualizaciones son conformes a las características de la vivienda[1613].

Finalmente, cabe resaltar que, aunque la tenencia principal de vivienda social en ambos modelos comparados es la del arrendamiento, estos también disponen de fórmulas que permiten acceder a una vivienda en propiedad de manera asequible. Indistintamente de la institución utilizada (*Koopgarant* en los Países Bajos o *shared ownership* en Inglaterra), las ventajas de ofrecer estas tenencias intermedias son múltiples. Todo ello, más allá de considerarse, la tenencia en propiedad, una forma de acceso más deseada por la sociedad, fundamentado en que "i) la calidad de la vivienda en propiedad es habitualmente superior que la de la vivienda en alquiler, ii) la vivienda en propiedad se considera tanto un bien de consumo como de inversión, iii) la vivienda en propiedad ofrece una mayor seguridad que la vivienda en alquiler"[1614]. La primera ventaja se basa en el hecho de que este tipo de tenencias cubren el gran espacio (y diferencia económica) existente entre el sector de vivienda social en alquiler y el sector del mercado privado[1615], hecho que permite, por un lado, cubrir el derecho a una vivienda asequible de todas aquellas unidades familiares que, situándose

---

[1613] El tema de referenciar la renta atendiendo a unos índices o criterios y el hecho de poder disponer de una Comisión o Tribunal especializada en materia de arrendamientos son dos aspectos importantes dentro del funcionamiento de los arrendamientos urbanos. Sin embargo, al quedar fuera del objeto de este trabajo, puede consultarse un estudio comparado en mayor profundidad en Molina Roig, E. *Una nueva regulación para los arrendamientos de vivienda en un contexto europeo,* cit. pp. 341 y ss. y pp. 658 y ss., así como pp. 699 y ss. para ver la propuesta de un modelo funcional para regular los arrendamientos de vivienda de la autora.

[1614] Pareja Eastaway, M. "El régimen de tenencia en España", cit. p. 105, siguiendo a Mulder, C. *Migration Dynamics: A Life Course Approach.* Amsterdam: Thesis Publishers, 1993. Véanse, también, Whitehead, C. y Monk. S. "Affordable home ownership after the crisis: England as a demonstration project", cit. p. 327; Whitehead, C. y Yates, J. "Intermediate housing tenure – principles and practice", cit. p. 21; Elsinga, M. y Hoekstra, J. "Homeownership and housing satisfaction", *Journal of Housing and the Built Environment,* vol. 20, núm. 4, 2005, pp. 401-424 y Lindblad, M. R. "First-time homebuying: attitudes and behaviours of low-income renters through the financial crisis", *Housing Studies,* vol. 32, núm. 8, 2017, pp. 1127-1155. p. 1128.

[1615] Whitehead, C. y Scanlon, K. *Social housing in Europe,* cit. p. 7.

en una franja de ingresos demasiado alta para acceder al sector de vivienda social de alquiler (sobre todo si las políticas se centran en acotar los beneficiarios), no disponen de ingresos suficientes para entrar en el mercado privado sin sobreendeudarse. Así, puede plantearse como solución al mencionado fenómeno del *skewness,* dando más rotación al parque de vivienda social de alquiler, pues permite ofrecer una alternativa a aquellas familias que, siendo arrendatarias sociales, han visto mejorada su situación económica, sin desvincularse completamente de la HA y de toda su red de apoyo. Una segunda ventaja se plantea en la combinación de estas tenencias intermedias con vivienda en alquiler social en una misma promoción o en una misma zona, puesto que permite ofrecer cierta mixtura de tenencias y de unidades familiares con diferentes niveles económicos[1616]. Y tercero, son una fuente de ingresos que permite a la entidad disponer de liquidez para el desarrollo de promociones de alquiler social[1617].

A nivel español, precisamente, las Administraciones públicas hacen uso del derecho de superficie para vender vivienda protegida a precio asequible; así, no pierden la titularidad del suelo, que permanece público. Sin embargo, la práctica demuestra (ej. casos del País Vasco y de Madrid) como ese suelo se vende, *a posteriori,* a los superficiarios y, además, surgen dudas entorno a los derechos y obligaciones de la figura del superficiario. Por su parte, la propiedad compartida y la propiedad temporal existen y pueden utilizarse ya en Cataluña desde 2015. Además, se encuentran contempladas en el PDVC como forma de acceso a una vivienda protegida[1618]. Sin embargo, su uso aún no es muy extendido, ya sea por falta de presupuesto para nuevas promociones de vivienda social o por una falta de pedagogía tanto por parte de los agentes del sector como por parte de la sociedad. De momento, se utiliza la propiedad temporal como instrumento de adquisición de viviendas por parte de entidades y empresas públicas locales y entidades sin ánimo de lucro, requisito perceptivo para acceder a préstamos bonificados del Instituto Catalán de Finanzas, donde la AVC pasa a ser el titular sucesivo y la entidad gestora la propietaria temporal.

[1616] Esa combinación puede ir un paso más allá, ofreciéndose también viviendas del sector privado, como se verá en el apartado "1.3.2. Actividades comerciales y otras fuentes de financiación privada" *infra,* en este mismo capítulo.

[1617] Véase el apartado "3.5.1.2.b. Otras actividades del sector social y del sector privado" del Capítulo II.

[1618] Véase un estudio sobre los potenciales usos de estas dos tenencias en SIMÓN MORENO, H., LAMBEA LLOP, N. y GARCIA TERUEL, R. M. "Shared ownership and temporal ownership in Catalan law", cit. pp. 70 y ss.

1.3.1.3. Incumplimiento del contrato. Especial atención al pago del alquiler

En el apartado anterior se ha hablado de la importancia de la seguridad en la tenencia y de cómo esta queda garantizada con los arrendamientos indefinidos utilizados por los Países Bajos e Inglaterra, siempre que el arrendatario cumpla con sus obligaciones contractuales. Pero ambos modelos también apuestan por una reacción rápida ante cualquier incumplimiento, contemplando la demanda de desahucio ante los tribunales como última opción posible.

Así, una buena práctica en este sector consiste en lidiar con cualquier tipo de incumplimiento de la manera más rápida posible y con todos los instrumentos o mecanismos necesarios para intentar enderezar la situación. Los argumentos para ello, además, trascienden de la esfera más social y pública (es decir, la obligación de cubrir una necesidad básica como lo es el derecho a la vivienda) para llegar también al ámbito más privado. Llevar estos casos a los tribunales implica un gran coste económico y de recursos humanos, que incluyen tasas judiciales, mensualidades impagadas, tiempo y esfuerzo en recopilación de documentos y pruebas, trámites burocráticos, servicios legales o tiempo durante el que la vivienda se queda vacía, hecho que reduce también la eficiencia en la gestión de este parque.

En consecuencia, pueden esclarecerse dos puntos importantes a tener en cuenta en este campo. El primero, la necesidad de abordar los incumplimientos contractuales graves (impagos de alquiler, conductas vandálicas o delictivas, etc.), si es necesario, con un proceso de desahucio[1619]. El

---

[1619] Véase el apartado "3.3. Predominancia de modelos de gestión públicos" del Capítulo III al hablar de la insostenibilidad económica que supone gestionar un parque con una tasa alta de morosidad y al mencionar que países como los Países Bajos y Dinamarca, con altas tasas de alquiler social, son los que desahucian más y más rápido. Además, es necesario huir de la percepción que pueden adoptar algunos arrendatarios de que no pagar no les va a repercutir en la pérdida de la vivienda: precisamente, la cuarta causa de los impagos de alquileres públicos en España (argumentada por las entidades que conforman AVS) es la falta de cultura de pago, seguida de la percepción de que "si no pagan no pasa nada", y en sexto lugar se encuentra el conocimiento de esos arrendatarios de las dificultades para que un desahucio se haga efectivo. Sanz Cintora, A. (coord.) *Diagnóstico 2012. La gestión de la vivienda pública de alquiler*, cit. p. 100. De manera similar, un informe sobre estudios de casos en ciertas HAs inglesas subraya que algunos arrendatarios no consideran el impago del alquiler como causa de extinción del contrato (lo asocian más al vandalismo y al mal uso), y que las entidades gestoras son las que deben hacerles entender la necesidad de priorizar la deuda de la renta ante

segundo, contemplar este proceso de desahucio ante los tribunales como el último eslabón del proceso, intentando abordar los incumplimientos de manera proactiva por parte de la entidad gestora mediante otros mecanismos, como la renegociación de los pagos y la búsqueda de las ayudas disponibles, la oferta de servicios de gestión del patrimonio o de formación y/o inserción laboral. Así, los tribunales ingleses, por ejemplo, exigen la aplicación de tales instrumentos, pudiendo hasta suspender el proceso y pedir o proponer adoptar otras medidas en el caso que considere que estas no se hayan aplicado o intentado[1620]. Por ello, es importante dotarse de planes y protocolos de actuación y reflejen todas las medidas a adoptar antes de acudir a los tribunales.

Precisamente, el informe para la Comisión Europea de 2016 sobre desahucios y "sinhogarismo" reveló una falta generalizada a nivel europeo de servicios que permitan la prevención de desahucios. A pesar de ser a nivel general y no hacer solo referencia a la gestión de vivienda social, aporta datos interesantes[1621]. Así, en España se menciona particularmente: una falta de personal cualificado; una falta de información acerca de las personas que se encuentran en riesgo de desahucio; y una competencia insuficiente para adjudicar una vivienda alternativa o falta de estas alternativas (aquí también encontramos al Reino Unido). También se destacan, en otros países: la falta de recursos de personal y la necesidad de que estos adopten una posición más proactiva (lo recalca los Países Bajos, entre otros); la necesidad de mediar; la falta de recursos para asumir las deudas existentes o la falta de instrumentos para garantizar la sostenibilidad de una situación de vivienda después de una intervención de prevención exitosa.

En consecuencia, tanto los servicios mencionados anteriormente al hablar de las exigencias de los tribunales ingleses como los servicios relaciona-

---

otros pagos (coche, muebles o electrodomésticos, entre otros) pues sin vivienda muchas de sus otras deudas resultan irrelevantes. RALLINGS, M. K. *Approaches to tenancy management in the social housing sector: Exploring new models and changes in the tenant-landlord relationship*. Londres: HACT, 2014. p. 30.

[1620] De esa manera, se intenta garantizar que únicamente aquellos arrendatarios que no pongan voluntad en solucionar la problemática existente sean los que lleguen a un desahucio efectivo. Estos tienen derechos sobre la vivienda, pero es importante que tengan presente que también tienen deberes.

[1621] Se encuentran dentro de la Recomendación número 6, entre las medidas de prevención secundarias de desahucios y sinhogarismo, es decir, las destinadas a la población que puede entrar en situación de riesgo de desahucio. KENNA, P. et al. *Pilot Project-Promoting protection of the right to housing-Homelessness prevention in the context of evictions*, cit. p. 196.

dos con las carencias acabadas de enumerar son cruciales para desarrollar una rápida reacción ante incumplimientos o potenciales incumplimientos por parte del arrendatario y garantizar que se hayan puesto todos los recursos posibles en evitar que la unidad familiar deba abandonar la vivienda, siempre que, claro está, el arrendatario actúe de buena fe y sea también proactivo. Para llevar a cabo todos estos mecanismos de una forma efectiva y eficiente, consideramos que se trata de una buena práctica dotarse de protocolos de actuación, tanto para los trámites de gestión diaria como para actuar en casos de incumplimiento de contrato (ej. impagos de alquiler o conductas vandálicas). Los protocolos reparten, delimitan y pautan las funciones a realizar, con el fin de que todo el personal de la entidad gestora sepa cuáles son sus competencias y sepa cuándo y cómo actuar en cada situación, así como también contactar con otros organismos o instituciones, si procede.

A nivel español, muchas entidades, tanto públicas como privadas, disponen de protocolos de actuación, aunque los recursos y mecanismos a seguir divergen y dependen de cada entidad[1622]. Finalmente, y contemplado también como recomendación en el Informe de desahucios a nivel europeo antes mencionado[1623], se considera como buena práctica para prevenir el "sinhogarismo" la existencia de convenios de colaboración entre propietarios, arrendadores, instituciones públicas, tribunales de justicia, colegio de abogados, entidades gestoras de vivienda social y otros actores del sector con objeto de informar de potenciales e inminentes procesos de desahucio. Así, la contribución de las entidades gestoras en este caso viene por dos vías: una, poder ofrecer alojamiento a colectivos desahuciados y dos, intentar buscar una alternativa a aquellos colectivos que, siendo arrendatarios de la entidad gestora, no pueden hacer frente al pago de la vivienda.

En este aspecto, el RDL 7/2019 (art. 3.3) establece por primera vez una obligación que sigue las indicaciones del Dictamen del Comité DESC de las Naciones Unidas, adoptado el 20 de junio de 2017[1624]: regula la comunicación por parte del Juzgado, de oficio, a los servicios sociales pertinentes,

---

[1622] Pueden verse ejemplos en el apartado "3.5.2.2.b. Morosidad, desahucios y rotación del parque" del Capítulo III.

[1623] En la misma Recomendación número 6. KENNA, P. et al. *Pilot Project-Promoting protection of the right to housing-Homelessness prevention in the context of evictions*, cit. p. 196.

[1624] COMITÉ DE DERECHOS ECONÓMICOS, SOCIALES Y CULTURALES DE LAS NACIONES UNIDAS. *Comunicación núm. 5/2015, de 20 de junio de 2017* (E/C.12/61/D/5/2015). Esta recomendación se reitera en COMITÉ DE DERECHOS ECONÓMICOS, SOCIALES

de los procesos de desahucio por impago de renta o expiración del plazo contractual o legal para que estos valoren la posible existencia de una situación de vulnerabilidad social y/o económica, para, en el caso de detectarla, poder suspender el proceso de desahucio uno (demandante persona física) o tres meses (demandante persona jurídica) con el fin de adoptar las medidas oportunas. Convenios y protocolos similares ya existían en territorios concretos antes del RDL 7/2019 en Aragón y en Cataluña, entre los tribunales, la Administración, entidades municipalistas y Colegios de Abogados y Procuradores (estos últimos en Cataluña); mientras que alguna entidad gestora también lo venía haciendo con pactos verbales con los servicios sociales de algunas localidades. Asimismo, también consideramos importante la práctica que realizan algunas de las entidades gestoras públicas de reunirse periódicamente con el departamento de servicios sociales para informarse sobre las ayudas y programas existentes[1625].

Finalmente, e íntimamente relacionado con el cumplimiento de la obligación de pagar el alquiler, existe un mecanismo que aunque anteriormente utilizaban tanto los Países Bajos como Inglaterra, actualmente únicamente lo utiliza la segunda, y en los casos de colectivos más vulnerables. Se trata del cobro de la ayuda de alquiler del arrendatario por parte de la HA (en lugar de recibirlo el mismo inquilino), contando con la aceptación y consentimiento del arrendatario. Existen estudios que demuestran que este mecanismo ha permitido mantener la tasa de morosidad baja y ha permitido reducir costes en cuanto a recursos utilizados para el cobro del alquiler[1626]. Si bien es verdad que una de las razones por las que este mecanismo ha ido desapareciendo va relacionado con la intención de otorgar más empoderamiento al arrendatario (libertad pero también responsabilidad de gestionar su patrimonio y concienciarse del valor de una vivienda), sí podría mantenerse como buena práctica al menos en los casos, como sigue manteniendo Inglaterra, más vulnerables. Además, autorizar a la entidad gestora cobrar directamente esa ayuda también permite hacer coin-

Y CULTURALES DE LAS NACIONES UNIDAS. *Observaciones finales sobre el sexto informe periódico de España*, cit.

[1625] Apartado "3.5.2.2.b. Morosidad, desahucios y rotación del parque" del Capítulo III.

[1626] A parte de los mencionados en el apartado "3.5.2.3. Pago de ayudas al alquiler directamente a la *housing association*" del Capítulo II, véase el estudio de CENTRE FOR REGIONAL ECONOMIC AND SOCIAL RESEARCH. *Direct Payment Demonstration Projects: Key findings of the programme evaluation – Final report*. Department for Work and Pensions, 2014.

cidir el cobro del alquiler con el de la ayuda, evitando, así, posibles casos de descoordinación entre la mensualidad a pagar y el cobro de la ayuda pública.

A nivel español esta medida no se da como práctica extendida, pero sí existen algunas entidades públicas independientes que coordinan el pago de las ayudas al alquiler con el cobro del alquiler (ej. Zaragoza y Alicante)[1627]. Todo ello, más allá de las entidades públicas o privadas que puedan deducir ayudas o rentas subvencionadas por la propia entidad gestora o por la Administración, dependiendo del Programa (Fundación Bancaria "la Caixa", Programas de VPO, Hàbitat 3 y el Ayuntamiento de Barcelona). Además, las redacciones de los Planes Estatales de Vivienda de 2013-2016 (art. 11.6) y de 2018-2021 (art. 18) regulan, muy acertadamente, gestionar las ayudas de alquiler desde la entidad gestora de vivienda cuando sea al mismo tiempo entidad colaboradora (en la misma línea sigue el Proyecto de Real Decreto por el que se regula el Plan Estatal para el acceso a la vivienda 2022-2025); también las ayudas del nuevo Programa de ayuda a las víctimas de violencia de género, personas objeto de desahucio de su vivienda habitual, personas sin hogar y otras personas especialmente vulnerables. Así, con una idea similar, ya existen fundaciones privadas que han solicitado ser reconocidas como entidad colaboradora para poder cobrar las ayudas de alquiler de sus arrendatarios directamente, como hemos mencionado.

1.3.2. Actividades comerciales y otras fuentes de financiación privada

Una de las características clave que poseen las HA como figuras híbridas, a parte de dotarse de criterios de eficiencia de mercado en la ejecución de sus actividades, es la combinación de fuentes de financiación públicas con fuentes de financiación privadas.

La mayor o menor disponibilidad de recursos públicos es el principal detonador a la hora de expandir o no la actuación de las HA en el ámbito privado. Mientras que existe una mayor independencia económica en los Países Bajos desde hace décadas, en Inglaterra se ha producido una creciente expansión en los últimos años derivada de los recortes en el presupuesto público invertido en el sector de vivienda social. Cuanta menos financiación pública, más necesidad hay de diversificar la cartera de actividades para así extender las fuentes de ingresos y garantizar la viabilidad

---

[1627] Apartado "3.5.2.3. Fuentes de financiación" del Capítulo III.

económica de estas entidades gestoras. En consecuencia, existen dos prácticas en este apartado que es interesante resaltar: la primera es la diversidad en la cartera de actividades de la entidad gestora de vivienda social y, la segunda, su participación en el mercado financiero.

En relación con la primera práctica, el hecho de desarrollar actividades comerciales, como la venta o el alquiler de viviendas a precio de mercado, o arrendamientos de locales, entre otros, permite a estas entidades obtener unos beneficios que reinvierten en actividades sociales. Este mecanismo de "financiación cruzada" (Inglaterra) o "fondo rotativo" (Países Bajos) les permite (o permitía, en el segundo caso) depender en una menor medida de las ayudas públicas para poder mantener una viabilidad y un equilibrio económico. En los modelos españoles las entidades del sector privado con ánimo de lucro son las que desarrollan negocios en el mercado libre inmobiliario, así como las entidades públicas con carácter independiente; únicamente las primeras, sin embargo, ofrecen alquileres de vivienda en el mercado privado[1628].

La venta o demolición de vivienda social también es una práctica utilizada en los dos modelos comparados estudiados. Y aunque se trata de una práctica más controvertida, puesto que reduce el parque de vivienda social, podría tenerse en cuenta en los casos en los que, o bien se vende la vivienda al propio arrendatario (y puede hacerse mediante figuras de tenencia intermedia que garantizan una mayor asequibilidad), o bien la vivienda se queda vacía, y siempre que se ofrezcan planes de actuación complementarios de nuevas promociones de vivienda social con los ingresos obtenidos (que podría controlarse por los órganos públicos que las supervisan), que permitan reemplazar a las vendidas. De esa manera, podría garantizarse la no disminución del parque social, al mismo tiempo que se permite a las entidades una mayor eficiencia en la gestión de sus recursos. Ese control se ha visto reducido en el sistema inglés, puesto que anteriormente era necesario el consentimiento previo del órgano regulador de las entidades proveedoras para dichas enajenaciones, mientras que actualmente únicamente se requiere de una notificación. También es cierto que dependiendo de la forma jurídica que adopte la entidad y, en el caso inglés, aquellas que adoptan un *charitable status,* existe mayor o menor limitación para disponer de su parque. Una buena práctica es la que realiza la Federación representan-

---

[1628] Véase el apartado "3.5.1.2. Ingresos por actividades propias: el mecanismo de la *cross-subsidization*" para los modelos comparados y el apartado "3.5.2.3. Fuentes de financiación" para España.

te de *woningcorporaties* de Ámsterdam con la Administración local, donde pactan el número máximo de viviendas sociales a vender en esa ciudad. La construcción de vivienda protegida de compraventa también suponía una línea de financiación del sector público y del sector privado con ánimo de lucro españoles, pero estas actuaciones se vieron paralizadas por la crisis de 2007.

De esa combinación de actividades puede extraerse otra buena práctica: el desarrollo de promociones y proyectos que combinen la oferta de diferentes tipos de tenencia, tanto del sector social como del de mercado y, a parte de ayudar a contribuir a la idea de *continuum* de tenencias ya mencionado[1629], también se consigue mixtura social dentro de una comunidad de vecinos, zona o barrio. Este aspecto es importante a la hora de evitar la creación de guetos y la estigmatización de determinadas zonas y determinados grupos[1630]. Así, esa combinación de tenencias permite la coexistencia de personas con distintos poderes adquisitivos sin que externamente se denoten las diferencias. Sin embargo, para poder garantizar una convivencia pacífica y efectiva es fundamental disponer de servicios de mediación y otros servicios de atención al arrendatario y a la comunidad.

Esta práctica de combinación de tenencias no está generalizada a la práctica de los modelos españoles, más teniendo presente la poca canti-

---

[1629] Véase el apartado "5. Vivienda social, vivienda pública y vivienda asequible" del Capítulo I y el apartado "3.5.1.2. Ingresos por actividades propias: el mecanismo de la *cross-subsidization*" del Capítulo II. La disponibilidad de ese *continuum* en las tenencias de vivienda se refleja tanto en la Nueva Agenda Urbana mundial en su punto 107, cuando menciona la necesidad de "estimular la provisión de diversas opciones de vivienda adecuada que sean seguras, asequibles y accesibles para los miembros de diferentes grupos de ingresos de la sociedad" y también como medida estructural recomendada (Recomendación número 9) para prevenir los desahucios y el "sinhogarismo". Kenna, P. et al. *Pilot Project – Promoting protection of the right to housing – Homelessness prevention in the context of evictions,* cit. pp. 197 y 198.

[1630] Véanse tanto las ventajas como algún impacto negativo a tener en cuenta a la hora de crearse vecindarios mixtos en Van Kempen, R. y Bolt, G. "Social consequences of residential segregation and mixed neighbourhoods", en Clapham, D. F., Clark, W.A.V. y Gibb, K. (eds.). *The SAGE Handbook of Housing Studies,* cit., pp. 439-460. Véase también Busch-Geertsema, V. "Measures to achieve social mix and their impact on access to housing for people who are homeless", *European Journal of Homelessness,* vol. 1, 2007, pp. 213-224, artículo que se plantea si la estrategia de la mixtura social hace aumentar o disminuir las oportunidades de los colectivos más vulnerables de acceder a una vivienda digna y permanente.

dad de vivienda social existente, el poco presupuesto público destinado a fomentar la promoción y a la poca promoción de vivienda de nueva construcción. Sin embargo, algunas CCAA cuentan con instrumentos legales que tienen por objetivo garantizar dicha mixtura social. Así, por ejemplo, el art. 100.3 LDVC regula la necesidad de que las reglas de adjudicación de promociones de vivienda protegida reflejen la estructura social del municipio o zona, teniendo presente el nivel de ingresos y el lugar de nacimiento, para evitar, así, "la concentración excesiva de colectivos que puedan poner la promoción en riesgo de aislamiento social". Pero no ha sido hasta hace pocos años, ante la dificultad de vender promociones, cuando han empezado a producirse esas combinaciones[1631].

Esta combinación de promociones de vivienda social y de mercado puede contemplarse en España, a nivel práctico, en algunas entidades privadas con ánimo de lucro, mientras que las entidades públicas pueden ofrecer alquileres de locales, garajes, despachos, etc. En cambio, en el tercer sector no se percibe esa diversidad.

En cuanto a la segunda práctica, se trata de introducirse en el mercado financiero para beneficiarse de los productos y la financiación privada que este campo puede ofrecer, como los préstamos bancarios, las emisiones de bonos u otros negocios en mercados de capital[1632]. Se trata de buscar un equilibrio dentro de la cartera de inversiones que permita combinar los productos anteriores y diversificar así, también, riesgos. Al ser un campo más complejo, se necesita de personal especializado, ya no solamente en el desarrollo de las actividades enumeradas más arriba sino también en este campo más específico. Además, deben tenerse muy presentes algunos de los riesgos que se mencionan en los últimos párrafos de este apartado.

Cabe mencionar que el mayor impulso que permitió a las HAs introducirse en este ámbito fue la gran cantidad de inmuebles (la mayoría en propiedad) y patrimonio acumulados fruto de la inyección de dinero público por vía de transferencia de inmuebles, ayudas públicas a la construcción y facilidad de acceso a tipos de interés bajos en la época sobre todo de privatización del parque público[1633]. Además, existen otros factores que

---

[1631] MOLINA ROIG, E. *Una nueva regulación para los arrendamientos de vivienda en un contexto europeo,* cit. p. 34.

[1632] Véanse algunos de estos ejemplos en el apartado "3.5.1.3. Préstamos bancarios y otras fuentes" del Capítulo II.

[1633] Así, las políticas públicas actuales centradas en fomentar que HA saquen el máximo provecho del gran patrimonio acumulado, lo que se conoce como "*sweating*

permiten a estas entidades gestoras obtener buenas condiciones. Así, estas cuentan con un control público estricto de sus aspectos económicos y, también, con unos poderes del órgano público de control de intervenir en la gestión de la entidad en caso de existir problemas financieros, entre otros. Por lo tanto, a nivel público ya se procura que este sector no derive en problemas financieros (debido al servicio público que ofrecen). Además, los Países Bajos dispone de un Fondo de garantía, el WSW, que ha llegado a tener la máxima calificación por parte de dos de las mayores agencias de calificación a nivel mundial. Este ingrediente de apoyo público más las evaluaciones de solvencia de reconocidas agencias de calificación crediticia a las que suelen someterse permite que los inversores las vean como una inversión segura y de poco riesgo. Sin embargo, es un campo de difícil acceso por parte de las entidades pequeñas. Precisamente, algunas de las fusiones llevadas a cabo tenían como objetivo convertirse en entidades más atractivas para inversores privados y también permitir una mayor absorción del riesgo financiero. Inglaterra dispone, por ejemplo, de la Housing Finance Corporation, que permite a las entidades más pequeñas acceder a la emisión de bonos[1634].

En este apartado aparecen diversos riesgos que deben tenerse muy presente, como el tema de la competencia desleal, el *moral hazard* y también el hecho de que los riesgos financieros asumidos puedan llegar a influir negativamente en las actividades sociales de la entidad[1635]. Por ello, y a resultas de la necesidad de separar entidades ya sea por exigencia legal (en los Países Bajos) o voluntariamente para disponer de menores restricciones de actuación (Inglaterra), muchas entidades se estructuran de tal manera que construyen una "muralla china", para así evitar que el parque de vivienda social quede afectado por riesgos asumidos en actividades comerciales o financieras. Esa separación, no obstante, implica una pérdida del carácter híbrido para las WCOs y unas estructuras de grupo demasiado complejas y difíciles de fiscalizar en el caso inglés.

Finalmente, la obligación de mayor dependencia del mercado financiero lleva a adoptar políticas de gestión que minimicen riesgo de impago, lo que puede implicar centrar únicamente la adjudicación de vivienda social

---

the assets". Véase el apartado "2. La privatización de la gestión de la vivienda social" en el Capítulo II.

[1634] Véase el apartado "3.5.1.3. Préstamos bancarios y otras fuentes" del Capítulo II.

[1635] Véase el apartado "2.4. Potenciales riesgos de las entidades híbridas" *infra* en este mismo capítulo.

en aquellos grupos que podrán pagarla, excluyendo, así, a los colectivos más vulnerables. En consecuencia, es importante velar porque la necesidad de actuación en el sector privado no desvirtúe el objetivo principal de la entidad proveedora y gestora de cumplir con su función social.

1.3.3. Servicios complementarios al de la vivienda. Mirada a la comunidad

Los beneficiarios de viviendas sociales, aunque pueda variar hasta cierto punto en los diferentes países, son personas que no pueden acceder al mercado privado ya sea por razones económicas, sociales, profesionales, psíquicas o físicas. Precisamente, la ya mencionada Nueva Agenda Urbana mundial de 2016 resalta la necesidad de que las políticas de vivienda traten la exclusión social desde una intervención integral y transversal, que incluya acciones no solo respecto de la vivienda, sino también con relación al empleo, la salud y la educación[1636]. Así, siguen esta misma línea SUBIRATS y GOMÀ, ya que definen la exclusión social como un "fenómeno poliédrico que tiene su origen en múltiples factores"[1637], los cuales pueden ser de carácter económico, laboral, formativo, familiar, habitacional, social, sociosanitario, espacial o territorial, etc.[1638]. A nivel europeo, se defiende que los gestores de vivienda social deben replantearse su rol para dar respuesta a los nuevos retos sociodemográficos, tecnológicos y medioambientales, incorporando campos como el de la salud, el trabajo, la movilidad, la inclusión, la gestión urbana, la digitalización de los servicios, el acceso a la vivienda por medio de diferentes tenencias (ej. tenencias intermedias o *Housing First*) o la eficiencia energética[1639].

Las acciones para luchar contra la exclusión, más allá de garantizar el acceso a una vivienda digna y adecuada que no sea en precario, pasan por ofrecer un rol activo desde la entidad gestora (e incluso la propia Administración pública) para ayudar al beneficiario a la hora de buscar ayudas públicas disponibles u ofrecer formación en ahorro económico y/o energético y en buena gestión del patrimonio (ámbito económico), ofrecer

---

[1636] Véase su punto 108.

[1637] SUBIRATS, J. y GOMÀ, R. (dirs.). *Un paso más hacia la inclusión social. Generación de conocimiento, políticas y prácticas para la inclusión social*. Madrid: Plataforma de ONGs de Acción Social, 2003. p. 30.

[1638] Véase la Tabla 5 de SUBIRATS, J. y GOMÀ, R. (dirs.). *Un paso más hacia la inclusión social. Generación de conocimiento, políticas y prácticas para la inclusión social*, cit. pp. 34-35.

[1639] PITTINI, A. (dir.) *The State of Housing in the EU 2019*, cit. p. 39.

programas de formación e inserción laboral (ámbito laboral y formativo), ofrecer servicios de salud (ámbito sociosanitario), ayudar a potenciar y recuperar las redes familiares y sociales (ámbito relacional), así como ofrecer programas y actuaciones que permitan el fomento del buen ambiente en el barrio, como puede ser la creación de equipamientos y recursos como centros culturales o deportivos, la organización de eventos y jornadas, la rehabilitación de edificios o revitalización de espacios públicos, ofrecer servicios de mediación o resolución de conflictos o servicios que permitan ofrecer más seguridad ciudadana (ámbito social y espacial o territorial). Por lo tanto, en el sector de vivienda social, una gestión eficiente no puede entenderse sin la provisión de algunos de este gran abanico de servicios adicionales y complementarios a los de la vivienda, elección que dependerá del perfil de arrendatario o usuario de la entidad.

Con el fin de garantizar el cumplimiento de esta función, tanto Inglaterra como los Países Bajos prevén el desarrollo de estas funciones de asistencia a los arrendatarios y usuarios y de procuración de un buen clima y coexistencia en sus zonas de actuación en sus respectivas normativas. El *Regulatory Framework* de las HAs inglesas, por ejemplo, incorpora un conjunto de normas relacionadas con la protección del inquilino, entre las que se encuentran procurar salud y seguridad a los arrendatarios, adaptar los servicios a sus necesidades e involucrarse en los barrios o la comunidad para garantizar un buen ambiente y prevenir conductas vandálicas. Aunque es cierto que el control público sobre el cumplimiento de esta normativa no es tan activo como respecto de la normativa económica, la evaluación anual pública que de toda la normativa se hace a los RPs con más de 1.000 viviendas es de especial interés para agentes interesados en invertir en el sector, ya que muestra la valoración pública del grado de solidez económica y de gobernanza de la entidad y, también, puede servir de referencia para adjudicar nuevos proyectos con financiación pública[1640]. Por su lado, las WCOs neerlandesas disfrutaban de amplias funciones con el ya derogado Decreto de gestión de la vivienda social (BBSH). La regulación actual, el BTIV, delimita y restringe estas funciones, aunque la esencia de invertir en la comunidad se conserva, restringida a actuaciones que contribuyan a la calidad de vida en las inmediaciones de las zonas donde la WCO tenga viviendas[1641]. Para el desarrollo de estos servicios complementarios, las HAs

---

[1640] Véase el apartado "3.3.2. Proveedores registrados (RP) en Inglaterra" del Capítulo II.
[1641] Véanse los apartados "3.2.3. Legislación neerlandesa" y "3.7.2. Impacto en la comunidad" del Capítulo II.

se dotan de una estrecha colaboración con las administraciones locales, los cuerpos de seguridad y otras organizaciones sociales. Es decir, para el desempeño de estas funciones, es importante la existencia de redes de colaboración, el trabajo conjunto a nivel tanto público como privado, de todos los actores que puedan jugar un papel en este sector en cada zona. Asimismo, es importante apoyarse en las nuevas tecnologías para que estas permitan ofrecer una gestión más eficiente.

Así, a estas entidades privadas sin ánimo de lucro se les otorga un rol destacado en relación con políticas y estrategias para afrontar problemas de conductas vandálicas, antisociales o criminales y para fomentar la cohesión social y procurar la coexistencia en la comunidad. Por ello, se les dota de poderes de actuación a nivel legal y de normativa y guías de buenas prácticas elaboradas por organismos públicos y/o organizaciones representantes de dichas entidades[1642]. Sin embargo, lo que no resulta tan claro en este punto es hasta dónde llegan los límites en cuanto a las responsabilidades de las HAs para atajar estas problemáticas y dónde empieza la responsabilidad de las administraciones locales y otros agentes públicos[1643].

Esta normativa que regula la necesidad de desempeñar servicios complementarios de apoyo a los beneficiarios sociales de vivienda por parte de las entidades gestoras no existe en España, más allá de los fines de interés general que lleven aparejadas algunas entidades por su forma jurídica (por ejemplo, las fundaciones y las asociaciones de utilidad pública) y por lo que regulen en sus respectivos estatutos. Al tener las entidades del tercer sector como objetivo lograr la inclusión social de colectivos especialmente vulnerables, muchas de estas cuentan con programas para sus beneficiarios (ej. seguimiento y acompañamiento social, supervisión del uso de la vivienda, acompañamiento de salud, orientación e inserción laboral). También destaca el hecho de que estos servicios adicionales o complementarios se ofrezcan en mayor medida por entidades que disponen de un área o departamento social y, por lo tanto, entidades que disponen de personal exclusivamente dedicado al trato con sus arrendatarios o usuarios. Por otro lado, algunas de las entidades más pequeñas o las que carecen de recursos

---

[1642] FLINT, J. "Maintaining an Arm's Length? Housing, community governance and the management of 'problematic' populations", *Housing Studies,* vol. 21, núm. 2, 2006, pp. 171-186. pp. 172 y ss.

[1643] FLINT, J. "Maintaining an Arm's Length? Housing, community governance and the management of 'problematic' populations", cit. p. 181. Este mismo autor, se pregunta "¿por qué debería la vivienda social soportar el peso de esas cuestiones y quién paga por ello?". Traducción propia.

para el desarrollo directo de estos servicios complementarios, establecen colaboraciones entre entidades públicas y el tercer sector, o entre entidades del tercer sector. Además, la necesidad de estos servicios también se reflejaba en el funcionamiento de los mencionados Fondos de Vivienda para Alquiler Social que regulaba el Plan Estatal de Vivienda 2018-2021, puesto que regulaba expresamente la posibilidad de contar con la colaboración de entidades del tercer sector para acompañar la gestión de las viviendas sujetas a este Fondo con un plan de acompañamiento social de la familia[1644].

Del amplio abanico de servicios que se acaban de comentar, puede hacerse una clasificación en función del objetivo perseguido:

a) *Servicios destinados a la esfera particular del arrendatario o usuario de la vivienda*: sobre todo los mencionados respecto al ámbito económico, formativo, sociosanitario, laboral y relacional (redes sociales y familiares). Son buenas prácticas en este punto disponer de Planes de trabajo o de un "acuerdo o contrato social", mediante los cuales se perfilen las necesidades de la persona vulnerable que accede a la vivienda social, pero que al mismo tiempo regule unas obligaciones a cumplir por esta. Así, el otorgamiento de unos derechos y el disfrute de unos servicios viene de la mano de unos deberes, los cuales deben dejarse claros en este acuerdo o plan, y deben explicarse al beneficiario las consecuencias que puede acarrear el incumplimiento de estos. En el caso español, son algunas las entidades que, a nivel particular, disponen de este tipo de instrumento, bajo distintas nomenclaturas, como por ejemplo "compromiso social común", "documento de pactos" o "contrato social" y, también diverge la obligatoriedad de firmarlo para poder acceder a la vivienda y las consecuencias de su incumplimiento, pasando por actuaciones de inspección y mediación hasta la rescisión del contrato. La consecución de servicios para el desarrollo personal, social o profesional del arrendatario o usuario de la vivienda también aporta un impacto positivo para la entidad gestora. Por un lado, trazar un plan de formación e inserción laboral más un asesoramiento en gestión de patrimonio permite que el arrendatario tenga una mayor capacidad económica para hacer frente al pago del alquiler. Los impagos de hipoteca o alquiler suelen acompañarse o agudizarse por una mala gestión de los recursos económicos limita-

---

[1644] Apartado "3.5.2.5. Más allá del acceso a una vivienda. Servicios arrendatarios y a la comunidad" del Capítulo III.

dos y por decisiones erróneas respecto de las prioridades financieras por parte de los propietarios o arrendatarios. Así, informar y formar a los beneficiarios más vulnerables sobre deudas, gestión de capital y riesgos puede producir un impacto positivo en la prevención de desahucios[1645]. Igualmente, en ocasiones, los arrendatarios no consideran el impago del alquiler como causa de extinción del contrato (lo asocian más a vandalismo y mal uso). Así, además de la necesidad de exponer claramente todas las cláusulas contractuales desde el inicio, y explicar las consecuencias ante su incumplimiento, también es preciso hacer hincapié en cuanto a los deberes del arrendatario, que debe percibir la deuda de la renta como prioritaria ante otros pagos (vehículo, muebles, electrodomésticos, entre otros) pues sin vivienda muchas de sus otras deudas resultan irrelevantes[1646]. Por otro lado, los servicios de seguimiento, apoyo[1647], formación e inserción social y laboral permiten la posible evolución y mejora tanto personal como económica que puede experimentar el arrendatario o usuario de la vivienda social, lo que puede comportar su salto a otro tipo de tenencia, ya sea en el mismo sector social o en el sector privado. De ahí la importancia de disponer de un *continuum* que permita ir escalando en las formas de acceso a una vivienda. Al mismo tiempo, esto permite una mayor rotación del parque más social, que al final debe destinarse a los colectivos más vulnerables. También es importante dotarse de redes de colaboración con el sector sociosanitario, para acompañar a aquellos colectivos con problemas físicos/psíquicos o de adicciones que requieren de ayuda profesional.

[1645] Véase la recomendación núm. 14 de KENNA, P. et al. *Pilot Project – Promoting protection of the right to housing – Homelessness prevention in the context of evictions*, cit. p. 201. Precisamente, la DA 3ª de la Ley 5/2019, de 15 de marzo, reguladora de los contratos de crédito inmobiliario, hace referencia a la necesidad de fomentar medidas de educación financiera, ligadas, en este caso, a los riesgos que pueden derivarse de la contratación de préstamos, y la gestión de deudas.

[1646] RALLINGS, M. K. *Approaches to tenancy management in the social housing sector: Exploring new models and changes in the tenant-landlord relationship*, cit. p. 30, donde las perspectivas del estudio se obtienen con relación a estudios de casos de HAs.

[1647] En este punto nos gustaría destacar el proyecto del Patronato Municipal de Vivienda del Ayuntamiento de Alicante del edificio intergeneracional Plaza de América, en el que arrendatarios jóvenes se encargan de realizar los servicios de acompañamiento, ayuda y apoyo a gente mayor y gestionan tareas comunitarias. Véase más sobre este programa en el apartado "3.5.2.5. Más allá del acceso a una vivienda. Servicios a los arrendatarios y a la comunidad" del Capítulo III.

b) *Servicios centrados a garantizar un buen ambiente y un nivel de vida adecuado en el barrio o la comunidad*: principalmente los mencionados con respecto al ámbito social y espacial o territorial. La mayor o menor implicación e influencia de la entidad gestora en la comunidad depende del porcentaje de parque que concentre esa entidad. Por ejemplo, el papel de las HAs en este punto es importante porque muchas de ellas son propietarias de la mayor parte de las viviendas de esa zona. Estos servicios y actuaciones, además de los claros beneficios que reporta a los arrendatarios o usuarios y a la comunidad, también repercuten positivamente en la propia entidad, puesto que una zona con un buen ambiente y calidad de vida atraerá más demandantes de vivienda (con diversos poderes adquisitivos) y hará aumentar el valor de los inmuebles, lo que permitirá más mixtura social. Un servicio en este punto que es esencial si se quieren combinar diferentes tenencias dentro de un mismo edificio o en una comunidad y que coexistan unidades familiares con diferentes poderes adquisitivos es la mediación comunitaria. Este servicio también permite, además, evitar la judicialización de muchos conflictos. En España, las iniciativas de dinamización y revitalización del barrio se llevan a cabo, a nivel particular, por entidades sin ánimo de lucro (organización de eventos, por ejemplo) y también en programas de las entidades públicas (ej. arrendamiento a estudiantes a precio asequible a cambio de colaboración en proyectos comunitarios y de dinamización y revitalización del barrio). Por su lado, el modelo de entidad privada con ánimo de lucro puede llegar a implicarse cuando es la propietaria del inmueble entero o de su mayor parte (ej. con un responsable de mantenimiento y/o conserje)[1648].

A pesar de la consideración de las prácticas anteriores como buenas prácticas dentro del ámbito de la gestión de la vivienda social, existen algunos aspectos, sobre todo detectados del estudio de los modelos comparados inglés y neerlandés, que deben contemplarse para que lo que inicialmente se plantea como un mecanismo de gestión exitoso no se convierta en una mala práctica o instrumento gravoso en perjuicio del arrendatario o usuario. Así, es importante delimitar el campo de actuación de las entidades, sobre todo respecto a los servicios centrados en garantizar un buen ambiente y un nivel de vida adecuado en el barrio o la zona, a actuaciones

---

[1648] *Ibid.*

que contribuyan directamente a esa mejora, y en esa zona en concreto[1649]. Es primordial que el desarrollo de estas funciones también se controle a nivel público, a través del órgano encargado de fiscalizar las actuaciones de estas entidades. Y, por otro lado, debe evitarse que la oferta de estos servicios complementarios, que pueden ofrecerse tanto de manera directa por la propia entidad gestora, pero que también pueden externalizarse, sea especialmente gravosa y se acaben repercutiendo todos los costes al beneficiario del servicio. Por ello, la mayor o menor repercusión de estos costes al beneficiario dependerá en gran medida del sistema de financiación cruzada del que disponga esa entidad[1650] y, también, de las ayudas públicas que pueda haber disponibles, por lo que es importante, a nivel de políticas públicas, fomentar la financiación de proyectos que no solo ofrezcan el mejor precio, sino que también valoren un mayor beneficio social[1651].

Tanto la oferta como la calidad de los servicios complementarios ofrecidos puede presentarse, además, como una estrategia de mercado, sobre todo en unos sistemas (como lo son el neerlandés y el inglés) dónde existe un mercado competitivo de proveedores y gestores de vivienda social.

Muy ligado con lo anterior es que compartimos las reivindicaciones de las entidades del tercer sector españolas que reclaman la introducción de cláusulas sociales en los procesos de contratación pública[1652], que en el caso que nos ocupa podría ser la promoción y gestión de parque de vivienda social en alquiler. Puesto que al valorar únicamente los criterios económicos y no exigir un mínimo de calidad de las ofertas ni tener en cuenta la solvencia social de los licitadores (con relación a su misión estatutaria, participación en redes, en trabajos comunitarios y en proyectos de economía social, entre otros), las entidades con ánimo de lucro suelen acaparar gran

---

[1649] Véase el caso de las WCO neerlandesas y su inversión en la construcción de centros comerciales o restauración de barcos en el apartado "3.7.2. Impacto en la comunidad" del Capítulo II.

[1650] Véanse los apartados "1.3.1. Formas de acceso a una vivienda social" y "1.3.2. Actividades comerciales y otras fuentes de financiación privada", en este mismo capítulo.

[1651] Por ejemplo, los recortes en ayudas públicas han supuesto una disminución de este tipo de servicios por parte de algunas HAs inglesas. MANZI, T. y MORRISON, N. "Risk, commercialism and social purpose: repositioning the English housing association sector", cit. p. 13.

[1652] FEU, J. y CODINA, T. "Cap a un nou model del finançament del Tercer Sector", cit. p. 7.

parte de la contratación[1653]. Asimismo, cuando no se controla o cuando existen grandes dificultades en controlar que el proveedor proporcione el nivel de calidad estipulado en el contrato, "es muy posible que las reducciones de costes se realicen a costa de la calidad (pérdida de eficiencia)"[1654] Así, a modo de ejemplo, las Leyes de servicios sociales del País Vasco y de Cataluña regulan una preferencia por la contratación con entidades que demuestren indicadores de valor añadido de carácter social[1655]. Y, si bien estos casos se contemplan únicamente en el campo de los servicios sociales propiamente[1656], se trata de una medida interesante y cabría ver como extrapolarla en el campo de la vivienda social, no solo en el ámbito de la contratación sino también hacerlas extensivas a los procesos de adjudicación de ayudas públicas.

[1653] Los resultados de un estudio de la Mesa de entidades del Tercer Sector Social en Cataluña reflejan como las empresas con ánimo de lucro acaparan casi el 60% del volumen de contratación, mientras que las entidades del tercer sector se quedan en un 39% de adjudicación de los contratos; tratándose, además, de contratos más substanciosos económicamente (representan el 70,6% del conjunto del presupuesto, en contra del 28,7% de las entidades sociales). En cambio, cuando se valoran los aspectos más técnicos y la oferta global en detrimento de solo valorar el factor económico, el tercer sector sube el porcentaje de contratación. Ordás García, C. A. *La qualitat de la contractació pública en l'àmbit dels serveis a les persones. Una anàlisi dels 8 principals ajuntaments de Catalunya*. Taula d'entitats del Tercer Sector Social de Catalunya, 2017. p. 43.

[1654] López Casasnovas, G. (dir.) *Los nuevos instrumentos de la gestión pública*, cit. p. 200.

[1655] Art. 72 Ley 12/2008, de 5 de diciembre, de Servicios Sociales del País Vasco (BOE 07-10-2019, núm. 242), que además establece expresamente que "estas cláusulas sociales constituirán un requisito para la adjudicación, no pudiendo en ningún caso valorarse como un simple mérito" y art. 75.4 Ley 12/2007, de 11 de octubre, de Servicios Sociales de Cataluña (BOE 06-11-2007, núm. 266).

[1656] El País Vasco regula servicios de alojamiento consistentes en pisos de acogida, viviendas y apartamentos tutelados y viviendas comunitarias; y Cataluña para servicios residenciales de estancia limitada, servicios de acogida residencial de urgencia, servicios de residencia temporal para personas adultas en situación de marginación y, dentro de los servicios sociales especializados, pisos asistidos para jóvenes, centros residenciales y residencia asistida para personas mayores, hogares con apoyo, acogidas residenciales, hogares residenciales temporales y/o centros residenciales para personas con discapacidad física, psíquica, para personas con drogodependencia y casas de acogida o pisos de apoyo para mujeres en situación de violencia de género. Véase el Catálogo de Prestaciones y Servicios del Sistema Vasco de Servicios Sociales en el art. 22 Ley 12/2008, de 5 de diciembre, de Servicios Sociales del País Vasco y el Catálogo clasificado de servicios y prestaciones sociales del Sistema Catalán de Servicios Sociales en el Anexo de la Ley 12/2007, de 11 de octubre, de Servicios Sociales de Cataluña.

2. HACIA UN MODELO HÍBRIDO DE GESTIÓN

2.1. La hibridación

En el Capítulo II se ha introducido el concepto de "entidad híbrida" para referirnos a las HAs inglesas y a las WCOs neerlandesas. Este concepto tiene su origen en la biología y hace referencia a una mayor o menor mezcla estable de diferentes especies[1657]. En nuestro ámbito se utiliza habitualmente para describir aquellas organizaciones o entidades que poseen características "significantes"[1658] o se nutren de elementos de más de un sector, desdibujando así los límites entre el Estado, el mercado y la comunidad, tres ejes impulsores contrapuestos[1659].

Varios han sido los autores que han esquematizado estos tres sectores con sus zonas híbridas, siendo ampliamente utilizada la figura del triángulo[1660], que visualiza la sociedad y las tres esferas o dominios que existen en ella: el Estado, el mercado y la comunidad[1661]. Cada uno de estos dominios se rige por unos valores que marcan sus mecanismos de interacción en la sociedad: jerarquía para el Estado, libre intercambio de bienes y servicio para el mercado y vínculos sociales o emocionales dentro de la comunidad[1662]. Las instituciones u organizaciones que pueden encontrarse dentro

---

[1657] BRANDSEN, T., VAN DE DONK, W. y PUTTERS, K. "Griffins or Chameleons? Hybridity as a permanent and inevitable characteristic of the Third Sector", *International Journal of Public Administration*, vol. 28, núm. 9, 2005, pp. 749-765. p. 750.

[1658] BILLIS, D. (ed.) *Hybrid organisations and the third sector. Challenges for practice, theory and policy*. Basingstoke: Palgrave Macmillan, 2010. p. 3.

[1659] MULLINS, D., MILLIGAN, V. y NIEBOER, N. "State directed hybridity? – the relationship between non-profit housing organizations and the state in three national contexts", *Housing Studies*, vol. 33, núm. 4, 2018, pp. 565-588. p. 568.

[1660] Véase, como uno de los primeros en desarrollarlo, PESTOFF, V. A. "Third Sector and co-operative services: An alternative to privatisation", *Journal of Consumer Policy*, núm. 15, 1992, pp. 21-45. p. 25. Véanse, también, MULLINS, D. *Housing associations. Working Paper 16*, cit. pp. 32 y 33; CZISCHKE, D., GRUIS, V. y MULLINS, D. "Conceptualising social enterprise in housing organizations", cit. p. 428 y BRANDSEN, T., VAN DE DONK, W. y PUTTERS, K. "Griffins or Chameleons? Hybridity as a permanent and inevitable characteristic of the Third Sector", cit. p. 828. Todos ellos se tienen en cuenta en el desarrollo de la Figura 24 en este mismo capítulo.

[1661] BILLIS, por su lado, utiliza esferas para visualizar estos tres ejes motores (Estado, mercado y comunidad), que se entrecruzan varias veces (tres por cada sector). Véase la figura en BILLIS, D. (ed.) *Hybrid organisations and the third sector. Challenges for practice, theory and policy*, cit. pp. 55-57.

[1662] BRANDSEN, T. y KARRÉ, P. M. "Hybrid organizations: no cause for concern?", *Internationa Journal of Public Administration*, vol. 34, núm. 13, 2011, pp. 827-836. p. 828.

de cada esfera se clasifican en función de su carácter público o privado, su carácter de ánimo de lucro o sin él y el carácter formal o informal de su organización o estructura. Así, las organizaciones situadas en la esfera del Estado suelen definirse como públicas, formales y sin ánimo de lucro; las del mercado privado como privadas, formales y con ánimo de lucro; y las de la comunidad como privadas, informales y sin ánimo de lucro. A todo ello, en el centro se mueven aquellas organizaciones o asociaciones voluntarias que suelen tener un carácter privado, formal y sin ánimo de lucro[1663]. Por lo tanto, siguiendo este esquema, muchas de las entidades del tercer sector se encuentran, según su conceptualización, en una esfera híbrida que se nutriría de algunas de las características de cada sector del triángulo[1664].

Una aproximación o representación de la hibridación es la que realizan Brandsen, van de Donk y Putters, cuando mencionan la figura mitológica del grifo o la de un camaleón para ejemplificar que una entidad híbrida solo puede describirse y concebirse como tal en base a las diferentes partes que lo integran (grifo), o para argumentar que estamos ante entidades que adaptan sus estrategias según las exigencias tanto internas como externas del sector (como un camaleón). Es decir, el concepto de "entidad híbrida" no puede identificarse con base en conceptos tradicionales, sino que deben "aceptarse y entenderse tal como son, y no con relación a categorías ideales estáticas"[1665]. Esa necesidad de adoptar un carácter híbrido puede tener diversas causas, como la necesidad de unir fuerzas para acceder a bienes o ayudas públicas, la necesidad de buscar nuevas fuentes de financiación ante recortes drásticos en ayudas públicas, también las necesidades técnicas que surgen del cambio de estrategia y de la oferta de bienes y servicios distintos y complejos, o la voluntad del Estado de formar partenariados público-privados que permitan ofrecer servicios o bienes de manera responsable y eficiente[1666].

[1663] Pestoff, V. A. "Third Sector and co-operative services: An alternative to privatisation", cit. p. 24.

[1664] Parten ya de esta premisa, por ejemplo, los estudios de Billis, D. (ed.) *Hybrid organisations and the third sector. Challenges for practice, theory and policy*, cit.; Brandsen, T., van de Donk, W. y Putters, K. "Griffins or Chameleons? Hybridity as a permanent and inevitable characteristic of the Third Sector", cit. y Czischke, D., Gruis, V. y Mullins, D. "Conceptualising social enterprise in housing organizations", cit.

[1665] Traducción propia. Brandsen, T., van de Donk, W. y Putters, K. "Griffins or Chameleons? Hybridity as a permanent and inevitable characteristic of the Third Sector", cit. p. 760.

[1666] Brandsen, T., van de Donk, W. y Putters, K. "Griffins or Chameleons? Hybridity as a permanent and inevitable characteristic of the Third Sector", cit. p. 754.

BILLIS distingue entre las *organic hybrids* y las *enacted hybrids*[1667], para diferenciar entre las entidades que teniendo un origen clásico de asociación se han ido transformando en híbridas con el cambio de estructura de gestión de la entidad (incorporación de personal asalariado y especializado, estructura de gestión jerárquica, etc.)[1668] y con la irrupción en actividades comerciales para generar ingresos, y las entidades híbridas que ya se crean de inicio con esa estructura híbrida, respectivamente.

2.2. Los campos en los que puede reflejarse la hibridación

Como bien se desprende de las definiciones anteriores, existen diversos campos en los que puede afectar la hibridación en una entidad. Estos se podrían agrupar, principalmente, en: 1) fuentes de financiación; 2) estructura y gobierno de la entidad y 3) los productos y servicios ofrecidos[1669].

Así, en el campo de la financiación (1), la hibridación consiste en combinar fuentes públicas, como el acceso a ayudas públicas tanto directas (ayudas a la construcción) como indirectas (ayudas al pago del alquiler, entre otras) con fuentes privadas, de tal manera que la viabilidad económica y el poder de actuación de la organización no dependa íntegramente del presupuesto público. No es menos cierto que, en el campo de las HAs toda la inyección de dinero público en forma de diferentes tipos de financiación pública, facilidades de acceso a préstamos a tipos de interés bajos y la transferencia de parque público que ha tenido lugar desde el inicio del proceso de privatización del sector de vivienda social (en la década de los ochenta y noventa del siglo pasado)[1670], les ha permitido consolidar

---

[1667] BILLIS, D. (ed.) *Hybrid organisations and the third sector. Challenges for practice, theory and policy,* cit. pp. 57 y ss. Véase también MULLINS, D., CZISCHKE, D. y VAN BORTEL, G. "Exploring the meaning of hybridity and social enterprise in housing organisations", *Housing Studies,* vol. 27, núm. 4, 2012, pp. 405-417. p. 409.

[1668] Véase en qué campos puede reflejarse la hibridación en el apartado siguiente de este capítulo.

[1669] MULLINS, D., CZISCHKE, D. y VAN BORTEL, G. "Exploring the meaning of hybridity and social enterprise in housing organisations", cit. p. 407 y MULLINS, D., MILLIGAN, V. y NIEBOER, N. "State directed hybridity? – the relationship between nonprofit housing organizations and the state in three national contexts", cit. p. 565.

[1670] Véase ese proceso de privatización en el apartado "2. La privatización de la gestión de la vivienda social" del Capítulo II.

un activo inmobiliario que favorece su entrada y posibilidad de acceder a préstamos y otros productos en el mercado financiero[1671].

La irrupción de estas entidades en el mercado financiero y crecimiento de su actividad requiere de personal especializado en el sector (2), que vaya más allá del carácter asociativo y voluntario de las entidades que se encuentran en la esfera de la comunidad. Así, esa evolución en el sector exige una profesionalización de la gestión, tanto a nivel humano como técnico, y la incorporación de una estructura de gestión jerárquica y con mecanismos de supervisión, propios tanto de la esfera del mercado privado como de la del Estado. Esa complejidad también se refleja a la hora de agrupar entidades y de llevar a cabo fusiones para ser más competitivos para acceder tanto a fuentes públicas como privadas. Todo ello sin olvidar el carácter asociativo de estas entidades propio de la esfera de comunidad, que puede reflejarse también a través de la involucración de los arrendatarios en la dirección y gestión de la entidad.

Finalmente, el tercer campo donde puede reflejarse la hibridación es el de la cartera de actividades, en los productos y servicios que la entidad ofrece (3). Las organizaciones pueden, o bien centrarse en sus actividades tradicionales, es decir, en la construcción y gestión del parque de vivienda social en este caso, o bien innovar, buscando nuevas oportunidades tanto dentro del propio sector de la vivienda social como fuera de este. Miles et al. distinguen entre *defenders* (sería el primer grupo, el conservador) y *prospectors* (los innovadores)[1672]. El segundo grupo puede dividirse entre las entidades que buscan, principalmente, aumentar su actividad dentro de la esfera pública y/o social (desarrollando, por ejemplo, servicios complementarios a la vivienda, los conocidos como *Housing Plus*[1673]) y las entidades que se centran en expandirse hacia actividades de mercado, es decir, desarrollando actividades en el mercado privado de la vivienda. Cabe decir que también existen entidades que combinan ambas características, esto

---

[1671]   Mullins, D. "The changing role of housing associations", cit. p. 214 y Blessing, A. "Magical or monstrous? Hybridity in social housing governance", *Housing Studies*, vol. 27, núm. 2, 2012, pp. 189-207. p. 190. Véase el apartado "1.3.2. Actividades comerciales y otras fuentes de financiación privada" de este mismo capítulo.

[1672]   Miles, R. E. et al. "Organizational strategy, structure, and process", *The Academy of Management Review*, vol. 3, núm. 3, 1978, pp. 546-562. pp. 550 y ss.

[1673]   Véase el apartado "3.7. Más allá del acceso a una vivienda. El concepto de *Housing Plus*" del Capítulo II.

es, la diversificación dentro del dominio público y la expansión hacia actividades comerciales[1674].

2.3. Ventajas de una entidad híbrida en la gestión de vivienda social

El hecho de encontrarnos ante entidades a caballo entre la comunidad, el Estado y el mercado privado permite dotarlas de unas particularidades que las hacen óptimas para desarrollar un rol predominante en el campo de la gestión de vivienda social.

Así, son entidades con un origen o una base en la comunidad, por lo que su principal objetivo es cubrir las necesidades más básicas de la sociedad. Es por eso que no solamente se centran en ofrecer viviendas dignas y adecuadas a los colectivos vulnerables excluidos del mercado privado, sino que a ese servicio le acompañan otros complementarios de cariz personal, social, laboral y de comunidad[1675]. Se trata de entidades implicadas en cumplir los intereses de sus arrendatarios o usuarios, por lo que también los suelen involucrar en la toma de decisiones relacionadas con la gestión y funcionamiento de la entidad (en diferentes grados). Además, si se constituyen como entidades sin ánimo de lucro, todos los beneficios que puedan obtener se reinvierten en las diferentes vertientes de su función social.

Se trata de entidades dedicadas principalmente a la oferta de un servicio de interés económico general como lo es el de la vivienda social, por lo que pueden recibir financiación pública para su desarrollo. El Estado, por su parte, debe asegurarse que las ayudas que estas entidades puedan recibir (directa o indirectamente y a través de diferentes mecanismos e instrumentos) se dediquen al cumplimiento de esa función social (quid pro quo).

Finalmente, el sector del mercado privado irrumpe para asegurar que estas entidades sean viables y sostenibles económicamente. Y, para ello, nece-

---

[1674] Czischke, D., Gruis, V. y Mullins, D. "Conceptualising social enterprise in housing organizations", cit. pp. 432 y 433.

[1675] Precisamente, cuando el acceso a la vivienda social se centra en colectivos vulnerables en vez de ampliarlo a población con ingresos medios, la gestión del parque se hace más compleja. Priemus, H. "Managing social housing", cit. p. 469. En esta línea, el último estudio de la vivienda a nivel de la UE respalda la idea de la evolución de los proveedores de vivienda social y de su manera de operar, debiendo actuar y preocuparse por campos como el de la salud, el empleo, la inclusión, la movilidad, la digitalización de los servicios, la eficiencia energética, la gestión urbana integrada y las distintas maneras de acceder a una vivienda, como las tenencias intermedias y el *Housing First.* Pittini, A. (dir.) *The State of Housing in the EU 2019,* cit. p. 39.

sitan actuar siguiendo criterios de mercado, lo que implica proceder de la manera más eficiente posible, llevando a cabo sus objetivos sociales (eficacia) con los mínimos gastos posibles (eficiencia)[1676]. Para poder cumplir con estos objetivos, la estructura y organización internas de estas entidades puede profesionalizarse y equiparse con personal experto en los diferentes campos en los que estas actúan[1677]. Con objeto de mantener el equilibrio económico mencionado y con la ayuda de esa profesionalización, estas entidades gestoras combinan diferentes tipos de actividades, tanto sociales como comerciales. De esa manera, no dependen exclusivamente de fuentes de financiación pública.

La Figura 24 representa lo que puede implicar y aportar una entidad gestora de vivienda social que se desarrolle en los tres sectores de Estado, comunidad y mercado privado. Estos se corresponden con todas las prácticas que se han ido identificando a lo largo de los tres bloques temáticos ya analizados en este capítulo.

Figura 24. Perfil de una entidad proveedora y gestora de vivienda social con carácter híbrido

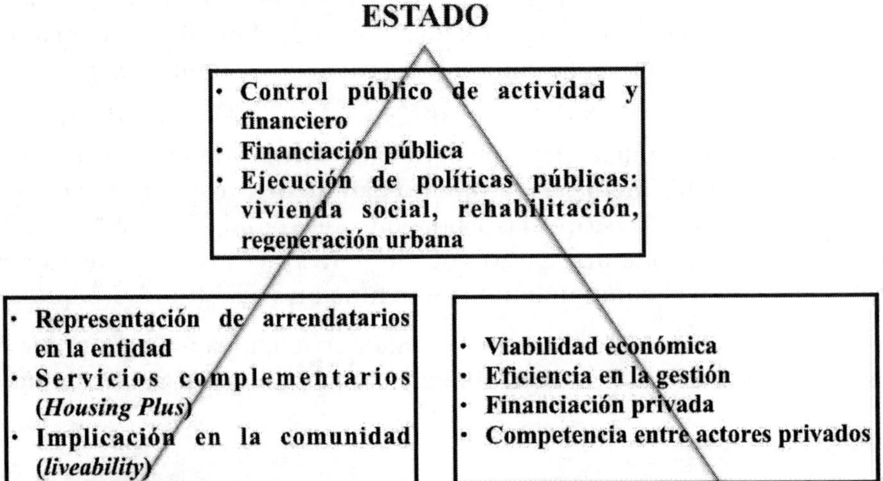

Fuente: Elaboración propia, siguiendo los autores mencionados en el pie de página 1660.

[1676] Priemus, H. "Social housing management: Concerns about effectiveness and efficiency in the Netherlands", *Journal of Housing and the Built Environment*, vol. 18, núm. 3, 2003. pp. 269-279. p. 270.

[1677] Wassenberg, F. "Key players in urban renewal in the Netherlands", cit. p. 203.

A nivel español, se refleja una necesidad de contar con fórmulas de gestión que incorporen las características de estos tres ámbitos en la tendencia de las legislaciones, Planes de vivienda y demás normativas recientes. Sin embargo, estas han ido apareciendo de manera puntual, incoherente y desestructurada, por lo que carecen de uniformidad y coherencia. Así, podemos enumerar algunos ejemplos:

a) Los Planes Estatales de Vivienda 2013-2016 (arts. 4 y 7) y 2018-2021 (art. 8) ya muestran interés en fomentar una colaboración público-privada para implantar y gestionar las actuaciones del Plan y para atraer financiación privada a la ejecución del plan; sigue esta misma línea el Proyecto de Real Decreto por el que se regula el Plan Estatal para el acceso a la vivienda 2022-2025.

b) La Ley estatal del Tercer Sector de Acción Social tiene como objetivo fomentar y reforzar el rol de las entidades privadas sin ánimo de lucro en el campo de las políticas públicas sociales.

c) El Plan Estatal de Vivienda 2018-2021 creó (regulados hasta 2020) los Fondos de Viviendas para Alquiler Social, para los que regulaba un órgano de gestión autonómico o municipal formado por la Administración autonómica o local, por representantes de las entidades de crédito y de las organizaciones del tercer sector con actividad en el campo de la vivienda. Además, permitía que las Administraciones locales pudieran hacer aportaciones al programa, consistentes en contribuciones al pago de la ayuda, en asumir el coste de un seguro de la vivienda o en ayudas al pago de suministros básicos.

d) Distintos Planes autonómicos de vivienda (ej. Cataluña y el País Vasco) regulan Programas de mediación de alquiler social (ej. Cataluña)[1678] o de viviendas vacías a nivel autonómico (ej. País Vasco)[1679] y/o municipal (Ayuntamiento de Barcelona)[1680], por los que la Administración cede la gestión del programa a entidades públicas o privadas y aporta garantías de cobro del alquiler, de buen estado de la vivienda y de defensa jurídica.

e) Demás viviendas públicas y programas públicos gestionados por entidades privadas sin ánimo de lucro a través de contratos o conve-

---

[1678] Arts. 15 y ss. PDVC.

[1679] Programa ASAP en el Decreto 144/2019, de 17 de septiembre de 2019.

[1680] Programa de viviendas vacías con la Fundación Hàbitat3. Posible consultarlo en https://www.habitat3.cat/projecte-pisos-buits-bcn (último acceso 27-10-2019).

nios (ej. Fundació Hàbitat 3, Asociación Provivienda)[1681]. En algunos casos, la Administración pública puede encargarse de cubrir la diferencia entre el canon o alquiler pagado al propietario privado y el alquiler o contraprestación pagada por el arrendatario o usuario final (ej. Programa de Viviendas Vacías entre la Fundació Hàbitat 3 y el Ayuntamiento de Barcelona).

f) La sociedad público-privada Habitatge Metròpolis Barcelona, creada de manera que el Ayuntamiento de Barcelona y el Área Metropolitana de Barcelona aporten el suelo urbano y capital y que el socio privado se encargue de la gestión administrativa y patrimonial de dicha sociedad.

g) El Informe España 2050 resalta la necesidad de contar con marcos de colaboración público-privados (partenariados o modelos similares a las *housing associations*) para mejorar la gestión de la vivienda social de alquiler[1682].

2.4. Potenciales riesgos de las entidades híbridas

Estas organizaciones o entidades híbridas pretenden ser una versión mejorada y con mayor poder de actuación que las existentes en las diferentes esferas, puesto que unen las ventajas que presentan los diferentes campos. Aun así, lo que se presenta como una ventaja puede llegar a ser un punto vulnerable[1683], pues esa combinación de elementos esencialmente opuestos puede colisionar y acarrear diferentes grados de conflicto[1684].

[1681] Véanse sus colaboraciones en el apartado "3.5.2.2.a.1. Acceso por parte de la entidad" del Capítulo III y también en la página web de Provivienda, disponible en https://memoriaprovivienda.wixsite.com/2018/relacion-de-proyectos (último acceso 12-08-2019).

[1682] Gobierno de España. *España 2050. Fundamentos y propuestas para una Estrategia Nacional de Largo Plazo,* cit. p. 269.

[1683] Blessing, A. "Magical or monstrous? Hybridity in social housing governance", cit. p. 196.

[1684] Brandsen, T. y Karré, P. M. "Hybrid organizations: no cause for concern?", cit. p. 828. Véanse las diferentes demandas de una *housing association* híbrida en Sacranie, H. "Hybridity enacted in a large English housing association: a tale of strategy, culture and community investment", cit. p. 536.

Siguiendo la clasificación desarrollada por BRANDSEN y KARRÉ[1685], existen tres tipos de riesgos principales asociados a las organizaciones híbridas:

a. Riesgos financieros: en este grupo, que congrega aquellas actuaciones que puedan conllevar pérdida de dinero público, se distinguen dos tipos de riesgo, dependiendo del origen de esa pérdida. Uno, más directo, sería la entrada de las entidades en el mercado financiero, invirtiendo en productos o servicios de riesgo. El segundo, indirecto, sería la utilización de ayudas públicas para financiar proyectos del mercado privado.

b. Riesgos culturales: son todos aquellos que van ligados a la pérdida de valores sociales y del compromiso de la organización hacia la sociedad, al ir incorporando áreas de actuación en el mercado privado, lo que puede sustituir e incluso hacer menguar las actuaciones en el campo más social. Una mayor diversificación de actividades puede suponer una menor atención a los colectivos con bajos ingresos[1686], mientras que la incorporación de arrendatarios con rentas medias puede producirse por la necesidad de atraer inversiones privadas[1687]. En este punto, también se engloba el difícil encaje entre crecer (mayor actividad y búsqueda de economías de escala para una mayor eficiencia y mejor posicionamiento y competitividad en el sector) y conservar el carácter local y de proximidad a la comunidad. Por ejemplo, las entidades más pequeñas y arraigadas a la comunidad pueden verse empujadas a agruparse con otras entidades de igual o mayor tamaño para poder coger fuerza en un sector competitivo a la hora de optar tanto a financiación privada como pública, y en esa agrupación pueden llegar a perder su cariz local[1688], menguando, por ende, el contacto con los arrendatarios, quienes al no conocer su gestor pueden perder confianza y ello podría llegar a implicar un aumento en la morosidad.

[1685] BRANDSEN, T. y KARRÉ, P. M. "Hybrid organizations: no cause for concern?", cit. pp. 829-831.

[1686] MULLINS, D., MILLIGAN, V. y NIEBOER, N. "State directed hybridity? – the relationship between non-profit housing organizations and the state in three national contexts", cit. p. 15.

[1687] BLESSING, A. "Magical or monstrous? Hybridity in social housing governance", cit. p. 204.

[1688] AALBERS, M. B, VAN LOON, J. y FERNANDEZ, R. "The financialization of a social housing provider", cit. p. 576.

c. Riesgos políticos: se trata de la dificultad de control efectivo que el Estado puede ejercer sobre unas entidades que gozan cada vez de mayor independencia económica y autonomía de gestión, además de adoptar estructuras complejas difíciles de controlar. Así, y ligado con los riesgos culturales, esa falta de control puede llevar a esas entidades a dedicarse cada vez más a actividades comerciales y dejar de lado la provisión de servicios públicos.

Todos estos riesgos ya han sido relacionados, con mayor o menor incidencia, en el Capítulo II con las HAs puesto que todas ellas, en mayor o menor grado, tienen este carácter híbrido. Los riesgos que se han materializado en mayor medida en los modelos comparados estudiados son los financieros, sobre todo para los Países Bajos, tanto en su vertiente de inversión en productos de riesgo, con el fenómeno del *moral hazard* (excesiva confianza de las entidades a la hora de realizar inversiones de riesgo, pues el Estado no puede permitir que caiga este sector –*too big to fail*-, más siendo entidades con un gran parque de vivienda), como en su vertiente de competencia desleal, destacando en este caso el requerimiento de la Comisión Europea en 2009 de reducir la población con acceso a vivienda social. Ambos riesgos llevaron a una modificación del marco legal de estas entidades, imponiendo mayor control sobre su inversión y financiación y restringiendo su área de actuación e imponiendo una separación legal o económica de las actividades sociales y de las comerciales[1689].

En cuanto a los riesgos culturales, es cierto que la independencia económica alcanzada por las HAs ha llevado a estas entidades a apoyarse en gran medida en fuentes de financiación privada, al tiempo que han diversificado sus actividades más allá de la oferta de vivienda social. La situación actual de ambos modelos y el rumbo tomado, sin embargo, varía, puesto que mientras a las WCOs se les exige legalmente centrarse en su objeto principal de provisión de vivienda para colectivos que no superen cierto grado de ingresos[1690], las HAs inglesas, presionadas por las restricciones y recortes en ayudas públicas y la incertidumbre en la línea de políticas públicas, están orientándose hacia actividades comerciales e inversión en el mercado privado (postura que había adoptado en su momento los Países Bajos y que le

---

[1689] Véanse los apartados "3.3.1. La importancia del control público" y "3.5.2.2. Los Países Bajos" del Capítulo II y el apartado "3.3.2. La competencia desleal en el ámbito de la vivienda: los casos de los Países Bajos y Suecia" del Capítulo I, respectivamente.

[1690] Véanse los apartados "3.2.3. Legislación neerlandesa" y "3.7.2. Impacto en la comunidad" del Capítulo II.

llevó al replanteamiento del modelo y modificación legal integral)[1691]. Así, la reducción drástica de ayudas públicas en el sector implica actualmente en Inglaterra que las entidades gestoras puedan verse empujadas a reducir su oferta en viviendas sociales de alquiler para colectivos vulnerables y a disminuir servicios complementarios a la vivienda social (*Housing Plus*)[1692].

Por otro lado, y entre los riesgos culturales y políticos encontramos a las estructuras de grupo más complejas, creadas para que cada entidad formante conservara su misión, sus valores y sus fórmulas de gestión[1693]. Estas se han visto impulsadas a simplificar su estructura de empresa, no solo por razones de aumento de niveles de eficiencia en la gestión, sino también por exigencias de las entidades reguladoras y controladoras públicas, con el fin de facilitar el control efectivo, tanto de actividades como de financiación de estas entidades[1694]. La recuperación de un control público más estricto es clara en el caso de los Países Bajos, donde entre otras medidas, se ha creado una Autoridad pública nueva[1695].

En consecuencia, para poder controlar y evitar estos riesgos potenciales y, como ya se ha detectado en los Países Bajos con su reforma legal, es importante dotarse de una normativa clara que tenga presente, entre otros aspectos, los puntos siguientes. Por un lado, es necesaria la existencia de órganos de control o de supervisión públicos y especializados en la materia, que se encarguen de manera activa de fiscalizar a las entidades gestoras para que se centren en la consecución del servicio público de oferta de vivienda social para los colectivos vulnerables, al tiempo que se controlan, a través de una transparencia y rendición de cuentas, las inversiones y movimientos financieros de las entidades, para evitar que inviertan en productos o servicios de alto riesgo. Las políticas públicas de vivienda también deben favorecer la inversión pública en ciertos proyectos y/o servicios, tanto

---

[1691]   MORRISON, N. "Institutional logics and organisational hybridity: English housing associations' diversification into the private rented sector", cit. pp. 898, 911 y 912.

[1692]   MANZI, T. y MORRISON, N. "Risk, commercialism and social purpose: repositioning the English housing association sector", cit. pp. 11 y 13.

[1693]   Véase la complejidad, por ejemplo, de dos de las HA más grandes de Inglaterra en ACCORD. *Financial Statements 2017*. pp. 4 y 5 y L&Q. *Financial Statements 2017*. pp. 16 y 17. Precisamente, Accord empezó un proceso de simplificación de su estructura en abril de 2017, como puede verse en https://accordgroup.org.uk/better-together (último acceso 06-04-2018).

[1694]   Véase el apartado "2.4. Resultado de la privatización" del Capítulo II.

[1695]   Véase el apartado "3.3.3. Instituciones autorizadas en los Países Bajos" en el Capítulo II.

de vivienda social como complementarios a esta. También es importante favorecer un alto grado de profesionalización del sector[1696]. Así, debe intentar buscarse un equilibrio entre la independencia de las entidades a la hora de formular estrategias de gestión y actuación para poder ser eficientes, pero sin perder la necesaria influencia y control públicos, básicos para configurar y perfilar el campo de actuación de estas entidades[1697].

En conclusión, se trata de intentar que tales entidades híbridas no omitan totalmente ninguno de los tres sectores en los que se apoyan (Estado, comunidad y mercado) aunque, en la práctica, uno de los sectores deba coger la dirección[1698], puesto que, de lo contrario, se pierde el equilibrio entre los intereses perseguidos y es cuando pueden aparecer más riesgos. Esta línea es la que hemos tenido en cuenta a la hora de elaborar la propuesta de un marco legal para su introducción y desarrollo en nuestro ordenamiento jurídico, que vemos a partir del punto cuatro de este capítulo.

3. TABLA RESUMEN DE LAS BUENAS PRÁCTICAS EN LOS MODELOS COMPARADOS

La Tabla 13 incluye todos los puntos que consideramos como buenas prácticas de la gestión de la vivienda social, teniendo presente tanto las prácticas de los modelos comparados estudiados, como las de los modelos españoles. Aunque están sistematizadas en bloques temáticos, muchas de ellas están interrelacionadas y se complementan. Una gran cantidad de estas prácticas se vinculan a la ventaja de disponer de una estructura híbrida. El modelo híbrido que acabamos de ver[1699] favorece el surgimiento de

---

[1696] BLESSING, A. "Magical or monstrous? Hybridity in social housing governance", cit. p. 196 y BRANDSEN, T. y KARRÉ, P. M. "Hybrid organizations: no cause for concern?", cit. p. 834.

[1697] MULLINS, D., MILLIGAN, V. y NIEBOER, N. "State directed hybridity? – the relationship between non-profit housing organizations and the state in three national contexts", cit. p. 21.

[1698] En relación con las zonas de hibridación de BILLIS, las WCOs se movían entre el sector privado y el tercer sector (por lo tanto, con una ausencia clara del sector público, uno de los aspectos que ha cambiado en la regulación actual), mientras que las HAs del Reino Unido conservan aun el carácter público, privado y del tercer sector. BILLIS, D. "The Symbiotic relationship between social enterprise and hybridity", *MES-SOCENT Conference Selected Papers*, núm. LG 13-30, 2013. pp. 13 y 15.

[1699] *Supra* en el apartado "2. Hacia un modelo híbrido de gestión" de este capítulo.

muchas de las prácticas que aparecen en la Tabla, que también refleja los riesgos que aparecen en el modelo de entidad híbrida. Tanto las prácticas enumeradas como sus riesgos son la base para el planteamiento y desarrollo del siguiente apartado de este capítulo.

Las prácticas que se presentan son, principalmente, de tres tipos, y van desde el carácter más general y de tendencia de las políticas públicas, a los casos más particulares. Así, algunas de las buenas prácticas expuestas y existentes en los modelos comparados surgen por la voluntad de las políticas públicas de apostar por las HAs como entidad a alcanzar un rol principal en el sector de la vivienda social, por lo que, sin esa voluntad, es difícil concebirlas. Posteriormente, están las que dependen del marco legal que se implante y desarrolle para las entidades gestoras de vivienda social. Y, finalmente, existen prácticas que dependen únicamente del formato y de las políticas de gestión que adopte cada entidad en particular.

Tabla 13. Buenas prácticas de los modelos comparados y del modelo español de gestión de vivienda social

BLOQUES TEMÁTICOS	BUENAS PRÁCTICAS (BP)	MODELO	OBJETIVO	RIESGOS	PRÁCTICAS SIMILARES
I. Regulación y control público	1. Legislación, normativa específica y guías prácticas para entidades gestoras	NL ENG	Reconocimiento y respaldo legales	Buscar equilibrio entre control público y margen de actuación de entidades proveedoras y gestoras	– "promotor social de vivienda" (CAT-ES)* – "promotor social preferente de vivienda protegida" (AR-ES)* * no desarrollo reglamentario – "entidad colaboradora" (ES)-temporal y enumeración tipo de entidades
	2. Registro público de entidades gestoras (sin posibilidad de darse de baja de manera voluntaria por la entidad)	NL ENG	– Conocer el número y su área de actuación – Reconocerlas como actores dentro del sector para su intervención en políticas públicas de vivienda – Acceso a financiación pública u otras ventajas (transparencia, concurrencia y no trato preferente entre ellas)		
	3. Control público unitario	NL ENG	– Control y supervisión económica y de actuación – Garantizar el objetivo de las ayudas públicas – Garantía de inversión de poco riesgo - ligado con la BP 30		
	4. Organizaciones representantes	NL ENG	– Voz unitaria en el sector (lobby): defensa, posición y rol en el sector – Guía para las entidades		Organizaciones representantes por tipo de persona jurídica, ej; AVS, CONCOVI (ES)

BLOQUES TEMÁTICOS	BUENAS PRÁCTICAS (BP)	MODELO	OBJETIVO	RIESGOS	PRÁCTICAS SIMILARES
I. Regulación y control público	5. Instrumentos urbanísticos de reserva de suelo para promoción de vivienda social	ES ENG	– Garantizar un porcentaje de parque de vivienda social en cada localidad – Mixtura social	– Inefectivo si no se acompaña de ayudas públicas (ES) – Negociaciones lentas o ceder a los intereses del promotor (ENG)	
	6. Ventajas fiscales (ej. IS, ITP)	ES ENG	– Favorecer la creación, crecimiento y consolidación de ciertas entidades – Favorecer la actuación en el sector de la vivienda social		
II. Estructuras de gestión	7. Disponer de área/ departamento o personal cualificado en servicios complementarios a la oferta de vivienda (o convenio con otras entidades)	NL ENG ES	– Ofrecer una atención y acompañamiento integrales al arrendatario-ligado con la BP 31 – Buscar la evolución (positiva) económica/social/ personal/de salud/profesional del arrendatario-ligado con las BP 20 y 31		

BLOQUES TEMÁTICOS	BUENAS PRÁCTICAS (BP)	MODELO	OBJETIVO	RIESGOS	PRÁCTICAS SIMILARES
	8. Representantes de arrendatarios en el órgano de gestión/supervisión entidad gestora (exigencia legal)	NL ENG	– Empoderamiento de los arrendatarios en temas de gestión de sus propias viviendas – Conseguir cierto nivel de satisfacción entre arrendatarios, al verse representados – Conseguir implicación y vinculación de los arrendatarios con sus viviendas (buen uso) y la comunidad (coexistencia)	– Suplir la posible falta de conocimientos técnicos con representantes que sean personas expertas en la materia o con cursos de formación – Fusiones de entidades o adopción de técnicas de mercado pueden implicar pérdida de representación, participación e implicación	– Solo dependiendo de la forma jurídica que adopte la entidad: cooperativa, asociación (ES) – Ejemplos a nivel particular, ej. modelos en Alicante o Zaragoza (ES) – Fondos de Viviendas para Alquiler Social del Plan Estatal de Vivienda 2018-2021 (ES)
	9. Fomentar mecanismos de relación con asociaciones de arrendatarios/vecinos (importancia de la figura del representante de la BP anterior)	NL ENG		Fusiones de entidades o adopción de técnicas de mercado pueden implicar pérdida de representación, participación e implicación	Reuniones dependiendo de cada entidad, del parque gestionado, los recursos existentes, los programas gestionados o la misión de la entidad (ES)
II. Estructuras de gestión	10. Coordinación con otras instituciones, públicas y privadas, del campo de la vivienda como de otros campos (servicios sociales, salud, seguridad, etc.)	NL ENG ES	– Tratar de manera integral la complejidad de problemáticas existentes en el campo de la vivienda social – Eficiencia de los recursos existentes – ligado con las BP 31 y 33	Necesidad de disponer de protocolos escritos de actuación, para delimitar quién y cuándo se debe actuar (ES suelen ser acuerdos verbales, prácticas habituales o simple predisposición)	

BLOQUES TEMÁTICOS	BUENAS PRÁCTICAS (BP)	MODELO	OBJETIVO	RIESGOS	PRÁCTICAS SIMILARES
III. Cartera de actividades (Adjudicación de vivienda social)	11. Publicidad, objetividad y transparencia de planes de adjudicación públicos (requisito legal-normativa básica y genérica)	NL ENG ES	– Igualdad en las condiciones de acceso (teniendo en cuenta los requisitos de entrada, de puntuación y los grupos preferentes) – Publicidad, transparencia y objetividad de los procesos – La normativa debe sentar las bases para ofrecer cierto margen de actuación a las entidades y a la Administración a nivel local (necesidades locales y políticas de gestión eficiente)	– (ES) la regulación no es estatal, diversidad de tipología de programas, Planes temporales – Necesario que la normativa sea de cariz básico, para dar suficiente libertad a administraciones locales y entidades de adaptar la adjudicación a las necesidades de cada localidad y a la consecución de políticas de gestión eficiente	
	12. Registro de solicitantes o listas de espera (a diferentes niveles)	NL ENG ES	– Datos sobre la necesidad de vivienda social y perfil de los solicitantes – Garantizar transparencia e igualdad de oportunidad de acceso – Posibilidad de desplazamiento por diferentes zonas	Necesidad de que los registros de diferentes niveles se encuentren en continua coordinación	

BLOQUES TEMÁTICOS	BUENAS PRÁCTICAS (BP)	MODELO	OBJETIVO	RIESGOS	PRÁCTICAS SIMILARES
III. Cartera de actividades — Adjudicación de vivienda social	13. Disponer de protocolos de actuación, programas informáticos que crucen información y hagan emparejamientos, y penalizaciones por renuncias injustificadas	NL ENG ES	– Conseguir una asignación y posterior ocupación rápida (proceso ágil): evitar ocupaciones sin título habilitante y menor coste económico y social posible – Conseguir el mejor emparejamiento posible – Reducir renuncias: costes económicos y sociales		
	14. Uso de fórmulas para garantizar mixtura social	NL ENG ES	– Procesos de adjudicación que garanticen adjudicatarios de diversas características y rangos sociales con el objetivo de evitar creación de guetos y estigmatización de la zona	– Que la mixtura no ponga en riesgo el derecho a la vivienda de los más vulnerables (sobre todo cuando el parque disponible es pequeño	
	15. Disponer de programas de realojo	ENG ES	– Facilitar el cambio de vivienda por motivos económicos, laborales, sociales, etc. – Facilitar la movilidad territorial, con plataformas de intercambio entre entidades gestoras – Hacer frente a la inadecuación de la vivienda sobrevenida: adecuar al máximo las necesidades de la familia a la vivienda adjudicada (evitar tanto sobre como infra ocupación)		

BLOQUES TEMÁTICOS		BUENAS PRÁCTICAS (BP)	MODELO	OBJETIVO	RIESGOS	PRÁCTICAS SIMILARES
III. Cartera de actividades	Adjudicación de vivienda social	16. Colaboración con la Administración local/regional	NL ENG ES	Garantizar el acceso a la vivienda de colectivos más vulnerables		
	Formas de tenencia de vivienda social	17. *Starter tenancy* + contrato de arrendamiento indefinido (cuando alto porcentaje de parque de vivienda social)	NL ENG	– Seguridad y estabilidad en la tenencia a falta de incumplimiento grave del contrato – Arraigo en el territorio e integración en la comunidad – *Starter tenancy* (solo ENG)-primer contacto, puente a contrato indefinido	Dependencia de ayudas públicas, fenómeno del *skewness*, poca rotación del parque (no recomendable si el parque es escaso)	Arrendamiento de vivienda pública con prórroga forzosa bianual-Madrid (ES)
		18. Fórmulas flexibles para casos muy concretos	NL ENG ES	– Responder a necesidades de emergencia y claros casos de necesidad temporal – Atender a necesidad de manera rápida – Situaciones muy tasadas (NL)	– Tenencia precaria: No abusar de esta fórmula, utilizarla solo en casos de situaciones de emergencia o de clara necesidad temporal (justificar adecuadamente)	

BLOQUES TEMÁTICOS	BUENAS PRÁCTICAS (BP)	MODELO	OBJETIVO	RIESGOS	PRÁCTICAS SIMILARES
Formas de tenencia de vivienda social	19. En contrato de arrendamiento de duración determinada: notificar con cierto margen, justificar no renovación, proveer asesoramiento y apoyo para encontrar vivienda alternativa	ENG	– Reservar parque de vivienda social solo para colectivos vulnerables – Acompañar transición de familia a quién se le termina el contrato y deja de ser apta para la vivienda, para asegurar su derecho a la vivienda-Ligado con la BP 25 – Seguridad para familias que siguen siendo vulnerables	– abuso de esta fórmula – inestabilidad – causa de aumento de número de desahucios y "sinhogarismo" – no mejora deliberada acumulación de grupos vulnerables en la misma zona (riesgo de creación de guetos)	
III. Cartera de actividades	20. Tenencias intermedias	NL ENG ES	– Acceso a la propiedad de manera aseguible y con acompañamiento de la entidad gestora – Cubrir el espacio existente entre alquiler social y el mercado privado (para unidad familiar con ingresos medios) – Conseguir rotación en el parque de alquiler social –ligado con la BP 31 – Fuente de financiación de promociones sociales	Ciertas fórmulas como el derecho de superficie español o el Koopgarant si existe reserva de propiedad del suelo, no dejan claro derechos del "superficiario", que no propietario	

BLOQUES TEMÁTICOS	BUENAS PRÁCTICAS (BP)	MODELO	OBJETIVO	RIESGOS	PRÁCTICAS SIMILARES
III. Cartera de actividades — Incumplimiento de contrato	21. Reacción rápida y proactiva ante incumplimientos	NL ENG	– Abordar situación desde el primer momento, para asegurar una mayor garantía de enderezar la situación – Disponibilidad de instrumentos (negociar pagos) – Garantizar que únicamente lleguen a desahucio casos donde no se ponga voluntad por parte del arrendatario		
	22. Protocolos de actuación	NL ENG ES	– Conocimiento y uso de todos los recursos disponibles – Los protocolos reparten, delimitan y pautan las funciones a realizar – Actuación rápida y eficiente – Posibilidad de probar que se han utilizado todos los instrumentos o mecanismos posibles (ej. ante tribunales)		

BLOQUES TEMÁTICOS	BUENAS PRÁCTICAS (BP)	MODELO	OBJETIVO	RIESGOS	PRÁCTICAS SIMILARES
Incumplimiento de contrato	23. Proceso de desahucio como última opción, pero es una opción	NL ENG	– Arrendatarios tienen derechos pero también deberes, y deben ser conscientes que su incumplimiento puede conllevar consecuencias – Garantizar la sostenibilidad económica de la entidad gestora		
	24. Poder de los tribunales de suspender proceso y proponer medidas	ENG	– Asegurarse que se han agotado todas las medidas posibles antes de desahuciar a una familia-ligado con las BP 21 y 22		
III. Cartera de actividades	25. Colaboración con agentes del sector y con los tribunales	ES	– Conocimiento de las unidades familiares en riesgo de exclusión residencial – Reacción rápida ante desahucio o suspensión del mismo		
	26. Cobro por parte de la entidad de ayuda de alquiler de sus arrendatarios	ENG	– Garantía de que la ayuda se destina al pago del alquiler y mantenimiento de la tasa de morosidad baja – Reducción de gastos de recaptación de rentas – Coordinación entre el cobro ayuda y el cobro del alquiler	En contra del empoderamiento del arrendatario, por eso: posibilidad de restringirlo solamente a colectivos más vulnerables	– Solicitud como "agente colaborador" (ES) – Entidades que a nivel particular coordinan el pago de la ayuda con el cobro del alquiler (ES)

BLOQUES TEMÁTICOS	BUENAS PRÁCTICAS (BP)	MODELO	OBJETIVO	RIESGOS	PRÁCTICAS SIMILARES
Actividades comerciales y otras fuentes de financiación privada	27. Desarrollo de actividades comerciales (vivienda en mercado privado, arrendamiento de locales, etc.) y disposición de personal especializado al respecto	NL ENG ES* * solo algunos modelos	– Diversificación de fuentes de ingresos – Obtención de beneficios para reinvertir en sus actividades sociales – Menor dependencia del presupuesto público – Crear un *continuum* de formas de acceso a la vivienda y posibilidad de mixtura social	– Vigilar con la financiación cruzada: importante delimitar bien fuentes de ingresos, para asegurar que actividades comerciales no se financien con dinero público (competencia desleal) – Una división demasiado estricta puede hacer peligrar este mecanismo de financiación cruzada (como en los Países Bajos)	
III. Cartera de actividades	28. Venta y demolición de parque de vivienda social bajo supervisión pública	NL ENG* Algunas entidades	– Mayor eficiencia en la gestión de los recursos de la entidad – Fuente de ingresos – Equilibrar ventas con promociones nuevas	Evitar que no disminuya el parque de vivienda social	
	29. Desarrollar proyectos mixtos	NL ENG ES* * solo entidades privadas con ánimo	– Conseguir zonas y barrios con mixtura social, evitando la estigmatización o la creación de guetos - ligado con la BP 14	– De difícil consecución si no se cuenta con servicios complementarios, como el de mediación-ligado con las BP 31 y 33	– Regulación en la LDVC: que reglas de adjudicación reflejen la estructura social del municipio – Combinación de venta y alquiler social ante la dificultad de la primera (ES)

BLOQUES TEMÁTICOS	BUENAS PRÁCTICAS (BP)	MODELO	OBJETIVO	RIESGOS	PRÁCTICAS SIMILARES
Actividades comerciales y otras fuentes de financiación privada					
III. Cartera de actividades	30. Actuar en el mercado financiero (préstamos bancarios, bonos, etc.) y disponer de personal especializado al respecto	NL ENG ES* * solo entidades privadas con ánimo de lucro	– Búsqueda de fuentes de financiación alternativas, sobre todo ante disminución de financiación pública – Sacar provecho del patrimonio acumulado – Vistas como inversión segura y de poco riesgo, hecho que les permite obtener buenas condiciones-ligado con las BP 1, 2 y 3	– Campo de difícil acceso para entidades pequeñas y/o sin personal cualificado para estas funciones – Necesidad de garantizar que el riesgo financiero no influya negativamente sobre la actividad social de la entidad (a veces se hace mediante una estructura empresarial demasiado compleja y de difícil control público) – Riesgo de *moral hazard* – Adoptar políticas de gestión que minimicen el riesgo de impago puede llevar a excluir a los grupos más vulnerables del sector	

BLOQUES TEMÁTICOS	BUENAS PRÁCTICAS (BP)	MODELO	OBJETIVO	RIESGOS	PRÁCTICAS SIMILARES
III. Cartera de actividades — Servicios complementarios al de la vivienda	31. Ofrecer servicios complementarios enfocados a la esfera particular de los arrendatarios (requisito legal)	NL ENG	– Ofrecer una atención y acompañamiento integrales al arrendatario-ligado con las BP 7, 10 y 20 – Buscar la mejora económica/social/personal/de salud/profesional del arrendatario, que además, pueda llevar a la unidad familiar a mejorar la vivienda (fomentando la rotación del parque más social)-ligado con BP 20	– Evitar que el coste de estos servicios se repercuta y que acabe siendo especialmente gravoso para los arrendatarios – Difícil delimitar límites de las responsabilidades de las entidades gestoras para abordar estas problemáticas	– Regular estos servicios cuando el objeto social de la entidad es lograr la inclusión social de colectivos vulnerables, ej. Tercer Sector, regulación en los estatutos o en el mismo contrato (ES)
	32. Trazar un Plan de trabajo o acuerdo social vinculante	NL ENG ES* *algunos modelos			

BLOQUES TEMÁTICOS	BUENAS PRÁCTICAS (BP)	MODELO	OBJETIVO	RIESGOS	PRÁCTICAS SIMILARES
	33. Ofrecer servicios y desarrollar actividades para fomentar buen ambiente en la comunidad (requisito legal)	NL ENG	– Buscar la coexistencia y la calidad de vida del barrio o zona donde se tiene parque de vivienda - ligado con la BP 10 – Atraer demandantes de diferentes poderes adquisitivos	– Delimitar bien el campo de actuación de la entidad – Evitar que el coste de estos servicios repercuta y sea especialmente gravoso para los arrendatarios	– A nivel particular, entidades del tercer sector y algunas entidades públicas con ciertos programas. También entidad privada con ánimo de lucro si es titular de la totalidad o la mayor parte del inmueble (ES)
III. Cartera de actividades	34. Colaboración con Administración local, cuerpos de seguridad y otras organizaciones sociales	NL ENG ES* *algunos modelos			

Servicios complementarios al de la vivienda

Fuente: Elaboración propia.

Leyenda: NL= Países Bajos, ENG = Inglaterra, ES = España y BP = buena práctica.

4. UNA PROPUESTA DE MARCO LEGAL COMÚN PARA LAS ENTIDADES PROVEEDORAS Y GESTORAS DE VIVIENDA SOCIAL EN ESPAÑA

Las políticas de vivienda en la última década, basadas en un enfoque más social que económico, han modificado el panorama de gestión del parque de vivienda social. Por un lado, se ha pasado de una promoción mayoritaria de vivienda para su compraventa a una apuesta por el alquiler y otras fórmulas temporales como formas preferentes de acceso a un parque de vivienda social escaso; escaso el parque y escasos los recursos económicos en una época de crisis económica (de 2007) agudizada por la actual crisis sanitaria y también económica del coronavirus (2020). Es en esa escasez de recursos que aparece la obligación de gestionar, y hacerlo de la forma más eficiente posible. Por otro lado, se han ido desarrollando programas que permiten gestionar vivienda del mercado privado por un plazo determinado.

En el caso que nos ocupa, se trata de buscar instrumentos de gestión capaces de optimizar los recursos económicos existentes sin perder la calidad que exige un derecho básico como el de acceso a una vivienda digna y adecuada. Así, tanto Inglaterra como los Países Bajos apostaron, hace ya casi medio siglo, por las HAs y las WCOs, entidades privadas sin ánimo de lucro, para gestionar de una manera más eficiente gran parte del parque de vivienda social. A pesar de divergir en algunas de las características y en el funcionamiento de estos modelos de gestión privada, los objetivos eran similares: reducir el gasto público en el sector, buscar un encaje en la complicada combinación entre el papel de proveedor y gestor y el de supervisión y superar la poca flexibilidad en el funcionamiento y la actuación de las entidades públicas[1700], retos que bien nos podemos plantear superar en nuestro país.

Así, a la Administración pública española se le exige cada vez más que siga criterios de estabilidad presupuestaria y de sostenibilidad financiera (ej. LO 2/2012 de estabilidad presupuestaria y sostenibilidad financiera y LRSAL)[1701], por lo que, para la gestión de los servicios públicos deberán

---

[1700] Véase el apartado "2. La privatización de la gestión de la vivienda social" del Capítulo II.

[1701] También con la reforma del artículo 135 de la Constitución Española, de 27 de septiembre de 2011 (BOE 27-09-2011, núm. 233), en el que se pretende garantizar el principio de estabilidad presupuestaria para todas las Administraciones pú-

buscarse fórmulas que promuevan la sostenibilidad económica y la eficiencia en la gestión. Asimismo, las últimas regulaciones ya se centran en ceder un mayor protagonismo al sector privado en el campo de la vivienda social, fomentando el rol de las entidades privadas sin ánimo de lucro, creando partenariados público-privados o buscando entidades colaboradoras[1702]. Sin embargo, esta intención sobre papel es difícil de implementar a la práctica sin los adecuados recursos tanto económicos como legales.

En consecuencia, a nuestro juicio, necesitamos dotarnos de un marco legal funcional para incorporar y asentar la figura del "proveedor y gestor de vivienda social", otorgándole un marco idóneo para su creación, consolidación y desarrollo. Con ello, se podrían afianzar y replicar las buenas prácticas en la gestión ya existentes y en funcionamiento, algunas de las cuales no se amparan en normativa sino en experiencia y práctica, e incorporar las detectadas como exitosas a nivel comparado pero que aún no se llevan a cabo en nuestro país, sea por desconocimiento sea por carecer de las posibilidades legales, técnicas o económicas. Para ello, tomamos como referencia los sistemas inglés y neerlandés estudiados en el Capítulo II. Sin embargo, se tendrán en consideración las diferencias económicas, políticas y sociales, más concretamente en el campo de la provisión y gestión de vivienda social, con sus distintas fuentes de financiación, tenencias, sistemas de ayudas públicas, proveedores y gestores, beneficiarios, diseño y localización, entre otros. Teniendo esta realidad presente, cabe recordar que "el impacto de una parte se concibe erróneamente cuando se aísla del todo", por lo que "una política, por ejemplo, que 'funciona' en un país podría tener efectos radicalmente diferentes en el contexto social de otro"[1703]. En otras palabras, el objetivo no consiste en implantar la totalidad de los modelos comparados estudiados, sino de adoptar y replantear aquellas prácticas que consideramos adecuadas para estructurar el sistema de gestión de vivienda social en España, teniendo siempre presente las divergencias entre los sistemas comparados y el nuestro, lo que puede llevar a la adopción de medidas perfiladas para conseguir un mejor encaje en las políticas y la legislación de nuestro país.

---

blicas, reforzar el compromiso de España con la UE y, al mismo tiempo, garantizar la sostenibilidad económica y social de España.

[1702] Véase *supra*, el apartado "2.3. Ventajas de una entidad híbrida en la gestión de vivienda social" de este mismo capítulo.

[1703] BALL, M. "Housing provision and comparative housing research", en BALL, M., HARLOE, M. y MARTENS, M. *Housing and social change in Europe and the USA*. Londres y Nueva York: Routledge, 1988. p. 9. Traducción propia.

4.1. Homologación de las entidades proveedoras y gestoras en el sector de la vivienda social

Expuestos los motivos anteriores, este apartado plantea la creación de la figura de la "entidad proveedora y gestora de vivienda social" (EPGVS en adelante), con el fin de homogeneizar todos los agentes que cumplan con la función de provisión y gestión de vivienda social en territorio español, para que se les pueda exigir los mismos requisitos de acceso al sector, así como el cumplimiento de una normativa única y específica para ellos.

A continuación, discutimos los requisitos subjetivos y los objetivos para poder homologarse como EPGVS, según el modelo que proponemos, así como las funciones que estas entidades deben desarrollar. También se plantea la creación de un Registro público para estas entidades homologadas y la existencia de un organismo público que se encargue de su monitorización, tanto en el cumplimiento de sus requisitos de homologación como en el acatamiento del posterior marco normativo básico a cumplir por estas entidades. El objetivo principal es dotar a estas entidades de un marco legal favorecedor para su creación y/o crecimiento, consolidación y adopción de un rol principal en el sector de la vivienda social, al mismo tiempo que se les dota de un campo de actuación más competitivo, más igualitario y transparente en lo que se refiere a las condiciones de acceso a las ayudas públicas.

4.1.1. Encaje legal en el ordenamiento jurídico español

Uno de los aspectos más controvertidos a la hora de presentar el modelo de EPGVS es su ámbito competencial, es decir, su regulación bien a nivel estatal bien a nivel autonómico. Es doctrina reiterada del TC[1704] que, a pesar de que la vivienda sea una competencia autonómica (art. 148.1.3 y EA de las respectivas CCAA), el Estado puede incidir, en el marco de sus competencias sobre la materia. Por ejemplo, sobre la actividad promocional[1705], puede establecer la definición de las actuaciones protegibles a nivel

---

[1704] SSTC de 20 de julio de 1988, FJ 4 y de 9 de mayo de 2013 (RTC 2013\112), FJ 3, entre otras.

[1705] La STC de 20 de julio de 1988 destaca, en su FJ 2, cómo la promoción de vivienda protegida presenta una estrecha relación con la política económica general (art. 149.1.13 CE), puesto que la construcción impulsa el desarrollo económico y genera empleo; además de influir, los recursos financieros privados movilizados para la construcción, en las bases de la ordenación del crédito (art. 149.1.11 CE).

estatal, la regulación esencial de las fórmulas de financiación adoptadas, el nivel de protección que se pretende alcanzar y la aportación de recursos estatales que permitan alcanzar las correspondientes actuaciones[1706]. Así, entre sus competencias se encuentra la de adoptar un plan de financiación dirigido a facilitar el acceso a la vivienda, mediante la creación de ayudas que pueden dirigirse tanto a promotores de vivienda social como a demandantes de vivienda, entre otros; por lo que con estos instrumentos también puede determinar los posibles beneficiarios y los requisitos para acceder a esta financiación estatal[1707]. Sin embargo, la normativa estatal debe otorgar un margen de libertad de decisión que permita aplicar las medidas estatales, pero adaptándolas a las circunstancias y necesidades especiales de cada territorio, contemplando, eso sí, los elementos indispensables regulados a nivel estatal para alcanzar los fines de política económica general presupuestos[1708]. Asimismo, esa regulación estatal no impide a las CCAA

[1706] Véase el reparto de competencias en materia de vivienda en el apartado "2.3. Competencia en materia de vivienda" del Capítulo III. Sin embargo, no se entra a debatir, en este trabajo, al no ser objeto de este, sobre el complejo y discutido reparto de competencias entre Estado y CCAA y la legitimidad del Estado para regular ciertos aspectos en el amplio ámbito de la vivienda. Véanse, al respecto, Iglesias González, F. *Administración Pública y Vivienda*. Madrid: Montecorvo, 2000; Beltrán de Felipe, M. *La intervención administrativa en la vivienda: aspectos competenciales, de policía y de financiación de las viviendas de protección oficial*. Valladolid: Lex Nova, 2000; Muñoz Castillo, J. *Constitución y Vivienda*, cit. y Fernández Segado, F. *El sistema constitucional español*. Madrid: Dykinson, 1992. pp. 906 y ss., entre otros. Véanse también las SSTC de 20 de julio de 1988 y de 20 de marzo de 1997 (RTC 1997\61).

[1707] STC de 9 de mayo de 2013, FJ 5. En este mismo sentido, la STC de 6 de febrero de 1992 (RTC 1992\13), donde en su FJ 8 establece que, el Estado, en el marco de su competencia sobre las bases y la coordinación general de una materia (donde las CCAA tienen la competencia de desarrollo normativo y de ejecución), puede consignar subvenciones de fomento en sus presupuestos generales, concretando su destino y condiciones básicas de otorgamiento. Sin embargo, esta misma STC subraya que esa especificación del destino y de condiciones no puede ser de tal grado de concreción que no permita a la CA un margen para desarrollar su política propia, siempre que, además, no pueda demostrarse que tal concreción es imprescindible para asegurar el objetivo de la planificación general de la actividad económica. FJ 4.

[1708] STC de 9 de mayo de 2013, FJ 3. En este mismo FJ se establece que "sólo de esta manera es posible conciliar el ejercicio de las competencias del Estado sobre la planificación y coordinación en el sector económico de la vivienda, incluida la utilización instrumental de sus competencias sobre las bases de ordenación del crédito, con las competencias autonómicas en materia de vivienda". Véase también, más abajo, en este mismo apartado.

con competencias en materia de vivienda adoptar su propia política de vivienda[1709].

PONCE SOLÉ reitera que al Estado no le corresponde un papel de actor principal en relación con la vivienda, pero que debe desempeñar un importante rol de "agente facilitador" del ejercicio de la competencia por parte de las CCAA, "mediante el ejercicio de sus propias competencias ya aludidas [ej. arts. 149.1.1º, 149.1.11º y 149.1.13º, entre otras] como mediante el uso de sus medios financieros y patrimoniales"[1710].

Por consiguiente, debería establecerse, a nuestro juicio, la delimitación de un concepto y unos requisitos de homologación básicos para las EPGVS a nivel estatal. Así, aprovechando la aprobación inminente de la Ley estatal por el derecho a la vivienda[1711], se trataría de dedicar un capítulo, dentro del título que haga referencia a políticas de protección pública de vivienda (en el que también podría dedicarse otro capítulo a un régimen general de vivienda social) o asimilado, a la creación y la regulación más básica de las EPGVS: un concepto básico, unos requisitos mínimos de homologación, unas pautas para crear un órgano supervisor y sus funciones principales y la creación de un Registro estatal y su descentralización en Registros autonómicos coordinados para inscribir estas entidades homologadas, así como la necesidad de crear, reglamentariamente, una normativa básica y común para estas EPGVS homologadas.

Recomendamos la creación de un Registro estatal electrónico y de registros autonómicos coordinados con el primero. El proceso de homologación estatal y su consiguiente registro sería preceptivo para poder acceder al plan de financiación estatal desarrollado en los planes estatales de vivienda, para poder acceder al régimen especial de arrendamiento de vivienda social que se presentará *infra* en este apartado[1712] y, también, para poder beneficiarse de ciertas ventajas fiscales que se establezcan a nivel

---

[1709] STC de 20 de julio de 1988, FJ 4.

[1710] Y añade que el Estado debe tener un papel de "impulsor, de generador de dinámicas modernizadoras y formadoras que pueden redundar en beneficio del conjunto de los operadores públicos y de la buena administración y, en consecuencia y sobre todo, de los ciudadanos y ciudadanas" PONCE SOLÉ, J. "Algunas reflexiones sobre la competencia en materia de vivienda y las tendencias actuales en su ejercicio", cit. pp. 819-820.

[1711] Véase el apartado "2.4. Planteamiento de una Ley Estatal de Vivienda" del Capítulo III.

[1712] En el apartado "4.2.2. Régimen especial para los alquileres sociales dentro de la LAU".

estatal, como en el IS. Asimismo, este Registro cumpliría con una función estadística y de planificación económica futura, pues albergaría toda la información de los Registros autonómicos, para servir como "base de datos estadísticos cuya justificación y conveniencia se vincula a la potestad del Estado para adoptar sucesivamente las decisiones que le competen en materia de planificación del sector económico de la vivienda"[1713].

En este punto, se trataría de establecer una regulación básica, marcar unas líneas principales y unos criterios globales para que, posteriormente, las CCAA pudieran desarrollar toda esta regulación teniendo en cuenta su legislación y los intereses y necesidades de cada territorio, respetando los elementos indispensables fijados por el Estado[1714].

Igualmente, recomendamos la regulación de este modelo en el ámbito de cada CA para el desarrollo e implementación de sus políticas de vivienda, puesto que el modelo que proponemos persigue la creación de un marco común, armonizado y funcional. También para proteger a los consumidores, a todas aquellas personas que se beneficien de viviendas sociales en España, puesto que el modelo presentado permite exigir una

---

[1713] STC de 20 de julio de 1988, FJ 6. Este argumento se establece en relación con la necesidad de las CCAA de informar sobre su cumplimiento de la normativa estatal en el ejercicio de sus competencias de gestión de las ayudas que el Estado aporta o de los recursos financieros que moviliza. El mismo FJ habla de respetar los "principios de colaboración y solidaridad" que debe existir entre autoridades estatales y autonómicas. Recordemos, además, que el Estado tiene competencia exclusiva en "estadísticas para fines estatales" (art. 149.1.31° CE).

[1714] Recordemos que las SSTC de 20 de julio de 1988, de 6 de febrero de 1992 y de 9 de mayo de 2013, subrayan que, para la ejecución, por parte de las CCAA, de normativa estatal relacionada con la vivienda, debe ofrecerse un margen de libertad de decisión a las mismas. En el FJ 4 de la STC de 20 de julio de 1988 se defiende, también, que a pesar de que ciertas competencias exclusivas del Estado (ej. arts. 149.1.1°, 149.1.11° y 149.1.13°, entre otros) puedan legitimar su intervención en materia de vivienda, "dicha intervención no puede extenderse, so pretexto de un absoluto igualitarismo, a la regulación de elementos de detalle de las condiciones de financiación que la priven de toda operatividad en determinadas zonas del territorio nacional. Antes bien, a las Comunidades Autónomas corresponde integrar en su política general de vivienda las ayudas reguladas por el Estado para el cumplimiento de las finalidades a que responden, con capacidad suficiente para modalizar, en su caso, las reglas generales, al objeto de conseguir una sustancial igualdad de resultados".

calidad mínima en la vivienda, en su gestión y en el desarrollo de los diferentes servicios relacionados[1715].

Existen CCAA que ya poseen en sus legislaciones sobre vivienda los instrumentos necesarios para poder llevar a cabo el proceso de homologación de las EPGVS. La LDVC regula, por ejemplo, en su art. 56, la posibilidad de crear registros de homologación de los agentes vinculados con la vivienda. Sin embargo, la ley catalana no contempla la figura de "gestor de vivienda" (aunque sí la de "promotor social de vivienda", a pesar de que los criterios de homologación que requiere el art. 51 no se hayan llegado a desarrollar reglamentariamente). Sí que contempla la administración de viviendas el art. 107 de la misma ley, aunque establece que esta corresponde a "los promotores, a los promotores sociales y a los administradores de fincas" y solo con relación a las viviendas calificadas como de protección oficial, que se ofrezcan en régimen de alquiler u otra forma de cesión de uso. El apartado segundo de este mismo artículo prevé la posibilidad de crear un registro en el que se inscriban los agentes mencionados encargados de la administración de vivienda protegida. Sin embargo, este tampoco se ha desarrollado por el momento. Así, la homologación y la creación de un Registro de EPGVS podría situarse en Cataluña en este Capítulo VI (Administración de las viviendas de protección oficial) del Título V (de la política de protección pública de la vivienda), mediante la modificación del art. 107 y posible extensión de más artículos. Recomendaríamos modificar tanto el título del Capítulo VI, por ejemplo, estableciéndolo como "gestión de las viviendas sociales" (deberían modificarse el resto de los preceptos que establecen tanto el concepto como aspectos respecto de las viviendas de protección oficial y de las demás viviendas destinadas a políticas sociales, arts. 77 y 74 respectivamente), así como el del art. 107, proponiendo el de "entidades proveedoras y gestoras de vivienda social".

[1715] El acceso a una vivienda digna y adecuada no deja de ser un derecho constitucional (art. 47 CE), por lo que el Estado debe velar, siguiendo el art. 149.1.1 CE por una mínima igualdad en las condiciones básicas en el ejercicio de este derecho para todos los ciudadanos. TEJEDOR BIELSA defiende que "Si en materia de suelo la competencia estatal para el establecimiento de unas condiciones básicas de igualdad se ha considerado compatible con el marco constitucional de distribución de competencias, con mayor razón debiera serlo la previsión de las que garanticen esa igualdad en unas determinadas condiciones en relación con la provisión de alojamiento digno y adecuado a colectivos determinados". TEJEDOR BIELSA, J. "A vueltas con las competencias sobre vivienda y la estabilidad del sistema financiero", cit. p. 3.

Otro ejemplo autonómico es el del País Vasco. Esta CA regula, en su LVPV (art. 5), un "organismo autónomo", con sus funciones y organización establecidas a nivel reglamentario, con el objeto de integrar a todas las empresas públicas y organismos existentes en materia de vivienda. Sin embargo, la implementación y desarrollo de dicho organismo no se ha llevado a cabo. A diferencia de Cataluña, en este caso debería añadirse el concepto, la homologación y el Registro de las EPGVS en un Capítulo nuevo, o bien añadiéndolo en el Capítulo V sobre el sistema residencial de protección pública, llevando a cabo las modificaciones pertinentes. Finalmente, podría incluirse como un nuevo punto en la DA Primera (modificando también el primer apartado), reguladora de los agentes que intervienen en la prestación de servicios inmobiliarios.

En un campo más amplio, el de los servicios sociales, ambas CCAA regulan tipos de acreditaciones para ciertas entidades en sus respectivas leyes de servicios sociales. Así, el País Vasco regula la posibilidad de poder declarar a las entidades sin ánimo de lucro que reúnan las condiciones determinadas reglamentariamente como "de interés social", con el fin de obtener un trato preferente en la concesión de subvenciones[1716]. Por su parte, Cataluña prevé la posibilidad para las entidades de iniciativa privada de acreditarse como "entidades de servicios sociales" y así formar parte de la Red de Servicios Sociales de Atención Pública, con el fin de poder celebrar de manera preferente convenios de colaboración y de financiación pública con la Administración[1717]. Sin embargo, aunque estos modelos nos puedan

---

[1716] Art. 74 y DA 9ª Ley 12/2008, de 5 de diciembre, de servicios sociales del País Vasco, así como el Decreto 424/2013, de 7 de octubre, sobre la declaración de interés social de las entidades sin ánimo de lucro de servicios sociales (BOPV 18-10-2013, núm. 200).

[1717] Arts. 68 y ss. Ley 12/2007, de 11 de octubre, de servicios sociales de Cataluña. El art. 72 regulaba un Registro de entidades de iniciativa privada, pero este precepto se derogó con la Ley 10/2011, de 29 de diciembre, de simplificación y mejora de la regulación normativa (BOE 14-01-2012, núm. 12). Al respecto, el preámbulo I de esta última ley establece que "aborda el fenómeno de la simplificación desde una doble perspectiva: administrativa y normativa. La primera comprende todas las modificaciones legales cuya finalidad última es la reducción efectiva de trámites innecesarios y la simplificación de los procedimientos considerados en conjunto. Esta medida comporta un avance real para la reactivación de algunos sectores y facilita la actividad de los empresarios, ya que elimina regímenes autorizadores, suprime registros no imprescindibles, así como otras cargas, y elimina determinados aspectos reguladores que, además de no ser consecuentes con el modelo de simplificación que se adopta, añaden complejidad o confusión para los destinatarios últimos de las normas".

servir como referente, nuestro objetivo es otorgar a los gestores de vivienda social un carácter autónomo (pero integrador en cuanto al concepto de vivienda social) y diferenciado respecto de los demás servicios sociales.

Finalmente, todo ello debería acompañarse de la modificación y actualización de toda la legislación y normativa relacionada con la materia de políticas públicas de vivienda, haciendo hincapié en los Planes cuatrienales tanto estatales como autonómicos, puesto que son los instrumentos principales en los que se regulan las actuaciones protegibles y las líneas de financiación de estas. Por ello, se requeriría de una modificación de los actuales, o de tenerlo ya presente para la publicación de los planes venideros. Además, y a modo de reflexión final, el modelo de homologación de EPGVS planteado, de su registro y, sobre todo, en relación al cumplimiento de una normativa que diseñamos, afecta a muchos campos de competencia exclusiva del Estado, relacionados con la forma jurídica de las entidades que se homologan y de la imposición de ciertas estructuras de gobernanza y del control de ciertas actuaciones de estas, de las formas con las que captan y como ceden las viviendas sociales y las ventajas fiscales a las que pueden acceder, entre otros. Por lo tanto, estamos hablando de legislación mercantil (art. 149.1.6 CE), legislación civil (art. 149.1.8 CE)[1718], las bases de ordenación del crédito (art. 149.1.11 CE), las bases y coordinación de la planificación general de la actividad económica (art. 149.1.13 CE), la Hacienda general y deuda del Estado (art. 149.1.14 CE) y la regulación de las Administraciones públicas y de procesos como la expropiación forzosa (art. 149.1.18 CE). En sintonía con lo anterior, JARIA I MANZANO afirma, a nuestro juicio acertadamente, que la legislación autonómica solo puede suponer una aproximación parcial en la cuestión de la vivienda, puesto que la regulación de muchos aspectos corresponde al Estado, lo que obliga a los poderes públicos a adoptar un enfoque global para hacer frente a la problemática del acceso a una vivienda digna, adecuada y de calidad[1719].

[1718] Sin perjuicio de la conservación, modificación y desarrollo por parte de las CCAA con derechos civiles, forales o especiales existentes.

[1719] JARIA I MANZANO, J. "El derecho a una vivienda digna en el contexto del Estado Social", cit. p. 87.

4.1.2. Requisitos de homologación

4.1.2.1. Requisito subjetivo: la forma jurídica de la entidad

El primer requisito para poder homologarse como EPGVS es de carácter subjetivo. Así, estaría pensado para entidades con personalidad jurídica propia y de naturaleza jurídico-privada, entendiéndose incluidas aquellas entidades de carácter público que adopten formas jurídicas de derecho privado (ej. sociedades de capital o fundaciones)[1720]. Debe tenerse presente que actualmente el sector está dominado por entidades públicas. Por ello, no queremos excluir a estas entidades de la posibilidad de homologarse. Así, podría llegar a plantearse la inscripción automática, sin tener que homologarse, para los entes públicos con un carácter más dependiente de la Administración, no tanto para tener un trato preferente ni para llevar a cabo un control económico (puesto que se rigen por normativas distintas a la hora de financiarse) sino, sobre todo, con la finalidad de que todo aquel que gestione vivienda social, se someta a las mismas normas de calidad del parque y de calidad de la gestión. Por otro lado, y de mayor complicada decisión, es el hecho de si debe reducirse la homologación únicamente a entidades sin ánimo de lucro o si, por el contrario, lo ampliamos para entidades con ánimo de lucro.

La inclusión de las entidades sin ánimo de lucro es clara. Primero, porque esa ausencia de ánimo de lucro permite garantizar que tanto la financiación proveniente de fuentes públicas como la obtenida de actuaciones privadas, buscará el beneficio social y no el económico. Además, son entidades que suelen apostar por unos servicios centrados en procurar la satisfacción de necesidades de sus beneficiarios sociales, más allá del acceso a una vivienda, precisamente una de las exigencias que deberá preverse en la normativa común para las EPGVS. Y segundo, porque esa es precisamente la dinámica reflejada a nivel legislativo y normativo en España[1721], tomando como ejemplo la aprobación de la Ley estatal del Tercer Sector de Acción Social que, a pesar de considerarla como de marco jurídico genérico y con unas directrices de cariz más bien abstracto (además de contener entidades de todos los campos relacionados con el impulso del reconocimiento

---

[1720] Véase un poco más sobre la inclusión de las entidades públicas con personalidad y patrimonio propio en el apartado "4.1.5. Acceso a las políticas públicas de vivienda", *infra* en este mismo capítulo.

[1721] Véanse algunos ejemplos *infra*, en el apartado "4.1.5. Acceso a las políticas públicas de vivienda".

y el ejercicio de los derechos civiles, así como de los derechos económicos, sociales o culturales de las personas y grupos que sufren condiciones de vulnerabilidad o que se encuentran en riesgo de exclusión social)[1722], se justifica en el fomento de la creación de estas entidades, de su intervención en las políticas públicas y en la búsqueda de fórmulas de colaboración tanto con el sector público como en el privado.

Siguiendo a GARCÍA DELGADO, "muchas de las entidades del Tercer Sector están en óptimas condiciones —por su carácter flexible y adaptativo, por su condición de creaciones originales de la iniciativa social, por su naturaleza participativa y por el cultivo de la corresponsabilidad que las identifica- para realizar gestión empresarial, haciendo compatible eficiencia económica y compromiso con los intereses sociales que se trata de servir"[1723]. El mismo autor reconoce que la financiación es el punto crítico de estas organizaciones del Tercer Sector[1724]; sin embargo, este sería uno de los aspectos que precisamente la homologación de EPGVS y su papel relevante en las políticas de vivienda podría resolver o, por lo menos, mejorar. Asimismo, en palabras de la expresidenta de la Mesa del Tercer Sector catalana, ÀNGELS GUITERAS[1725], "este acompañamiento social es el que sabemos hacer las entidades del Tercer Sector, es nuestra razón de ser, y en eso podemos ser un aliado muy útil para Administraciones comprometidas a incrementar el parque de viviendas de alquiler social"[1726].

Siguiendo el estudio del sistema actual existente en España, son varias las entidades que cumplirían con este requisito. Así, encontraríamos asociaciones de utilidad pública, fundaciones, cooperativas sin ánimo de lucro, entidades religiosas, etc[1727].

[1722] Art. 2.1 Ley 43/2015, de 9 de octubre, del Tercer Sector de Acción Social.

[1723] GARCÍA DELGADO, J. L. (dir.) *Las cuentas de la economía social. El tercer sector en España*, cit. p. 224.

[1724] Ibid p. 223.

[1725] Ocupa actualmente la Presidencia la Sra. Francina Alsina. Véase el organigrama de la Junta Directiva en http://www.tercersector.cat/qui-som/organitzacio/junta-directiva (último acceso 13-09-2021).

[1726] TAULA D'ENTITATS DEL TERCER SECTOR SOCIAL DE CATALUNYA. *Acord de la Taula del Tercer Sector i l'Ajuntament de Barcelona per destinar 200 pisos buits a lloguer social*, 19-11-2014, disponible en http://www.tercersector.cat/noticies/acord-de-la-taula-del-tercer-sector-i-lajuntament-de-barcelona-destinar-200-pisos-buits (último acceso 27-10-2019). Traducción propia.

[1727] Véase el apartado "3.1.2. Sector privado" del Capítulo III.

Para tomar la decisión de si incluir a las entidades con ánimo de lucro, como sociedades de capital o incluso empresas mixtas público-privadas, nos basamos en dos aspectos principales. El primero, el estudio de los modelos comparados del Capítulo II. Así, hemos constatado que la existencia de un modelo de gestión que permita una gestión eficiente y que cumpla con sus objetivos sociales no depende tanto de si la entidad tiene o no ánimo de lucro, sino en el hecho de la existencia de preceptos legales o normativos que permitan mantener un control sobre las actuaciones prestadas y su calidad y sobre la actividad más financiera de esa entidad y de su relación con los agentes de este sector. Como hemos visto, las TIVs de los Países Bajos estuvieron bajo investigación parlamentaria debido a numerosas prácticas de mala gestión. Y recordemos que las TIVs solamente pueden ser asociaciones o fundaciones (art. 19 *Woningwet* 2015), y que uno de los grandes escándalos lo protagonizó la Fundación Vestia[1728]. Por su lado, uno de los casos más problemáticos en Inglaterra fue el de la HA Cosmopolitan Housing Group[1729], por lo tanto, una entidad sin ánimo de lucro igualmente. En Inglaterra, donde se permite la inscripción de entidades con ánimo de lucro como RPs, estas no llegan ni a representar un 3% del total de RPs[1730].

El segundo aspecto se relaciona con la regulación de otros requisitos objetivos[1731] de cumplimiento preceptivo para poder homologarse como EPGVS, junto con la creación de una normativa que todas las entidades homologadas como EPGVS deberán cumplir. De ese modo, estos requisitos exigen tener como principal actividad la provisión de vivienda social, exigen incorporar a representantes de los arrendatarios en los órganos de gobierno de la entidad y dotarse de instrumentos que permitan el empoderamiento de los inquilinos en la política de gestión de la entidad, que procuren la calidad de los servicios de vivienda, el desarrollo de servicios destinados a mejorar la posición de los usuarios de la entidad y la intervención en las zonas de actuación, así como mantener un control sobre las actuaciones financieras de la entidad y evitar aquellas actuaciones que po-

---

[1728] Véase el apartado "3.5.2. Fuentes públicas y fiscalidad de las entidades" del Capítulo II.
[1729] Véase el apartado "2.4. Resultado de la privatización" del Capítulo II.
[1730] De un total de 1.632 RPs, 46 son con ánimo de lucro, 1.393 sin ánimo de lucro y 193 son administraciones locales. Datos extraídos de la lista de RPs de 10-09-2019, disponible en https://www.gov.uk/government/publications/current-registered-providers-of-social-housing (último acceso 03-10-2019).
[1731] Véase el apartado siguiente.

drían llevar a la pérdida del parque inmobiliario construido o rehabilitado con ayudas públicas[1732].

Por todo lo anterior, consideramos que siempre que reúnan los requisitos de homologación y cumplan con la normativa reguladora de las EPGVS, las entidades privadas con ánimo de lucro no tienen por qué quedar excluidas de la posibilidad de homologarse como EPGVS. Así, no podemos obviar la realidad en nuestro sistema español de provisión de vivienda protegida, donde muchas de las promociones privadas las llevan a cabo entidades privadas con ánimo de lucro. La Administración pública reconoce la necesidad de atraer financiación privada e instrumentaliza dicha necesidad a través de la creación de "entidades o agentes colaboradores". Además, la necesidad de cumplir con los requisitos de homologación y la normativa de las EPGVS acerca estas entidades a la idea de "empresa social", entendida a nivel europeo, como aquel operador en la economía social cuyo objetivo principal es tener un impacto social y no obtener un beneficio económico para sus socios o accionistas; provee de bienes y servicios al mercado utilizando criterios empresariales y de innovación y utiliza sus beneficios para lograr fines sociales. Siguiendo esta definición, se establecen cinco criterios esenciales definitorios de las empresas sociales[1733]:

1) Ejercen una actividad económica, basada en la provisión o intercambio de bienes y servicios.

2) Persiguen un objetivo social que beneficie a la sociedad.

3) Limitan la distribución de beneficios y/o activos, puesto que se pretende priorizar el objetivo social por encima del beneficio económico.

4) Gozan de independencia respecto del Estado y de otras empresas tradicionales, lo que implica que no está sometida a una gestión, de manera directa o indirecta, por parte de la Administración pública ni de otras empresas privadas, y tampoco depende de ellas para iniciar o finalizar su actividad.

5) Se dotan de instrumentos de gobernanza inclusivos, basados en procesos de decisión democráticos y participativos.

[1732] Véase el apartado "4.2. Normativa básica de las EPGVS" *infra* en este mismo capítulo.

[1733] COMISIÓN EUROPEA. *A map of social enterprises and their eco-systems in Europe. Synthesis Report.* Luxemburgo: Comisión Europea, 2015. pp. 9 a 11.

En referencia al tercer criterio, en los conceptos y definiciones que realizan los EEMM de la UE, existen diversas líneas interpretativas, entre las que están las que exigen reinvertir todos los beneficios obtenidos en la propia entidad y en funciones sociales y las que dan preferencia a estas inversiones sociales, pero contemplan la posibilidad de distribuir, también, dividendos entre los socios. En este último caso, o bien se limita el reparto a un porcentaje máximo del beneficio anual (ej. 30%, 50%) o bien se obliga a destinar un porcentaje concreto a la inversión en funciones sociales (ej. el 50 o 75%)[1734].

Siguiendo estas pautas, en España se planteó la creación de la "sociedad de responsabilidad limitada de interés general"[1735] con el fin de ofrecer un marco jurídico que permitiese la visibilidad, credibilidad y reconocimiento de las empresas sociales a la hora de facilitar el desarrollo de sus actividades sociales y de acceder a la financiación privada[1736]. En consonancia con el planteamiento europeo, la proposición de ley, que no obtuvo el suficiente apoyo parlamentario, limitaba el reparto de dividendos al treinta por ciento del beneficio obtenido anualmente, obligando a reinvertir el setenta por ciento, para garantizar la creación de un valor social; asimismo ofrecía incentivos fiscales, como una tributación de sus actividades a un tipo reducido[1737]. En la actualidad, pues, la regulación que tenemos a nivel español

---

[1734] Comisión Europea. *A map of social enterprises and their eco-systems in Europe. Synthesis Report*, cit. pp. 109 a 118. Un ejemplo que encajaría en la definición de empresa social es la CIC inglesa, mencionada en el apartado "3.1. Concepto y forma jurídica" del Capítulo II y que permite, en el caso de las CIC *limited by shares*, distribuir únicamente el 35% de los beneficios anuales a sus accionistas.

[1735] Con la proposición de ley de apoyo a las actividades de los emprendedores sociales. BOCG 18-10-2013, núm. 140-1.

[1736] Exposición de motivos de la proposición de ley.

[1737] Arts. 2 y 3 de la proposición de ley. Una empresa que ha seguido la línea de "sociedad de responsabilidad limitada de interés general" en España es Omplim, gestió i edificació responsable, SLU (https://www.omplim.cat). En los estatutos de esta sociedad mercantil, se regula la obligación de que, en el desempeño de su objeto social, vele por la generación de un impacto social positivo para la sociedad, las personas vinculadas a esta y el medioambiente (art. 2), y que así lo haga también el órgano de administración en el desempeño de sus funciones (art. 13.4). Además, también regula limitaciones y obligaciones en la aplicación del resultado del ejercicio anual. Después de cubrir la reserva legal y demás atenciones legalmente establecidas, la Junta General acuerda la aplicación del resultado pendiente de aplicar de acuerdo con los siguientes criterios: el reparto de dividendos no puede superar el 25% del resultado pendiente de aplicar; se debe destinar un mínimo del 20% (del resultado pendiente de aplicar) a políticas laborales y un

es la Ley de Economía Social, que, a pesar de estar destinada actualmente a sociedades cooperativas y sociedades laborales, intenta incluir a aquellas empresas que no escapan de la lógica del lucro, pero que buscan un lucro civil o social, no capitalista, puesto que el beneficio no deja de ser un fin de carácter instrumental, ligado al fin último de la responsabilidad social[1738]. Eso se refleja en sus principios orientadores, entre los que encontramos la "primacía de las personas y del fin social sobre el capital" y la "aplicación de los resultados obtenidos de la actividad económica principalmente en función del trabajo aportado y servicio o actividad realizada por las socias y socios o por sus miembros y, en su caso, al fin social objeto de la entidad"[1739].

En consecuencia, el tipo de entidad privada con ánimo de lucro que podrá actuar como EPGVS, seguirá en gran medida la idea de "empresa social"[1740], tanto por el cumplimiento de los requisitos de homologación como por el cumplimiento de una normativa que exige un marco de actuación social y una protección del parque de vivienda social (prohibir la transmisión de este parque sin autorización pública y controlar que las inversiones de la empresa no lo pongan en riesgo; en definitiva, controlar que el parque de vivienda social no salga del sector de gestión social bajo ninguna circunstancia)[1741].

Así, entendemos que las empresas sociales encajan con el modelo híbrido de gestión planteado *supra* en este mismo capítulo[1742], ya que buscan nuevas fórmulas de gestión, asimiladas a las que pueden encontrarse en el sector privado (estrategias empresariales), que permiten conseguir más

---

mínimo del 30% a políticas sociales (art. 33). Además, esta empresa cuenta con lo que se conoce como el certificado internacional "B Corporation" (https://www.bcorpspain.es), otorgado a aquellas empresas que cumplen con estándares de desempeño social y ambiental, transparencia pública y responsabilidad empresariales. La puntuación obtenida se otorga en función de la actuación y el papel de la entidad en cinco áreas de impacto: en su gobernanza, en sus trabajadores, en la comunidad, en su entorno o ambiente y en el consumidor.

[1738] García Delgado, J. L. (dir.) *Las cuentas de la economía social. El tercer sector en España*, cit. p. 26.

[1739] Art. 4 Ley 5/2011, de 29 de marzo, de economía social.

[1740] A excepción, quizás, del cuarto criterio enumerado, al estar sometidas a un control público y al depender su homologación y también revocación de esta de un organismo público.

[1741] Podría incluso plantearse, como ya lo han hecho algunos países de la UE, limitar el reparto de beneficios entre los socios, objetivando, así, la exigencia de la actividad social principal.

[1742] Véase el apartado "2. Hacia un modelo híbrido de gestión".

eficiencia en la prestación de un servicio público como es el de la vivienda social[1743].

4.1.2.2. Requisitos objetivos: de carácter constitutivo, económico y en referencia a la función principal

A parte del requisito subjetivo establecido en el apartado anterior, la obtención de la homologación también quedaría supeditada al cumplimiento de requisitos de carácter objetivo.

El primero consiste en que la entidad tenga, entre sus objetivos principales, la provisión y/o gestión de viviendas sociales, destinadas a personas con necesidad de vivienda, ya sea a nivel general (a toda la población con esa necesidad de vivienda) como especializado en algún sector de población en concreto, como, por ejemplo, la gente mayor, las personas con discapacidad, las personas sin hogar, etc.

En referencia a este primer requisito, deben aclararse tres conceptos principales que hemos utilizado: el de "provisión y/o gestión", el de "personas con necesidad de vivienda" y el de "vivienda social". Puede comprobarse que estamos ante terminología un tanto general y poco precisa. Al plantear la regulación de las EPGVS a nivel estatal, la intención es la de no acotar demasiado las definiciones con el fin de que cada CA pueda adaptarlo a sus propias necesidades o acorde a la política pública de vivienda que decida seguir.

Así, en "provisión y/o gestión" entraría la edificación, la rehabilitación, la compra o la obtención de esa vivienda bajo cualquier título legal que permita su posterior puesta a disposición a un arrendatario o usuario social, así como aquellas entidades que, no disponiendo de viviendas en su patrimonio, gestionaran a través de convenios de mandato u otros similares las viviendas de otra entidad tanto pública como privada.

Al mencionar que las viviendas deben destinarse a "personas con necesidad de vivienda", lo que se pretende es reconocer que existe la necesidad de limitar este servicio, es decir, adoptando un sistema de adjudicación acotado y huyendo del sistema universalista que tanta discusión ha genera-

---

[1743] Czischke, D., Gruis, V. y Mullins, D. "Conceptualising social enterprise in housing organizations", cit. p. 423.

do a nivel de la UE[1744], pero sin establecer colectivos concretos y tasados, puesto que cada CA puede establecer su propia regulación de colectivos vulnerables, colectivos en riesgo de exclusión social/residencial y/o colectivos preferentes[1745]. Aún así, en términos generales, suele exigirse por las CCAA, para ser beneficiario de una vivienda protegida, no ser titular del pleno dominio o de un derecho real de uso o disfrute de una vivienda adecuada, excepto que se haya privado de su uso por causas no imputables a la persona interesada. Además, nos parece importante el matiz del art. 8 de la LVPV, cuando añade que se considerará que se tiene necesidad de vivienda, también, cuando no se cuente con "los medios económicos precisos para obtenerlo [alojamiento estable y adecuado], encontrándose por ello en riesgo de caer en situación de exclusión social"[1746], incluyendo, asimismo, aquellas personas que encontrándose en un procedimiento de desahucio por ejecución hipotecaria o por impago de renta de su vivienda habitual, no pueden hacer frente a los pagos sin incurrir en riesgo de exclusión social[1747].

Finalmente, el concepto de "vivienda social" es concebido como un término paraguas, que engloba todas aquellas viviendas que, independientemente de sus programas, sus tipologías y nomenclaturas, cumplan con los dos requisitos (acumulativos) siguientes, extraídos de las definiciones llevadas a cabo en el Capítulo I[1748]. Así, se considerará vivienda social toda aquella que:

1. Se ofrezca por debajo del precio de mercado. En este punto es interesante el desarrollo del instrumento contemplado en el RDL 7/2019

[1744] Véase el apartado "3.3. La vivienda social como servicio de interés económico general" del Capítulo I.

[1745] El propio Plan Estatal de Vivienda 2018-2021 ya reconoce las normativas específicas de las CCAA a la hora de establecer sectores preferentes en relación con los beneficiarios de las ayudas que prevé el Plan (art. 7.4).

[1746] Art. 8.1 LVPV.

[1747] Art. 8.2 LVPV. Definen, a nivel estatal, el umbral de exclusión y los supuestos de especial vulnerabilidad el Real Decreto-ley 6/2012, de 9 de marzo, de medidas urgentes de protección de deudores hipotecarios sin recursos (BOE 10-03-2012, núm. 60) y la Ley 1/2013, de 14 de mayo, de medidas para reforzar la protección a los deudores hipotecarios, reestructuración de deuda y alquiler social, en sus arts. 3 y 1 respectivamente.

[1748] Véase, principalmente, el apartado "4. Rasgos principales de la vivienda social", aunque también es interesante consultar el apartado "7.1. La vivienda social en España", para hacerse una idea general de las tipologías de vivienda que se englobarían en esta definición.

(en su DA 2ª), este es, la creación del sistema estatal de índices de referencia del precio del alquiler de vivienda, para determinar el precio de mercado, puesto que este índice calcula el precio en función de la zona y de las características de la vivienda[1749]. La misma DA permite a las CCAA definir su propio índice de referencia; de hecho, ya existe desde 2017 en Cataluña[1750]. En atención a los índices anteriores, se debería establecer un porcentaje que pudiera considerarse como vivienda asequible, por ejemplo, como mínimo un 20% por debajo del precio considerado como el de mercado.

2. Siga criterios de necesidad para su adjudicación, es decir, que no se rija libremente por los criterios de mercado, sino que exista una intervención pública en algún punto del proceso de adjudicación, para dictar las pautas atendiendo a esos criterios de necesidad de vivienda de la población. La intervención puede darse durante todo el proceso o, simplemente, para determinar las preferencias o colectivos concretos a los que debe adjudicarse la vivienda, aunque posteriormente el proceso de adjudicación lo establezca libremente la entidad gestora.

[1749] La propia DA 2ª.1.b menciona los datos que deben utilizarse para determinar este índice: "la información disponible en la Agencia Estatal de la Administración Tributaria, en el Catastro Inmobiliario, en el Registro de la Propiedad, en los registros administrativos de depósitos de fianza y en otras fuentes de información, que sean representativos del mercado del alquiler de vivienda". Véase el índice estatal del alquiler de vivienda en https://www.mitma.gob.es/vivienda/alquiler/indice-alquiler (último acceso 11-10-2021).

[1750] Este se elabora a partir de los datos que constan en el Registro de Fianzas de los contratos de arrendamientos urbanos e informa sobre el precio medio de alquiler de una vivienda de características similares en una misma zona. Puede consultarse en http://agenciahabitatge.gencat.cat/indexdelloguer/ (último acceso 28-09-2021). El Decreto Ley 5/2019, de 5 de marzo, de medidas urgentes para mejorar el acceso a la vivienda (DOGC 7-3-2019, núm. 7825) regulaba la obligación de creación del índice y de su uso para el desarrollo de políticas públicas de vivienda, pero este no obtuvo la convalidación del Parlamento de Cataluña y quedó derogado. Actualmente, la Ley 11/2020 lo toma como índice de referencia para fijar la renta inicial en los nuevos contratos de arrendamientos situados en áreas con mercado de vivienda tenso (art. 6). Ley 11/2020, de 18 de septiembre, de medidas urgentes en materia de contención de rentas en los contratos de arrendamiento de vivienda y de modificación de la Ley 18/2007, de la Ley 24/2015 y de la Ley 4/2016, relativas a la protección del derecho a la vivienda (BOE 29-09-2020, núm. 258). Existe un recurso de inconstitucionalidad admitido a trámite contra algunos preceptos de esta Ley 11/2020 (BOE 03-02-2021, núm. 29).

Teniendo presente lo anterior, sería necesario no tanto modificar sino añadir un artículo en las legislaciones autonómicas de vivienda definiendo el concepto de vivienda social (o remitiéndolo al concepto establecido en la Ley estatal por el derecho a la vivienda, si lo regula), con el fin de agrupar a las distintas tipologías y programas de vivienda social de la CA que cumplan con los dos requisitos mencionados. Así, el objetivo no es eliminar las distintas tipologías, puesto que entendemos siguen requisitos distintos para cumplir con necesidades diversas, sino agrupar el conjunto de viviendas que podrán optar de manera preferente o de manera única a ayudas públicas relacionadas con el sector y que podrán ser objeto de gestión por parte de las EPGVS. Una idea similar sigue, por ejemplo, el Fondo de vivienda de alquiler destinado a políticas sociales de Cataluña[1751], cuyo objetivo es consolidar un parque público de vivienda de alquiler (o fórmula de cesión equivalente) y someter su gestión a unos principios generales que se apliquen uniformemente a todas las viviendas que integren el Fondo, ya sean viviendas de titularidad pública ya sean de titularidad privada (aunque para que las de titularidad privada puedan formar parte del Fondo deben cumplir unas condiciones concretas)[1752]. Lo interesante, objetivo similar que planteamos *infra* en este mismo capítulo[1753], es la posterior aprobación de subvenciones dirigidas a las entidades que gestionan viviendas que forman parte de este Fondo[1754].

Lo que sí debería llevarse a cabo es armonizar las legislaciones y normativas de las CCAA para adaptarlas al nuevo concepto, así como modificar aquellos preceptos que establecen conceptos que ya pretenden agru-

---

[1751] Constituido por Acuerdo de 12 de junio de 2015, disponible en https://accio-social.org//wp-content/uploads/2015/06/acord-fons-lloguer-politiques-socials.pdf, último acceso 14-09-2019.

[1752] Apartado séptimo del Acuerdo de 12 de junio de 2015.

[1753] Apartado "4.1.5. Acceso a las políticas públicas de vivienda".

[1754] Un ejemplo sería la Resolución GAH/1411, de 16 de junio, por la que se aprueban las bases reguladoras para la concesión de subvenciones, en régimen de concurrencia competitiva, a las entidades que integran la Administración local de Cataluña que gestionan viviendas que forman parte del Fondo de vivienda de alquiler destinado a políticas sociales, disponible en https://dogc.gencat.cat/es/pdogc_canals_interns/pdogc_resultats_fitxa/index.html?action=fitxa&documentId=790230&language=ca_ES&newLang=es_ES, último acceso 14-09-2019.

par a todas las tipologías de vivienda social (ej. art. 5.2 LVPV[1755] y art. 74 LDVC[1756]).

Por otro lado, se exige también que esta actividad de provisión de vivienda social se lleve a cabo dentro del territorio español (en referencia al Registro estatal) o dentro del territorio de cada CA (en referencia a los Registros autonómicos).

Otro requisito es el de poder demostrar una viabilidad económica y de gobernanza para el desarrollo de sus funciones, tanto en el presente como en un futuro próximo, que pueda demostrar la capacidad de la entidad de mantenerse en el tiempo[1757]. En este ámbito económico, también se exige que la entidad esté al corriente de sus obligaciones tributarias y de la Seguridad Social.

[1755] "A efectos de la homologación con la normativa europea en materia de vivienda, tienen la condición de viviendas sociales tanto las viviendas que la presente ley define como viviendas de protección pública como los alojamientos dotacionales, independientemente de si son resultado de procesos de nueva construcción o de rehabilitación o de si se obtienen en virtud de programas sociales de mediación o cesión".

[1756] "A efectos de lo establecido por el artículo 73, se consideran viviendas destinadas a políticas sociales todas las acogidas a cualquiera de las modalidades de protección establecidas por la presente ley o por los planes y programas de vivienda, los cuales pueden incluir, además de las viviendas de protección oficial de compra o alquiler o de otras formas de cesión de uso, las viviendas de titularidad pública, las viviendas dotacionales públicas, los alojamientos de acogida de inmigrantes, las viviendas cedidas a la Administración pública, las viviendas de inserción, las viviendas de copropiedad, las viviendas privadas de alquiler administradas por redes de mediación social, las viviendas privadas de alquiler de prórroga forzosa, las viviendas cedidas en régimen de masovería urbana, las viviendas de empresas destinadas a sus trabajadores y las demás viviendas promovidas por operadores públicos, de precio intermedio entre la vivienda de protección oficial y la vivienda del mercado libre pero que no se rigen por las reglas del mercado libre". Precisamente, este precepto contiene los dos elementos que proponemos para definir el concepto de vivienda social, aunque con una extensión de programas de vivienda propios de esta CA.

[1757] A modo de ejemplo, las actuales Ley 50/2002, de 26 de diciembre, de fundaciones y LO 1/2002, de 22 de marzo, reguladora del derecho de asociación estatales regulan un requisito similar, estableciendo la necesidad de que la dotación "que podrá consistir en bienes y derechos de cualquier clase, ha de ser adecuada y suficiente para el cumplimiento de los fines fundacionales" (para fundaciones, art. 12) o que "cuenten con los medios personales y materiales adecuados y con la organización idónea para garantizar el cumplimiento de los fines estatutarios" (para las asociaciones de utilidad pública, art. 32).

No podrá ser homologada como EPGVS aquella entidad que haya sido condenada por sentencia firme en procesos penales relacionados directa o indirectamente con cualquier aspecto relacionado con la actividad inmobiliaria y la gestión de patrimonio tanto público como privado, así como haber sido condenada por laudo arbitral firme dictado en un proceso de protección al consumidor[1758]. También puede plantearse añadirse sanciones administrativas en relación con aspectos como la discriminación por razón de sexo, raza, ideología o religión, entre otros.

El penúltimo es un requisito que concierne a la constitución del órgano ejecutivo o de dirección de la entidad. Así, se exige que la entidad reserve, como mínimo, una plaza en el órgano de gobierno para representantes de sus arrendatarios o usuarios sociales. En consecuencia, este requisito exige trabajar, tanto a nivel institucional, de los agentes del sector y desde la comunidad, para fomentar asociaciones de arrendatarios y/o de usuarios sociales, bien a nivel general, bien a nivel de cada EPGVS.

Finalmente, y más allá de la obligatoriedad de tener que probar una viabilidad económica y de gobernanza, se exigirá disponer de mecanismos de gestión suficientes para cumplir con la normativa reguladora de las EPGVS que proponemos más adelante[1759]. Este último requisito deja mayor margen de decisión tanto al legislador de las CCAA como al órgano público competente para ejercer un control sobre las EPGVS.

4.1.3. Creación del Registro de entidades proveedoras y gestoras de vivienda social

Una vez pasado el proceso y obtenida la homologación, creemos conveniente dotar a este modelo de un Registro público a nivel autonómico, así como un Registro central a nivel estatal. Se trata de registros de carácter administrativo, cuyo objeto principal es ofrecer información y conocimiento de todas las EPGVS que actúan en el sector de la vivienda social (el número, sus áreas de actuación y su especialización en ciertos colectivos), muy útil tanto para la propia Administración pública (disposición de datos fiables para su estudio estadístico y útil para la planificación de futuras políticas de

---

[1758] Se toma como referencia, para la redacción de dicho requisito, la homologación de los agentes colaboradores del Gobierno Vasco para la intermediación en el mercado de alquiler de vivienda libre (Programa ASAP, mencionado en el Capítulo III). Art. 3 Decreto 144/2019, de 17 de septiembre de 2019.
[1759] En el apartado "4.2. Normativa básica de las EPGVS".

vivienda), como para todos los agentes del sector y la posible colaboración entre ellos; con un mayor conocimiento pueden tejerse redes de colaboración[1760]. También para la propia comunidad, que puede estar al corriente de las entidades que deben cumplir con la normativa propia de las EPGVS, que garantiza la oferta de una gestión de calidad. Así, el Registro permite informar y dar a conocer todas las EPGVS que deberán cumplir con una normativa común y dedicada a ofrecer una gestión eficiente y de calidad de vivienda social, y que competirán entre ellas en igualdad de condiciones en el acceso a financiación pública, siguiendo los principios de transparencia, concurrencia y trato no preferente.

La homologación y posterior inscripción al Registro administrativo de EPGVS, acompañado de una normativa clara y común a seguir por todas las entidades proveedoras registradas, permite simplificar un sector demasiado heterogéneo, por lo que su homogenización facilitaría la actuación pública sobre el sector para hacerla más efectiva[1761]. La llevanza de este Registro corresponderá al mismo órgano encargado de la monitorización de estas entidades, expuesto en el siguiente apartado.

Para la inscripción al Registro público de EPGVS es requisito indispensable contar con la declaración de homologación mencionada en los apartados anteriores. En este punto, deben intentar eludirse procedimientos de inscripción que requieran de trámites innecesarios y complejos, los cuales solo harán que dificultar la actividad de las EPGVS.

A su vez, la baja del Registro irá ligada, principalmente, a la revocación o pérdida de la condición de EPGVS. Las circunstancias que llevarían al

---

[1760] Podemos citar, a modo de ejemplo, la publicación del Catálogo de servicios para personas sin hogar por parte de la Red de atención integral de personas sin hogar de Tarragona en enero de 2019. Este Catálogo permite identificar todos los recursos que las diferentes entidades, tanto públicas como privadas, ofrecen, desde diferentes campos (residencial, formativo, laboral, sociosanitario, etc.) a las personas sin hogar, con el fin de que todos los agentes vinculados del sector conozcan el trabajo de los demás agentes y puedan buscar una futura colaboración, coordinación o incluso trabajo en común. El Catálogo se encuentra disponible en https://www.tarragona.cat/serveis-a-la-persona/serveis-socials/observatori-social-de-la-ciutat-de-tarragona/eines-per-l2019accio/fitxers/altres-pdf/cataleg (último acceso 28-09-2019).

[1761] Incluso para la implementación de políticas europeas. Braga, M. y Palvarini, P. *Social housing in the EU,* cit. p. 44.

órgano supervisor de las EPGVS (introducido en el apartado siguiente) a poder revocar la homologación como EPGVS serían[1762]:

a. Dejar de cumplir cualquiera de los requisitos regulados para acceder a la homologación.

b. Cesar en la actividad principal de provisión y/o gestión de vivienda social.

c. Incumplimiento grave de las obligaciones reguladas en la normativa de las EPGVS[1763].

d. Causar daños a los consumidores o perjudicar gravemente al sector de vivienda social con la actuación de la entidad.

e. Extinción de la persona jurídica[1764].

f. Modificación de la persona jurídica fruto de operaciones de fusión o escisión, siempre que dicha modificación implique dejar de cumplir con los requisitos para homologarse como EPGVS[1765].

La revocación o pérdida de la condición de EPGVS por el motivo que sea debe acompañarse de medidas que permitan que el parque de vivienda social gestionado por la entidad permanezca en este sector de vivienda social. Por ello, pueden llevarse a cabo enajenaciones, a título oneroso o gratuito, de la propiedad o de cualquier derecho real que permita a la Administración pública o a cualquier EPGVS gestionar ese parque. Podría incluso plantearse la opción de la expropiación forzosa, siempre que pudiera justificarse el interés social, requisito indispensable para proceder a este

---

[1762] Criterios similares se establecen para los RPs ingleses y las TIVs neerlandesas, en el art. 118 *Housing and Regeneration Act* 2008 y el art. 19.4 *Woningwet* 2015 respectivamente. Véanse también los apartados "3.3.2. Proveedores registrados en Inglaterra" y "3.3.3. Instituciones admitidas en los Países Bajos" del Capítulo II.

[1763] Establecidas *infra* en este mismo capítulo, en el apartado "4.2. Normativa básica de las EPGVS".

[1764] Véase la extinción de la persona jurídica en el art. 39 CC y, a nivel particular, y a modo de ejemplo, en los arts. 70 y ss. Ley 27/1999, de 16 de julio, de cooperativas, art. 17 LO 1/2002, de 22 de marzo, reguladora del derecho de asociación, art. 31 Ley 50/2002, de 26 de diciembre, de fundaciones y arts. 360 y ss. Real Decreto Legislativo 1/2010, de 2 de julio, por el que se aprueba el texto refundido de la Ley de sociedades de capital.

[1765] En esta circunstancia y en la anterior, deben tenerse presente los poderes que otorgamos al órgano regulador de las EPGVS en cuanto a la posibilidad de llevar a cabo ciertas actuaciones, entre ellas los casos de fusiones y escisiones. Véase el apartado "4.1.4. Sujeción a control público" de este mismo capítulo.

proceso[1766]; el justiprecio se establecería teniendo en cuenta las ayudas públicas recibidas por la entidad. Puede exigirse, como requisito de homologación, que el destino del parque de vivienda social gestionado en caso de desaparición de la entidad sea para la Administración o para otra EPGVS con una finalidad análoga a la suya, en la medida de lo posible y siempre que no se perjudique a los acreedores de la entidad[1767]. El mismo art. 39 CC prevé para las corporaciones, asociaciones y fundaciones, que en defec-

---

[1766]   Art. 9 Ley de 16 de diciembre de 1954 sobre expropiación forzosa. BOE 17-12-1954, núm. 351.

[1767]   En los casos de disolución de las TIVs neerlandesas, se prevé que el ministro correspondiente o la persona que este designe actúe como liquidador de los activos y procure que la liquidación se lleve a cabo de tal forma que los activos se destinen exclusivamente a representar los intereses de la vivienda social. Art. 20.5 *Woningwet* 2015. Por su lado, los arts. 95 y ss. *Housing and Planning Act* 2016 prevén un procedimiento especial para los casos de insolvencia de los RPs privados ingleses, consistente en el nombramiento, por parte de los tribunales (su solicitud puede hacerse por el Secretario de Estado o por el RSH con consentimiento del primero) del denominado "administrador de vivienda", al que se le encomiendan dos objetivos. El primero es la normal administración de la entidad, entendida como el desarrollo de tres funciones: sanear la entidad en funcionamiento, lograr un mejor resultado para el conjunto de acreedores que el que se obtendría si se llevara a cabo la liquidación de la entidad (sin esta administración previa) y llevar a cabo la realización de los bienes para el pago de los créditos con privilegio. El segundo objetivo es el de mantener la vivienda social en el sector de vivienda social, es decir, que el titular de la vivienda pase a ser otro RP. Sin embargo, el primer objetivo es prioritario, por lo que el administrador no puede hacer nada que pudiera perjudicar o empeorar la distribución de la masa a los acreedores. En este punto, el Secretario de Estado puede conceder subvenciones o préstamos al RP para que el administrador de vivienda pueda lograr sus objetivos. Art. 109 *Housing and Planning Act* 2016. Esta nueva regulación intenta abordar mejor los casos de insolvencia de grandes HAs, a raíz del caso de la HA Cosmopolitan, ya mencionada. Hasta entonces, la facultad de la que disponía el RSH era solicitar una moratoria en los procedimientos de insolvencia, que permitía paralizar las enajenaciones de suelo, con el fin de idear una propuesta respecto de la gestión y reparto del activo de la entidad de tal manera que el patrimonio pudiera quedarse en el sector de vivienda social (a manos de RPs), siempre teniendo en cuenta los intereses de los acreedores y no perjudicarlos. La propuesta, discutida con la entidad y con los arrendatarios, pasaba a ser vinculante solo si los acreedores la aprobaban. Sin embargo, esta moratoria en la ejecución de las garantías de los acreedores solo duraba 28 días, insuficientes ante grandes HAs con complejas actividades como la Cosmopolitan. Arts. 152, 153 y 155 *Housing and Regeneration Act* 2008. No se trata de dos procedimientos excluyentes, sino que la moratoria puede llevarse a cabo inicialmente para posteriormente designar a un administrador de vivienda (el art. 146.1.b *Housing and Regeneration Act* 2008 establece como una de

to de ley, estatuto o cláusula fundacional que establezca el destino de los bienes de la entidad, estos se aplicarán a la realización de fines análogos, "en interés de la región, provincia o municipio que principalmente debieran recoger los beneficios de las instituciones extinguidas". Otras legislaciones siguen una dinámica similar, como la Ley estatal de fundaciones[1768] o la de cooperativas[1769]. También Inglaterra, en el caso de disoluciones y liquidaciones de RPs sin ánimo de lucro[1770].

En los casos en los que se lleven a cabo escisiones o fusiones, es importante que el órgano regulador de las EPGVS pueda monitorizar estas actuaciones, e incluso no aprobarlas (en el caso que la entidad quiera conservar la homologación) si considera que con estas actuaciones no se puede garantizar la continuidad financiera de la entidad resultante, se dejen de cumplir los demás requisitos de homologación (ej. en cuanto a la actividad principal y a las estructuras de gobernanza) y se perjudique a los beneficiarios y al sector de vivienda social[1771].

Debido a que el modelo propuesto ya incorpora el control anual por parte del órgano supervisor de las EPGVS (véase el apartado siguiente) de

---

las causas de finalización de la moratoria, precisamente, el nombramiento de este administrador de vivienda).

[1768] Art. 33 Ley 50/2002, de 26 de diciembre, de fundaciones.

[1769] Art. 75 Ley 27/1999, de 16 de julio, de cooperativas.

[1770] El art. 167 *Housing and Regeneration Act* 2008 regula la transferencia de la propiedad en casos de disoluciones y liquidaciones: una vez satisfechas las deudas a los acreedores, el excedente se transfiere al RSH o al RP sin ánimo de lucro que este designe. Si se tiene que vender suelo de la PR para satisfacer sus deudas, el RSH puede decidir hacerse cargo de esa deuda para asegurarse que ese suelo se transfiere acorde a lo mencionado. Si estamos ante una *charity*, el objetivo es que sus bienes vayan a otra *charity* o entidad con objetivos parecidos.

[1771] Este control es estricto en los Países Bajos, donde además las fusiones deben consultarse con las entidades locales donde la TIV opera y con las asociaciones de inquilinos, que además deben aprobar la fusión. En el caso que no la aprueben, el ministro correspondiente puede hacerlo siempre que pueda comprobar que se aseguran unos recursos financieros suficientes para la continuidad de la actividad y se considere que la entidad va a contribuir razonablemente a la implementación de la política de vivienda en las localidades donde trabaje. Por su lado, el ministro puede denegar la fusión en casos donde no se pueda demostrar que esta sirva mejor al interés de la vivienda social que a otras formas de cooperación entre esa TIV y las otras personas jurídicas o empresas, que no se garantice la continuidad financiera después de la fusión o que la entidad con la que se fusiona no actúe en las mismas áreas (o la fusión con esa entidad no sea mejor que si se fusionara con entidades que sí actúan en las mismas zonas). Art. 53 *Woningwet* 2015.

la normativa a cumplir por estas entidades homologadas, no planteamos, en un principio, la homologación como EPGVS como un certificado temporal que debe renovarse periódicamente (ej. cada dos o cuatro años). Así, la idea sería que una vez otorgada la homologación y llevada a cabo el posterior Registro de la entidad como EPGVS, esta inscripción permanece hasta que se produzca la revocación de la condición de EPGVS, por lo que se presume que la entidad cumple tanto con los requisitos para acceder a la homologación como con toda la demás normativa exigida mientras dure la inscripción[1772].

Para ofrecer a estas entidades un cierto margen de actuación y decisión, apostamos por la regulación de una posible baja por instancia de la entidad gestora, similar a la del modelo inglés[1773]. De esta manera, la propia EPGVS puede ser la que solicite la baja del registro (y la consiguiente pérdida de la condición de entidad homologada), pero la consecución de esta quedará condicionada a la aprobación del órgano público encargado del control de las EPGVS, el cual aceptará la baja solo cuando pueda comprobar que no se malversan fondos públicos y que se garantiza el mantenimiento de la protección de los inquilinos o usuarios sociales como si no se hubiera llevado a cabo ningún cambio en la condición de la entidad (ej. trasladando todo el parque de vivienda social a otra EPGVS). Además, deberá justificarse la voluntad de dejar de ser EPGVS, condicionando su concesión a la posible regulación de causas tasadas para solicitarlo, que deberían estar relacionadas con dejar de actuar en el campo de la vivienda social o con incumplir o prever que se cumplirá con alguna de las causas que puedan causar la revocación de la homologación mencionadas *supra* en este mismo apartado.

Aprovechando el conocimiento a nivel público de todas las entidades que actúan en este sector de la vivienda social, podría llevarse a cabo una iniciativa

---

[1772] Así se hace, por ejemplo, con los RPs ingleses, en el art. 116 *Housing and Regeneration Act* 2008. Un modelo que se presenta de manera parecida y que ya hemos mencionado es el de las entidades sin ánimo de lucro del campo de los servicios sociales en el País Vasco y su posibilidad de ser declaradas de interés social. Así, las entidades envían anualmente una declaración responsable afirmando que la entidad sigue cumpliendo con los requisitos que sirvieron de base a dicha declaración y la acompañan de las cuentas anuales y la memoria de las actividades del año anterior. Por su lado, el órgano competente en materia de servicios sociales verifica de oficio el cumplimiento de las obligaciones tributarias y frente a la Seguridad Social. Art. 9 Decreto 424/2013, de 7 de octubre, sobre la declaración de interés social de las entidades sin ánimo de lucro de servicios sociales.

[1773] Regulada de manera similar a la que proponemos en el art. 119 *Housing and Regeneration Act* 2008.

similar a la de la WoningNet neerlandesa, no tanto como organismo independiente que se encarga de los servicios de oferta y adjudicación de las viviendas,
sino más bien como plataforma creada por la Administración (estatal y/o autonómica) para mostrar todas las viviendas disponibles en cada Comunidad
Autónoma y los requisitos para acceder a ella; teniendo presente que en España los registros de solicitantes son en el ámbito autonómico, menos algunos
municipios como Barcelona que cuentan con registro en el ámbito municipal.

4.1.4. Sujeción a control público

Junto con el desarrollo de un proceso de homologación y posterior registro de las EPGVS, resulta ineludible la creación de un órgano público
que se encargue, principalmente, de dos funciones. La primera, llevar la
gestión y el control del Registro de EPGVS y, la segunda, encargarse de que
las EPGVS cumplan con su normativa reguladora básica.

Esta normativa, cuya regulación principal se expondrá *infra* en este
mismo capítulo, permite a dicho órgano, al que denominaremos como
"órgano supervisor de las EPGVS" en adelante, supervisar la actividad de
las EPGVS, tanto en relación con las funciones que deben desarrollar, con
la calidad en el desempeño de dichas funciones y con su viabilidad económica. Así, al mismo tiempo que se procura que las entidades cumplan
con la satisfacción del derecho de acceso a una vivienda digna y adecuada,
también se controla que todas las ayudas públicas recibidas cumplan efec-
tivamente con el propósito de su concesión.

En referencia a la naturaleza del órgano supervisor y de su posicionamiento dentro de la Administración pública, optamos por incluirlo como
un órgano público *ad hoc* adherido a la institución pública competente en
materia de vivienda en el ámbito estatal, así como en el ámbito autonómico
(en el caso de desarrollarse un Registro para la implementación de políticas autonómicas o en el caso de existir un convenio de delegación de gestión entre el Estado y las CCAA). En el primer ámbito, por ejemplo, podría
situarse dentro de la actual Dirección General de Arquitectura, Vivienda y
Suelo. En el ámbito autonómico, ponemos como ejemplo Cataluña, donde podría crearse como órgano dependiente de la AVC. En este punto,
deberían revisarse todas las funciones que ya desempeñan las diferentes
direcciones sectoriales de la AVC[1774], para ver cuáles se redistribuirían ha-

---

[1774] Sobre todo, la Dirección sectorial de promoción de vivienda (art. 3), la Dirección
sectorial de programas sociales de la vivienda (art. 25) y la Dirección sectorial de ser-

cia el nuevo órgano: suprimiendo totalmente las competencias de algunas direcciones por pasar a ser del órgano supervisor, o restringiéndolas, conservando solamente las funciones que no recaigan sobre las EPGVS, que pasarían a ser competencia del órgano mencionado.

A nivel comparado, el modelo neerlandés ha pasado de tener un órgano regulador con mayor independencia de la Administración pública a depender directamente del BZK, mientras que la trayectoria seguida por Inglaterra es totalmente la contraria, pasando de regularse por una Comisión en la HCA a crear un organismo público independiente, reivindicando una mayor autonomía puesto que el mismo organismo que otorgaba la financiación pública se encargaba de monitorizar las RPs. Así pues, en su creación creemos necesario que se adopte este órgano *ad hoc* dentro del un Departamento o una institución dentro del mismo, puesto que de esta manera también podrá beneficiarse y coordinarse con los demás departamentos, servicios o direcciones en las distintas funciones que puedan ser necesarias. Una vez creado y asentado dicho órgano supervisor y si el sector llegara a alcanzar las dimensiones existentes en Inglaterra y en los Países Bajos, podría replantearse la naturaleza y posición de este órgano.

En definitiva, enumeramos, a continuación, las funciones principales que debería desarrollar el órgano supervisor de las EPGVS:

a. Dirección, administración y coordinación del Registro de EPGVS: evaluar las inscripciones y las bajas, tanto las forzosas como las voluntarias. En el caso de las bajas voluntarias, será quién valorará si debe accederse a la solicitud de baja, basándolo sobre todo en el cumplimiento de los requisitos que podrían conducir a una baja obligatoria (ej. falta de desarrollo de funciones de provisión de vivienda social), en la consulta con la o las administraciones locales de las localidades de actuación de la EPGVS y en garantizar que no se incumple con los requisitos exigidos en las ayudas públicas recibidas por la entidad ni exista posibilidad de malversación de fondos públicos[1775].

b. Velar por el cumplimiento de la normativa específica de las EPGVS, asesorando y supervisando la actuación, gestión financiera y gober-

---

vicios centrales (art. 26). Decreto 157/2010, de 2 de noviembre, de reestructuración de la Secretaría de Vivienda, creación del Observatorio del Hábitat y la Segregación Urbana y aprobación de los estatutos de la Agencia de la Vivienda de Cataluña.

[1775] Inglaterra regula estas funciones para el RSH en los arts. 116 y ss. *Housing and Regeneration Act* 2008, mientras que en los Países Bajos se regula, salvo la baja voluntaria, que no se contempla, en el art. 19 *Woningwet* 2015.

nanza de las entidades, así como asegurándose que las ayudas públicas concedidas por el órgano competente se destinen al objetivo por el que fueron otorgadas. Para el desarrollo de esta función, el órgano supervisor puede hacer uso de distintos mecanismos, entre los que podemos destacar: la recepción y evaluación de las cuentas anuales y memorias de actividades de las EPGVS, la entrega y discusión de los planes de negocios y de actuación del siguiente año, la elaboración y desarrollo de encuestas, inspecciones y requerimientos de documentación a la entidad y, en los casos de mayor gravedad, hacer uso de técnicas de investigación, como auditorías extraordinarias[1776].

[1776] El RSH inglés tiene, a nivel general y para el fin de sus funciones, el poder de requerir documentos o información a los RPs o agentes relacionados sobre cuestiones financieras o de sus actividades (art. 107 *Housing and Regeneration Act* 2008), así como recibir las cuentas anuales de las entidades gestoras, auditadas cuando así se requiera (art. 128). Esta misma ley, regula la facultad del RSH de establecer la normativa de los RPs, atendiendo a los requisitos de los arts. 193, sobre la provisión de vivienda social, la calidad de la vivienda, de los servicios prestados, y todos los derechos de los consumidores en general y 194, sobre cuestiones económicas (gestión de los recursos financieros, eficiencia en esa gestión) y solo en relación a la provisión de vivienda social en el caso de RPs con ánimo de lucro (explicado en el apartado "3.3.2. Proveedores registrados (RP) en Inglaterra" del Capítulo II). Asimismo tiene la facultad, ante incumplimientos que puedan acarrear daños a los inquilinos o potenciales inquilinos o cuando exista el riesgo de provocar estos daños si se omite su intervención (arts. 198 A, 198B), de llevar a cabo encuestas sobre el estado y las condiciones de las instalaciones (art. 199), inspecciones, genéricas o específicas, sobre el desarrollo de las funciones de provisión de vivienda social o sobre los balances financieros de la entidad (art. 201) e incluso investigaciones cuando existen indicios de mala gestión (art. 206), que pueden acarrear también auditorías extraordinarias llevadas a cabo por un auditor designado por el mismo RSH (art. 210). En los Países Bajos, el BZK también recibe, de las TIVs, sus estados financieros, informes anuales (cuentas anuales) e informes anuales de vivienda pública (arts. 35 y ss. *Woningwet* 2015); así como las opiniones que de estos hacen los municipios donde actúa la TIV y de las organizaciones de inquilinos y comités de residentes (art. 38 *Woningwet* 2015). El art. 61 *Woningwet* 2015 regula la supervisión de las TIVs por parte de la Autoridad de las WCOs, respecto de la legalidad de sus actos y omisiones, del gobierno y gestión de la entidad, de la preservación de la continuidad financiera, de la protección de los activos, de su solvencia y liquidez y de la calidad de gestión del riesgo financiero. Por otro lado, el BZK se dota de un organismo de expertos independiente para llevar a cabo una investigación en las instalaciones de cada TIV cada cuatro años, con el fin de valorar aspectos como los resultados de sus actividades y la calidad de la gobernanza. Esta investigación culmina con un informe por parte del organismo de expertos que se traslada a la TIV para que tome las medidas oportunas al respecto (art. 53A *Woningwet* 2015).

c. Publicación anual de los resultados que reflejan el nivel de cumplimiento de la normativa de las EPGVS. La consulta pública tanto del Registro como de la evaluación anual de las EPGVS permiten cumplir con las exigencias de transparencia, aunque quedará a criterio de valoración y decisión por parte del Estado y de cada CA el nivel de detalle de esta evaluación, así como el alcance respecto de las entidades que puedan aparecer en él (ej. en relación con el volumen de negocio, de viviendas gestionadas o de su balance financiero)[1777]. Este es un mecanismo eficaz para imponer a las entidades una gestión eficiente y otorga cierta confianza a los agentes inversores puesto que una buena valoración implica una validación pública del buen funcionamiento tanto en la organización como en la economía de la entidad. Por último, estas evaluaciones anuales permiten obtener información acerca de la calidad de la gestión del parque de vivienda social[1778].

d. Función sancionadora: esta función faculta al órgano supervisor a imponer distintas sanciones, en caso de una continua inobservancia de la normativa a pesar de los requerimientos y, teniendo presente, los principios de legalidad, irretroactividad, tipicidad, responsabilidad y proporcionalidad que rigen la potestad sancionadora[1779].

[1777] Inglaterra publica anualmente las evaluaciones del cumplimiento de la normativa reguladora de los RPs que tengan más de 1.000 viviendas en su parque; a las administraciones locales solamente se les valora por la normativa respecto de los consumidores, no la de criterios económicos. Puede consultarse el documento con todas las evaluaciones en https://www.gov.uk/government/publications/regulatory-judgements-and-regulatory-notices (último acceso 01-10-2021). Véase también las exigencias a cumplir por los RPs con más de 1.000 viviendas, los que cuentan con un parque menor y las administraciones locales que también se encuentran registradas en el Anexo A de Regulator of Social Housing. *Regulating the Standards,* 2019. p. 29.

[1778] "Sobre vivienda hay mucha información, pero poca en series mantenidas en el tiempo e incontestadas en relación a su calidad". Burón Cuadrado, J. "El reto de la política pública de vivienda de Barcelona: converger con las buenas prácticas de la Unión Europea o padecer aún más y durante más tiempo", en Palay, J. y Santos, I. (coords.) *Qüestions d'Habitatge. Políticas comparadas de vivienda. Número 20.* cit., pp. 5-10. p. 6.

[1779] Arts. 25 y ss. LRJSP. El art. 105 de la *Woningwet* 2015 regula sanciones o multas administrativas por parte del BZK para hacer cumplir las disposiciones de la ley. El RSH inglés puede requerir el cumplimiento de cierta normativa desatendida, y la desatención de ese requerimiento puede conllevar sanciones económicas (arts. 220 y 225 *Housing and Regeneration Act* 2008); también pueden conllevar sanciones

e. Función coercitiva[1780]: este poder permite al órgano supervisor tomar medidas de reconducción, que podrían consistir en llegar a imponer ciertas actuaciones o forzar el cambio y/o nombramiento de ciertos cargos de dirección de la entidad, siempre en casos muy limitados[1781].

f. Control sobre ciertas actuaciones de EPGVS: regular la posibilidad de requerir la notificación (o plantear la posible autorización) al órgano supervisor ante actos de transmisión de inmuebles del sector de vivienda social que supongan una despatrimonialización de la entidad o ante actos financieros que supongan cierto grado de riesgo. También para ciertos cambios en los estatutos de la entidad, así como el desarrollo de acciones de fusión y escisión[1782].

---

económicas los casos de mala gestión, la falta de pago de la tasa anual o el incumplimiento de otra normativa o de las medidas sancionadoras impuestas (art. 227).

[1780] Las medidas con relación a esta función pueden llegar a causar tensiones entre los objetivos e intereses de los poderes de decisión y gobierno de cada entidad (teniendo en cuenta sus distintas formas jurídicas y sus respectivos órganos de gobierno) y las decisiones tomadas por el órgano supervisor; así, la completa inobservancia de tales medidas causarían la revocación de la condición de EPGVS, con las consecuencias (sobre todo respecto al parque de vivienda social y a la protección de los beneficiarios) que regulamos en el apartado anterior.

[1781] Así, la *Housing and Regeneration Act* 2008 inglesa regula, para el RSH, poderes para influir en los procesos de selección de ciertos órganos de la entidad (art. 247), para forzar el cambio de manos de ciertas funciones de gestión, siempre con el consentimiento del Secretario de Estado (art. 249) o incluso para imponer un nuevo administrador por el mismo RSH o exigir dicha imposición a la entidad (art. 251); también le otorga el poder para requerir la transferencia de suelo al RSH o a otra RP privada, si así se garantizara la mejora en su gestión (art. 253), el poder de forzar una fusión, siempre con el consentimiento del Secretario de Estado, con otra RP (art. 255) o restringir las transacciones de la entidad (arts. 256 y 257), así como suspender o ceder algún directivo y/o trabajador (arts. 259 y 260) y nombrar uno nuevo (art. 269). Por su lado, los arts. 61d y 61g de la *Woningwet* 2015 neerlandesa permiten al BZK dar instrucciones para realizar un acto o abstenerse de él a las TIVs y a sus instituciones subsidiarias o de realizarlos solo después de la aprobación de una o demás personas u órganos designados por el mismo BZK, siempre en interés de la vivienda pública. Asimismo, el art. 61h permite el nombramiento de directores, bajo la aprobación de los tribunales (art. 61i), cuando la entidad perjudica gravemente los intereses de la vivienda social y no existe una medida más efectiva.

[1782] Los RPs sin ánimo de lucro deben notificar al RSH cualquier cambio en el objeto o en el nombre de la entidad y en referencia a otros cambios en sus reglas estatutarias, como la introducción de cláusulas sobre la distribución de activos entre los miembros o con relación a asociaciones con otras entidades (arts. 169A a 169D

g. Publicación de códigos de buena gobernanza y/o guías con las directrices normativas, en las que se contemplen toda la información necesaria y los pasos a seguir para cumplir satisfactoriamente con la normativa exigida a las EPGVS[1783].

A la hora de acotar las funciones que deberá desarrollar este órgano supervisor de las EPGVS de una forma más precisa y, sobre todo, a la hora de aplicar dichas funciones, debería ofrecerse a las propias EPGVS un cierto margen de actuación que les permita gestionar su parque y desarrollo de las demás actividades de la manera que consideren más necesaria y eficiente según sus características con el fin de cumplir con sus objetivos sociales y mantener una sostenibilidad económica. Esa flexibilidad también permitirá concebir, desde las entidades, el órgano supervisor como una institución facilitadora y no como una fuente de obstáculos.

Housing and Regeneration Act 2008). Así, todos los RPs privados deben notificar de las disposiciones que hagan de sus viviendas sociales o de suelo donde antes había vivienda social, ampliándose a cualquier tipo de suelo para las entidades sin ánimo de lucro (art. 176 de la misma ley). Además, y en relación con los *secure tenancies*, solamente pueden disponerse a favor de un RPs sin ánimo de lucro o de una administración local (art. 171 de la misma ley). En los Países Bajos, la *Woningwet* 2015 exige en su art. 21 la aprobación previa, por parte del BZK, de la posible actuación conjunta entre una TIV y otra empresa (de responsabilidad limitada), y lo condiciona al cumplimiento de la normativa sobre consulta de organizaciones de inquilinos, a una viabilidad y continuidad financiera de ambas entidades, a la contemplación de ciertos requisitos en los estatutos (ej. actividad en el campo de la vivienda social) o a la restricción sobre ciertas actuaciones que puedan implicar traspaso o puesta en riesgo del capital de la TIV. Otras restricciones que regula la ley son con relación a la actuación con ciertas entidades financieras, que vienen designadas por decreto (art. 21c), a la constitución de un derecho de prenda o de hipoteca sobre su parque inmobiliario (art. 21d) o para la modificación de estatutos con relación a la actividad en el campo de la vivienda social (art. 23.3). También se requiere de la aprobación del BZK en enajenaciones de bienes inmuebles o demás patrimonio y el establecimiento de ciertos derechos reales sobre los mismos (art. 27) y para la celebración de fusiones (art. 53).

[1783] El art. 94 *Housing and Regeneration Act* 2008 otorga la posibilidad de llevar a cabo estudios que tengan por objetivo la mejora de la economía, eficiencia y efectividad de los RPs y el art. 97 de la misma ley habla de la posibilidad del RSH de publicar información, llevar a cabo investigación o proveer de guías, consejos, educación o formación con el fin de cumplir con sus objetivos fundamentales (en el art. 92K de la misma ley). Asimismo, el art. 195 de la misma ley faculta al RSH para la publicación de un código de prácticas que le permita valorar el cumplimiento de los RPs de su normativa reguladora.

Por otro lado, ambas legislaciones de vivienda inglesa y neerlandesa denotan, al regular la existencia y funciones de los órganos supervisores de las entidades gestoras de vivienda social, un interés por contar con la estrecha colaboración de las administraciones locales, las organizaciones representantes de inquilinos y/o residentes y de los propios inquilinos[1784]. La regulación que planteamos sigue esa misma esencia.

4.1.5. Acceso a las políticas públicas de vivienda

A cambio de tener que pasar por todo el proceso de homologación, registro y cumplimiento de la normativa para EPGVS, el reconocimiento como EPGVS permite a las entidades obtener un papel relevante en el sector de vivienda social, que se materializa en dos sentidos.

Por un lado, los gobiernos estatal, autonómicos y municipales deben tenerlas presentes de manera ineludible para que participen en la adopción de normativa de su ámbito, como la elaboración de los planes de vivienda o planes urbanísticos, la aprobación de legislación o el desarrollo de instrumentos relacionados con la captación y la gestión de la vivienda social o el acceso a suelo público; e incluso para las futuras modificaciones de la propia normativa de las EPGVS. En este punto, sería interesante crear una organización que agrupara a todas las EPGVS, tanto como voz representante a nivel público como para velar por los intereses y procurar resolver dudas y problemas de dichas entidades, como es Aedes en los Países Bajos (o la AFWC solo en Amsterdam) y la NHF en Inglaterra.

Por otro lado, se plantean como las únicas entidades con el derecho de acceder a las ayudas públicas destinadas a fomentar la construcción, la captación y la rehabilitación de parque de vivienda social para su posterior gestión, así como para el desempeño de servicios complementarios al de la oferta de vivienda. De esta manera, se pretende superar el actual marco difuso, en el que cada política puede destinarse a un conjunto diferente de entidades, como lo demostramos en la Tabla 14. En ella hemos seleccionado diversas políticas y actuaciones protegidas en el campo de la vivienda social del Plan Estatal de Vivienda 2018-2021 y algunos ejemplos

---

[1784] Véase, por ejemplo, los arts. 96 (información u opinión general ante el ejercicio de ciertas facultades del RSH) y 196 (consulta para la aprobación de la normativa reguladora de los RPs y de los Códigos de prácticas) *Housing and Regeneration Act* 2008 y los arts. 38 (controles con la entrega de informes anuales de actividad) y 40 y ss. (reuniones para determinar los futuros planes de actuación) *Woningwet* 2015, entre otros.

autonómicos, y las hemos puesto en relación con los tipos de entidades que estas regulaciones designan para poder llevar a cabo dichas actuaciones (ej. gestionar las viviendas de un determinado programa o participar en el órgano de gestión de ciertos fondos de viviendas para alquiler social) o beneficiarse de ciertas ventajas en el sector (ej. de derechos de tanteos y retractos y de cesiones o enajenaciones directas de bienes del patrimonio público).

Tabla 14. Ejemplificación de la diversidad y falta de homogeneidad de las entidades beneficiarias de políticas y ayudas públicas a nivel estatal y autonómico (2020)

Ámbito territorial	Papel en la política de vivienda y/o ventaja pública	Entidades beneficiarias	Regulación
Estado	Actuar como entidad colaboradora del órgano competente de la CA para realizar actuaciones que les sean encomendadas incluyendo la transferencia o entrega de los fondos públicos a los beneficiarios Si actúa, además, como arrendadora de vivienda: posibilidad de gestionar directamente lo relativo a la recepción de la ayuda para su directa aplicación al pago del alquiler mediante, en su caso, el correspondiente descuento	Organismos públicos y demás entidades y corporaciones de derecho público; empresas públicas y sociedades mercantiles participadas íntegra o mayoritariamente por las Administraciones públicas; asociaciones a que se refiere la DA5ª LRBRL Organizaciones no gubernamentales; asociaciones representativas de la economía social y demás entidades privadas sin ánimo de lucro, especialmente aquéllas que desarrollen su actividad entre sectores vulnerables merecedores de una especial protección, tal y como se recoge en la Ley 5/2011, de 29 de marzo, de Economía Social Entidades de crédito y otras sociedades o entidades privadas cuya colaboración se considere necesaria por la Administración que reconozca las ayudas, siempre que estén acreditadas ante la misma como entidades colaboradoras y quede suficientemente garantizada su neutralidad y objetividad en el proceso	Arts. 8 y 18 Plan Estatal de Vivienda 2018-2021

Ámbito territorial	Papel en la política de vivienda y/o ventaja pública	Entidades beneficiarias	Regulación
Estado	Beneficiarios de ayudas para fomentar el parque de vivienda (social) y vivienda para personas mayores y personas con discapacidad en alquiler o cedida en uso (construcción o rehabilitación)	1. Supuesto de promociones de viviendas de nueva construcción o de viviendas procedentes de la rehabilitación de edificios (también de viviendas o promociones reanudadas) Administraciones públicas, organismos públicos y demás entidades de derecho público y privado, empresas públicas, privadas, público-privadas y sociedades mercantiles participadas mayoritariamente por las Administraciones públicas Fundaciones, empresas de economía social y sus asociaciones, cooperativas de autoconstrucción, organizaciones no gubernamentales y asociaciones declaradas de utilidad pública, y aquéllas a las que se refiere la DA5ª LRBRL 2. Supuesto de adquisición de viviendas para incrementar el parque de vivienda pública y social: Administraciones Públicas, organismos públicos y demás entidades de derecho público Empresas públicas Entidades del tercer sector sin ánimo de lucro	Arts. 26 y 67 Plan Estatal de Vivienda 2018-2021

Ámbito territorial	Papel en la política de vivienda y/o ventaja pública	Entidades beneficiarias	Regulación
Cantabria	Derecho a ser propietario de viviendas protegidas	Administraciones públicas y organismos públicos y entidades de Derecho público o privado vinculadas o dependientes de las Administraciones públicas Fundaciones y asociaciones declaradas de utilidad pública Asociaciones, organizaciones no gubernamentales y demás entidades privadas, sin ánimo de lucro, inscritas en el registro de asociaciones de Cantabria, que desarrollen su actividad en ayuda a colectivos vulnerables que precisen de tutela especial Resto de personas jurídicas privadas	Art. 3 Ley de Vivienda Protegida de Cantabria
Cataluña	Ser beneficiarios del derecho de tanteo y retracto de la Administración de la Generalidad en casos de transmisiones de viviendas adquiridas en procesos de ejecución hipotecaria o mediante compensación o pago de deuda con garantía hipotecaria Acceso a líneas de préstamos bonificados (del Instituto Catalán de Finanzas) para adquirir viviendas en propiedad temporal (AVC como titular sucesivo) provenientes del ejercicio de derecho de tanteo y retracto anterior y en adquisiciones de viviendas en cualquier municipio de Cataluña mediante contrato de compraventa	Ayuntamientos o entidades municipales vinculadas Sociedades mercantiles de capital íntegramente público Entidades sin ánimo de lucro que forman parte de la Red de viviendas de inserción Entidades sin ánimo de lucro reconocidas como promotores sociales (art. 51.2.b LDVC)	Art. 2 Decreto-ley 1/2015 y segundo punto del Acuerdo marco 14-06-2018

Ámbito territorial	Papel en la política de vivienda y/o ventaja pública	Entidades beneficiarias	Regulación
Cataluña	a) Cesión directa (gratuita) o enajenación directa (onerosa) de bienes del patrimonio público de suelo y vivienda con la finalidad de construir viviendas destinadas a políticas sociales (solo promotores sociales de vivienda de art. 51.2.a y b) b) enajenación mediante concursos restringidos (todos los promotores sociales de vivienda)	Promotores sociales de vivienda: Instituto Catalán del Suelo, ayuntamientos, sociedades y patronatos municipales de viviendas, cooperativas de viviendas y entidades urbanísticas especiales (art. 51.2.a) Promotores privados de viviendas y entidades sin ánimo de lucro dedicadas a la promoción de viviendas que tengan por objeto social y como objeto de su actividad efectiva la promoción de VPO destinadas a alquiler, la gestión y explotación de dicho tipo de viviendas en casos de constitución de derecho de superficie o de concesión administrativa o la promoción de viviendas de protección oficial destinadas, en régimen de venta, a los beneficiarios con ingresos más bajos (art. 51.2.b) Promotores privados de viviendas que tengan por objeto social y como objeto de su actividad efectiva la promoción de VPO destinadas a la venta, siempre que cumplan los criterios de homologación que sean establecidos por reglamento (art. 51.2.b)- falta de desarrollo reglamentario	Art. 17.7 y 51 LDVC
Aragón	Promotores sociales preferentes de vivienda protegida —régimen especial, ej. adjudicación de suelo público— falta de desarrollo reglamentario	Promotores, cooperativas de viviendas y empresas gestoras de cooperativas de viviendas	DA 7ª Ley 24/2003, de 26 de diciembre, de medidas urgentes de política de vivienda protegida

Ámbito territorial	Papel en la política de vivienda y/o ventaja pública	Entidades beneficiarias	Regulación
Aragón	Beneficiarios de las ayudas para el fomento del parque de vivienda en alquiler o cedida en uso	1. Modalidad de promoción de viviendas: Administraciones públicas, organismos públicos, empresas públicas, y sociedades mercantiles participadas mayoritariamente por las Administraciones públicas Fundaciones, empresas de economía social y sus asociaciones, cooperativas de autoconstrucción, organizaciones no gubernamentales y asociaciones declaradas de utilidad pública, y aquéllas a las que se refiere la DA 5ª LRBRL 2. Modalidad de adquisición de viviendas con destino al parque de alquiler o cesión de uso: Administraciones Públicas, organismos públicos y demás entidades de derecho público Empresas públicas Entidades del tercer sector sin ánimo de lucro	Arts. 34 y ss. Decreto 223/2018, de 18 de diciembre, del Gobierno de Aragón, por el que se regula el Plan Aragonés de Vivienda 2018-2021. BOA 19-12-2018, núm. 244.
Aragón	Adquisición de terrenos de gestión pública por el sistema de adjudicación directa	Cooperativas de viviendas	Art. 98.5 Decreto Legislativo 2/2014, de 29 de agosto, por el que se aprueba el texto refundido de la Ley de Cooperativas de Aragón
Aragón	Gestión de las viviendas cedidas por las entidades financieras gracias a convenios de colaboración con el Gobierno de Aragón	El propio cedente (entidad financiera), entidades privadas sin ánimo de lucro, Administración pública o sus entidades instrumentales	Art. 11 Decreto-ley 3/2015
Islas Baleares	Subscripción de convenios o acuerdos de colaboración con el Instituto Balear de la Vivienda para la prestación del servicio de acompañamiento en materia de vivienda	Ayuntamientos, consejos insulares, resto de administraciones públicas, asociaciones, colegios profesionales y otras entidades sin ánimo de lucro	Arts. 33 y 34 Ley de la vivienda

Ámbito territorial	Papel en la política de vivienda y/o ventaja pública	Entidades beneficiarias	Regulación
País Vasco	Agentes colaboradores del Gobierno Vasco para el desarrollo del Programa ASAP, programa para facilitar que viviendas de titularidad privada se incorporen al mercado de alquiler ofreciéndolas a precio asequible	Agente de la propiedad inmobiliaria, cualificado conforme a su normativa específica, o ser persona física o jurídica legalmente constituida que, sin estar en posesión de título alguno, ni pertenecer a ningún colegio oficial, cumpla las condiciones establecidas por el art. 3 de la Ley 10/2003, de 20 de mayo, de medidas urgentes de liberalización en el sector inmobiliario y de transportes, para el ejercicio de la actividad de intermediación inmobiliaria (junto con otros requisitos: experiencia mínima en la actividad, establecimiento abierto al público, seguro de responsabilidad civil, etc.)	Art. 3 Decreto 144/2019, de 17 de septiembre de 2019
Navarra	Celebrar convenios con los entes locales para participar en los Programas o Actuaciones de Vivienda de Integración Social reconocidos por el Gobierno de Navarra	Entes sin ánimo de lucro	Art. 69 Decreto Foral 61/2013, de 18 de septiembre, por el que se regulan las actuaciones protegibles en materia de vivienda. BON 25-09-2013, núm. 185.
Andalucía	Posibilidad de ser arrendatarias de viviendas protegidas (destinarlas a residencia transitoria de personas que se encuentren en algún grupo de especial protección de los definidos en el correspondiente plan de vivienda) y posibilidad de percibir una contraprestación económica con el objeto de contribuir a los gastos que el alojamiento conlleve	Entidades sin ánimo de lucro, que tengan como finalidad específica alguna de las actividades recogidas en el art. 7.1 Ley 49/2002, de 23 de diciembre, de régimen fiscal de las entidades sin fines lucrativos y de los incentivos fiscales al mecenazgo	Art. 4.3 Reglamento de Viviendas Protegidas de la Comunidad Autónoma de Andalucía

Ámbito territorial	Papel en la política de vivienda y/o ventaja pública	Entidades beneficiarias	Regulación
Murcia[1773]	Destinatarias/beneficiarias (que no titulares) de viviendas protegidas de promoción pública y privada	Personas jurídicas públicas o las privadas sin ánimo de lucro	Arts. 31.3 y 48.2 respectivamente Ley de la Vivienda de la Región de Murcia

Fuente: Elaboración propia.

[1785] Existencia de regulación similar en muchas otras CCAA, como Canarias (art. 46 Ley 2/2003, de 30 de enero, de vivienda de Canarias), Castilla y León (art. 63.4 Ley 9/2010, de 30 de agosto, del derecho a la vivienda de la Comunidad de Castilla y León) y Navarra (DA 17ª Ley Foral 10/2010, de 10 de mayo, del derecho a la vivienda en Navarra).

El objetivo es crear un sistema de ayudas que permita la igualdad de condiciones de acceso a todas las entidades promotoras y gestoras homologadas. Se pretende garantizar que la financiación pública se centre en aquellas entidades que, siendo EPGVS, ofrezcan las mejores propuestas, en términos de cumplir con los objetivos de políticas de vivienda marcados a nivel público (efectividad) con los mínimos gastos posibles (eficiencia). Esto permite crear cierta "competitividad" entre las EPGVS, sin más objetivo que beneficiar tanto a la Administración, a la hora de velar por el cumplimiento de los objetivos públicos a través de una gestión eficiente que permita reducir costes, como a los beneficiarios sociales, puesto que las entidades deberán ofrecer servicios con la mayor calidad posible para que se les concedan las ayudas públicas o para poder tener acceso a suelo público. Para el reparto de beneficios públicos deberán fomentarse las llamadas "cláusulas sociales", que buscan el beneficio social más allá del beneficio económico[1786]. Esta "competitividad" también sirve para que las propias entidades busquen alianzas entre ellas para complementarse bien funcional bien geográficamente, como ocurre con algunas HAs en Inglaterra y algunas WCOs en los Países Bajos.

Asimismo, el hecho de disponer de esa homologación accesible a todas las entidades que quieran tener un rol en el marco de la gestión de la vivienda social (siempre que cumplan con los requisitos exigidos) permitiría disipar las controversias europeas actuales sobre la competencia desleal (art. 107 TFUE), puesto que todas las entidades homologadas gozarían de los mismos derechos y de las mismas posibilidades de acceder a las ventajas y beneficios públicos mencionados. La entonces Comisión de las Comunidades Europeas estableció en el Libro Verde sobre los servicios de interés general de 2003 que "la selección del proveedor debe respetar ciertas normas y principios a fin de asegurar condiciones equitativas para todos los proveedores, ya sean públicos o privados, potencialmente capaces de suministrar dicho servicio. De esta forma, se garantiza que la prestación se realiza en las condiciones económicamente más ventajosas disponibles en

---

[1786] En esta línea, la LCSP incorpora, siguiendo las directrices de la Directiva 2014/24/UE del Parlamento Europeo y del Consejo de 26 de febrero de 2014 sobre contratación pública y por la que se deroga la Directiva 2004/18/CE (DOUE 28-03-2014, núm. L 94) la obligación de incorporar criterios sociales en toda la contratación pública, siempre que guarde relación con el objeto del contrato (art. 1.3). Debe tenerse presente, a la hora de la aplicación de esta legislación en el sector que tratamos, los convenios y contratos excluidos de su ámbito de aplicación (ej. arts. 6, 9 y 11.6).

el mercado"[1787]. El posterior Libro Blanco de 2004[1788] dispuso la compatibilidad entre el desarrollo de servicios de interés general y la existencia de un mercado interior abierto y competitivo en el marco de los servicios de interés general con los términos de eficiencia, asequibilidad del servicio y ampliación de la oferta. Sin embargo, en este marco de competitividad se añadía la necesidad de un control, por parte de las autoridades reguladoras independientes, del funcionamiento del servicio y de su prestación siguiendo los principios a cumplir por cualquier servicio de interés general: calidad, accesibilidad, asequibilidad y eficiencia. También defendía la transparencia en la totalidad del proceso de prestación del servicio: en el servicio público prestado y el objetivo, en la organización, en las vías de financiación, en la regulación de servicios, en la ejecución y evaluación y los mecanismos de tramitación de reclamaciones; así como también una representación y participación de los consumidores y usuarios[1789]. A nivel español, tanto la LCSP como la Ley 38/2003, de 17 de noviembre, general de subvenciones[1790] establecen requisitos de transparencia, publicidad, concurrencia, objetividad, igualdad y no discriminación para la regulación de la contratación del sector público y para la gestión de subvenciones respectivamente[1791].

No impedimos que a todo este sistema anterior de acceso a financiación pública se puedan establecer excepciones, a nivel estatal, a nivel autonómico o a nivel de cada convocatoria, ya sea por el carácter de la ayuda en concreto como por la finalidad que se pretende. Todo lo anterior, además, sin perjuicio de las prerrogativas que se les ofrece a ciertas entidades públicas cuando sean consideradas como "de medio propio personificado" respecto de una única entidad concreta del sector público[1792], lo que antes se

---

[1787] COMISIÓN DE LAS COMUNIDADES EUROPEAS. *Libro Verde sobre los servicios de interés general*, COM(2003) 270, Bruselas, 21-05-2003, apartado 81.

[1788] COMISIÓN DE LAS COMUNIDADES EUROPEAS. *Libro Blanco sobre los servicios de interés general*, COM(2004) 374 final, Bruselas, 12-05-2004. pp. 7 y 8.

[1789] COMISIÓN DE LAS COMUNIDADES EUROPEAS. *Libro Blanco sobre los servicios de interés general*, cit. p. 10

[1790] BOE 18-11-2003, núm. 276.

[1791] Art. 1 LCSP y art. 8 Ley 38/2003, de 17 de noviembre.

[1792] Véanse los requisitos necesarios para ser considerada como persona jurídica de medio propio personificado en el art. 32.2 LCSP. Estos pueden resumirse en: a) el hecho de que el poder adjudicador que confiera el encargo ejerza sobre el ente destinatario del mismo un control, directo o indirecto, análogo al que ostentaría sobre sus propios servicios o unidades; b) el hecho de que más del 80% de las actividades del ente destinatario del encargo se lleven a cabo en el ejercicio de los co-

conocía como "contratación in-house". En estos casos, el encargo no tiene la consideración de contrato, por lo que no se rige por las estrictas normas de la contratación pública[1793]. Nuestra idea sería que incluso las entidades públicas con personalidad jurídica y patrimonio propios pudieran llegar a entrar en el ámbito de competición con el resto de las entidades proveedoras y gestoras homologadas. Sin embargo, el estudio de esta posibilidad escapa de nuestro ámbito de investigación, puesto que la independencia de la entidad pública que adopta una forma jurídico-privada respecto del ente público matriz es una cuestión que no queda clara en la propia doctrina ni en la jurisprudencia[1794].

Finalmente, son entidades que, debido a la labor social que desempeñan, deberían disfrutar de un sistema fiscal que les favoreciera en sus funciones y, además, deberían ser las entidades que podrían acceder al régimen especial de alquiler social que planteamos *infra* en este mismo Capítulo[1795].

---

metidos que le han sido confiados por el poder adjudicador que hace el encargo; c) que la condición de medio propio personificado se reconozca expresamente en sus estatutos o actos de creación (previo cumplimiento de unos requisitos) y; d) que, en los casos que el ente destinatario sea un ente de personificación jurídico-privada, la totalidad de su capital o patrimonio sea de titularidad o aportación pública.

[1793] Arts. 32 y 33 LCSP.

[1794] Véase desglosadas las opiniones doctrinales y jurisprudenciales al respecto en Chinchilla Marín, C. "Las sociedades mercantiles públicas. Su naturaleza jurídica privada y su personalidad jurídica diferenciada: ¿realidad o ficción?", *Revista de Administración Pública*, núm. 203, 2017, pp. 17-56. Este autor, en relación con el principio de incomunicabilidad de la responsabilidad entre Administración matriz y entidad pública con forma jurídico-privada, concluye que "por qué aplicarles el principio de incomunicabilidad de la responsabilidad, que no es más que la consecuencia de la existencia de una personalidad jurídica y un patrimonio propios y diferenciados, cuando el derecho público y los tribunales que lo aplican equiparan a las sociedades mercantiles con su socio (la Administración titular de sus acciones), negando que exista una personalidad jurídica realmente diferenciada y argumentando, como ha quedado expuesto en páginas anteriores, que la personificación, en derecho público, es solamente «una alternativa organizadora»; «un medio práctico de ampliar su acción social y económica», o «una pura técnica organizativa dirigida a conseguir […] un marco de flexibilidad de actuación no ofrecido por el Derecho administrativo […]»." p. 48. En el sector de la vivienda social y, en la misma línea anterior, véase la STS de 27 de noviembre de 2012 (RJ 2012\11019), referente al IVIMA y a la Comunidad de Madrid, en relación con la interrupción del plazo de prescripción de una acción.

[1795] Apartado "4.2.2. Régimen especial para los alquileres sociales dentro de la LAU".

4.2. Normativa básica de las EPGVS

Siguiendo con el apartado anterior, la importancia de establecer un proceso de homologación como EPGVS de las entidades que quieran desempeñar funciones en el ámbito de la gestión de la vivienda social radica en la posibilidad de imponerles una misma normativa, común a todas ellas y que no dependa de la forma jurídica que hayan decidido adoptar. No se trataría de ignorar su legislación especial, sino de proponer la incorporación de excepciones y reglas especiales en las legislaciones y demás normativa relativas a la forma jurídica que haya adoptado cada EPGVS, especialmente respecto a aquellos preceptos que puedan contravenir la normativa aquí planteada. Obviamente, estas excepciones solamente se aplicarán a aquellas entidades homologadas y registradas como EPGVS.

A continuación, pasamos a enumerar las temáticas principales que consideramos, con base en el estudio de los sistemas comparados y del sistema español, así como de las buenas prácticas extraídas de este estudio[1796] debería contener esta normativa básica reguladora de las EPGVS. De este modo, tenemos:

1. *Funciones y actividades principales a desarrollar por las entidades*: conjunto de preceptos que deberán recoger las funciones principales que deben desempeñar las EPGVS[1797]. Estas funciones deberán ser, principalmente:

   a. Proveer acceso a una vivienda social para la población con necesidades de vivienda. Para ello, deberán contemplarse los grupos prioritarios establecidos por la Administración autonómica y tener presente los criterios de necesidad de cada localidad. Es decir, es importante respetar los Registros de solicitantes de vivienda autonómicos y municipales, si así se exige por la tipología de vivienda social, y es imprescindible mantener una estrecha coordinación con la Administración local, sobre todo para alojar a los colectivos más vulnerables. Las EPGVS deben dotarse de planes de adjudicación transparentes, objetivos y públicos, que sigan

---

[1796] Enumeradas en la Tabla 13 del apartado "3. Tabla resumen de las buenas prácticas en los modelos comparados", *supra* en este mismo capítulo.

[1797] Como se verá, siguiendo las funciones principales que se prevén para las EPGVS, los promotores de vivienda que simplemente construyen o rehabilitan para la posterior compraventa de la vivienda quedan fuera del alcance del modelo que proponemos.

criterios de no discriminación y que, en la medida de lo posible (y, sobre todo, atendiendo al objetivo social de la entidad en cuestión), hagan uso de instrumentos para crear una cierta mixtura social. Por otro lado, se valorará positivamente que la entidad se dote de instrumentos, mecanismos, programas o protocolos que permitan el mejor emparejamiento posible entre vivienda y beneficiario, atendiendo a las características personales, económicas, laborales, familiares y sociales del último, y que regule algún tipo de límite y/o penalización ante renuncias injustificadas. El acceso a una vivienda social puede ofrecerse por diferentes tenencias:

i. En alquiler, teniendo presente el régimen especial que se regula *infra*[1798].

ii. Acceso asequible a la propiedad, principalmente, a través de las tenencias intermedias existentes legalmente, como la propiedad compartida y la propiedad temporal.

iii. Excepcionalmente, hacer uso de fórmulas más flexibles que las anteriores, como el arrendamiento para uso distinto al de vivienda o un derecho de uso o de habitación, pero únicamente para responder a circunstancias transitorias, las cuales deben estar debidamente justificadas.

b. Ofrecer servicios destinados a mejorar la posición de los beneficiarios, a nivel económico, social, laboral y personal. Para ello, es necesario hacer uso de instrumentos como planes de trabajo o contratos sociales, que permitan valorar las necesidades de cada usuario de la entidad y perfilar un método de trabajo al respecto. Se valorará positivamente la coordinación con entidades privadas y con entidades públicas, tanto en el sector de la vivienda como en otros como el de la salud, el trabajo o los servicios sociales para optimizar la prestación de estos servicios[1799].

c. Involucración de las EPGVS en sus zonas de actuación para ayudar a garantizar, conjuntamente y en cooperación con otros agentes del sector y con las Administraciones locales, seguridad y buena calidad de vida en la zona o barrio. Un servicio que se valorará positivamente

---

[1798] En el apartado "4.2.2. Régimen especial para los alquileres sociales dentro de la LAU" de este mismo Capítulo.

[1799] Reivindicación destacada en FUNDACIÓN PWC. *Radiografía del Tercer Sector Social en España: retos y oportunidades en un entorno cambiante*, cit. pp. 12 y 13.

tenerlo es el de mediación comunitaria o de resolución de conflictos, el cual puede ofrecerse directamente o puede externalizarse a otra entidad especializada en la materia (o incluso firmar un convenio con la Administración local o regional si cuenta con ese servicio). Además, las EPGVS deben poder participar (ellas directamente o a través de su entidad representante) en los planes integrales de actuación y rehabilitación de los barrios o zonas donde la entidad gestora actúa[1800] tanto en su elaboración como en su ejecución.

d. Ofrecer vivienda u otro tipo de inmuebles en el mercado privado (siempre que su naturaleza jurídica lo permita), disponiendo de mecanismos capaces de asegurar y garantizar que estas promociones o actividades no se financien con recursos públicos.

En referencia a las funciones enumeradas, sería conveniente establecer un porcentaje mínimo para las actividades del punto a, b y c, es decir, excluyendo la actividad más comercial. Podría exigirse que el 80% del volumen de negocio de la entidad se dedicara a las actividades enumeradas, coincidiendo, precisamente, con el valor del activo mínimo que debe invertirse en bienes inmuebles dedicados a arrendamientos urbanos, en terrenos para la promoción de los inmuebles anteriores y en participaciones en el capital o patrimonio de otras entidades con una fórmula y objeto social principal igual o similar a la de la SOCIMI (art. 3.1 Ley 11/2009, de 26 de octubre). Así, las SOCIMIs se crearon para impulsar y profesionalizar el mercado del alquiler en España, como las EPGVS se proponen para vertebrar el sector de la vivienda social, facilitando, ambas figuras, el acceso de los ciudadanos a una vivienda digna, adecuada y asequible[1801]. Ese 80% también se establece para las WCOs, como volumen de viviendas que deben destinar a solicitantes de vivienda con ingresos fami-

---

[1800] Pareja Eastaway y Simó Solsona establecen dos aproximaciones al hablar de la intervención tradicional en los barrios: la intervención física del entorno (mejora de las viviendas, edificios, espacios comunitarios) e intervención en el tejido social del barrio (escuelas, programas de inserción laboral, atención sanitaria). Pareja Eastaway, M. y Simó Solsona, M. "La renovación de la periferia urbana en España: un planteamiento desde los barrios", en Ponce Solé, J. (coord.) Derecho urbanístico, vivienda y cohesión social y territorial. Madrid-Barcelona: Marcial Pons, 2006. p. 114.

[1801] Véase la regulación y el objetivo fundamental de su creación en el apartado "3.1.2. Sector privado" del Capítulo III.

liares que no superen un límite máximo impuesto legalmente[1802]. También, dentro del grupo "a" de actividades, referentes a la provisión de vivienda social, podría limitarse el uso de vivienda accesible en propiedad asequible (a través de tenencias intermedias) o, a la inversa, introducir un porcentaje mínimo de vivienda en alquiler y en fórmulas más flexibles. El modelo de SOCIMI también exige conservar las viviendas en arrendamiento durante al menos tres años (art. 3.3 Ley 11/2009, de 26 de octubre), pero esa garantía mínima de oferta de parque en arrendamiento no sería necesaria en el caso de las EPGVS si tenemos en cuenta el marco legislativo y reglamentario actual, puesto que la mayoría de vivienda, al ser fruto de actuaciones protegidas y al haber recibido financiación pública, ya cuentan con un período de calificación (ej. las viviendas protegidas)[1803]. Y tampoco si la normativa de las EPGVS ya regula la necesidad de justificar toda enajenación de parque inmobiliario social[1804].

2. *Ámbito económico*: preceptos enfocados a velar por la viabilidad y la solvencia económica, la calidad de la gestión financiera y del riesgo financiero de las EPGVS. Estos preceptos deberán evaluar, además, el rendimiento de la entidad, basándose en los ingresos, patrimonio y recursos disponibles en relación con su actividad, tanto el volumen de negocio como su calidad. Las entidades deben dotarse de planes de negocio, así como de protocolos de gestión del riesgo y están obligadas a ajustarse a las reglas de los precios marcados por la Administración atendiendo a los programas y tipologías de vivienda social ofrecidas. Además, deberán establecerse preceptos que exijan controlar que los recursos públicos a los que tenga acceso la entidad se destinen a la actividad por la que se concedieron (velar por no incurrir en competencia desleal y para proteger los intereses públicos y privados). Además, podrá regularse una notificación (o autorización preceptiva) de ciertas operaciones de riesgo en el ámbito financiero[1805].

[1802] Véase el apartado "3.8.3. Sistema de adjudicación en los Países Bajos" del Capítulo II.

[1803] Véanse los distintos períodos de calificación de las viviendas protegidas atendiendo a la regulación de cada CA en el apartado "7.1. La vivienda social en España" del Capítulo I.

[1804] Así se prevé en el punto tres *infra* en este mismo apartado, y en el apartado "4.1.4. Sujeción a control público" *supra*, también en este mismo Capítulo.

[1805] Aunque haciendo referencia a otra esfera legal, la vía de control en este punto podría asimilarse a la *Mündelsicherheit* o seguridad pupilar alemana. Esta prohíbe al tutor invertir las cantidades del pupilo necesarias para hacer frente a los gas-

3. *Gobernanza de la entidad y gestión de su patrimonio*: en este apartado deben establecerse normas para empoderar a los inquilinos y usuarios en las políticas de gestión del parque de viviendas de la entidad, a nivel general o a nivel particular para su vivienda, barrio o zona. Además, debe regularse la necesidad de dotarse de protocolos de actuación que reflejen y delimiten claramente las funciones y responsabilidades principales dentro de la entidad (trabajadores, departamentos o áreas, equipos de gobierno y gestión) y que establezcan mecanismos de control internos. La entidad debe procurar que su personal esté formado y cualificado para el desempeño de sus funciones. Pueden, también, regularse preceptos que permitan la demolición o enajenación de viviendas y/o edificaciones sociales, pero siempre condicionándolo a la elaboración de un plan que justifique la necesidad de dicha demolición o enajenación y que garantice su reemplazo de alguna manera; pueden, además, pactarse unos máximos a nivel legal o exigirse, si se quiere hacer uso de estos poderes, pactos con las administraciones locales. Asimismo, y con el fin de maximizar los beneficios a obtener de sus recursos residenciales al mismo tiempo que se combate la ocupación sin título habilitante, pueden establecerse protocolos para aquellas viviendas que quedan o que quedarán vacías en un futuro próximo para garantizar una rápida adjudicación.

4. *Gestión de las viviendas y protección de los inquilinos, usuarios y consumidores en general*. Ya se ha mencionado la necesidad de establecer planes o protocolos de seguimiento de los beneficiarios sociales según el tipo de vivienda y el tipo de programa designado a cada vivienda. Los preceptos en esta temática deberán fijar estándares de calidad de los servicios prestados y, a nivel del parque de vivienda gestionado, estos estándares deben centrarse en conseguir y mantener ese nivel de calidad, así como adecuar la accesibilidad a la vivienda y la propia vivienda en los casos en los que sea necesario (derecho de acceder a una vivienda digna y adecuada). Se tratará positivamente la realización de encuestas de calidad de los servicios prestados a los arrendatarios y usuarios de la misma entidad. Es asimismo importante regular la necesidad de dotarse de protocolos ante incumplimien-

---

tos y, además, se enumeran los supuestos en los que se puede invertir, los cuales conforman bienes o derechos fuertemente garantizados. Véase una explicación extensa de este instrumento de control en NASARRE AZNAR, S. *La garantía de los valores hipotecarios*, cit. p. 370.

tos del contrato de acceso a la vivienda o del contrato social complementario (ej. morosidad, actuaciones vandálicas, no cumplimiento del programa social), que, además, permitan garantizar que antes de recurrir al desahucio se hayan tomado todas las medidas posibles y que contemplen la imprescindible coordinación con el Poder Judicial y con servicios sociales (entre otros). Deben existir protocolos de coordinación con otras instituciones, públicas o privadas[1806] en los diferentes ámbitos de gestión de estas entidades, no solamente para los procesos de desahucio. Por otro lado, se deben regular instrumentos de contacto entre los inquilinos y usuarios y la entidad: ej. a través de mecanismos de información, de reunión, por el que deberá fomentarse también la creación de asociaciones de vecinos o de arrendatarios, de reclamación, de consulta, de formación, etc. También puede regularse el derecho de las EPGVS a gestionar las ayudas del alquiler de sus arrendatarios, principalmente de los colectivos considerados vulnerables. Y, finalmente, se valorará favorablemente dotarse de mecanismos que permitan facilitar el realojo de ciertas unidades familiares, ante cambios de sus circunstancias (de diversa índole). Ese realojo puede hacerse dentro de la misma entidad o en coordinación con otras EPGVS o incluso de la Administración local o autonómica.

En el caso de contemplar la incorporación de entidades del sector público, deberán tenerse presente las mayores restricciones por ser entidades públicas, por ejemplo, a la hora de enajenar parte de su parque.

4.2.1. Especial referencia a las formas de tenencia en el parque de vivienda social. Importancia de las tenencias intermedias

El acceso a una vivienda en propiedad ofrece estabilidad, seguridad en la tenencia (siempre que no se entre en sobreendeudamiento) y nutre al propietario de un activo en su patrimonio, a parte de destacarse como tenencia preferida no solo por los españoles (ya sea por la falta de una

---

[1806] MOLINA ROIG reivindica, acertadamente, y siguiendo el informe español de NASARRE AZNAR en el de KENNA, P. et al. *Pilot Project–Promoting protection of the right to housing–Homelessness prevention in the context of evictions*, cit., que "se demanda cada vez más la formalización de normativas, Convenios o Protocolos de actuación que permitan la adopción de medidas estructurales que permita mejorar la eficacia y eficiencia de los organismos que gestionan vivienda social". MOLINA ROIG, E. *Una nueva regulación para los arrendamientos de vivienda en un contexto europeo*, cit. p. 98.

alternativa real, por convicción, por tradición o costumbre, etc.)[1807] sino también por los europeos en general[1808]. En cambio, es una forma de tenencia que no ofrece flexibilidad y que no suele ser asequible, ni en su acceso ni tampoco en su mantenimiento posterior, puesto que debe hacerse frente a cuotas de comunidad, a gastos en la conservación y rehabilitación del inmueble y a diferentes tributos relacionados con la propiedad de la vivienda. En el ámbito de la vivienda social, además, no permite la rotación del parque y ya se han comentado las críticas que reciben las calificaciones de vivienda protegida, que permiten que, transcurrido el plazo legal de protección, esa vivienda se desafecte del sector social para entrar a formar parte del mercado privado, impidiendo la creación de un parque de vivienda social suficientemente amplio.

El alquiler, por su parte, ofrece la flexibilidad, asequibilidad y la rotación que no permite la propiedad pero, en cambio, no ofrece ni estabilidad ni seguridad, además de tratarse de una tenencia menos deseada, estigmatizada y que no se acaba de pagar nunca.

A medio camino nos encontramos, como su propio nombre indica, las tenencias intermedias. En España, la más recurrida por las políticas de vivienda y los gobiernos autonómicos y municipales ha sido el derecho de superficie, como en Madrid, en el País Vasco y en Barcelona. Sin embargo, a pesar de cumplir con el acceso a una vivienda más asequible, la práctica ha mostrado que el suelo no permanece mucho tiempo en manos de la Administración pública. La propiedad compartida y la propiedad temporal combinan la seguridad en la tenencia, la flexibilidad y la asequibilidad. Como bien se refleja en Inglaterra[1809] las entidades gestoras en el sector de la vivienda social son medios ideales para incorporar e impulsar estas figuras, puesto que cuentan con un seguimiento y/o acompañamiento de la misma entidad. En la actualidad, la propiedad compartida y la temporal solamente gozan de regulación en Cataluña, donde ya hemos visto que se utilizan para programas sociales. La idea sería poder extender esa figura en el campo de la oferta de vivienda social a nivel estatal, y fomentarlo como forma de acceso del beneficiario social, y no solamente como forma de captar vivienda privada con un precio asequible

---

[1807] Recordemos que solamente el 27% de personas que viven en alquiler lo hacen por preferencia, en contra de un 55% que, si pudiera comprar, lo haría. FOTOCASA. *Los españoles y su relación con la vivienda*, cit. p. 10.

[1808] Discutido en el apartado "1.3.1.2. Tipo de tenencias", *supra* en este mismo capítulo.

[1809] Véase el apartado "3.4.3. Las tenencias intermedias" del Capítulo II.

por parte del Tercer Sector y de la Administración pública como hasta el momento se hace en Cataluña. Para su desarrollo práctico, su utilización debería ir respaldada de ayudas públicas y de su adecuada pedagogía. Asimismo, las tenencias intermedias no son una solución universal al problema del acceso a la vivienda social, sino que se presentan como útiles para perfiles concretos de personas. Sirr concibe la propiedad temporal y la propiedad compartida como formas de tenencia que constituyen un "trampolín" de una forma de alojamiento transitoria (alquiler, vivir con los padres, etc.) a la vivienda en propiedad[1810].

En definitiva, no se trata de descartar ninguna forma de acceso a la vivienda social, sino de extender el abanico para poder dar una respuesta adecuada a las necesidades de todos los tipos de personas excluidas del mercado privado de la vivienda[1811]. Esto supone una ventaja tanto para el beneficiario social como para la entidad gestora. Por un lado, permiten el acceso asequible a la propiedad a familias que buscan una mayor estabilidad y tengan los suficientes recursos económicos. Por otro, la entidad maximiza sus recursos, pudiendo obtener mayores ingresos de aquellas unidades familiares que pueden permitírselo. Proveer y gestionar vivienda de alquiler es muy costoso, por lo que las promociones tanto en propiedad como, sobre todo, en fórmulas de tenencia intermedia (más asequible) pueden contribuir a cubrir parte de ese coste. Finalmente, la oferta de un *continuum* de formas de acceso a la vivienda social no beneficia únicamente a los beneficiarios sociales y a las entidades gestoras, sino que también permite una rotación en el parque de vivienda social de alquiler, tan necesario para poder atender a las necesidades de los colectivos más vulnerables[1812].

[1810] Sirr, L. "IX. Análisis económico de la propiedad compartida y de la propiedad temporal", en Nasarre Aznar, S. (dir.) *La propiedad compartida y la propiedad temporal (Ley 19/2015) Aspectos legales y económicos*, cit. pp. 575-615. p. 588.

[1811] Muñiz Espada expone que "su éxito no está en su utilización mayoritaria, sino en responder a cada una de las necesidades, en flexibilizar el mercado y dar respuestas a los diferentes tipos de usos, según preferencias, intereses y necesidades, o de ofrecer versatilidad y pontencialidad (sic); no en balde el desarrollo de ciertas modalidades de Derechos reales se ha realizado sobre la base del Derecho de propiedad". Muñiz Espada, E. "Sección 4. Bienes en común y estatutos intermedios de ocupación de vivienda", en Nasarre Aznar, S. (dir.) *Bienes en común*, cit., pp. 827-871. p. 838.

[1812] Simón Moreno, H., Lambea Llop, N. y Garcia Teruel, R. M. "Shared ownership and temporal ownership in Catalan law", cit. p. 69 y Nasarre Aznar, S. "I. Exposición de motivos de la Ley 19/2015", cit. p. 68.

4.2.2. Régimen especial para los alquileres sociales dentro de la LAU

Más allá de la discusión sobre arrendamientos indefinidos o de duración determinada planteada *supra* en este mismo capítulo[1813] entendemos que es necesario dotar al alquiler de viviendas sociales en España de un régimen legal especial, dentro de la LAU existente[1814].

Esta necesidad quedó reflejada en las conclusiones a los Trabajos de la Comisión para la elaboración de unos criterios para un derecho de arrendamientos urbanos en Cataluña (conclusiones de la Comisión catalana en adelante)[1815].

La idea es desarrollar un régimen especial que se adaptara a las especificidades que presenta la gestión del parque de vivienda social. Así, se dotaría a este sector de un marco legal que diera seguridad y certeza de actuación a los agentes que intervienen y, en especial, a las entidades gestoras de este parque y a los beneficiarios del mismo. Este marco debería ofrecer, por un lado, la flexibilidad suficiente a los gestores para evitar que busquen

---

[1813] En el apartado "1.3.1. Formas de acceso a una vivienda social".

[1814] Parte del planteamiento de este régimen es fruto del Proyecto "Un nou dret d'arrendaments urbans per a Catalunya per a afavorir l'accés a l'habitatge", financiado por el Centro de Estudios Jurídicos y Formación Especializada de la Generalitat de Cataluña (Ref. JUS/236/2016), en el que la misma autora de este libro participa como miembro del grupo de investigación, junto con siete investigadores más.

[1815] 17-01-2017. Véase un estudio exhaustivo de todas las cuestiones propuestas en NASARRE AZNAR, S., SIMÓN MORENO, H. y MOLINA ROIG, E. (dirs.) *Un nou dret d'arrendaments urbans per a afavorir l'accés a l'habitatg*e. Barcelona: Atelier, 2018. La exigencia de aprobar una Ley de arrendamientos urbanos catalana se estableció en la DF 6ª Ley 4/2016, de 23 de diciembre. La aplicación y vigencia de esta se suspendió con el recurso de inconstitucionalidad interpuesto contra algunos preceptos de dicha Ley, aunque en marzo de 2018 se levantó la suspensión y finalmente, la STC de 17 de enero de 2019 ya mencionada decidió aceptar el desistimiento parcial del Abogado del Estado de la impugnación promovida contra algunos preceptos, entre los que se encontraba esta DF. Paralelamente, el Gobierno catalán ha aprobado un Índice de referencia de precios del alquiler de carácter voluntario (puede consultarse en http://agenciahabitatge.gencat.cat/indexdelloguer/, último acceso 29-08-2021), el Decreto 17/2019, que establece modificaciones respecto a la definición y tipologías de VPO, su calificación, precios de venta y renta y su adjudicación, entre otros aspectos, y la Ley 11/2020, que limita el precio del alquiler de los nuevos contratos de arrendamientos de vivienda situados en zonas con mercado de vivienda tenso (aunque el art. 1 excluye del ámbito de aplicación de la ley los arrendamientos de VPO, los de carácter asistencial y los relacionados con programas de vivienda de inserción, mediación para el alquiler social o del Fondo de viviendas destinadas a políticas sociales).

otras fórmulas más precarias y, por otro lado, una debida protección a los inquilinos sociales.

También podría aprovecharse esta ocasión para delimitar las tipologías de vivienda social que deberían englobarse en el ámbito de aplicación de este régimen especial. Así, teniendo presente los puntos definitorios del Capítulo I y la propuesta de este mismo Capítulo[1816] vemos como existen diversos programas que configuran el acceso a distintos tipos de vivienda que entrarían en el concepto de "vivienda social". En consecuencia, debe llevarse a cabo una primera división en subcategorías de vivienda social de alquiler, que responde a la necesidad de separar tipologías de vivienda social orientadas a colectivos con perfiles sustancialmente diferenciados y con una divergencia en cuanto a necesidades y a recursos económicos[1817]. De esta manera, resolveríamos la complicada situación de tener que aplicar los mismos preceptos de la normativa de arrendamientos urbanos de vivienda a dos realidades muy distintas. La división que proponemos es la siguiente:

1. *Viviendas protegidas en general* (subgrupo 1 en adelante): aquí se englobarían todas las viviendas calificadas como vivienda protegida (con sus características y nomenclaturas establecidas a nivel autonómico), tanto de promoción y/o titularidad pública como privada[1818] que no formen parte de algún programa especial, como sí lo hacen las que se destinan a viviendas de inserción o de emergencia. Así, a modo de definición excluyente, serían todas aquellas viviendas protegidas que no cumplan con los requisitos para formar parte del subgrupo 2. Este subgrupo conservaría una regulación más próxima al régimen general de arrendamiento de vivienda de la LAU, con algunas excepciones, y teniendo presente las especificidades de las viviendas protegidas (aunque algunas de ellas podrían modificarse, de acep-

---

[1816] En el apartado "4.1.2.2. Requisitos objetivos: de carácter constitutivo, económico y en referencia a la función principal".

[1817] Véase el ejemplo de Cataluña en la Tabla 7 de LAMBEA LLOP, N. "El lloguer d'habitatges socials", en NASARRE AZNAR, S., SIMÓN MORENO, H. y MOLINA ROIG, E. (dirs.) *Un nou dret d'arrendaments urbans per a afavorir l'accés a l'habitatge*, cit. pp. 311-335. p. 314, que refleja la mayoría de las tipologías de vivienda social existentes en Cataluña, según el rango de ingresos de las personas beneficiarias

[1818] Con el modelo que proponemos, esta tipología de vivienda estaría gestionada, en gran medida, por las EPGVS, puesto que serían las que podrían acceder a las políticas públicas que fomentan esta tipología de viviendas.

tarse la propuesta planteada a continuación), puesto que suelen ser viviendas cuyos beneficiarios no son de extrema vulnerabilidad.

2. *Viviendas que cumplen una función social* (subgrupo 2 en adelante). Este subgrupo lo conforman todas aquellas viviendas que tienen por arrendatarios colectivos más vulnerables y que se gestionan por entidades que persiguen el cumplimiento de una función social. Con el modelo que proponemos, solamente las EPGVS podrían gestionar estas viviendas y hacer uso de este régimen. La regulación prevista para este subgrupo tendría que ser más flexible que para el subgrupo 1, precisamente para otorgar mayor margen de actuación a los arrendadores, teniendo presente las necesidades específicas del arrendatario, que pueden ir más allá de las del alojamiento. Específicamente, las viviendas que conforman este segundo subgrupo cumplirían con los tres criterios acumulativos siguientes:

a. Arrendador homologado como EPGVS, así como la Administración pública general y todos los organismos o entidades públicas.

b. Alquiler al menos a un 30% por debajo del precio de mercado (precios marcados por el índice de referencia)[1819].

c. Adjudicación siguiendo criterios de necesidad de vivienda a unidades familiares que se encuentren en situaciones de especial vulnerabilidad. Para delimitar los parámetros de esta "especial vulnerabilidad", podríamos tomar como referencia el anterior art. 23 del Plan Estatal de Vivienda 2018-2021, el cual lo definía para poder acceder a los fondos de viviendas para alquiler social. Así, se exigía la acreditación de la situación por informe de los servicios sociales correspondientes, además de no poder superar unos ingresos máximos que se fijaban en tres veces el IPREM[1820] (se elevaba hasta cuatro y cinco veces en casos de familias numerosas y personas con discapacidad). El actual Proyecto de Real Decreto por el que se regula el Plan Estatal para el acceso a la vivienda 2022-2025 fija también en tres veces el IPREM los ingresos de los beneficiarios de las viviendas del Programa de incremento del parque público (art. 53) y del de viviendas sociales de alquiler

---

[1819] Véase este índice *infra* al hablar de la renta en este mismo apartado

[1820] El Indicador Público de Renta de Efectos Múltiples se fija, para 2021, en 564,90 euros mensuales. Puede verse de manera similar los arts. 5.10 y 5.11 de la Ley 24/2015, de 29 de julio, los cuales definen a las personas y unidades familiares en situación de riesgo de exclusión residencial a efectos de esta ley catalana.

provinientes de la Sareb (art. 80). No sería necesario cumplir con este criterio cuando el alquiler se fijase en un 50% por debajo del precio de mercado (según el índice de referencia).

En referencia a este segundo subgrupo, es motivo de discusión la posible inclusión o exclusión de las viviendas que responden a necesidades transitorias y de emergencia social. Así, la discusión gira entorno a si una necesidad que puede ser transitoria y de emergencia podría llegar a encajar en la definición de "necesidad permanente de vivienda" que encontramos como requisito indispensable para poder hablar de un arrendamiento de vivienda (art. 2.1 LAU). Como ya se ha discutido en el Capítulo III[1821] lo que debe ser permanente es la necesidad de vivienda, no la vivienda en sí, por lo que, siempre que no se pueda justificar detalladamente la temporalidad de la situación, podríamos hablar de arrendamiento de vivienda, es decir, cuando la situación de temporalidad es incierta o la situación de emergencia se alarga en el tiempo.

Una vez establecido el ámbito de aplicación, se exponen a continuación los aspectos más destacados que regirían este régimen especial.[1822]

Uno de los aspectos discutidos a lo largo de este trabajo es el de la duración de los arrendamientos sociales, puesto que la dicotomía entre la seguridad en la tenencia y la necesidad de vivienda dificulta la determinación de una duración en los contratos de alquiler social. ¿Cómo garantizar la seguridad en la tenencia y el arraigo a un territorio sin perder la rotación en un parque escaso de vivienda social? Esa rotación se vuelve indispensable en situaciones en las que existe una gran demanda y poca oferta[1823] con el fin de que las pocas viviendas disponibles se destinen a unidades familiares con una necesidad real de vivienda.

El RDL 7/2019 volvió a modificar el plazo mínimo obligatorio para los arrendamientos de vivienda: cinco años cuando el arrendador es una persona física y siete cuando es una persona jurídica. La justificación de este

---

[1821] Véanse las reflexiones finales del apartado "3.5.2.2.a.2. Título de acceso del beneficiario social".

[1822] Más detalles en Nasarre Aznar, S. y Molina Roig, E. *Propuesta de criterios para un derecho de arrendamientos urbanos en Cataluña. Documento de trabajo*, 12-01-2017, Molina Roig, E. *Una nueva regulación para los arrendamientos de vivienda en un contexto europeo*, cit. y Nasarre Aznar, S., Simón Moreno, H. y Molina Roig, E. (dirs.) *Un nou dret d'arrendaments urbans per a afavorir l'accés a l'habitatge*, cit.

[1823] Resalta tal importancia Escolástico en Sanz Cintora, A. (coord.) D*iagnóstico 2012. La gestión de la vivienda pública de alquiler*, cit. p. 75.

cambio es recuperar "los plazos establecidos con anterioridad a la reforma liberalizadora[1824]" para dotar al inquilino de una mayor estabilidad, estableciendo, además, prórrogas por plazos anuales hasta un máximo de tres años más[1825]. Así, este plazo de cinco años era el existente desde 1994 hasta 2013, puesto que se entendía que "un plazo de estas características permite una cierta estabilidad para las unidades familiares que les posibilita contemplar al arrendamiento como alternativa válida a la propiedad"[1826]. Sin embargo, la Ley 4/2013 redujo de cinco a tres ese plazo para que arrendador y arrendatario pudieran "adaptarse con mayor facilidad a eventuales cambios en sus circunstancias personales"[1827]. Por su lado, las conclusiones de la Comisión catalana (en su Cuestión 2) preveían una propuesta de cinco años mínimo más tres años de prórroga tácita (parecido a la regulación actual para arrendadores personas físicas), mientras que las versiones doctrinales originales proponían una duración de tres años mínimo, prorrogables tres años más[1828].

Para el sector del alquiler social, no habría inconveniente en conservar los cinco y siete años actuales (más la prórroga de tres años más), sobre todo teniendo presente que deberían añadirse dos causas de resolución relacionadas con el incumplimiento sobrevenido de las condiciones de acceso a esa vivienda y el incumplimiento del programa de seguimiento (*infra* en este mismo apartado), lo que daría mayor margen de actuación a los arrendadores (sobre todo, en este caso, a las entidades, que se les obliga a mantener al arrendatario un mínimo de siete años) ante situaciones en las que, por ejemplo, el arrendatario deja de cumplir con los requisitos de necesidad. Sin embargo, también podría plantearse, sobre todo en el subgrupo 2, la reducción de estos cinco o siete años a tres años,

---

[1824] Preámbulo II RDL 7/2019.

[1825] "Salvo que el arrendatario manifieste al arrendador con un mes de antelación a la fecha de terminación de cualquiera de las anualidades, su voluntad de no renovar el contrato". Art. 10.1 LAU.

[1826] Preámbulo 2 LAU 1994.

[1827] Preámbulo II Ley 4/2013, de 4 de junio, de medidas de flexibilización y fomento del mercado del alquiler de viviendas.

[1828] NASARRE AZNAR, S. y MOLINA ROIG, E. *Propuesta de criterios para un derecho de arrendamientos urbanos en Cataluña. Documento de trabajo*, cit. Véase una discusión profunda sobre el plazo mínimo de los contratos de arrendamiento de vivienda en MOLINA ROIG, E. *Una nueva regulación para los arrendamientos de vivienda en un contexto europeo*, cit. pp. 421 y ss. y en MOLINA ROIG, E. "Una reforma de la legislación sobre arrendamientos de vivienda según el derecho comparado Europeo", *Revista jurídica sobre consumidores y usuarios*, núm. 5, 2019, pp. 78-102. pp. 80 y ss.

más prórrogas anuales, que permitirían revisar con cierta frecuencia si la unidad familiar sigue cumpliendo con los requisitos de adjudicación de la vivienda social[1829]. Tres años era precisamente el plazo que se regulaba en el Plan Estatal de Vivienda 2018-2021 para los alquileres de los fondos de viviendas para alquiler social (art. 21, suprimido actualmente)[1830] y, a nivel autonómico, por ejemplo, en la Ley 24/2015 (apartado c del art. 5.7, actualmente derogado)[1831] para considerar un alquiler como social en el marco de esta[1832]. Para ambos subgrupos, creemos excesivo el plazo de pre-aviso de cuatro meses para el arrendador y dos meses para el arrendatario para notificar la voluntad de no renovación al vencimiento de los cinco o siete años de contrato. Este plazo, modificado por el RDL 7/2019[1833] no ofrece la flexibilidad necesaria para un sector que por razones personales, laborales o sociales puede necesitar de una mayor movilidad. Así, creemos conveniente conservar los treinta días que ya se regulaban previa modifi-cación de 2019, enfatizando la necesidad, en el caso de ser el arrendador el que informa de la voluntad de no renovar, de apoyar y acompañar al arrendatario en la búsqueda de una vivienda alternativa.

Por lo que respecta a la posibilidad de celebrar contratos indefinidos o estables en el tiempo[1834] no se recomendaría su aplicación en ninguno de

---

[1829] Precisamente, el mencionado informe de AVS sobre gestión de vivienda pública de 2012 menciona que "quizás una de las formas de mejorar y estimular la rota-ción en estas viviendas sería mediante revisiones periódicas de las condiciones o requisitos que deben acreditar los inquilinos/as de las viviendas", práctica que según dicho informe llevan a cabo la mayoría de las entidades encuestadas. Sanz Cintora, A. (coord.) *Diagnóstico 2012. La gestión de la vivienda pública de alquiler,* cit. p. 79.

[1830] Suprimido por la Orden TMA/336/2020, de 9 de abril.

[1831] Derogado por el Decreto-ley 17/2019, de 23 de diciembre.

[1832] Ambas regulaciones se redactaron con la anterior LAU 2013, por lo que sería lógico pensar que adoptaron los tres años mínimos regulados entonces.

[1833] Ni el anterior RDL 21/2018, no convalidado por el Congreso de los Diputados, modificó los treinta días regulados anteriormente, curioso teniendo presente que "la finalidad de la norma es volver a aprobar las medidas contempladas en el Real Decreto Ley 21/2018". Molina Roing, E. "El Real Decreto Ley 7/2019, de medidas urgentes en materia de vivienda y alquiler", *Actualidad Civil,* núm. 3, 2019. p. 2.

[1834] Contemplaban dichos contratos estables en el tiempo las conclusiones a los Tra-bajos de la Comisión para la elaboración de unos criterios para un derecho de arrendamientos urbanos en Cataluña, en su cuestión segunda. Véase su discusión en Molina Roig, E. "La durada del contracte", en Nasarre Aznar, S., Simón Mo-reno, H. y Molina Roig, E. (dirs.) *Un nou dret d'arrendaments urbans per a afavorir l'accés a l'habitatge,* cit., pp. 67-81.

los subgrupos, puesto que entraría en colisión con la necesidad de rotación del parque social y su función de atender a los más necesitados de acceso a una vivienda. También hemos visto la tendencia en los modelos comparados estudiados, sobre todo en Inglaterra, de reducirlos o incluso eliminarlos para su vivienda social. Sin embargo, podría contemplarse la posibilidad de imponer la obligatoriedad (para el arrendador) de la renovación por períodos anuales en los casos donde la titularidad de la vivienda social sea pública, y siempre que el arrendatario social siga cumpliendo con los requisitos necesarios para acceder a esa vivienda[1835]. Esta opción otorga más seguridad al arrendatario, puesto que tiene la certeza que mientras tenga necesidad de vivienda, mientras no mejore su situación económica, profesional, social o de salud, y mientras cumpla con las condiciones establecidas en el contrato (por ejemplo, pagando el alquiler o no haciendo un mal uso de la vivienda ni incurriendo en conductas vandálicas o delictivas), no deberá preocuparse por la estabilidad de su alojamiento. En este punto cabe velar por la posible actuación deliberada para no venir a mejor fortuna, y una buena manera de hacerlo es a través del contrato social o programa de seguimiento social que acompaña al contrato de alquiler, cuyo incumplimiento podría comportar *per se* la resolución del contrato de alquiler social (véase *infra* en este mismo apartado).

Junto a la duración, **la renta** es otro de los elementos básicos de la normativa de arrendamientos urbanos. La LAU ya prevé actualmente una excepción respecto de la determinación de la renta y de su actualización cuando se trata de viviendas protegidas, estableciendo una renta máxima inicial a determinar por la normativa estatal o autonómica aplicable, siendo nulas las cláusulas que introduzcan rentas superiores a las máximas autorizadas por la normativa correspondiente (DA Primera, núm. 2 y 5

[1835] Esta fórmula se regula en Madrid, para las viviendas de promociones públicas de alquiler. El art. 3 Decreto 100/1986, de 22 de octubre, por el que se regula la cesión, en arrendamiento, de las viviendas de Protección Oficial de Promoción Pública regula prórrogas bianuales, siempre que el arrendatario siga cumpliendo con los requisitos de ingresos máximos para acceder a la vivienda y siempre que no sea titular ni posea otra vivienda. En referencia a estas prórrogas forzosas, el TS determinó, en sentencia de 12 de mayo de 2017 que "excluye que estemos ante un plazo indefinido, indeterminado o inexistente contrario a la temporalidad que es esencial al contrato de arrendamiento, puesto que viene determinado por las propias estipulaciones contenidas en el contrato litigioso y las condiciones que deben darse para acogerse a la prórroga bianual." (FD 2). Apoyan esta misma idea las SSAP de Madrid de 16 de diciembre de 2016 y de 15 de julio de 2015.

LAU)[1836]. Asimismo, y en referencia al régimen general, la modificación de la LAU en 2019 (con el RDL 7/2019) limita la actualización anual de la renta al resultado de aplicar la variación porcentual experimentada por el Índice de Precios al Consumo a fecha de cada actualización[1837] como se reguló ya entre 1994 y 2013.

Una de las cuestiones principales introducidas en las conclusiones de la Comisión catalana (Cuestión 18), es la aprobación de un índice de referencia de las rentas de alquiler, el cual permite adecuar los precios a la realidad del mercado, así como a las características de la zona y de la vivienda. Este índice, que ya existe en Cataluña (de carácter obligatorio en los contratos de arrendamientos de vivienda en áreas de mercado de vivienda tenso)[1838] y que el RDL 7/2019 crea el sistema estatal de índices de referencia del precio del alquiler de vivienda[1839] se podría establecer como instrumento para fijar los precios en las viviendas protegidas, es decir, las del subgrupo 1, aplicando un coeficiente reductor para las diferentes modalidades de vivienda protegida (establecidas a nivel estatal y autonómica). A raíz de la crisis económica e inmobiliaria, los precios de estas viviendas han quedado desactualizados, hasta el punto de existir zonas donde los precios de las viviendas libres se encuentran por debajo de los de las viviendas protegidas[1840]. Dentro del mismo subgrupo 1, el índice de referencia también po-

---

[1836] El apartado tercero de la misma DA establece que "No se aplicará revisión de rentas de las viviendas de protección oficial salvo pacto explícito entre las partes. En caso de pacto expreso entre las partes sobre algún mecanismo de revisión de valores monetarios que no detalle el índice o metodología de referencia, la renta se revisará para cada anualidad por referencia a la variación anual del Índice de Garantía de Competitividad". Sin embargo, estas regulaciones son de aplicación general a falta de legislación específica al respecto por cada CA con competencia en la materia.

[1837] "Tomando como mes de referencia para la actualización el que corresponda al último índice que estuviera publicado en la fecha de actualización del contrato". Art. 18.1.3º LAU.

[1838] Art. 6 Ley 11/2020, de 18 de septiembre. Los contratos de arrendamiento de vivienda con protección oficial y otras viviendas sociales quedan excluidas de la aplicación de esta ley. Existencia de un recurso de inconstitucionalidad admitido a trámite contra este art. 6 y otros arts. de la Ley 11/2020 (BOE 03-02-2021, núm. 29).

[1839] DA 2ª RDL 7/2019, que además regula la posibilidad de que las CCAA adopten su propio índice de referencia. Puede consultarse el índice en https://www.mitma.gob.es/vivienda/alquiler/indice-alquiler (último acceso 10-10-2021).

[1840] Así se establece en Becerril, S. *Estudio sobre viviendas protegidas vacías*, cit. p. 30. Véase también Idealista. *Las cuatro comunidades autónomas en las que la VPO es*

dría servir para estipular los alquileres de los programas de intermediación o mediación, así como los de cesión o asimilados, estableciendo la renta, al menos, a un 20% por debajo del que indican las tablas de los precios de referencia de aquella vivienda por su ubicación y por sus características.

Para las viviendas del subgrupo 2, sus rentas podrían vincularse o bien al índice estableciendo límites máximos por ejemplo de un 50/40% del precio marcado por el índice, o bien vincularse a los ingresos de la unidad familiar, donde podría establecerse un máximo del 30% de sus ingresos, remitiéndonos al concepto de asequibilidad de la vivienda expuesto en el Capítulo I[1841].

Siguiendo estos porcentajes anteriores, en algunos casos la cantidad de renta a pagar puede ser muy baja si se tiene presente la poca capacidad de algunas unidades familiares. En este punto, la jurisprudencia entiende que el precio "no está en función exclusivamente de las condiciones del mercado, sino que puede establecerse legítimamente en atención a razonables consideraciones sobre la persona del arrendatario, sin que por ello pierda su naturaleza arrendaticia, y sin que quepa considerar ilícita o inmoral la causa"[1842].

En cuanto a **las causas de resolución del contrato**, es importante contemplar unas causas tasadas, para poder garantizar al arrendatario cierta seguridad en la tenencia siempre y cuando cumpla con sus obligaciones. A las causas de resolución existentes (art. 27 LAU) pueden añadirse dos causas más para el arrendador social. La primera hace referencia al incumplimiento sobrevenido de las condiciones que permitieron el acceso a esa vivienda (ej. superar los ingresos máximos o ser propietario de una vivienda), puesto que el acceso a un alquiler social se justifica por la necesidad de una vivienda a falta de poder acceder al mercado privado. Aunque debería regularse una excepción dentro de esta causa de resolución: aquellos casos en que, dejándose de cumplir con los requisitos de acceso, la persona o unidad familiar se encuentra todavía dentro de los parámetros de colecti-

---

más cara hoy que en pleno boom inmobiliario, cit. y *más recientemente*, MINISTERIO DE FOMENTO. *Observatorio de vivienda y suelo. Boletín número 29, primer trimestre 2019*, cit., donde se establece que el precio de la vivienda protegida ha superado el de la vivienda libre usada en once provincias, mientras que en doce provincias más el precio de la vivienda protegida es solo un quince por ciento inferior al precio de la vivienda libre usada. pp. 15 y 16.

[1841]   En su apartado "5. Vivienda social, vivienda pública y vivienda asequible".

[1842]   STS de 8 de julio de 1997, FD 4. Véase también GONZÁLEZ PACANOWSKA, I. "Artículo 17. Determinación de la renta", cit. p. 567.

vo vulnerable (ej. víctima de violencia de género que debe abandonar la vivienda de emergencia pero que dispone de pocos ingresos para acceder al mercado privado). En este punto, convendría garantizar el acceso a otra tipología de vivienda social, en la que sí se cumplieran los requisitos de acceso, antes de resolver el primer contrato de alquiler. La Administración, a través de los servicios sociales, debería encargarse de llevar a cabo dicha valoración.

La segunda causa de resolución sería el claro incumplimiento por parte del arrendatario del "contrato social" o programa de seguimiento, en todos aquellos casos en los que lo hubiera. Este programa, elaborado por los servicios sociales de la localidad o por el área social correspondiente de las entidades (disponiendo de personal cualificado para llevar a cabo dicho seguimiento), establece el tipo de plan de trabajo o de seguimiento que el arrendatario social requiera. Este puede ir desde simples visitas periódicas con un trabajador social a planes de inserción social y/o laboral, entre otros.

Por otro lado, en referencia a la opción ya existente de resolver el contrato ante impagos o conductas incívicas o vandálicas, y más como criterio interpretativo que como modificación de precepto legal, en este campo de vivienda social debería enfatizarse la necesidad de probar el haber adoptado todas las medidas al alcance del arrendador social para poder resolver la problemática antes de acudir a la vía judicial. Por ese motivo, es importante que el gestor de la vivienda social disponga de protocolos de actuación para estos casos, como hemos ya propuesto en la normativa para las EPGVS. En consonancia con lo anterior, se podría barajar la opción de aumentar el mínimo de un mes de renta impagada al de dos meses a la hora de poder pedir la resolución del contrato por parte del arrendador. De esta manera se daría margen a poder activar, después del primer impago, todas las vías comentadas anteriormente, entre las que debería incluirse la notificación a los servicios sociales del impago y la intención de resolver el contrato. Además de este mayor plazo, debe tenerse presente la opción que ofrece el art. 704 LEC de prorrogar en un mes el plazo que tiene el arrendatario de desalojar la vivienda siempre que exista motivo fundado, sumado al mes que ya se le ofrece por ser vivienda habitual. Todo ello, además de la opción de suspender el proceso por un plazo de entre uno y tres meses, este último para personas jurídicas demandantes, si los servicios sociales detectan una situación de vulnerabilidad social y/o económica, con el fin de adoptar las medidas oportunas (art. 3.3 RDL 7/2019 que introduce el art. 441.5 LEC). Esto es importante para ofrecer un margen de tiempo que permita buscar otra vivienda, ya sea por parte del mismo arrendatario, por la EPGVS o por la misma Administración, en el caso de situaciones más vulnerables.

En este campo de la vivienda social es interesante, asimismo, el poder vehicular las disputas y controversias que surgen entre las partes del contrato mediante mediación. Por ello hemos destacado la importancia de disponer de este servicio en la normativa que hemos propuesto para las EPGVS, además del arbitraje.

Nos parece interesante la propuesta de las conclusiones de la Comisión catalana respecto del **desistimiento por parte del arrendatario**. En su cuestión 4 se plantea otorgar al arrendatario la facultad de desistir de manera unilateral y en cualquier momento del contrato de arrendamiento, es decir, sin establecer una duración mínima (cuando la actual LAU requiere seis meses en su art. 11), sin necesidad de causa ni de compensación. Lo que se puede aumentar, sin embargo, es el plazo de preaviso, pasando de uno a tres meses y estableciendo que únicamente en el caso de no cumplir con dicho plazo se podría exigir una compensación económica al arrendatario[1843].

Para incentivar la movilidad por razones laborales, personales y familiares, el período de preaviso no debería superar el mes de antelación en un alquiler de vivienda social (manteniendo el del art. 11 LAU), pues uno mayor se convertiría en un obstáculo a dicha movilidad. La exclusión del mercado laboral comporta consecuencias económicas directas, además de consecuencias a otros ámbitos de la vida como la vivienda, los elementos sociosanitarios y la esfera relacional. Por su lado, los vínculos familiares y también de la comunidad son importantes para hacer frente a situaciones de riesgo y vulnerabilidad[1844].

Esta posibilidad de desistir en cualquier momento del contrato con tan solo un mes de preaviso se regula sin perjuicio de que dependiendo del

---

[1843] Las conclusiones también prevén una excepción a dicho plazo cuando el arrendatario presente un inquilino alternativo, que esté dispuesto a cumplir con las mismas condiciones del contrato y siempre que el arrendador lo acepte. Sin embargo, esta opción ya no la planteamos, al no cumplir con las exigencias de requisitos y sistemas de adjudicación del campo de la vivienda social.

[1844] SUBIRATS I HUMET, J. (dir.) *Análisis de los factores de exclusión social.* Bilbao: Fundación BBVA y Institut d'Estudis Autonòmics. Generalitat de Catalunya, 2005. p. 118. En este mismo sentido, el informe establece que "el aislamiento social y/o familiar tiene consecuencias tanto psicológicas como materiales que pueden colocar a quienes los padecen en una situación de vulnerabilidad extrema, desplazándolos rápidamente hacia el terreno de la exclusión".

motivo del desistimiento ciertos Registros de solicitantes no permitan volver a inscribir a la persona para acceder a otra vivienda social (cuestiones reguladas por normativa administrativa). Es decir, el desistimiento se podría comparar con la renuncia en términos de consecuencias de cara a impedir la opción de volver a inscribirse en el Registro durante un tiempo (opción que ya toman algunas CCAA, como bien se ha visto en el Capítulo III)[1845].

La LAU permite **la cesión y el subarriendo parcial de la vivienda** únicamente con el consentimiento escrito del arrendador (art. 8 LAU). La propuesta planteada por las conclusiones de la Comisión catalana es la de otorgar mayores facultades al arrendatario para poder subarrendar no solo parcial sino también totalmente la vivienda arrendada[1846]. Así, plantea permitir ambos subarriendos sin la necesidad del consentimiento del arrendador[1847] siempre que la finalidad del subarriendo sea habitacional y el arrendatario tenga un interés personal o económico.

En el campo de la vivienda social, las legislaciones autonómicas no suelen permitir ni el subarriendo ni menos aún la cesión de la vivienda para las viviendas protegidas[1848]. Y es que la esencia de este tipo de vivienda es hacer efectivo el derecho a disfrutar de una vivienda digna y adecuada (art. 47 CE), por lo que, toda medida que signifique dejar de destinar la vivienda a residencia habitual supone un incumplimiento de la función social de

---

[1845]   Véase el apartado "3.5.2.6. El sistema de adjudicación de las viviendas".

[1846]   Véanse, también, las interpretaciones de Molina Roig, E. *Una nueva regulación para los arrendamientos de vivienda en un contexto europeo*, cit. p. 553 y Caballé Fabra, G. "Capítol 6. La cessió i el sotsarrendament", en Nasarre Aznar, S., Simón Moreno, H. y Molina Roig, E. (dirs.) *Un nou dret d'arrendaments urbans per a afavorir l'accés a l'habitatge*, cit. pp. 105-113. pp. 108 y 109.

[1847]   El arrendador solamente podrá oponerse por causas tasadas, como, por ejemplo, una sobreocupación de la vivienda, por alterar el buen uso de la vivienda y de las relaciones vecinales o por no destinar, el subarrendatario, la vivienda a primera residencia.

[1848]   A modo de ejemplo, el art. 24.6 Decreto 39/2008, de 4 de marzo, sobre régimen jurídico de viviendas de protección pública y medidas financieras en materia de vivienda y suelo del País Vasco (BOPV 28-03-2008, núm. 59), el art. 14.1.c Decreto 74/2009, de 30 de julio, por el que se aprueba el Reglamento de Viviendas con Protección Pública de la Comunidad de Madrid y el art. 78.3 LDVC, aunque en el caso catalán se permite realquilar o alquilar parcialmente cuando las viviendas protegidas sean propiedad de "administraciones públicas, de sus entes instrumentales o de entidades sin ánimo de lucro cuyo objeto sea el alojamiento de colectivos vulnerables que necesitan una tutela especial".

la vivienda. A pesar de ello, y siempre que se establezcan motivos objetivos tasados, la posibilidad de permitir un subarriendo parcial o incluso total (siempre con ciertos límites) no tendría por qué desvirtuar esa necesidad de destinar la vivienda a residencia habitual; incluso podría llegar a plantearse la cesión del contrato en un caso muy concreto que se expone *infra* en este mismo apartado.

Con relación al subarriendo total, podría plantearse su viabilidad solamente en circunstancias muy puntuales, regulando una lista de causas tasadas. Las dos causas principales serían de necesidad laboral y familiar. Así, BARCELÓ identificó a los propietarios de vivienda y a los inquilinos sociales como aquellos más reticentes a aceptar un trabajo si ello conllevaba una obligada movilidad geográfica (y, por consiguiente, un cambio de vivienda)[1849]. Por otro lado, el VIII Informe sobre exclusión y desarrollo social en España 2019 identifica el empleo precario y las dificultades de acceso a una vivienda como causas importantes de la exclusión social en España[1850]. Con el fin de combatir esa menor movilidad laboral debido, mayoritariamente, a una preocupación por perder la vivienda social, y permitir a los colectivos con rentas bajas incrementar sus ingresos anuales[1851], se plantea esta posibilidad de subarriendo total para los casos de encontrar un trabajo fuera de la localidad donde se reside[1852] y siempre que no sea indefinido (podría plantearse su inclusión solo para los meses de período de prueba), puesto que en ese caso la necesidad de cambiar de vivienda se transforma en una situación permanente. Por lo que respecta al período

---

[1849] BARCELÓ, C. *Housing tenure and labour mobility: a comparison across European Countries. Documento de trabajo núm. 0603.* Madrid: Banco de España, 2006. p. 53.

[1850] FERNÁNDEZ MAÍLLO, G. (coord.) VIII Informe sobre exclusión y desarrollo social en España 2019. Madrid: Fundación Foessa, 2019. p. 217.

[1851] Los autores LÓPEZ RODRÍGUEZ y DE LOS LLANOS MATEA argumentan que "en el período de recuperación económica iniciado en 2013 se observa la dificultad de los colectivos con menor renta para incrementar sus ingresos actuales y esperados, por la aún elevada incidencia del desempleo, la escasa duración de los nuevos contratos o la mayor relevancia de la jornada reducida". LÓPEZ RODRÍGUEZ, D. y DE LOS LLANOS MATEA, M. *Evolución reciente del mercado del alquiler de vivienda en España.* Banco de España, 2019. p. 11.

[1852] Podríamos tener en consideración, para delimitar el concepto de "fuera de la localidad", los 30 km que utiliza el Servicio Público de Empleo Estatal (SEPE) para considerar que una oferta de trabajo es adecuada, o si el desplazamiento le debe suponer más del 25% de la duración de la jornada de trabajo o del 20% del salario mensual si reside en la vivienda social inicial. Véase estos requisitos en http://www.sepe.es/HomeSepe/Personas/distributiva-prestaciones/colocacion-adecuada (último acceso 10-10-2019).

de subarriendo, podríamos ligarlo al máximo de dos años, puesto que, sobrepasado este plazo, se adquiere la condición de trabajador fijo[1853]. La CA de Aragón regula, por ejemplo, en su legislación de vivienda, una medida similar, por la que el beneficiario de la vivienda protegida puede solicitar una autorización para no residir acreditando debidamente la obligación de trasladarse por motivos laborales, cuando suponga más de cincuenta kilómetros de distancia[1854].

La segunda causa tasada es la de necesidad familiar, concretándolo en la necesidad de prestar asistencia o socorro a un pariente por enfermedad, siempre que sea de manera temporal. En este caso, podemos coger como referencia el límite de un año (prorrogable medio año más) utilizado para definir el concepto de incapacidad temporal en la Ley de la Seguridad Social[1855].

Así, el arrendatario podría oponer dicha cesión al arrendador, pero solamente en los casos tasados mencionados, al considerarse casos excepcionales que pueden justificar el mantenimiento de esa vivienda para el arrendatario a pesar de no estar allí por un tiempo[1856]. De esta forma, se le

---

[1853] 24 meses contratado en un período de 30 meses, con o sin solución de continuidad, para el mismo o diferente puesto de trabajo con la misma empresa o grupo de empresas, mediante dos o más contratos temporales, sea directamente o a través de su puesta a disposición por empresas de trabajo temporal, con las mismas o diferentes modalidades contractuales de duración determinada. Art. 15.5 Real Decreto Legislativo 2/2015, de 23 de octubre, por el que se aprueba el texto refundido de la Ley del Estatuto de los Trabajadores. BOE 24-10-2015, núm. 255. Excepciones en el mismo apartado: "Lo dispuesto en este apartado no será de aplicación a la utilización de los contratos formativos, de relevo e interinidad, a los contratos temporales celebrados en el marco de programas públicos de empleo-formación, así como a los contratos temporales que sean utilizados por empresas de inserción debidamente registradas y el objeto de dichos contratos sea considerado como parte esencial de un itinerario de inserción personalizado."

[1854] Art. 11.2 Ley 24/2003, de 26 de diciembre, de medidas urgentes de política de vivienda protegida, que también permite pedir dicha autorización cuando existe una modificación de las circunstancias económicas

[1855] Art. 169 Real Decreto Legislativo 8/2015, de 30 de octubre, por el que se aprueba el texto refundido de la Ley General de la Seguridad Social. BOE 31-10-2015, núm. 261.

[1856] Y no romper con la finalidad de destinarse la vivienda a residencia habitual y permanente del arrendatario (arts. 2.1 y 7.1 LAU). El art. 3 RD 3148/1978, de 10 de noviembre, define la habitualidad en la ocupación de la vivienda cuando esta "no permanezca desocupada más de tres meses seguidos al año, salvo que medie justa causa". Lo regulan de manera similar en algunas CCAA, como en Cataluña

concede flexibilidad al arrendatario social, al mismo tiempo que no se le impone una sobrecarga por tener que abonar dos gastos al mismo tiempo, es decir, el de la vivienda arrendada y el del lugar donde deba tener la necesidad de desplazarse. En cuanto a la elección del subarrendatario, su proceso de selección no podría quedar al libre arbitrio del arrendatario, sino que debería seguir y cumplir con la normativa administrativa al respecto, indicada para adjudicarla a personas con necesidades de vivienda de manera temporal. Esa disponibilidad temporal de la vivienda puede encajar con los perfiles de situaciones de emergencia y de necesidades temporales que tengan las administraciones y las entidades, siendo ejemplo de ello, la Mesa de situaciones de emergencias económicas y sociales de Cataluña o la propuesta de reglamentación de la Diputación de Barcelona para las entidades locales para los alojamientos de urgencia y de inclusión social, de seis meses y de un año respectivamente[1857].

En cuanto al subarriendo parcial, también podría permitirse, siempre que no se dejara de utilizar la vivienda como residencia habitual. Esta opción, vigente en el Reino Unido, por ejemplo[1858] también requiere del consentimiento del arrendador, como en el subarriendo total, y la designación del subarrendatario tampoco puede quedar al libre arbitrio del arrendatario, puesto que debe existir un proceso administrativo que permita seleccionarlo siguiendo ciertos criterios de necesidades sociales. Esta se presenta como una posibilidad óptima para aquellas situaciones en las que el arrendatario social afronta dificultades para pagar el alquiler (evitando, así, impagos y desahucios)[1859] al mismo tiempo que resuelve situaciones

---

(art. 78.2 LDVC) o (arts. 43 y 69.10 Ley 8/2004, de 20 de octubre, de la vivienda de la Comunidad Valenciana), mientras que otras, como el País Vasco, hablan de "residencia efectiva durante todo el año natural", pero permiten pedir una autorización expresa por causas tasadas (art. 22.2 LVPV).

[1857] COBACHO HAYA, J. *Adjudicació i funcionament intern de l'allotjament d'urgència i inclusió social Document d'anàlisi i bases.* Barcelona: Diputació de Barcelona, 2018. pp. 67 y 68.

[1858] Véase el art. 15 *Housing Act* 1988 y los arts. 93 y ss. *Housing Act* 1985, así como la *Prevention of Social Housing Fraud Act* (Ley de prevención de fraudes en vivienda social), de 31 de enero 2013. c. 3.

[1859] En este punto, debería examinarse la posibilidad de prever esta figura de subarrendatario para el acceso a las ayudas del alquiler y, en consecuencia, prever la parte proporcional de la ayuda que debería recibir cada uno de ellos (arrendatario y subarrendatario), tomando en consideración sus ingresos y la cantidad pagada por cada uno de ellos (descontando lo pagado por la otra parte), para evitar, así, una duplicidad en el pago de la ayuda.

en las que el inquilino se pueda encontrar en momentos puntuales y transitorios con problemas económicos que le impidan poder acceder a una vivienda completa. Los precios del subarriendo tendrían que tasarse públicamente, como se hace para los precios del alquiler de la vivienda social entera, con el fin de evitar abusos por parte del arrendatario.

Un caso muy concreto que merece cierta reflexión para permitir la cesión de un contrato de alquiler social es el del intercambio de la vivienda arrendada[1860] con otro arrendatario social (del mismo o de diferente arrendador, y siempre con el consentimiento de ambos arrendadores). En este caso, se debería controlar que los arrendatarios cumpliesen con los requisitos para acceder a las respectivas viviendas que intercambian[1861]. Se trataría de un buen recurso para los arrendatarios sociales que deben desplazarse por razones laborales, económicas, familiares o personales a otra localidad, pues les permite flexibilidad sin perder el derecho a una vivienda social ni tener que volver a empezar el proceso de selección y adjudicación.

Los **derechos legales de subrogación** ofrecen cierta protección, seguridad y estabilidad en la vivienda arrendada a aquellas personas que conviven con el inquilino, cuando este muere, desiste o abandona la vivienda (arts. 12 y 16 LAU). También se permite al cónyuge o pareja estable convertirse en arrendatario (en el caso de que no lo sea ya) cuando a raíz de un divorcio, nulidad o separación se le concede el uso de la vivienda de manera indefinida o por una duración mayor a la del contrato de arrendamiento (art. 15 LAU)[1862]. En el ámbito de las viviendas sociales, estos derechos

---

[1860] La misma legislación de vivienda aragonesa mencionada anteriormente también permite la permuta de una vivienda protegida por otra dentro del territorio aragonés por motivos graves dentro de la unidad familiar, y siempre con autorización pública acompañada de un informe de servicios sociales que lo justifique y avale. Art. 11.2 Ley 24/2003, de 26 de diciembre, de medidas urgentes de política de vivienda protegida.

[1861] Para acceder a una vivienda social en España suelen establecerse (a excepción de ciertos casos, como los supuestos de urgente necesidad) dos niveles de control de requisitos: el primero es el Registro de solicitantes de vivienda protegida a nivel autonómico (o municipios que cuentan con un Registro descentralizado) y el segundo son los requisitos exigidos para cada programa y/o vivienda en particular. Así, y sin tener que volver a pasar por todo el proceso de solicitar y acceder a una vivienda, los arrendatarios de esta cesión de contrato deberían cumplir con ambos niveles de requisitos.

[1862] La Cuestión 6 de las conclusiones de la Comisión catalana propone, opinamos que acertadamente, equiparar los beneficiarios a todos los supuestos de subrogación (muerte, desistimiento o abandono de la vivienda). Es decir, no solamente

legales de subrogación se aplican, pero teniendo presente la legislación estatal y, sobre todo, autonómica, existente y, en especial, sobre las viviendas protegidas de promoción pública (DA 1.8 LAU, al igual que con el derecho de cesión). No obstante, su aplicación debe condicionarse al cumplimiento de los requisitos a cumplir para acceder a esa vivienda; por lo que la subrogación no procederá si al tiempo de hacerse, se hubiesen dejado de cumplir dichos requisitos[1863].

Para estos derechos de subrogación y, sobre todo, en los posibles casos de alquiler social de viviendas públicas con renovaciones forzosas que hemos mencionado *supra* al hablar de la duración, podría plantearse la limitación de su ejercicio a una única vez, como sucede por ejemplo en el Reino Unido, donde los contratos de alquiler indefinidos tienen limitados estos derechos a una ocasión, para así evitar un encadenamiento de subrogaciones que se alargue en el tiempo[1864].

El carácter irrenunciable de estos derechos de subrogación[1865] permiten dotar de protección al arrendatario para no dejar esa opción en manos

---

en el caso de muerte del arrendatario podrán subrogarse el cónyuge o pareja estable, descendientes, ascendientes, hermanos y otros familiares hasta el tercer grado colateral del arrendatario, con un grado de discapacidad igual o superior al 65%, y siempre que hayan convivido con éste durante los dos años anteriores al fallecimiento (enumeración y orden de prelación regulado en el art. 16 LAU), sino que también podrán hacerlo en los casos de desistimiento o abandono de la vivienda

[1863] Ejemplos de ello podrían ser: cuando a la muerte del arrendatario, la unidad familiar pierde un miembro y, por lo tanto, los requisitos máximos de ingresos pueden verse reducidos; cuando la vivienda se destina a colectivos muy determinados (ej. gente mayor o personas con discapacidad) y el arrendatario que era el que formaba parte de este colectivo fallece. Por otro lado, y relacionado con la reducción de la unidad familiar, sea cual sea la causa, a pesar de proceder los derechos de subrogación, se podría permitir pedir un cambio de vivienda, hacia una vivienda más pequeña y asequible. Esta opción vendría condicionada principalmente por la existencia de un parque de vivienda social suficiente (y gestionado por el arrendador social en cuestión) y por disponer de un sistema o mecanismo que permitiera hacerlo efectivo.

[1864] Art. 86A *Housing Act* 1985 para los *secure tenancies* y art. 17 *Housing Act* 1988 para los *assured tenancies*. Véase, también, ORJI, P. y SPARKES, P. *National Report for England and Wales*, cit. pp. 156 y 157.

[1865] Existe la posibilidad de pactar la renuncia al derecho de subrogación en los casos de fallecimiento del arrendatario, cuando el arrendamiento tenga una duración inicial superior a cinco o siete años, dependiendo de si el arrendador es persona física o jurídica, respectivamente. Art. 16.4 LAU.

del arrendador. Además, como hemos comentado, dicha subrogación solamente procederá en los casos en los que se sigan cumpliendo los criterios para acceder a aquella vivienda en concreto.

En cuanto a **obras, reparaciones y mejoras**, solo nos gustaría recalcar la necesidad de fijar límites, más allá de los propuestos para el régimen general, para que los posibles aumentos de la renta no supongan una falta de asequibilidad para los arrendatarios sociales, sobre todo en el subgrupo 2, con el límite del 30% de los ingresos de la unidad familiar.

Además, en la propuesta, *supra*, al hablar de la duración de los arrendamientos sociales, de renovaciones anuales obligatorias en los casos en los que la titularidad de la vivienda sea pública podría plantearse regular lo que la propuesta de las conclusiones de la Comisión catalana preveía para las obras de mejora de los arrendamientos estables en el tiempo (cuestiones 10 y 11). Así, a parte de proponer fijar un porcentaje anual máximo del valor de las obras que se pueda imputar a la renta, provocando su aumento y que, además, añadimos, no podría sobrepasar el límite del 30% de ingresos anuales en caso de familias vulnerables del subgrupo 2 (las conclusiones mencionan la prohibición de aumentar la renta en el caso de alquileres "de familias con ingresos bajos")[1866] es interesante fijar unos casos tasados ante los que el arrendador podría llevar a cabo las obras útiles o de mejora (que supusieran un aumento del valor del inmueble) antes de terminar el contrato. Estos casos serían: a) la adecuación de medios tecnológicos recomendados y habituales; b) la eficiencia energética o consumo de agua recomendados y habituales; c) el aumento del valor de utilidad de la vivienda (duradero); d) si se incrementan las condiciones generales de habitabilidad (duradera) y e) si se crea un nuevo espacio residencial. De esta manera, el arrendador podría llevar a cabo obras durante un contrato que podría alargarse en el tiempo. En todos los casos, sin embargo, sería necesario tener presente y ponderar los intereses tanto del arrendador como del arrendatario, así como del interés general y, además, no deberían causar un grave perjuicio personal al arrendatario.

Otra medida propuesta en las conclusiones de la Comisión catalana que nos parece interesante es la de permitir al arrendatario hacer las obras de conservación (a costa del arrendador) siempre que exista un peligro o una

---

[1866] Véase el comentario a estas cuestiones en MOLINA ROIG, E. "El règim d'obres i reparacions necessàries", en NASARRE AZNAR, S., SIMÓN MORENO, H. y MOLINA ROIG, E. (dirs.) *Un nou dret d'arrendaments urbans per a afavorir l'accés a l'habitatge*, cit. pp. 139-155.

incomodidad esencial, directa y cercana en el tiempo (cuestiones 10 y 11), otorgando, así, mayor protección del arrendatario ante la pasividad del arrendador. A pesar de su importancia, en el campo de la vivienda social nos encontraremos con muchos casos de familias que no dispondrán de la capacidad económica suficiente para hacer frente a las obras por adelantado (aunque posteriormente se le reclame al arrendador). En este punto, por ejemplo, es interesante la Decisión del Comité Europeo de Derechos Sociales del Consejo de Europa de 19 de mayo de 2017[1867] que concluye la vulneración por parte del Gobierno irlandés del art. 16 de la Carta Social Europea, al disponer de varias viviendas públicas en condiciones inhabitables (humedades, filtraciones de aguas residuales, moho, agua contaminada, entre otras), hecho que vulnera el derecho a una vivienda adecuada, siguiendo la descripción amplia de la Observación General núm. 4 del Comité DESC de las Naciones Unidas[1868]. En consecuencia, es importante exigir, sobre todo a la Administración y a los demás arrendadores sociales que traten con grupos más vulnerables, cierta diligencia a la hora de encargarse de llevar a cabo estas obras, mediante, por ejemplo, el protocolo correspondiente.

Finalmente, en cuanto a la prestación de una **fianza**, la LAU (art. 36) establece la obligación de prestar en metálico una cantidad equivalente a una mensualidad de renta en el arrendamiento de vivienda. Además, el RDL 7/2019 (art. 1.14) añade la restricción de no poder exceder el valor de la garantía adicional de dos mensualidades de renta para los arrendamientos de vivienda, con el fin de hacer más asequible el acceso a una vivienda.

[1867] Decisión con relación al caso Federación Internacional de Derechos Humanos contra Irlanda (demanda núm. 110/2014), publicada el 23 de octubre de 2017.

[1868] Vulneración en relación con la necesidad de disponer de servicios, así como de la necesidad de habitabilidad: "Una vivienda adecuada debe contener ciertos servicios indispensables para la salud, la seguridad, la comodidad y la nutrición. Todos los beneficiarios del derecho a una vivienda adecuada deberían tener acceso permanente a recursos naturales y comunes, a agua potable, a energía para la cocina, la calefacción y el alumbrado, a instalaciones sanitarias y de aseo, de almacenamiento de alimentos, de eliminación de desechos, de drenaje y a servicios de emergencia" y "Una vivienda adecuada debe ser habitable, en sentido de poder ofrecer espacio adecuado a sus ocupantes y de protegerlos del frío, la humedad, el calor, la lluvia, el viento u otras amenazas para la salud, de riesgos estructurales y de vectores de enfermedad. Debe garantizar también la seguridad física de los ocupantes", respectivamente. Véase el apartado "3.2. Instrumentos supranacionales" del Capítulo I.

Sin embargo, las conclusiones de la Comisión catalana establecieron la posibil~~d~~ ~~de introducir un mínimo y un máximo, mientras que las versiones doctrinales ori~~iale~~ establecían una fianza mínima de un mes y una máxima de tres meses (para los con~~tratos~~ de duración determinada), con el fin de salvaguardar los intereses del arrendador[1869]. Aunque no plantearemos aquí la opción de establecer esa extensión hasta ~~tres~~ mensualidades tanto en la propia LAU como en el régimen es~~pecial~~ que proponemos[1870] sí que podríamos esclarecer que este ~~sería~~ una opción únicamente viable para el subgrupo 1, y siempre q~~ue~~ ~~viniera~~ acompañada de la posibilidad de fraccionar el pago de la ~~fianza~~ (como lo contemplan las conclusiones de la Comisión cata~~lana~~ para las rentas más bajas), ya que abonar tres mensualidades de renta como depósito en el momento de celebrar el contrato puede suponer una barrera infranqueable para las familias con pocos recursos económicos. También se podría plantear la opción de contratar un seguro de depósito. Para el subgrupo 2 sí nos parece acertado esa limitación máxima de una mensualidad de renta, puesto que tratamos con colectivos vulnerables con rentas muy bajas. Además, debemos recordar que las Administraciones están exentas de la obligación de prestar fianza, así como sus organismos y entidades vinculadas o dependientes de ellas (art. 36.6 LAU).

4.2.3. La rehabilitación por renta y la masovería urbana

La figura de la rehabilitación por renta es una modalidad de alquiler aprobada en 2013 con la Ley 4/2013, de 4 de junio, de medidas de flexibilización y fomento del mercado del alquiler de viviendas[1871] que permite sus-

---

[1869] Véase la cuestión 14 de las conclusiones de la Comisión catalana y NASARRE AZNAR, S. y MOLINA ROIG, E. *Propuesta de criterios para un derecho de arrendamientos urbanos en Cataluña. Documento de trabajo*, cit. así como el régimen planteado en MOLINA ROIG, E. *Una nueva regulación para los arrendamientos de vivienda en un contexto europeo*, cit. pp. 622 y ss. y 690 y ss

[1870] Puesto que no es el objeto de este trabajo y porque este estudio va más allá, suponiendo la búsqueda de un equilibrio complejo entre los derechos y las obligaciones de las partes en el contrato de arrendamiento urbano. Este estudio en profundidad lo encontramos en MOLINA ROIG, E. *Una nueva regulación para los arrendamientos de vivienda en un contexto europeo*, cit. pp. 317 y ss.

[1871] Art. 1.11, que añade un apartado 5 al art. 17 LAU, en los siguientes términos: "En los contratos de arrendamiento podrá acordarse libremente por las partes que, durante un plazo determinado, la obligación del pago de la renta pueda reemplazarse total o parcialmente por el compromiso del arrendatario de reformar o rehabilitar el inmueble en los términos y condiciones pactadas. Al finalizar el arrendamiento, el arrendatario no podrá pedir en ningún caso compensación

tituir la renta que debe satisfacer el arrendatario por obras de rehabilitación o de reforma realizadas en la misma vivienda[1872]. Siguiendo su regulación en el art. 17.5 LAU, esta figura permite a las partes contratantes de un arrendamiento, acordar, durante un plazo determinado, que la obligación de satisfacer la renta pueda sustituirse, total o parcialmente, por el compromiso del arrendatario de reformar o rehabilitar el inmueble conforme a las condiciones pactadas. Una vez finalizado el contrato de arrendamiento, el arrendatario no podrá exigir, en ningún caso, una compensación adicional por las obras realizadas. Además, el incumplimiento, por parte del arrendatario, de la obligación de realizar las obras, es causa de resolución del contrato.

Así, la rehabilitación por renta permite tratar dos problemáticas importantes en el sector de la vivienda: el mal estado del parque de vivienda y la falta de recursos económicos de una parte de la población que no puede acceder a una vivienda de manera asequible. En España, más de dos millones de viviendas se encontraban en 2015 en mal estado de conservación según el IDEA (Instituto para la Diversificación y Ahorro de la Energía)[1873] y, en 2018, casi el 16% de población residía en viviendas con diferentes problemas de habitabilidad (goteras, humedades o podredumbre en paredes, ventanas, suelo u otros espacios)[1874]. Además, la falta de rehabilitación es uno de los motivos por el que muchas viviendas se encuentran vacías sin contribuir a la oferta de vivienda. A modo de ejemplo, las administraciones públicas rechazan una de cuatro viviendas sociales que les ofrece ceder la Sareb, siendo el mal estados de estos y la ocupación irregular los principales motivos de

---

[1872] adicional por el coste de las obras realizadas en el inmueble. El incumplimiento por parte del arrendatario de la realización de las obras en los términos y condiciones pactadas podrá ser causa de resolución del contrato de arrendamiento y resultará aplicable lo dispuesto en el apartado 2 del artículo 23".

[1872] Véase, sobre esta reforma, GONZÁLEZ PACANOWSKA, I. "El pacto de reemplazar la obligación de pago de la renta por el compromiso del arrendatario de reformar o rehabilitar el inmueble", en BERCOVITZ RODRÍGUEZ-CANO, R. (coord.) *Comentario a la Ley de Arrendamientos Urbanos*. Pamplona: Aranzadi, 2013 (6ª edición).

[1873] IDAE. *Rehabilitación energética: una prioridad y una oportunidad para todos,* 28-07-2015, disponible en https://www.idae.es/noticia/rehabilitacion-energetica-una-prioridad-y-una-oportunidad-para-todos (último acceso 28-10-2019).

[1874] Datos de EUROSTAT. *Total population living in a dwelling with a leaking roof, damp walls, floors or foundation, or rot in window frames of floor.* 2018, disponible en https://ec.europa.eu/eurostat/web/products-datasets/product?code=sdg_01_60 (último acceso 28-08-2019).

rechazo[1875]. Otro ejemplo a nivel autonómico, de las casi 30.000 viviendas registradas en 2019 en el Registro de viviendas vacías de Cataluña, solamente 11.560 cumplían con las condiciones de habitabilidad necesarias[1876] mientras que 4.193 se especificaron como "vacías pendientes de rehabilitar". Este Registro no alcanza, sin embargo, las viviendas de particulares.

En los últimos planes estatales de vivienda la rehabilitación aparece como una actuación prioritaria, pero es una realidad que muchos propietarios no pueden hacer frente al mantenimiento o a la rehabilitación de sus inmuebles, al no tener la capacidad económica para ello[1877]. Ejemplo de lo anterior es la evolución que ha tenido la Red catalana de Mediación para el Alquiler Social[1878]. Esta, en funcionamiento desde 2005, tuvo sus mayores resultados entre 2007 y 2010 (llegando a captar más de 3.500 viviendas por año), coincidiendo precisamente con el año en que se dejaron de otorgar ayudas a los propietarios para rehabilitar sus viviendas para ponerlas posteriormente a disposición de la Red[1879]. Recordemos que la conservación de la vivienda en las condiciones de seguridad y salubridad adecuadas supone una obligación de todo propietario en el plano urbanístico[1880].

En consecuencia, el uso de esta figura supone unir dos grandes ventajas en un solo contrato: el fomento de la rehabilitación del parque edificatorio (y su posterior puesta en el mercado) y la asequibilidad en el acceso a la vivienda. Asimismo, el hecho de que se regule dentro del ámbito de aplicación de la LAU permite conservar la protección que la misma otorga al arrendatario en un arrendamiento de vivienda, en relación, por ejemplo,

---

[1875] Eldiario.es. *Ayuntamientos y Comunidades Autónomas rechazan uno de cada cuatro pisos sociales de la Sareb*, 30-12-2018, disponible en https://www.eldiario.es/economia/Ayuntamientos-Comunidades-Autonomas-rechazan-Sareb_0_850765213.html (último acceso 28-10-2019).

[1876] La falta de habitabilidad puede venir determinada por estar la vivienda ocupada con o sin título habilitante o por no disponer de esos datos. Generalitat de Catalunya. *Informe sobre el sector de l'habitatge a Catalunya 2019*, cit. p. 98.

[1877] Garcia Teruel, R. M. *La sustitución de la renta por la rehabilitación o reforma de la vivienda en los arrendamientos urbanos*. Valencia: Tirant lo Blanch, 2019. p. 22.

[1878] Véase este Programa en el apartado "3.5.2.2. Formas de tenencia de las viviendas sociales" del Capítulo III.

[1879] Véase la evolución de los contratos y su caída en picado a partir de 2011 en Generalitat de Catalunya. *Informe sobre el sector de l'habitatge a Catalunya 2015*, 2016 y el cierre de convocatorias para ayudas a la rehabilitación para los propietarios en Generalitat de Catalunya. *Informe sobre el sector de l'habitatge a Catalunya 2011*, 2012.

[1880] Art. 15 TRLSRU.

con el plazo mínimo de duración del contrato, del derecho de desistimiento o de las limitaciones en las actualizaciones anuales de la renta, entre otras[1881]. Además, al ser los propios arrendatarios los encargados de llevar a cabo las obras, este hecho permitiría abordar una de las problemáticas principales en el parque de vivienda público español: tanto en el parque anterior como posterior al 1985, el mal uso de la vivienda es la primera causa de problemas de su mantenimiento[1882].

Cataluña ya dispone, desde 2007, de una figura similar, la masovería urbana. Sin embargo, a pesar de su reconocimiento legal y tipificación, esta no dispone de la regulación adecuada para su pleno desarrollo, puesto que se limita a la definición del contrato (art. 3.k LDVC)[1883] y también a su uso en políticas sociales de vivienda (art. 74 LDVC), fomentadas desde las administraciones públicas (art. 42.3 LDVC). Asimismo, la promulgación del libro VI CCC[1884] optó por modificar y extender la definición en la LDVC, en vez de incluir la figura en el CCC[1885]. Así, la falta de desarrollo legal añade complejidad a esta figura[1886] pero eso no ha impedido que diversos ayuntamientos hayan tomado la iniciativa de llevar a cabo programas uti-

---

[1881] Véase el apartado "3.5.2.2.a.2. Título de acceso del beneficiario social" del Capítulo III y también la propuesta de régimen especial de arrendamiento de vivienda social del apartado anterior.

[1882] Sanz Cintora, A. (coord.) *Diagnóstico 2012. La gestión de la vivienda pública de alquiler*, cit. pp. 134, 139 y 142.

[1883] Se define esta figura como aquel contrato oneroso en virtud del cual el propietario de un inmueble cede su uso por el plazo convenido entre las partes (cinco años en defecto de pacto), a cambio que el cesionario (el "masover") asuma las obras de reparación, mantenimiento y mejoras necesarias para hacer que ese inmueble sea habitable o para mantener dichas condiciones de habitabilidad. Este contrato se rige por lo que convengan las partes.

[1884] DF 7ª Ley 3/2017, de 15 de febrero, del libro sexto del Código civil de Cataluña, relativo a las obligaciones y los contratos, y de modificación de los libros primero, segundo, tercero, cuarto y quinto. BOE 08-03-2017, núm. 57. Se interpuso un recurso de inconstitucionalidad contra algunos preceptos de esta ley, aunque no sobre la DF que mencionamos. Recurso de inconstitucionalidad n.° 2557-2017 (BOE 14-06-2017, núm. 141), ATC de 3 de octubre de 2017 (RTC 2017\131 AUTO) que levantaba la suspensión de los preceptos ante los que se interpuso el mismo recurso y finalmente se dictó la STC de 13 de noviembre de 2019 (BOE 19-12-2019, núm. 304) que estimó parcialmente el recurso.

[1885] Garcia Teruel, R. M. *La sustitución de la renta por la rehabilitación o reforma de la vivienda en los arrendamientos urbanos*, cit. p. 178.

[1886] Véase Colomé Montull, N. et al. *Guia metodològica de masoveria urbana*. Diputació de Barcelona, 2017.

lizándola[1887]. A pesar de que, a diferencia de la rehabilitación por renta, la masovería urbana no se considera como un contrato de alquiler dentro de la LAU, Garcia Teruel considera que deberá aplicarse esta ley cuando tengamos un precio cierto (considerándose arrendamiento de cosa) y ser la cesión del uso de la vivienda la finalidad principal del contrato[1888].

Finalmente, cabe remarcar la existencia de programas que, a pesar de no presentar la misma idea de la rehabilitación por renta, se llevan a cabo actualmente por las administraciones públicas y el tercer sector y siguen la misma línea de rehabilitar el parque residencial (en ocasiones con programas de inserción laboral) y ofrecerlo como vivienda social. Estos programas comparten mayor similitud con un contrato tipificado en el ordenamiento jurídico francés[1889] conocido como el *bail à réhabilitation*[1890] (arrendamiento para rehabilitar), en el que las entidades gestoras de vivienda social[1891] se comprometen a realizar, en un plazo determinado, obras de rehabilitación

---

[1887] Garcia Teruel, R. M. *La sustitución de la renta por la rehabilitación o reforma de la vivienda en los arrendamientos urbanos*, cit. p. 179. Véanse ejemplos concretos, como el Ayuntamiento de Manresa y la Junta de Andalucía en las pp. 213-215.

[1888] Garcia Teruel, R. M. *La sustitución de la renta por la rehabilitación o reforma de la vivienda en los arrendamientos urbanos*, cit. pp. 190-194. Así, la autora desglosa (p. 194) el siguiente orden de prelación cuando debe considerarse como arrendamiento urbano: 1) acuerdo por las partes en el contrato, siempre que no se contradigan con las disposiciones imperativas de la LAU (art. 6 LAU); 2) art. 3.k LDVC, siempre que no contravenga la LAU; 3) disposiciones aplicables del CCC y lo previsto en la propia LAU; 4) CC respecto a lo que no regule la LAU (la remisión del art. 4.2 LAU debería hacerse, en este caso, a las disposiciones del CCC, pero al no estar el arrendamiento de cosa y de obra previsto en el ordenamiento jurídico catalán, se aplicará el CC).

[1889] Concretamente, en los arts. L. 252-1 a L. 252-4 *Code de la construction et de l'habitation*, introducidos por la Ley núm. 90-449, de 31 de mayo de 1990, *visant à la mise en oeuvre du droit au logement*. BO 02-06-1990, núm. 122

[1890] Véase esta figura y sus similitudes y diferencias con la rehabilitación por renta de la LAU en Garcia Teruel, R. M. *La sustitución de la renta por la rehabilitación o reforma de la vivienda en los arrendamientos urbanos*, cit. pp. 197-204. Por ejemplo, respecto de la naturaleza jurídica, la figura francesa confiere un derecho real en cosa ajena, que puede ser enajenado y gravado, mientras que en la rehabilitación por renta estamos ante un contrato de arrendamiento de cosa y, por lo tanto, ante un derecho personal.

[1891] Tanto públicas como privadas, entre las que podemos encontrar, oficinas públicas de vivienda social, sociedades anónimas, cooperativas y fundaciones cuyo objeto social sea la vivienda social (art. L. 411-2 *Code de la construction et de l'habitation*). También pueden hacer uso de esta figura sociedades mixtas (público-privadas) cuyo objeto social sea la construcción o el alquiler, entidades territoriales y otros

(y su posterior conservación) en inmuebles que le son cedidos (por un mínimo de doce años) para posteriormente arrendarlo a arrendatarios sociales. Así, las diferencias principales con la rehabilitación por renta radican en el hecho que, en estos programas, los gestores de vivienda son los que se comprometen a la rehabilitación y al mantenimiento de la vivienda, y no el inquilino social, además de obligarse a su posterior cesión al beneficiario social. En el Capítulo III se han comentado ejemplos de estos programas[1892].

En conclusión, la idea es que las EPGVS impulsen y promocionen la rehabilitación de viviendas, sea llegando a acuerdos con los arrendatarios sociales para que paguen su renta con obras (rehabilitación por renta), sea llevando a cabo ellas mismas las obras (a través de los programas y colaboraciones expuestas). Además, como acertadamente apunta GARCIA TERUEL, la intervención de la Administración pública es recomendable "ante los diferentes retos que presenta la rehabilitación por renta, sobre todo en cuanto a las garantías ofrecidas al arrendador de que la obra se llevará a cabo conforme lo pactado"[1893]. Esa intervención puede materializarse en un asesoramiento técnico y jurídico, en el seguimiento de las obras a realizar o incluso en la intervención de las brigadas municipales en determinadas obras o actuaciones del proyecto. Todo lo anterior sin perjuicio de todas las medidas de fomento, de ayudas directas y de beneficios fiscales que la Administración pueda desarrollar[1894].

4.3. Propuesta de regulación de las entidades proveedoras y gestoras de vivienda social (EPGVS)

Teniendo en cuenta todos los parámetros explicados anteriormente, a continuación, pasamos a proponer la regulación de una "entidad proveedora y gestora de vivienda social" (EPGVS), de acuerdo con la investigación llevada a cabo en este trabajo. Hemos querido darle una redacción más extensa, para reflejar el modelo que planteamos, sin perjuicio que a

---

organismos cuyo objeto social sea contribuir al acceso de colectivos desfavorecidos y dispongan de la autorización correspondiente.

[1892] Véase el apartado "3.5.2.2.a. Fórmulas de acceso a la vivienda social".

[1893] GARCIA TERUEL, R. M. *La sustitución de la renta por la rehabilitación o reforma de la vivienda en los arrendamientos urbanos*, cit. p. 212.

[1894] Véase una enumeración de las fórmulas de fomento y de intervención de la Administración local, en este caso concreto en relación con la figura de la masovería urbana, en COLOMÉ MONTULL, N. et al. Guia metodològica de masoveria urbana, cit. pp. 57 y ss.

nivel estatal se decida establecer una regulación más básica (remitiendo a su desarrollo por las CCAA), sin que esta llegue a perder la esencia de entidad viable económicamente que tenga como objetivo principal la provisión y/o gestión de vivienda social, donde los intereses de los arrendatarios se vean representados y donde sus estatutos garanticen, en la medida de lo posible, que el parque de la entidad permanezca a manos de una EPGVS o de la Administración pública en caso de desaparición de la primera; además de la obligación de cumplir con una normativa que será monitorizada por un órgano supervisor con poderes de control, sancionadores y coercitivos. Así, los preceptos que redactamos son igualmente válidos para su incorporación en las legislaciones de vivienda de las respectivas CCAA, con las oportunas remisiones a la regulación estatal.

Título I. Políticas de protección pública de vivienda
Capítulo I. Disposiciones generales
Artículo 1. Conceptos
A efectos de la presente ley, se entiende por:
a) Vivienda social: toda aquella vivienda que se ofrece por debajo del precio de mercado y que sigue criterios de necesidad de vivienda para su adjudicación.
b) Provisión y/o gestión: edificación, rehabilitación, compra u obtención de una vivienda bajo cualquier título legal que permita su posterior puesta a disposición a un beneficiario de vivienda social, así como la gestión a través de convenios de mandato u otros similares, de viviendas de las que no se es titular.
c) Necesidad de vivienda: que el beneficiario no sea titular del pleno dominio o de un derecho real de uso o disfrute de una vivienda adecuada, excepto que se le haya privado de su uso por causas que no le sean imputables, y que no disponga de los recursos económicos para acceder a ninguna en el mercado libre. También cuando, disponiendo de ella, se está en un proceso de desahucio por impago de la hipoteca, alquiler u otra forma jurídica pertinente, sin tener la capacidad económica de hacer frente al pago sin incurrir en riesgo de exclusión social. Todo ello teniendo presente las definiciones desarrolladas por las CCAA en sus respectivas normativas.

Capítulo II. Las entidades proveedoras y gestoras de vivienda social
Artículo 2. Concepto
1. Son entidades proveedoras y gestoras de vivienda social (EPGVS) aquellas personas jurídicas, públicas o privadas que, cumpliendo con los requisitos de homologación del artículo 3, proporcionen viviendas sociales para personas con necesidad de vivienda.
2. Solamente podrá denominarse a una entidad como "entidad proveedora y gestora de vivienda social" o EPGVS cuando haya sido homologada siguiendo los criterios del artículo 3.
Artículo 3. Requisitos de homologación
1. Podrán homologarse como entidades proveedoras y gestoras de vivienda social, las personas jurídicas en las que concurran los siguientes requisitos:
a) Tener personalidad jurídica propia.
b) Tener como objeto principal de su actividad la provisión y/o gestión de viviendas sociales, según se regula en el artículo 1.b, y que se destinen a personas con necesidad de vivienda, según se regula en el artículo 1.c, dentro del territorio español.

c) Probar una viabilidad económica y de gobernanza presente y continuada en el tiempo.

d) Disponer de una plaza como mínimo en el órgano de gestión o de dirección de la entidad reservada para un representante de los beneficiarios de su actividad.

e) Disponer de los instrumentos de gestión suficientes para cumplir con la normativa reguladora de las entidades proveedoras y gestoras de vivienda social.

f) Hallarse al corriente de las obligaciones tributarias y de la Seguridad Social.

g) No haber sido condenadas por sentencia firme en procesos penales relacionados directa o indirectamente con cualquier aspecto relacionado con la actividad inmobiliaria y la gestión de patrimonio tanto público como privado, ni haber sido condenadas por laudo arbitral firme dictado en un proceso de protección al consumidor. Tampoco haber recibido sanciones administrativas con motivo de cualquier tipo de discriminación.

h) Tener incorporado en sus estatutos, que en caso de desaparición de la entidad, se adjudicará el parque de vivienda social gestionado a una entidad proveedora y gestora de vivienda social análoga a la suya o a la Administración pública, siempre en la medida de lo posible y siempre que no se perjudique a los acreedores de la entidad.

2. El proceso de homologación, así como el órgano competente para ello se desarrollará reglamentariamente.

Artículo 4. Revocación de la homologación como entidad proveedora y gestora de vivienda social

1. La condición de entidad proveedora y gestora de vivienda social se mantiene hasta que no se lleve a cabo su revocación. Así, se presume que la entidad cumple con los requisitos para su homologación como entidad proveedora y gestora de vivienda social mientras esté inscrita en el Registro regulado en el artículo 5.

2. El órgano supervisor de las entidades proveedoras y gestoras de vivienda social puede revocar su homologación como tal cuando se cumpla alguna de las circunstancias siguientes:

a) Incumplimiento sobrevenido de cualquiera de los requisitos regulados para acceder a la homologación.

b) Cesar en la actividad principal de provisión y/o gestión de vivienda social.

c) Incumplimiento grave de las obligaciones previstas en la normativa reguladora de las entidades proveedoras y gestoras de vivienda social.

d) Causar daños a los consumidores o perjudicar gravemente al sector de vivienda social con la actuación de la entidad.

e) Extinción de la persona jurídica.

f) Modificación de la persona jurídica fruto de operaciones de fusión o escisión, siempre que dicha modificación implique dejar de cumplir con los requisitos para homologarse como entidad proveedora y gestora de vivienda social.

3. La condición de entidad proveedora y gestora de vivienda social también será revocada cuando el órgano supervisor acepte la petición voluntaria hecha por la entidad homologada, siguiendo los requisitos del artículo 5.4.

Artículo 5. Registro de las entidades proveedoras y gestoras de vivienda social

1. Se creará un registro estatal electrónico de carácter administrativo con sede en cada Comunidad Autónoma, en el que serán objeto de inscripción todas las entidades proveedoras y gestoras de vivienda social que hayan sido homologadas siguiendo el proceso de homologación desarrollado reglamentariamente.

2. El órgano competente para el proceso de homologación comunicará al órgano supervisor de las entidades proveedoras y gestoras de vivienda social registradas,

regulado en el artículo 6, y siempre que no sea el mismo, dicha homologación para que el segundo lleve a cabo la inscripción en el Registro de la entidad homologada.

3. La pérdida de la condición de EPGVS implicará automáticamente la remoción de la entidad del Registro.

4. El órgano supervisor de las entidades proveedoras y gestoras de vivienda social será el competente para decidir sobre las peticiones de baja voluntaria por las entidades inscritas, las cuales no podrán ser aceptadas cuando se produzca malversación de fondos públicos o cuando no quede garantizada la protección de los inquilinos o usuarios sociales de la entidad peticionaria.

5. La estructura y el desarrollo de los registros regulados en este artículo se determinarán reglamentariamente.

6. Todas las entidades proveedoras y gestoras de vivienda social que se encuentren inscritas estarán sometidas al cumplimiento de la normativa reguladora de entidades proveedoras y gestoras de vivienda social.

7. Todas las entidades proveedoras y gestoras de vivienda social que se encuentren inscritas gozarán de ventajas y de trato preferente en las políticas de fomento y de gestión de vivienda social que se aprueben a nivel estatal y en las respectivas Comunidades Autónomas. Además, deberán ser consultadas o podrán ser llamadas a participar en la elaboración de políticas públicas en las que puedan tener un interés directo a través de sus representantes. La Administración pública fomentará la creación de dicho/s organismo/s representante/s.

Artículo 6. Órgano supervisor de las entidades proveedoras y gestoras de vivienda social registradas

1. Se creará un órgano público *ad hoc* en el ámbito estatal, dentro del organismo o departamento competente, que será el encargado de administrar el Registro y de velar por el cumplimiento de la normativa reguladora de las entidades proveedoras y gestoras de vivienda social. Asimismo, podrán crearse órganos públicos *ad hoc* en cada Comunidad Autónoma, dentro de los respectivos organismos o departamentos competentes, al que el órgano supervisor estatal podrá delegar la gestión de algunas o todas sus funciones para el Registro con sede en la CA correspondiente.

2. Son funciones principales del órgano supervisor:

a) Dirigir, administrar y coordinar el Registro de las entidades proveedoras y gestoras de vivienda social, así como mantener una red de colaboración con los órganos de supervisión creados a nivel autonómico para la gestión de los Registros autonómicos descentralizados.

b) Velar por el cumplimiento de la normativa reguladora de las entidades proveedoras y gestoras de vivienda social.

c) Ejercer funciones coercitivas y sancionadoras ante el incumplimiento por parte de las entidades proveedoras y gestoras de vivienda social de su normativa reguladora.

d) Otorgar la autorización necesaria para aquellas actuaciones que la normativa reguladora de entidades proveedoras y gestoras de vivienda social exija.

e) Elaborar y publicar anualmente los resultados de las evaluaciones del cumplimiento de la normativa reguladora por parte de las entidades proveedoras y gestoras de vivienda social. Podrán exceptuarse de dicha valoración aquellas entidades que, por su pequeño tamaño, bajo volumen de negocio o por su específico objetivo principal, cada Comunidad Autónoma considere que no deban aparecer en dichas evaluaciones.

f) Elaborar y publicar códigos de buen gobierno y guías prácticas para el cumplimiento satisfactorio de la normativa reguladora de entidades proveedoras y gestoras de vivienda social.

5. REFLEXIONES FINALES

Ante la necesidad y el interés de nuestros legisladores en aumentar el parque de vivienda social, es necesario plantear mecanismos para mejorar su gestión. Los pocos recursos económicos disponibles y la eficiencia en la gestión recomiendan la adopción de sistemas de gestión privada (o público-privada), sin ánimo de lucro (o lucro limitado) que han dado resultados satisfactorios en otros países europeos, los cuales, además, han sido recomendados a nivel internacional, europeo y también en el Proyecto de "España 2050" al resaltar el reto de aumentar el parque de vivienda social de alquiler y mejorar su gestión.

El modelo que proponemos de "entidad proveedora y gestora de vivienda social" (EPGVS) se plantea homologar como tal a aquellas entidades que provean de vivienda y que al mismo tiempo gestionen parque (o que solamente gestionen). A pesar de que el primer planteamiento era el de limitar esa homologación a las entidades que carecen de ánimo de lucro, finalmente hemos planteado un modelo que incluya a las entidades con ánimo de lucro, puesto que la normativa que deberán cumplir estas EPGVS será la que va a permitir garantizar que las entidades proveedoras y gestoras lleven a cabo una gestión eficiente de la vivienda pero sin perder la vertiente más social centrada en ofrecer servicios complementarios a los arrendatarios y usuarios de las entidades.

Así, entendemos que las políticas sociales deben imponerse en un sector en el que se asiste a colectivos con problemas de acceso a la vivienda, con sus diversas problemáticas, pero siempre sin perder de vista la necesaria sostenibilidad económica que exige el sector privado. En el caso de las entidades privadas con ánimo de lucro, solamente estarán facultadas para cumplir con los requisitos de homologación y con la normativa de regulación de las EPGVS aquellas que tengan un perfil similar al que sigue el concepto de empresa social.

Así, la creación de las EPGVS homologadas y registradas pretende posicionar a estas entidades al frente del sector de gestión de toda la vivienda social en España. El proceso de homologación, el registro, la creación de un órgano supervisor y la aprobación de una normativa básica reguladora de estas entidades responde a la necesidad de la Administración pública de seguir manteniendo un cierto control en el sector, al mismo tiempo que se pretende garantizar la calidad tanto de las viviendas sociales ofrecidas como de la gestión y de los servicios prestados. En un inicio, planteamos la posibilidad de acceder al proceso de homologación y al registro de las entidades públicas con personalidad jurídica y patrimonio propio, puesto que actúan, en su gran mayoría, siguiendo el Derecho privado. Más adelante podría llegar a plantearse el registro automático del resto de entes públicos gestores, sobre todo para que la calidad de la gestión y del parque pudiera exigirse y asegurarse también en este sector.

El sistema de EPGVS planteado no puede llegar a tener éxito si no existe un papel proactivo tanto del gobierno central como de los gobiernos autonómicos, que puede materializarse a través de ayudas públicas directas o indirectas, de la enajenación de suelo y/o de parte de su parque de vivienda pública, de convenios de colaboración para la gestión de su parque o de programas de los que son competentes, etc. También deben fomentar la creación e implicación en las políticas públicas de vivienda de una organización representativa de todas estas entidades gestoras.

Las EPGVS son el vehículo ideal para desarrollar figuras poco extendidas pero muy interesantes como fórmulas de acceso a una vivienda asequible, como la propiedad compartida o la rehabilitación por renta. En cuanto al alquiler, es necesario adoptar un régimen especial de arrendamientos de vivienda en la LAU, que prevengan a las EPGVS de huir hacia fórmulas de acceso más precarias para aquellos colectivos más vulnerables, cuyo uso solo debería permitirse para casos que presenten circunstancias de necesidad de vivienda realmente temporal. Así, el régimen especial planteado divide las viviendas sociales en dos subgrupos, para adaptar mejor la normativa de la LAU a cada situación. La regulación planteada añade, por ejemplo, dos causas de resolución del contrato relacionadas con el incumplimiento sobrevenido de las condiciones que permitieron el acceso a la vivienda social y el incumplimiento del programa de seguimiento. También plantea la posibilidad de reducir a tres años el arrendamiento para los subgrupos que tratan con colectivos de especial vulnerabilidad, así como regular prórrogas obligatorias en ciertos casos de viviendas de titularidad pública. Este mismo régimen especial vincula el precio de la renta a los índices de referencia del precio del alquiler de vivienda (aplicando un coeficiente reductor) e incluso a los ingresos de la unidad familiar en algunos casos y ofrece opciones de subarriendo total y subarriendo parcial, que pueden solucionar casos de desempleo o circunstancias médicas en el primer caso, y de imposibilidad de hacer frente al pago total del alquiler en el segundo caso (dando opciones a albergar situaciones de necesidades puntuales y transitorias de vivienda en ambos casos).

Conclusiones

1. Disponer de un **parque suficiente de vivienda social** es uno de los instrumentos básicos para hacer efectivo el derecho a una vivienda digna y adecuada (art. 47 CE), así como para prevenir el "sinhogarismo" (Parlamento Europeo). El problema es que no sabemos cuanta vivienda hay. A pesar de las continuas muestras institucionales y doctrinales (tanto en el ámbito nacional como en el internacional) de la existencia de poco parque de vivienda social de alquiler existente en España, lo cierto es que el dato del dos por ciento es poco fidedigno. Esta cifra que ha permanecido inmóvil desde hace años y que se ha ido obteniendo o bien de estudios anteriores o bien de bases de datos (por ejemplo, la Encuesta de Condiciones de Vivienda del INE) que no contemplan solamente la vivienda social (al incluirse también vivienda privada que se alquila por precio inferior al de mercado), tampoco incluyen toda la vivienda social existente (las CCAA se dotan de programas que escapan de la tradicional figura de la vivienda protegida) ni las 6,7 millones de viviendas protegidas en propiedad promovidas entre los años 1940 y 2011 (algunas ya descalificadas).

Además, las políticas de vivienda se han relacionado, históricamente, con políticas económicas, con la búsqueda de generación de empleo y de crecimiento de la economía familiar, ofreciendo a las familias la oportunidad de ser propietarias. En consecuencia, a pesar de no poder cuantificar con exactitud la vivienda social de alquiler en España, sí es cierto que ha existido una tendencia a promoverla en propiedad y no en alquiler, lo que ha comportado la inexistencia, por falta de necesidad, de un marco legal, coherente, común y funcional de gestión de vivienda social. Esta carencia dificulta la gestión, lo que desencadena prácticas como las ventas de parque de vivienda público a inversores privados, la falta de control del parque existente y de su estado (si se encuentra vacío o en malas condiciones), o los graves problemas que tienen algunas entidades, sobre todo públicas, para frenar las tasas de morosidad y para poder hacer efectivos los desahucios como último recurso.

Solo a raíz de la crisis económica de 2007 nace la voluntad del legislador de incrementar, por todos los medios, el parque permanente de vivienda social en España, lo que habría sido recomendado durante años también por gran parte de la doctrina; esa voluntad se reafirma con la actual crisis sanitaria y también económica del coronavirus. Así lo reflejan las últimas modificaciones y aprobaciones legislativas y normativas, por ejemplo, los

Planes Estatales de Vivienda 2013-2016 y 2018-2021, los planes de vivienda o legislaciones autonómicos sobre vivienda o sobre medidas para garantizar el derecho a la vivienda (con algunos de estos preceptos autonómicos declarados inconstitucionales), el Proyecto "España 2050" y también se deja entrever entre los objetivos de la futura Ley estatal por el derecho a la vivienda. Por eso planteamos en este libro la necesidad de adoptar un **modelo de gestión funcional, común y coherente** que permita una gestión eficiente que se prevé numerosa y cada vez más compleja (por las particularidades de sus beneficiarios sociales, por la diversidad de planes de vivienda a nivel temporal y a nivel territorial, y en los últimos años por los heterogéneos programas de captación de vivienda privada al sector social). Para alcanzar tal fin, hemos estudiado modelos de países que llevan gestionando grandes parques de vivienda social desde hace décadas, para poder aprender no solo de sus éxitos sino también de los retos, obstáculos y malas prácticas en las que han incurrido a lo largo de los años para comprobar, finalmente, si podemos aprovechar e importar parte de estos modelos a nuestro país.

2. Para poder analizar los modelos comparados, primero hemos tenido que comprobar si estos son realmente comparables y, para ello, hemos delimitado su objeto de gestión, es decir, el **concepto de vivienda social** y la función que adopta esta en cada modelo estudiado (Inglaterra, Países Bajos y España). En este punto, hemos hallado una falta de unanimidad respecto de este concepto a nivel europeo e internacional, además de tener presente que la competencia en esta materia en la UE es estatal y, en el caso de España, incluso de cada CA. Sin embargo, bien es cierto que la UE puede influir (y lo ha hecho en algunos casos, como en los Países Bajos y Suecia) en esta materia, de manera transversal, con materias relacionadas con la primera como la competencia y el mercado interior. A pesar de ello, nuestra delimitación del concepto ha seguido los rasgos que se reiteran en la mayoría de las definiciones utilizadas por la doctrina, instituciones y organismos internacionales como la Comisión Europea, Housing Europe, UNECE, OCDE y Feantsa. Así, a nuestro juicio, los rasgos esenciales para poder considerar una vivienda como "vivienda social" son dos. El primero, su asequibilidad (con las distintas fórmulas de calcularla) o, de manera similar, su precio por debajo del precio de mercado, que podría calcularse en relación con el precio marcado por los índices de referencia del precio del alquiler de vivienda. El segundo rasgo imprescindible es la adjudicación de la vivienda a los beneficiarios siguiendo reglas pautadas a nivel institucional, con el fin de que solamente accedan a ella colectivos con una necesidad real de vivienda. Este rasgo va en consonancia con la decisión de

la Comisión Europea de apostar por un modelo dualista (Kemeny) y por un modelo acotado (Ghekière) de vivienda social. Tanto Inglaterra como España cumplen, en general, esta función; en cambio, los Países Bajos se ha visto forzado a reorientar su modelo más universalista hacia este modelo acotado.

El concepto de vivienda social que utilizamos para el desarrollo de este trabajo no restringe las competencias de las CCAA en esta materia, sino que, al contrario, quiere abarcar todas las viviendas que cumplan con esos rasgos independientemente de cómo vengan perfiladas en cada norma autonómica. Así conseguimos delimitar la vivienda que se puede proveer y gestionar en el modelo que proponemos. Además, permitirá recopilar datos, hacer estudios comparativos y conocer la dimensión y el alcance de este sector, para poder desarrollar posteriormente políticas efectivas de vivienda.

Por último, hemos distinguido entre vivienda social y **vivienda asequible**, conceptos que en ocasiones se utilizan indistintamente. La vivienda social es un tipo de vivienda asequible, pero esta última puede (y debería) darse, también, en el mercado privado, es decir, en aquel donde las viviendas no se adjudican siguiendo criterios de necesidad marcados legal o normativamente, sino que existe libertad al respecto. Y en este punto, el Derecho civil tiene un papel importante a la hora de crear y conservar un parque de vivienda asequible, a través de la regulación de medidas estructurales que vertebren el mercado de tal manera que minimice al máximo la contribución directa de la Administración pública, como proveer una regulación de los arrendamientos urbanos de tal manera que se ofrezcan garantías tanto a arrendadores como arrendatarios (equilibrio socioeconómico, rentabilidad y garantía de derechos de propiedad para el arrendador y asequibilidad, estabilidad y flexibilidad de la tenencia para el arrendatario) y de dotarnos de un *continuum* de tenencias de la vivienda que se adapte a las necesidades y aspiraciones de las familias.

3. En los Países Bajos e Inglaterra existen dos de estos **modelos comparados** que llevan décadas gestionando grandes parques de vivienda social de alquiler (de un 29,1% y un 17% respectivamente hoy por hoy). Para hacerlo, se han dotado de modelos de gestión que siguen un orden, estructura y normativa únicas, que apuestan por una gestión privada sin ánimo de lucro (aunque extendido en los últimos años a entidades con ánimo de lucro en Inglaterra) que va más allá de la gestión de la vivienda, impulsados por una normativa que se centra en desarrollar actividades sociales y en la comunidad. Hablamos de las *housing associations* inglesas y las *woningcorpo-*

raties neerlandesas. Ambos son claros ejemplos de la tendencia, desde los años setenta y ochenta del siglo pasado, en Europa Occidental, de orientar los modelos de vivienda social hacia una visión más de mercado. Precisamente, la OCDE constata que aquellos países donde predominan modelos de gestión privados sin ánimo de lucro cuentan con grandes parques de alquiler social.

Los dos factores clave que han permitido a los respectivos modelos lograr una posición dominante en el sector de la vivienda social son la creación de un **marco legal único y específico** para estas entidades gestoras y una **provisión inicial** considerable de parque y dinero públicos. Su marco legal les ofrece un reconocimiento público como proveedoras de vivienda social, lo que les permite tener una puerta de acceso a financiación pública y una participación activa en el desarrollo de las políticas públicas de vivienda. Los poderes y prerrogativas que reciben (acceso a ayudas públicas, respaldo público en casos de necesidad) se compensan con las obligaciones que se les imponen, con el control público de unos requisitos de inscripción y el cumplimiento de una determinada normativa (ej. tener como objeto principal la provisión de vivienda social, el mantenimiento de una viabilidad económica, requisitos de gobernanza y de protección de los consumidores). El traspaso de parque público junto con esa financiación pública inicial permitió a las HAs y WCOs disponer de un volumen considerable de activos que posteriormente han podido utilizar como garantía en negocios en el mercado financiero y de capitales (con mayor o menor acierto) para obtener financiación en condiciones más favorables y para sacarles un rendimiento con su alquiler (las rentas, que no son bajas, se contrarrestan con fuertes ayudas al alquiler), venta, demolición o rehabilitación; al mismo tiempo que la Administración pública lo ha utilizado para dirigir a estas entidades gestoras hacia una mayor autosuficiencia económica.

Además de este necesario ámbito de regulación y control, existen otros aspectos o prácticas que han convertido a estos modelos comparados en modelos funcionales capaces de gestionar eficientemente un amplio parque de viviendas. Por un lado, encontramos la existencia de **estructuras de gestión** pautadas y que fomentan el contacto con los beneficiarios sociales y con las comunidades en sus áreas de actuación, a través del involucramiento de los arrendatarios (en mayor o menor medida) en sus órganos de gestión o supervisión, así como con reuniones periódicas con sus representantes. Estas también procuran una buena coordinación con otras instituciones, tanto públicas como privadas, que permiten tratar de manera integral la complejidad de las problemáticas existentes en el campo de la vivienda social. Por otro lado, es muy relevante la construcción de una **cartera de actividades** que permite fórmulas de acceso a la vivienda que favorecen la conservación e incremento del número de viviendas gestionadas (ej. alquiler con duración indefinida a pesar de que ello ha ido cambiando, por considerarlo, sobre todo en Inglaterra, insostenible para el sistema), al tiempo que recurren a las tenencias intermedias (la *shared ownership* inglesa y el *Koopgarant* neerlandés) con un doble fin de constituir una fuente de financiación de promociones sociales y de ofrecer acceso a la propiedad de manera asequible, cubriendo el espacio existente entre el alquiler social y el mercado privado, además de servir como fuente de rotación del parque de alquiler social. En esta cartera de actividades también podemos encontrar actividades comerciales (con posibilidad de desarrollar proyectos mixtos con viviendas sociales) y la actuación en mercados financieros, buscando fuentes de financiación privadas alternativas a la escasez o reducción de fuentes públicas. En el otro extremo, encontramos actividades destinadas a la esfera más particular de los beneficiarios sociales y a su entorno (*Housing Plus*). Dotarse de protocolos de actuación es importante en todos los ámbitos: tanto ante incumplimientos contractuales, como para la gestión de riesgos de las actividades financieras o para procesos de adjudicación de vivienda. En cuanto a esto último, son interesantes las prácticas que permiten un adecuado emparejamiento entre vivienda y solicitante, una ocupación rápida, dotarse de programas de realojo (incluso entre entidades gestoras) y disponer de plataformas que ofrezcan la posibilidad de buscar vivienda en un ámbito supramunicipal, como es el caso de la WoningNet neerlandesa.

Finalmente, debemos enfatizar que la Administración pública ha sido la facilitadora de la creación y el crecimiento de este sector privado sin ánimo de lucro de gestión de vivienda social, convirtiéndose en un *prius* indispensable su apoyo legal y económico que ha posibilitado su existencia.

4. Con el estudio de estos modelos hemos comprobado que, a pesar de basarse en una misma idea de traspaso de la gestión a manos de entidades privadas que busquen la consecución de fines sociales, sus respectivas estructuras y, sobre todo, su evolución, ha seguido caminos distintos, por no decir, contrapuestos. Las políticas públicas de cada país, las directrices desde la UE y las respuestas judiciales y legales a la propia (mala) actuación de las entidades han provocado esta diferenciación. La senda de los Países Bajos ha pasado de ser un modelo universal de acceso a establecerse como un modelo acotado de beneficiarios sociales; de estar sujeto a un menor control público a dotarse de órganos públicos que controlan de forma estricta sus actuaciones; su independencia económica respecto a sus

fuentes de financiación se ha conservado, pero ha desaparecido su función de fondo rotativo (obligación de separar la actividad de vivienda social de otras actividades más comerciales de manera legal o administrativa); y, por último, la exigencia de una determinada forma jurídica de las entidades que pueden acceder a este campo ha pasado de ser más permisiva y aceptar a cooperativas y a entidades de responsabilidad limitada, a reducirse a asociaciones y fundaciones únicamente. Por su lado, Inglaterra partía de un modelo acotado pero que se ha ido ampliando, cada vez más, hacia unidades familiares con ingresos medios; ha pasado de un mayor a un menor control público; de una mayor dependencia de ayudas públicas a una reducción de estas y a un aumento de fuentes privadas (sigue conservando su financiación cruzada); y ha pasado de permitir solamente la entrada a entidades sin ánimo de lucro a ampliarlo también a las que tienen ánimo de lucro.

En definitiva, la conclusión que extraemos no es la de apostar por un modelo más que por el otro, sino el de **buscar un equilibrio** entre las prerrogativas y las obligaciones de estas entidades, entre la libre actuación y el control público. Así, el estudio de estos modelos no nos sirve solamente para destacar sus fórmulas de gestión exitosas y buenas prácticas, sino que también hemos analizado las razones para sus fracasos, que inevitablemente han ido surgiendo a lo largo de tantos años de políticas de gestión, con el fin de poder proponer un modelo de entidad proveedora y gestora para España que ya en su marco legal intente corregir estas disfunciones.

Articular un control público mínimo ha conllevado, en ocasiones, al **surgimiento de malas prácticas** en la gestión del parque y en la gestión financiera, exponiendo la entidad y su parque social a demasiados riesgos en el mercado financiero y de capitales (sobre todo en los Países Bajos). En otras, el control ha sido difícil en los casos en los que se han creado complejas estructuras de gestión de vivienda social (en Inglaterra). La menor financiación pública y la presión para buscar una mayor financiación privada ha conllevado el acercamiento hacia un modelo de "financiarización" (*financialization*), en el cual, además del mencionado peligro de depender de mercados financieros internacionales complejos (solo la intervención de los órganos públicos de control de estas entidades ha salvado, tanto en Inglaterra como en los Países Bajos, a diversas entidades de caer en quiebra y perder su parque de vivienda social), la necesaria profesionalización de todo el sector, con la entrada de muchos actores, como bancos, consultores, asesores y agencias de calificación crediticia, puede acabar repercutiendo en un aumento de las rentas de las viviendas sociales; además del peligro existente de que algunas entidades se centren en arrendatarios más solventes y en actividades que permitan obtener más rentabilidad. Finalmente, el objetivo de perseguir fusiones y alianzas que permitan a las entidades crecer y obtener una mejor posición en el sector puede comportar la pérdida de influencia de los representantes de los arrendatarios y de contacto con los arrendatarios mismos (la *Woningwet* 2015 quiere recuperar este arraigo local).

5. A diferencia de los modelos comparados planteados, la falta de necesidad histórica en **España** de dotarnos de un marco regulatorio sólido de **gestión de vivienda social** ha conllevado la existencia de una gran variedad de entidades que gestionan viviendas consideradas como sociales, que divergen en su forma jurídica, en su objeto social, en su tamaño y en su ámbito de actuación (autonómico, regional o local). A pesar de poder agrupar de manera sistemática a estas entidades en modelos de gestión, en la práctica estas no tienen un marco legal unitario y, en consecuencia, tampoco un control público conjunto. La dispersión regulatoria lleva a una falta de datos de este sector que dificulta el desarrollo de un trabajo coordinado o en red, mientras que, en ocasiones, crea duplicidades y lagunas en los servicios. La falta de regulación especializada en el sector implica que en demasiadas ocasiones la legislación y regulación existentes no permite hacer frente a los retos que ofrece la gestión de un parque destinado a unidades familiares con algún tipo de problemática, ya sea económica, personal, laboral o social (ej. LAU, CC, LPH). En consecuencia, las entidades que provén y gestionan vivienda social en España tampoco cuentan con un organismo representativo que les de voz unitaria, que les pueda servir de guía y pueda defender su posición y su rol en el sector.

Ante la falta de una organización y marco unitario para todas estas entidades que actúan en el ámbito de la gestión de la vivienda social, las políticas públicas suelen apostar por las propias administraciones o entidades públicas o por las entidades sin ánimo de lucro, contando con las entidades con ánimo de lucro solamente, y en algunas ocasiones, para la promoción de vivienda nueva o para actuar como agentes intermediarios. Incluso aunque hayan aparecido nuevas entidades que intentan superar estas limitaciones, ellas mismas sufren las consecuencias de la carencia de dicho marco legal que las impulse y favorezca su labor (ej. en la captación de vivienda, en su puesta a disposición para otras entidades o en las fórmulas de acceso a la vivienda por parte de los beneficiarios sociales).

La imposición de unos mínimos legales a todas las entidades gestoras en los dos modelos comparados estudiados no existe para las entidades españolas. De esta manera, en nuestro país, la mayor o menor implicación y el mayor o menor contacto con los beneficiarios sociales depende de la forma jurídica, del objeto social principal o de los usos de cada entidad. Lo mismo sucede en lo tocante a la cartera de actividades. La tenencia en propiedad (incluso en vivienda social) ha sido la imperante durante muchas décadas, mientras que el alquiler se ha presentado hasta hace poco como una tenencia minoritaria y que además sufre continuos cambios legales que crean inseguridad jurídica y que no responden, en muchos casos, a las necesidades reales de las entidades gestoras, por lo que estas hacen uso habitualmente de fórmulas más precarias. Del mismo modo, los recientes programas de captación de vivienda privada vacía comportan una distorsión de la forma de tenencia por la que la entidad adquiere la vivienda, que posteriormente se incrementa a la hora de delimitar la relación jurídica que se establece entre cada gestor y sus beneficiarios sociales finales. De hecho, esta segunda relación se basa en el uso de fórmulas de acceso a la vivienda inseguras y precarias, sobre todo para aquellos colectivos más vulnerables, como arrendamientos para uso distinto al de vivienda, figuras atípicas o derechos de uso y de habitación. No existe en España un *continuum* de tenencias, puesto que la oferta de tenencias intermedias es casi inexistente. Y las experiencias con las viviendas en derecho de superficie acaban extinguiéndose y terminando en propiedad absoluta para aquellos superficiarios que quieran y puedan comprar el suelo público. En cuanto al desarrollo de actividades comerciales, solo algunos modelos las contemplan, dentro del sector público y, sobre todo, en el sector privado con ánimo de lucro.

Todo lo anterior no significa que no existan **buenas prácticas** en el ámbito de la gestión de vivienda social en España, sino más bien que estas dependen de la forma jurídica de cada entidad, de su objeto social, de su estructura organizativa, del perfil de sus beneficiarios sociales y de sus usos. Así, existen prácticas de involucración de los arrendatarios o de un contacto más directo con ellos, protocolos de actuación y de coordinación (verbales o escritos) con otras entidades e instituciones públicas y privadas, búsqueda de fuentes de financiación privadas, prácticas de mixtura social o de servicios a los arrendatarios y a la comunidad, entre otras. Partiendo de la existencia de estas buenas prácticas, la idea es buscar la fórmula para que estas se desarrollen dentro de un marco legal estructurado, coherente y común a todas aquellas entidades que provean y gestionen vivienda social en España.

6. Teniendo en cuenta tanto las buenas como las malas prácticas identificadas en los modelos comparados estudiados y también en algunos modelos españoles, concluimos la necesidad de crear un **modelo legal funcional**

de provisión y gestión de vivienda social que estructure el sector, sin la necesidad de imponer la conversión de las entidades a una forma jurídica determinada. Este debe permitir, a su vez, optimizar recursos en un parque costoso y difícil de gestionar (morosidad, dificultades administrativas, dispersión en el territorio, costes de mantenimiento y de vigilancia, conflictividad), debe ofrecer transparencia y libre concurrencia para aquellas entidades que decidan actuar en él y debe garantizar un mínimo suficiente de viviendas sociales. Así, hemos concebido y descrito un **modelo de entidad proveedora y gestora de vivienda social (EPGVS)** que, a través de un proceso de homologación y registro públicos, permita a la Administración pública dotarse de figuras de confianza para dejar en manos ajenas la gestión de un bien tan importante y básico como es el de la vivienda. Este modelo quiere garantizar la calidad de la gestión de la vivienda (ligado con la interpretación del derecho a la vivienda de la Observación general núm. 4 del Comité DESC de las Naciones Unidas), normativizando conductas o modos de actuación que hasta el momento pueden ser meras prácticas singulares que van ligadas, sobre todo, a los ideales y objetos sociales de cada entidad en cuestión o de su forma jurídica.

Además, el modelo de EPGVS quiere acabar con el diferente trato que reciben actualmente las entidades en función de su forma jurídica, ofreciendo la oportunidad de que todas, bajo una misma denominación y cumpliendo unos mismos requisitos, tengan acceso a financiación y ventajas públicas y fiscales y que se las vea representadas en la planificación e implementación de las políticas de vivienda.

7. Proponer y desarrollar un marco legal común y específico para todas las entidades gestoras de vivienda social tiene la finalidad de fomentar, desarrollar y asentar estas EPGVS. El marco que proponemos gira en torno a **tres ejes principales**: 1) un proceso de homologación con unos requisitos subjetivos y objetivos y el establecimiento de un Registro público, 2) la creación de un órgano supervisor y 3) la creación de una normativa básica para todas las entidades homologadas como EPGVS.

Inicialmente, habíamos planteado el modelo de EPGVS solamente para entidades privadas sin ánimo de lucro, por su gestión más social del parque. Sin embargo, con el estudio de modelos comparados (que nos han demostrado que carecer de ánimo de lucro no significa necesariamente gestionar de forma más responsable y de cara a los usuarios) y con el modelo que finalmente hemos ideado, con el preceptivo cumplimiento de unos requisitos de homologación y de una posterior normativa que contemple tanto preceptos de carácter económico como de carácter más social, no vemos inconveniente en abrir el modelo a todas aquellas entidades privadas con ánimo de lucro que cumplan con los requisitos establecidos. Así, se exige, como requisito de **homologación** principal, que la entidad tenga como objeto de su actividad la provisión y/o gestión de vivienda social, estableciéndose, además, lo que debe entenderse como tal, para que no pueda considerarse distorsión del mercado privado, siguiendo los criterios de la Comisión Europea. También se garantiza la representación de los arrendatarios en los órganos de gestión de la entidad y se exige a las entidades una viabilidad económica y de gobernanza, de manera que deben disponer de mecanismos de gestión suficientes para cumplir con la normativa reguladora de las EPGVS.

La inscripción de estas entidades en un **Registro público** *ad hoc* permite obtener la información necesaria para el diseño e implementación de futuras políticas de vivienda y para la planificación económica, y es un requisito imprescindible para poder acceder a financiación pública, ventajas fiscales y otras prerrogativas en el desempeño de las políticas de vivienda, como hacer uso del régimen especial de arrendamiento de vivienda social de la LAU que proponemos.

El segundo elemento esencial de este modelo es la creación de un **órgano público supervisor** de las entidades homologadas como EPGVS, para velar por el cumplimiento tanto de los requisitos de homologación como de la normativa reguladora de las EPGVS (control de gobernanza, actividad y financiación). Así, de esta manera, la Administración pública puede asegurar que el gobierno y la actuación de las entidades que gestionen vivienda social en España cumplen con unas garantías y unos servicios mínimos, puesto que, de no tenerlos, se les revocaría la homologación.

Por último, la **normativa reguladora de las EPGVS** que proponemos normativiza muchas de las prácticas extraídas de los dos modelos comparados y de los españoles estudiados que, a nuestro juicio, son importantes para conseguir una gestión eficiente en cuanto a la financiación y economía de la entidad, a su gobierno y a la consecución de sus actuaciones sociales. Sin desatender a la gestión técnica, de propiedades y financiera que debe llevarse a cabo de la manera más eficiente posible (la viabilidad económica también es requisito de homologación), la normativa reguladora de las EPGVS pretende enfatizar la importancia de la gestión social. Esta exige que una parte considerable de la actuación (ej. el 80%) se dedique a actividades sociales, como la provisión de vivienda, la oferta de servicios complementarios para los beneficiarios sociales y la involucración de la entidad en sus zonas de actuación y en la comunidad y, además, dentro de la actividad de provisión de vivienda, se plantea la posibilidad de limitar las vías de acceso que supongan una huida (progresiva) de las viviendas al mercado privado. Lo que se pretende es crear un modelo que sea propulsor de un aumento progresivo del parque de vivienda social en España.

Las EPGVS se presentan como vehículo ideal para el desarrollo de distintas fórmulas de acceso a la vivienda, permitiendo, por un lado, la creación de un *continuum* de tenencias (Nueva Agenda Urbana 2016) y fortaleciendo las vías de financiación, por otro. Asimismo, se quiere evitar la huida de la protección que la LAU ofrece a los arrendatarios de vivienda, proponiendo un régimen especial de protección más adecuado al que podrán acceder estas entidades homologadas.

Tanto los requisitos de homologación como la posterior normativa reguladora del modelo de EPGVS propuesto presentan similitudes con el concepto europeo de **empresa social** y la concepción de un proveedor de vivienda social que debe ir más allá de la simple puesta a disposición de una vivienda (Comisión Europea 2015, Housing Europe 2019 y Naciones Unidas 2021), lo que también se deja entrever en el Proyecto de "España 2050".

Para que este modelo pueda funcionar es necesaria una **apuesta firme de las políticas de vivienda** (como en su momento sucedió en Inglaterra y en los Países Bajos), ofreciendo un canal de financiación pública y otras ventajas, como las fiscales o de trato preferente en la propuesta y la implementación de las políticas de su sector. Si las ventajas que ofrece este modelo no superan claramente a las restricciones impuestas por la normativa reguladora (ej. rigidez en el desarrollo de ciertas actividades y monitorización externa estricta), será difícil que se consiga captar el interés de muchas entidades del sector. En un inicio y, atendiendo a las competencias del Estado y de las CCAA en materia de vivienda, se regularían unos requisitos básicos de homologación, registro, altas y bajas, control público y normativa reguladora a nivel estatal (ej. se podrían incorporar en la futura Ley estatal por el derecho a la vivienda) para acceder a las actuaciones protegidas y financiadas en el ámbito estatal y para que las entidades pudieran tener ventajas en competencias estatales (como en la posibilidad de hacer uso del régimen especial de arrendamiento de vivienda social de la LAU) o incluso de ciertas ventajas fiscales (como en el IS). Esto no excluye que las CCAA regulen sus propios modelos que desarrollen o completen el estatal. Con ello se conseguiría armonizar el sector y ofrecer una igualdad en todo el país respecto de la calidad de la vivienda ofrecida y de los servicios prestados a los ciudadanos.

Bibliografía

AALBERS, M. B. y GIBB, K. "Housing and the right to the city: introduction to the special issue", *International Journal of Housing Policy*, vol. 14, núm. 3, 2014, pp. 207-213.

AALBERS, M. B, VAN LOON, J. y FERNÁNDEZ, R. "The financialization of a social housing provider", *International journal of urban and regional research*, vol. 41, núm. 4, 2017, pp. 572-587.

ABBÉ PIERRE y FEANTSA. *An overview of housing exclusion in Europe 2015*, 2015.
  – *Sixth Overview of housing exclusion in Europe 2021*, 2021.

ABELSON, P. "Affordable housing: concepts and policies", *Economic Papers*, vol. 28, núm. 1, 2009, pp. 27-38.

ACCORD. *Financial Statements 2017.*
  – *Financial Statements 2020.*

ADLINGTON, J. et al. *"Where next?" Housing after 2015. Creating a sustainable housing investment model.* PricewaterhouseCoopers y L&Q, 2011.

AEDES. *Dutch social housing in a nutshell.* Bruselas: Aedes, 2013.
  – *Dutch social housing in a nutshell. Examples of social innovation for people and communities.* La Haya: Aedes, 2016.

ALBALADEJO, M. *Derecho Civil III. Derecho de Bienes.* Madrid: Edisofer, 2010.

ALBERDI, B. "Social Housing in Spain", en SCANLON, K., WHITEHEAD, C. y FERNÁNDEZ ARRIGOITIA, M. (eds.) *Social Housing in Europe.* Chichester: John Wiley and Sons, 2014, pp. 223-237.

ALGUACIL DENCHE, A. et al. *La vivienda en España en el siglo XXI. Diagnóstico del modelo residencial y propuestas para otra política de vivienda.* Madrid: Cáritas y Fundación Foessa, 2013.

ALOKABIDE. *Memoria 2016.*

ALONSO PÉREZ, M. T. "Capítulo 8. La temporalidad del derecho de superficie y los efectos de su extinción (Principal inconveniente para que sirva de vía de acceso a la vivienda)", en ALONSO PÉREZ, M. T. (dir.) *Nuevas vías jurídicas de acceso a la vivienda. Desde los problemas generados por la vivienda en propiedad ordinaria financiada con créditos hipotecarios a otras modalidades jurídico-reales de acceso a la vivienda.* Cizur Menor: Thomson Reuters Aranzadi, 2018, pp. 349-400.

AMNISTÍA INTERNACIONAL. *Derechos desalojados. El derecho a la vivienda y los desalojos hipotecarios en España.* Madrid: Amnistía Internacional España, 2015.

AMSTERDAMSE FEDERATIE VAN WONINGCORPORATIES. *United we stand. 90 years of the Amsterdam Federation of Housing Associations.* Amsterdam: Amsterdamse Federatie van Woningcorporaties, 2007.

ANDREWS, D. y CALDERA SÁNCHEZ, A. "The evolution of homeownership rates in selected OECD countries: demographic and public policy influences", *OECD Journal: Economic Studies*, vol. 2011/1, 2011.

ARANDA RODRÍGUEZ, R. "El derecho de superficie. Análisis de algunos de sus problemas jurídicos", *Revista crítica de derecho inmobiliario*, núm. 759, 2017, pp. 404-420.

ÁREA DE DERECHOS SOCIALES. AYUNTAMIENTO DE BARCELONA (dir.) *Plan de lucha contra el sinhogarismo de Barcelona 2016-2020.* Barcelona: Ayuntamiento de Barcelona, 2017.

ARGELICH COMELLES, C. *La expropiación temporal del uso de viviendas.* Madrid: Marcial Pons, 2017.

ARGUDO PÉRIZ, J. L. "Las cooperativas sin ánimo de lucro: ¿vuelta a los orígenes o respuesta a nuevas necesidades sociales?", *Revista vasca de economía social*, núm. 3, 2007, pp. 179-201.

ARTHURSON, K., LEVIN, I. y ZIERSCH, A. "Social mix, '[A] very, very good idea in a vacuum but you have to do it properly!' Exploring social mix in a right to the city framework", *International Journal of Housing Policy*, vol. 15, núm. 4, 2015, pp. 418-435.

AUGOUSTATOS ZARCO, N. "Capítulo XXVII. Cooperativas sin ánimo de lucro", en PEINADO GRACIA, J. I. (dir.) *Tratado de derecho de cooperativas. Volumen 2.* Valencia: Tirant lo Blanch, 2013, pp. 1453-1470.

AYUNTAMIENTO DE BARCELONA. *Banc de bones pràctiques,* Boletín núm. 2, 2015.
- *Pla pel dret a l'habitatge de Barcelona 2016-2025,* disponible en http://habitatge.barcelona/ca/estrategia/pla-dret-habitatge (último acceso 03-10-2019).

BÅÅTH, O. *National Report for Sweden,* en el Proyecto TENLAW: Tenancy Law and Housing Policy in Multi-Level Europe, 2014, disponible en https://www.uni-bremen.de/jura/tenlaw-tenancy-law-and-housing-policy-in-multi-level-europe/ (**último acceso** 02-10-2019).

BALL, J. "Housing provision and comparative housing research", en BALL, M., HARLOE, M. y MARTENS, M. *Housing and social change in Europe and the USA.* Londres y Nueva York: Routledge, 1988.
- "Fragmentando la propiedad para la asequibilidad: la *shared ownership* o "nuevas" tenencias en Inglaterra y Francia", en NASARRE AZNAR, S. (dir.) *El acceso a la vivienda en un contexto de crisis.* Madrid: Edisofer, 2011, pp. 173-225.

BANCO DE ESPAÑA. *El mercado de la vivienda en España entre 2014 y 2019. Documentos Ocasionales nº 2013.* Madrid: Banco de España, 2020.

BARCELÓ, C. *Housing tenure and labour mobility: a comparison across European Countries. Documento de trabajo núm. 0603.* Madrid: Banco de España, 2006.

BARNADA, J. y SANTOS, I. (coords.) *Qüestions d'Habitatge. Repensar el Patronat Municipal de l'Habitatge. Número 19.* Barcelona: Ayuntamiento de Barcelona, 2016.

BECERRIL, S. *Estudio sobre viviendas protegidas vacías.* Madrid: Defensor del Pueblo, 2013.

BELTRÁN DE FELIPE, M. *La intervención administrativa en la vivienda: aspectos competenciales, de policía y de financiación de las viviendas de protección oficial.* Valladolid: Lex Nova, 2000.

BERMÚDEZ SÁNCHEZ, T. y TRILLA I BELLART, C. "Un parque de viviendas de alquiler social. Una asignatura pendiente en Cataluña", *Debats Catalunya Social. Propostes des del Tercer Sector,* núm. 39, 2014.

BILLIS, D. "The Symbiotic relationship between social enterprise and hybridity", *MESSOCENT Conference Selected Papers,* núm. LG 13-30, 2013.

BILLIS, D. (ed.) *Hybrid organisations and the third sector. Challenges for practice, theory and policy.* Basingstoke: Palgrave Macmillan, 2010.

BLESSING, A. "Magical or monstrous? Hybridity in social housing governance", *Housing Studies,* vol. 27, núm. 2, 2012, pp. 189-207.

BOCCADORO, N. "The impact of EU rules on the definition of social housing", en SCANLON, K. y WHITEHEAD, C. *Social Housing in Europe II.* Londres: LSE London, 2008, pp. 261-269.

Boelhouwer, P. *Maturation of the Dutch social housing model and perspectives for the future.* Delft: OTB Research Institute for the Built Environment, 2014.

Boelhouwer, P., Van der Heijden, H. y Van de Ven, B. "Management of social rented housing in Western Europe", *Housing Studies*, vol. 12, núm. 4, 1997, pp. 509-529.

Boelhouwer, P. y Priemus, H. "Demise of the Dutch social housing tradition: impact of Budget cuts and political changes", *Journal of Housing and the Built Environment*, vol. 29, núm. 2, 2014, pp. 221-235.

Borrajo Iniesta, I. "El intento de huir del Derecho administrativo", *Revista española de derecho administrativo*, núm. 78, 1993, pp. 233-250.

Botello Hermosa, J. M. "El contrato de arrendamiento de habitación: la problemática de su regulación. ¿Ley de Arrendamientos Urbanos o Código Civil?", *Revista Crítica de Derecho Inmobiliario*, núm. 754, 2016, pp. 1000-1038.

Braga, M. y Palvarini, P. *Social housing in the EU.* Parlamento Europeo, Dirección General de Políticas Internas, 2013 (IP/A/EMPL/NT/2012-07).

Bramley, G., Munro, M. y Pawson, H. *Key Issues in Housing. Policies and Markets in 21ˢᵗ-Century Britain.* Hampshire: Palgrave Macmillan, 2004.

Brandsen, T., Farnell, R. y Cardoso Ribeiro, T. *Housing association diversification in Europe: Profiles, Portfolios and Strategies.* Coventry: The Rex Group, 2006.

Brandsen, T., van de Donk, W. y Putters, K. "Griffins or Chameleons? Hybridity as a permanent and inevitable characteristic of the Third Sector", *International Journal of Public Administration*, vol. 28, núm. 9, 2005, pp. 749-765.

Brandsen, T. y Karré, P. M. "Hybrid organizations: no cause for concern?", *Internationa Journal of Public Administration*, vol. 34, núm. 13, 2011, pp. 827-836.

Bright, S. y Hopkins, N. "Home, Meaning and Identity: Learning from the English Model of Shared Ownership", *Housing, Theory and Society*, vol. 28, núm. 4, 2011, pp. 377-397.

Burón Cuadrado, J. "Una política de vivienda alternativa", *Ciudad y territorio. Estudios territoriales*, núm. 155, 2008, pp. 9-40.

– "El reto de la política pública de vivienda de Barcelona: converger con las buenas prácticas de la Unión Europea o padecer aún más y durante más tiempo", en Palay, J. y Santos, I. (coords.) *Qüestions d'Habitatge. Políticas comparadas de vivienda. Número 20.* Barcelona: Ayuntamiento de Barcelona, 2016, pp. 5-10.

Busch-Geertsema, V. "Measures to achieve social mix and their impact on access to housing for people who are homeless", *European Journal of Homelessness*, vol. 1, 2007, pp. 213-224.

Caballé Fabra, G. "VII. Límites en el acceso del titular sucesivo (propiedad temporal) y del propietario formal (propiedad compartida) al bien objeto de propiedad", en Nasarre Aznar, S. (dir.) *La propiedad compartida y la propiedad temporal (Ley 19/2015) Aspectos legales y económicos.* Valencia: Tirant lo blanch, 2017, pp. 493-538.

– "Capítol 6. La cessió i el sotsarrendament", en Nasarre Aznar, S., Simón Moreno, H. y Molina Roig, E. (dirs.) *Un nou dret d'arrendaments urbans per a afavorir l'accés a l'habitatge.* Barcelona: Atelier, 2018, pp. 105-113.

Cabra de Luna, M. A. y de Lorenzo García, R. "El Tercer Sector en España: ámbito, tamaño y perspectivas", *Revista Española del Tercer Sector*, núm. 1, 2005, pp. 95-134.

Cabrera Marcet, F. et al. *Estudio sobre el sector Público y recopilación de buenas prácticas sobre renovación urbana.* Cecodhas, 2006.

CaixaBank. *Informe de gestión consolidado del Grupo CaixaBank 2018*, 2019.

CAMPOS ACUÑA, C. (dir.) *Comentarios a la Ley 40/2015 de Régimen Jurídico del Sector Público*. Las Rozas: Wolters Kluwer, 2017.

CASTAÑÉ GARCÍA, J. "La vivienda, un largo camino por recorrer", *Documentación Social*, núm. 138, 2005, pp. 101-118.

CEBEON. *Effecten fusies corporaties op maatschappelijke prestaties*. Amsterdam: Cebeon, 2006.

CECODHAS HOUSING EUROPE OBSERVATORY. *Study on financing of social housing in 6 European countries. Final report*. CECODHAS European Social Housing Observatory, 2013.

CENTRE FOR REGIONAL ECONOMIC AND SOCIAL RESEARCH. *Direct Payment Demonstration Projects: Key findings of the programme evaluation – Final report*. Department for Work and Pensions, 2014.

CERVERA, C., SUTRIAS, F. y TRILLA, C. "La contribució del Tercer Sector al lloguer social", *Dossier Catalunya Social. Propostes des del Tercer Sector*, núm. 45, 2016.

CHAPLIN, R. y FREEMAN, A. "Towards an accurate description of affordability", *Urban Studies*, vol. 36, núm. 11, 1999, pp. 1949-1957.

CHARTERED INSTITUTE OF HOUSING. *To fixed term tenancies. Supporting organisations to pioneer new ways of working and review current and emerging practice. New approaches*. Chartered Institute of Housing, 2014.

CHINCHILLA MARÍN, C. "Las sociedades mercantiles públicas. Su naturaleza jurídica privada y su personalidad jurídica diferenciada: ¿realidad o ficción?", *Revista de Administración Pública*, núm. 203, 2017, pp. 17-56.

CHO, Y. y WHITEHEAD, C. "The immobility of social tenants: is it true? Does it matter?", *Journal of Housing and the Built Environment*, vol. 28, núm. 4, 2013, pp. 705-726.

COBACHO HAYA, J. *Adjudicació i funcionament intern de l'allotjament d'urgència i inclusió social Document d'anàlisi i bases*. Barcelona: Diputació de Barcelona, 2018.

COFFEY, R., SMYTH, J. y HOGG, M. *Using the Community Interest Company model in the housing sector. A marriage in the making?* York: Joseph Rowntree Foundation, 2007.

COHABITAC y TAULA D'ENTITATS DEL TERCER SECTOR SOCIAL DE CATALUNYA. *Reptes i limitacions de la promoció i la gestió d'habitatges de lloguer social a Catalunya*, Barcelona, 2020.

COLOMÉ MONTULL, N. et al. *Guia metodològica de masoveria urbana*. Diputació de Barcelona, 2017.

COMISIÓN DE EMPLEO Y ASUNTOS SOCIALES. PARLAMENTO EUROPEO. *Informe sobre la vivienda social en la Unión Europea*, 2012/2293(INI), 30 de abril de 2013.

COMISIÓN DE LAS COMUNIDADES EUROPEAS. *Libro Verde sobre los servicios de interés general*, COM(2003) 270, Bruselas, 21-05-2003.
– *Libro Blanco sobre los servicios de interés general*, COM(2004) 374 final, Bruselas, 12-05-2004.
– *Decisión 2005/842/CE de la Comisión, de 28 de noviembre de 2005, relativa a la aplicación de las disposiciones del artículo 86, apartado 2, del Tratado CE a las ayudas estatales en forma de compensación por servicio público concedida a algunas empresas encargadas de la gestión de servicios de interés económico general*. DOUE 29-11-2005, núm. L 312.
– *Comunicación de la Comisión. Aplicación del programa comunitario de Lisboa. Servicios sociales de interés general en la Unión Europea*. Bruselas, 24-04-2006, COM(2006) 177 final.

Comisión Europea. *Decisión núm. E 2/2005 y N 642/2009, The Netherlands, Existing and special project aid to housing corporations.* Bruselas. 15-12-2009. C(2009)9963 final.
  - *Comunicación de la Comisión al Parlamento Europeo, al Consejo, al Comité Económico y Social Europeo y al Comité de las Regiones. Un marco de calidad para los servicios de interés general en Europa.* Bruselas, 20-12-2011, COM(2011) 900 final.
  - *Decisión 2012/21/UE de la Comisión, de 20 de diciembre de 2011, relativa a la aplicación de las disposiciones del artículo 106, apartado 2, del Tratado de Funcionamiento de la Unión Europea a las ayudas estatales en forma de compensación por servicio público concedidas a algunas empresas encargadas de la gestión de servicios de interés económico general.* DOUE 11-01-2012, núm. L 7.
  - *A map of social enterprises and their eco-systems in Europe. Synthesis Report.* Luxemburgo: Comisión Europea, 2015.
  - *Documento de trabajo de los servicios de la Comisión que acompaña al documento Comunicación de la Comisión al Parlamento Europeo, al Consejo, al Comité Económico y Social Europeo y al Comité Europeo de las Regiones. Establecimiento de un pilar europeo de derechos sociales.* Bruselas, 26-04-2017, SWD(2017)201 final.
  - *Recomendación (UE) 2017/761 de la Comisión, de 26 de abril de 2017, sobre el pilar europeo de derechos sociales.* DOUE 29-04-2017, núm. L 113.
Comité de Derechos Económicos, Sociales y Culturales de las Naciones Unidas. *Comunicación núm. 5/2015, de 20 de junio de 2017* (E/C.12/61/D/5/2015).
  - *Observaciones finales sobre el sexto informe periódico de España,* abril 2018 (E/C.12/ESP/CO/6).
Communities and local government. *Regional and national tenants' organisations.* Londres: Department for Communities and Local Government, 2010.
  - *Review of social housing regulation.* Londres: Department for Communities and Local Government, 2010.
  - *National Planning Policy Framework.* Londres: Department for Communities and Local Government, 2012.
Compañía española de viviendas en alquiler. *Informe financiero anual correspondiente al ejercicio 2018,* 2019.
Consejo de la Juventud de España. *Observatorio de Emancipación núm. 13,* segundo semestre 2016, disponible en http://www.cje.org/es/publicaciones/novedades/observatorio-de-emancipacion-n-13-segundo-semestre-2016/ (último acceso 17-07-2019).
Cornelius, J. y Rzeznik, J. *National Report for Germany,* en el Proyecto TENLAW: Tenancy Law and Housing Policy in Multi-Level Europe, 2014, disponible en https://www.uni-bremen.de/jura/tenlaw-tenancy-law-and-housing-policy-in-multi-level-europe/ (último acceso 02-10-2019).
Cosculluela Montaner, L. *Manual de Derecho administrativo.* Cizur Menor: Civitas, 2017 (28ª edición).
Cowan, D., Carr, H. y Wallace, A. ""Thank heavens for the lease": histories of shared ownership", *Housing Studies,* vol. 33, núm. 6, 2018, pp. 855-875.
CriteriaCaixa. *Presentación corporativa 2019.*
Cromarty, H. *Shared ownership (England): the fourth tenure? Briefing paper number 08828,* Londres: House of Commons Library, 2020.

CUBERO MARCOS, J. I. "El reconocimiento de derechos sociales a través de la conexión con derechos fundamentales: hacia una progresiva superación de la doctrina clásica", *Revista catalana de dret públic,* núm. 54, 2017, pp. 118-140.

CZISCHKE, D. "Social Housing and European Community Competition Law", en SCANLON, K., WHITEHEAD, C. y FERNÁNDEZ ARRIGOITIA, M. *Social housing in Europe.* Chichester: John Wiley and Sons, 2014. pp. 333-346.

CZISCHKE, D. (ed.) *Financing social housing. After the economic crisis.* Bruselas: Cecodhas Housing Europe, 2010.

CZISCHKE, D., GRUIS, V. y MULLINS, D. "Conceptualising social enterprise in housing organizations", *Housing Studies,* vol. 27, núm. 4, 2012, pp. 418-437.

CZISCHKE, D. y TAFFIN, C. "European policies for social housing funding", en HOUARD, N. (ed) *Social Housing across Europe.* París: La documentation Française, 2011, pp. 152-168.

CZISCHKE, D., y VAN BORTEL, G. "An exploration of concepts and polices on 'affordable housing' in England, Italy, Poland and the Netherlands", *Journal of Housing and the Built Environment,* 2018, https://doi.org/10.1007/s10901-018-9598-1.

DE JONG, R. *The balance upset. A report on the Dutch social housing sector for the Parliamentary Inquiry on Social Housing Organisations.* La Haya: Aedes, 2013.

DEFENSOR DEL PUEBLO. *Informe anual 2015 y debates en las Cortes Generales.* Madrid: Defensor del Pueblo, 2016.

DEL POZO CARRASCOSA, P., VAQUER ALOY, A. y BOSCH CAPDEVILA, E. *Derecho Civil de Cataluña. Derechos reales.* Madrid: Marcial Pons, 2018 (6ª edición).

DEPARTMENT FOR BUSINESS, ENERGY AND INDUSTRIAL STRATEGY. *Office of the Regulator of Community Interest Companies: Leaflets. Frequently asked questions,* 2017, disponible en https://assets.publishing.service.gov.uk/government/uploads/system/uploads/attachment_data/file/641412/13-786-community-interest-companies-frequently-asked-questions.pdf (último acceso 06-10-2019).

DEPARTMENT FOR COMMUNITIES AND LOCAL GOVERNMENT. *A plain English guide to the Localism Act.* Londres: Department for Communities and Local Government, 2011.
  – *Tailored Review of the Homes and Communities Agency. November 2016.* Londres: Department for Communities and Local Government, 2016.
  – *Right to Buy Sales in England: January to March 2017. Housing Statistical Release.* Londres: Department for Communities and Local Government, 2017.

DÍAZ, L. (ed.) *Polítiques públiques dels municipis catalans.* Barcelona: Fundació Carles Pi i Sunyer, 2014.

DÍAZ DE LA ROSA, A. "Capítulo XXVI. Cooperativas de iniciativa social", en PEINADO GRACIA, J. I. (dir.) *Tratado de derecho de cooperativas. Volumen 2.* Valencia: Tirant lo Blanch, 2013, pp. 1443-1453.

DÍEZ-PICAZO, L. *Fundamentos del derecho civil patrimonial vol. III.* Navarra: Aranzadi, 2008.

DIXON, M. *Modern land law.* Abingdon y Nueva York: Routledge, 2016 (10ª edición).

DOL, K. et al. "Regionalization of housing policies? An explanatory study of Andalusia, Catalonia and the Basque Country", *Journal of Housing and the Built Environment,* vol. 32, núm. 3, 2017, pp. 581-598.

DOL, K. y HAFFNER, M. *Housing Statistics in the European Union,* La Haya: OTB Research Institute for the Built Environment, 2010.

DOLING, J. *Comparative housing policy. Government and housing in advanced industrialized countries.* Londres: MacMillan, 1997.

DOMINGO ZABALLOS, M. J. (coord.) *Comentarios a la Ley Básica de Régimen Local (Ley 7/1985, de 2 de abril, reguladora de las bases del régimen local). Tomo II.* Cizur Menor: Thomson Reuters, 2013 (3ª edición).

ELSINGA, M. "Intermediate housing tenures", en SMITH, S. J. et al. (eds.) *International Encyclopedia of Housing and Home*, vol 4. Amsterdam-Oxford-Waltham: Elsevier, 2012, pp. 124-129.

ELSINGA, M., PRIEMUS, H. y BOELHOUWER, P. "Milestones in housing finance in the Netherlands, 1988-2013", en LUNDE, J. Y WHITEHEAD, C. (eds.) *Milestones in European Housing Finance.* Chichester: Wiley Blackwell, 2016, pp. 255-272.

ELSINGA, M., STEPHENS, M. y KNORR-SIEDOW, T. "The privatisation of social housing: three different pathways", en SCANLON, K., WHITEHEAD, C. y FERNÁNDEZ ARRIGOITIA, M. (eds.) *Social Housing in Europe,* Chichester: John Wiley and Sons, 2014, pp. 389-413.

ELSINGA, M. y HOEKSTRA, J. "Homeownership and housing satisfaction", *Journal of Housing and the Built Environment*, vol. 20, núm. 4, 2005, pp. 401-424.

ELSINGA, M. y LIND, H. "The effect of EU-legislation on rental systems in Sweden and the Netherlands", *Housing Studies*, vol. 28, núm. 7, 2013, pp. 960-970.

ELSINGA, M. y VAN BORTEL, G. "The future of social housing in the Netherlands", en HOUARD, N. (ed.) *Social Housing across Europe.* París: La documentation Française, 2011, pp. 98-115.

ELSINGA, M. y WASSENBERG, F. "Social Housing in the Netherlands", en SCANLON, K., WHITEHEAD, C. y FERNÁNDEZ ARRIGOITIA, M. *Social housing in Europe.* Chichester: John Wiley and Sons, 2014. pp. 25-40.

ESTIVAL ALONSO, L. *La vivienda de protección pública en España (V.P.O.). Régimen jurídico, ayudas y limitaciones.* Madrid: Grupo difusión, 2008.

ETXEZARRETA ETXARRI, A., CANO FUENTES, G. y MERINO HERNÁNDEZ, S. "Las cooperativas de viviendas de cesión de uso: experiencias emergentes en España", *CIRIEC – España. Revista de economía pública, social y cooperativa*, núm. 92, 2018, pp. 61-86.

ETXEZARRETA ETXARRI, A. y MERINO HERNÁNDEZ, S. "Las cooperativas de vivienda como alternativa al problema de la vivienda en la actual crisis económica", *REVESCO: Revista de estudios cooperativos*, núm. 113, 2014, pp. 92-119.

EUROSTAT. *Combating poverty and social exclusion. A statistical portrait of the European Union 2010.* Luxemburgo: Comisión Europea, 2010.

EVANS, R. "Tackling deprivation on social housing estates in England: an assessment of the Housing Plus approach", *Housing Studies,* vol. 13, núm. 5, 1998, pp. 713-726.

FAUS I PUJOL, M. "Normas del derecho común sobre uso y habitación", *Práctico Derechos Reales*, vLex, 2019.

FEDERACIÓ D'ASSOCIACIONS DE VEÏNS D'HABITATGE SOCIAL DE CATALUNYA. *Memòria 2018.*

FERNANDES, E. "Rights to the city", en SMITH, S.J. (ed.) *International Encyclopedia of Housing and Home*, vol. 6. Amsterdam-Oxford-Waltham: Elsevier, 2012. pp. 187-192.

FERNÀNDEZ EVANGELISTA, G. *El acceso a la vivienda social de las personas sin hogar.* Tesis doctoral por la Universidad Autónoma de Barcelona, 2015.

FERNÁNDEZ MAÍLLO, G. (coord.) *VIII Informe sobre exclusión y desarrollo social en España 2019.* Madrid: Fundación Foessa, 2019.

FERNÁNDEZ SEGADO, F. *El sistema constitucional español.* Madrid: Dykinson, 1992.

Feu, J. y Codina, T. "Cap a un nou model del finançament del Tercer Sector", *Dossiers del Tercer Sector*, núm. 18, 2012.

Fiscalía General del Estado. *Memoria 2015*. Madrid, 2015.

Fitzpatrick, S. y Pawson, H. "Ending Security of Tenure for Social Renters: Transitioning to 'Ambulance Service' Social Housing?", *Housing Studies*, vol. 29, núm. 5, pp. 597-615.

Fitzpatrick, S. y Watts, B. "Competing visions: security of tenure and the welfarisation of English social housing", *Housing Studies*, vol. 32, núm. 8, 2017, pp. 1021-1038.

Flint, J. "Maintaining an Arm's Length? Housing, community governance and the management of 'problematic' populations", *Housing Studies*, vol. 21, núm. 2, 2006, pp. 171-186.

Forster, W. (dir.) *Guidelines on Social Housing. Principles and Examples*. Nueva York y Ginebra: Naciones Unidas, 2006.

Fotocasa. *Los españoles y su relación con la vivienda*, 2015.
  – *Radiografía del mercado de la vivienda 2017-2018*, 2018.
  – *La vivienda en alquiler en España en el año 2018*, 2019.

Fox, L. *Conceptualising Home. Theories, Laws and Policies*. Oxford-Portland: Hart Publishing, 2007.

Fuentes Lojo, A. *Arrendamientos Urbanos. Derecho sustantivo y procesal. Adaptado a la Ley 4/2013, de 4 de junio*. Madrid: El Derecho y Quantor, 2013.

Fuentes-Lojo Lastres, A. y Fuentes Lojo, J. V. *Novísima suma de arrendamientos urbanos. Tomo VI*. Barcelona: Bosch editor, 2007.

Fundació Família i Benestar Social. *Memòria 2018*, 2019.

Fundació Hàbitat3. *Memòria 2018. Garantint el dret a l'habitatge per a persones en situació vulnerable*. Barcelona, 2019.

Fundació Mambré. *Memòria 2018: un any amb 127.398 nits*, 2019.

Fundación Bancaria "la Caixa". *Cuentas anuales consolidadas e Informe de gestión consolidado del Grupo Fundación Bancaria "la Caixa" correspondientes al ejercicio 2018*, 2019.
  – *Informe de gestión del Grupo Fundación Bancaria "la Caixa". Ejercicio 2018*, 2019.

Fundación Encuentro. *Informe España 2013. Una interpretación de su realidad social*. Madrid: Fundación Encuentro, 2013.

Fundación PwC. *Radiografía del Tercer Sector Social en España: retos y oportunidades en un entorno cambiante*. Pricewaterhousecoopers, 2018.

García Almirall, P. et al. "Modelos de política de vivienda municipal en Europa y América", en Palay, J. y Santos, I. (coords.) *Qüestions d'Habitatge. Políticas comparadas de vivienda. Número 20*. Barcelona: Ayuntamiento de Barcelona, 2016, pp. 31-63.

García Delgado, J. L. (dir.) *Las cuentas de la economía social. El tercer sector en España*. Madrid: Civitas, 2004.

García Macho, R. "Los derechos fundamentales sociales y el derecho a una vivienda como derechos funcionales de libertad", *Revista catalana de dret públic*, núm. 38, 2009, pp. 67-96.

Garcia Teruel, R. M. *La sustitución de la renta por la rehabilitación o reforma de la vivienda en los arrendamientos urbanos*. Valencia: Tirant lo Blanch, 2019.

Gaviria, M. et al. *Vivienda social y trabajo social*. Madrid: Editorial popular, 1991.

Generalitat de Catalunya. *Informe sobre el sector de l'habitatge a Catalunya 2011*, 2012.
  – *Informe sobre el sector de l'habitatge a Catalunya 2015*, 2016

- *Informe sobre el sector de l'habitatge a Catalunya. 2018,* 2019.
- *Informe sobre el sector de l'habitatge a Catalunya. 2019,* 2020.

GENERALITAT DE CATALUNYA y AGÈNCIA DE L'HABITATGE DE CATALUNYA. *Memòria de l'Agència de l'Habitatge de Catalunya 2013.*

GHEKIÈRE, L. "Le développement du logement social dans l'Union européenne", *Recherches et Prévisions,* núm. 94, 2008.
- "How social housing has shifted its purpose, weathered the crisis and accomodated European Community comptetition law", en HOUARD, N. (ed) *Social housing across Europe.* París: La documentation Française, 2009. pp. 135-151.
- "La Comunidad Europea y la vivienda social". *Boletín Informativo núm. 94.* Valencia: Asociación Española de Promotores Públicos de Vivienda y Suelo, 2009.

GONZÁLEZ PACANOWSKA, I. "Artículo 17. Determinación de la renta", en BERCOVITZ RODRÍGUEZ-CANO, R. (coord.) *Comentarios a la Ley de Arrendamientos Urbanos.* Cizur Menor: Thomson Reuters Aranzadi, 2013 (6ª edición), pp. 563-600.
- El pacto de reemplazar la obligación de pago de la renta por el compromiso del arrendatario de reformar o rehabilitar el inmueble", en BERCOVITZ RODRÍGUEZ-CANO, R. (coord.) *Comentario a la Ley de Arrendamientos Urbanos.* Pamplona: Aranzadi, 2013 (6ª edición).

GONZÁLEZ-TREVIJANO SÁNCHEZ, P. J. *La inviolabilidad del domicilio.* Madrid: Tecnos, 1992.

GOULDING, R. "Governing risk and uncertainty: Financialisation and the regulatory framework of housing associations", en CARR, H., EDGEWORTH, B. y HUNTER, C. (eds.) *Law and the precarious home. Socio legal perspectives on the home in insecure times.* Oxford: Hart Publishing, 2018, pp. 159-179.

GRANATH HANSSON, A. y LUNDGREN, B. "Defining Social Housing: A Discussion on the Suitable Criteria", *Housing, Theory and Society,* vol. 36, núm. 2, 2019, pp. 149-166.

GRAY, K. y GRAY, S. F. *Elements of Land Law.* Oxford: Oxford Unversity Press, 2009 (5ª edición)

GRUIS, V. et al. "Tenant empowerment through innovative tenures: an analysis of *Woonbron-Maasoevers'* client's choice Programme", *Housing Studies,* vol. 20, núm. 1, 2005, pp. 127-147.

GRUIS, V. y ELSINGA, M. "Tensions between social housing and EU market regulations", *European State Aid Law Quarterly,* vol. 13, núm. 3, 2014, pp. 463-469.

GRUIS, V. y NIEBOER, N. *Asset management in the social rented sector. Policy and practice in Europe and Australia.* Dordrecht: Kluwer Academic Publishers, 2004.

GUILLÉN LANZAROTE, A. "El dret a la ciutat, un dret humà emergent", en INSTITUT DE DRETS HUMANS DE CATALUNYA (dir. y coord.) *Sèrie Drets Humans Emergents 7: El dret a la ciutat.* Barcelona: Institut dels Drets Humans de Catalunya, 2011, pp. 16-27.

GUILLÉN NAVARRO, N. A. *La vivienda social en Inglaterra.* Barcelona: Atelier Libros Jurídicos, 2010.
- *El beneficiario de las viviendas sometidas a un régimen de protección pública.* Madrid: Marcial Pons, 2012.

HAFFNER, M. E. A. "Tenure neutrality, a financial-economic interpretation", *Housing, Theory and Society,* vol. 20, núm. 2, 2003, pp. 72-85.

HAFFNER, M. et al. "Bridging the gap between social and market rented housing in six European countries?", *Housing and Urban Policy Studies,* núm. 33, 2009.

HAFFNER, M. y BOUMEESTER, H. "Is renting unaffordable in the Netherlands?", *International Journal of Housing Policy,* vol. 14, núm. 2, pp. 117-140, 2014.

HAFFNER, M. y HEYLEN, K. "User costs and housing expenses. Towards a more comprehensive approach to affordability", *Housing Studies,* vol. 26, núm. 4, 2011, pp. 593-614.

HAFFNER, M.E.A y HULSE, K. (2021) "A fresh look at contemporary perspectives on urban housing affordability", *International Journal of Urban Sciences,* vol. 25, núm. S1, 2021, pp. 59-79.

HAFFNER, M., VAN DER VEEN, M. y BOUNJOUH, H. *National Report for the Netherlands,* en el Proyecto TENLAW: Tenancy Law and Housing Policy in Multi-Level Europe, 2014, disponible en https://www.uni-bremen.de/jura/tenlaw-tenancy-law-and-housing-policy-in-multi-level-europe/ (último acceso 02-10-2019).

HARRIOTT, S. y MATTHEWS, L. *Social Housing: an Introduction.* Harlow: Longman, 1998.

HARVEY, D. "The right to the city", *New Left Review,* núm. 53, 2008, pp. 23-40.

HEERMA, E. *Volkshuisvesting in de jaren negentig. Tweede Kamer 1988–1989 núm. 20691-3.* La Haya: Staatsuitgeverij, 1989.

HEINO, J., CZISCHKE, D. y NIKOLOVA, M. *Managining social rental housing in the European Union: experiences and innovative approaches.* Bruselas: CECODHAS European Social Housing Observatory y VVO-PLC, 2007.

HERNÁNDEZ AJA, A. *Informe sobre la evolución de las buenas prácticas españolas y su relación con el cumplimiento del Programa Hábitat,* disponible en http://habitat.aq.upm.es/evbpes/abpes.html (último acceso 27-10-2019).

HEYLEN, K. y HAFFNER, M. "A ratio or budget benchmark for comparing affordability across countries?", *Journal of Housing and the Built Environment,* vol. 28, núm. 3, 2013, pp. 547-565.

HEYWOOD, A. *Investing in affordable housing. An analysis of the affordable housing sector.* The Housing Finance Corporation, 2016.

HICKMAN, P. et al. *Direct Payment Demonstration Projects: Key findings of the programme evaluation. Final report.* Londres: Department for Work and Pensions, 2014.

HICKMAN, P. et al. "The impact of the direct payment of housing benefit: evidence from Great Britain", *Housing Studies,* vol. 32, núm. 8, 2017, pp. 1105-1126.

HOCHSTENBACH, C. y RONALD, R. "The unlikely revival of private renting in Amsterdam: Re-regulating a regulated housing market", *Environment and Planning A: Economy and Space,* vol. 52, núm. 8, 2020, pp. 1622-1642.

HOEKSTRA, J. "Reregulation and residualization in Dutch social housing: a critical evaluation of new policies", *Critical Housing Analysis,* vol. 4, núm. 1, 2017, pp. 31-39.

HOMES AND COMMUNITIES AGENCY. *Tenancy Standard.* Londres: Homes and Communities Agency, 2012, disponible en https://www.gov.uk/guidance/regulatory-standards (último acceso 13-10-2019).

– *Homes and Communities Agency Corporate Plan 2014-18.* Londres: Homes and Communities, 2014.

– *Affordable Homes Programme 2015-2018. Prospectus.* Londres: Homes and Communities Agency, 2014.

– *2015 Global accounts of housing providers.* Londres: Homes and Communities Agency, 2016.

– *The Recovery of Capital Grants and Recycled Capital Grant Fund General Determination 2017.* Londres: Homes and Communities Agency, 2016.

– *Sector Risk Profile 2017.* Londres: Homes and Communities Agency, 2017.
– *2016 Global accounts of private registered providers.* Londres: Homes and Communities Agency, 2017.

HOMES ENGLAND. *Housing Statistics. 1 April 2019-31 March 2020.* Londres: Homes England, 2020.

HOUARD, N. (ed.) *Social housing across Europe.* París: La documentation Française, 2011.

HOUSING EUROPE. *The State of Housing in Europe 2021.* Housing Europe, 2021.

HOUSING OMBUDSMAN SERVICE. *The Housing Ombudsman Scheme.* Londres: Housing Ombudsman Service, 2020.

HUISMAN, C. J. "A silent shift? The precarisation of the Dutch rental housing market", *Journal of Housing and the Built Environment*, vol. 31, núm. 1, 2016, pp. 93-106.
– "Temporary tenancies in the Netherlands: from pragmatic policy instrument to structural housing market reform", *International Journal of Housing Policy*, vol. 16, núm. 3, 2016, pp. 409-422.

IGLESIAS GONZÁLEZ, F. *Administración Pública y Vivienda.* Madrid: Montecorvo, 2000.
– "La planificación de la vivienda protegida", en LÓPEZ RAMÓN, F. (coord.) *Construyendo el derecho a la vivienda.* Madrid: Marcial Pons, 2010, pp. 349-381.
– "Una visión panorámica de las leyes autonómicas de vivienda y la necesidad de una ley estatal", en GARCÍA-MORENO RODRÍGUEZ, F. y GONZÁLEZ GARCÍA, F. (dirs.) *Reflexiones sobre la Vivienda en España.* Cizur Menor: Thomson Reuters Aranzadi, 2013, pp. 15-61.

INSTITUT CERDÀ. *La ocupación ilegal: realidad social, urbana y económica…un problema que necesita solución*, 2017, disponible en http://www.icerda.org/es/mas-de-87-familias-ocupan-ilegalmente-viviendas-en/n/128 (último acceso 26-10-2019).

INSTITUTO NACIONAL DE ESTADÍSTICA. *Encuesta de Condiciones de Vida. Metodología.* Madrid, 2005 (revisada 2013).
– "Encuesta de Condiciones de Vida, Año 2016. Resultados definitivos", *Notas de prensa*, 25-4-2017.

INURRIETA BERUETE, A. *Mercado de vivienda en alquiler en España: más vivienda social y más mercado profesional.* Documento de trabajo 113/2007. Fundación Alternativas, 2007.

JARAÍZ ARROYO, G. "El Tercer Sector de Acción Social en la intervención comunitaria", *Revista Española del Tercer Sector*, núm. 12, 2009, pp. 101-128.

JARIA I MANZANO, J. "El derecho a una vivienda digna en el contexto del Estado Social", en NASARRE AZNAR, S. (dir.) *El acceso a la vivienda en un contexto de crisis.* Madrid: Edisofer, 2011, pp. 53-87.

JARVIS, J. "Chapter 61. Choosing the vehicle", en DOOLITTLE, I. (ed.) *Housing and regeneration. A guide to policy, law and practice.* Londres: LexisNexis UK, 2003, pp. 373-375.

JONKMAN, A. y JANSSEN-JANSEN, L. "The 'squeezed middle' on the Dutch housing market: how and where is it to be found?", *Journal of Housing and the Built Environment*, vol. 30, núm. 3, 2015, pp. 509-528.

JORDAN, M. "The British assured shorthold tenancy in a European context: Extremity of tenancy la won the fringes of Europe", en SCHMID, C. U. (ed.) *Tenancy Law and Housing Policy in Europe. Towards Regulatory Equilibrium.* Cheltenham y Northampton: Edward Elgar Publishing Limited, 2018, pp. 239-259.

KEMENY, J. *The myth of home-ownership: private versus public choices in housing tenure.* Londres: Routledge&Kegan Paul, 1981.

- *Housing and Social Theory.* Abingdon: Routledge, 1992.
- *From public housing to the social market. Rental policy strategies in comparative perspective.* Londres: Routledge, 1995.
- "Comparative housing and welfare: theorising the relationship", *Journal of housing and the built environment,* núm. 16, 2001, pp. 53-70.
- "Corporatism and housing regimes", *Housing, Theory and Society,* vol. 23, núm. 1, 2006, pp. 1-18.

KENNA, P. *Housing Rights and Human Rights.* Bruselas: Feantsa, 2005.
- *Housing Law, Rights and Policy.* Dublín: Clarus Press, 2011.

KENNA, P. et al. (eds.) *Pilot Project —Promoting protection of the right to housing— Homelessness prevention in the context of evictions.* Comisión Europea, 2016.

KOOPMAN, M. *Economic analysis of neighbourhood quality, neighbourhood reputation and the housing market.* Delft: OTB Research Institute for the Built Environment, 2012.

KOOPMAN, M. y VOS, M. "Tenant-empowerment through choice of tenure", en KOOPMAN, M., VAN MOSSEL, H. J. y STRAUB, A. (eds.) *Performance measurement in the Dutch social rented sector.* Delft: OTB Research Institute for the Built Environment, 2008, pp. 105-116.

KROMHOUT, S. y VAN HAM, M. "Social Housing: Allocation", en SMITH, S. J. (ed.) *International Encyclopedia of Housing and Home,* vol. 6. Amsterdam-Oxford-Waltham: Elsevier, 2012. pp. 384-388.

LACOL y LA CIUTAT INVISIBLE. *Habitar en comunidad. La vivienda cooperativa en cesión de uso.* Madrid: Fundación Arquia y Catarata, 2018.

LACRUZ BERDEJO, J. L. *Elementos de Derecho Civil III. Derechos reales, vol. 1. Posesión y propiedad.* Madrid: Dykinson, 2011 (edición revisada por Luna Serrano, A.).

LACRUZ MANTECÓN, M. "Capítulo 7. Mi casa no es mía: usufructo, uso y habitación como vías de acceso a la vivienda", en ALONSO PÉREZ, M. T. (dir.) *Nuevas vías jurídicas de acceso a la vivienda. Desde los problemas generados por la vivienda en propiedad ordinaria financiada con créditos hipotecarios a otras modalidades jurídico-reales de acceso a la vivienda.* Cizur Menor: Thomson Reuters Aranzadi, 2018, pp. 285-348.

LAMBEA LLOP, N. "Social housing management models in Spain", *Revista catalana de dret públic,* núm. 52, 2016, pp. 115-128.
- "El lloguer d'habitatges socials", en NASARRE AZNAR, S., SIMÓN MORENO, H. y MOLINA ROIG, E. (dirs.) *Un nou dret d'arrendaments urbans per a afavorir l'accés a l'habitatge.* Barcelona: Atelier, 2018, pp. 311-335.

LAMBEA RUEDA, A. "Los derechos de uso y habitación desde una nueva perspectiva: cesión de inmuebles", *Revista Crítica de Derecho Inmobiliario,* núm. 728, 2011, pp. 3105-3149.
- *Cooperativas de viviendas. La promoción, construcción y adjudicación de la vivienda al socio cooperativo.* Granada: Editorial Comares, 2012 (3ª edición).
- "Adjudicación y cesión de uso en las cooperativas de viviendas: usufructo, uso y habitación y arrendamiento", *CIRIEC-España. Revista Jurídica de economía social y cooperativa,* núm. 23, 2012, pp. 139-178.

LARGE EUROPEAN CITIES. *Draft. Resolution for social housing in Europe,* mayo 2013, disponible en https://www.eesc.europa.eu/resources/docs/resolution-for-social-housing-in-europe.pdf (último acceso 02-10-2019).

LEAL MALDONADO, J. "Social housing and policy in Spain", en HOUARD, N. (ed.) *Social Housing across Europe.* París: La documentation Française, 2011, pp. 71-84.

LEAL MALDONADO, J. y MARTÍNEZ DEL OLMO, A. "Tendencias recientes de la política de vivienda en España", *Cuadernos de Relaciones Laborales*, vol. 35, núm. 1, 2017, pp. 15-41.

LEFEBVRE, H. *Le droit à la Ville*. París: Anthropos, 1968.

LENNARTZ, C. *Competition between social and private rental housing*. Amsterdam: OTB Research Institute for the Built Environment, 2013.

LESLIE, J. "Approaches to section 6 HRA: Lessons from *Weaver v London and Quadrant Housing Trust*", *Judicial Review*, vol. 14, núm. 4, 2009, pp. 327-332.

LIND, H. "The Swedish housing market from a low-income perspective", *Critical Housing Analysis*, vol. 4, núm. 1, 2017, pp. 150-160.

LINDBLAD, M. R. "First-time homebuying: attitudes and behaviours of low-income renters through the financial crisis", *Housing Studies*, vol. 32, núm. 8, 2017, pp. 1127-1155.

LONDON HOUSING COMMISSION. *Building a new deal for London: Final report of the London Housing Commission*. Londres: IPPR, 2016.

LÓPEZ CASASNOVAS, G. (dir.) *Los nuevos instrumentos de la gestión pública*. Barcelona: la Caixa, 2003.

LÓPEZ RODRÍGUEZ, D. y DE LOS LLANOS MATEA, M. *Evolución reciente del mercado del alquiler de vivienda en España*. Banco de España, 2019.

LORENA ZÁRATE, M. "El dret a la ciutat: lluites urbanes per l'art del bon viure", en INSTITUT DE DRETS HUMANS DE CATALUNYA (dir. y coord.) *Sèrie Drets Humans Emergents 7: El dret a la ciutat*, Barcelona: Institut dels Drets Humans de Catalunya, 2011, pp. 54-70.

LUNDQVIST, L. J. *Housing policy and equality. A comparative study of tenure conversions and their effects*. Londres: Croom Helm, 1986.

LUPTON, M. y KENT-SMITH, J. *Does size matter – or does culture drive value for money? Summary*. Coventry: Chartered Institute of Housing, 2012.

L&Q. *Where's the Benefit*. Londres: L&Q, 2004.

L&Q GROUP. *Financial statements 2016*. Londres: L&Q Group, 2016.

– *Financial Statements 2017*.

MACLENNAN, D. y WILLIAMS, R. *Affordable housing in Britain and America*. York: Joseph Rowntree Foundation, 1990.

MAGRO SERVET, V. "1. Defensa de la posesión", en LLAMAS POMBO, E. (dir.) *Acciones civiles. Tomo IV. Derechos reales. Derecho inmobiliario*. Las Rozas: La Ley, 2013, pp. 1-266.

MALPASS, P. "The Discontinuous History of Housing Associations in England", *Housing Studies*, vol. 15, núm. 2, 2000, pp. 195-212.

– *Housing and the welfare state. The development of housing policy in Britain*. Nueva York: Palgrave Macmillan, 2005.

MALPASS, P. y VICTORY, C. "The Modernisation of Social Housing in England", *International Journal of Housing Policy*, vol. 10, núm. 1, 2010, pp. 3-18.

MANZI, T. y MORRISON, N. "Risk, commercialism and social purpose: repositioning the English housing association sector", *Urban Studies*, vol. 55, núm. 9, pp. 1924-1942.

MARICATO, E. "El Estatuto de la ciudad periférica", en SANTOS CARVALHO, C. y ROSSBACH, A. (organizadores) *El Estatuto de la Ciudad: un comentario*. São Paulo: Ministerio de las Ciudades-Alianza de las Ciudades, 2010. pp. 5-22.

MAS BADIA, M. D. *Problemas de valoración y precio en las viviendas de protección oficial. Compraventa, arrendamiento, ejecución judicial, liquidación de sociedad de ganancias, partición de herencia y división de cosa común*. Valencia: Tirant lo Blanch, 2014.

MELLADO RUÍZ, L. "Las sociedades mercantiles públicas: marco europeo y constitucional de su actividad", en GARCÍA RUBIO, F. (coord.) *Estudio sobre empresas públicas.* Madrid: Dykinson SL, 2011, pp. 27-57.

MERINO HERNÁNDEZ, S. "Capítulo XXIII. Cooperativas de viviendas", en PEINADO GRACIA, J. I. (dir.) *Tratado de derecho de cooperativas. Volumen 2.* Valencia: Tirant lo Blanch, 2013, pp. 1393-1422.

MILES, R. E. et al. "Organizational strategy, structure, and process", *The Academy of Management Review,* vol. 3, núm. 3, 1978, pp. 546-562.

MILLWARD, L. "'Just because we are amateurs doesn't mean we aren't professional': the importance of expert activists in tenant participation", *Public Administration,* vol. 83, núm. 3, 2005, pp. 735-751.

MINISTERIE VAN BINNENLANDSE ZAKEN EN KONINKRIJKSRELATIES. *Cijfers over Wonen en Bouwen 2019.* La Haya: Ministerie van Binnenlandse Zaken en Koninkrijksrelaties, 2019.

MINISTERIO DE FOMENTO. *Observatorio de vivienda y suelo. Boletín número 29, primer trimestre 2019.* Ministerio de Fomento, 2019.

MINISTERIO DE TRANSPORTES, MOVILIDAD Y AGENDA URBANA, DG DE VIVIENDA Y SUELO. *Observatorio de Vivienda y Suelo. Boletín especial vivienda social 2020.* Ministerio de Transportes, Movilidad y Agenda Urbana, 2020.

MINISTRY OF ECONOMICS AND AFFAIRS. *National Reform Programme 2015.* Países Bajos, 2015.

MINISTRY OF HOUSING, COMMUNITIES AND LOCAL GOVERNMENT. *Social Housing Lettings: April 2016 to March 2017, England.* Londres: Ministry of Housing, Communities and Local Government, 2018.
- *A new deal for social housing.* Londres: Ministry of Housing, Communities and Local Government, 2018.
- *Policy statement on rents for social housing.* Londres: Ministry of Housing, Communities and Local Government, 2019.
- *English Housing Survey. Headline Report: 2017 to 2018.* Londres: Ministry of Housing, Communities and Local Government, 2019.
- *National Planning Policy Framework.* Londres: Ministry of Housing, Communities and Local Government, 2019.
- *English Housing Survey. Headline Report: 2019 to 2020.* Londres: Ministry of Housing, Communities and Local Government, 2020.
- *Affordable Housing Supply: April 2019 to March 2020, England. Housing Statistical Release.* Londres: Ministry of Housing, Communities and Local Government, 2020.
- *Social Housing Sales: April 2019 to March 2020, England.* Londres: Ministry of Housing, Communities and Local Government, 2021.

MIRA CORTADELLAS, A. "Las políticas sociales de vivienda desde la perspectiva local. Los promotores públicos", en PALAY, J. y SANTOS, I. (coords.) *Qüestions d'Habitatge. Políticas comparadas de vivienda. Número 20.* Barcelona: Ayuntamiento de Barcelona, 2016, pp. 11-15.

MOLINA ROIG, E. *National Report for Spain,* en el Proyecto TENLAW: Tenancy Law and Housing Policy in Multi-Level Europe, 2014, disponible en https://www.uni-bremen.de/jura/tenlaw-tenancy-law-and-housing-policy-in-multi-level-europe/ (último acceso 02-10-2019).

- *Una nueva regulación para los arrendamientos de vivienda en un contexto europeo.* Tesis doctoral por la Universidad Rovira i Virgili, 2017.
- "El règim d'obres i reparacions necessàries", en NASARRE AZNAR, S., SIMÓN MORENO, H. y MOLINA ROIG, E. (dirs.) *Un nou dret d'arrendaments urbans per a afavorir l'accés a l'habitatge.* Barcelona: Atelier, 2018, pp. 139-155.
- "La durada del contracte", en NASARRE AZNAR, S., SIMÓN MORENO, H. y MOLINA ROIG, E. (dirs.) *Un nou dret d'arrendaments urbans per a afavorir l'accés a l'habitatge.* Barcelona: Atelier, 2018, pp. 67-81.
- "El Real Decreto Ley 7/2019, de medidas urgentes en materia de vivienda y alquiler", *Actualidad Civil,* núm. 3, 2019.
- "Una reforma de la legislación sobre arrendamientos de vivienda según el derecho comparado Europeo", *Revista jurídica sobre consumidores y usuarios,* núm. 5, 2019, pp. 78-102.

MONK, S. y WHITEHEAD, C. "Introduction", en MONK, S. y WHITEHEAD, C. (eds.) *Making housing more affordable. The role of intermediate tenures.* Chichester: Wiley Blackwell, 2010, pp. 1-18.

MORENO MÁRQUEZ, G. "Exclusión social severa y sinhogarismo ¿qué opinan las personas usuarias sobre los recursos?", *Portularia: Revista de Trabajo Social,* vol. Extra 12, 2012, pp. 245-253.

MOREU CARBONELL, E. "Capítulo 1. Viviendas vacías", en ALONSO PÉREZ, M. T. (dir.) *Nuevas vías jurídicas de acceso a la vivienda. Desde los problemas generados por la vivienda en propiedad ordinaria financiada con créditos hipotecarios a otras modalidades jurídico-reales de acceso a la vivienda.* Cizur Menor: Thomson Reuters Aranzadi, 2018, pp. 27-72.

MORRISON, N. "Institutional logics and organisational hybridity: English housing associations' diversification into the private rented sector", *Housing Studies,* vol. 31, núm. 8, 2016, pp. 897-915.

MORRISON, N. y BURGESS, G. "Inclusionary housing policy in England: the impact of the downturn on the delivery of affordable housing through Section 106", *Journal of Housing and the Built Environment,* vol. 29, núm. 3, 2014, pp. 423-438.

MOSCA, S. "State aid. Rules more flexible but definition challenged", *Europolitics,* Suplemento al núm. 4328, 2011, pp. 16-17.
- "Court to rule on definition of social housing", *Europolitics,* Suplemento al núm. 4328, 2011, pp. 20-21.

MUILWIJK, A. *Optimal financing commercial property of a Dutch housing association: A case study.* Saarbrücken: LAP Lambert Academic Publishing, 2012.

MULDER, C. *Migration Dynamics: A Life Course Approach.* Amsterdam: Thesis Publishers, 1993.

MULLINS, D. *Housing associations. Working Paper 16.* Birmingham: Third Sector Research Centre, 2010.
- "The changing role of housing associations", en REES, J. y MULLINS, D. (eds.) *The third sector delivering public services. Developments, innovations and challenges.* Third Sector Research Series. Bristol: Policy Press, 2016, pp. 211-232.

MULLINS, D., CZISCHKE, D. y VAN BORTEL, G. "Exploring the meaning of hybridity and social enterprise in housing organisations", *Housing Studies,* vol. 27, núm. 4, 2012, pp. 405-417.

MULLINS, D., MILLIGAN, V. y NIEBOER, N. "State directed hybridity? – the relationship between non-profit housing organizations and the state in three national contexts", *Housing Studies*, vol. 33, núm. 4, 2018, pp. 565-588.

MUÑIZ ESPADA, E. "Sección 4. Bienes en común y estatutos intermedios de ocupación de vivienda", en NASARRE AZNAR, S. (dir.) *Bienes en común*. Valencia: Tirant lo Blanch, 2015, pp. 827-871.

MUÑOZ CASTILLO, J. *Constitución y vivienda*. Madrid: Centro de Estudios Políticos y Constitucionales, 2003.

MURIE, A. "Social housing privatisation in England", en SCANLON, K. y WHITEHEAD, C. (eds). *Social Housing in Europe II. A review of policies and outcomes*. Londres: LSE London, 2008, pp. 241-260.

   – "Housing and neighbourhoods: what happened after the sale of state housing to sitting tenants in England", en SCANLON, K., WHITEHEAD, C. y FERNÁNDEZ ARRIGOITIA, M. (eds.) *Social housing in Europe*. Chichester: John Wiley and Sons, 2014, pp. 415-431.

NACIONES UNIDAS. *Informe de la Conferencia de las Naciones Unidas sobre los asentamientos Humanos (Habitat II)*, A/CONF. 165/14, 1996.

   – *Informe del Relator Especial sobre una vivienda adecuada como elemento integrante del derecho a un nivel de vida adecuado, Sr. Miloon Kothari. Misión a España*, 7 de febrero de 2008 (A/HRC/7/16/Add.2).

NACIONES UNIDAS. COMISIÓN ECONÓMICA PARA EUROPA. *Workshop on Social Housing organized at the invitation of Ministry for Regional Development of the Czech Republic in cooperation with European Liaison Committee for Social Housing (CECODHAS)*, Praga, 2003.

NACIONES UNIDAS. COMISIÓN ECONÓMICA PARA EUROPA y HOUSING EUROPE. *#Housing 2030. Effective policies for affordable housing in the UNECE region*. Ginebra: Naciones Unidas, 2021.

NASARRE AZNAR, S. *La garantía de los valores hipotecarios*. Madrid: Marcial Pons, 2003.

   – *Securitisation and mortgage bonds: legal aspects and harmonisation in Europe*. Saffron Walden: Gostick Hall Publications, 2004.

   – "La custodia del territorio mediante mecanismos *mortis causa* en el Derecho Civil de Cataluña", *Boletín Servicio de Estudios Registrales de Cataluña*, núm. 155, 2011, pp. 88-121.

   – "Malas prácticas bancarias en la actividad hipotecaria", *Revista Crítica de Derecho Inmobiliario*, núm. 727, 2011, pp. 2665-2737.

   – "A legal perspective of the origin and the globalization of the current financial crisis and the resulting reforms in Spain", en KENNA, P. (ed.) *Contemporary housing issues in a globalized world*. Farnham: Ashgate Publishing, 2014, pp. 37-72.

   – "La vivienda en propiedad como causa y víctima de la crisis hipotecaria", *Teoría y Derecho*, núm. 16, 2014, pp. 10-37.

   – "Sección 3. La propiedad compartida y la propiedad temporal como tenencias intermedias de acceso a la vivienda y a otros bienes en el Derecho civil de Cataluña y su extensión al resto del Estado", en NASARRE AZNAR, S. (dir.) *Bienes en común*. Valencia: Tirant lo Blanch, 2015, pp. 776-826.

   – "Robinhoodian" courts' decisions on mortgage law in Spain", *International Journal of Law in the Built Environment*, vol. 7, núm. 2, 2015, pp. 127-147.

- "I. Exposición de motivos de la Ley 19/2015", en NASARRE AZNAR, S. (dir.) *La propiedad compartida y la propiedad temporal (Ley 19/2015) Aspectos legales y económicos*. Valencia: Tirant lo Blanch, 2017, pp. 39-78.
- "Cuestionando algunos mitos del acceso a la vivienda en España, en perspectiva europea", *Cuadernos de relaciones laborales,* vol. 35, núm. 1, 2017, pp. 43-69.
- "Les associacions de propietaris i de llogaters", en NASARRE AZNAR, S., SIMÓN MORENO, H. y MOLINA ROIG, E. (dirs.) *Un nou dret d'arrendaments urbans per a afavorir l'accés a l'habitatge.* Barcelona: Atelier, 2018, pp. 223-231.
- *Los años de la crisis de la vivienda. De las hipotecas subprime a la vivienda colaborativa.* Valencia: Tirant lo blanch, 2020.

NASARRE AZNAR, S. (coord.) *Concrete actions for social and affordable housing in the EU*, Feps, Bruselas, 2021.

NASARRE AZNAR, S. (dir.) *La propiedad compartida y la propiedad temporal (Ley 19/2015). Aspectos legales y económicos*, Valencia: Tirant lo Blanch, 2017.

NASARRE AZNAR, S., GARCIA, M.O. y XERRI, K., "¿Puede ser el alquiler una alternativa real al dominio como forma de acceso a la vivienda? Una comparativa legal Portugal-España-Malta", *Teoría y Derecho*, núm. 189, 2014, pp. 188-215.

NASARRE AZNAR, S., SIMÓN MORENO, H. y MOLINA ROIG, E. (dirs.) *Un nou dret d'arrendaments urbans per a afavorir l'accés a l'habitatge.* Barcelona: Atelier, 2018.

NASARRE AZNAR, S. y GARCIA TERUEL, R. M. "Evictions and homelessness in Spain 2010-2017", en KENNA, P. et al. (eds.) *Loss of homes and evictions across Europe.* Cheltenham y Northampton: Edward Elgar, 2018, pp. 292-332.

NASARRE AZNAR, S. y MOLINA ROIG, E. "A legal perspective of current challenges of the Spanish residential rental market", *International Journal of Law in the Built Environment*, vol. 9, núm. 2, 2017, pp. 108-122.
- *Propuesta de criterios para un derecho de arrendamientos urbanos en Cataluña. Documento de trabajo*, 12-01-2017.
- "La política de vivienda y el Derecho civil", en MUÑIZ ESPADA, E. et al. (dirs.) *Reformando las tenencias de la vivienda. Un hogar para tod@s.* Valencia: Tirant lo Blanch, 2018, pp. 185-242.
- "Medidas programáticas para un mercado del alquiler atractivo", en MUÑIZ ESPADA, E. et al. (dirs.) *Reformando las tenencias de la vivienda. Un hogar para tod@s.* Valencia: Tirant lo Blanch, 2018, pp. 245-275.

NASARRE AZNAR, S. y RIVAS NIETO, E. "Las nuevas sociedades anónimas cotizadas en el mercado inmobiliario (SOCIMI): ¿Solución para el alquiler de vivienda en España?", *CEF Legal. Revista Práctica del Derecho*, núm. 105, 2009, pp. 15-80.

NASARRE AZNAR, S. y SIMÓN MORENO, H. "Fraccionando el dominio: las tenencias intermedias para facilitar el acceso a la vivienda", *Revista Crítica de Derecho Inmobiliario*, núm. 739, pp. 3063-3122.

NATIONAL FEDERATION OF ALMOS. *ALMO governance-empowering tenants*, 2017, disponible en http://www.almos.org.uk/almos_docs.php?typeid=11 (último acceso 14-10-2019).

NATIONAL HOUSING FEDERATION. *What is a housing association? How associations deliver decent homes and strong communities.* Londres: National Housing Federation, 2010.
- *Building Futures: Neighbourhood Audit, Summary and Key Findings.* Londres: National Housing Federation, 2012.

- *Briefing. Size Criteria ('Bedroom Tax')*. Londres: National Housing Federation, 2014.

NAVARRO LASHAYAS, M.A. "El fin del sinhogarismo en Euskadi ¿mito o realidad?", *Zerbitzuan: Gizarte zerbitzuetarako aldizkaria*, núm. 54, 2013, pp. 111-125.

NIEBOER, N. "Asset management strategies and sustainability in Dutch social housing", Comunicación presentada en la *Conferencia IAHS Sustainability of the Housing Projects*. Trento, 2004.

OECD. "Social housing: A key part of past and future housing policy", *Employment, Labour and Social Affairs Policy Briefs*, OECD, Paris, 2020.

OFICINA DEL ALTO COMISIONADO PARA LOS DERECHOS HUMANOS DE LAS NACIONES UNIDAS. "El derecho a una vivienda adecuada", *Folleto informativo núm. 21/rev. 1*. Ginebra: ONU Habitat, 2010.

ORDÁS GARCÍA, C. A. *La qualitat de la contractació pública en l'àmbit dels serveis a les persones. Una anàlisi dels 8 principals ajuntaments de Catalunya*. Taula d'entitats del Tercer Sector Social de Catalunya, 2017.

ORGANISMO AUTÓNOMO LOCAL VIVIENDAS MUNICIPALES DE BILBAO. *Memoria 2018*, 2019.

ORGANIZACIÓN PARA LA COOPERACIÓN Y EL DESARROLLO ECONÓMICOS. *Economic Policy Reforms: Going for Growth*. OECD Publishing, 2011.

ORJI, P. y SPARKES, P. *National Report for England and Wales*, en el Proyecto TENLAW: Tenancy Law and Housing Policy in Multi-Level Europe, 2014, disponible en https://www.uni-bremen.de/jura/tenlaw-tenancy-law-and-housing-policy-in-multi-level-europe/ (último acceso 02-10-2019).

OUWEHAND, A. y VAN DAALEN, G. *Dutch housing associations. A model for social housing*. Delft: DUP Satellite, 2002.

OXLEY, M. "The gain from the planning-gain supplement: A consideration of the proposal for a new tax to boost housing supply in the UK", *European Journal of Housing Policy*, vol. 6, núm. 1, 2006, pp. 101-113.

- *Financing Affordable Social Housing in Europe*. Nairobi: UN-Habitat, 2009.

OXLEY, M. et al. "Competition and Social Rented Housing", *Housing, Theory and Society*, vol. 27, núm. 4, 2010. pp. 332-350.

OXLEY, M. et al. *Prospects for Institutional Investment in Social Housing. Major report*. Londres: Investment Property Forum Research Programme, 2015.

OXLEY, M. y SMITH, J. *Housing Policy and Rented Housing in Europe*. Londres: E&FN SPON, 1996.

PANIAGUA ZURERA, M. *Mutualidad y lucro en la sociedad cooperativa*. Madrid: Mc Graw-Hill, 1997.

PAREJA EASTAWAY, M. "El régimen de tenencia en España", en LEAL MALDONADO, J. (coord.) *La política de vivienda en España*. Madrid: Editorial Pablo Iglesias, 2010, pp. 101-128.

PAREJA EASTAWAY, M. y SAN MARTIN VARO, I. "The Tenure Imbalance in Spain: The Need for Social Housing Policy", *Urban Studies*, vol. 39, núm. 2, 2002, pp. 283-295.

PAREJA EASTAWAY, M. y SÁNCHEZ MARTÍNEZ, M. T. "La política de vivienda en España: Lecciones aprendidas y retos de futuro", *Revista Galega de Economía*, vol. 21, núm. 2, 2012, pp. 1-31.

- "Vivienda y cambio social en España", en PÉREZ-RINCÓN FERNÁNDEZ, S. y TELLO I ROVIRA, R. (coord.) ¿Derecho a la vivienda?: miradas críticas a las políticas de vivienda, Barcelona: Edicions Bellaterra, 2012, pp. 113-140.
- "El sistema de vivienda en España y el papel de las políticas ¿qué falta por resolver?", *Cuadernos Económicos de ICE*, núm. 90, 2015, pp. 149-174.
- "More social housing? A critical analysis of social housing provision in Spain", *Critical Housing Analysis*, vol. 4, núm. 1, 2017, pp. 124-131.

PAREJA EASTAWAY, M. y SIMÓ SOLSONA, M. "La renovación de la periferia urbana en España: un planteamiento desde los barrios", en PONCE SOLÉ, J. (coord.) *Derecho urbanístico, vivienda y cohesión social y territorial*. Madrid-Barcelona: Marcial Pons, 2006.

PARIS, C. "International perspectives on planning and affordable housing", *Housing Studies*, vol. 22, núm. 1, 2007, pp. 1-9.

PARLAMENTO EUROPEO. *Resolución de 11 de junio de 2013 sobre la vivienda social en la Unión Europea*, 2012/2293(INI).
- *Report on access to decent and affordable housing for all*, 2019/2187(INI).

PAWSON, H., MULLINS, D. y McGRATH, S. *Allocating social housing. Law and practice in the management of social housing*. Londres: Lemos & Crane, 2000.

PEARCE, J. y VINE, J. "Quantifying residualisation: the changing nature of social housing in the UK", *Journal of Housing and the Built Environment*, vol. 29, núm. 4, 2014, pp. 657-675.

PESTOFF, V. A. "Third Sector and co-operative services: An alternative to privatisation", *Journal of Consumer Policy*, núm. 15, 1992, pp. 21-45.

PIPER, A., REED, P. y JAMES, E. "Charitable organisations in the UK (England and Wales): overview", *Practical Law. Thomson Reuters*, 2018, disponible en https://uk.practicallaw.thomsonreuters.com/8-633-4989?transitionType=Default&contextData=%28sc.Default%29 (último acceso 05-10-2019).

PISARELLO, G. *Vivienda para todos: un derecho en (de)construcción*. Barcelona: Icaria, 2003.
- "El derecho a la vivienda como derecho social: implicaciones constitucionales", *Revista catalana de dret públic*, núm. 38, 2009, pp. 43-65.

PITTINI, A. (dir.) *The State of Housing in the EU 2019*. Bruselas: Housing Europe, 2019.

PITTINI, A. et al. *The State of Housing in the EU 2017*. Bruselas: Housing Europe, 2017.

PITTINI, A. y LAINO, E. *Housing Europe Review 2012. The nuts and bolts of European social housing systems*. Bruselas: Cecodhas Housing Europe's Observatory, 2011.

PLATAFORMA DE ONG DE ACCIÓN SOCIAL (coord.) *III Plan estratégico del Tercer Sector de acción social*. Madrid: Plataforma de ONG de acción social, 2017.

PLEACE, N., TELLER, N. y QUILGARS, D. *Social Housing Allocation and Homelessness. EOH Comparative Studies on Homelessness*. Bruselas: FEANTSA, 2011.

POGGIO, T. "Social housing in Europe: legacies, new trends and the crisis", *Critical Housing Analysis*, vol. 4, núm. 1, 2017, pp. 1-10.

POLACEK, R. (dir.) *Study on social services of general interest. Final report*. Dirección General de empleo, asuntos sociales e inclusión de la Comisión Europea, 2011.

PONCE SOLÉ, J. "Algunas reflexiones sobre la competencia en materia de vivienda y las tendencias actuales en su ejercicio", *Informe comunidades autónomas,* núm. 2004, 2004, pp. 800-822.
- "El derecho a la vivienda. Nuevos desarrollos normativos y doctrinales y su reflejo en la ley catalana 18/2007, de 28 de diciembre, del derecho a la vivienda", en PONCE SOLÉ, J. y SIBINA TOMÀS, D. (coords.) *El derecho de la vivienda en el siglo*

XXI: sus relaciones con la ordenación del territorio y el urbanismo. Madrid-Barcelona-Buenos Aires: Marcial Pons, 2008, pp. 65-175.

PRIEMUS, H. "Dutch Housing Associations: Current Developments and Debates", *Housing Studies,* vol. 18, núm. 3, 2003, pp. 327-351.

- "Social housing management: Concerns about effectiveness and efficiency in the Netherlands", *Journal of Housing and the Built Environment,* vol. 18, núm. 3, 2003. pp. 269-279.
- "Social Housing Institutions in Europe", en SMITH, S.J. (ed.) *International Encyclopedia of Housing and Home,* vol. 6. Amsterdam-Oxford-Waltham: Elsevier, 2012. pp. 410-415.
- "Managing social housing", en CLAPHAM, D.F., CLARK, W.A.V. y GIBB, K. *The SAGE Handbook of Housing Studies.* Londres-California-Nueva Delhi-Singapur: SAGE Publications Ltd, 2012, pp. 461-483.
- "Dutch social housing: from a unitary to a dual rental system", Comunicación presentada en el *Workshop The role and the future of social housing in Europe.* Amsterdam, 2017.

PRIEMUS, H., DIELEMAN, F. y CLAPHAM, D. "Current developments in social housing management", *Netherlands Journal of Housing and the Built Environment,* vol. 14, núm. 3, 1999, pp. 211-223.

PRIEMUS, H. y GRUIS, V. "Social housing and illegal State aid: the agreement between European Commission and Dutch Government", *International Journal of Housing Policy,* vol. 11, núm. 1, 2011. pp. 89-104.

PRITCHARD-WILKES, C. *Social impact measurement: constructing an institution within third sector housing organisations.* Tesis doctoral por la Universidad de Birmingham, 2014.

PURKIS, A. *Housing Associations in England and the future of voluntary organisations.* Londres: The Baring Foundation, 2010.

RALLINGS, M. K. *Approaches to tenancy management in the social housing sector: Exploring new models and changes in the tenant-landlord relationship.* Londres: HACT, 2014.

REGULATOR OF SOCIAL HOUSING. *Regulating the Standards,* 2019.

- *Rent Standard. April 2020.* Leeds: Regulator of Social Housing, 2020, disponible en https://www.gov.uk/government/publications/rent-standard (último acceso 13-03-2021).
- *Guidance for new entrants on applying for registration as a provider of social housing.* Leeds: Regulator of Social Housing, 2020.
- *Private registered provider social housing stock in England-sector characteristics and stock movement. 2019-2020.* Londres: Regulator of Social Housing, 2021.

RIBA RENOM, N. *El Dret a l'habitatge.* Barcelona: Generalitat de Catalunya. Departament d'Interior, Relacions Institucionals i Participació. Oficina de promoció de la Pau i dels Drets Humans, 2010.

RIJKSOVERHEID. *Hoe tel ik tot 1 juli 2021 de punten van mijn zelfstandige huurwoning?* Rijksoverheid, 2020, disponible en https://www.rijksoverheid.nl/documenten/publicaties/2018/04/26/hoe-tel-ik-tot-1-juli-2019-de-punten-van-mijn-zelfstandige-huurwoning (último acceso 20-03-2021).

ROBINSON, D. y WALSHAW, A. "Security of tenure in social housing in England", *Social Policy and Society,* vol. 13, núm. 1, 2014, pp. 1-12.

ROCA SASTRE, R. M. "Ensayo sobre el derecho de superficie", *Revista Crítica de Derecho Inmobiliario,* núm. 392-393, 1961, pp. 7-66.

RODRÍGUEZ ALONSO, R. "El Programa de Buenas Prácticas de Naciones Unidas y su implantación en España", *Boletín CF+S, núm. 17/18*, 2001.
- "La política de vivienda en España en el contexto europeo. Deudas y retos", *Boletín CF+S*, núm. 47/48, 2011, pp. 125-172.

RODRÍGUEZ BELTRAN, M. *Estrategia Zaragoza 2020. Ciudad, ciudadanía y cohesión social. Una ciudad de las personas.* Zaragoza: Ebrópolis, 2011.

RODRÍGUEZ LÓPEZ, J. "2011, año de censos de población y viviendas", *El siglo de Europa*, núm. 913, 2011.
- "Situación actual de la vivienda en España. Algunos rasgos caracterizadores", en GARCÍA-MORENO RODRÍGUEZ, F. y GONZÁLEZ GARCÍA, F. (dirs.) *Reflexiones sobre la vivienda en España.* Cizur Menor: Thomson Reuters Aranzadi, 2013, pp. 179-244.

ROLNIK, P. "Place, inhabitance and citizenship: the right to housing and the right to the city in the contemporary urban world", *International Journal of Housing Policy*, vol. 14, núm. 3, 2014, pp. 293-300.

ROSENFELD, O. *Social Housing in the UNECE Region. Models, Trends and Challenges.* Ginebra: Naciones Unidas, 2015.

ROUMET, C. *EU policies and housing in 2010. New perspectives.* Bruselas: Cecodhas Housing Europe, 2010 (edición especial).

SACRANIE, H. "Hybridity enacted in a large English housing association: a tale of strategy, culture and community investment", *Housing Studies*, vol. 27, núm. 4, 2012, pp. 533-552.

SALA ARQUEREN, J. M. "Huida al Derecho privado y huida del Derecho", *Revista española de derecho administrativo*, núm. 75, 1992, pp. 399-416.

SALA I ROCA, C. "La insostenibilidad del Plan vivienda 2009 en la promoción de vivienda de alquiler", *Housing. Newsletter de la Cátedra de Vivienda de la Universidad Rovira i Virgili*, núm. 2, 2014, pp. 9-11.

SALVI DEL PERO, A. et al. "Policies to promote access to good-quality affordable housing in OECD countries", *OECD Social, Employment and Migration Working Papers*, núm. 176, OECD Publishing, París, 2016.

SANT JOAN DE DÉU SERVEIS SOCIALS BARCELONA. *Hitos+ 2018*, 2019.

SANTA-MARÍA PÉREZ, L. F. "Capítulo 13. El servicio público: concepto y evolución. Servicios económicos de interés general. Referencia a los modos de gestión de los servicios públicos. La Administración electrónica: funcionamiento electrónico del sector público. Uso de medios electrónicos por los interesados en su relación con las Administraciones Públicas", en BUENO SÁNCHEZ, J. M. et al. (coords.) *Lecciones fundamentales de Derecho administrativo (Parte general y parte especial).* Cizur Menor: Thomson Reuters Aranzadi, 2018 (2ª edición), pp. 301-321.

SANZ CINTORA, A. (coord.) *Diagnóstico 2012. La gestión de la vivienda pública de alquiler.* Asociación Española de Promotores Públicos de Vivienda y Suelo (AVS), 2013.

SCANLON, K. "Social housing in England: Affordable vs 'affordable'", *Critical Housing Analysis*, vol. 4, núm. 1, 2017, pp. 21-30.

SCANLON, K., WHITEHEAD, C. y FERNÁNDEZ ARRIGOITIA, M. "Introducción", en SCANLON, K., WHITEHEAD, C. y FERNÁNDEZ ARRIGOITIA, M. *Social housing in Europe.* Chichester: John Wiley and Sons, 2014, pp. 1-20.

SCANLON, K. y ADAMCZUK, H. "Milestones in housing finance in England", en LUNDE, J. y WHITEHEAD, C. (eds.) *Milestones in European Housing Finance.* Chichester: Wiley Blackwell, 2016, pp. 127-145.

SCANLON, K. y WHITEHEAD, C. "Social Housing in Europe", en WHITEHEAD, C. y SCAN-LON, K. *Social Housing in Europe.* Londres: LSE London, 2007, pp. 8-33.

SCHMID, C. "Towards a European role in tenancy law and housing policy?", *TENLAW: Tenancy Law and Housing Policy in Multi-level Europe,* disponible en https://www.uni-bremen.de/jura/tenlaw-tenancy-law-and-housing-policy-in-multi-level-europe/ (último acceso 02-10-2019).

SCHUILING, D. y VAN DER VEER, J. "Governance in housing in Amsterdam and the role of housing associations", Comunicación presentada en la *International Housing Conference.* Hong Kong, 2004.

SERRET MASIÀ, E. M. *El derecho de superficie como medio de acceso a la vivienda.* Barcelona: Distribuidora Alfambra de Papeleria, S.L., 2014.

SERVEI MUNICIPAL DE L'HABITATGE I ACTUACIONS URBANES, S.A. *Informe de gestió 2018,* 2019.

SIBINA TOMÁS, D. "Polítiques públiques i accés a l'habitatge. Construint polítiques públiques d'habitatge en temps de crisi", en TORNOS MAS, J. y BARRAL VIÑALS, I. *Vivienda y crisis: ensayando soluciones.* Barcelona: Registradors de Catalunya y Universitat de Barcelona, 2014. pp. 21-43.

SIMMONS, R. y BIRCHALL, J. "Tenant participation and social housing in the UK: Applying a theoretical model", *Housing Studies,* vol. 22, núm. 4, 2007, pp. 573-595.

SIMÓN MORENO, H. "La jurisprudencia del Tribunal Europeo de Derechos Humanos sobre la vivienda en relación al Derecho español", *Teoría y Derecho: revista de pensamiento jurídico,* núm. 16, 2014, pp. 162-187.

– "El cumplimiento del derecho a la vivienda en España. Especial referencia a la asequibilidad, estabilidad y accesibilidad en el acceso a la vivienda", *Revista Práctica de Derecho,* núm. 169, 2015, pp. 105-156.

– "El lloguer d'habitacions", en NASARRE AZNAR, S., SIMÓN MORENO, H. y MOLINA ROIG, E. (dirs.) *Un nou dret d'arrendaments urbans per a afavorir l'accés a l'habitatge.* Barcelona: Atelier, 2018, pp. 293-309.

SIMÓN MORENO, H., LAMBEA LLOP, N. y GARCIA TERUEL, R. M. "Shared ownership and temporal ownership in Catalan law", *International Journal of Law in the Built Environment,* vol. 9, núm. 1, 2017, pp. 63-78.

SIRR, L. "IX. Análisis económico de la propiedad compartida y de la propiedad temporal", en NASARRE AZNAR, S. (dir.) *La propiedad compartida y la propiedad temporal (Ley 19/2015) Aspectos legales y económicos.* Valencia: Tirant lo blanch, 2017, pp. 575-615.

SMITH, S. y SECKER, T. "Chapter 112. Tenant Management Organisations", en DOOLITTLE, I. *Housing and Regeneration. A guide to policy, law and practice.* Londres y Edimburgo: LexisNexis UK, 2003. pp. 733-736.

SOCIEDAD MUNICIPAL ZARAGOZA VIVIENDA, S.L.U. *Cuentas anuales e informe de gestión 2018. Incluye informe de auditoría de cuentas anuales,* 2019.

SØRVOLL, J. y BENGTSSON, B. "Mechanisms of Solidarity in Collaborative Housing – The Case of Co-operative Housing in Denmark 1980–2017", *Housing Theory and Society,* 2018, DOI: 10.1080/14036096.2018.1467341.

STATENS OFFENTLIGA UTREDNINGAR. *EU, allmännyttan och hyrorna.* Estocolmo: Fritzes Offentliga Publikationer, 2008, disponible en http://www.regeringen.se/rattsdokument/statens-offentliga-utredningar/2008/04/sou-200838/ (último acceso 02-10-2019).

STEPHEN EZENNIA, I., y HOSKARA, S.O. "Methodological weaknesses in the measurement approaches and concept of housing affordability used in housing research: a qualitative study", *PLoS ONE*, vol. 4, núm.8, 2019.

STEPHENS, M. "The role of the social rented sector", en FITZPATRICK, S. y STEPHENS, M. (eds.) *The future of social housing*. Londres: Shelter, 2008, pp. 27-38.

STEPHENS, M. y WHITEHEAD, C. "Rental housing policy in England: post crisis adjustment or long term trend?", *Journal of Housing and the Built Environment*, vol. 29, núm. 2, 2014, pp. 201-220.

SUBIRATS I HUMET, J. (dir.) *Análisis de los factores de exclusión social*. Bilbao: Fundación BBVA y Institut d'Estudis Autonòmics. Generalitat de Catalunya, 2005.

SUBIRATS, J. y GOMÀ, R. (dirs.) *Un paso más hacia la inclusión social. Generación de conocimiento, políticas y prácticas para la inclusión social*. Madrid: Plataforma de ONGs de Acción Social, 2003.

SUNDERLAND, J. *Sueños rotos. El impacto de la crisis española de la vivienda en grupos vulnerables*. EEUU: Human Rights Watch, 2014.

SYSTEME INNOVACIÓN Y CONSULTORÍA. *El Tercer Sector de acción social en 2015: Impacto de la crisis*. Plataforma de ONG de Acción Social, Plataforma tercer sector, Eea grants, 2015.

TEJEDOR BIELSA, J. "Régimen jurídico general de la vivienda protegida", en LÓPEZ RAMÓN, F. (coord.) *Construyendo el derecho a la vivienda*. Madrid: Marcial Pons, 2010, pp. 309-347.
- "El saneamiento del sistema financiero como límite a la competencia autonómica sobre vivienda. Comentario a la Sentencia del Tribunal Constitucional 93/2015, de 14 de mayo", *Práctica urbanística: Revista mensual de urbanismo*, núm. 137, 2015, pp. 48-53.
- "A vueltas con las competencias sobre vivienda y la estabilidad del sistema financiero", *La ley digital*, núm. 2538, 2018, pp. 1-11.

THALMANN, P. "'House poor' or simply 'poor'?", *Journal of Housing Economics*, núm. 12, 2003, pp. 291-317.
- "Tenure-neutral and equitable housing taxation", *Urban Studies*, vol. 44, núm. 2, 2007, pp. 275-296.

THORPE, E. *El papel de la vivienda en la exclusión residencial. Vivienda y Sinhogarismo. Tema anual 2008*. Bruselas: Feantsa, 2008.

TRADERISKS LIMITED. *Social housing bonds*. Londres: Traderisks Limited, 2012.

TRIBUNAL DE CUENTAS. *Informe de fiscalización de las fundaciones del ámbito local, núm. 932*, 2102.

TRILLA I BELLART, C. *La política de vivienda en una perspectiva europea comparada*. Barcelona: Fundación La Caixa, 2001.

TRILLA I BELLART, C. y BOSCH MEDA, J. *El parque público y protegido de viviendas en España: un análisis desde el contexto europeo*. Documento de trabajo 197/2018. Fundación Alternativas, 2018.

TRILLA, C. y TUCAT, P. "Els habitatges buits dels bancs. Una oportunitat perduda per ampliar el parc d'habitatge social?", *Debats Catalunya Social. Propostes des del Tercer Sector*, núm. 53, 2017.

TWEEDE KAMER DER STATEN-GENERAAL. *Parlementaire enquête Woningcorporaties*. Expediente 33 606, núm. 4, 2014-2015, disponible en https://zoek.officielebekendmakingen.nl/kst-33606-4.html#ID-kZFe6U20149131413183971556, última consulta 08-10-2019.

UNDERWOOD, F., KANE, S. y APPLEBY, M. *Cosmopolitan Housing Group. Lessons learned.* Londres: Altair, 2014.

URIBE VILARRODONA, J. "Dret a habitar, dret a habitatge (social)", *Barcelona Societat. En profunditat*, 2016, pp. 78-97.

VALOR MARTÍNEZ, C. y DE LA CUESTA GONZÁLEZ, M. "Estructura y gestión financiera de las entidades sin ánimo de lucro especial atención a la financiación privada", *Revista Española del Tercer Sector*, núm. 2, 2006, pp. 125-152.

VAN BORTEL, G. *From brick-layers to life-changers...and back again?*, Comunicación presentada en la *Conferencia de la ENHR Mixité: an urban and housing issues?*. Toulouse, 2011.

VAN BORTEL, G., MULLINS, D. y GRUIS, V. "Change for the Better? -making sense of housing association mergers in the Netherlands and England", *Journal of Housing and the Built Environment*, vol. 25, núm. 3, 2010, pp. 353-374.

VAN DEN BERGE, M., BUITELAAR, E. y WETERINGS, A. *Schaalvergroting in de corporatiesector. Kosten besparen door te fuseren?* La Haya: Planbureau voor de Leefomgeving, 2013.

VAN DER VEER, J. "History of Social Housing Amsterdam", Presentación Keynote en el *Workshop The role and the future of social housing in Europe*. Amsterdam, 2017.

VAN DER VEER, J. y SCHUILING, D. "Economic crisis and regime change in Dutch social housing: The case of Amsterdam", Comunicación presentada en la *Conferencia RC43 At home with the housing market*. Amsterdam, 2013.

VAN KEMPEN, R. y BOLT, G. "Social consequences of residential segregation and mixed neighbourhoods", en CLAPHAM, D.F., CLARK, W.A.V. y GIBB, K. *The SAGE Handbook of Housing Studies*. Londres-California-Nueva Delhi-Singapur: SAGE Publications Ltd, 2012, pp. 439-460.

VEENSTRA, J., ALLERS, M. A. y GARRETSEN, J. H. *Evaluatie verhuurderheffing.* Groninga: COELO, 2016.

VICENT CHULIÁ, F. *Introducción al Derecho Mercantil. Volumen I.* Valencia: Tirant lo Blanch, 2012 (23ª edición).

VIDAL-FOLCH DUCH, L. *(Re)turning to housing cooperativism? Perspectives on the housing question from Denmark and Uruguay,* tesis doctoral por la Universitat Autònoma de Barcelona, 2018.

VINUESA ANGULO, J. "¿Cuántas viviendas se necesitarán en España?", en GARCÍA-MORENO RODRÍGUEZ, F. y GONZÁLEZ GARCÍA, F. (dirs.) *Reflexiones sobre la vivienda en España.* Cizur Menor: Thomson Reuters Aranzadi, 2013, pp. 245-277.

VINUESA ANGULO, J. y PALACIOS GARCÍA, A. J. "Marco normativo y organizativo", en MOYA GONZÁLEZ, L. (ed.) *VSE La vivienda social en Europa. Alemania, Francia y Países Bajos desde 1945.* Madrid: Mairea Libros, 2008, pp. 39-73.

VOLS, M. "Screening and excluding people with low income and nuisance neighbourhoods from housing: human rights proof?", en SIDOLI, J., VOLS, M. y KIEHL, M. (eds.) *Regulating the city: Contemporary urban housing law.* La Haya: Eleven International Publishing, 2017, pp. 127-143.

WAARBORGFONDS SOCIALE WONINGBOUW, *Jaarverslag 2016 en liquiditeitsprognose 2017-2021.* Amsterdam: Waarborgfonds Sociale Woningbouw, 2017.

WAINWRIGHT, T. y MANVILLE, G. "Financialization and the third sector: Innovation in social housing bond markets", *Environment and Planning A: Economy and Space*, vol. 49, núm. 4, 2017, pp. 819-838.

WALKER, R. M. "The changing management of social housing: the impact of externalisation and managerialisation", *Housing Studies*, vol. 15, núm. 2, 2010, pp. 281-299.

WALKER, R. M. y VAN DER ZON, F. M. J. "Measuring the performance of social housing organisations in England and The Netherlands: A policy review and research agenda", *Journal of Housing and the Built Environment*, vol. 15, núm. 2, 2000, pp. 183-194.

WALLACE, A. "Shared Ownership: Satisfying Ambitions for Homeownership?", *International Journal of Housing Policy*, vol. 12, núm. 2, 2012, pp. 205-226.

WASSENBERG, F. "Key players in urban renewal in the Netherlands", en SCANLON, K. y WHITEHEAD, C. (eds.) *Social Housing in Europe II. A review of policies and outcomes.* Londres: LSE London, 2008, pp. 197-208.

WHITEHEAD, C. "From need to affordability: an analysis of UK housing objectives", *Urban Studies*, vol. 28, núm. 6, 1991, pp. 871-887.

– "Financing Social Housing in Europe", en SCANLON, K. y WHITEHEAD, C. (eds) *Social Housing in Europe II. A review of policies and outcomes.* Londres: LSE London, 2008, pp. 83-94.

– *Shared ownership and Shared equity: reducing the risks of home-ownership?.* York: Joseph Rowntree Foundation, 2010.

– "Social housing in England", en SCANLON, K., WHITEHEAD, C. y FERNÁNDEZ ARRIGOITIA, M. (eds.) *Social Housing in Europe.* Chichester: John Wiley and Sons, 2014, pp. 105-120.

– "Social Housing Models: Past and Future", *Critical Housing Analysis*, vol. 4, núm. 1, 2017, pp. 11-20.

WHITEHEAD, C. et al. *Understanding the role of private renting – A four-country case study.* Copenhague: Boligøkonomisk Videncenter, 2016.

WHITEHEAD, C. y MONK. S. "Affordable home ownership after the crisis: England as a demonstration project", *International Journal of Housing Markets and Analysis*, vol. 4, núm. 4, 2011, pp. 326-340.

WHITEHEAD, C. y SCANLON, K. *Social housing in Europe.* Londres: LSE London, 2007.

WHITEHEAD, C. y YATES, J. "Intermediate housing tenure – principles and practice", en MONK, S. y WHITEHEAD, C. (eds.) *Making housing more affordable. The role of intermediate tenures.* Chichester: Wiley Blackwell, 2010, pp. 19-36.

WILLIAMS, P. y WHITEHEAD, C. "Financing affordable social housing in the UK; building on success?", *Housing Finance International*, 2015, pp. 14-19.

WILSON, W. *Social housing: flexible and fixed-term tenancies (England). Briefing paper, núm. 7173.* Londres: House of Commons Library, 2018.

– *Succession rights and social housing (England). Briefing Paper number 1998.* Londres: House of Commons Library, 2018.

WILSON, W., BELLIS, A. y GARTON GRIMWOOD, G. *Implementation of the Housing and Planning Act 2016. Briefing Paper number 8229.* Londres: House of Commons Library, 2018.

WILSON, W. y BARTON, C. *Introducing a voluntary Right to Buy for housing association tenants in England. Briefing paper, núm. 07224.* Londres: House of Commons Library, 2018.

XERRI, K. y MOLINA ROIG, E. "La estabilización de la renta como mecanismo para incentivar el acceso a la vivienda a través del arrendamiento urbano desde una perspectiva comparada", *CEFLegal: revista práctica del derecho. Comentarios y casos prácticos*, núm. 179, 2015, pp. 41-86.

ZIJLSTRA, S. "The position of social tenants in the Netherlands", Comunicación presentada en la *Conferencia de la ENHR Overcoming the crisis, integrating in the urban environment*. Tarragona, 2013.

ZIJLSTRA, S. y GRUIS, V. "The Clients Choice Programme: Perceptions of housing associations and tenants", Comunicación presentada en la *Conferencia Building on home ownership: housing policies and social strategies*. Delft, 2008.

ZIJLSTRA, S. y VAN BORTEL, G. "Will scale finally deliver? Overcoming the crisis: are Dutch housing associations able to deliver better value for money?", Comunicación presentada en la *Conferencia de la Asociación de Housing Studies*. York, 2014.

Normativa

1. Estatal

Real Decreto de 22 de agosto de 1885 por el que se publica el Código de Comercio. BOE 16-10-1885, núm. 289.

Real Decreto, de 24 de julio, por el que se publica el Código Civil. BOE 25-07-1889, núm. 206.

Ley de 16 de diciembre de 1954 sobre expropiación forzosa. BOE 17-12-1954, núm. 351.

Ley 49/1960, de 21 de julio, de propiedad horizontal. BOE 23-07-1960, núm. 176.

Ley 84/1961, de 23 de diciembre, sobre el Plan Nacional de la Vivienda para el periodo 1961-1976. BOE 28-12-1961, núm. 310.

Decreto 4104/1964, de 24 de diciembre, por el que se aprueba el texto refundido de la Ley de arrendamientos urbanos. BOE 29-12-1964, núm. 312.

Decreto 2114/1968, de 24 de julio, por el que se aprueba el Reglamento de Viviendas de Protección Oficial. BOE 07-09-1968, núm. 216.

Real Decreto 2960/1976, de 12 de noviembre, por el que se aprueba el Texto Refundido de la legislación de viviendas de protección oficial. BOE 29-12-1976.

Real Decreto-Ley 31/1978, de 31 de octubre, sobre política de viviendas de protección oficial. BOE 08-11-1978, núm. 267.

Real Decreto 3148/1978, de 10 de noviembre, por el que se desarrolla el Real Decreto-Ley 31/1978, de 31 de octubre, sobre política de viviendas de protección oficial. BOE 16-01-1979, núm. 14.

Constitución española. BOE 29-12-1978, núm. 311.

Ley Orgánica 7/1980, de 5 de julio, de Libertad Religiosa. BOE 24-07-1980, núm. 177.

Orden de 17 de noviembre de 1980 sobre adjudicación de viviendas de promoción pública del Estado o de sus organismos autónomos. BOE 6-12-1980, núm. 293.

Ley 2/1981, de 25 de marzo, de regulación del mercado hipotecario. BOE 15-04-1981, núm. 90.

Ley 7/1985, de 2 de abril, reguladora de las Bases del Régimen Local. BOE 03-04-1985, núm. 80.

Real Decreto 515/1989, de 21 de abril, sobre protección de los consumidores en cuanto a la información a suministrar en la compra-venta y arrendamiento de viviendas. BOE 17-05-1989, núm. 117.

Ley 20/1990, de 19 de diciembre, sobre Régimen Fiscal de las Cooperativas. BOE 20-12-1990, núm. 304.

Ley 37/1992, de 28 de diciembre, del impuesto sobre el valor añadido. BOE 29-12-1992, núm. 312.

Real Decreto 727/1993, de 14 de mayo, sobre precio de las viviendas de protección oficial de promoción privada. BOE 01-06-1993, núm. 130.

Real Decreto Legislativo 1/1993, de 24 de septiembre, por el que se aprueba el texto refundido de la Ley del Impuesto sobre Transmisiones Patrimoniales y Actos Jurídicos Documentados. BOE 20-10-1993, núm. 251.

Ley 29/1994, de 24 de noviembre, de arrendamientos urbanos. BOE 25-11-1994, núm. 282.

Ley Orgánica 10/1995, de 23 de noviembre, del Código Penal. BOE 24-11-1995, núm. 281.

Real Decreto 2028/1995, de 22 de diciembre, por el que se establece las condiciones de acceso a la financiación cualificada estatal de viviendas de protección oficial promovidas por cooperativas de viviendas y comunidades de propietarios al amparo de los Planes Estatales de Vivienda. BOE 16-01-1996.

Real Decreto 1784/1996, de 19 de julio, por el que se aprueba el Reglamento del Registro Mercantil. BOE 31-07-1996, núm. 184.

Ley 6/1997, de 14 de abril, de Organización y Funcionamiento de la Administración General del Estado. BOE 15-04-1997, núm. 90.

Ley 27/1999, de 16 de julio, de cooperativas. BOE 17-07-1999, núm. 170.

Ley 38/1999, de 5 de noviembre, de Ordenación de la Edificación. BOE 06-11-1999, núm. 266.

Ley 1/2000, de 7 de enero, de Enjuiciamiento Civil. BOE 08-01-2000, núm. 7.

Ley Orgánica 1/2002, de 22 de marzo, reguladora del derecho de asociación. BOE 26-03-2002, núm. 73.

Ley 49/2002, de 23 de diciembre, de régimen fiscal de las entidades sin fines lucrativos y de los incentivos fiscales al mecenazgo. BOE 24-12-2002, núm. 307.

Ley 50/2002, de 26 de diciembre, de fundaciones. BOE 27-12-2002, núm. 310.

Ley 33/2003, de 3 de noviembre, de patrimonio de las Administraciones Públicas. BOE 04-11-2003, núm. 264.

Ley 35/2003, de 4 de noviembre, de instituciones de inversión colectiva. BOE 05-11-2003, núm. 265.

Real Decreto Legislativo 2/2004, de 5 de marzo, por el que se aprueba el texto refundido de la Ley reguladora de las Haciendas Locales. BOE 09-03-2004, núm. 59.

Real Decreto 801/2005, de 1 de julio, por el que se aprueba el Plan Estatal 2005-2008, para favorecer el acceso de los ciudadanos a la vivienda. BOE 13-07-2005, núm. 166.

Ley 28/2006, de 18 de julio, de Agencias estatales para la mejora de los servicios públicos. BOE 19-07-2006, núm. 171.

Ley 35/2006, de 28 de noviembre, del Impuesto sobre la Renta de las Personas Físicas y de modificación parcial de las leyes de los Impuestos sobre Sociedades, sobre la Renta de no Residentes y sobre el Patrimonio. BOE 29-11-2006, núm. 285.

Ley 8/2007, de 28 de mayo, de suelo. BOE 29-05-2007, núm. 128.

Real Decreto Legislativo 1/2007, de 16 de noviembre, por el que se aprueba el texto refundido de la Ley general para la defensa de los consumidores y usuarios y otras leyes complementarias BOE 20-11-2007, núm. 287.

Ley 41/2007, de 7 de diciembre, por la que se modifica la Ley 2/1981, de 25 de marzo, de Regulación del Mercado Hipotecario y otras normas del sistema hipotecario y financiero, de regulación de las hipotecas inversas y el seguro de dependencia y por la que se establece determinada norma tributaria. BOE 08-12-2007, núm. 294.

Real Decreto 2066/2008, de 12 de diciembre, por el que se regula el Plan Estatal de Vivienda y Rehabilitación 2009-2012. BOE 24-12-2008, núm. 309.

Ley 11/2009, de 26 de octubre, por la que se regulan las Sociedades Anónimas Cotizadas de Inversión en el Mercado Inmobiliario. BOE 27-10-2009, núm. 259.

Real Decreto Legislativo 1/2010, de 2 de julio, por el que se aprueba el texto refundido de la Ley de Sociedades de Capital. BOE 03-07-2010, núm. 161.

Ley 5/2011, de 29 de marzo, de economía social. BOE 30-03-2011, núm. 76.

Real Decreto-ley 6/2012, de 9 de marzo, de medidas urgentes de protección de deudores hipotecarios sin recursos. BOE 10-03-2012, núm. 60.

Orden HAP/583/2012, de 20 de marzo, por la que se publica el Acuerdo del Consejo de Ministros de 16 de marzo de 2012, por el que se aprueba el plan de reestructuración y racionalización del sector público empresarial y fundacional estatal. BOE 24-03-2012, núm. 72.

Ley Orgánica 2/2012, de 27 de abril, de estabilidad presupuestaria y sostenibilidad financiera. BOE 30-04-2012, núm. 103.

Real Decreto 1082/2012, de 13 de julio, por el que se aprueba el Reglamento de desarrollo de la Ley 35/2003, de 4 de noviembre, de instituciones de inversión colectiva. BOE 20-07-2012, núm. 173.

Ley 9/2012, de 14 de noviembre, de reestructuración y resolución de entidades de crédito (BOE 15-11-2012, núm. 275.

Real Decreto-ley 27/2012, de 15 de noviembre, de medidas urgentes para reforzar la protección a los deudores hipotecarios, BOE 16-11-2012, núm. 276.

Ley 16/2012, de 27 de diciembre, por la que se adoptan diversas medidas tributarias dirigidas a la consolidación de las finanzas públicas y al impulso de la actividad económica. BOE 28-12-2012, núm. 312.

Real Decreto 233/2013, de 5 de abril, por el que se regula el Plan Estatal de fomento del alquiler de viviendas, la rehabilitación edificatoria, y la regeneración y renovación urbanas, 2013-2016. BOE 10-04-2013, núm. 86.

Ley 1/2013, de 14 de mayo, de medidas para reforzar la protección a los deudores hipotecarios, reestructuración de deuda y alquiler social. BOE 15-05-2017, núm. 116.

Ley 4/2013, de 4 de junio, de medidas de flexibilización y fomento del mercado del alquiler de viviendas. BOE 05-06-2013, núm. 134.

Ley 26/2013, de 27 de diciembre, de cajas de ahorros y fundaciones bancarias. BOE 28-12-2013, núm. 311.

Ley 27/2013, de 27 de diciembre, de racionalización y sostenibilidad de la Administración Local. BOE 30-12-2013, núm. 312.

Ley 27/2014, de 27 de noviembre, del impuesto sobre sociedades. BOE 28-11-2014, núm. 288.

Ley 9/2015, de 25 de mayo, de medidas urgentes en materia concursal. BOE 26-05-2015, núm. 125.

Ley 11/2015, de 18 de junio, de recuperación y resolución de entidades de crédito y empresas de servicios de inversión, BOE 19-06-2015, núm. 146.

Real Decreto 594/2015, de 3 de julio, por el que se regula el Registro de Entidades Religiosas. BOE 01-08-2015, núm. 183.

Ley 40/2015, de 1 de octubre, de Régimen Jurídico del Sector Público. BOE 02-10-2015, núm. 236.

Ley 43/2015, de 9 de octubre, del Tercer Sector de Acción Social. BOE 10-10-2015, núm. 243.

Real Decreto Legislativo 2/2015, de 23 de octubre, por el que se aprueba el texto refundido de la Ley del Estatuto de los Trabajadores. BOE 24-10-2015, núm. 255.

Real Decreto Legislativo 7/2015, de 30 de octubre, por el que se aprueba el texto refundido de la Ley de Suelo y Rehabilitación Urbana. BOE 31-10-2015, núm. 261.

Real Decreto Legislativo 8/2015, de 30 de octubre, por el que se aprueba el texto refundido de la Ley General de la Seguridad Social. BOE 31-10-2015, núm. 261.

Real Decreto 637/2016, de 9 de diciembre, por el que se prorroga el Plan Estatal de fomento del alquiler de viviendas, la rehabilitación edificatoria, y la regeneración y renovación urbanas 2013-2016 regulado por el Real Decreto 233/2013, de 5 de abril. BOE 10-12-2016, núm. 298.

Real Decreto-ley 5/2017, de 17 de marzo, por el que se modifica el Real Decreto-ley 6/2012, de 9 de marzo, de medidas urgentes de protección de deudores hipotecarios sin recursos, y la Ley 1/2013, de 14 de mayo, de medidas para reforzar la protección a los deudores hipotecarios, reestructuración de deuda y alquiler social. BOE 18-03-2017, núm. 66.

Ley 9/2017, de 8 de noviembre, de Contratos del Sector Público, por la que se transponen al ordenamiento jurídico español las Directivas del Parlamento Europeo y del Consejo 2014/23/UE y 2014/24/UE, de 26 de febrero de 2014 (BOE 09-11-2017, núm. 272).

Real Decreto 1077/2017, de 29 de diciembre, por el que se fija el salario mínimo interprofesional para 2018. BOE 30-12-2017, núm. 317.

Real Decreto 106/2018, de 9 de marzo, por el que se regula el Plan Estatal de Vivienda 2018-2021. BOE 10-03-2018, núm. 61.

Ley 5/2018, de 11 de junio, de modificación de la Ley 1/2000, de 7 de enero, de Enjuiciamiento Civil, en relación a la ocupación ilegal de viviendas. BOE 12-06-2018, núm. 142.

Real Decreto-ley 7/2019, de 1 de marzo, de medidas urgentes en materia de vivienda y alquiler. BOE 5-3-2019, núm. 55.

Ley 5/2019, de 15 de marzo, reguladora de los contratos de crédito inmobiliario (BOE 16-03-2019, núm. 65.

Real Decreto-ley 6/2020, de 10 de marzo, por el que se adoptan determinadas medidas urgentes en el ámbito económico y para la protección de la salud pública (BOE 11-03-2020, núm. 62).

Real Decreto-ley 8/2020, de 17 de marzo, de medidas urgentes extraordinarias para hacer frente al impacto económico y social del COVID-19. BOE 18-03-2020, núm. 73.

Real Decreto-ley 11/2020, de 31 de marzo, por el que se adoptan medidas urgentes complementarias en el ámbito social y económico para hacer frente al COVID-19. BOE 01-04-2020, núm. 91.

Orden TMA/336/2020, de 9 de abril, por la que se incorpora, sustituye y modifican sendos programas de ayuda del Plan Estatal de Vivienda 2018-2021, en cumplimiento de lo dispuesto en los artículos 10, 11 y 12 del Real Decreto-ley 11/2020, de 31 de marzo, por el que se adoptan medidas urgentes complementarias en el ámbito social y económico para hacer frente al COVID-19 (BOE 11-04-2020, núm. 101).

Real Decreto-ley 37/2020, de 22 de diciembre, de medidas urgentes para hacer frente a las situaciones de vulnerabilidad social y económica en el ámbito de la vivienda y en materia de transportes. BOE 23-12-2020, núm. 334.

Real Decreto-ley 1/2021, de 19 de enero, de protección de los consumidores y usuarios frente a situaciones de vulnerabilidad social y económica. BOE 20-01-2021, núm. 17.

Real Decreto-ley 16/2021, de 3 de agosto, por el que se adoptan medidas de protección social para hacer frente a situaciones de vulnerabilidad social y económica. BOE 04-08-2021, núm. 185.

2. Autonómica

Ley 1/1973, de 1 de marzo, por la que se aprueba la Compilación del Derecho Civil Foral de Navarra. BOE 07-03-1973, núm. 57.

Ley Orgánica 3/1979, de 18 de diciembre, de Estatuto de Autonomía para el País Vasco. BOE 22-12-1979, núm. 306.

Ley Orgánica 5/1982, de 1 de julio, de Estatuto de Autonomía de la Comunidad Valenciana, BOE 10-07-1982, núm. 164.

Ley Orgánica 3/1983, de 25 de febrero, de Estatuto de Autonomía de la Comunidad de Madrid. BOE 01-03-1983, núm. 51.

Decreto 262/1985, de 18 de diciembre, sobre constitución de la Empresa Pública de Suelo de Andalucía (EPSA). BOJA 24-01-1986, núm. 6.

Decreto 100/1986, de 22 de octubre, por el que se regula la cesión, en arrendamiento, de las viviendas de Protección Oficial de Promoción Pública de Madrid. BOCM 31-10-1986, núm. 259.

Ley 4/1993, de 24 de junio, de cooperativas de Euskadi. BOE 10-02-2012, núm. 35.

Ley Foral 2/1995, de 10 de marzo, por la que se regulan las Haciendas Locales de Navarra. BOE 07-07-1995, núm. 161.

Ley 5/1998, de 18 de diciembre, de Cooperativas de Galicia. BOE 25-03-1999, núm. 72.

Ley 4/1999, de 30 de marzo, de cooperativas de la Comunidad de Madrid. BOE 02-06-1999, núm. 131.

Ley 2/2003, de 30 de enero, de vivienda de Canarias. BOE 06-03-2003, núm. 56.

Ley 24/2003, de 26 de diciembre, de medidas urgentes de política de vivienda protegida de Aragón. BOE 16-01-2004, núm. 14.

Decreto Legislativo 1/2005, de 26 de septiembre, del Gobierno de Aragón, por el que se aprueba el texto refundido de las disposiciones dictadas por la Comunidad Autónoma de Aragón en materia de tributos cedidos. BOE 28-10-2005, núm. 128.

Ley Orgánica 1/2006, de 10 de abril, de reforma de la Ley Orgánica 5/1982, de 1 de julio, del Estatuto de Autonomía de la Comunidad Valenciana, BOE 11-04-2006, núm. 86.

Ley 2/2006, de 30 de junio, de suelo y urbanismo del País Vasco. BOE 4-11-2011, núm. 266.

Ley Orgánica 6/2006, de 19 de julio, de reforma del Estatuto de Autonomía de Cataluña. BOE 20-07-2006, núm. 172.

Decreto 149/2006, de 25 de julio, por el que se aprueba el Reglamento de Viviendas Protegidas de la Comunidad Autónoma de Andalucía y se desarrollan determinadas Disposiciones de la Ley 13/2005, de 11 de noviembre, de medidas en materia de Vivienda Protegida y el Suelo. BOJA 08-08-2006, núm. 153.

Ley Orgánica 5/2007, de 20 de abril, de reforma del Estatuto de Autonomía de Aragón. BOE 23-04-2007, núm. 97.

Ley 12/2007, de 11 de octubre, de Servicios Sociales de Cataluña. BOE 06-11-2007, núm. 266.

Ley 18/2007, de 28 de diciembre, del derecho a la vivienda de Cataluña. BOE 27-02-2008, núm. 50.

Decreto 39/2008, de 4 de marzo, sobre régimen jurídico de viviendas de protección pública y medidas financieras en materia de vivienda y suelo del País Vasco. BOPV 28-03-2008, núm. 59.

Decreto 211/2008, de 4 de noviembre, del Gobierno de Aragón, por el que se aprueba el Reglamento del Registro de solicitantes de vivienda protegida y de adjudicación de viviendas protegidas de Aragón. BOA 14-11-2008, núm. 190.

Ley 12/2008, de 5 de diciembre, de Servicios Sociales del País Vasco. BOE 07-10-2019, núm. 242.

Decreto 106/2009, de 19 de mayo, por el que se regulan el Registro de Solicitantes de Viviendas con Protección Oficial de Cataluña y los procedimientos de adjudicación de las viviendas con protección oficial. DOGC 13-07-2009, núm. 5419.

Ley 13/2009, de 22 de julio, de la Agencia de la Vivienda de Cataluña. BOE 17-08-2009, núm. 198.

Decreto 74/2009, de 30 de julio, por el que se aprueba el Reglamento de Viviendas con Protección Pública de la Comunidad de Madrid. BOCM 10-08-2009, núm. 188.

Orden de 18 de diciembre de 2009, de la Conselleria de Medio Ambiente, Agua, Urbanismo y Vivienda, por la que se crea y regula el Registro de Demandantes de Vivienda Protegida. DOCV 28-12-2009, núm. 6173.

Ley 1/2010, de 8 de marzo, Reguladora del Derecho a la Vivienda en Andalucía. BOE 30-03-2010, núm. 77.

Ley Foral 10/2010, de 10 de mayo, del derecho a la vivienda en Navarra. BOE 31-05-2010, núm. 132.

Ley 4/2010, de 22 de junio, por la que se modifica la Ley 9/1998, de 22 de diciembre, de Cooperativas de Aragón. BOE 12-08-2010, núm. 195.

Ley 22/2010, de 20 de julio, del Código de consumo de Cataluña. BOE 13-08-2010, núm. 196.

Orden 5/2010, de 30 de julio, de la Conserjería de Medio Ambiente, Agua, Urbanismo y Vivienda, por la que se crea y regula la Red Alquila en la Comunidad Valenciana. DOCV 13-08-2010, núm. 6332.

Decreto Legislativo 1/2010, de 3 de agosto, por el que se aprueba el texto refundido de la Ley de urbanismo de Cataluña. BOE 08-09-2010, núm. 218.

Ley 9/2010, de 30 de agosto, del derecho a la vivienda de la Comunidad de Castilla y León. BOE 28-09-2010, núm. 235.

Ley 10/2011, de 29 de diciembre, de simplificación y mejora de la regulación normativa de Cataluña. BOE 14-01-2012, núm. 12.

Decreto 43/2012, de 27 de marzo, por el que se crea el Programa de Intermediación en el Mercado de Alquiler de Vivienda Libre ASAP (Alokairu Segurua, Arrazoizko Prezioa) del País Vasco. BOPV 30-03-2012, núm. 66.

Ley 8/2012, de 29 de junio, de vivienda de Galicia. BOE 08-09-2012, núm. 217.

Orden de 15 de octubre de 2012, del Consejero de Vivienda, Obras Públicas y Transportes, del registro de solicitantes de vivienda y de los procedimientos para la adjudicación de Viviendas de Protección Oficial y Alojamientos Dotacionales de Régimen Autonómico. BOPV 31-10-2012, núm. 211.

Decreto-ley 6/2013, de 9 de abril, de medidas para asegurar el cumplimiento de la función social de la vivienda de Andalucía. BOJA 11-04-2013, núm. 69.

Decreto 102/2013, de 11 de junio, del Gobierno de Aragón, por el que se crea y regula la Red de Bolsas de Viviendas para el Alquiler Social de Aragón. BOA 20-06-2013, núm. 120.

Ley Foral 24/2013, de 2 de julio, de medidas urgentes para garantizar el derecho a la vivienda en Navarra. BOE 27-07-2013, núm. 24.

Decreto Foral 61/2013, de 18 de septiembre, por el que se regulan las actuaciones protegibles en materia de vivienda. BON 25-09-2013, núm. 185.

Ley 4/2013, de 1 de octubre, de medidas para asegurar el cumplimiento de la función social de la vivienda de Andalucía. BOE 02-11-2013, núm. 263.

Ley Foral 31/2013, de 31 de octubre, de modificación del artículo 132 y del Capítulo VIII del Título II de la Ley Foral 2/1995, de 10 de marzo, de Haciendas Locales de Navarra. BOE 27-11-2013, núm. 284.

Decreto 157/2010, de 2 de noviembre, de reestructuración de la Secretaría de Vivienda, creación del Observatorio de l'Hàbitat y la Segregación Urbana y aprobación de los Estatutos de la Agencia de Vivienda de Cataluña. DOGC 11-11-2010, núm. 5753.

Decreto 102/2013, de 11 de junio, del Gobierno de Aragón, por el que se crea y regula la Red de Bolsas de Viviendas para el Alquiler Social de Aragón. BOA 20-06-2013, núm. 120.

Decreto 424/2013, de 7 de octubre, sobre la declaración de interés social de las entidades sin ánimo de lucro de servicios sociales del País Vasco. BOPV 18-10-2013, núm. 200.

Decreto 466/2013, de 23 de diciembre, por el que se regula el Programa de Vivienda Vacía "Bizigune" del País Vasco. BOPV 30-12-2013, núm. 247.

Decreto 75/2014, de 27 de mayo, del Plan para el derecho a la vivienda de Cataluña. DOGC 29-05-2014, núm. 6633.

Ley 2/2014, de 20 de junio, de modificación de la Ley 2/2003, de 30 de enero, de Vivienda de Canarias y de medidas para garantizar el derecho a la vivienda. BOE 11-07-2014, núm. 168.

Ley 6/2015, de 24 de marzo, de la vivienda de la Región de Murcia (BOE 30-04-2015, núm. 103).

Decreto-Ley 1/2015, de 24 de marzo, de medidas extraordinarias y urgentes para la movilización de las viviendas provenientes de procesos de ejecución hipotecaria de Cataluña (BOE 01-06-2015, núm. 130.

Decreto Legislativo 2/2015, de 15 de mayo, del Consell, por el que aprueba el texto refundido de la Ley de Cooperativas del la Comunitat Valenciana. DOCV 20-05-2015, núm. 7529.

Ley 3/2015, de 18 de junio, de vivienda del País Vasco (BOE 13-07-2015, núm. 166).

Ley 12/2015, de 9 de julio, de cooperativas de Cataluña. BOE 14-08-2015, núm. 194.

Ley 14/2015, de 21 de julio, del impuesto sobre las viviendas vacías, y de modificación de normas tributarias y de la Ley 3/2012. BOE 15-08-2015, núm. 195.

Ley 19/2015, de 29 de julio, de incorporación de la propiedad temporal y de la propiedad compartida al libro quinto del Código civil de Cataluña. BOE 08-09-2015, núm. 215.

Ley 24/2015, de 29 de julio, de medidas urgentes para afrontar la emergencia en el ámbito de la vivienda y la pobreza energética. BOE 09-09-2015, núm. 216. (Cataluña).

Decreto-ley 3/2015, de 15 de diciembre, del Gobierno de Aragón, de medidas urgentes de emergencia social en materia de prestaciones económicas de carácter social, pobreza energética y acceso a la vivienda. BOA 18-12-2015, núm. 243.

Decreto 17/2016, de 18 de febrero, por el que se crea y se regula el Censo de viviendas vacías de la Comunidad Autónoma de Galicia. DOG 26-02-2016, núm. 39.

Ley 6/2016, de 12 de mayo, del Tercer Sector Social de Euskadi. BOE 23-06-2016, núm. 151.

Decreto 149/2006, de 25 de julio, por el que se aprueba el Reglamento de Viviendas Protegidas de la Comunidad Autónoma de Andalucía y se desarrollan determinadas Disposiciones de la Ley 13/2005, de 11 de noviembre, de medidas en materia de Vivienda Protegida y el Suelo. BOJA 08-08-2016, núm. 153.

Decreto 174/2016, de 15 de noviembre, por el que se aprueban los Estatutos de la Agencia de Vivienda y Rehabilitación de Andalucía (AVRA). BOJA 21-11-2016, núm. 223.

Ley 10/2016, de 1 de diciembre, de medidas de emergencia en relación con las prestaciones económicas del Sistema Público de Servicios Sociales y con el acceso a la vivienda en la Comunidad Autónoma de Aragón. BOE 17-01-2017, núm. 14.

Ley 4/2016, de 23 de diciembre, de medidas de protección del derecho a la vivienda de las personas en riesgo de exclusión residencial. BOE 18-01-2017, núm. 15. (Cataluña).

Ley 2/2017, de 3 de febrero, por la función social de la vivienda de la Comunidad Valenciana. BOE 07-03-2017, núm. 56.

Ley 3/2017, de 15 de febrero, del libro sexto del Código civil de Cataluña, relativo a las obligaciones y los contratos, y de modificación de los libros primero, segundo, tercero, cuarto y quinto. BOE 08-03-2017, núm. 57.

Ley 2/2017, de 17 de febrero, de emergencia social de la vivienda de Extremadura. BOE 22-03-2017, núm. 69.

Decreto Foral Legislativo 1/2017, de 26 de julio, por el que se aprueba el Texto Refundido de la Ley Foral de Ordenación del Territorio y Urbanismo de Navarra. BOE 09-11-2017, núm. 272.

Ley 1/2018, de 26 de abril, por la que se establece el derecho de tanteo y retracto en desahucios de viviendas en Andalucía, mediante la modificación de la Ley 1/2010, de 8 de marzo, Reguladora del Derecho a la Vivienda en Andalucía, y se modifica la Ley 13/2005, de 11 de noviembre, de medidas para la vivienda protegida y el suelo. BOE 25-05-2018, núm. 127.

Ley 5/2018, de 19 de junio, de la vivienda de las Illes Balears. BOE 13-07-2018, núm. 169.

Ley 5/2018, de 19 de junio, de la vivienda de las Illes Balears. BOE 13-07-2018, núm. 169.

Decreto 161/2018, de 28 de agosto, de defensa de la vivienda del parque público residencial de la Comunidad Autónoma de Andalucía, por el que se modifica el Decreto 149/2006, de 25 de julio, el Reglamento de Viviendas Protegidas de la Comunidad Autónoma de Andalucía, aprobado por dicho decreto, y el Reglamento Regulador de los Registros Públicos Municipales de Demandantes de Vivienda Protegida, aprobado por Decreto 1/2012, de 10 enero. BOJA 05-09-2018, núm. 172.

Plan director de vivienda 2018-2020 del País Vasco, disponible en http://www.etxebide.euskadi.eus/x39-ovad01/es/contenidos/informacion/ovv_pdv_2018_2020/es_def/index.shtml (último acceso 14-8-2018).

Decreto 223/2018, de 18 de diciembre, del Gobierno de Aragón, por el que se regula el Plan Aragonés de Vivienda 2018-2021. BOA 19-12-2018, núm. 244.

Decreto Ley 5/2019, de 5 de marzo, de medidas urgentes para mejorar el acceso a la vivienda de Cataluña. DOGC 7-3-2019, núm. 7825.

Ley 11/2019, de 11 de abril, de promoción y acceso a la vivienda de Extremadura (BOE 15-05-2019, núm. 116).

Resolución TES/987/2019, por la que se publica el Reglamento de la Mesa de valoración de situaciones de emergencias económicas y sociales de Cataluña. DOGC 18-04-2019, núm. 7857.

Decreto 144/2019, de 17 de septiembre de 2019, por el que se regula el Programa de Intermediación en el Mercado de Alquiler de Vivienda Libre ASAP (Alokairu Segurua, Arrazoizko Prezioa) del País Vasco. BOPV 30-09-2019, núm. 185.

Decreto ley 17/2019, de 23 de diciembre, de medidas urgentes para mejorar el acceso a la vivienda. BOE 21-02-2020, núm. 45.

Ley 4/2020, de 29 de abril, de presupuestos de la Generalidad de Cataluña para el 2020. DOGC 30-04-2020, núm. 8124.

Decreto 91/2020, de 30 de junio, por el que se regula el Plan Vive en Andalucía, de vivienda, rehabilitación y regeneración urbana de Andalucía 2020-2030. BOJA 03-07-2020, núm. 127.

Ley 11/2020, de 18 de septiembre, de medidas urgentes en materia de contención de rentas en los contratos de arrendamiento de vivienda y de modificación de la Ley 18/2007, de la Ley 24/2015 y de la Ley 4/2016, relativas a la protección del derecho a la vivienda. BOE 29-09-2020, núm. 258.

Decreto ley 24/2020, de 23 de diciembre, de medidas extraordinarias y urgentes en los ámbitos de vivienda, transportes y puertos de titularidad de la Comunidad Autónoma de Canarias BOIC 28-12-2020, núm. 267.

3. Inglesa

Housing Act (Ley de vivienda), de 16 de julio de 1964. c. 56.

Housing Act (Ley de vivienda), de 31 de julio de 1974. c. 44.

Housing Act (Ley de vivienda), de 8 de agosto de 1980. c. 51.

Inheritance Tax Act (Ley del impuesto sobre sucesiones), de 31 de julio de 1984. c. 51.

Companies Act (Ley de sociedades), de 11 de marzo de 1985. c. 6.

Housing Associations Act (Ley de las *housing associations*), de 30 de octubre de 1985. c. 69.

Housing Act (Ley de vivienda), de 15 de noviembre de 1988. c. 50.

Town and Country Planning Act (Ley de planificación urbana y rural), de 24 de mayo de 1990. c. 8.

The Housing (right to manage) Regulations (Reglamento de vivienda del *right to manage*), de 7 de marzo de 1994. c. 627.

Value Added Tax Act (Ley del impuesto sobre el valor añadido), de 5 de julio de 1994. c. 23.

Housing Act (Ley de vivienda), de 24 de julio de 1996. c. 52.

Human Rights Act (Ley de derechos humanos), de 9 de noviembre de 1998. c. 42.

Homelessness Act (Ley del sinhogarismo), de 26 de febrero de 2002. c. 7.

Finance Act (Ley de finanzas), de 10 de julio de 2003. c. 14.

Companies (Audit, Investigations and Community Enterprise) Act [Ley de Sociedades (auditoría, inspecciones y empresas comunitarias)], de 28 de octubre de 2004. c. 27.

Housing Act (Ley de vivienda), de 18 de noviembre de 2004. c. 34.

The Community Interest Company Regulations (Reglamento de las Community Interest Companies), de 30 de junio de 2005. SI 2005/1788.

Companies Act (Ley de sociedades), de 8 de noviembre de 2006. c. 46.

Charities Act (Ley de organizaciones de beneficencia), de 8 de noviembre de 2006. c. 50.

Housing and Regeneration Act (Ley de vivienda y regeneración), de 22 de julio de 2008. c. 17.

Corporation Tax Act (Ley del impuesto sobre sociedades), de 3 de marzo de 2010. c. 4.

Localism Act (Ley de localidad), de 15 de noviembre de 2011. c. 20.

Charities Act (Ley de organizaciones de beneficiencia), de 14 de diciembre de 2011. c. 25.

Welfare Reform Act (Ley de reforma de los servicios sociales), de 8 de marzo de 2012. c. 5.

Prevention of Social Housing Fraud Act (Ley de prevención de fraudes en vivienda social), de 31 de enero 2013. c. 3.

Co-operative and Community Benefit Societies Act (Ley de cooperativas y asociaciones de beneficio comunitario), de 14 de mayo de 2014. c. 14.

Welfare Reform and Work Act (Ley de reforma de los servicios sociales y la ocupación), de 16 de marzo de 2016. c. 7.

Housing and Planning Act (Ley de vivienda y urbanismo), de 12 de mayo de 2016. c. 22.

The Legislative Reform (Regulator of Social Housing) (England) Order (Orden de reforma legislative del Regulator of Social Housing, Inglaterra), de 30 de septiembre de 2018. SI 2018/1040.

4. Neerlandesa

Woningwet (Ley de vivienda), de 22 de junio de 1901. *Staatsblad* 1901, núm. 158.

Woningwet (Ley de vivienda), de 12 de julio de 1962. *Staatsblad* 1962, núm. 287.

Besluit huurprijzen woonruimte (Decreto de los precios de los arrendamientos de vivienda), de 18 de abril de 1979. *Staatsblad* 1979, núm. 216.

Leegstandswet (Ley de viviendas vacías), de 21 de mayo de 1981. *Staatsblad* 1981, núm. 337.

Wet tot herziening van de Woningwet (Ley revisada de vivienda), de 29 de agosto de 1991. *Staatsblad* 1991, núm. 439.

Burgerlijk Wetboek Boek 7 (Código Civil neerlandés. Libro 7º), de 22 de noviembre de 1991. *Staatsblad* 1991, núm. 600.

Besluit Beheer Sociale Huursector (Decreto sobre la gestión del sector del alquiler social), de 9 de octubre de 1992. *Staatsblad* 1992, núm. 555.

Uitvoeringswet huurprijzenwet woonruimte (Ley de implementación de los precios del alquiler), de 21 de noviembre de 2002. *Staatsblad* 2002, núm. 589.

Wet balansverkorting geldelijke steun volkshuisvesting (Ley relativa a la reducción del saldo de la ayuda financiera para viviendas públicas), de 31 de mayo de 1995. *Staatsblad* 1995, núm. 313.

Wet op het overleg huurders verhuurder (Ley de consulta de arrendadores e inquilinos), de 27 de julio de 1998. *Staatsblad* 1998, núm. 501.

Huisvestingswet (Ley de adjudicación de vivienda), de 4 de junio de 2014. *Staatsblad* 2014, núm. 248.

Wet tot wijziging van de Herzieningswet toegelaten instellingen volkshuisvesting (Ley por la que se modifica la Ley de revisión de las instituciones admitidas de vivienda pública), de 20 de marzo de 2015. *Staatsblad* 2015, núm. 146.

Besluit houdende nieuwe nadere regels betreffende toegelaten instellingen en dochtermaatschappijen en nadere regels betreffende wooncoöperaties, de 16 de junio de 2015 (conocido como *Besluit toegelaten instellingen volkshuisvesting* o Decreto de las instituciones admitidas de vivienda). *Staatsblad* 2015, núm. 231.

Wet van 14 april 2016 tot wijziging van Boek 7 van het Burgerlijk Wetboek en enkele andere wetten in verband met het stellen van nadere huurmaatregelen tot verdere bevordering van de doorstroming op de huurmarkt (Wet doorstroming huurmarkt, es decir, Ley para flexibilizar el mercado de alquiler), de 14 de abril de 2016. *Staatsblad* 2016, núm. 158.

Regeling van de Minister voor Wonen en Rijksdienst van 21 juni 2016, nr. 2016-0000342462, houdende wijziging van de Regeling toegelaten instellingen volkshuisvesting 2015 teneinde daarin een aantal technische wijzigingen en een aantal wijzigingen met beperkte beleidsmatige gevolgen aan te brengen (Decreto del Ministerio de Vivienda que modifica el Decreto de las instituciones admitidas de vivienda 2015), de 21 de junio de 2016. *Staatscourant* 2016, núm. 34046.

5. Europea

Convenio Europeo de Derechos Humanos de 1950. Ratificado por España por instrumento de 4 de octubre de 1979. BOE 10-10-1979, núm. 243.

Carta Social Europea de 1961. Ratificado por España por instrumento de 29 de abril de 1980. BOE 26-06-1980, núm. 153.

Directiva 92/77/CEE del Consejo, de 19 de octubre de 1992, por la que se complementa el sistema común del impuesto sobre el valor añadido y se modifica la Directiva 77/388/CEE (aproximación de los tipos del IVA). DOCEE 31-10-1992, núm. L 316.

Directiva 2006/123/CE del Parlamento Europeo y del Consejo, de 12 de diciembre de 2006. DOUE 27-12-2006, núm. L 376.

Tratado de Lisboa, por el que se modifican el Tratado de la Unión Europea y el Tratado Constitutivo de la Comunidad Europea, DOUE 17-12-2007, núm. C 306.

Versión consolidad del Tratado de la Unión Europea. DOUE 30-03-2010, núm. 83/13.

Reglamento (UE) núm. 360/2012 de la Comisión, de 25 de abril de 2012, relativo a la aplicación de los artículos 107 y 108 del Tratado de Funcionamiento de la Unión Europea a las ayudas de *minimis* concedidas a empresas que prestan servicios de interés económico general. DOUE 26-04-2012, núm. L 114.

Versión consolidada del Tratado de Funcionamiento de la Unión Europea. DOUE 26-10-2012, núm. C 326.

Reglamento (UE) núm. 2015/1589 del Consejo, de 13 de julio de 2015, por el que se establecen normas detalladas para la aplicación del artículo 108 del Tratado de Funcionamiento de la Unión Europea (versión codificada). DOUE 24-9-2015, núm. L 248.

Directiva 2014/17/UE del Parlamento Europeo y del Consejo, de 4 de febrero de 2014, sobre los contratos de crédito celebrados con los consumidores para bienes inmuebles de uso residencial y por la que se modifican las Directivas 2008/48/CE y 2013/36/UE y el Reglamento (UE) n° 1093/2010. DOUE 28-02-2014, núm. L 60.

Directiva 2014/24/UE del Parlamento Europeo y del Consejo de 26 de febrero de 2014 sobre contratación pública y por la que se deroga la Directiva 2004/18/CE (DOUE 28-03-2014, núm. L 94.

Carta de los Derechos Fundamentales de la Unión Europea. DOUE 07-06-2016, núm. C 202/389

Resoluciones judiciales

1. Españolas

STS de 19 de febrero de 1982 (RJ 1982\784).

ATC de 20 de julio de 1983 (RTC 1983\359 AUTO).

STS de 31 de enero de 1984 (RJ 1984\495).

STS de 30 de octubre de 1986 (RJ 1986\6017).

STS de 22 de octubre de 1987 (RJ 1987\7463).

STC de 20 de julio de 1988 (RTC 1988\152).

STC de 6 de febrero de 1992 (RTC 1992\13).

STS de 20 de junio de 1995 (RJ 1995\4932).

STC de 20 de marzo de 1997 (RTC 1997\61).

SAP de Lleida de 4 de junio de 1997 (AC 1997\1394).

STS de 8 de julio de 1997 (RJ 1997\5575).

SAP de Madrid de 17 de febrero de 1999 (AC 1999\1989).

STS de 15 de diciembre de 1999 (RJ 1999\9352).

STS de 19 de abril de 2000 (RJ 2000\2963).

SAP de Las Palmas de 19 de febrero de 2002 (JUR 2002\277426).

SAP de Barcelona de 1 de junio de 2004 (AC 2004\1524).

STSJ de Cataluña de 19 de noviembre de 2004 (JUR 2004\1188).

ATS de 4 de julio de 2006 (JUR 2006\190875).

STS de 24 de julio de 2008 (RJ 2008\4625).

STSJ de Cataluña de 2 de octubre de 2008 (JT 2009\192).

STS de 19 de diciembre de 2009 (RJ 2009\23).

STC de 28 de julio de 2010 (RTC 2010\31).

STS de 27 de noviembre de 2012 (RJ 2012\11019).

STC de 9 de mayo de 2013 (RTC 2013\112).

STSJ de Madrid de 4 de abril de 2014 (JUR 2014\249500).

STC de 14 de mayo de 2015 (RTC 2015\93).

SAP de Madrid de 15 de julio de 2015 (JUR 2015\244135).

STC de 22 de octubre de 2015 (RTC 2015\216).

STC de 14 de diciembre de 2015 (RTC 2015\267).
SAP de Madrid de 16 de diciembre de 2016 (AC 2016\2044).
STS de 12 de mayo de 2017 (RJ 2017\2052).
STC de 6 de julio de 2017 (RTC 2017\95).
ATC de 3 de octubre de 2017 (RTC 2017\131 AUTO).
STC de 22 de febrero de 2018 (RTC 2018\16).
STC de 12 de abril de 2018 (RTC 2018\32).
STC de 26 de abril de 2018 (RTC 2018\43).
STC de 24 de mayo de 2018 (RTC 2018\54).
STC de 5 de julio de 2018 (RTC 2018\80).
STC de 19 de septiembre de 2018 (RTC 2018\97).
STC de 4 de octubre de 2018 (RTC 2018\106).
STC de 17 de enero de 2019 (RTC 2019\4).
STC de 17 de enero de 2019 (RTC 2019\5).
STC de 17 de enero de 2019 (RTC 2019\8).
STC de 31 de enero de 2019 (RTC 2019\13).
STC de 14 de febrero de 2019 (RTC 2019\21).
STSJ de Madrid de 14 de mayo de 2019 (JUR 2019\194325).
STS de 27 de mayo de 2019 (RJ 2019\2071).
STC de 13 de noviembre de 2019 (BOE 19-12-2019, núm. 304).
STC de 28 de enero de 2021 (JUR 2021\41441).

2. Europeas

STEDH de 9 de diciembre de 1994 (TEDH 1994\3, caso López contra España).
STEDH de 18 de enero de 2001 (TEDH 2001\46, caso Chapman contra Reino Unido).
STEDH de 24 de junio de 2003 (JUR 2003\125160, caso Stretch contra Reino Unido).
STJCE de 24 de julio de 2003, asunto C-280/00 (TJCE 2003\218, caso Altmark Trans GmbH y Regierungspräsidium Magdeburg contra Nahverkehrsgesellschaft Altmark GmbH, y Oberbundesanwalt beim Bundesverwaltungsgericht).
STJCE de 27 de noviembre de 2003, en los asuntos acumulados C-34/2001 a C-38/2001 (TJCE 2003\396, caso Enirisorce SpA contra Ministero delle Finanze).
STEDH de 27 de mayo de 2004 (JUR 2004\158847, caso Connors contra Reino Unido).
STEDH de 12 de julio de 2005 (JUR 2005\179423, caso Moldovan y otros contra Rumanía).
STEDH de 9 de octubre de 2007 (JUR 2007\298821, caso Stanková contra Eslovaquia).
Sentencia del Tribunal de Apelación de Inglaterra y Gales (*England and Wales Court of Appeal*) de 18 de junio de 2009 ([2009]EWCA Civ 587, caso *R. (on the application of Weaver)* contra *London & Quadrant Housing Trust*).
STJUE de 8 de mayo de 2013, asuntos acumulados C-197/11 y C-203/11 (TJCE 2013\210, Caso Eric Libert y Otros contra Gouvernement flamand).
STEDH de 28 de enero de 2014 (TEDH 2014\6, caso A.M.B. y otros contra España).
STJUE de 8 de marzo de 2017, asunto C-660/15 P (JUR 2017\104501, caso Viasat Broadcasting UK Ltd contra Comisión Europea).
STJUE de 20 de septiembre de 2018, asunto C-343/17 (JUR 2018\255335, caso Agentschap voor Grond— en Woonbeleid voor Vlaams-Brabant (Vlabinvest APB) y otros contra la Comisión Europea).

STJUE de 15 de noviembre de 2018, asuntos acumulados T-202/10 RENV II y T-203/10 RENV II (ECLI:EU:T:2018:795, caso Stichting Woonlinie and Others contra Comisión Europea).

Prensa

ABC. *El recargo del IBI a las casas vacías dobla sus ingresos desde 2006*, 25-09-2017, disponible en http://www.abc.es/economia/abci-recargo-casas-vacias-dobla-ingresos-desde-2006-201701160254_noticia.html *(último acceso 18-10-2019)*.

ABC MADRID. *Los requisitos que pide Carmena a los okupas para legalizar sus viviendas*, 14-09-2016, disponible en http://www.abc.es/espana/madrid/abci-requisitos-pide-carmena-okupas-para-legalizar-viviendas-201609140024_noticia.html (último acceso 02-10-2019).

BBC NEWS. *"Viewpoints: How did Margaret Thatcher change Britain?"*, 10-04-2013, disponible en http://www.bbc.co.uk/news/uk-politics-22076774 (último acceso 04-10-2019).

BNG BANK. *BNG Bank issues social bond to finance the most sustainable housing associations*, 06-07-2016, disponible en https://www.bngbank.com/Pages/BNG-Bank-issues-Social-Bond-to-finance-the-most-sustainable-housing-associations.aspx (último acceso 14-10-2019).

– *Sustainability Bond for Dutch Social Housing Associations*, disponible en https://www.bngbank.com/Funding/Sustainability-Bond-for-Dutch-Social-Housing-Associations (último acceso 27-03-2021).

CINCO DÍAS. *Madrid y Cataluña fichan vigilantes para ahuyentar a los okupas en VPO*, 28-02-2011, disponible en https://cincodias.elpais.com/cincodias/2011/02/28/economia/1298876180_850215.html (último acceso 19-10-2019).

DE VOLKSKRANT. *Topman Woonbron: spijt van aankoop ss Rotterdam*. Volkskrant.nl, 05-06-2014, disponible en https://www.volkskrant.nl/vk/nl/2680/Economie/article/detail/3667353/2014/06/05/Topman-Woonbron-spijt-van-aankoop-ss-Rotterdam.dhtml (último acceso 14-10-2019).

DUTCHNEWS.NL. *The big election issues: Dutch housing market under mounting pressure*, 27-02-2017, disponible en http://www.dutchnews.nl/news/archives/2017/02/the-big-election-issues-dutch-housing-market-under-mounting-pressure/ (último acceso 14-10-2019).

– *Social housing waiting lists grow as more "urgent cases" get priority*, 08-08-2018, disponible en https://www.dutchnews.nl/news/2018/08/social-housing-waiting-lists-grow-as-more-urgent-cases-get-priority/ (ultimo acceso 08-11-2019).

EL CONFIDENCIAL. *Blackstone endeuda a Fidere con 543 millones para un dividendo millonario*, 23-04-2018, disponible en https://www.elconfidencial.com/empresas/2018-04-23/blackstone-refinancia-543m-fidere-dividendo-millonario_1552971/ (último acceso 24-10-2019).

ELDIARIO.ES. *El nuevo plan del Gobierno condena a España a la cola de Europa en políticas de vivienda*, 09-03-2018, disponible en https://www.eldiario.es/economia/Espana-desarrollados-destina-politicas-vivienda_0_748225974.html, último acceso 21-10-2019).

– *Cuatro socimis acumulan casi 20.000 viviendas destinadas a alquiler*, 22-07-2018, disponible en https://www.eldiario.es/economia/veintena-acumulan-viviendas-destinadas-alquiler_0_794770886.html (último acceso 24-10-2019).

   – *Ayuntamientos y Comunidades Autónomas rechazan uno de cada cuatro pisos sociales de la Sareb*, 30-12-2018, disponible en https://www.eldiario.es/economia/Ayuntamientos-Comunidades-Autonomas-rechazan-Sareb_0_850765213.html (último acceso 28-10-2019).

   – *La Justicia reabre el caso de la venta de viviendas públicas a un fondo buitre en el mandato de Ana Botella en Madrid*, 28-05-2019, disponible en https://www.eldiario.es/madrid/Justicia-viviendas-publicas-Ana-Botella_0_903960190.html (último acceso 19-10-2019).

EL DIARIO VASCO. *Los titulares de 20.000 VPO con derecho de superficie podrán adquirir la plena propiedad de su vivienda*, 24-01-2017, disponible en https://www.diariovasco.com/sociedad/201701/24/titulares-derecho-superficie-podran-20170124170203.html (último acceso 19-10-2019).

EL ECONOMISTA. *Madrid vende 1.860 viviendas a Blackstone por 128,5 millones: sale una media de 69.000 euros por piso*, 24-07-2013, disponible en http://www.eleconomista.es/vivienda/noticias/5018630/07/13/Madrid-vende-a-Blackstone-1860-pisos-a-un-precio-de-69000-euros.html (último acceso 19-10-2019).

   – *Madrid vende 3.000 pisos a Goldman Sachs y Azora por 201* millones, 09-08-2013, disponible en http://www.eleconomista.es/interstitial/volver/nectarnovdic13/vivienda/noticias/5059064/08/13/La-Comunidad-de-Madrid-vende-3000-pisos-a-Goldman-Sachs-y-Azora-por-201-millones.html (último acceso 19-10-2019).

EL MUNDO. *Cataluña blinda sus VPO vacías*, 12-02-2013, disponible en http://www.elmundo.es/elmundo/2013/02/12/suvivienda/1360660473.html (último acceso 19-10-2019).

   – *El fracaso del Fondo Social de Viviendas*, 22-06-2015, disponible en http://www.elmundo.es/economia/2015/06/22/5586eaffe2704e0a1f8b457a.html (último acceso 17-10-2019).

   – *Ada Colau mantiene su plan para legalizar las ocupaciones en Barcelona*, 27-02-2016, disponible en http://www.elmundo.es/cataluna/2016/02/27/56d099c122601db6078b4617.html (último acceso 02-10-2019).

   – *Barcelona dobla su parque de vivienda pública con otros 255 pisos*, 02-03-2016, disponible en http://www.elmundo.es/cataluna/2016/03/02/56d6f1e822601daf3d8b4672.html, último acceso 26-10-2019.

   – *Las Socimis agitan ahora la vivienda*, 23-09-2016, disponible en http://www.elmundo.es/economia/2016/09/23/57e3f4cde5fdeaf4388b45bc.html (último acceso 24-10-2019).

   – *Sareb lanzará su Socimi con una selección de 1.500 de sus mejores activos en alquiler*, 21-08-2017, disponible en http://www.elmundo.es/economia/vivienda/2017/08/21/599a8aad268e3e62398b45f2.html (último acceso 24-10-2019).

   – *Cifuentes legaliza a 331 okupas*, 26-10-2017, disponible en http://www.elmundo.es/madrid/2017/10/26/59f0ece2e5fdeab0698b45ed.html, último acceso 26-10-2019.

   – *El Tribunal de Cuentas condena a Ana Botella y a su equipo por la venta de pisos a 'fondos buitre' y considera que la operación fue "ilegal"*, 28-12-2018, disponible en https://www.elmundo.es/madrid/2018/12/28/5c25d945fdddffaf698b456f.html (último acceso 19-10-2019).

EL PAÍS. *Mercado de vivienda 2013, dificultades estadísticas para el análisis*, 29-05-2013, disponible en https://elpais.com/economia/2013/05/29/vivienda/1369853720_383241. html (último acceso 17-10-2019).

- *La Generalitat regulariza 300 familias que vivían en pisos del banco malo"*, 12-02-2016, disponible en https://elpais.com/ccaa/2016/02/12/catalunya/1455301836_374779.html, último acceso 26-10-2019.
- *Un fondo de inversión subirá el alquiler un 40% en casas protegidas en Las Rozas*, 17-05-2017, disponible en https://elpais.com/ccaa/2017/05/10/madrid/1494438343_707542.html (último acceso 24-10-2019).
- *Si compras una casa usada, tendrás que pagar el ITP. ¿Qué tipo aplican en tu comunidad autónoma?*, 31-03-2018, disponible en https://elpais.com/economia/2018/03/27/actualidad/1522147018_946664.html (último acceso 25-10-2019).
- *Mil familias contra un fondo de inversión*, 27-08-2018, disponible en https://elpais.com/ccaa/2018/08/25/madrid/1535220469_241839.html (último acceso 24-10-2019).

EUROPA PRESS. *El Plan 18.000 del Ayuntamiento ya ha formalizado la venta de más de 300 viviendas*, 14-05-2010, disponible en https://www.europapress.es/madrid/noticia-plan-18000-ayuntamiento-ya-formalizado-venta-mas-300-viviendas-20100514151227.html (último acceso 19-10-2019).

- *Barcelona vuelve a buscar socio privado para el operador de vivienda metropolitano*, 07-07-2020, disponible en https://www.europapress.es/catalunya/barcelona-economias-00982/noticia-barcelona-vuelve-buscar-socio-privado-operador-vivienda-metropolitano-20200707113909.html (último acceso 10-04-2021).

EXPANSIÓN. *Las Socimis ponen el foco en la vivienda*, 24-03-2017, disponible en http://www.expansion.com/directivos/estilo-vida/casas/2017/03/24/58d4f60822601d14 398b45a3.html (último acceso 24-10-2019).

- *El alquiler de habitaciones: una nueva modalidad muy popularizada en zonas urbanas tensionadas*, 08-07-2019, disponible en https://www.expansion.com/juridico/opinion/2019/07/08/5d2309b2e5fdeae8048b465f.html (último acceso 24-11-2019).
- *Nace Primero H, la primera Socimi social en España para acoger a personas sin hogar*, 04-03-2021, disponible en https://www.expansion.com/empresas/inmobiliario/2021/03/04/6040b427468aeb3f038b46d0.html (último acceso 27-03-2021).

FOTOCASA. *El precio del alquiler se ha incrementado un 49% en Cataluña y un 27% en Madrid en los últimos cuatro años*, 20-02-2018, disponible en https://prensa«otocasa.es/precio-del-alquiler-se-ha-incrementado-49-cataluna-27-madrid-los-ultimos-cuatro-anos/ (último acceso 17-10-2019).

GOV.UK. *New 'Rent to Buy' scheme to help young people save and move up housing ladder*, 26-09-2014, disponible en https://www.gov.uk/government/news/new-rent-to-buy-scheme-to-help-young-people-save-and-move-up-housing-ladder (último acceso 13-10-2019).

IDAE. *Rehabilitación energética: una prioridad y una oportunidad para todos*, 28-07-2015, disponible en https://www.idae.es/noticia/rehabilitacion-energetica-una-prioridad-y-una-oportunidad-para-todos (último acceso 28-10-2019).

IDEALISTA. *Sociedad pública de alquiler: siete comunidades autónomas ofrecen gratis lo mismo por lo que Trujillo cobrará*, 15-04-2005, disponible en https://www.idealista.com/

news/inmobiliario/vivienda/2005/04/15/5103-sociedad-publica-de-alquiler-siete-comunidades-autonomas-ofrecen-gratis-lo-mismo-por (último acceso 17-10-2019)

- *Las cuatro comunidades autónomas en las que la VPO es más cara hoy que en pleno boom inmobiliario*, 28-01-2016, disponible en https://www.idealista.com/news/inmobiliario/vivienda/2016/01/28/740757-las-cuatro-comunidades-autonomas-en-las-que-la-vpo-es-mas-cara-hoy-que-en-pleno-boom (último acceso 03-10-2019).

- *Revocada la condena a Ana Botella por la venta de pisos sociales a Blackstone*, 18-07-2019, disponible en https://www.idealista.com/news/inmobiliario/vivienda/2019/07/18/776744-revocada-la-condena-a-ana-botella-por-la-venta-de-pisos-sociales-a-blackstone?xts=582065&xtor=RSS-86 (último acceso 19-10-2019).

INDEPENDENT. *More than 100,000 families waiting more than a decade for social housing, figures show*, 09-06-2018, disponible en https://www.independent.co.uk/news/uk/home-news/social-housing-uk-family-wait-homeless-shelter-accommodation-a8389926.html (último acceso 13-10-2019).

INMOLEY. *Las Socimi incumplen su función social de vivienda*, 02-06-2016, disponible en http://www.inmoley.com/NOTICIAS/1612345/2016-1-inmobiliario-urbanismo-vivienda/06-16-inmobiliario-01-22.html (último acceso 24-10-2019).

INSIDE HOUSING. *Never too big to fail*, 21-09-2012, disponible en https://www.insidehousing.co.uk/insight/insight/never-too-big-to-fail-33067 (último acceso 14-10-2019).

- *Cosmopolitan: the true story*, 22-11-2013, disponible en https://www.insidehousing.co.uk/insight/insight/cosmopolitan-the-true-story-37943 (último acceso 05-10-2019).

- *Just £10m allocated in Voluntary Right to Buy pilot*, 12-07-2019, disponible en https://www.insidehousing.co.uk/news/news/just-10m-allocated-in-voluntary-right-to-buy-pilot-62248 (último acceso 08-11-2019).

LA MONCLOA. GOBIERNO DE ESPAÑA. *1.443 millones de euros para las subvenciones del Plan Estatal de Vivienda 2018-2021*, 16-03-2018, disponible en https://www.lamoncloa.gob.es/consejodeministros/Paginas/enlaces/160318-enlacevivienda.aspx, último acceso 21-10-2019).

LA RAZÓN. *La Junta da por perdidos 50 millones en impagos del alquiler de pisos sociales*, 18-06-2017, disponible en https://www.larazon.es/local/andalucia/la-junta-da-por-perdidos-50-millones-en-impagos-del-alquiler-de-pisos-sociales-HB15412261 (último acceso 25-10-2019).

LA VANGUARDIA. *El Govern prepara la privatización de los 14.000 pisos públicos del Incasòl*, 13-11-2013, disponible en http://www.lavanguardia.com/economia/20131113/54393371000/govern-privatizacion-pisos-publicos-incasol.html (último acceso 19-10-2019).

- *Una empresa privada adquiere 298 pisos protegidos de Barcelona*, 29-11-2013, disponible en http://www.lavanguardia.com/local/barcelona/20131129/54394661451/empresa-privada-adquiere-pisos-protegidos-barcelona.html (último acceso 19-10-2019).

- *Organizaciones sociales reclaman el desarrollo de la ley del Tercer Sector*, 09-10-2017, disponible en http://www.lavanguardia.com/vida/20171009/431921266952/

organizaciones-sociales-reclaman-el-desarrollo-de-la-ley-del-tercer-sector.html (último acceso 24-10-2019).

– *Ayuntamiento de Barcelona y Blackstone acuerdan una renta asequible en la calle Hospital 99*, 15-07-2019, disponible en https://www.lavanguardia.com/local/barcelona/20190715/463484919304/ayuntamiento-de-barcelona-y-blackstone-acuerdan-una-renta-asequible-en-la-calle-hospital-99.html (último acceso 26-10-2019).

– *L'operador d'habitatge no troba cap soci privat*, 18-09-2019, disponible en https://www.pressreader.com/spain/la-vanguardia-catala/20190918/281981789296944 (último acceso 15-10-2019).

MINISTERIO DE FOMENTO. *El Gobierno autoriza la disolución de la Sociedad Pública de Alquiler (SPA)*, 16-03-2012, disponible en http://www.fomento.es/NR/rdonlyres/9AF9030A-E3AA-40B9-83E8-AB47606F4CF8/110155/12031601.pdf (último acceso 17-10-2019).

NATIONAL HOUSING FEDERATION. *ONS reclassification of private registered providers*, 03-11-2015, disponible en http://www.housing.org.uk/resource-library/browse/ons-reclassification-of-private-registered-providers/ (último acceso 13-10-2019).

SOCIAL HOUSING. *Selected housing association bonds added to Bank of England corporate bond-buying list*, 03-11-2016, disponible en http://www.socialhousing.co.uk/news/news/selected-housing-association-bonds-added-to-bank-of-england-corporate-bond-buying-list-26452 (último acceso 13-10-2019).

– *Why private placements work for housing associations and investors*, 04-04-2018, disponible en https://www.socialhousing.co.uk/comment/comment/why-private-placements-work-for-housing-associations-and-investors-55616 (último acceso 14-10-2019).

– *Bank of England urged to include HA paper in major bond-buying drive*, 23-03-2020, disponible en https://www.socialhousing.co.uk/news/news/bank-of-england-urged-to-include-ha-paper-in-major-bond-buying-drive-65740 (último acceso 27-03-2021)

TAULA D'ENTITATS DEL TERCER SECTOR SOCIAL DE CATALUNYA. *Acord de la Taula del Tercer Sector i l'Ajuntament de Barcelona per destinar 200 pisos buits a lloguer social*, 19-11-2014, disponible en http://www.tercersector.cat/noticies/acord-de-la-taula-del-tercer-sector-i-lajuntament-de-barcelona-destinar-200-pisos-buits (último acceso 27-10-2019).

THE GUARDIAN. *Largest Dutch housing association faces mass sell-off of homes*, 29-02-2012, diponible en http://www.theguardian.com/housing-network/2012/feb/29/dutch-housing-association-sell-homes (último acceso 14-10-2019).

– *More than 1m families waiting for social housing in England*, 09-06-2018, disponible en https://www.theguardian.com/society/2018/jun/09/more-than-1m-families-waiting-for-social-housing-in-england (último acceso 13-10-2019).

THIRD SECTOR. *Housing associations consider deregistering with the Charity Commission*, 31-05-2016, disponible en https://www.thirdsector.co.uk/housing-associations-consider-deregistering-charity-commission/governance/article/1396876 (último acceso 05-10-2019).

CORPORATIEGIDS MAGAZINE. *Emeritus Hoogleraar Hugo Priemus: "In de huurmarkt doen we onszelf iets vreselijks aan"*, núm. 2, 2014, pp. 9-13, disponible en https://www.corporatiegids.nl/assets/images/magazines/29/29.pdf (último acceso 08-10-2019).

VALENCIAPLAZA. *La Generalitat quiere regularizar a los 'okupas' de las viviendas públicas*, 04-04-2017, disponible en http://valenciaplaza.com/la-generalitat-quiere-regularizar-a-los-okupas-de-las-viviendas-publicas (último acceso 02-10-2019).

Anexo
Cuestionario sobre modelos de gestión de vivienda social en España*

CUESTIONARIO

Entidad:

Persona encargada de resolver el cuestionario:

1. **Naturaleza legal** de la entidad (asociación, fundación, empresa municipal, oficina local…). Añadir referencia de la norma/documento fundacional y anexarla.

2. **Volumen de viviendas** gestionadas y en qué régimen las han adquirido (propiedad, alquiler, cesión de uso, etc.):

3. Indicar el **porcentaje** que supone la oferta/gestión de vivienda social dentro de toda la actividad llevada a cabo por la entidad:

4. ¿De dónde **provienen** las viviendas? (por favor indicar los porcentajes %):

    4.1. Parque propio ___ %

    - Promoción propia ___%

    - Compra ___%

    - Donaciones/herencias ___%

    - Otros ___%

---

*   Cuestionario diseñado y utilizado en el marco del Proyecto "Gestió de l'habitatge social a Catalunya" (2014), financiado por la Escuela de Administración Pública de Cataluña, y que sirve de base para el análisis de los modelos de gestión representativos desarrollados en el Capítulo III del libro.

4.2. Viviendas cedidas:

- Administraciones públicas ___%

- Entidades del tercer sector ___%

- Otras entidades privadas___%

- Entidades financieras ___%

- Particulares___%

5. Organigrama de **organización interna** de la entidad (áreas/departamentos y órganos de gobierno, supervisión, etc.). ¿Quién forma estos órganos de responsabilidad? (ej. existencia de representantes de los arrendatarios, de la Administración, de los propietarios, etc.).

6. Rol e influencia de la **Administración pública** dentro de la entidad:

- En el nombramiento del director o de otros cargos ___%

- Si se deben rendir cuentas anuales ___%

- Para recibir arrendatarios ___%

- Para recibir viviendas ___%

- Otros ___%

7. ¿Qué oferta tienen de **vivienda social** (por favor indicar los porcentajes %)?:

7.1. Oferta VPO ___%

- Propiedad ___%

- Alquiler ___%

- Alquiler con opción a compra ___%

- Derecho de superficie ___%

- Cesión de uso[1894] ___%

[1894] Derecho de uso y disfrute que cede una cooperativa a sus asociados.

- ¿Qué les parecería la idea de poder utilizar las "tenencias intermedias" como la propiedad compartida y la propiedad temporal, pendientes de ser introducidas en Cataluña?[1895]

- Otras figuras:

7.2. Bolsa de mediación de alquiler social ___%

7.3. Gestión de viviendas cedidas por entidades bancarias ___%. ¿De cuáles?

- Bankia ___%

- Caixa Catalunya ___%

- SAREB ___%

- Otras:

7.4. Viviendas de inclusión o para otros colectivos vulnerables ___%

7.5. Alojamientos colectivos ___%

7.6. Regeneración urbana[1896]

7.7. ¿Utilizan la figura de la rehabilitación por renta (art. 17.5 LAU 2013)[1897]?

7.8. Otros:

8. Oferta de otros **servicios sociales** (detallar si se ofrecen directamente por la entidad o si se ofrecen indirectamente a través de convenios con otras entidades):

[1895] Proyecto de ley de incorporación de la propiedad temporal y de la propiedad compartida en el libro quinto del Código civil de Cataluña. BOPC núm. 342, 23-06-2014. **Propiedad compartida**: la propiedad compartida confiere a uno de los dos titulares, el propietario material, una cuota del dominio, la posesión, el uso y el disfrute exclusivo del bien y el derecho de adquirir, de manera gradual, la cuota restante del otro titular, el propietario formal (art. 556-1 CCC). **Propiedad temporal**: el derecho de propiedad temporal confiere a su titular el dominio de un bien durante un plazo cierto y determinado, que una vez vencido hace tránsito al titular sucesivo (art. 547-1 CCC).

[1896] Participación en los Planes integrales de regeneración de barrios.

[1897] Ley 29/1994, de 24 de noviembre, de arrendamientos urbanos (BOE núm. 282, 25-11-1994), modificada per la Ley 4/2013, de 4 de junio, de medidas de flexibilización y fomento del mercado de alquiler de viviendas (BOE núm. 134, 5-6-2013).

8.1. Servicios de acompañamiento social. Explicar cuáles:

a)

b)

c)

8.2. Formación educativa/profesional y/o inserción laboral. Explicar cuáles:

a)

b)

c)

8.3. Mediación comunitaria y resolución de conflictos

8.4. Medidas contra la pobreza energética

8.5. Otros:

9. Oferta de **actividades privadas** (venta/alquiler de vivienda a precio de mercado, venta/alquiler de locales, parkings, etc.):

10. ¿Existen **promociones mixtas**, es decir, zonas o incluso edificios donde la entidad combine vivienda social con vivienda a precio de mercado y/o combine también diferentes tipos de régimen (compraventa, alquiler, etc.)?

11. Gestión del parque de alquiler. **Trámites** que se gestionan desde la entidad (aportar protocolos si hay, sino breve descripción del procedimiento):

• Depósitos

• Suministros (altas/ cambios)

• Cobro de la renta

• Reclamaciones de morosidad

- Problemas técnicos
- Problemas de convivencia
- Otros

12. **Sistema de adjudicación** de viviendas (sorteo, por importancia de la necesidad de vivienda, *first come first served*, etc.), requisitos de adjudicación y media de tiempo que se tarda en realizar la adjudicación. Breve explicación:

13. Sistema de **gestión de cobro** de las rentas de alquiler:

    13.1. ¿Cuál?

    13.2. **Ayudas al alquiler** recibidas por los arrendatarios:

    a) ¿Quién las cobra? (arrendatario, arrendador)

    b) ¿Control del cobro de otras ayudas relacionadas? (renta mínima de inserción, bonos energéticos, etc.)

    c) ¿Existe coordinación entre cobro de las ayudas y cobro de alquiler?

    13.3. ¿Cuál es la tasa de **morosidad**?

    13.4. ¿Cómo se controla la morosidad?

    d) ¿Cuándo se inicia el proceso de reclamación (meses impagados)?

    e) ¿Cuándo se inicia el proceso de desahucio (meses impagados)?

14. **Rotación** del parque de viviendas. ¿Una vez adjudicada la vivienda, se realiza un control a posteriori comprobando que el arrendatario sigue cumpliendo los requisitos para poder ser beneficiario de aquella vivienda? (por ejemplo, si su capacidad económica aumenta y deja de cumplir el requisito de ingresos máximos). ¿Quién, cómo y cada cuánto (periodicidad) se hace este control? ¿Se tienen en cuenta ingresos

provenientes de trabajo en negro del arrendatario? ¿Cómo se controla esto?

15. **Coordinación** con el área de Bienestar Social/ **Servicios Sociales**. ¿Cómo? ¿Y en referencia a qué aspectos? Anexar protocolos o convenios de colaboración si hay.

16. **Aspecto económico**:

16.1. ¿Cómo se **financia** su entidad? (indicar porcentaje %)

- Presupuesto público ___%
- Rendimiento propia actividad social ___%
- Rendimiento propia actividad privada ___%
- Ayudas reguladas en el Plan de vivienda ___%
- Donaciones/ Herencias ___%
- Mercado financiero___%
- Otras fuentes de financiación:

16.2. **Viabilidad económica** de la entidad. Balance financiero de la entidad. ¿Existe un equilibrio entre los ingresos y los gastos de la entidad? Anexar cuentas de ganancias y pérdidas si es posible.

17. Representación de los **arrendatarios** en la entidad:

- Asociaciones de vecinos
- Asociaciones de arrendatarios
- Representantes de arrendatarios en el órgano de gobierno de la entidad
- Reuniones entre órgano de gobierno y representantes de arrendatarios
- Mero derecho de información en algunas cuestiones
- Otros:

18. En el caso de viviendas cedidas, ¿qué **rol** tienen los **propietarios** de las mismas en la gestión de la vivienda?

19. Principales **problemas de gestión** (por orden numérico o % aprox.). ¿Cuál es el **procedimiento** para tratar cada uno de estos problemas? Explicar brevemente y/o aportar protocolos de actuación si hay:

- Control cumplimiento del pago del alquiler/morosidad
- Vandalismo, mal uso de las viviendas y problemas con la comunidad
- Formación de guetos
- Desahucios
- Ocupación
- Otros:

20. Opiniones y valoraciones en las **situaciones hipotéticas** planteadas:

20.1. Con los medios que cuentan actualmente (personal, económico, etc.), ¿seria viable **gestionar** un parque 2, 3 o hasta 5 veces más que el actual?[1898]

20.2. ¿Y si su entidad fuese gestionada a través de un **partenariado público-privado** (por medio de una entidad sin ánimo de lucro)? ¿Existiría diferencia? ¿Por qué?

20.3. Capacidad económica del arrendatario:

20.3.1. Posibilidad de que la entidad pueda recibir directamente la **ayuda a la vivienda** del arrendatario, y descontarlo

---

[1898] BERMÚDEZ y TRILLA, a través de dos métodos diferentes de cálculo, estima que en Cataluña existe una necesidad actual de parque de vivienda asequible de 230.000 viviendas. Véase BERMÚDEZ, T. y TRILLA, C. "Un parc d'habitatges de lloguer social. Una assignatura pendent a Catalunya", *Debats Catalunya Social. Propostes des del Tercer Sector*, núm. 39, 2014. p. 10.

del alquiler antes de pasarle el recibo al inquilino (es decir, la ayuda al alquiler del arrendatario no se da directamente a él ni al propietario, sino a la entidad gestora).

20.3.2. **Empoderamiento** del arrendatario. Posibilidad de que la entidad gestora de la vivienda social se encargue de dar "bonos" a los arrendatarios sociales, para que los inviertan en energía, alimentos, etc.; es decir, procurar que se autogestionen.

20.3.1)

20.3.2)

20.4. ¿Qué le parecería el hecho de que las entidades gestoras tuvieran más influencia e implicación en la elaboración de las **políticas públicas de vivienda**?

20.5. ¿Qué le parecería disponer de un **Registro público** conjunto de todas las **entidades gestoras**, con las finalidades de: 1) saber qué entidades existen y dónde actúan, y si están especializadas en algún sector de la población y 2) estar inscrito como requisito indispensable para acceder a las ayudas públicas que pueda haber en temas de vivienda?

20.6. Qué le parecería poder disponer (en el caso de que no exista) de un **organismo interno/externo** encargado de estar pendiente de:

20.6.1. Buscar ayudas para la entidad: de nueva construcción, rehabilitación, renovación urbana…

20.6.2. Buscar ayudas que pueden pedir sus arrendatarios, e informarles sobre las opciones de las que disponen.

21. ¿Le gustaría añadir algún comentario más?

Muchas gracias por su contribución